D1579487

Buch

Acht Jahre nach dem Selbstmord der Gefangenen Andreas Baader, Gudrun Ensslin und Jan-Carl Raspe in Stuttgart-Stammheim ist dieses Buch 1985 erstmals erschienen. Ulrike Meinhof hatte sich bereits 1976 in ihrer Zelle das Leben genommen. Was mit friedlichen Protesten gegen den Vietnam-Krieg begann, gipfelte im blutigen »Deutschen Herbst«. Moralische Empörung war erst langsam, dann immer schneller in krasse Unmoral umgeschlagen.
Mehr als 20 Jahre danach lassen sich die Ereignisse wesentlich genauer rekonstruieren, als es damals möglich war. Nach dem Fall der Mauer kam es zu Festnahmen und zu umfangreichen Aussagen von RAF-Aussteigern, die bis dahin unerkannt in der DDR gelebt hatten. Auch Unterlagen der Stasi enthüllten viele Hintergründe des Geschehens.
All diese Materialien hat Stefan Aust in die vorliegende überarbeitete und ergänzte Fassung des ursprünglichen Textes einfließen lassen. Einige Passagen und Kapitel wurden hinzugefügt, andere wurden konkretisiert.

Dieses Buch ist keine Anklageschrift, auch nicht das Plädoyer eines Verteidigers. Es ist auch kein Urteil, weder in juristischer noch in moralischer Hinsicht. Es ist ein Protokoll der Ereignisse, die ihren Höhepunkt 1977 im »Deutschen Herbst« hatten, der Entführung und Ermordung des Arbeitgeberpräsidenten Hanns Martin Schleyer und der Entführung und Befreiung der Passagiere der Lufthansamaschine »Landshut«.

Autor

Stefan Aust, langjähriger NDR- und SPIEGEL-Mitarbeiter, schrieb zahlreiche Fernsehdokumentationen und Bücher, von denen »Der Baader-Meinhof-Komplex« großes Aufsehen erregte. Er ist Gründer und Leiter von »SPIEGEL TV« (seit 1988) und seit Dezember 1994 Chefredakteur des Nachrichten-Magazins DER SPIEGEL.

Stefan Aust

Der Baader Meinhof Komplex

Erweiterte
und aktualisierte Ausgabe

GOLDMANN

Umwelthinweis:
Alle bedruckten Materialien dieses Taschenbuches
sind chlorfrei und umweltschonend.

Vollständige Taschenbuchausgabe Oktober 1998
© 1998 Wilhelm Goldmann Verlag, München
in der Verlagsgruppe Bertelsmann GmbH
© 1997 der erweiterten und aktualisierten Ausgabe
Hoffmann und Campe Verlag, Hamburg
© 1985 Hoffmann und Campe Verlag, Hamburg
Umschlaggestaltung: Design Team München
Druck: Elsnerdruck, Berlin
Verlagsnummer: 12953
KF · Herstellung: Sebastian Strohmaier
Made in Germany
ISBN 3-442-12953-2
www.goldmann-verlag.de

5 7 9 10 8 6

Vorwort

Dieses Buch ist zum ersten Mal 1985 erschienen, acht Jahre nach dem Selbstmord der Stammheimer Gefangenen Andreas Baader, Gudrun Ensslin und Jan-Carl Raspe, neun Jahre, nachdem sich Ulrike Meinhof in ihrer Zelle das Leben genommen hatte. Jener blutige »Deutsche Herbst« markierte den Gipfelpunkt eines Weges in die Gewalt, der mit zunächst friedlichen Protesten gegen den Krieg der Amerikaner in Vietnam begonnen hatte. Moralische Empörung war erst langsam, dann immer schneller in krasse Unmoral umgeschlagen.

Seit 1967 hatte ich, zunächst bei der Zeitschrift »Konkret«, dann als Mitarbeiter des Magazins »Panorama« beim NDR, die Entwicklung vom Protest über den Widerstand zum Terrorismus verfolgt. Dabei hatte ich viele derjenigen kennengelernt, die zunächst aus politischer und moralischer Empörung auf die Straße gegangen waren und später in den Untergrund abtauchten. Einige traf ich bei den Recherchen zu diesem Buch wieder, manche von ihnen saßen im Gefängnis, andere waren nach vielen Jahren Haft wieder in Freiheit. Ich führte Interviews, sammelte und sichtete etwa 60 laufende Meter Akten und versuchte daraus, die Geschichte der »Baader-Meinhof-Gruppe«, die sich später »Rote Armee Fraktion« nannte, zu rekonstruieren.

Dieses Buch sollte und soll keine Anklageschrift sein und nicht das Plädoyer eines Verteidigers. Es ist auch kein Urteil, weder in juristischer noch in moralischer Hinsicht. Es soll ein Protokoll sein, eine Chronik der Ereignisse, die ihren vorläufigen Höhepunkt in jenem blutigen »Deutschen Herbst« hatten, der Entführung und Ermordung des Arbeitgeberpräsidenten Hanns Martin Schleyer und der Entführung und Befreiung der Passagiere und Besatzungsmitglieder der Lufthansa-Maschine »Landshut«.

Inzwischen sind 20 Jahre vergangen, und die Ereignisse von damals lassen sich noch genauer rekonstruieren, als es bis etwa 1990 möglich war. Mit dem Fall der Mauer war den bundesdeutschen Fahndern nämlich eine Gruppe von RAF-Aussteigern in die Hände geraten, die in der DDR bis dahin unerkannt gelebt hatten. Eine spezielle Einheit des Ministeriums für Staatssicherheit hatte die im Westen als Terroristen steckbrieflich gesuchten RAF-Mitglieder mit gefälschten Identitäten in die realsozialistische Gesellschaft integriert. Auch einige damals noch aktive Gruppenmitglieder hatte die Stasi phasenweise in der DDR betreut und anschließend wieder in westdeutsches Operationsgebiet ausreisen lassen. Das ganze Ausmaß der Stasi-Kooperation mit ausgestiegenen, aber auch mit noch aktiven Terroristen verschiedenster Länder kam erst im Laufe der nächsten Jahre ans Licht.

Mit Hilfe von MfS-Akten lassen sich heute eine ganze Reihe zuvor ungeklärter Hintergründe ausleuchten, denn die RAF-Mitglieder hatten gegenüber den Genossen vom Ministerium für Staatssicherheit einiges offenbart. Zudem begannen die resozialisierten DDR-Neubürger in bundesdeutscher Haft überwiegend zügig auszusagen. Einige von ihnen gehörten zu den Entführern Hanns Martin Schleyers. Ihre Geständnisse wiederum bewegten einen der Haupttäter zu einer Neuaussage. Peter Jürgen Boock, wegen seiner Beteiligung an der Schleyer-Entführung ohnehin zu einer lebenslangen Strafe verurteilt, legte gegenüber der Bundesanwaltschaft so etwas wie einen »Lebensbeichte« ab. Aus diesen Protokollen und sehr ausführlichen, darauf folgenden Interviews läßt sich eine – in doppelter Hinsicht – besonders dunkle Seite des Falles aufklären. Boock schilderte detailliert die Vorbereitungen der Schleyer-Entführung, die Tat selbst, die Unterbringung des Entführten in verschiedenen Verstecken, schließlich die Ermordung des Arbeitgeberpräsidenten und die Flucht der Täter nach Bagdad. Diese Aussagen Boocks decken sich im wesentlichen mit den Ermittlungsergebnissen und den Aussagen anderer Gruppenmitglieder sowie der einzig überlebenden »Landshut«-Entführerin, die fast 20 Jahre nach der Tat in Deutschland vor Gericht gestellt wurde.

All diese Materialien habe ich als zusätzliche Passagen und Kapitel in das Buch eingearbeitet, andere Teile des ursprünglichen Textes wurden überarbeitet und ausgebaut. Der weit überwiegende Teil des Buches aber ist mit der Erstausgabe identisch.

Meine Sichtweise auf die Geschichte der RAF und die Reaktion des Staates auf die Gruppe hat sich im Laufe der Zeit im Lichte der neueren Erkenntnisse nicht wesentlich verändert – außer vielleicht in zwei Punkten: Wie genau man innerhalb der RAF über die Tatsache des Selbstmordes der Gefangenen in Stammheim Bescheid wußte und wie systematisch man die Mord-Legende gestrickt hat. Und: Welch ein ungeheures Versagen des staatlichen Fahndungsapparates dazu geführt hat, daß Schleyer nicht befreit wurde, obwohl es schon weniger als 48 Stunden nach der Entführung einen konkreten Hinweis auf sein Versteck gab.

Auch hierzu standen erst jetzt geheime Papiere zur Verfügung, aus denen sich das ganze Ausmaß des Ermittlungsdesasters und der anschließenden Vertuschungsaktion erkennen läßt.

Einige Fragen blieben bis heute ungeklärt. So etwa die Hintergründe mancher Geheimdienstspuren, die sich durch die Geschichte ziehen. Oder der Verdacht, daß die Gefangenen in Stammheim auch während der Schleyer-Entführung in ihren Zellen abgehört wurden – und daß es womöglich einen Tonbandmitschnitt ihrer letzten Nacht gibt.

Der Schilderung vergangener Ereignisse sind Grenzen gesetzt, das habe ich beim Schreiben der ersten Version des Buches genauso gespürt wie jetzt bei der Aktualisierung und Ergänzung. Zum einen ist nicht jeder bereit, Auskunft zu geben. Zum anderen sind auch Augenzeugenberichte immer subjektiv gefärbt. Ich habe damals und heute versucht, aus den verschiedenen Aussagen herauszufiltern, was sich tatsächlich abgespielt hat. Gab es einander kraß widersprechende Versionen, so habe ich diese gegenübergestellt. Soweit es möglich war, habe ich im Fluß der Erzählung deutlich gemacht, auf welche Quellen ich mich stütze. Eine ganze Reihe von Informanten haben aber darum gebeten, anonym zu bleiben.

Wertungen habe ich möglichst vermieden. Dennoch ist die Auswahl des Materials, die Gewichtung, die Zusammenstellung meine subjektive Entscheidung.

Hamburg, im September 1997 Stefan Aust

Inhalt

2. Kapitel: »Die ungestüme Herrlichkeit des Terrors«

3. Kapitel: »Die Kostüme der Müdigkeit«

4. Kapitel: Der Prozeß –
Die Baader-Meinhof-Gruppe vor Gericht

5. Kapitel: Vierundvierzig Tage im Herbst

1. Kapitel
Wege in den Untergrund

1. Tod in Stammheim

»Null Uhr achtunddreißig. Hier ist der Deutschlandfunk mit einer wichtigen Nachricht. Die von Terroristen in einer Lufthansa-Boeing entführten 86 Geiseln sind alle glücklich befreit worden. Dies bestätigt ein Sprecher des Bundesinnenministeriums soeben in Bonn. Ein Spezialkommando des Bundesgrenzschutzes hatte um 00.00 Uhr die Aktion auf dem Flughafen von Mogadischu gestartet. Nach den ersten Informationen sollen drei Terroristen getötet worden sein.«

Zwei Minuten später wiederholte das gemeinsame Nachtprogramm der ARD die Meldung im Wortlaut. Es war Dienstag, der 18. Oktober 1977.

Im 7. Stock der Justizvollzugsanstalt Stuttgart-Stammheim wachte einsam der Justizassistent Hans Rudolf Springer über die Gefangenen Andreas Baader, Gudrun Ensslin, Jan-Carl Raspe und Irmgard Möller. Er saß in der Wachkabine, getrennt von den Gefangenen durch Wände, Gitter und Türen. Über Fernsehmonitore konnte er den großen Flur vor den Zellen beobachten. Nichts regte sich.

Die Meldung, eingestreut in das nächtliche Musikprogramm, riß Springer vom Stuhl. Er ging in den hinteren Flügel des Zellentrakts und stellte sich vor das Gitter zum Flur. Alles war still. Springer ging zurück in seinen Wachraum und starrte weiter auf die Monitore.

Um 6.30 Uhr wurde der Justizassistent von einem Kollegen abgelöst. Langsam erwachte die Anstalt.

Um 7.15 Uhr traten die Vollzugsbediensteten Miesterfeld, Stapf, Stoll, Griesinger und Hermann ihren Dienst an. Hauptsekretär Miesterfeld holte bei der Vollzugsdienstleitung die Zellenschlüssel ab und quittierte mit seiner Unterschrift. Dann schaltete er die Alarmanlage aus. Er öffnete die Gittertür zum Zellenflur und zog die Jalousien vor dem Fenster am hinteren Zellenflur auf. Licht fiel durch die Glasbausteine. Die Beamten wuchteten gemeinsam die gepolsterten Spanplatten von den Zellentüren, mit denen nächtliche Sprechkontakte zwischen den Gefangenen verhindert werden sollten.

Miesterfeld öffnete die Sicherheitsschlösser aller vier Zellen. Um 7.41 Uhr schloß Obersekretär Stoll die Tür zur Nummer 716 auf. Neben ihm stand der Hauptsekretär Willi Stapf. Die beiden Beamten hatten den Frühstückswagen mit Kaffee, Graubrot und einem gekochten Ei in den

Trakt geschoben. Ihnen war seltsam zumute. Der Gefangene Raspe stand nicht, wie sonst, an der Tür. Ihre Kollegen, unter ihnen die Vollzugsbeamtin Renate Frede, die während der Nacht im 7. Stock Bereitschaftsdienst gehabt hatte, standen einige Schritte entfernt.

Stoll warf einen Blick in die Zelle und drehte sich abrupt um: »Komm einmal her. Schau mal, da ist was los!«

Die Beamten drängten sich in die Türöffnung. Das Bett Raspes stand wie gewöhnlich quer zum Eingang. Es reichte fast von einer Zellenwand zur anderen. Raspe saß mit ausgestreckten Beinen auf dem Bett. Mit dem Rücken lehnte er an der Treppenhauswand. Sein Kopf war leicht nach rechts gedreht und hing nach unten. Von der linken Schädelseite rann Blut. An der Wand hinter Raspes Kopf war ein Blutfleck. Stoll bemerkte, daß Raspe atmete, und hörte ihn stöhnen.

»Mach sofort wieder zu!« ordnete Hauptsekretär Miesterfeld an. Keiner der Justizbeamten hatte die Zelle betreten. Stoll schloß die Tür wieder zu und verständigte den stellvertretenden Vollzugsdienstleiter Bubeck. Miesterfeld rief das Krankenrevier an.

Die Beamten sprachen leise, damit die Gefangenen in den übrigen Zellen nichts von den Geschehnissen mitbekamen. Kaum drei Minuten später betraten zwei Sanitäter in Begleitung von Amtsinspektor Götz und Hauptsekretär Münzing den Zellentrakt. Die Tür wurde wieder aufgeschlossen, und die Beamten gingen in Raspes Zelle. »Da liegt eine Pistole!« rief einer der Beamten.

»Der lebt ja noch«, entfuhr es Götz, »vorsichtshalber nehme ich die Pistole weg.« Mit seinem Taschentuch ergriff er die Waffe vorn am Lauf und zog sie an sich. Miesterfeld holte ein Geschirrtuch und wickelte die Pistole ein. Götz steckte sein Taschentuch wieder weg. Es klebte kein Blut daran.

Später waren sich die Beamten nicht einig, wo die Pistole tatsächlich gelegen hatte. Einer der Sanitäter meinte, sie habe sich auf Raspes geöffneter Hand befunden. Amtsinspektor Götz erinnerte sich dagegen, er habe sie unter der geschlossenen Hand weggezogen. Verwertbare Fingerabdrücke waren nachher nicht mehr festzustellen.

Raspe blutete aus Mund, Ohren und Nase. Er hatte an beiden Augen Blutergüsse, groß wie eine Kinderfaust. Die Sanitäter konnten auf den ersten Blick keine Schußverletzung feststellen. Ohne Raspes Lage zu verändern, alarmierten sie den Notarztwagen.

Gegen 8.00 Uhr traf der Unfallwagen des Roten Kreuzes ein. Zwei Sanitäter hängten Raspe an den Tropf und legten ihn auf eine Trage. Wenig später kam auch der Notarzt. Unter Begleitung von zwei Justizbeamten wurde Raspe zum Katharinenhospital gebracht. Zwei Polizeifahrzeuge fuhren vorweg und machten die Straße frei.

Im Operationssaal war alles vorbereitet. Raspe wurde geröntgt und ärztlich versorgt. Aber alle Hilfe war vergebens. Jan-Carl Raspe starb um 9.40 Uhr.

Nach Raspes Abtransport war um 8.07 Uhr die Tür zu Baaders Zelle geöffnet worden. Von innen lehnte eine Schaumstoffmatratze gegen den Rahmen. Sanitäter Soukop schob die Matratze zur Seite und betrat die Zelle. Die Fenster waren verhängt. Es war so dunkel, daß er zunächst kaum etwas erkennen konnte. Baader lag auf dem Zellenboden, ausgestreckt, den Kopf in einer Blutlache. Der Mund stand offen, die Augen waren starr nach oben gerichtet. Der Sanitäter versuchte, den Puls zu fühlen, aber Baader war schon tot. Seine Hand war kalt. Links von ihm lag eine Pistole. »Guck, da haben wir die Bescherung, da liegt die andere Pistole«, sagte einer der Justizbeamten.

Auf Anweisung eines inzwischen eingetroffenen Mitglieds der Anstaltsleitung wurde die Tür zu Baaders Zelle wieder verschlossen.

Da bei Baader in Zelle 719 nichts mehr zu retten war, hasteten die Beamten zur gegenüberliegenden Zelle 720. Wieder betrat der Sanitäter als erster den abgedunkelten Raum. Links vom Eingang stand eine Art Spanische Wand, hinter der Gudrun Ensslin ihr Matratzenlager hatte. Soukop tastete sich im Halbdunkel an der Stellwand entlang und sah dahinter. Er konnte die Gefangene nicht entdecken und rief laut nach ihr. Keine Antwort. Als er sich umdrehte, sah er zwei Füße unter der Decke hervorhängen, mit der das rechte Zellenfenster abgedunkelt war. In diesem Moment betrat der Anstaltsarzt Dr. Majerowicz die Zelle. Er faßte die Hand der Gefangenen. Sie war kalt.

Inzwischen eilten die Beamten weiter zur Zelle 725. Irmgard Möller, in Jeans und T-Shirt, lag zusammengekrümmt auf der Matratze, die Decke bis zum Kinn hochgezogen. Der Sanitäter faßte sie an der rechten Schulter, drehte sie auf den Rücken und zog die Decke weg. Irmgard Möller stöhnte. Der Sanitäter spürte Blut an seinen Händen. Er vermutete, sie hätte sich die Pulsadern aufgeschnitten, und untersuchte ihre

Handgelenke. Als er keine Verletzungen finden konnte, schob er das schwarzblaue T-Shirt der Gefangenen hoch und sah, daß sie in der Herzgegend mehrere Stichverletzungen hatte. Soukop fühlte den Puls und stellte 80 Schläge pro Minute fest. Er versuchte, ihr in die Pupillen zu sehen, aber Irmgard Möller kniff die Augen zusammen. Unterdessen betrat der Anstaltsarzt Dr. Majerowicz die Zelle und untersuchte die Verletzte. Er kam zu dem Ergebnis, daß lebensgefährliche Stichwunden nicht vorlagen. Nach seinem Eindruck war Irmgard Möller bei vollem Bewußtsein. Er gab ihr eine Spritze mit Herz-Kreislaufmittel und deckte die Wunden ab.

Inzwischen war der zweite Notarztwagen eingetroffen. Irmgard Möller wurde in das Robert-Bosch-Krankenhaus gebracht. Rechts von der Matratze in Irmgard Möllers Zelle lag ein blutverschmiertes Anstaltsmesser auf dem Fußboden; ein normales, oben abgerundetes Besteckmesser mit Wellenschliff.

In der Abteilung für Thorax-, Herz- und Gefäßchirurgie der chirurgischen Universitätsklinik stellten die Ärzte fest, daß Irmgard Möller vier eineinhalb bis zwei Zentimeter tiefe Stiche im unteren Viertel der linken Brust hatte. Bei der Operation zeigte sich, daß das Gewebe vor dem Herzbeutel blutig durchtränkt, der Herzbeutel selbst aber nicht verletzt war.

2. Die Befreiung

Am 14. Mai 1970 versah der Hauptwachtmeister Günter Wetter den Aufsichtsdienst im Verwahrhaus I der Strafanstalt Tegel in Berlin. Bei der Dienstbesprechung um 6.30 Uhr ordnete sein Vorgesetzter an, den Strafgefangenen Andreas Baader zum »Deutschen Zentralinstitut für Soziale Fragen« in der Dahlemer Miquelstraße auszuführen. Dort sollte Baader die Journalistin Ulrike Marie Meinhof treffen, um gemeinsam mit ihr Unterlagen einzusehen. Baader und Meinhof wollten ein Buch über die Organisation »randständiger Jugendlicher« schreiben.

Oberwachtmeister Karl-Heinz Wegener sollte Wetter begleiten. Vor der Ausführung mußte sich Wetter noch zu einem kurzen Gespräch bei seinem Chef einfinden. Ihm blieb noch etwas Zeit, und er holte sich die Gefangenenakte Baaders. Auf einem Zettel notierte er sich das Geburtsdatum, 6. Mai 1943, die Straftat, »menschengefährdende Brandstiftung«, und das voraussichtliche Strafende, Anfang 1972. Dazu die Personendaten Baaders: »Größe 176 Zentimeter, schlank, Kopf oval, hohe Stirn, vorspringendes Kinn, Haar braun, Ohrläppchen freihängend, Zähne lückenhaft.«

Dann nahm er ein Paßfoto von Andreas Baader aus der Akte, wie es bei einer Ausführung vorgeschrieben war. Er holte sich vom Anstaltsleiter Glaubrecht die Ausführungsgenehmigung, in der die Einzelheiten festgelegt waren. Der Gefangene sollte Zivil tragen, die Beamten Uniform und Schußwaffen. Handfesseln sollten ebenfalls mitgenommen, aber nur bei Bedarf angelegt werden.

Baader wurde belehrt, wie er sich zu verhalten habe. »Es besteht keine Gefahr«, versicherte Baader. »Ich denke nicht daran, abzuhauen. Schließlich habe ich einen Buchvertrag mit einem Verleger. Dafür bekomme ich eine ganze Menge Geld. Und das kann ich dringend brauchen.« Wetter wußte von dem Buchvertrag, dennoch wies er Baader vorschriftsmäßig darauf hin, daß die Beamten bei einem Fluchtversuch von der Schußwaffe Gebrauch machen würden.

Bis zum Eintreffen des Transportwagens wurde Baader in einer Zelle des Pfortengebäudes eingeschlossen. Die Beamten holten ihre Pistolen und schoben ein volles Magazin ein. Kurz darauf begann die Fahrt nach Dahlem. Um 9.20 Uhr stoppte das Fahrzeug vor dem Institut. »Spätestens um 13.30 Uhr können Sie uns wieder abholen«, sagte Wetter dem Fahrer. Oberwachtmeister Wegener fesselte seinen linken Arm mit einer Schließacht an Baaders rechten Arm und stieg zusammen mit dem Gefangenen aus dem Wagen. Wetter klingelte, und nach kurzem Warten öffnete der Institutsangestellte Georg Linke. Die Beamten zeigten ihre Dienstausweise und erklärten Linke den Grund ihres Besuches. Die Bibliothekarin Frau Lorenz erschien in der Tür und führte die Dreiergruppe in den Raum 9.

Dort saß Ulrike Meinhof bereits über Karteikästen. Wetter untersuchte eine zweite Tür und stellte fest, daß sie verschlossen war. Dann machte er die Fenster zu. Nachdem der Raum so gesichert war, nahm er Baader die Handfessel ab, um ihm die Schreibarbeiten zu ermöglichen. Baader bat um eine Tasse Kaffee, und ein Institutsangestellter servierte umgehend Pulverkaffee und heißes Wasser. Ulrike Meinhof erkundigte sich bei den Justizbeamten, ob sie verheiratet seien und Kinder hätten. »Ja«, antworteten sie, »Frau und Kinder.« Sie waren erstaunt über diese Frage und wunderten sich besonders darüber, daß die Journalistin von der Antwort irritiert schien. Ulrike Meinhof verließ einige Male den Raum, um neues Material zu holen. Dann setzte sie sich neben Baader und redete leise mit ihm.

Es klingelte an der Außentür. Der Institutsangestellte Georg Linke öffnete. Vor ihm standen zwei junge Frauen, die schon am Tag zuvor im Institut gewesen waren. Sie wollten direkt an Linke vorbei in den Lesesaal, aber der stellte sich ihnen in den Weg und verwies sie an die Bibliothekarin. »Ich hatte Sie doch gestern gebeten, erst am Nachmittag zu kommen«, sagte sie, »der Lesesaal ist besetzt.« Daraufhin nahmen die beiden Frauen an einem runden Tisch in der Eingangshalle Platz. Linke kehrte in sein Arbeitszimmer zurück.

Die Beamten im Lesesaal hatten den Eindruck, Baader und Ulrike Meinhof würden intensiv arbeiten. Beide rauchten eine Zigarette nach der anderen. Um den verqualmten Raum zu lüften, öffnete einer der Beamten das Fenster einen Spaltbreit. Inzwischen war eine knappe Stunde vergangen. Plötzlich hörte Georg Linke Geräusche aus der Vorhalle. Er dachte, jemand hätte die Außentür offen gelassen, und verließ sein Arbeitszimmer, um nach dem Rechten zu sehen. Die beiden Frauen standen neben der Eingangstür und betätigten den Summer zur Außenpforte.

Unmittelbar darauf wurde die Haustür aufgestoßen. Ein Mann mit einer grünen, grob gestrickten Kopfmaske, die nur die Augen freiließ, stürmte in die Eingangshalle. Ihm folgte eine ebenfalls vermummte Frau.

»Los, schnell in den Saal«, rief der Mann den beiden jungen Frauen zu. Linke versuchte, den Maskierten aufzuhalten, obwohl er zwei Pistolen in dessen Händen sah. Da fiel ein Schuß. Der maskierte Mann hatte mit der Gaspistole, die er in der einen Hand hielt, schießen wollen. Er schoß aber mit der anderen, der scharfen Pistole, die einen Schalldämpfer trug. Georg Linke wurde getroffen. Trotz seiner Verletzung lief er in sein Zimmer und schloß die Tür von innen ab. Dann versuchte er, die Durchgangstür zum Raum seiner Chefin abzuschließen. Als er keinen Schlüssel fand, ließ er sich auf den Boden fallen und hielt mit dem ausgestreckten Arm die Klinke hoch. »Springen Sie aus dem Fenster«, rief er zwei Kolleginnen in seinem Zimmer zu. Die Frauen sprangen. Als die beiden im Garten gelandet waren, kletterte auch Georg Linke aus dem Fenster. Die drei Institutsangestellten liefen auf die Straße und versuchten, die

Nachbarn auf den Überfall aufmerksam zu machen. Erst jetzt bemerkte Linke das Blut an seinem Körper.

Die beiden Frauen, die von der Polizei später als Ingrid Schubert und Irene Goergens identifiziert wurden, rannten in den Lesesaal und schossen mit Tränengas-Pistolen um sich. »Überfall«, schrie eine. Ihnen folgten der maskierte Mann und die Frau, die ein Kleinkalibergewehr mit sich führte. Es war Gudrun Ensslin. Der Justizbeamte Wegener, der dicht an der Tür saß, sprang auf und griff die Frau an. »Ich schieße«, schrie sie und drängte den Beamten in eine Ecke des Lesesaals. Dort entwickelte sich ein kurzes Handgemenge, bei dem Wegener der Frau eine rote Perücke vom Kopf riß. Darunter kamen kurze blonde Haare zum Vorschein.

Hauptwachtmeister Wetter griff den maskierten Mann an und schlug ihm eine der Pistolen aus der Hand, eine Beretta mit Schalldämpfer. Wetter riß seine Dienstwaffe aus dem Halfter und versuchte, sie durchzuladen. In diesem Moment schoß ihm der Mann mit der Pudelmütze eine Tränengasladung aus unmittelbarer Nähe in die linke Gesichtshälfte. Für einen Moment blind, gab Wetter zwei ungezielte Schüsse ab. Die Kugeln trafen die Wände. Als erster sprang Andreas Baader aus dem Fenster, dann folgte Ulrike Meinhof. Die anderen feuerten noch einige Tränengaspatronen ab und sprangen hinterher. Die Motoren von zwei Autos heulten auf. Dann war es still.

Wie verabredet hatte sich ein Helfer gegenüber im Theaterwissenschaftlichen Institut ans Fenster gestellt, um eine Zeitung hochzuheben, wenn keine Gefahr drohte. Er selbst war aber entschlossen, das »Grüne Licht« auf keinen Fall zu geben. Er wollte die Befreiungsaktion sabotieren, weil er kurz zuvor erfahren hatte, daß Schußwaffen eingesetzt werden sollten. Vergeblich. Die Akteure im Haus gegenüber hatten das Signal gar nicht erst abgewartet und gleich geschossen.

Niemand sonst im Theaterwissenschaftlichen Institut hatte etwas von der dramatischen Situation gegenüber bemerkt. Erst als Schüsse fielen, liefen Besucher und Mitarbeiter ans Fenster. Sie sahen zum Teil vermummte Figuren zur Straße rennen. »Guck mal«, sagte einer, »was sind das da für welche. Die sind ja bewaffnet!« Die Beobachter hatten bis jetzt an einen studentischen Mummenschanz geglaubt, nun griffen sie zum Telefon und riefen die Polizei.

Draußen auf der Straße warfen sich gerade vier Frauen und zwei Männer in einen silbergrauen Alfa-Romeo Sprint und einen zweiten viertürigen Wagen. Am Steuer saß jeweils eine Frau. Mit quietschenden Reifen rasten sie davon.

Um 12.45 Uhr erschien die Mordkommission am Tatort. Der 62jährige Institutsangestellte Georg Linke wurde mit einem lebensgefährlichen Leber-Steckschuß in das Martin-Luther-Krankenhaus eingeliefert.
Die Befreiung Andreas Baaders war gelungen.

3. Andreas Baader

Der junge Mann, der am 14. Mai 1970 aus dem Fenster in die Freiheit gesprungen war und das Studium sozialer Fragen und einen alten angeschossenen Mann hinter sich gelassen hatte, war kurz zuvor 27 Jahre alt geworden.
Geboren wurde Andreas Baader am 6. Mai 1943 in München als Sohn des Historikers und Archivars Dr. Berndt Phillipp Baader, der 1945 als Soldat in sowjetische Kriegsgefangenschaft geraten war und seitdem vermißt blieb.
Die Mutter hatte nicht wieder geheiratet.
Andi, wie er zärtlich genannt wurde, war ein von Mutter Anneliese Baader, der Großmutter und einer Tante verwöhntes Kind.
Intelligent, aber sprunghaft sei er gewesen, so das Urteil von Erziehern und Verwandten, faul, wenn ihn etwas nicht interessierte, aber von ausgeprägter Willensstärke.
Sein Vater hatte zu Beginn des Krieges an der Münchener Universität studiert. Als die Geschwister Scholl verhaftet wurden, kam er erregt nach Hause und erklärte seiner Frau, nun müsse er in den Widerstand gehen.
»Damit setzt du die Existenz der Familie aufs Spiel«, warf seine Frau ein. Der Schritt in den Widerstand blieb aus.
»Weil er Angst hatte«, sagte Anneliese Baader später über ihren Mann, »das macht den Unterschied zwischen den beiden aus. Andreas hatte nie Angst. Er führte alles bis zur letzten Konsequenz durch.« Anweisungen oder gar Befehlen folgte er als Kind nicht, ohne nach dem Warum zu fragen. Irgendwann gab die Mutter es auf, erzieherische Maßnahmen

durchzusetzen. Es war schwer für sie, seine Handlungen und Reaktionen vorauszusehen. Mal teilte er uneigennützig alles, was er hatte, zog seinen Pullover aus, wenn er jemanden frieren sah, dann wieder konnte er bedenkenlos jemanden um Geld erleichtern.

Im Frauenhaushalt lehnte er sich gegen viele Rituale auf: aus Protest wollte er sich nicht waschen, zum Essen mußte er oft an den Ohren herbeigezogen werden; was ihm nicht schmeckte, das aß er nicht. Er ließ sich nicht konfirmieren, weil er den Religionsunterricht haßte, wollte seinen Geburtstag nicht feiern und versuchte, seiner Mutter das Weihnachtsfest auszureden.

In Diskussionen hatte er immer eine ausgeprägte Meinung und verteidigte sie bis zum Jähzorn. Er prügelte sich oft, aber nicht nur für seine eigenen Interessen.

Seine Großmutter hielt ihn keineswegs für brutal, sondern eher für weich. Sie vermißte den männlichen »Mumm« und vor allem eine jungenhafte Sportlichkeit. Sport haßte er, und wenn andere Bergtouren unternahmen, blieb er unten.

1959 notierte sein Klassenlehrer: »Seine Lausbubenstreiche unterscheiden sich nicht von denen anderer, sind aber immer mit Humor gewürzt. Gesamteindruck: Sympathisch, berechtigt zum pädagogischen Abwarten. Entsprechend der Begabung könnte der Schüler jederzeit die Hochschulreife erreichen.«

Als er siebzehn war, wollte er ein Jugendbuch für bessere Erziehungsmethoden schreiben. Wie viele in diesem Alter schrieb er Gedichte, interessierte sich für Literatur und Philosophie, las Sartre, Nietzsche, Balzac, Thomas Wolfe und vor allem Raymond Chandler.

An dem jugendlichen Andreas Baader schieden sich die Geister von Klassenkameraden, Nachbarn, Lehrern. »Bei ihm gab es nur zwei Möglichkeiten«, so seine Mutter, »entweder man liebte oder man haßte ihn.« Nach der Grundschule mußte Andreas Baader immer wieder die Schulen wechseln. Weder wollte er lernen noch sich anpassen. Mit sechzehn kam er auf eine Privatschule. Ein Mitschüler erinnert sich: »Andreas war intelligenter als der Durchschnitt. Aber er war frech und aufsässig und wollte sich den Regeln nicht unterwerfen. Er war ein dunkler Typ, sah aus wie ein Franzose oder Ire, und er wirkte irgendwie romantisch. Eine Zeitlang hat er uns vorgespielt, Krebs oder Tuberkulose zu haben. Er lief in München herum, mit dem Gesicht eines Mannes, der wußte, daß er sterben muß, aber das Beste daraus machen will. Er tat immer so, als würde er Blut in sein Taschentuch husten, aber das Tuch blieb weiß.«

Andreas Baader prügelte sich in der Schule so oft, daß sich der Schulleiter schriftlich bei der Mutter beschwerte: »Einen zweiten Baader könnte meine Schule nicht tragen.«

Der Schuldirektor war aber auch sicher: »Er war ein besonders begabter junger Mann. Damals nahm ich an, er würde irgendwann einmal Journalist oder Schriftsteller werden. Er schrieb hervorragende Aufsätze.«

Während seines letzten Jahres auf der Oberschule entdeckte Baader seine Liebe zu Motorrädern. Auf einer gestohlenen Maschine raste er mit 120 Stundenkilometern durch den Englischen Garten. Er wurde wegen Fahrens ohne Führerschein erwischt und zu drei Wochen Jugendarrest verurteilt. Verkehrsdelikte waren fortan seine Spezialität. Er besaß nie einen Führerschein, jedenfalls keinen echten.

Die Schule mußte Andreas Baader nun verlassen. Er war für »untragbar« erklärt worden. Mitschüler hatte er zum Motorraddiebstahl animiert, am Unterricht kaum noch teilgenommen oder ihn gestört.

Er schrieb sich für kurze Zeit an einer privaten Kunstschule ein und versuchte sich als Werbetexter. Nachts bewegte er sich dort, wo sich Münchener Schickeria, Halb- und Unterwelt und schöne Künste begegneten.

Arrivierte Homosexuelle zeigten sich gern mit dem aggressiven und exotischen Burschen, der sie seinerseits mit bösartigem Spott bedachte. Er deutete oft eine geheimnisvolle Herkunft an, irgendwo warte eine phantastische Zukunft und ein großes Erbe auf ihn.

In den Cafés saß er mit denen zusammen, die eine große künstlerische Zukunft planten. Dem damals unbekannten Rainer Werner Fassbinder ist er oft begegnet. Fassbinder schrieb, fünfzehn Jahre später zu seinem Terroristen-Film »Die dritte Generation«: »Ich schmeiße keine Bomben. Ich mache Filme.«

4. Der Sprung in die Illegalität

Die Befreier Andreas Baaders hatten an jenem 14. Mai 1970, der als Geburtsstunde der RAF angesehen wird, für den Fall, daß etwas Unvorhergesehenes geschehe, die Wohnung einer Freundin Ulrike Meinhofs als Ausweichquartier vorgesehen. Sie war Schauspielerin und wohnte wenige Straßen vom Zentralinstitut entfernt. Allerdings hatte niemand sie vorher gefragt.

Jetzt, da plötzlich Schüsse gefallen, ein Mensch schwer verletzt und aus dem geplanten Überraschungscoup ein Mordversuch geworden war, flüchteten die Akteure in diese Wohnung.

Ulrike Meinhof klingelte an der Haustür. Die Freundin öffnete.

»Wir brauchen deine Solidarität«, sagte Ulrike der völlig ahnungslosen Frau.

Während die Polizei eine der größten Fahndungsaktionen der Nachkriegszeit einleitete, saßen fast alle Gesuchten in einer Wohnung wenige hundert Meter entfernt vom durch Polizei abgeriegelten Institut.

In den Ermittlungsakten der Berliner Kriminalpolizei findet sich dazu ein höchst sonderbarer Vermerk vom 26. 5. 70: »Dienstlich wurde hier bekannt, daß am 14. 5. 1970 – dem Tage der gewaltsamen Befreiung Baaders – in der Cunostraße in Berlin 33, etwa in der Höhe des Grundstückes Nr. 107, ein blauer VW-Käfer für kurze Zeit geparkt hatte. Es handelte sich um ein VW-Cabriolet mit Klappverdeck. Einem sich dem VW nähernden Alfa Romeo, der in unmittelbarer Nähe des VW hielt, entstiegen eine weibliche und eine männliche Person, die sich in den VW setzten und mit diesem in Richtung Kirchstraße weiterfuhren.«

Die Personen seien in höchster Eile umgestiegen. Eine hätte dem Fahrer zugerufen: »Schnell, schnell, wir müssen uns beeilen.« Die weibliche Person, so der Vermerk weiter, war Ulrike Meinhof. Der VW-Fahrer sei als Matthias L. identifiziert worden. Kurze Zeit später wurde der Alfa Romeo wenige hundert Meter entfernt verlassen aufgefunden.

Die Formulierung »Dienstlich wurde bekannt« heißt normalerweise soviel wie: »Das Landesamt für Verfassungsschutz teilte uns mit.« Das bedeutet: Verfassungsschützer waren in der Nähe des Befreiungsortes. Ihre Beobachtungen decken sich allerdings nicht mit den Erinnerungen von Beteiligten.

Während Ulrike Meinhof in einem blauen VW-Cabrio weggeschafft wurde, blieb der Rest der Truppe in der Dahlemer Wohnung. Wie nach einer gelungenen Premiere wurde eine Flasche Sekt geöffnet. Baader klopfte dem ihm vorher unbekannten Schützen auf die Schulter: »Mann, ist ja gelaufen.« Doch der Mann war völlig fertig: »Hast recht«, antwortete er und schlug so hart zurück, daß Baader auf dem Fußboden landete.

Die Baader-Befreier hörten den Polizeifunk ab, nur der Schütze machte sich auf den Weg. Er packte zwei Kleinkaliber-Schnellfeuergewehre, die bei der Aktion nicht zum Einsatz gekommen waren, in einen Campingbeutel und nahm den nächsten Autobus. Am KaDeWe stiegen an die 20 Polizisten zu, um den Bus zu durchsuchen. Der Mann schaffte es, seinen Campingbeutel zu schultern und auszusteigen. Er ging die letzten 200 Meter zu seiner Wohnung zu Fuß.

Am Abend trafen sich die Baader-Befreier in einer Hinterhauswohnung. Bis auf Ulrike Meinhof waren alle versammelt. Die Stimmung war gut, schließlich war die Befreiungsaktion gelungen. Daß ein Mensch dabei lebensgefährlich verletzt worden war, wurde weggewischt.

Man diskutierte, wie es nun weitergehen sollte. Alle waren sich einig, daß die Gruppe Berlin so schnell wie möglich verlassen müsse. Auch wohin die Reise gehen sollte, war klar: in den Nahen Osten. Schon vorher waren Gespräche mit einem Vertreter der Palästinenser geführt worden, um Waffen zu beschaffen. Der hatte ihnen aber ausgerichtet, daß die Fatah vor irgendwelchen Waffenlieferungen auf einer militärischen Ausbildung in Jordanien bestehen würde. So wurden an diesem Abend die Aufgaben für die nächsten Tage und Wochen verteilt. Einige sollten die Reise organisieren, andere die nötigen Papiere besorgen und umfrisieren.

Am Abend traf ein Eingeweihter, der an der Aktion aber nicht beteiligt war, in einer Kneipe den Mann, der auf den Institutsangestellten Georg Linke geschossen hatte. Unter Tränen erklärte der Schütze immer wieder, daß er nicht habe schießen wollen. Es sei eine Kurzschlußhandlung gewesen, er habe aus Versehen statt der Gaspistole die scharfe Pistole abgefeuert.

Inzwischen lief die Fahndung nach Baader und seinen Befreiern auf vollen Touren. Die Litfaßsäulen wurden mit einem Steckbrief von Ulrike Meinhof beklebt: »Mordversuch. 10 000,– DM Belohnung.« Aber Ulrike Meinhof blieb verschwunden – nicht nur für die Polizei. Auch in der Gruppe wußte zwei Tage lang niemand, wo sie war. Man machte sich Sorgen. Aber Überlegungen, Ulrike Meinhof könnte sich abgesetzt haben, wurden beiseite geschoben. Schließlich steckte sie in der Sache drin. Sie konnte nicht mehr aussteigen.

Ein Freund Ulrike Meinhofs wurde beauftragt, festzustellen, bei wem sie Unterschlupf gefunden haben könnte. Nach mehreren vergeblichen Anläufen klingelte er an der Tür einer schwarzen Amerikanerin, Sympathisantin der »Black Panthers«, einer militanten Farbigen-Organisation in den USA. »Ist Ulrike hier?« fragte er.

»No«, sagte die Amerikanerin.

»Ich bin aber der Meinung, sie ist hier.« Die Frau drehte sich um und ging in die Küche. Einen Augenblick später kam Ulrike zur Tür und ließ den Freund herein. Sie machte einen ziemlich aufgelösten Eindruck. Auf dem Küchentisch lagen die Zeitungen mit den Schlagzeilen über die Baader-Befreiung. Die beiden redeten eine Viertelstunde lang, dann sagte Ulrike: »Die anderen können mich hier abholen.« Sie ließ kein Wort darüber fallen, warum sie sich zwei Tage lang nicht gemeldet hatte. Am späten Abend wurde Ulrike Meinhof abgeholt.

Alle zogen gemeinsam in eine Wohnung. Einige erledigten die notwendigen Besorgungen, während der engere Kreis der vordringlich von der Polizei Gesuchten zumeist zu Hause blieb. Dort wurde fast jeden Tag Kalbsbraten gegessen, denn Andreas Baader hatte immer noch unter den Folgen einer Gelbsucht zu leiden und durfte nur leichte Speisen zu sich nehmen.

Abends spielten die Frauen, Ulrike Meinhof, Ingrid Schubert und Irene Goergens, häufig Skat. Ulrike war eine gute Spielerin.

Inzwischen waren die Vorbereitungen für die Reise nach Jordanien abgeschlossen. Der Palästinenser Said Dudin hatte Kontakte nach Jordanien geknüpft, die Flugtickets waren bei der DDR-Fluggesellschaft »Interflug« gebucht, und es waren per Telegramm neun Zimmer im Hotel »Strand« in Beirut bestellt worden.

Am 8. Juni 1970, um 9.20 Uhr, sollte die erste Reisegruppe vom Ost-Berliner Flughafen Schönefeld starten. Zuvor aber wollte man noch etwas für die Öffentlichkeit tun.

Die französische Journalistin Michèle Ray, ehemaliges Chanel-Mannequin in Paris, die Ulrike Meinhof von »konkret« flüchtig kannte, wurde in Paris angerufen. Auf englisch erklärte man ihr, sie möge »in einer wichtigen Sache, die die Linke betrifft«, nach Berlin reisen. Michèle Ray, damals 31 Jahre alt, im sechsten Monat schwanger, entschloß sich zu fahren, nachdem ihr der Anrufer noch ein paar Namen prominenter deutscher Linker als Referenz genannt hatte. Die Französin, verheiratet mit dem Filmregisseur Costa-Gavras, war als engagierte Linke darauf spezialisiert zu beschreiben, was hinter der Front geschieht. So hatte sie für den »Nouvel Observateur« aus Vietnam berichtet, in Bolivien die Spuren der tödlichen Jagd auf Che Guevara verfolgt und im Mittleren Osten über die El Fatah geschrieben.

Am 4. Juni um 11.00 Uhr morgens traf Michèle Ray auf dem Berliner Flughafen Tempelhof ein. Ein Kontaktmann mit dem Decknamen »Lothar« erwartete sie. Erkennungszeichen war ein roter Lenin-Band, den »Lothar« in der Hand hielt. Ein und eine Viertelstunde wurde die Journalistin mit U-Bahn, Taxi, U-Bahn und wieder Taxi durch die Stadt gefahren. Dann mußte sie bis kurz nach Mittag in einem Appartement warten. Schließlich kam ein Anruf, und sie wurde wieder mit U-Bahn und Taxi quer durch die Stadt geschafft. Im oberen Stockwerk eines Mietshauses traf sie Andreas Baader, Gudrun Ensslin und Ulrike Meinhof. Alle drei hatten sich so verkleidet, daß sie kaum noch Ähnlichkeit mit ihren überall aushängenden Fahndungsfotos hatten. Ulrike Meinhof trug eine Perücke mit langen blonden Haaren und ein Minikleid. Horst Mahler, der ebenfalls dazukam, hatte sich eine Perücke aufs schüttere Haupthaar gesetzt und sich Koteletten wachsen lassen. Der Anwalt wurde inzwischen ebenfalls gesucht; nicht offiziell, denn für die Baader-Befreiung hatte er ein Alibi; er hatte vor Gericht verteidigt. Dennoch wurde verdeckt nach ihm gefahndet.

Die Französin trank mit den Gesuchten Tee und aß frische Erdbeeren. Danach wurde Michèle Ray von »Lothar« wieder zurück in das erste Zwischenquartier geführt. Am Abend erschien Horst Mahler und brachte ihr ein von Ulrike Meinhof besprochenes Tonband. Am nächsten Morgen, es war Freitag, der 5. Juni, traf man sich noch einmal zum Frühstück, und Michèle Ray erfuhr, was die Gruppe als Nächstes zu tun gedachte: Berlin zu verlassen und zu den palästinensischen Fedayin zu gehen.

Michèle Ray übergab das Tonband dem »Spiegel«, der es in Auszügen abdruckte.

Ulrike Meinhofs Antwort auf die Frage, warum Baader befreit worden sei: »Man kann sagen aus drei Gründen: Erst mal natürlich deswegen, weil Andreas Baader ein Kader ist. Und weil wir bei denjenigen, die jetzt kapiert haben, was zu machen ist und was richtig ist, nicht davon ausgehen können – auf irgendeine luxuriöse Art und Weise –, daß einzelne dabei entbehrlich sind.

Das zweite ist, daß wir als erste Aktion eine Gefangenenbefreiung gemacht haben, weil wir glauben, daß diejenigen, denen wir klarmachen wollen, worum es politisch heute geht, welche sind, die bei einer Gefangenenbefreiung überhaupt keine Probleme haben, sich mit dieser Sache selbst zu identifizieren …

Das dritte ist, wenn wir mit einer Gefangenenbefreiung anfangen, dann auch deswegen, um wirklich klarzumachen, daß wir es ernst meinen.«

Dann kam Ulrike Meinhof auf die Polizei zu sprechen: »Wenn man es hier mit den Bullen zu tun hat, wird argumentiert, die sind ihrer Funktion nach natürlich brutal, ihrer Funktion nach müssen sie prügeln und schießen, und ihrer Funktion nach müssen sie Unterdrückung betreiben, aber das ist ja auch nur die Uniform, und es ist nur die Funktion, und der Mann, der sie trägt, ist vielleicht zu Hause ein ganz angenehmer Zeitgenosse …

Das ist ein Problem, und wir sagen natürlich, die Bullen sind Schweine, wir sagen, der Typ in der Uniform ist ein Schwein, das ist kein Mensch, und so haben wir uns mit ihm auseinanderzusetzen. Das heißt, wir haben nicht mit ihm zu reden, und es ist falsch, überhaupt mit diesen Leuten zu reden, und natürlich kann geschossen werden.«

5. Ulrike Meinhof

Ulrike Marie Meinhof wurde am 7. Oktober 1934 in Oldenburg geboren. Ihr Vater entstammte einer alten württembergischen Familie, geprägt von einer Generationsfolge evangelischer Theologen. Dr. Werner Meinhof wurde 1936 Direktor des Stadtmuseums in Jena.

Ulrikes Mutter Ingeborg kam aus dem Hessischen. Deren Vater, Sohn eines Schuhmachers, wurde Lehrer und später Schulinspektor. Wegen seiner sozialistischen Ansichten erteilten ihm die Nazis 1933 Berufsverbot. Bis in den Krieg hinein schlug er sich als Handelsvertreter durch.

Die Familie Meinhof, Ulrike hatte noch eine vier Jahre ältere Schwester, wohnte in einem efeubewachsenen Haus in einer bürgerlichen Wohngegend am Rande von Jena.

Als sich die evangelische Kirche von den Nazis weitgehend gleichschalten ließ, wurden die Meinhofs Mitglieder der kleinen Gemeinde der »Hessischen Renitenz«, die, unter Bismarck nach der Reichsgründung entstanden, sich jeder staatlichen Kontrolle kirchlicher Angelegenheiten widersetzt hatte. So wie die »Bekennende Kirche« war auch die »Renitenz-Kirche« ein Sammelbecken kirchlicher Opposition gegen das Naziregime. Als Ulrike sechs Jahre alt war, starb ihr Vater. Die Mutter erhielt keine staatliche Pension. Werner Meinhof war nicht Beamter, sondern nur Angestellter der Stadt gewesen, die jedoch der jungen Witwe anbot, ihr nach der Heirat abgebrochenes Studium weiterzufinanzieren. Das städtische Stipendium war knapp, die Miete wurde zu teuer, die Studentin der Kunstgeschichte Ingeborg Meinhof suchte einen Untermieter.

An der Universität hatte sie eine junge Kommilitonin kennengelernt, eine gutaussehende, intelligente und energische Frau, die Geschichte, Germanistik und Kunstgeschichte studierte: Renate Riemeck. Als Ingeborgs Tochter Ulrike ihr eines Tages ein wissenschaftliches Buch brachte, sagte sie zu Renate Riemeck: »Mutter muß ein Zimmer vermieten. Zieh doch zu uns.«

Renate Riemeck verliebte sich in das fröhliche Kind ihrer Freundin und zog zu den Meinhofs. Ulrike und ihre Schwester hatten von nun an zwei Mütter.

Zu Beginn ihrer Freundschaft mit Renate hatte Ingeborg gefragt: »Glauben Sie, daß wir den Krieg gewinnen werden?«

»Nein, ich glaube es nicht.«

»Aber ich glaube es.«

Renate Riemeck schaltete im Radio die BBC-Nachrichten ein: »Ich glaube Ihnen nicht, wenn Sie sagen, Sie hoffen, Deutschland werde den Krieg gewinnen. Aber wenn Sie wollen, können Sie nun zur Gestapo gehen und denen sagen, ich hätte BBC-Nachrichten gehört.«

Ingeborg Meinhof ging nicht zur Gestapo.

Ohne viele Worte zu machen, hatten sich die beiden Frauen gegen die Nazis verbündet. Sie hatten Kontakte zu einer Widerstandsgruppe der optischen Werke Zeiss/Jena; nicht so, daß es ihnen gefährlich werden konnte, aber die gemeinsame Ablehnung des Krieges und des Hitlerregimes festigte die Freundschaft. Beide Frauen promovierten und legten das Staatsexamen ab. Als der Krieg zu Ende war, wurde Jena zunächst von den Amerikanern besetzt. Doch entsprechend dem Abkommen von Jalta zogen sich die Amerikaner zurück, und Jena lag nun in der sowjetischen Besatzungszone. Die beiden Frauen und die Kinder luden ein paar Habseligkeiten auf einen Lastwagen und fuhren in Richtung Westen, nach Oldenburg, wo Freunde und Bekannte lebten. In einem Haus mit verwildertem Garten fanden sie eine Wohnung.

Die Stadt war voller Flüchtlinge aus dem Osten, die Schulen überfüllt. Für Ulrike fand sich nur noch ein Platz in der von katholischen Schwestern geführten Liebfrauenschule.

Renate Riemeck und Ingeborg Meinhof legten am neuen Wohnort ihr zweites Staatsexamen ab und wurden Lehrerinnen. Beide waren 1945 der SPD beigetreten.

Im März 1949 starb Ulrikes Mutter nach einer Krebsoperation an einer Infektion. Von nun an war Renate Riemeck die Mutter der beiden Töchter ihrer Freundin.

Renate Riemeck war eine erfolgreiche Pädagogin, die sich auch mit wissenschaftlichen Büchern einen Namen machte. 1951 wurde sie Dozentin an der Pädagogischen Hochschule in Oldenburg, im selben Jahr Professorin in Braunschweig, 1952 Professorin am Pädagogischen Institut in Weilburg. Ulrike zog mit ihr nach Weilburg und bewunderte ihre Pflegemutter so sehr, daß sie Renate zuweilen imitierte. Renate trug Hosen, Ulrike auch. Renate ließ sich die Haare kurz schneiden, Ulrike ebenfalls. Ulrike versuchte sogar, die Handschrift ihrer Pflegemutter nachzuahmen.

Sie lernte viel von der nur 14 Jahre älteren Professorin, die sie mit der Geschichte und Literatur des 19. Jahrhunderts bekannt machte. In der Schule, dem Philippinum in Weilburg, war Ulrike außerordentlich beliebt und galt als ein ungewöhnliches Mädchen, das durch Charme und Intelligenz beeindruckte. Sie las Klassiker und moderne Schriftsteller, legte ihr knappes Taschengeld in Büchern an und fühlte sich, nach den Jahren auf der Oldenburger Schwesternschule, zum Katholizismus hingezogen.

Doch das ernste Mädchen hatte auch Vorlieben, die damals recht ungewöhnlich waren. Sie rauchte Pfeife und selbstgedrehte Zigaretten, und manchmal tanzte sie bis zur Erschöpfung Boogie-Woogie. Und sie widersprach in der Schule, wenn sie etwas als ungerecht empfand. Einem Lehrer, der Wissen und Autorität durch Brüllen ersetzte und sie einmal anschrie, antwortete sie: »Herr Studienrat, es ist nicht üblich, mit einer Schülerin der Oberstufe so laut zu sprechen!« Der Studienrat lief rot an und schrie weiter. Da packte sie ihre Sachen, stand auf, sagte »dann gehe ich jetzt« und verließ den Unterricht. Konferenzen wurden abgehalten. Ulrike sollte von der Schule fliegen. Renate Riemeck schaltete sich ein. Ulrike durfte bleiben.

Sie arbeitete in der Schülermitverwaltung, wurde Mitglied der Europabewegung, war Mitherausgeberin einer Schülerzeitung. Als engagierte junge Christin schrieb sie 1955 in ihrer Abitursarbeit: »Die Begegnung mit dem Katholizismus war eine große Bereicherung für mich. Wir evangelischen Schülerinnen stießen dort auf echte Toleranz in dem gemeinsamen Bewußtsein der eigentlichen Wahrheit des Christentums ...« Während der ersten Semester ihres Studiums setzte sie sich in einer aus der evangelischen Jugendarbeit hervorgegangenen Erneuerungsbewegung für die Aufnahme katholischer Elemente in die protestantische Liturgie ein.

Unmittelbar nach dem Abitur verließ sie Weilburg und Renate Riemeck, bezog in Marburg ein winziges möbliertes Zimmer und begann das Studium der Pädagogik und Psychologie. Als Waise und Begabte erhielt sie ein Stipendium der »Studienstiftung des deutschen Volkes«. In der Mensa der Universität betete sie vor dem Essen. Sie war 20 Jahre alt.

In diesem Jahr 1955, als die SPD für die allgemeine Wehrpflicht stimmte und den jahrelangen Kampf gegen die Wiederbewaffnung der Bundesrepublik aufgab, verließ Renate Riemeck ihre Partei. Aufrüstung war für sie ein verhängnisvoller Schritt in der Eskalation des Kalten Krieges. Als Verfechterin einer Aussöhnung mit Polen durch die Anerkennung der Oder-Neiße-Linie, als Gegnerin von Adenauers Plänen zur atomaren Bewaffnung der Bundeswehr wurde sie heftig befehdet – und bekannt. Ende der fünfziger Jahre geriet sie deswegen in Konflikt mit ihrem Arbeitgeber, dem Land Nordrhein-Westfalen. 1960, als sie in das Direktorium der DFU (Deutsche Friedensunion) gewählt wurde, gab Renate Riemeck ihre Professur auf.

Zum Wintersemester 1957 war Ulrike Meinhof von Marburg nach Münster gezogen. Wie in anderen Universitätsstädten hatte sich um den »Sozialistischen Deutschen Studentenbund« (SDS), der Studentenorganisation der SPD, ein »Anti-Atomtod-Ausschuß« gebildet. Ulrike Meinhof wurde zur Sprecherin gewählt.

Das Jahr 1957 war ein Jahr dramatischer politischer Entwicklung in der Bundesrepublik. Am 12. April wurde die »Göttinger Erklärung« veröffentlicht. 18 westdeutsche Atomwissenschaftler und Nobelpreisträger wandten sich gegen jede atomare Bewaffnung der Bundeswehr: »Für ein kleines Land wie die Bundesrepublik glauben wir, daß es sich heute noch am besten schützt und den Weltfrieden noch am ehesten fördert, wenn es ausdrücklich und freiwillig auf den Besitz von Atomwaffen verzichtet. Ebenfalls wäre keiner der Unterzeichner bereit, sich an der Herstellung, der Erprobung oder dem Einsatz von Atomwaffen in irgendeiner Weise zu beteiligen ...«

Zu Ostern verlas Albert Schweitzer über Radio Oslo einen »Appell zur Einstellung der Kernwaffenversuche«.

Die Aufrufe fanden die Zustimmung zahlreicher Gewerkschafter.

Im Juli folgte ein Aufruf von Professoren, Künstlern, Lehrern und Schriftstellern. Ehemalige Mitglieder der »Bekennenden Kirche« schlossen sich den Protesten an.

Im Mai 1958 trat Ulrike Meinhof dem SDS bei.

Sie veröffentlichte Artikel zur Atomfrage in zahlreichen studentischen Zeitungen, organisierte Veranstaltungen, Unterschriftensammlungen und einen Vorlesungsboykott mit, bereitete Kundgebungen gegen die Atombewaffnung vor.

In elf Universitätsstädten wurden Ende Mai 1958 Kundgebungen gegen die atomare Bewaffnung organisiert. Im tiefschwarzen Münster zogen fünftausend Studenten in einem Schweigemarsch durch die Stadt. Zum Abschluß dieser Demonstration ordentlich gekleideter Studenten in Schlips und Kragen und Studentinnen in Röcken erlebten die Demonstranten eine für damalige Zeiten kleine Sensation. Nach einem Pfarrer, einem Gewerkschafter und einem Professor betrat eine knapp über zwanzig Jahre alte Studentin das Podium und hielt eine Rede. Ulrike Meinhof hatte die politische Arena betreten.

Die Nachricht von der selbstbewußten jungen Friedensaktivistin mit der Sophie-Scholl-Frisur erreichte auch die Redaktion der linken Studentenzeitschrift »konkret« in Hamburg, die sich ebenfalls in der Anti-Atombewegung engagierte.

6. Die Chefredakteurin

Anfang der fünfziger Jahre war die Zeitschrift »Studentenkurier« in Hamburg gegründet worden. Starthilfe wurde gegeben durch Spenden, die Klaus Hübotter, ein junger Funktionär der bereits 1951 verbotenen kommunistischen »FDJ«, angeblich beim »Paulskirchenkreis«, Verlegern und parteiunabhängigen Politikern gesammelt hatte. Zusammen mit ihm hatten Klaus Rainer Röhl und Peter Rühmkorf das Blatt initiiert.

Die Redakteure dieses »Magazins für Kultur und Politik« dachten und schrieben in der Tradition eines linken und literarischen Journalismus der »Weltbühne« Carl von Ossietzkys. Auf den Titelseiten fanden sich Collagen, die an John Heartfield erinnerten, im Literaturteil stritt Peter Rühmkorf für Kunst und Aufklärung und gegen die restaurativen Leitbilder der Adenauer-Ära.

Der Dichter Arno Schmidt schrieb an die Redaktion: »Ihr seid die beste deutsche Kulturzeitung. Warum heißt Ihr ›Studentenkurier‹? Auch Nicht-Studenten sollen Euch kaufen.«

Im Herbst 1957 wurde der »Studentenkurier« in »konkret« umgetauft. Auf einer Pressekonferenz der Atomwaffengegner hatte der »konkret«-Chefredakteur Röhl 1958 die durch ihre Aktivitäten in Münster bekannt gewordene Studentin Ulrike Meinhof kennengelernt und war ein paar Wochen später mit ihr und anderen »konkret«-Mitarbeitern nach Ost-Berlin gefahren, um sich dort mit Mitgliedern der verbotenen Kommunistischen Partei Deutschlands zu treffen. Scheppel, alias Manfred Kapluck, später ein wichtiger Funktionär der in der Bundesrepublik neugegründeten DKP, war begeistert: »Die hat eine große politische Karriere vor sich. Eine ganz große Karriere.«

Tatsächlich spielte Ulrike Meinhof schon bald eine wichtige Rolle im Hauptausschuß der studentischen Atomwaffengegner. Zum 3./4. Januar 1959 war zu einem großen Studentenkongreß gegen Atomrüstung in West-Berlin aufgerufen worden. Dort standen sich vor allem zwei Fraktionen gegenüber: die Studenten der offiziellen Parteilinie der SPD und die »konkret«-Gruppe im SDS, in den heftigen Diskussionsschlachten hauptsächlich durch Ulrike Meinhof vertreten.

Die SPD-Fraktion wagte gerade noch ein vages »Gegen den Atomtod in Ost und West« mit allerlei Abgrenzungsmanövern gegenüber der

DDR. Auf Initiative der »konkret«-Fraktion legte der Arbeitskreis »Atomrüstung und Wiedervereinigung« dem Kongreß eine Resolution vor, die für Aufregung sorgte: »Die weltpolitische Lage wird in Kürze die beiden Teile Deutschlands zwingen, miteinander zu verhandeln. Damit solche Verhandlungen möglich werden, ist es nötig, daß Formeln wie ‚mit Pankow wird nicht verhandelt‘ aus der politischen Argumentation verschwinden.«

Nach nächtelangen Diskussionen, nach Geschäftsordnungstricks und Zermürbungstaktik setzte sich die »konkret«-Fraktion durch. In der Schlußresolution wurden Verhandlungen mit der DDR gefordert. Der Konsens des Antikommunismus der Adenauer-Zeit wurde öffentlich in Frage gestellt. Die bundesdeutsche Presse war schockiert.

»Skandal an der Freien Universität – Anti-Atom-Studenten für Konföderation Bonn-Pankow.«

»Studentenkongreß mit Linksruck und Skandal.«

»Überrollte Idealisten.«

»Gefährliche Dummheit.«

»Ein Kongreß der politischen Scharlatane.«

Die SPD antwortete mit dem Ausschluß aller »konkret«-Mitarbeiter aus dem SDS. Die Mitarbeit bei »konkret« wurde für unvereinbar mit der SPD-Mitgliedschaft erklärt.

Richtungskämpfe im SDS folgten. Nach dem Godesberger Parteitag der SPD im November 1959, dem Kurswechsel von der Arbeiter- zur Volkspartei, erklärte die SPD auch die Unvereinbarkeit von Mitgliedschaft in SDS und SPD. Ein neuer sozialdemokratischer Hochschulbund, der SHB, wurde gegründet.

Im Herbst 1959 hatte der sowjetische Ministerpräsident Nikita Chruschtschow die USA besucht und sich in Camp David mit US-Präsident Eisenhower getroffen, Anzeichen eines Tauwetters zwischen Ost und West. Der Kalte Krieg schien zu Ende zu gehen. Ulrike Meinhof schrieb in »konkret« ihre erste Kolumne. Überschrift: »Der Friede macht Geschichte«.

»… Die Wende ist da, der Friede ist zum bestimmenden Faktor politischen Handelns geworden. In Camp David haben die Kräfte der Vernunft und der Menschlichkeit gesiegt. Die sie schwächen, stehen auf verlorenem Posten. Die sie stärken, haben das Mandat der Geschichte, handeln im Auftrag der Zukunft.«

Im Januar 1960 wurde Ulrike Meinhof Chefredakteurin von »konkret«. Am 27. Dezember 1961 heirateten Ulrike Meinhof und Klaus Rainer Röhl.

1960 wurde in den USA ein neuer Präsident gewählt. John F. Kennedy verstand es, mit seiner Politik der »New Frontier« bei vielen Jugendlichen – nicht nur in Amerika – Hoffnungen auf eine neue Politik zu wecken: Beendigung des Kalten Krieges, Gerechtigkeit für die armen Länder der Dritten Welt, Beseitigung des Elends und der Rassendiskriminierung im eigenen Land.
Bei seinem Staatsbesuch in der Bundesrepublik kam Kennedy auch nach West-Berlin und wurde im Juni 1963 von den Studenten bejubelt wie nie ein Politiker zuvor – jedenfalls nicht seit Kriegsende.
Fünf Monate nach seinem Besuch in Bonn und Berlin wurde Präsident Kennedy in Dallas (Texas) ermordet.
Ulrike Meinhof kommentierte in »konkret«:
»Die Trauer verebbt, die Leere bleibt. Der Mann, von dem die Völker der Welt glaubten, er werde Frieden machen, ist tot … Was gefunden werden muß, sind nicht Rückwege, sondern Auswege – Alternativen … Es muß begriffen werden in Deutschland, daß unser Geschick in unseren eigenen Händen besser aufgehoben ist als in den Händen eines großen Bruders, der selbst Spielball ist von Ereignissen, die sich seiner Kontrolle entziehen. Es ist an der Zeit, daß die deutsche Bundesrepublik von ihrer vor acht Jahren erlangten Souveränität souveränen Gebrauch macht.«
Zur gleichen Zeit erschien in West-Berlin ein Flugblatt-Manifest, das ganz andere Töne anschlug. Die Überschrift:
»Auch Du hast Kennedy erschossen.«
»Der Schock, daß Halbgötter durch eine Kugel sterben können, findet seinen Ausdruck im Erstaunen, daß der Tote wirklich tot ist. In Wahrheit wird durch den Rummel nach dem Mord vorgetäuscht, in einer Welt austauschbarer Marionetten sei ein Kennedy nicht austauschbar und ein einzelner könne noch Geschichte machen, wo doch jeder nur noch wollen kann, was er soll, und wo doch die autonomen Mechanismen der repressiven Gesellschaft in jedem einzelnen zwangsläufig sich reproduzieren …«
Durch diese Manifest geben wir kund, daß der gegängelte Zauber nicht mehr überall ankommt.«

Das war eine neue Farbe auf der Palette linker Argumentation. »… in einer Welt austauschbarer Marionetten … autonome Mechanismen der repressiven Gesellschaft … die sich in jedem einzelnen zwangsläufig reproduzieren …«

Unterschrift: »Subversive Aktion«.

Die Autoren: Dieter Kunzelmann, Rudi Dutschke, Bernd Rabehl und andere Mitglieder des Westberliner SDS.

Eine neue studentische Generation hatte sich erstmals an die Öffentlichkeit gewandt.

Damals bereitete sich die oppositionelle SPD darauf vor, in der anstehenden Bundestagswahl 1965 die verbrauchte und bereits durch die »Spiegel-Affäre« im Oktober 1962 schwer angeschlagene CDU/FDP-Regierung abzulösen.

Günter Grass gründete das »Wahlkontor der Schriftsteller«, trommelte für die »Es-Pe-De« und ihren Kanzlerkandidaten Willy Brandt.

Im »Wahlkontor« in Berlin arbeitete auch eine junge Germanistikstudentin für den Erfolg der SPD. Gudrun Ensslin war zu Beginn des Jahres 1964 aus dem Schwäbischen in die alte Reichshauptstadt gekommen.

7. Gudrun Ensslin

Die Ortschaft Bartholomä liegt am Ostrand der Schwäbischen Alb, zwischen Heidenheim, Schwäbisch-Gmünd und Geislingen. Das Dorf gehörte einmal zu den Pappenheimern, wurde im Dreißigjährigen Krieg verwüstet und danach neu besiedelt. In der Dorfchronik ist zu lesen, daß damals »Fahrende aller Art, Heimatlose und Vagabunden – Württemberger, Sachsen, Ungarn, Spanier, Kroaten« – das menschliche Strandgut aller Kriege des 17. und 18. Jahrhunderts – gegen einen Gulden Einstandsgeld seßhaft gemacht wurden.

Das evangelische Bartholomä, benannt nach der lutherischen Dorfkirche, wurde wieder katholisch. Bartholomä hat etwa zweitausend Einwohner, zwei Drittel davon sind katholisch. Die CDU hat die absolute Mehrheit.

Neben der Kirche steht ein 200 Jahre altes, verwohntes Pfarrhaus mit Garten. Von 1937 bis 1948 lebte hier die Familie des evangelischen Pfarrers Ensslin und seiner Frau Ilse. Die Familie hatte sieben Kinder. Gudrun, das vierte Kind, wurde 1940 geboren.

Pfarrer Ensslin zog sich in seiner freien Zeit oft zum Malen zurück. Die Mutter galt als starke Persönlichkeit mit einen Hang zur Mystik. Im Pfarrhaus las man in den fünfziger Jahren das linke Kirchenblatt »Stimme der Gemeinde«, herausgegeben von Martin Niemöller, in dem zum Ausgleich mit Moskau aufgerufen, Adenauers Westpolitik angegriffen und gegen die Wiederbewaffnung polemisiert wurde.

Gudrun Ensslin besuchte in Tuttlingen das Gymnasium und folgte dem Beispiel ihrer Eltern, die in ihrer Jugend der Wandervogelbewegung angehört hatten. Sie ging mit dem Evangelischen Mädchenwerk auf Fahrt, wurde bald Gruppenführerin und leitete die Bibelarbeit.

Auf ihrem Nachttisch lag die Zeitschrift »Rüste für den Tag« des Evangelischen Mädchenwerks. Sie las darin bis zu ihrem 22. Lebensjahr.

Als Pfarrer Ensslin sich zur Jahreswende 1958/59 an die Lutherkirche in Stuttgart-Bad Cannstadt versetzen ließ, war Gudrun für ein Jahr als Austauschschülerin in die USA gegangen. Sie lebte in einer Methodistengemeinde in Pennsylvania. Die Amerikaner mochten sie, waren noch Jahre später begeistert. Gudrun galt als klug, sozial engagiert, sprachgewandt, weltoffen und hübsch. Sie selbst sah die Neue Welt mit kritisch-puritanischen Augen. Im Tagebuch notierte sie ihren Widerspruch zum amerikanischen Christentum, wo Kirchenbesucher, in eleganter Kleidung und mit Brillanten behängt, den sonntäglichen Gottesdienst zur Modenschau machten.

Im Elternhaus hatte sie gelernt, daß Christentum nicht an der Kirchentür aufhört, sondern politisches und soziales Handeln einschließt. Sie war erschrocken über die politische Naivität ihrer amerikanischen Umwelt in der Ära Eisenhower.

Zurück vom Schüleraustausch bereitete sich Gudrun auf das Abitur vor. Die Lehrerinnen des Gymnasiums für Mädchen behielten sie als begabte und aufgeschlossene Schülerin in Erinnerung.

1960 begann sie in Tübingen mit dem Studium der Germanistik, Anglistik und Pädagogik.

1962 fragte sie bei einem der Wochenendbesuche ihren Vater: »Sag mal, kennst du einen Schriftsteller Vesper?«

Pfarrer Ensslin kannte den Dichter Will Vesper, der Verse geschrieben hatte wie diesen:

»Noch ziehen die kalten Nebel schwer,
doch kamen schon Vögel vom Süden her
und wohnten im Walde und singen schon
in leise verhaltenem Ton.«

Und Vater Ensslin, der Kriegsgegner und Antifaschist, erinnerte sich auch an ein Gedicht von Vesper, geschrieben, als die Hitlerarmee Polen überfallen hatte:

»August 1939

Mein Führer, in jeder Stunde
weiß Deutschland, was du trägst,
daß du im Herzensgrunde
für uns die schwere Schlacht des Schicksals schlägst.

In deiner Hand ohn' Zagen
fühl unsre Hand!
Nun wag, was du mußt wagen,
wozu dich Gott gesandt!«

Gudrun hatte in Tübingen einen jungen Germanistikstudenten kennengelernt: Bernward Vesper, den Sohn des Blut-und-Boden-Dichters. Er haßte seinen Nazi-Vater und gab gleichzeitig ausgewählte Werke von ihm heraus. Die beiden machten eine erste gemeinsame Reise nach Spanien.
Nach ihrer Rückkehr erschien die Tochter dem Pfarrer Ensslin »stark erotisiert«, und als Gudrun ihren neuen Freund im heimischen Pfarrhaus vorstellte und er noch mehrmals auftauchte, setzte ihn der Vater jedesmal »wegen des Kuppeleiparagraphen« vor die Tür.
Die Verlobung versöhnte die Familie. Man feierte im Kurhaus von Bad Cannstatt.
Die Verlobten schmiedeten Zukunftspläne. Sie wollten zusammen einen Verlag gründen. Um weiterstudieren zu können, bemühte Gudrun

Ensslin sich, in die »Studienstiftung des Deutschen Volkes« aufgenommen zu werden.

In ihrem Lebenslauf schrieb sie: »Mein Berufsziel ist es, Lehrerin an einer höheren Schule zu werden. Dieser Wunsch ist seit dem 13. Lebensjahr in mir lebendig; nur die Gründe dafür haben sich vertieft … Die Zeit in den USA hatte drei Schwerpunkte: Schule, Familie, Kirche … Ich persönlich bin in der amerikanischen Schule aufgewacht … wo ich meine Fächer selbst wählen sollte. Zwar sind einem zu frühem Spezialistentum Tür und Tor geöffnet, aber einen ›fruchtbaren Moment‹ darf und will ich nicht übersehen. Schwerer wiegt sicherlich dagegen die Tatsache, daß junge Menschen eine leitende, zwingende Hand hinter sich spüren wollen und müssen, um nicht nur das zu tun, was sie gern tun, sondern um auch etwas zu tun, dessen Sinn erst viele Jahre später offenbar wird.«

Für die Hochbegabtenförderung wurde Gudrun zunächst nicht zugelassen. Sie legte erst einmal die Prüfung für das Lehramt an Volksschulen ab. Durchschnittsnote »befriedigend«. Beurteilung der Lehrfähigkeit »ausreichend«.

Kurz darauf, 1963, gründeten Bernward Vesper und Gudrun Ensslin den Kleinverlag »Studio für neue Literatur«. Ein erstes Buch erschien: »Gegen den Tod. Stimmen deutscher Schriftsteller gegen die Atombombe.« Gudrun hatte mit Schriftstellern wie Horst Bingel, Max Brod, Hans Magnus Enzensberger, Stephan Hermlin, Anna Seghers, Erich Fried und vielen anderen korrespondiert und um Originalbeiträge für die Anthologie gebeten.

Aus einem Beitrag von Rudolf Rolfs:

»Man könnte, angefangen bei der Korruption über die Lüge bis zum Betrug, eine lange Liste jener Dinge aufzählen, die heute für ›relativ normal‹ gehalten werden, da sollte man sich nicht scheuen, als Pazifist für ›irre‹ gehalten zu werden. ›Normal‹ ist Egoismus! ›Normal‹ sind Geschäftemacherei, Rücksichtslosigkeit und Selbstherrlichkeit. Deshalb gibt es kein größeres Kompliment, als in diesem Reigen für ›irre‹ gehalten zu werden!«

In dem Beitrag von Günther Anders war Gudrun Ensslin besonders von den Sätzen fasziniert: »Die geschriene Wahrheit ist wahrhaftiger als die Wahrheit, die nicht ankommt. Der verzweifelte Frevel tugendhafter als die Tugend, die niemals verzweifelt!«

Wenige Monate vorher, Ende 1962, hatten die zwei Jungverleger, wie so viele ihrer Generation, den Anstoß zur Politisierung durch die »Spiegel-Affäre« erhalten. »Damals«, so Vesper später, »spürten wir zum ersten Mal die Ohnmacht derjenigen, die dem politischen Machtapparat ausgeliefert sind. Wir hatten Angst.«

Als Gudrun Ensslin nach einem zweiten Anlauf das Stipendium der Studienstiftung erhielt, zog sie mit ihrem Verlobten nach West-Berlin und schrieb sich an der Freien Universität ein.

Schon bald nach ihrer Ankunft arbeiteten beide im »Wahlkontor der Schriftsteller« für den Sieg der SPD bei der anstehenden Wahl zum Bundestag 1965.

Ein knappes Jahr später kam die Ernüchterung. Bundeskanzler Erhard trat zurück, die Große Koalition wurde gebildet. Plötzlich saßen Brandt und Schiller, für die sie sich engagiert hatten, neben den politischen Gegnern von gestern, Kiesinger und Strauß, auf der Regierungsbank. »Wir mußten erleben«, sagte Gudrun später, »daß die Führer der SPD selbst Gefangene des Systems waren, die politische Rücksichten nehmen mußten auf die wirtschaftlichen und außerparlamentarischen Mächte im Hintergrund.«

Gudrun gewann Abstand zum festgefügten, strengen und sittsamen Pfarrhaushalt in Bad Cannstatt, wo auf Familiengemeinschaft geachtet wurde, wo sich Kinder und Eltern am Abend in »heiterer Singekreisatmosphäre« trafen, wie es Gudruns Schwager später einmal formulierte.

8. Der Protest

Ende der fünfziger Jahre wurden in der bundesdeutschen Wohlstandsgesellschaft absonderliche Figuren gesichtet: junge Männer mit langen Haaren und in abgewetzter Kleidung, die trampend durch Westeuropa fuhren und in Paris, Amsterdam, München, Hamburg, Kopenhagen oder Stockholm Freunde gleicher Gesinnung an Treffpunkten fanden, die der normale Bürger mied. Die Mädchen, die mit ihnen zogen, lehnten ab, was der Markt an Mode und Kosmetik anpries. Die jugendlichen Abweichler arbeiteten nicht, sie kümmerten sich nicht um offizielle Politik, sie schliefen tagsüber und waren nachts unterwegs. In ihrem

Handgepäck waren die ersten Haschischpäckchen, die nach Trampfahrten durch Nordafrika auch den Norden Westeuropas erreichten.

Mit dem »American Way of Life« war auch sein Widerspruch in Westeuropa angekommen: der Protest gegen Wohlstand, Überfluß und Konformismus. »On the Road« – »Unterwegs« – war der Titel eines Buches von Jack Kerouac, das erst in den USA und bald auch in Westeuropa zum Kultbuch wurde.

Die wesentlichen Grundzüge der späteren Jugendrevolte, der Protestbewegung, der Studenten-Rebellion, der neuen sozialen Bewegungen klangen in den Manifesten der Beat-Generation an. Im Mittelpunkt der Ablehnung stand die bedrohliche Möglichkeit der atomaren Selbstzerstörung, die anti-kommunistische Hexenjagd der McCarthy-Ära, die Konsumideologie, Profitgier und Eigennutz: »Wo Millionen einander auf der Jagd nach Dollars drängen und stoßen: raffend, grabschend, gebend, seufzend, sterbend, in einem verrückten Traum.«

Der Konsens der Nachkriegsgesellschaft leuchtete ihnen nicht mehr ein, »daß man Produziertes verbrauchen soll und daher arbeiten muß, um überhaupt konsumieren zu dürfen, das ganze Zeug, das sie eigentlich nicht haben wollten … alle gefangen in einem System von Arbeit, Produktion, Verbrauch, Arbeit, Produktion, Verbrauch«. (Kerouac)

Anfang der sechziger Jahre empörte sich die deutsche Öffentlichkeit über die Nachfolger der amerikanischen Beatniks, die sichtbar und provozierend in den Cities der Großstädte auftauchten. Langhaarig, mit ungewaschenen und angefetzten Klamotten. Auch Kanzler Ludwig Ehrhard meldete sich dazu: »Solange ich regiere, werde ich alles tun, um dieses Unwesen zu zerstören.«

Im Sommer 1962 sollten zwei Gitarrenspieler auf der Münchener Leopoldstraße wegen ruhestörenden Lärms festgenommen werden. Jugendliche versuchten die Festnahme zu verhindern. Die Polizei rückte mit einer Hundertschaft an und prügelte los. Wie ein Lauffeuer verbreitete sich die Nachricht vom Einsatz der Polizei in der Stadt. Tausende von Jugendlichen zogen in Richtung Schwabing. Immer neue Hundertschaften von Polizisten wurden aus den Kasernen auf den Kampfplatz abkommandiert. Vier heiße Juninächte tobte die Schlacht mit der Polizei; sie ging als »Schwabinger Krawalle« in die Geschichte ein.

Andreas Baader hatte sich an den Prügeleien in München beteiligt.

9. Andreas Baader geht nach Berlin

1963, knapp 20jährig, kam Andreas Baader nach West-Berlin. Ob die Motorraddiebstähle, die Unfälle mit gestohlenen Autos oder der ständige Ärger mit der Münchner Polizei der Grund dafür waren, die Stadt zu wechseln, oder die häufigen Prügeleien in der kleinen überschaubaren Szene der bayerischen Hauptstadt, ist nicht klar auszumachen. Jedenfalls entging er durch diesen Umzug auch der Einberufung zur Bundeswehr.

West-Berlin nach dem Mauerbau zog damals viele junge Westdeutsche an: Sie wollten raus aus Elternhäusern, Untermiete und engen Studentenbuden, wollten sich der Bundeswehr entziehen oder auch einfach nur in einer Stadt leben, die damals noch weit entfernt war von Gleichförmigkeit und Langeweile der wiederaufgebauten westdeutschen Städte. West-Berlin hatte einiges zu bieten: eine vielfältige Kneipen- und Kunstszene, die es so wildwüchsig in anderen Städten nicht gab, und eine Menge leerstehender Großwohnungen: Viele wohlhabende Bürger hatten Berlin nach dem Bau der Mauer verlassen.

So konnte man dort eine Wohnung finden, die andernorts unerschwinglich war. Das Berliner Nachtleben kannte keine Polizeistunde und war im Verhältnis zum Westen dank Steuererleichterungen damals unvorstellbar billig.

Andreas Baader nahm teil an diesem Nachtleben. Zu Beginn seiner Berliner Zeit arbeitete er kurzfristig als Praktikant bei der »Bild-Zeitung«. Rausgeworfen worden sei er, so erzählte Baader, weil er betrunken, wie Tarzan an einem Kronleuchter schaukelnd, einem leitenden Redakteur mit den Füßen ins Gesicht getreten hätte. Im »Kleist-Kasino«, einer traditionsreichen Schwulen-Bar, begegnete er dem Redakteur später wieder und verprügelte ihn.

Im »Kleist-Kasino« lernte er 1964 auch Ellinor M. und Manfred H. kennen. Ellinor malte naive Bilder, die sich gut verkauften. Sie war mit Manfred H. verheiratet, ebenfalls Maler, der sich gerade in der Kunstszene einen Namen machte. Das Ehepaar hatte ein Kind und lebte in einer weiträumigen Achtzimmerwohnung in Schöneberg.

Manfred, Ellinor und der drei Jahre jüngere Baader waren bald unzertrennlich. Baader zog zu ihnen. Nach außen wirkte diese Gemeinschaft wie eine Ehe zu dritt, begleitet von Besäufnissen und Prügeleien, in der

Berliner Boheme der frühen sechziger Jahre nichts Ungewöhnliches. Ungewöhnlich in dieser Szene waren eher Andreas Baaders Kneipenauftritte in teuren Jacketts, die so gar nicht in diese Umgebung paßten. Es bereitete ihm offenbar Vergnügen, sein rüpelhaftes Auftreten mit eleganter Kleidung zu kombinieren. Er trug italienische Schuhe, seidene Hemden, und da es damals noch keine enggeschnittenen Hosen gab, schneiderte er sie selbst. Unterhosen trug er nicht, weil, wie er meinte, »der Arsch und alles andere zur Geltung kommen muß«. Er schminkte sich, klebte sich auch mal falsche Wimpern an und benutzte oft und gern Parfum.

Den breitkrempigen Hut des verehrten Humphrey Bogart tief im Gesicht, zog er über den Kurfürstendamm. In der gemeinsamen Wohnung wurde für einige Jahre eine Art künstlerisch-antibürgerlicher Salon etabliert. Zu einem sogenannten Jour fixe trafen sich am ersten Sonntag im Monat oft an die hundert Menschen, Künstler und Kunsthändler, Kritiker, Psychiater, Rechtsanwälte und Journalisten. Eine bunte Versammlung gesellschaftlich Arrivierter, die sich mit denen mischten, die Ello, Andreas und Manfred bei ihren Streifzügen durch die Berliner Nächte aufgelesen hatten, Transvestiten und Prostituierte, die ersten Drogenhändler aus dem Umfeld der U. S. Army, Schauspieler vom Living Theatre. Baader stellte sich gern als unmittelbarer Nachfahre des in literarischen Kreisen bekannten Philosophen Joseph von Baader dar, einem Erfinder und religiösen Denker, der Schelling beeinflußt hatte. Seine Mutter, erzählte er, sei Staatsanwältin. Von sich selbst zeichnete er das Bild eines Wunderknaben, der bereits im jugendlichen Alter von 16 Jahren von berühmten Philosophen zu Disputen herausgefordert worden sei. Je nach Milieu gab er sich aber auch als erfahrener Autoknacker oder souveräner Einbrecher. Besonders liebte er es, verklemmte Intellektuelle mit der Beschreibung unglaublicher sexueller Ausschweifungen zu schockieren; eigenen, ausgedachten und von anderen gehörten. Material lieferte ihm die »Neue deutsche Gerichtszeitung«, ein Maso-Sado-Blättchen, das unter dem Vorwand des gesunden deutschen Volksempfindens voller Begeisterung darüber berichtete, was alles an sexueller Abweichung vor Gericht verhandelt wurde.

Die traditionelle Linke oder das, was sich zur gleichen Zeit in seiner nächsten Umgebung als Protestbewegung zu entwickeln begann, fand in diesen Jahren nie sein Interesse. Schwarze Messen zu beschreiben lag ihm näher, als rote Fahnen zu schwenken.

1965 bekam seine Freundin Ello ein Kind. Andreas war der Vater. Zusammen mit dem Ehemann wartete er vor dem Krankenhaus stundenlang auf die Geburt. Für fast zwei Jahre lebten die beiden Männer mit der Frau und zwei Kindern zusammen.

Die aufkommende Protestbewegung ergriff auch die Künstler-Szene. Plötzlich gerieten völlig unbekannte Leute in die Schlagzeilen und wurden über Nacht berühmt. Im Sommer 67 verbrannte Baaders Freund Manfred öffentlich auf dem Kurfürstendamm seine Bilder. Die Aktion hieß: »Der Maler schmeißt den Pinsel weg und macht Kommune!« Ein Teil der Berliner Kunstszene vermischte sich mit der Protestbewegung.

10. Napalm und Pudding

Die Luftwaffe der Vereinigten Staaten hatte 1963 mit Flächenbombardements der ländlichen Gebiete Süd-Vietnams begonnen. Ab August 1964 flogen die amerikanischen B-52-Bomber auch die Städte Nord-Vietnams an. Im Frühjahr 1965 bombardierten sie die Deiche des Roten Flusses.

Der Terror gegen die vietnamesische Zivilbevölkerung löste in den USA und vielen anderen Ländern der Welt Empörung und eine Welle von Protestmärschen aus.

Am 5. Februar 1965 zogen 2500 Studenten durch die Straßen West-Berlins. 500 von ihnen verließen die von der Polizei genehmigte Demonstrationsroute und marschierten vor das Amerika-Haus. Sie setzten die US-Fahne auf halbmast, und jemand schleuderte fünf Frischeier auf das Gebäude.

Die Öffentlichkeit, allen voran die Berliner Zeitungen des Axel-Springer-Verlages, war entsetzt. Der Regierende Bürgermeister Willy Brandt entschuldigte sich beim US-Stadtkommandanten.

In der Nacht klebten Mitglieder des Sozialistischen Deutschen Studentenbundes (SDS) Plakate:

»Erhard und die Bonner Parteien unterstützen Mord. Mord durch Napalmbomben. Mord durch Giftgas. Wie lange noch lassen wir zu, daß in unserem Namen gemordet wird?« Der Krieg der Amerikaner in Viet-

nam wurde mehr und mehr zum beherrschenden Thema der rebellieren-
den Studenten.

Im April 1967 kündigte sich der amerikanische Vizepräsident Hubert
Humphrey zu einem Besuch in Berlin an. Der Allgemeine Studenten-
ausschuß (AStA) der Freien Universität rief zur Protestdemonstration
auf. Andere bereiteten sich auf ihre Weise für den Empfang des Vizepräsidenten vor.

Anfang 1967 hatten in Berlin Studenten eine Wohngemeinschaft gegründet, die sich »Kommune I« nannte. Es ging um den »Versuch der
Revolutionierung des bürgerlichen Individuums«. In der Kommune
sollten sich »sexuelle Bedürfnisse ungehemmter entfalten, die Verein-
zelung aufgehoben und der Kampf um die Befreiung von Zwängen der
kapitalistischen Gesellschaft wirkungsvoller geführt« werden.

Dieter Kunzelmann, Initiator der »KI« und 15 Jahre später für die
»Alternative Liste« im Berliner Abgeordnetenhaus, hatte damals aufgerufen: »Ihr müßt euch entwurzeln! Weg mit euren Stipendien! Weg
mit eurer Sicherheit! Gebt das Studium auf! Riskiert eure Persönlichkeit!«

Am Tisch der Kommune-Küche wurde Pudding angerührt, mit dem
Hubert Humphrey beworfen werden sollte. Im Grunewald probierte die
Gruppe das Pudding-Attentat an einigen Baumriesen aus. Doch die Ak-
tion flog schon vor der Durchführung auf. Die Berliner Zeitungen, und
nicht nur sie, überschlugen sich vor Empörung, und aus dem Pudding-
Attentat wurde plötzlich ein Sprengstoffanschlag.

»Bild« in einer Schlagzeile, die über die halbe Seite lief: »Geplant:
Berlin – Bombenanschlag auf US-Vizepräsidenten.«

Auf der Basis dieser überdimensionalen Falschmeldung kommentierte
»Bild« im Innenteil des Blattes: »Mit diesen Bombenlegern werden wir
fertig! Die Mehrheit der Deutschen hat Verständnis für den Kampf der
Amerikaner in Asien …«

Die »Verschwörer« wurden in Haft genommen, kurzzeitig, denn bald
ließ sich nicht mehr leugnen, daß der Sprengstoff nichts als Pudding und
Quark gewesen war.

In »konkret« kommentierte Ulrike Meinhof das geplante Polit-Happe-
ning:

»Nicht Napalmbomben auf Frauen, Kinder und Greise abzuwerfen, ist
demnach kriminell, sondern dagegen zu protestieren. Nicht die Zerstö-

rung lebenswichtiger Ernten, was für Millionen Hunger und Hungertod bedeutet, ist kriminell, sondern der Protest dagegen.

Es gilt als unfein, mit Pudding und Quark auf Politiker zu zielen, nicht aber, Politiker zu empfangen, die Dörfer ausradieren lassen und Städte bombardieren ... Napalm ja, Pudding nein.«

Der Brand im Brüsseler Warenhaus »À l'Innovation« am 22. Mai 1967, bei dem mehr als 300 Menschen ums Leben kamen, inspirierte die Kommunarden zu einer neuen, makabren Inszenierung. Sie verfaßten eine Reihe von Flugblättern und verteilten sie an der Freien Universität. Das erste Flugblatt überschrieben sie: »Neue Demonstrationsformen in Brüssel erstmals erprobt.«

Das zweite Flugblatt trug den Titel: »Warum brennst Du, Konsument?« »Ein brennendes Kaufhaus mit brennenden Menschen vermittelt zum erstenmal in einer europäischen Großstadt jenes knisternde Vietnamgefühl (dabeizusein und mitzubrennen), das wir in Berlin bislang noch missen mußten ... So sehr wir den Schmerz der Hinterbliebenen in Brüssel mitempfinden: Wir, die wir dem Neuen aufgeschlossen sind, können, solange das rechte Maß nicht überschritten wird, dem Kühnen und Unkonventionellen, das, bei aller menschlichen Tragik, im Brüsseler Kaufhausbrand steckt, unsere Bewunderung nicht versagen ...«

Im dritten Flugblatt gingen die Kommunarden noch weiter:

»Wann brennen die Berliner Kaufhäuser?

Bisher krepierten die Amis in Vietnam für Berlin. Uns gefiel es nicht, daß diese armen Schweine ihr Coca-Cola-Blut im vietnamesischen Dschungel verspritzen mußten. Deshalb trottelten wir anfangs mit Schildern durch leere Straßen, warfen ab und zu Eier ans Amerikahaus, und zuletzt hätten wir gern HHH (Hubert Horatio Humphrey) in Pudding sterben sehen.

Unsere belgischen Freunde haben endlich den Dreh heraus, die Bevölkerung am lustigen Treiben in Vietnam wirklich zu beteiligen: sie zünden ein Kaufhaus an, dreihundert saturierte Bürger beenden ihr aufregendes Leben, und Brüssel wird Hanoi. Keiner von uns braucht mehr Tränen über das arme vietnamesische Volk bei der Frühstückszeitung zu vergießen. Ab heute geht er in die Konfektionsabteilung von KaDeWe, Hertie, Woolworth, Bilka oder Neckermann und zündet sich diskret eine Zigarette in der Ankleidekabine an.

Wenn es irgendwo brennt in der nächsten Zeit, wenn irgendwo eine Kaserne in die Luft geht, wenn irgendwo in einem Stadion die Tribüne einstürzt, seid bitte nicht überrascht. Genauso wenig wie bei der Bombardierung des Stadtzentrums von Hanoi.

Brüssel hat uns die einzige Antwort darauf gegeben: burn, ware-house, burn!«

Die Berliner Staatsanwaltschaft erhob Anklage gegen sieben Kommunarden. Sie hätten gemeinschaftlich durch Verbreitung von Schriften zur Begehung strafbarer Handlungen aufgefordert, nämlich zum vorsätzlichen Inbrandsetzen von Räumlichkeiten, welche zeitweise dem Aufenthalt von Menschen dienten, und zwar zu einer Zeit, während welcher Menschen in denselben sich aufzuhalten pflegten. »Die Aufforderung«, so die Staatsanwaltschaft, »ist bisher ohne Erfolg geblieben.«

11. »Genossen, wir haben Fehler gemacht«

»Fabelhaft«, sagte die Journalistin Ulrike Marie Meinhof, als sie im Mai 1967 von einer der großen studentischen Protestversammlungen aus Berlin in die Hamburger »konkret«-Redaktion« zurückkehrte.

Was die 33jährige Journalistin begeistert hatte, war das erste studentische »Sit-in«, das einer berühmt gewordenen Rede folgte. Der Schriftsteller Peter Schneider hielt sie am 5. Mai 1967 im Audimax der Freien Universität Berlin:

»Wir haben Fehler gemacht, wir legen ein volles Geständnis ab: Wir sind nachgiebig gewesen, wir sind anpassungsfähig gewesen, wir sind nicht radikal gewesen …

Wir haben in aller Sachlichkeit über den Krieg in Vietnam informiert, obwohl wir erlebt haben, daß wir die unvorstellbarsten Einzelheiten über die amerikanische Politik in Vietnam zitieren können, ohne daß die Phantasie unserer Nachbarn in Gang gekommen wäre, aber daß wir nur einen Rasen zu betreten brauchen, dessen Betreten verboten ist, um ehrliches, allgemeines und nachhaltiges Grauen zu erregen.

Wir haben ruhig und ordentlich eine Universitätsreform gefordert, obwohl wir herausgefunden haben, daß wir gegen die Universitätsverfassung reden können, soviel und solange wir wollen, ohne daß sich ein

Aktendeckel hebt, aber daß wir nur gegen die baupolizeilichen Bestimmungen zu verstoßen brauchen, um den ganzen Universitätsaufbau ins Wanken zu bringen.

Da sind wir auf den Gedanken gekommen, daß wir erst den Rasen zerstören müssen, bevor wir die Lügen über Vietnam zerstören können, daß wir erst die Marschrichtung ändern müssen, bevor wir etwas an den Notstandsgesetzen ändern können, daß wir erst die Hausordnung brechen müssen, bevor wir die Universitätsordnung brechen können.«

Am Ende seiner Rede sagte Peter Schneider: »… daß wir gegen den ganzen alten Plunder am sachlichsten argumentieren, wenn wir aufhören zu argumentieren und uns hier in den Hausflur auf den Boden setzen. Das wollen wir jetzt tun.«

Die 2000 Studenten setzten sich, und sie blieben auch sitzen, als sie aufgefordert wurden, das Gebäude zu verlassen. Der Rektor rief die Polizei. Es war der erste Einsatz der Ordnungsmacht auf dem Gelände der Freien Universität Berlin.

In diesem Frühling 1967 erwartete die Bundesrepublik den Besuch des Schahs von Persien, Reza Pahlevi, und seiner Frau, der Schahbanu. Die Regenbogenpresse schwelgte in märchenhaften Geschichten über den Glanz des Pfauenthrones. Kaiserin Farah Diba schilderte in einem »persönlichen« Beitrag für die Illustrierte »Neue Revue« ihr Familienleben. In Berlin bereiteten sich die Studenten auf Demonstrationen gegen den iranischen Potentaten vor. Ulrike Meinhof schrieb in »konkret« einen »Offenen Brief an Farah Diba«:

»Sie erzählen da: ›Der Sommer ist im Iran sehr heiß, und wie die meisten Perser reise ich auch mit meiner Familie an die Persische Riviera am Kaspischen Meer.‹

Wie die meisten Perser – ist das nicht übertrieben? Die meisten Perser sind Bauern mit einem Jahreseinkommen von weniger als 100 Dollar. Und den meisten persischen Frauen stirbt jedes zweite Kind – 50 von 100 – vor Hunger, Armut und Krankheit. Und auch die Kinder, die im 14stündigen Tagwerk Teppiche knüpfen, fahren auch – die meisten? – im Sommer an die Persische Riviera am Kaspischen Meer?

Sie schreiben: ›In diesem Punkt ist das iranische Grundgesetz sehr strikt. Der Schah von Persien muß einen Sohn haben.‹

Merkwürdig, daß dem Schah ansonsten die Verfassung so gleichgültig ist, daß keine unzensierte Zeile in Persien veröffentlicht werden darf, daß nicht mehr als drei Studenten auf dem Universitätsgelände von Teheran zusammenstehen dürfen, daß Mossadeghs Justizminister die Augen ausgerissen wurden, daß Gerichtsprozesse unter Ausschluß der Öffentlichkeit stattfinden, daß die Folter zum Alltag der persischen Justiz gehört …

Wir wollen Sie nicht beleidigen: Wir wünschen aber auch nicht, daß die deutsche Öffentlichkeit durch Beiträge wie den Ihren in der Neuen Revue beleidigt wird.

Hochachtungsvoll Ulrike Meinhof«

12. Die Kolumnistin

Anfang der sechziger Jahre war der Name Ulrike Meinhof plötzlich bekannt geworden. In einem Leitartikel in »konkret« hatte sie im Mai 1961 unter der Überschrift »Hitler in Euch« geschrieben:

»Wie wir unsere Eltern nach Hitler fragen, werden wir eines Tages nach Herrn Strauß gefragt werden.«

Franz Josef Strauß klagte. Im Juni 1961 begannen die Ermittlungen, die Staatsanwaltschaft beantragte die Eröffnung des Hauptverfahrens. Als Verteidiger hatte Ulrike Meinhof Gustav Heinemann beauftragt, der Minister unter Adenauer gewesen war und sein Amt aus Protest gegen des Kanzlers Rüstungspolitik niedergelegt hatte. Danach gründete Heinemann eine neutralistisch, pazifistisch orientierte Partei, die »Gesamtdeutsche Volkspartei«. Später trat Heinemann der SPD bei und wurde 1969 Bundespräsident.

1961 vertrat er Ulrike Meinhof gegen Strauß. Heinemann gewann. Auf seinen Widerspruch hin lehnte das Hamburger Landgericht die Eröffnung des Verfahrens ab.

Der Streit Strauß gegen Meinhof fand in allen Zeitungen seinen Niederschlag, machte den Namen der Kolumnistin bundesweit bekannt. Und steigerte die Auflage der Zeitschrift.

Als Ulrike Meinhof 1962 ein Kind erwartete, begann sie unter starken Kopfschmerzen und Sehstörungen zu leiden. Eine Überprüfung ihrer Reflexe ergab, daß die Störung im Gehirn liegen mußte. Man stellte sie vor die Wahl, sich operieren zu lassen oder das Kind zu bekommen. Ulrike weigerte sich, die Schwangerschaft abbrechen zu lassen. Die Symptome wurden schlimmer, ihre Augen bewegten sich unkontrolliert, die Kopfschmerzen wurden stärker, sie konnte den Mund kaum noch öffnen.

Nach siebeneinhalb Monaten Schwangerschaft ging sie ins Krankenhaus. Durch Kaiserschnitt wurde sie von Zwillingen entbunden. Als die beiden Mädchen, Bettina und Regine, alt genug waren, um aus dem Brutkasten genommen zu werden, unterzog sich Ulrike Meinhof einer Gehirnoperation. Der Eingriff dauerte fünf Stunden. Der vermutete »Tumor« entpuppte sich als Blutgefäßerweiterung, ein Hämatom, das wegen der Blutungsgefahr nicht entfernt, sondern nur mit einer Silberklammer abgeklemmt werden konnte.

Fast drei Monate mußte sie in der Klinik bleiben. Die Zwillinge wurden während dieser Zeit von Renate Riemeck versorgt. Nach ihrer Entlassung stürzte sich Ulrike Meinhof wieder in die Arbeit.

»Sie arbeitete viel zu schwer«, meinte ihre Pflegemutter Renate Riemeck. »Sie wollte nach der Operation ihr Selbstvertrauen wiederherstellen. Sie war fest entschlossen, wieder in ein normales Leben zurückzukehren, hatte aber Angst, daß sich diese Geschichte wiederholen könne. Ihr Selbstvertrauen war nie so groß, wie sie vermuten ließ. Sie brauchte immer die Unterstützung einer stärkeren Persönlichkeit. Sie war als Kind intelligent und hatte einen guten Charakter, aber sie spiegelte immer ihre Umgebung ab. In einer Weise war das ihre Stärke. Sie wollte ihre Grenzen erforschen, sehen, wie weit sie gehen konnte. Es war nötig für sie, so Dinge durchzuarbeiten. Auf ganz weibliche Art. Sie hatte nie einen kalten Intellekt.«

Ulrike Meinhof war 1958 in die verbotene Kommunistische Partei eingetreten, in die alte KPD. Der Vorsitzende der Partei, Max Reimann, leitete die illegale Arbeit von der DDR aus.

Ulrike Meinhof war nicht mit »kaltem Intellekt« in die illegale KP eingetreten. Jedenfalls nicht nach einer wissenschaftlichen Auseinandersetzung mit den Werken von Marx, Engels, Lenin oder Luxemburg. Den Marxismus lernte sie eigentlich erst als Neo-Marxismus in der Studentenbewegung kennen.

Die illegalen Kommunisten, unter ihnen viele, die im Widerstand gegen

Hitler gekämpft hatten, verkörperten für sie einen konsequenten Antifaschismus in einer Republik, in der viele ehemalige Nazis führende Positionen hatten.

Noch Jahre später erzählte sie von den Menschen, die sie in der illegalen kommunistischen Partei kennengelernt hatte. Zu vielen hatte sie familiäre Gefühle entwickelt. Sie erinnerte sich an kleine Treffen in einer Arbeiterwohnung, wo man die Schuhe ausziehen mußte, die vorgewärmten Pantoffeln bereitstanden und der Tisch mit Spitzendeckchen und Kaffee und Kuchen gedeckt war.

Anfang 1964, Ulrike nahm gerade ihre Redaktionsarbeit wieder auf, kam es zum großen Krach mit der illegalen KPD. In einem Artikel hatte der »konkret«-Autor Jürgen Holtkamp seine Sympathien für Schriftsteller des – ersten – Prager Frühlings ausgedrückt. Die Partei verlangte die Trennung von Holtkamp. Röhl lehnte ab. Die Partei verlangte nun auch Röhls Rausschmiß aus der Redaktion, aber Ulrike weigerte sich, die Zeitung allein weiterzuführen.

Da drehte Ost-Berlin den Geldhahn zu. Im Juni 1964 blieb die monatliche »Spende« von 40 000 Mark (West) aus. Röhl entschloß sich, das Blatt ohne finanzielle Hilfe aus dem Osten weiterzumachen. Vollbusige Mädchen zierten fortan die Titelseiten, im Innenteil mischte Röhl Politik und Kultur mit Sex. Die Auflage stieg in wenigen Monaten von 20 000 auf 100 000 Exemplare.

Ulrike Meinhof schrieb ihre Kolumnen, hatte sich aber aus der redaktionellen Arbeit zurückgezogen. Sie veröffentlichte Reportagen im Rundfunk, machte einige Fernsehbeiträge für »Panorama«. Ihre Themen fand sie vorwiegend im sozialen Bereich: Fürsorgeerziehung, Fließbandarbeit, Benachteiligung von Frauen am Arbeitsplatz. Das war verhältnismäßig neu im deutschen Nachkriegsjournalismus. Ulrike Meinhof wurde über den Rahmen von »konkret« hinaus als Autorin bekannt und geschätzt. Sie wurde zu Fernsehdiskussionen eingeladen, konnte beeindruckend auftreten und überzeugend argumentieren.

Auch zur Hamburger Gesellschaft, liberalen Verlegern, Journalisten, Kaufleuten und Rechtsanwälten, hatte Ulrike Meinhof jetzt Zugang. »Es war die typische Rolle einer Starkolumnistin«, sagte Peter Rühmkorf später.

»Sie war eine vielbewunderte, rhetorisch gewandte junge Frau, die ihre sehr zugespitzten, rigiden politischen Anschauungen in einem Gesellschaftskreis vortrug, der eigentlich mit so strikten Anschauungen gar nichts anfangen konnte. Sie war sicher ein Schoßkind der Gesellschaft. Sie war nicht nur toleriert, sie war nicht nur gern geduldet, sondern sie war viel eingeladen, und man schmückte sich mit ihr. Nicht als einem linken Feigenblatt, sondern als einem linken Teil innerhalb dieser pluralistischen Palette.

Einerseits war sie Teil dieser gehobenen, feinen Society, andererseits hatte sie Kontakt zu Fürsorgezöglingen, machte Berichte über Fließbandarbeit und lebte auf einmal wirklich in zwei Welten.«

Zunächst deutete nichts darauf hin, daß ihr dieses Doppelleben unangenehm war. Von ihrem beim Rundfunk verdienten Geld kaufte sie Anfang 1967 zusammen mit Klaus Rainer Röhl eine Jugendstilvilla in Blankenese und richtete sie mit altdeutschen Möbeln und Antiquitäten ein. Im Sommer fuhr sie mit Mann und Kindern ins feine Kampen nach Sylt.

Ulrike Meinhof genoß diese neue Umgebung und fühlte sich gleichzeitig zur linken Studentenbewegung hingezogen. Immer häufiger fuhr sie jetzt nach Berlin.

Eines Tages fand Röhl Tagebuchnotizen und las: »Das Verhältnis zu Klaus, die Aufnahme ins Establishment, die Zusammenarbeit mit den Studenten – dreierlei, was lebensmäßig unvereinbar erscheint, zerrt an mir, reißt an mir.

Das Haus, die Parties, Kampen, das alles macht nur partiell Spaß, ist aber neben anderem meine Basis, subversives Element zu sein. Fernsehauftritte, Kontakte, Beachtung zu haben, gehört zu meinem Beruf als Journalistin und Sozialist, verschafft mir Gehör über Funk und Fernsehen über »konkret« hinaus. Menschlichkeit ist sogar erfreulich, deckt aber nicht mein Bedürfnis nach Wärme, nach Solidarität, nach Gruppenzugehörigkeit. Die Rolle, die mir dort Einsicht verschaffte, entspricht meinem Wesen und meinen Bedürfnissen nur sehr partiell, weil sie meine Gesinnung als Kasperle-Gesinnung vereinnahmt, mich zwingend, Dinge lächelnd zu sagen, die mir, uns allen, bluternst sind: also grinsend, also maskenhaft.«

13. Der Schock des 2. Juni

Die Bundesregierung hatte im Frühsommer 1967 für den Besuch des Schahs von Persien Sicherheitsvorkehrungen geschaffen, die an polizeistaatliche Praktiken erinnerten. Oppositionelle Perser waren ohne irgendeine Rechtsgrundlage in Vorbeugehaft genommen worden. Die Autobahnen, auf denen sich der kaiserliche Wagenkonvoi durch die Republik bewegte, wurden für normalen Autoverkehr gesperrt. Der Schah erlebte das Vergnügen, über eine völlig leere Autobahn zu fahren – während sich auf der gegenüberliegenden Fahrbahn der Verkehr bis zum Stillstand staute.

Am Morgen des 2. Juni flog Reza Pahlevi nach Berlin. Schahtreue Perser hatten die Erlaubnis erhalten, ihren Kaiser mit Fahnen und Jubelgeschrei auf dem Flughafen zu begrüßen.

Gegen 14.30 Uhr fanden sich die Majestäten im Schöneberger Rathaus ein, um von dort aus der Berliner Bevölkerung zuzulächeln. Auf dem Platz vor dem Rathaus hatten sich Hunderte von Studenten zu einer Demonstration versammelt, zurückgehalten von rot-weiß-gestreiften Eisengittern. Dahinter patrouillierten Polizeibeamte, verstärkt durch Schah-Anhänger, überwiegend Agenten des iranischen Geheimdienstes Savak. Sie waren mit langen Holzlatten ausgerüstet. Kaum regten sich aus der Menge der Demonstranten Protestchöre, »Schah, Mörder«, »Mo-Mo-Mossadegh«, die an den vom Schah gestürzten Regierungschef erinnern sollten, kaum flogen ein paar Farbeier, zu kurz geworfen, um den Schah zu treffen, da schlugen die »Jubelperser« zu. Mit ihren Holzknüppeln prügelten sie wahllos und hemmungslos auf die Demonstranten ein. Blut floß, Studenten gingen zu Boden. Und die deutsche Polizei sah teilnahmslos zu, machte keine Anstalten, die Knüppelei zu beenden.

Erst nach mehreren Minuten griff die Polizei ein – auf der Seite der Perser. Die iranischen Latten und Stahlruten wurden durch deutsche Gummiknüppel ergänzt. Die persischen Schläger wurden weder festgenommen, noch wurden ihre Personalien festgestellt.

Am Abend durften sie in zwei Sonderbussen in der Kolonne der Ehrengäste zur Deutschen Oper fahren, wo das Kaiserpaar einer Aufführung der »Zauberflöte« lauschen sollte. Wieder durften sich die zum Teil mit Pistolen und Ausweisen des Geheimdienstes ausgerüsteten Jubelperser vor der Absperrung formieren und sich später an der Jagd der Polizei auf Demonstranten beteiligen.

Um 19.56 Uhr war es soweit. Das Kaiserpaar rollte im Mercedes 600 vor das Opernportal. Auf der gegenüberliegenden Straßenseite, gut 30 Meter von den Staatsgästen entfernt, wurden wieder Sprechchöre laut: »Schah, Schah, Scharlatan«, »Mörder, Mörder«. Tomaten, Farbeier und Mehltüten zerplatzten auf der Fahrbahn, weit weg vom kaiserlichen Ziel. Vereinzelt flogen Steine. Unversehrt erreichten Schah und Schahbanu die Oper. Der Berliner Polizeipräsident Duensing und sein Kommandeur der Schutzpolizei, Hans-Ulrich Werner, konnten ebenfalls die Aufführung besuchen. Sie hatten ihre Aufgabe erfüllt.

Langsam rückten die Demonstranten ab, wollten sich auf die umliegenden Kneipen verteilen und um 22.00 Uhr nach Schluß der Mozart-Aufführung zur Verabschiedung des Schahs neu versammeln. Plötzlich fuhren Krankenwagen auf, vierzehn insgesamt. Die Polizeibeamten, die sich in einer Reihe vor den Demonstranten aufgebaut hatten, zogen die Knüppel. Einige Schaulustige versuchten, über die Absperrgitter zu entkommen, wurden aber zurückgetrieben.

Dann stürmte die Polizei. Ohne die gesetzlich vorgeschriebene Warnung prügelten die Beamten los.

Polizeichef Duensing erhob sich zu Ehren des Kaiserpaares von seinem Platz und lauschte der persischen Nationalhymne; er wußte, was sich in diesen Minuten vor der Oper abspielte. Schon zuvor hatte er den Einsatzbefehl gegeben. Er nannte das »Leberwurst-Taktik«: »Nehmen wir die Demonstranten als Leberwurst, dann müssen wir in die Mitte hineinstechen, damit sie an den Enden auseinanderplatzt.«

Es setzte ein die brutalste Knüppelei, die man bis dahin im Nachkriegs-Berlin erlebt hatte.

Blutüberströmt brachen viele Demonstranten zusammen. Eine junge Hausfrau schlug unter den Hieben lang auf die Straße, wurde von Polizisten aus dem Getümmel getragen und fand ihr Foto am nächsten Tag in der Zeitung wieder, versehen mit der Unterzeile, tapfere Polizisten hätten sie aus dem Steinhagel entmenschter Demonstranten gerettet. Die Krankenwagen füllten sich in wenigen Minuten. Demonstranten rannten in panischer Angst davon – soweit sie von der Polizei nicht daran gehindert wurden.

Als Polizeipräsident Duensing die Oper wieder verließ und auf seinen

»Gefechtsstand« zurückkehrte, konnte er die Schlußphase seiner Leberwurst-Taktik beobachten.

Es begann die Aktion »Füchse jagen«. Polizeitrupps rückten den flüchtenden Demonstranten nach. Kriminalbeamte in Zivil formierten sich zu Greiftrupps und überwältigten vermeintliche Rädelsführer. Sie reichten die Festgenommenen, vor allem jene, die durch Haar- und Barttracht aufgefallen waren, an ihre uniformierten Kollegen zur »Behandlung« weiter. Wieder mischten sich die »Jubelperser« unter die Beamten und griffen sich auf eigene Faust Demonstranten.

Im Dunkel der Nacht konnten die Studenten kaum noch ausmachen, wer Polizist, wer Zivilbeamter und wer Schah-Agent war.

Einer der Nichtuniformierten war der 39 Jahre alte Kriminalobermeister Karl-Heinz Kurras aus der Abteilung 1, Politische Polizei. Zusammen mit seinen Kollegen bildete er einen Greiftrupp. Gegen 20.30 Uhr hielten sich die Beamten in der Nähe des Grundstücks Krumme Straße 66/67 auf.

Auf der einen Seite stand eine Kette von Polizisten, ihnen gegenüber ein letzter Pulk von Demonstranten. Sie riefen »Mörder« und »Notstandsübung«. Steine flogen in Richtung auf die Polizisten.

Einer der Beamten meinte, einen Rädelsführer zu sehen: er trug einen Schnurrbart, ein rotes Hemd und Sandalen ohne Socken. Der Kriminalbeamte stürzte auf ihn zu. Karl-Heinz Kurras folgte seinem Kollegen. Sie stellten den Verdächtigen und rissen ihn zu Boden. Uniformierte Beamte kamen ihnen zur Hilfe. Demonstranten liefen dazu, umringten die Polizisten, es kam zum Handgemenge. Der niedergeworfene Student riß sich los, versuchte zu entkommen. Schutzpolizisten setzten nach, erreichten ihn, traktierten ihn mit Schlägen. Regungslos hing der Student in ihren Armen, sackte langsam zu Boden.

In diesem Augenblick war auch Karl-Heinz Kurras zur Stelle, in der Hand seine entsicherte Pistole vom Kaliber 7,65 Millimeter. Die Mündung war kaum einen halben Meter vom Kopf des Demonstranten entfernt, so jedenfalls erschien es Augenzeugen. Plötzlich löste sich ein Schuß. Die Kugel traf über dem rechten Ohr, drang in das Gehirn und zertrümmerte die Schädeldecke. Einer der Polizeibeamten hörte den Knall, drehte sich um und sah Kurras mit der Waffe in der Hand. »Bist du denn wahnsinnig, hier zu schießen?« schrie er. Kurras antwortete: »Die ist mir losgegangen.«

Der Demonstrant wurde in das städtische Krankenhaus Moabit gebracht, die Wunde zugenäht und als Todesursache zunächst Schädelbruch diagnostiziert.

Sein Name war Benno Ohnesorg, 26 Jahre alt, Student der Romanistik, ein Pazifist und aktives Mitglied der evangelischen Studentengemeinde. Er hatte das erste Mal in seinem Leben an einer Demonstration teilgenommen.

Der Regierende Bürgermeister, Pastor Heinrich Albertz (SPD) erklärte noch in der Nacht zum 3. Juni: »Die Geduld der Stadt ist am Ende. Die Demonstranten haben sich das traurige Verdienst erworben, nicht nur einen Gast der Bundesrepublik Deutschland in der deutschen Hauptstadt beschimpft und beleidigt zu haben, sondern auf ihr Konto gehen auch ein Toter und zahlreiche Verletzte …«

Der 2. Juni 1967 wurde zum historischen Datum, zum Wendepunkt im Denken und Fühlen vieler, nicht nur der Studenten. Auch der Berliner Regierende Bürgermeister Albertz, dessen späterer Rücktritt der Juni-Ereignisse wegen erfolgte, erfuhr durch den Tod Ohnesorgs eine tiefgreifende Wandlung. In seinen Erinnerungen schrieb er:

»Das Gerücht, ein Student sei erschossen, dann: ein Polizist sei erschossen, drang schon in die Oper. Ich saß steinern neben einer steinernen Farah Diba. Ich habe nie in meinem Leben so wenig von einer Oper gesehen und gehört. Ich glaube, es war Mozart. Als wir das Haus verließen, war die Straße leer von Demonstranten. Ich begleitete den Bundespräsidenten und den Schah zu ihren Wagen. Der meine stand auf dem Mittelstreifen, von der Polizei geschützt. Ich fuhr nach Hause. Ja, ich fuhr nach Hause. Warum fuhr ich nach Hause? Warum nicht ins Polizeipräsidium – warum von dort nicht ins Krankenhaus, zu dem toten Studenten? Äußerlich war alles klar: Ich war nicht Innensenator, ich wußte noch nicht einmal verläßlich, ob ein Mensch und wer erschossen sei. Ich mußte meine Frau heil nach Hause bringen. Ich war totmüde, angeekelt von allem, was geschehen war. Aber ich werde die Schuld für dieses persönliche Versagen tragen müssen, bis ich vor meinem ewigen Richter stehe …

Am nächsten Morgen mußte ich den Schah zum Flugzeug bringen. Ich fragte ihn, ob er von dem Toten gehört habe. Ja, das solle mich nicht beeindrucken, das geschehe im Iran jeden Tag.«

Geschlagen, verzweifelt und voller Haß trafen sich viele der Demonstranten noch in der Nacht im Berliner SDS-Zentrum am Kurfürstendamm. Erregt wurde hin und her diskutiert, wie man auf den Tod Benno Ohnesorgs reagieren könnte. Eine junge Frau, schlank, mit langen blonden Haaren weinte hemmungslos und schrie: »Dieser faschistische Staat ist darauf aus, uns alle zu töten. Wir müssen Widerstand organisieren. Gewalt kann nur mit Gewalt beantwortet werden. Dies ist die Generation von Auschwitz – mit denen kann man nicht argumentieren!« Gudrun Ensslin traf damit etwas, was viele fühlten und dachten.

Am nächsten Tag war sie dabei, als eine Gruppe von acht Studenten und Studentinnen auf dem Kurfürstendamm eine Protestaktion unternahm, obwohl ein generelles Demonstrationsverbot verhängt war.

Peter Homann, der in Hamburg Kunst studiert hatte und 1962 nach Berlin gezogen war, hatte eine Idee, wie das Verbot, Transparente zu zeigen, unterlaufen werden konnte. Es wurden Großbuchstaben auf weiße T-Shirts gemalt. Jeder trug auf seinem Hemd einen Buchstaben. Nebeneinander stehend ergab dies den Namen des Regierenden Bürgermeisters A - L - B - E - R - T - Z. Auf dem Rücken trugen sie die Buchstaben A - B - T - R - E - T - E - N. Auf ein Signal hin drehten sich alle um die eigene Achse. Am Abend wurde die Aktion bundesweit im Fernsehen gezeigt: »Albertz abtreten!« Fotos erschienen in den Tageszeitungen. Gudrun Ensslin stand rechts außen, in Minirock und weißen Stiefeln. Die acht Demonstranten wurden verhaftet.

Im September 1966 hatte Bernward Vesper, der Verlobte Gudrun Ensslins, das Angebot erhalten, als Lektor zum Luchterhand-Verlag zu gehen. Aus Freude darüber, sagte Gudrun ihrem Vater, hätten sie ganz bewußt ein Kind gezeugt.

Zwei Monate vor der Geburt lehnte Gudrun es plötzlich ab, Bernward Vesper zu heiraten. »Der spinnt«, erklärte sie ihrem Vater. Helmut Ensslin hatte Verständnis dafür, auch er hatte Gudruns Verlobten als eine etwas ausgefallene Persönlichkeit kennengelernt: »Bernward war mal schroff, messerscharf, mal liebenswürdig, wie heiß und kalt von einem auf den anderen Moment.«

Am 13. Mai 1967 war das Kind zur Welt gekommen. »Ein wenig früher, also sehr klein und zart«, schrieb Gudrun in ihrem Semesterbericht für die Studienstiftung. Sie hoffe zwar, ihre Doktorarbeit im nächsten Jahr beendet zu haben, das sei aber auch von der Beanspruchung durch das

Kind abhängig. Außer von ihrem Sohn seien die Monate seit Juni fast völlig durch die politischen Ereignissen in West-Berlin beansprucht worden. »Ich habe aktiv an zahlreichen Aktionen, deren Vorbereitung und Auswertung teilgenommen und bin der Meinung, ich sollte das auch weiterhin tun.«

Während der politisch heißen Wochen und Monate vor und nach dem Schah-Besuch war Andreas Baader nicht in Berlin. Er saß in Traunstein eine Jugendstrafe wegen Fahrens ohne Führerschein und Motorraddiebstahls ab. Im Sommer 67 tauchte er plötzlich wieder auf.

Der Kreis, der das Buchstaben-Ballett »Albertz – Abtreten« aufgeführt hatte, traf sich in der Wohnung Bernward Vespers, der damals noch mit Gudrun Ensslin zusammenlebte.

Es wurde Haschisch geraucht. Andreas Baader war an diesem Abend dabei und lernte Gudrun Ensslin kennen.

Man überlegte sich, welche Aktion für die nächste Zeit in Angriff genommen werden könnte. Jemand kam auf die Idee, ein riesiges Transparent mit der Aufschrift »Enteignet Springer« vom Turm der Gedächtniskirche herabzulassen, Schlag 12.00 Uhr mittags. Baader war das nicht genug, und er regte eine etwas revolutionärere Aktion an. Nach seinen Vorstellungen sollte gleich der ganze Turm der Gedächtniskirche gesprengt werden. Das wiederum erschien den anderen ein wenig zu radikal. Schließlich einigte man sich darauf, den Turm »symbolisch« zu sprengen, indem Rauchkerzen gezündet wurden. Die waren auch ziemlich einfach zu besorgen – ein gewisser Peter Urbach hatte schier unerschöpfliche Vorräte.

14. Der Agent

Irgendwann Anfang der sechziger Jahre hatte sich ein junger Mann, von Beruf Klempner und Rohrleger, bei der DDR-eigenen Deutschen Reichsbahn beworben, die in West-Berlin die S-Bahn betrieb. Sein Name war Peter Urbach.

Die meisten Reichsbahner im Westen waren Mitglied des West-Berliner Ablegers der DDR-Staatspartei SED. Wer neu zur S-Bahn kam, mußte sich auch um das rote Parteibuch bemühen.

Der Handwerker Peter Urbach wurde bei der S-Bahn und in die Partei der Arbeiterklasse aufgenommen. Wie alle anderen Kollegen und Genossen abonnierte er das Zentralorgan der Partei, »Die Wahrheit«. Das Blatt warb auf den S-Bahnsteigen und in den Zugabteilen mit der Losung »Schaff dir Klarheit, lies die Wahrheit!« Doch Peter Urbach wollte noch anderen Klarheit verschaffen und war ein weiteres Arbeitsverhältnis eingegangen. Er berichtete regelmäßig dem Berliner Landesamt für Verfassungsschutz, was er über die West-Berliner Kommunisten in Erfahrung bringen konnte.

Peter Urbach war Agent.

Er lebte unauffällig mit Frau und zwei Kindern in einer kleinbürgerlichen Mietwohnung. Mitte der sechziger Jahre kommandierte ihn sein Amt in die Studentenbewegung ab. Handwerkliche Fähigkeiten wurden überall gebraucht, im neugegründeten »Republikanischen Club«, in den renovierungsbedürftigen Wohnungen der Studenten und vor allem bei der »Kommune I« am Stuttgarter Platz. Peter Urbach war hilfsbereit und immer zur Stelle. Er reparierte sanitäre Anlagen und defekte Elektrogeräte, besorgte geklautes Baumaterial »zum Selbstkostenpreis«, bastelte und baute in vielen Wohnungen.

Nach seinen Erzählungen hatten Diebstahl und andere »schräge Dinger« zur Kündigung bei der S-Bahn und zum Ausschluß aus der SEW geführt.

Das kam an bei den antiautoritären Studenten, denn von der SEW wollte man damals noch weniger wissen als von den etablierten Rathausparteien. In einem Arbeitsgerichtsprozeß gegen die S-Bahn wurde Urbach vom Anwalt Horst Mahler vertreten. Von 1967 an arbeitete er ganztägig für das Landesamt für Verfassungsschutz: ständig auf Achse für die Selbstfindung der Studenten und ihre Selbstverwirklichung in der politischen Aktion.

Das Rüstzeug dafür hatte er stets bei sich: Haschisch und harte Drogen, Knallkörper und Rohrbomben, Schreckschußpistolen und großkalibrige Waffen. Er belieferte die Drogenszene, besorgte Materialien für die Aktionen der »Kommune I« und später für die entstehende Stadtguerilla.

Besonders enge und freundschaftliche Beziehungen verbanden Urbach mit der »Kommune I«, mit Rainer Langhans, Fritz Teufel und Dieter Kunzelmann. Er war dabei, als die Kommunarden das »Pudding-Attentat« vorbereiteten. Prompt flog der Plan auf.

Im Sommer 1967 bastelte Urbach einen Pappsarg, der anläßlich der Beerdigung des ehemaligen Reichstagspräsidenten Paul Löbe von buntgewandeten Studenten provokativ unter die Trauergäste getragen wurde. Schulter an Schulter mit dem Verfassungsschutzagenten schleppte damals Andreas Baader den Sarg, in dem kostümiert Dieter Kunzelmann lag.

In dieser Zeit lernte auch der spätere Bombenleger Bommi Baumann im Umfeld der »Kommune I« und der APO-Kneipe »Zum Schotten« Andreas Baader und Gudrun Ensslin kennen. Baader, so erinnerte sich Bommi, hatte immer einen »unheimlichen Vortrag drauf«. Er monologisierte stundenlang über seine vergangenen und seine zukünftigen Abenteuer, die alle irgend etwas mit »Terror machen« zu tun hatten. Spätabends kam es auch schon mal vor, daß Baader einem Betrunkenen auf die Toilette nachging und dessen Brieftasche »teichte«. Seine weitere Spezialität war Autodiebstahl. Die Studenten aus der APO-Szene fanden das zumeist gar nicht so übel, endlich einmal erwies sich einer als Tatmensch.

Schon als Baader in der Berliner Szene auftauchte, hieß es überall: »Das ist ein ganz Verrückter, der redet nur von Terrorismus.« Andere, die später im »Blues« durch Brandanschläge von sich reden machten, waren noch auf dem Drogentrip. »Baader dagegen war so ein Marlon-Brando-Typ«, beschrieb ihn Bommi Baumann. In den Kneipen provozierte er gern irgendwelche Leute, ließ es auch auf Schlägereien ankommen, aber die meisten Studenten kniffen, bevor es richtig ernst wurde. Das verlieh Baader eine gewisse Autorität.

Andreas Baader stilisierte sich gern nach Vorbildern aus dem Kino und der Literatur. Eines seiner Lieblingsbücher damals war Thomas Wolfes »Es führt kein Weg zurück«.

Darin heißt es über einen Helden des Romans: »Vielleicht hatte Rumford Bland im Finstern nach dem Leben gesucht, nicht weil etwas Böses in ihm war (obwohl er bestimmt Böses in sich hatte), sondern des Guten wegen, das in ihm noch nicht erstorben war. Irgend etwas in diesem Menschen hatte sich immer gegen die Langeweile des Provinzlebens aufgelehnt, gegen Vorurteil und Mißtrauen, gegen Selbstgefälligkeit, Sterilität und Freudlosigkeit. Er hatte in der Nacht etwas Besseres zu finden gehofft: Wärme und Kameradschaft, ein dunkles Geheimnis, die prickelnde Erregung des Abenteuers, die Sensation, gejagt, verfolgt und vielleicht auch gefangen zu werden, die Erfüllung seiner Begierde.«

Andreas Baader war in Berlin und in seiner Phantasie in vielen Welten zu Hause. Er hatte jedoch, im Gegensatz zu den politisch vielleicht gebildeteren, aber was Menschenkenntnis angeht recht unbedarften Studenten, ein ausgeprägtes Gefühl für die Schwächen und Sentimentalitäten anderer.

Mit seinem oft beschriebenen brutalen Charme verstand er es, Menschen gleichzeitig anzuziehen und einzuschüchtern und so Abhängigkeiten herzustellen.

15. Die Brandstiftung oder: Es führt kein Weg zurück

Am 22. März 1968 waren die Kommunarden Rainer Langhans und Fritz Teufel vom Vorwurf der »Aufforderung zur Brandstiftung« freigesprochen worden.

Im Prozeß hatte sich der angeklagte Kommunarde Langhans beim Richter erkundigt:

»Darf ich fragen, wie Sie überhaupt zu der Auffassung kommen, daß das eine Aufforderung zur Brandstiftung sein soll?«

»Was soll das heißen?« fragte der Richter.

»Das heißt, daß wir Leute, die sich zur Brandstiftung aufgefordert fühlen, nur für blöd halten können – und da hat sich das Gericht ja sehr hervorgetan.«

Am Ende wurden die Angeklagten Fritz Teufel und Rainer Langhans auf Kosten der Staatskasse freigesprochen. Zwar hätten die Angeklagten den objektiven Tatbestand der – erfolglosen – Aufforderung zu strafbaren Handlungen erfüllt, es sei ihnen aber nicht nachzuweisen, daß sie dieses auch gewollt hätten.

Das Flugblatt, mit dem die Kommunarden zur Warenhausbrandstiftung aufgerufen hatten, wurde als Satire gewertet. Es fand literarische Nachahmer.

Thorwald Proll, Sohn eines Architekten, Student in Berlin, schrieb ein Gedicht in sein Tagebuch, das später von einem Frankfurter Gericht als Beleg für die »Vorstellungswelt des Angeklagten« zitiert wurde:

»Wann brennt das Brandenburger Tor?
Wann brennen die
Berliner Kaufhäuser
Wann brennen die Hamburger Speicher
Wann fällt der Bamberger Reiter
Wann pfeifen die
Ulmer Spatzen
auf dem letzten Loch
Wann röten sich die Münchner
Oktoberwiesen …«

Proll hatte sich mit Gudrun Ensslin und Andreas Baader angefreundet. In der Woche, in der Teufel und Langhans freigesprochen wurden, besuchten sie die »Kommune I« und kündigten an, demnächst ein wenig in westdeutschen Kaufhäusern zu »zündeln«.

Sie fragten auch, ob irgend jemand mitmachen wolle. Keiner hatte Lust, bis auf Bommi Baumann. Ihm paßte die Sache nur nicht in den Terminkalender.

Proll, Ensslin und Baader reisten also allein und fuhren zunächst nach München, um dort einen alten Freund Baaders zu besuchen, Horst Söhnlein, der inzwischen das »Action-Theater« leitete. Zu viert setzten sie sich in einen geliehenen Volkswagen und fuhren Richtung Norden. Im Gepäck lagen mehrere Brandsätze, gebastelt aus Kunststoffflaschen und Benzin, Reisewecker plus Taschenlampenbatterie und Glühzünder, eingebettet in selbstgemischten Sprengstoff. Das Ganze umwickelt mit Tesafilm und Tesakrepp.

In Stuttgart-Bad Cannstatt machten sie kurz Station in Gudruns Elternhaus und fuhren dann weiter.

Am Dienstag, dem 2. April 1968, kamen sie gegen 5.30 Uhr in Frankfurt an. Müde machten sie sich auf die Suche nach einer Unterkunft.

Am Nachmittag bummelten sie gemeinsam durch das Stadtzentrum und besichtigten einige Kaufhäuser in der Nähe der Hauptgeschäftsstraße, der Zeil. Andreas Baader und Gudrun Ensslin fuhren im »Kaufhaus Schneider« mit der Rolltreppe zur Möbelabteilung in den dritten Stock, probierten ein paar Campingliegen aus, durchstreiften kurz die übrigen Etagen und verließen das Kaufhaus wieder.

Kurz vor Ladenschluß, gegen 18.30 Uhr, kehrten sie zurück. Das

»Kaufhaus Schneider« war fast leer. Die Rolltreppen waren schon abgestellt, und die beiden späten Kunden stürmten Hand in Hand die Treppen hinauf. Ihre abgewetzte studentische Kleidung fiel auf. Verwundert blickten ein paar Verkäuferinnen ihnen nach.

Die beiden hatten eine Tasche dabei. Als sie sich unbeobachtet fühlten, holten sie daraus einen Brandsatz hervor und legten ihn im ersten Stock, in der Abteilung für Damenoberbekleidung, auf eine Schrankwand.

Der zweite Brandsatz wurde in der Möbelabteilung auf einem altdeutschen Schrank deponiert. Die Zeitzünderuhren waren auf Mitternacht gestellt. Kurz bevor die Kaufhaustüren geschlossen wurden, verschwanden die beiden wieder auf der Straße.

An diesem Abend wurden auch im »Kaufhof« Brandsätze gelegt. Wer die Täter waren, konnte im späteren Prozeß nicht eindeutig geklärt werden.

Kurz vor Mitternacht bemerkte der Inhaber eines Taxiunternehmens, der noch in seinem Büro saß, einen Feuerschein im dritten Stockwerk des »Kaufhaus Schneider« gegenüber. Er rief die Feuerwehr. Als die Löschfahrzeuge eingetroffen waren, brach im ersten Stock ein weiteres Feuer aus. Etwa zur gleichen Zeit rief eine Frau im Frankfurter Büro der Deutschen Presseagentur an und sagte: »Gleich brennt's bei Schneider und im Kaufhof. Es ist ein politischer Racheakt.«

Die Feuerwehr konnte den Brand im »Kaufhaus Schneider« in kurzer Zeit löschen. Es entstand ein verhältnismäßig geringer Sachschaden – im wesentlichen durch Löschwasser. Die Brandstellen wurden noch in der Nacht von Sachverständigen untersucht.

Wenige Minuten nach dem Ausbruch des Feuers im »Kaufhaus Schneider« brannte es auch im »Kaufhof«. Ein Angestellter des Hauses war auf dem Weg zu einer auch nachts im vierten Stock arbeitenden Malerkolonne, als er hinter sich eine Explosion hörte. Er drehte sich um und sah in fünf bis zehn Metern Entfernung eine Flammenwand, die bis an die Decke reichte. Der Rauch trieb auf ihn zu, er hustete, ihm tränten die Augen, und er lief aus der brennenden Bettenabteilung. Inzwischen war auch in der Spielwarenabteilung Feuer ausgebrochen. Die Sprinkleranlage schaltete sich automatisch ein. Die Löschtruppen waren schnell da. Menschen wurden nicht verletzt. Die Versicherung trug die Kosten: im »Kaufhaus Schneider« 282 339 Mark, im Kaufhof 390 865 Mark.

Andreas Baader und Gudrun Ensslin hatten im »Club Voltaire« die Sirenen der Feuerwehr hören können. Sie eilten zur Brandstelle und reihten sich in die Gruppe der Schaulustigen ein. Dann gingen sie zurück in den »Club Voltaire« und blieben, bis das Lokal geschlossen wurde. Eine Bekannte nahm sie mit in ihre Wohnung.

Am Abend darauf trafen alle wieder im »Club Voltaire« zusammen. Die Frau hatte ihr Kind mitgebracht, und zu später Stunde boten ihr Baader und seine Freunde gut gelaunt an, das Kind nach Hause zu bringen, damit die Mutter noch etwas im Club bleiben könne.

Gegen ein Uhr nachts ging sie zusammen mit ihrem Freund nach Hause. Die Besucher schliefen schon auf ihrem Matratzenlager im Wohnzimmer. So schlüpfte das Pärchen zum Kind ins Bett. Dem Freund behagte der fremde Besuch nicht. Ihr merkwürdig aufgekratztes Verhalten, ihre Andeutungen und die Kaufhausbrände machten ihn mißtrauisch. Im Bett fragte er seine Freundin: »Glaubst du, daß die das waren?« – »Sei ruhig und rede nicht darüber«, antwortete sie. Morgens verließen die beiden die Wohnung. Sie hofften, daß die Besucher am Abend verschwunden sein würden.

Kurz vor 10.00 Uhr vormittags erhielt die Frankfurter Polizei einen »konkreten Hinweis« auf die Brandstifter. Wenige Minuten später waren Baader, Ensslin und die beiden anderen in der Wohnung festgenommen. Sie und das Auto wurden durchsucht. In Gudrun Ensslins Handtasche fanden die Beamten eine Schraube, deren Duplikat an einer der Brandbomben gefunden worden war. Im Auto entdeckten die Fahnder Uhrenteile, den Glühkopf eines Batteriezünders, Reste des Klebebandes, mit dem die Bomben umhüllt waren, und sonstige zum Bau eines Sprengsatzes geeignete Materialien.

Nach der Verhaftung bestritt Andreas Baader jegliche Beteiligung an den Brandanschlägen, die übrigen verweigerten die Aussage. Sofort meldeten Zeitungen, die Festgenommenen seien Mitglieder des SDS gewesen, was nicht stimmte; sie hatten lediglich am Frankfurter SDS-Kongreß teilgenommen.

Der SDS-Vorstand distanzierte sich von der Brandstiftung: »Der SDS ist zutiefst darüber bestürzt, daß es in der Bundesrepublik Deutschland Menschen gibt, die glauben, an den politischen und gesellschaftlichen Zuständen in diesem Land durch unbegründbare Terroraktionen ihrer Opposition Ausdruck verleihen zu können.«

Die »Kommune I« dagegen erklärte sich solidarisch: »Wir haben Verständnis für die psychische Situation, die einzelne jetzt schon zu diesem Mittel greifen läßt.«

Im internen Kreis äußerten sich die Mitglieder der »KI« ein wenig kritischer über die Frankfurter Brandstifter: »Das ist doch nur ein psychisches Versagen, die Leute wollen eigentlich in den Knast. Das Problem ist nur noch psychologisch zu erklären. Es ist in dem Sinne nicht mehr politisch, weil sie sich auch so dilettantisch verhalten haben, daß sie gleich verhaftet worden sind.«

Gerade diese psychische Ausgangsbasis konnten aber viele nachvollziehen, die in der APO mitmachten, erlebt hatten, wie die Berliner Polizei bei Demonstrationen zuschlug, wie Springer-Zeitungen mit Schlagzeilen Stimmung gegen die Studenten machten, wie Benno Ohnesorg erschossen und der Todesschütze Kurras freigesprochen worden war. Bommi Baumann, Randmitglied der »Kommune I«, schilderte das so: »Ob die da nun ein Kaufhaus angesteckt haben oder nicht, war mir im Augenblick scheißegal, einfach daß da mal Leute aus dem Rahmen ausgebrochen sind und so eine Sache gemacht haben, auch wenn sie es so angestellt haben, daß sie geschnappt worden sind. Die Brandstiftung ist natürlich auch eine Konkurrenzgeschichte. Wer die knallhärtesten Taten bringt, der gibt die Richtung an.«

Es wurde ernst. Wie ernst, zeigte sich eine Woche nach dem Brandanschlag, am Gründonnerstag 1968.

16. Ein Attentat

Am 11. April 1968, morgens um 9.10 Uhr, kam der vierundzwanzigjährige Anstreicher Josef Bachmann mit dem Interzonenzug aus München auf dem West-Berliner Bahnhof Zoo an. Er hatte ein blasses Gesicht, kurzgeschnittene, sorgfältig gescheitelte Haare, und unter der hellbraunen Wildlederjacke trug er im Schulterhalfter eine Pistole. In seiner blaugrünen Tasche hatte er Munition und eine zweite Waffe. Daneben steckte in einem braunen Pappumschlag ein Ausschnitt aus der rechtsradikalen »Deutschen Nationalzeitung«. Unter dem Datum des 22. März 1968 stand da zu lesen:

»Stoppt Dutschke jetzt!

Sonst gibt es Bürgerkrieg.

Die Forderung des Tages heißt: Stoppt die linksradikale Revolution jetzt! Deutschland wird sonst das Mekka der Unzufriedenen aus aller Welt.« Unter der Schlagzeile waren fünf Fotos von Rudi Dutschke zu sehen, aufgereiht wie Fahndungsbilder.

Josef Bachmann verließ den Bahnhof, versetzte in einem Geschäft für An- und Verkauf sein mitgebrachtes Kofferradio, erhielt dafür 32 Mark, kaufte sich Schrippen und Wurst und frühstückte auf einer Bank.

Dann ging er zum Einwohnermeldeamt und erhielt dort die Auskunft, Dutschke sei in Berlin 31, Kurfürstendamm 140, gemeldet. Mit dem Autobus fuhr Bachmann zurück zum Bahnhof Zoo, aß dort einen Teller Linsensuppe, danach noch zwei Buletten und machte sich zu Fuß auf den Weg zum SDS-Zentrum. Es war 16.35 Uhr.

Bachmann sah Rudi Dutschke mit einem Fahrrad aus dem Haus Kurfürstendamm 140 kommen. Bachmann lief auf Dutschke zu, der auf dem Weg zur Apotheke war, um Medizin für seinen drei Monate alten Sohn zu besorgen. Bachmann stellte sich vor ihn und fragte: »Sind Sie Rudi Dutschke?«

»Ja.«

»Du dreckiges Kommunistenschwein«, sagte Bachmann. Dann zog er seine Pistole. Dutschke ging ein paar Schritte auf ihn zu.

Der erste Schuß traf Rudi Dutschke in die rechte Wange. Er stürzte vom Rad auf die Straße, riß sich die Schuhe von den Füßen und die Uhr vom Handgelenk. Bachmann schoß noch zweimal, traf Dutschke am Kopf und in der Schulter.

Dann lief er weg, flüchtete sich ein paar hundert Meter weiter in den Keller eines Rohbaues.

Rudi Dutschke richtete sich noch einmal auf, taumelte auf das SDS-Zentrum zu, rief laut nach Vater und Mutter und: »Ich muß zum Friseur, muß zum Friseur.« Nach einigen Metern brach er zusammen und sagte noch: »Soldaten, Soldaten.«

Josef Bachmann wurde nach wenigen Minuten von der Polizei festgenommen. In seinem Kellerversteck hatte er zwanzig Schlaftabletten geschluckt. Im Krankenhaus wurde er gerettet.

Rudi Dutschke wurde im Westend-Krankenhaus operiert. Die Ärzte kämpften um sein Leben.

Blitzschnell hatte sich die Nachricht vom Attentat in Berlin verbreitet.

Im SDS-Zentrum, vor dem inmitten eines Kreidekreises noch immer die Schuhe Rudi Dutschkes lagen, sammelten sich die Studenten. Es war totenstill. Keine lauten Diskussionen, keine aufrührerischen Reden. Schweigen aus Wut und Verzweiflung.

Eng gedrängt saß man zusammen. Einer berichtete, der SFB habe die Nachricht verbreitet, Rudi sei tot.

Um 18.30 Uhr strahlte der Rundfunk die Nachricht aus, Dutschke sei am Leben. Seine Chancen stünden fünfzig zu fünfzig. Jetzt erst regten sich im SDS-Zentrum leise Diskussionen. Was tun? Demonstrieren? Den Verkehr in West-Berlin blockieren? Das Rathaus besetzen? Zum aktiven Widerstand aufrufen?

Plötzlich war allen klar, was man tun mußte: gegen den Springer-Verlag demonstrieren, die Auslieferung der Zeitungen verhindern.

Unter den Versammelten im SDS-Zentrum war auch die Kolumnistin von »konkret«, Ulrike Meinhof. Sie sagte kein Wort. Als alle aufbrachen, um zum Audimax der Technischen Universität zu gehen, wo eine ohnehin geplante Veranstaltung jetzt zu einem Forum des Protestes werden sollte, schloß sie sich an.

Der Saal war überfüllt mit zweitausend ratlosen, bedrückten, verzweifelten Menschen. Einige weinten.

Mit Rudi Dutschke war eine Symbolfigur niedergeschossen worden, einer, den alle, über die verschiedenen Fraktionen hinweg, verehrt, geliebt hatten. Es war ein Anschlag auf sie selbst, auf alle, auf die gesamte außerparlamentarische Bewegung.

Jemand gab bekannt, daß Springers Pressehaus an der Mauer in diesen Minuten mit Stacheldraht abgesichert werde. Gelächter brandete auf.

Bernd Rabehl vom SDS ging ans Mikrophon: »Das Springer-Haus ist jetzt schon mit Stacheldraht umgeben. Springer erwartet also unseren Angriff. Was wird uns dort erwarten? Wir werden auf Polizeiketten stoßen. Die Polizei wird sich aber heute zurückhalten, weil sie ein sehr schlechtes Gewissen hat …«

Der Wortlaut aller Redebeiträge auf dieser Veranstaltung blieb erhalten; die Berliner Sicherheitsbehörden schnitten jedes Wort auf Tonband mit und verwendeten es für Anklagen gegen die »Rädelsführer« der Springer-Demonstration. Weitere Einzelheiten erhielt die Staatsanwaltschaft später von einer ganzen Reihe Journalisten, die bereitwillig belastende Aussagen gegen Sprecher der Studenten machten.

Vor allem Rechtsanwalt Horst Mahler wurde bevorzugtes Ziel der staatsanwaltschaftlichen Aktivitäten. Obwohl er auf der Veranstaltung in der TU nicht gesprochen hatte und bei der Demonstration in der Kochstraße lediglich mitmarschiert war, ohne Steine zu werfen oder andere Gewalttaten zu verüben, wurde er wegen schweren Aufruhrs in Tateinheit mit Landfriedensbruch und Hausfriedensbruch zu einer Gefängnisstrafe von zehn Monaten auf Bewährung verurteilt. Die Prozeßkosten hatte er zu tragen.

Von der Technischen Universität aus bewegte sich der Demonstrationszug in Richtung Kochstraße. »Mörder! Springer – Mörder! Springer raus aus West-Berlin! Bild hat mitgeschossen!«

Die Demonstranten hatten sich untergehakt, marschierten in breiter Front nebeneinander, trugen rote Fahnen und Fackeln.

Ulrike Meinhof hielt sich abseits. Sie fuhr mit einem »konkret«-Kollegen aus Hamburg zur Kochstraße. 40 bis 50 Demonstranten hatten sich dort schon versammelt, warteten auf das Eintreffen des großen Zuges. Einzelne parkten ihre Autos so, daß sie die Ausfahrt der Zeitungslastwagen blockierten.

Die Studenten hatten die Parole ausgegeben: Heute darf keine Springer-Zeitung die Druckerei verlassen. Als Ulrike Meinhof und ihr Begleiter an einem der Tore zum Verlagsgelände hielten, kam ein Student auf sie zu. »Wir brauchen noch Autos«, sagte er und zeigte auf das Straßenstück vor dem Portal. »Wenn wir eine Reihe von Wagen dicht an dicht nebeneinanderstellen, kommt hier kein Springer-Auto mehr durch.« Er drehte sich um und sprach andere Autobesitzer an. Ulrike sah ihren Kollegen irritiert an.

»Mein Auto?« sagte sie. »Mensch, das brauch' ich doch. Nachher geht das kaputt.«

»Paß auf, ich hab' eine Idee«, antwortete er. »Stell das da hinten hin, auf den Fußweg, ganz dicht an die Hauswand. Dann gehört es irgendwie zur Barrikade, aber es blockiert die Ausfahrt nicht direkt.«

Ulrike nickte. Sie stieg in den blauen R 4, rumpelte über die Kante des Gehweges und parkte das Auto an der Wand. Sorgfältig schloß sie die

Tür ab und ging wieder zu ihrem Kollegen. Gemeinsam beobachteten sie, wie die Barrikade langsam geschlossen wurde. Immer mehr Fahrzeuge wurden nebeneinandergestellt. Die Polizeibeamten, die an der Torausfahrt Posten bezogen hatten, griffen nicht ein.

Diskutierend standen Studenten herum und wunderten sich, daß die Beamten seelenruhig dem Barrikadenbau zusahen. Plötzlich näherte sich von der Springer-Druckerei her ein Auslieferungsfahrzeug. Blitzschnell rannten die Polizisten nach vorn, packten zu zehnt jeweils einen der Blockadewagen, kippten ihn um, zerbeulten ihn mit Fußtritten und Schlagstockhieben und schoben ihn überkopf beiseite. Als die Straße freigeräumt war, jagte das Springer-Auto durch die Lücke.

Später erhielt auch Ulrike Meinhof eine Strafanzeige wegen Nötigung. Im Prozeß konnte sie nachweisen, daß ihr Wagen zwar falsch geparkt, nicht aber Teil der Barrikade gewesen war.

Gegen 22.30 Uhr traf der Demonstrationszug in der Kochstraße ein. Das Verlagsgebäude war von starken Polizeikräften umringt. Die Demonstranten, inzwischen weit über tausend, drängten auf das Eingangsportal zu. Steine flogen, Glasscheiben splitterten. Ulrike Meinhof und ihr Kollege standen weit hinten in der Menschenmenge. Pflastersteine wurden von hinten nach vorn durchgereicht. Ulrike Meinhof nahm Steine in die Hand und gab sie nach vorn weiter.

Am Rande der Schlacht hatte ein Übertragungswagen des Rundfunks Stellung bezogen. Der Reporter berichtete live:

»Wasserwerfer wurden eingesetzt, und ein Demonstrant versuchte, auf einen Wasserwerfer zu klettern. Es gelang ihm sogar, die Kanone des Wasserwerfers auf die Polizeigruppe zu lenken. Auch jetzt sind wieder Wasserwerfer im Einsatz. Die Situation hier ist, nachdem sie sich zunächst einmal beruhigt hatte, etwas unübersichtlich insofern geworden, als sich einige Gruppen zurückgezogen haben in die Nebenstraßen und dort offenbar auch den, wie ich glaube, teuflischen Plan ausgeheckt haben, hier etwas in Brand zu stecken, nämlich die Wagenhalle des Verlagshauses ...«

Der »teuflische Plan«, von dem der Rundfunkreporter sprach, war nicht von den Anti-Springer-Demonstranten erdacht worden. Er stammte von ganz anderer, höherer Stelle.

An diesem 11. April 1968 hatte der Verfassungsschutzagent Peter Urbach einen großen geflochtenen Weidenkorb dabei, vollgepackt mit zündfertigen Molotowcocktails. Er fand unter den Demonstranten bereitwillige Abnehmer für seine heiße Ware.

Wenig später brannten die Auslieferungsfahrzeuge des Springer-Verlages, angesteckt mit Peter Urbachs Molotowcocktails. Die Fotos der lodernden Lastwagen gingen als Beleg für die Gewalttätigkeit der Berliner Studenten durch die Zeitungen.

Ulrike Meinhof erklärte einen Tag später auf einem Teach-in im Audimax der Technischen Universität:

»Wirft man einen Stein, so ist das eine strafbare Handlung. Werden tausend Steine geworfen, ist das eine politische Aktion.

Zündet man ein Auto an, ist das eine strafbare Handlung, werden Hunderte Autos angezündet, ist das eine politische Aktion.«

Am Ende des Osterwochenendes gab es in München zwei Tote, den Pressefotografen Klaus Frings und den Studenten Rüdiger Schreck. Beide waren bei einer Straßenschlacht schwer verletzt worden und starben kurz darauf im Krankenhaus. Was und wer für ihren Tod verantwortlich war, konnte nie zweifelsfrei geklärt werden.

Auf einer Pressekonferenz in Berlin sagte Horst Mahler damals sinngemäß, wenn man Revolution mache, müsse man auch mit Opfern rechnen. Er verdeutlichte das mit einem Beispiel: »Wenn ich mich an das Steuer meines Wagens setze, muß ich damit rechnen, daß der Reifen mir platzen kann.«

Ulrike Meinhof überschrieb ihre Kolumne in »konkret« nach dem Dutschke-Attentat: »Vom Protest zum Widerstand«.

»Protest ist, wenn ich sage, das und das paßt mir nicht. Widerstand ist, wenn ich dafür sorge, daß das, was mir nicht paßt, nicht länger geschieht. Gegengewalt, wie sie in diesen Ostertagen praktiziert worden ist, ist nicht geeignet, Sympathien zu wecken, nicht, erschrockene Liberale auf die Seite der Außerparlamentarischen Opposition zu ziehen. Gegengewalt läuft Gefahr, zu Gewalt zu werden, wo die Brutalität der Polizei das Gesetz des Handelns bestimmt, wo ohnmächtige Wut überlegene Rationalität ablöst, wo der paramilitärische Einsatz der Polizei mit paramilitärischen Mitteln beantwortet wird …«

Wie Leitmotive begleiteten in diesen Monaten die Begriffe »Kampf« und »Gewalt« die Kolumnen von Ulrike Meinhof in »konkret«:

»Gegen-Gewalt« (Februar), »Der Kampf in den Metropolen« (März), »Vom Protest zum Widerstand« (Mai), »Notstand-Klassenkampf« (Juni).

17. Der Brandstifter-Prozeß

50000 Leute zur Mai-Demonstration in Berlin, Notstandsdemonstration in Bonn, Streiks und Institutsbesetzungen als Protest gegen die Notstandspläne der Bonner Regierung an fast allen Hochschulen, SDS-Kongreß in Frankfurt mit einer Rebellion der Frauen, Beate Klarsfelds Ohrfeigenaktion gegen Bundeskanzler Kiesinger, Demonstration in Frankfurt gegen die Verleihung des Friedenspreises des Deutschen Buchhandels an den senegalesischen Präsidenten Senghor.

Während dieses aufrührerischen Sommers 1968 saßen die Frankfurter Kaufhausbrandstifter im Gefängnis.

Am 10. Mai schrieb Andreas Baader an die »Kommune I« in Berlin: »Noch eine Bitte, wenn Bonn gefallen ist, laßt uns die Nato übrig …«

Gudrun Ensslin hatte sich in der Untersuchungshaft verhältnismäßig gut in den Anstaltsbetrieb eingegliedert. Sie nahm an einem politisch-literarischen Arbeitskreis der Gefangenen teil, begegnete anfangs den Ressentiments der übrigen, aus der sozialen Unterschicht stammenden Mitgefangenen, konnte die Widerstände aber überwinden. Die Anstaltsleiterin von Preungesheim, Helga Einsele, fand, sie sei »ein eindrucksvoller Mensch, weil sie so absolut ist, notfalls mit dem Leben für ihre Überzeugung eintritt«.

Aus der Haft schrieb sie an Professor Ernst Heinitz in Berlin, den sie über seine Beratertätigkeit für die »Studienstiftung des Deutschen Volkes« kennenlernt hatte:

»Sehr verehrter, lieber Herr Professor Heinitz, ich mag damit nicht warten, weil ich mich wirklich sehr darüber freue: Ihnen ganz herzlich für die herrlichen Schokoladen und die allerwichtigsten Zigaretten zu danken! Solche Dinge (aus dem Himbeerreich) versehen die Zelle und das heißt eben mich selbst mit einem Glanz, der unendlich wohltut – aber das wissen Sie.

Herzliche Grüße Ihre Gudrun Ensslin.«

Am 14. Oktober 1968 begann der Prozeß gegen die Kaufhausbrandstifter. Gudrun Ensslin trug eine weinrote Kunstlederjacke im Military-Look. Lachend umarmten die vier einander und warfen mit Bonbonpapier.

Zur Anklage wollten sie sich nicht äußern: »Gegen eine Klassenjustiz, in der die Rollen verteilt sind«, erklärten sie, »lohnt sich eine Verteidigung nicht.«

Neun Anwälte saßen auf der Verteidigerbank, unter ihnen Otto Schily, Horst Mahler und Professor Heinitz.

Erst am dritten Prozeßtag meldeten sich die Angeklagten zu Wort. Gudrun Ensslin sagte: »Im Einverständnis mit Andreas Baader will ich etwas erklären: Er und ich haben es im »Kaufhaus Schneider« gemacht. Keiner der anderen war es.« Es sei nicht ihre Absicht gewesen, Menschen zu gefährden, sie hätten nur Sachen beschädigen wollen. »Wir taten es aus Protest gegen die Gleichgültigkeit, mit der die Menschen dem Völkermord in Vietnam zusehen.« Man solle ihr aber nicht mit der billigen Erklärung kommen, daß man in einer Demokratie den Protest laut äußern könne. »Wir haben gelernt, daß Reden ohne Handeln unrecht ist.« Zugleich räumte sie aber ein, die Aktion sei »ein Fehler und ein Irrtum« gewesen. »Darüber werde ich aber nicht mit Ihnen diskutieren, sondern mit anderen.«

Andreas Baader ergänzte: »Ich gebe zu, am 2. April nach Ladenschluß in einen altdeutschen Schrank im »Kaufhaus Schneider« eine Tüte gelegt zu haben, die eine Maschine enthielt. Sie sollte den Schrank zerstören, mehr nicht. Wir hatten nicht den Vorsatz, Menschen zu gefährden oder auch nur einen wirklichen Brand zu verursachen.« Die beiden anderen Angeklagten schwiegen.

Am vierten Tag sagte Gudrun Ensslins ehemaliger Verlobter Bernward Vesper als Zeuge aus. Er überreichte Gudrun rote Rosen und hielt danach ein einstündiges flammendes Plädoyer für die Angeklagte.

Kurz nach der Geburt des gemeinsamen Kindes habe Gudrun an einer Vietnam-Demonstration teilgenommen. Ein Polizist habe gefragt, was sie sich dabei denke, zu Demonstrationen zu gehen, wenn sie ein Kind von sechs Wochen habe. »Gerade deshalb demonstriere ich, weil ich jetzt die Verantwortung für mein Kind habe«, antwortete Gudrun Ensslin.

»Ich habe manchmal gedacht«, sagte Vesper, »daß es für sie unmöglich war, diese inneren Widersprüche auszuhalten.«

Als einzige der vier Angeklagten hatte sich Gudrun Ensslin bereiterklärt, mit einem vom Gericht bestimmten Gutachter zu sprechen, dem Frankfurter Psychiater und Gerichtsmediziner Rethardt. Dreimal sprach er jeweils ein bis zwei Stunden mit Gudrun. Der Psychiater gewann den Eindruck, sie sei »von einer außerordentlich verbindlichen Freundlichkeit, aber innerlich starr, unabdingbar«.

Einmal sagte Gudrun Ensslin: »Wir wollen kein Blatt in der Kulturgeschichte sein.« Rethardt antwortete: »Das ist der Schrei des Menschen nach Ewigkeit.«

Der Psychiater kam zu dem Ergebnis: »Sie hatte eine heroische Ungeduld. Sie leidet unter dem Ungenügen unserer Existenz. Sie wollte nicht mehr warten. Sie wollte in die Tat umsetzen, was sie letztlich im Pfarrhaus gelernt hatte. Sie wollte den Nächsten en gros erfassen – gegen seinen Willen. Die Brandstiftung ist ein Versuch gewesen, ein paar Treppen auf den Stufen zu überspringen. Sie denkt einen Gedanken unbeirrt bis zum Ende, bis vor die Wand.«

Im Prozeß erstattete Rethardt sein Gutachten mündlich. Gudrun Ensslin schien es plötzlich peinlich zu sein, daß sie sich so lange und intensiv mit dem Psychiater unterhalten hatte, und sie versuchte, ihn durch spitze Fragen in die Enge zu treiben. Der Psychiater erklärte sich das so: »Sie hat das getan, um die Eintrittskarte zurück zur Gruppe zu bekommen.«

Gegen Ende des Prozesses plädierten die Verteidiger. Professor Heinitz, der Gudrun Ensslin vertrat, sagte: »Die Angeklagte ist nicht nur Überzeugungstäterin, sondern Gewissenstäterin.« Es liege auf der Hand, daß sie mit der Brandstiftung die Öffentlichkeit aus ihrer Gleichgültigkeit gegenüber dem Vietnamkrieg habe aufrütteln wollen. Dies sei eine Gewissensentscheidung der Angeklagten gewesen: »Es gibt nun einmal auch ein irrendes Gewissen.«

Rechtsanwalt Horst Mahler versuchte als Verteidiger Andreas Baaders dem Gericht die Motive für die Brandstiftung nahezubringen. Das Grundmotiv sei nicht in erster Linie Protest gegen den Vietnam-Krieg gewesen, sondern eine Rebellion gegen eine Generation, die in der NS-Zeit millionenfache Verbrechen geduldet und sich dadurch mitschuldig gemacht habe. Die Angeklagten hätten daraus die Konsequenz gezogen, sich auf keinen Fall mehr in eine Gesellschaft einzuordnen, die auf Ausbeutung, Ungerechtigkeit und Unterdrückung beruhe.

Resigniert bemerkte Mahler, die Richter seien vermutlich nicht in der

Lage, diese Gedankengänge nachzuvollziehen, »sonst müßten Sie Ihre Roben ausziehen und sich an die Spitze der Protestbewegung setzen«. Zum Schluß bat der Verteidiger um ein mildes Urteil. »Das Zuchthaus ist nicht der richtige Aufenthalt für diese Angeklagten. Wenn sie trotzdem ins Zuchthaus geschickt werden, so könnte man die Schlußfolgerung ziehen, daß in dieser Gesellschaft das Zuchthaus der einzige Aufenthaltsort für einen anständigen Menschen ist.«

Noch während des Prozesses besuchte die »konkret«-Kolumnistin Ulrike Meinhof die Angeklagte Gudrun Ensslin in der Haftanstalt. Sie wollte für »konkret« einen Artikel schreiben und war tief beeindruckt von der schwäbischen Pfarrerstochter, die mit ihr selbst, ihrer Denkweise, ihrem eigenen Engagement soviel gemeinsam hatte. Nur, Gudrun Ensslin hatte nicht nur geredet, sie hatte etwas getan. Der Bericht über das Gespräch mit Gudrun Ensslin wurde nicht geschrieben. »Wenn das veröffentlicht wird, was sie mir gesagt hat«, erklärte Ulrike Meinhof in der »konkret«-Redaktion, »kommen die nie aus dem Gefängnis.«
Statt dessen schrieb Ulrike Meinhof einen Kommentar mit dem Titel »Warenhausbrandstiftung«.
»Gegen Brandstiftung im allgemeinen spricht, daß dabei Menschen gefährdet werden könnten, die nicht gefährdet werden sollen.
Gegen Warenhausbrandstiftung im besonderen spricht, daß dieser Angriff auf die kapitalistische Konsumwelt – und als solchen wollten ihn wohl die im Frankfurter Warenhausbrandprozeß Angeklagten verstanden wissen – eben diese Konsumwelt nicht aus den Angeln hebt. Den Schaden – sprich Profit – zahlt die Versicherung …
So gesehen ist Warenhausbrandstiftung keine antikapitalistische Aktion, eher systemerhaltend, konterrevolutionär.
Das progressive Moment einer Warenhausbrandstiftung liegt nicht in der Vernichtung der Waren, es liegt in der Kriminalität der Tat, im Gesetzesbruch …«

Am 31. Oktober 1968 wurde das Urteil gegen die Kaufhausbrandstifter verkündet: Je drei Jahre Zuchthaus, mehr als die meisten Prozeßbeobachter erwartet hatten. Der Vorsitzende meinte, die Angeklagten seien keine wirklichen Überzeugungstäter, anders hätten sie nicht sieben Monate gebraucht, um sich zu ihrer Tat zu bekennen.

18. Eine ganz heilige Selbstverwirklichung

Nach der Urteilsverkündung interviewte ein Fernsehreporter den Vater der Brandstifterin.

»Verurteilen Sie Ihre Tochter?«

»Die Brandlegung verurteilen wir«, antwortete Pfarrer Ensslin. »Wir sind dankbar, daß Gudrun während der Verhandlung selbst Abstand genommen hat, von der Brandlegung als Mittel, sich Gehör zu verschaffen.« Seit seine Tochter in Untersuchungshaft sei, hätte er begonnen, sich in ihre politische Gedankenwelt zu vertiefen.

»Gudrun ist von Anfang an ein Mädchen gewesen, das sehr selbständig seinen Weg gegangen ist. Als Eltern konnte man Freude daran haben. Sie war begabt und ein fleißiges Menschenkind.«

»Wie war Ihr Verhältnis zu ihr vor der Tat, und wie ist es jetzt?«

»In Berlin hat sie einen Lebensstil entwickelt, der für unsere ältere Generation nicht mehr verständlich war. Mit dieser Brandlegung wollte sie wohl den Standpunkt linksgerichteter Studenten in dieser Gesellschaft aufzeigen. Es ist ihnen die Stelle als Taugenichtse, als Möchtegern-Kriminelle, als Vaterlandsverräter angewiesen worden. Und sie wollten wohl sagen: Seht, da stehen wir, dorthin habt ihr uns gebracht, das ist der Ort, an den ihr uns gestellt habt.«

»Als Vater von Gudrun gehören Sie ja zu der Generation, die sie mit ihrer Tat mahnen wollte. Sehen Sie denn die Begründung dafür ein?«

»Also, ich würde mich – mit der ganzen Bundesrepublik – weigern, mich auf diese Weise mahnen zu lassen. Was sie sagen wollte, ist doch dies: eine Generation, die am eigenen Volk und im Namen des Volkes erlebt hat, wie Konzentrationslager gebaut wurden, Judenhaß, Völkermord, darf die Restauration nicht zulassen. Darf nicht zulassen, daß die Hoffnungen auf einen Neuanfang, Reformation, Neugeburt verschlissen werden. Das sind junge Menschen, die nicht gewillt sind, diese Frustration dauernd zu schlucken und dadurch korrumpiert zu werden. Für mich ist erstaunlich gewesen, daß Gudrun, die immer sehr rational und klug überlegt hat, fast den Zustand einer euphorischen Selbstverwirklichung erlebte, einer ganz heiligen Selbstverwirklichung, so wie geredet wird vom heiligen Menschentum. Das ist für mich das größere Fanal als die Brandlegung selbst, daß ein Menschenkind, um zu einer Selbstverwirklichung zu kommen, über solche Taten hinweggeht.«

Die Tat als Mittel zur Selbstverwirklichung und Selbstbefreiung. Auch Gudrun Ensslins Mutter hatte das nachempfinden können, als sie sich in der Untersuchungshaftanstalt mit ihrer Tochter über die Brandstiftung unterhielt.

»Ich spüre, daß sie mit ihrer Tat auch etwas Freies bewirkt hat, sogar in der Familie«, berichtete Mutter Ensslin dem Reporter. »Plötzlich, seit ich sie vor zwei Tagen in der Haft gesehen habe, bin ich selbst befreit von einer Enge und auch Angst, die – vielleicht zu Recht oder Unrecht – mein Leben hatte. Vielleicht auch kirchliche Konvention. Das alles hat Gudrun immer sprengen wollen, und ich habe es verhindern wollen. Daß es Menschen gibt, die weitergetrieben werden, aus der Konvention heraus, zu Taten, die ich nicht übersehen kann, vielleicht aber in zehn Jahren als berechtigt anerkennen muß. Das wäre mir vor einem Jahr oder vielleicht noch vor einer Woche unmöglich gewesen zu sagen. Aber sie hat mir eine Angst genommen, und sie hat mir den Glauben an sie nicht genommen.«

Der Fernsehreporter durfte an diesem Tag auch Gudrun Ensslin selbst befragen. Ohne Kamera, aber Tonbandaufnahmen waren gestattet. Der Journalist baute das Gerät auf und sagte: »Ein Grund, warum man glaubt, Sie nicht verstehen zu können, ist, daß Sie sich nicht zu Ihrer Tat bekannt haben.«

Gudrun Ensslin widersprach. Sie hätten sich zu dem Brandanschlag bekannt, allerdings erst zu einem Zeitpunkt, als es ihnen sinnvoll erschien. Ein solches Bekenntnis sei ohnehin zweitrangig. »Es geht nicht darum, der Gesellschaft irgendwelche Helden oder Märtyrer zu liefern. Man muß zeigen, daß man in einem ganz normalen Zustand, ohne heldische Euphorie, das, was man denkt, kurz begründet.«

Das hätten Baader und sie im Prozeß getan.

»Aber selbst wenn wir zwei Stunden lang geredet hätten, wäre hinterher immer noch gesagt worden, es ist zweifelhaft, daß das Überzeugungstäter sind. Die tun jetzt nur so. Sie wollten halt ihren Spaß haben. Die waren rücksichtslos. Die haben sich nichts dabei gedacht. Das wäre auf jeden Fall die Argumentation der Gegenseite gewesen.«

»War denn die Tat richtig?«

»Es war richtig, daß etwas getan wurde. Daß wir das Falsche gemacht haben, das haben wir deutlich genug gesagt. Aber wir haben keinen

Grund, darüber mit der Justiz oder mit dem Staat zu diskutieren. Das müssen wir mit Leuten diskutieren, die so denken wie wir.«

Es wäre eben sinnlos gewesen, den Richtern länger als 15 Minuten die Motive der Brandstiftung erläutern zu wollen. »Sie sind wie alle, die in diese Gesellschaft integriert sind. Sie können nicht tun, was sie wollen, denn sie wollen nur das, was sie sollen.«

»Würden Sie widersprechen, wenn man Ihre Tat als eine – in der Ausweglosigkeit der Situation – befreiende Tat bezeichnen würde?«

»Ja. Ganz entschieden. Es gibt inzwischen eine ganze Menge Leute, die wirklich das tun, was sie denken, und das denken, was sie tun. Diese bürgerliche Schizophrenie, dauernd zu tun, was man nicht meint, geht so weit, daß man eine demokratische Gesellschaft will und gleichzeitig eine faschistische Gesellschaft zimmert.

Die Tat hat etwas mit einer Entwicklung zu tun. Und die Einsicht, daß es nicht das richtige war, hat nichts Schändliches, sondern etwas, das man selbst, ohne rot zu werden, sehr laut sagen kann.«

Nach einer kurzen Pause: »Irgend jemand hat gesagt, bei uns handelt es sich nicht um Irre, die glauben, man könne mit irgendeiner gloriosen Tat der Geschichte den Weg verwehren, die Geschichte in andere Bahnen zwingen. Das weiß niemand besser als wir selbst. Aber mit diesem furchtbaren Schreckgespenst, mit dem der Bürger hausieren geht, daß wir Vorstellungen hätten, als könnte irgendeine Gruppe von zwanzig Terroristen die Macht im Staat an sich reißen durch irgendeinen Putsch oder irgendeinen Handstreich, mit dem haben wir absolut nichts zu tun ...«

Nach dem Urteil beantragten die Verteidiger Revision des Verfahrens und versuchten, eine Haftverschonung für die Angeklagten durchzusetzen.

19. Horst Mahler und die Steineschlacht am Tegeler Weg

Zur selben Zeit fand in Berlin das Ehrengerichtsverfahren gegen Rechtsanwalt Horst Mahler statt. Vor allem wegen seiner Rolle bei den Anti-Springer-Demonstrationen nach dem Attentat auf Rudi Dutschke sollte gegen ihn Berufsverbot verhängt werden. Rechtsanwalt Josef

Augstein, der Bruder des »Spiegel«-Herausgebers, vertrat Mahler. Und während im Landgericht am Tegeler Weg verhandelt wurde, kam es draußen zur schwersten Straßenschlacht, die Berlin bis dahin gesehen hatte.

Bei der »Schlacht am Tegeler Weg« wurden 130 Polizeibeamte und 22 Demonstranten zum Teil erheblich verletzt. Zum ersten Mal kämpften Rocker an der Seite der etwa tausend Studenten. Die vorrückenden Polizisten wurden mit einem Steinhagel empfangen und mußten zurückweichen. Zum ersten Mal behielten Demonstranten im Kampf mit der Polizei die Oberhand. Die politische Führung der Stadt zog sofort die Konsequenzen. Nach der »Steineschlacht am Tegeler Weg« wurden die Polizeibeamten neu ausgerüstet. Der traditionelle Tschako hatte ausgedient. Statt dessen wurden die Beamten mit Spezialhelmen, Gesichtsschutz, Plastikschilden und extra langen Schlagstöcken bewaffnet.

Horst Mahler wurde am 23. Januar 1936 in Schlesien als Sohn eines Zahnarztes geboren. Im Februar 1945 flüchtete die Familie vor der Roten Armee nach Naumburg an der Saale. Ein knappes Jahr später siedelten sie nach Dessau, und nach dem Tod des Vaters, 1949, nach West-Berlin über.

In Berlin-Wilmersdorf bestand Horst Mahler 1955 das Abitur. Mahler studierte an der Freien Universität Berlin Rechtswissenschaft und trat der schlagenden Verbindung »Thuringia« bei. Bald darauf war er dann allerdings Mitglied im »Sozialistischen Deutschen Studentenbund« und setzte sich mit dem linken Flügel des SDS gegen die atomare Aufrüstung ein.

Mahler war auch Mitglied der SPD geworden, die ihn 1960 ausschloß, als die Partei die Unvereinbarkeit der Mitgliedschaften in SDS und SPD erklärte.

1963 eröffnete er in Berlin eine Anwaltskanzlei und spezialisierte sich überwiegend auf Wirtschaftsverfahren. Er wurde Rechtsberater der Firma »Hotel am Kaiserdamm GmbH & CO KG«, einer Abschreibungsfirma westdeutscher Kommanditisten. Er war erfolgreich.

Einer seiner damaligen Mandanten aus der Bauwirtschaft, Dr. Heinz Schindler, gab später, als Mahler wegen seiner Stadtguerilla-Aktivitäten vor Gericht stand, zu bedenken, »daß es niemanden in Berlin und in der Bundesrepublik gleichgültig lassen kann und darf, auf welchem

Wege ein Mann von den geistigen und forensischen Fähigkeiten Mahlers weitergeht, so daß wir alle nur wünschen können, seine guten charakterlichen Anlagen, von denen ich mich während einer langen Zeit enger Zusammenarbeit überzeugen konnte, mögen letztendlich obsiegen.«

1966, zu Beginn der Studentenbewegung, gehörte Horst Mahler zu den Mitbegründern des »Republikanischen Clubs«, und war später einer der bekanntesten Verteidiger linker Studenten vor Gericht.

Als Anwalt von Unternehmen der Berliner Bauwirtschaft hielt er noch am 20. Januar 1967, als die Studentenbewegung ihrem Höhepunkt zustrebte, eine Rede beim Richtfest eines Geschäftsgebäudes am Kurfürstendamm 101:

»Das Besondere an diesem Bau ist nicht die Tatsache, daß er durch seine ausgewogene architektonische Gestalt das Stadtbild bereichert, das Besondere an diesem Bau ist seine Geschichte. Durch die Hilfe der Bundesrepublik, deren Parlament das Berlinhilfe-Gesetz geschaffen hat, ist das Interesse westdeutscher Unternehmer gefördert worden, sich am Wiederaufbau und an der wirtschaftlichen Entfaltung dieser Stadt zu beteiligen ... Die Initiative, der Mut und die Tatkraft, den diese Gesellschafter im Dezember 1965 gezeigt haben, als sie selbst die Bauleitung in ihre Hände genommen haben, ist der Beweis dafür, daß hier nicht die Schlechtesten zu Wirtschaftsbürgern unserer Stadt geworden sind.«

Das war zu jener Zeit, als Horst Mahler schon als eine der zentralen Figuren der Außerparlamentarischen Opposition auf Demonstrationen mitmarschierte – bekleidet mit Regenmantel, Anzug, Krawatte und Schirm.

Ein gutes Jahr später legte Mahler seine Mandate aus der Bauwirtschaft nieder und gründete, zusammen mit den Rechtsanwälten Hans Christian Ströbele und Klaus Eschen, das erste »sozialistische Anwaltskollektiv«.

Mahlers Karriere als Wirtschaftsanwalt war zu Ende.

Seit Mai 1968 waren allein in West-Berlin fast 1900 Strafverfahren gegen Angehörige der Außerparlamentarischen Opposition eingeleitet worden. Im Zusammenhang mit diesen Prozessen waren an den Universitäten »Justizreferate« und »Ermittlungsausschüsse« entstanden, aus denen später die »Rote Hilfe«-Gruppen hervorgingen.

Spätestens seit der »Schlacht am Tegeler Weg« ließen Teile der APO die Auseinandersetzung mit Polizei und Justiz bewußt eskalieren. Aus der theoretischen Formel »Zerschlagt die Klassenjustiz« wurde bald für einzelne Fraktionen der in sich zerstrittenen Protestbewegung der Aufruf zum bewaffneten Kampf gegen die Repräsentanten des Staatsapparates.

Es galten Parolen wie: »Macht kaputt, was Euch kaputt macht« oder »High sein, frei sein, Terror muß dabei sein«. Aktionen wurden in dieser Zeit unter den verschiedensten Etiketten durchgeführt. Die Gruppen nannten sich z. B. »Tupamaros Westberlin« oder »Schwarze Ratten«. Die Polizei ging davon aus, daß die an den Aktionen beteiligten Personen weitgehend identisch waren und lediglich die Namen der Kommandogruppen wechselten. Die Anschläge richteten sich zumeist gegen die Einrichtungen der Polizei, der Justiz und des Strafvollzugs. Waffen waren Molotowcocktails und selbstgebastelte Brand- und Sprengsätze. Als »Rädelsführer« in Verdacht hatte die Polizei vor allem Ralf Reinders, Georg von Rauch, Thomas Weisbecker und »Bommi« Baumann. Ganz oben auf der Fahndungsliste stand Dieter Kunzelmann.

Später wurde er angeklagt, bei einem Besuch des Berliner Juristenballs mit seiner Freundin einen Brandsatz abgestellt zu haben, der allerdings nicht zündete. Aufgrund der Aussagen seiner mitbeschuldigten Ex-Freundin wurde Kunzelmann zu neun Jahren Haftstrafe verurteilt. Doch der Bundesgerichtshof hob das Urteil wieder auf. Im Wiederholungsprozeß wurde Kunzelmann freigesprochen.

20. Ulrike Meinhof verläßt »konkret«

Anfang 1968 hatte Ulrike Meinhof sich von Klaus Rainer Röhl scheiden lassen und ging mit ihren Kindern nach Berlin. Sie schrieb weiter ihre Kolumnen. Für jeden Kommentar erhielt sie 1500 Mark, 3000 Mark im Monat; das Blatt erschien inzwischen alle vierzehn Tage.

Im Dezember besuchte Röhl sie und die Zwillinge in Berlin. Ulrike Meinhof legte ihm einen Artikel vor: »Lies mal, Klaus. Ich bin gespannt, ob du den drucken wirst.« Röhl war entsetzt, denn sie hatte sich die Zeitschrift selbst vorgenommen und sich mit ihrer eigenen Rolle als Kolumnistin kritisch auseinandergesetzt: »Was erwartet der Geldgeber von seinem Kolumnisten? Daß er sich ein eigenes Publikum erschreibt, möglichst eins, das ohne ihn die Zeitung nicht kaufen würde. Das ist der Profitfaktor. Ein Kolumnist, der das nicht leistet, wird über kurz oder lang gefeuert. Die Kehrseite der Kolumnisten-Freiheit ist die Unfreiheit der Redaktion.«

Natürlich wollte Röhl die Kolumnistin Ulrike Meinhof nicht verlieren und versuchte, aus der Not eine Tugend zu machen. Er druckte die Kolumne und kündigte sie auf der Titelseite mit großen Buchstaben an: »Ulrike Marie Meinhof: Ist ›konkret‹ noch zu retten?«

Im April 1969 beendete Ulrike Meinhof ihre Mitarbeit bei »konkret«. Sie schrieb an die »Frankfurter Rundschau«:

»Ich stelle meine Mitarbeit jetzt ein, weil das Blatt im Begriff ist, ein Instrument der Konterrevolution zu werden, was ich durch meine Mitarbeit nicht verschleiern will, was zu verhindern im Augenblick nicht möglich ist. Ich gebe den Kampf um die Zeitung auf, um folgender Gefahr vorzubeugen, daß wir durch unsere Mitarbeit das Links-Image der Zeitung aufpolieren, ihr einen neuen Vertrauenskredit verschaffen. Eine Zeitung, die, wenn wir sie brauchen werden, sich gegen uns wenden wird. Mit einer Auflage, der wir dann nichts entgegenzusetzen haben werden als unsere Verzweiflung und unser Entsetzen über den Gebrauch des Instrumentes, das wir aufgebaut haben.«

Die Zeitschrift »konkret« war von den Auseinandersetzungen in der linken Protestbewegung nicht verschont geblieben. Die Solidarität nach dem Attentat auf Rudi Dutschke und die großen Demonstrationen gegen die Notstandsgesetze in Bonn waren vorbei. Es bildeten sich allerlei linke Zirkel, neue Parteien und Diskussionsrunden, die sich bald ausschließlich mit sich selbst beschäftigten und im Genossen von gestern den größeren Gegner ausmachten als im noch vorher gemeinsam bekämpften Springer oder Strauß.

»konkret«, das schien ein klassisches Beispiel dafür, wie ein Verleger, Klaus Rainer Röhl, linke Politik vermarktet, für die andere ihre Köpfe vor die Polizeiknüppel gehalten hatten.

Am 5. Mai 1969 lud Ulrike Meinhof zu einer Diskussion über »konkret« in den »Republikanischen Club« in Berlin ein. Bei einer Diskussion sollte es diesmal nicht bleiben. Es wurde vorgeschlagen, den Verlag zu besetzen und den Besitzer der Zeitschrift mit den Forderungen kompromißloser linker Journalisten zu konfrontieren. Ulrike Meinhof hatte mit vielen telefoniert und gesprochen, um sich Unterstützung für die Aktion zu sichern.

Am Abend darauf versammelten sich an verschiedenen Plätzen Berlins kleine Gruppen, die in einem Autokonvoi nach Hamburg aufbrechen wollten, um zu verhindern, daß die nächste Ausgabe von »konkret« erscheinen konnte.

Röhl hatte zwei Tage zuvor von der geplanten Aktion erfahren und reagierte. Er ließ den Verlag räumen und entwarf ein Flugblatt: »›konkret‹ geht in den Untergrund.«

Gegen 10 Uhr trafen die Berliner Aktionisten bei der »konkret«-Redaktion am Hamburger Gänsemarkt ein. Presse und Polizei waren schon da. Die Staatsmacht, nicht von »konkret« gerufen, blockierte das Treppenhaus. Die Berliner verteilten ein Flugblatt an die »konkret«-Redakteure:

> »Überm Schreibtisch Che Guevara
> Unterm Schreibtisch McNamara.
> Ihr fahrt mit der Straßenbahn,
> der Chef reist mit ’nem Porsche an.
> Macht Schluß mit dem konkreten Mief
> und schafft ein APO-Kollektiv.«

Ulrike Meinhof war nach dieser gescheiterten Besetzung sehr einsam geworden. Ihr alter Freund, der Schriftsteller Peter Rühmkorf, den sie einmal »den gerechtesten Menschen der Welt« genannt hatte, forderte alle bekannten linken Publizisten, die für »konkret« gearbeitet hatten, dazu auf »den Terroraktionären zu bedeuten, was sie sind: Agents provocateurs«.

21. Baader, Ensslin und die Sozialarbeit

Die vier Brandstifter wurden am 13. Juni 1969 aus dem Gefängnis entlassen. Sie hatten vierzehn Monate ihrer Strafe abgesessen; etwas mehr als ein Drittel. Im November sollte über die Revision ihrer Urteile entschieden werden, bis dahin durften sie auf freiem Fuß bleiben. Aus Freude über die Entlassung setzten sie sich erst mal einen »Schuß« – und bekamen prompt Gelbsucht.

In Frankfurt hatten sich gerade Studenten aus dem Umfeld des SDS mit den Zuständen in Erziehungsheimen beschäftigt. Mit Flugblättern und in Gesprächen versuchten sie, die Jugendlichen in den Heimen zu politisieren.

In den Randgruppen der Gesellschaft sahen sie Potential für gesellschaftliche Veränderungen. Jene, die kein behütetes Elternhaus hatten, die von den Institutionen des Staates verwaltet wurden, die in den Erziehungsheimen der tatsächlichen oder vermeintlichen Willkür autoritärer Erzieher ausgesetzt waren, sollten lernen, sich zu wehren.

Im Zuge der außerparlamentarischen Bewegung waren eine ganze Reihe von Jugendlichen aus hessischen Heimen ausgerückt und lebten mehr oder weniger illegal. Studenten hatten sich um sie gekümmert, ihnen Wohnungen verschafft, versuchten, sie außerhalb der staatlichen Fürsorgeeinrichtungen zu betreuen.

Gerade aus dem Gefängnis entlassen, tauchten Baader und Ensslin bei den »Lehrlingskollektiven« auf. Sie konnten andere Erfahrungen vorweisen als die Theoretiker von der Universität. Baader war einer von ihnen, wenn auch älter, und verlangte keine Anpassung an bürgerliche Normen. Er wollte die Jugendlichen nicht unbedingt in eine geregelte Arbeit pressen und nicht ständig mit ihnen über Politik diskutieren.

»Die Baader-Gruppe«, meinte später einer, der dabei war, »besticht die Lehrlinge mit Abenteuerspielchen, mit wildem, aufregendem Autofahren oder Aktiönchen gegen alles und jedes, was einem gerade über den Weg läuft. In einem Café gegen einen Kellner, gegen diesen und jenen ›liberalen Arsch‹. Bei den Baaders ist immer was los. Deshalb zieht es alle Jugendlichen dort hin.«

Baader und Ensslin übernahmen auch gegenüber den Behörden die Führung des Lehrlingsprojektes. Dem Leiter des Frankfurter Stadtjugendamtes, Herbert Faller, fiel vor allem Gudrun als eine »außergewöhnliche Frau mit pädagogischem Impetus« auf, die »echte Zuneigung zu den Jugendlichen entwickelte«.

Eine rasch wachsende Zahl entlaufener Fürsorgezöglinge hatte sich um die entlassenen Kaufhausbrandstifter gruppiert. Gudrun versuchte immer wieder, von den Behörden finanzielle Unterstützung für sie zu bekommen. Man dürfe sie nicht in der Illegalität lassen, meinte sie und beschwor die Gefahr eines Abgleitens in die Drogenszene und in die Kriminalität. Als die Verhandlungen nicht schnell zu einem Ergebnis führten, besetzten Baader und Ensslin eines Tages mit ihren Schützlingen das Büro des Jugendamtleiters.

Daraufhin besorgte Faller einige Wohnungen, in denen jeweils neun Jugendliche gemeinsam untergebracht wurden. Insgesamt 33 der entlaufenen Fürsorgezöglinge konnten in solchen Wohnkollektiven leben. Manche davon gingen auf Abendschulen und schafften später auch ihren Realschulabschluß. Nebenbei sammelten Baader und Ensslin Geld für die Jugendlichen, um jedem fünf Mark am Tag für Essen zu geben. Ihr Engagement beeindruckte den Leiter des Jugendamtes, und er empfand das als einen Versuch, »an neuer Stelle die politische Arbeit sinnvoll fortzusetzen«.

Auch der Leiter des Diakonischen Werkes in Frankfurt unterstützte das Projekt und besorgte für Baader und Ensslin eine Wohnung. Vor allem von Gudrun war er sehr angetan: »Sie suchte das Gespräch. Wenn eine Begnadigung erfolgt wäre, hätte ich sie durchaus bei der Evangelischen Kirche angestellt, beim Diakonischen Werk als Sozialarbeiterin. Ich war an einer langfristigen konkreten Zusammenarbeit interessiert.«

Die Arbeit der Lehrlingskollektive selbst fand er dagegen nicht so überzeugend: »Sie hatten keine Zukunft, weil sie abhängig gewesen sind von den Studenten und nicht zu einem eigenen Selbstverständnis gekommen sind. Mein Eindruck über die Kollektive: tags schliefen sie, nachts tobten sie, die meisten haben nicht gearbeitet.«

Im Umfeld dieser Sozialfürsorge-Projekte begegnete Peter Jürgen Boock zum erstenmal Andreas Baader und Gudrun Ensslin.

22. Peter Jürgen Boock

Seine Eltern hatten eine Kneipe, irgendwo hinterm Deich in Schleswig-Holstein, als Peter Jürgen Boock am 3. September 1951 geboren wurde. Gerade zwei Jahre zuvor war sein Vater aus der Kriegsgefangenschaft zurückgekommen. Er bewarb sich bei der neugegründeten Bundeswehr, wurde aber nicht genommen und ging statt dessen zur Bundespost nach Hamburg. Peter blieb für zwei Jahre bei seiner Großmutter, dann holten die Eltern ihn nach. Die Kleinstadt, die ihm vorgekommen war wie der »größte Spielplatz der Welt«, mußte er nun gegen eine Trabantenstadt am Rande von Hamburg tauschen. Zwischen hoch aufragende Wohnblocks für Sozialhilfeempfänger hatten die Stadtplaner eine Reihenhauskolonie für Staatsdiener gesetzt.

Hier wuchs Peter auf, unauffällig bis in die wilden sechziger Jahre. Ein Biologielehrer, der in der »Jailhouse-Jazzband« spielte, machte ihn mit der musikalischen Untergrundszene bekannt. Doch dann wurde auch er von der allgegenwärtigen Politisierung gepackt. Mit knapp 15 Jahren gründete Boock einen »Aktionskreis Unabhängiger Schüler«, abgekürzt AUSS, die Schülerorganisation des SDS. Die Eltern hatten bald den Eindruck, Lenin persönlich wäre bei ihnen eingezogen, die Konflikte eskalierten, und eines Tages beschloß Peter, in die DDR zu gehen. Bei Lauenburg schlich er sich durch den Minengürtel ins Arbeiter- und Bauernparadies. Er wollte zu seinem Onkel, brachte es aber nur bis in ein Auffanglager der DDR. Weil er noch nicht 16 war, schickte man ihn zurück in den Westen. Wäre er älter gewesen, hätte er bleiben dürfen – und sich und anderen vermutlich viel erspart.

Nach der Rückkehr besserte sich das Verhältnis zum Vater nicht gerade. Der sprach – als Ausgleich für die eher langweilige Schaltertätigkeit bei der Post – abends gern dem Alkohol zu. Dann wurde er nicht selten grob. Inzwischen war die Großmutter ins Haus der Familie gezogen. Sie hatte Rheuma, und als sie begann, unter den massiven Schüben der Krankheit zu leiden, übernahm Peter die Pflege. Er liebte die alte Frau, aber die Vollpflege fiel ihm schwer. Hin- und hergerissen zwischen Pflichtgefühl und Ekel, dachte er nicht selten: Wenn sie stirbt, dann bin ich schuld, dann hänge ich mich auf.

Ein gutes Vierteljahr hatte Boock in der Schule durch den DDR-Ausflug verloren. Er hatte den Anschluß verpaßt und beschloß, nach der Mittleren Reife abzugehen. Schule und Karriere waren damals kein Ziel für Jugendliche, die den Nerv der Zeit in sich spürten. Beim Sternmarsch nach Bonn, der Massendemonstration gegen die Notstandsgesetze, hatte Peter die Leute der Kommune 1 kennengelernt, Langhans und Teufel und die Mädchen.

Boock hatte eine Lehre begonnen in einer Firma, die große Drehbänke herstellte. Aber mehr und mehr bestimmte die außerparlamentarische Polit-Welt sein Leben. Und immer wieder traf er auf Leute, die später seinen Weg in den Terrorismus kreuzten. Karl-Heinz Roth zum Beispiel, einen hochbegabten Medizinstudenten, der den Hamburger SDS anführte und später untertauchte, weil er glaubte, von der Polizei gesucht zu werden. Oder Margrit Schiller, die in der Anfangsphase zur RAF stieß.

Und er machte noch eine andere Bekanntschaft, so wie viele junge Leute zu dieser Zeit: Zunehmend stieg die Szene vom Rotwein auf Shit um, auf Haschisch.

Peter Jürgen Boock verabschiedete sich wieder einmal von zu Hause. Diesmal sollte es nach Holland gehen, in jenes fortschrittliche Land, von dem die Spät-Hippies schwärmten wie sonst nur von Nepal.

Doch die Aufbruchstimmung der späten Sechziger war in eine tiefe Depression umgekippt. Auch Peter Jürgen Boock hatte sich auf den Demonstrationen nach dem Attentat auf Rudi Dutschke heiser geschrien in den nicht enden wollenden Sprechchören: »Ho-Ho-Ho-Chi-Minh… Ho-Ho…« Jetzt war der Elan erloschen. Wie alte Stalingradkämpfer erinnerte man sich an die Tage der Revolution, die doch gerade erst ein paar Monate zurücklagen. Als man an der Absperrung vor dem Hamburger Springerhaus stand und die Polizei kam, in Hundertschaften, und einem plötzlich eine kleine Kipplore auf einem Baugrundstück ins Auge fiel. Man kippte sie um, und das Benzin lief den Bullen entgegen, und dann noch ein Streichholz…

Inzwischen war die Revolte abgeflacht. In Holland dagegen machten die »Kabautermänner« mit viel Spaß Ernst mit dem selbstbestimmten Leben. Sie gründeten Kommunen und stärkten das kommunale Leben, rissen das Straßenpflaster auf und pflanzten dort Bäume. Peter Jürgen Boock, immer aktiv, immer einfallsreich, wurde von einer Hauskommune aufgenommen, einer bunten Schar, zu der auch einmal Jim Morrison von den »Doors« gestoßen sein soll, besuchsweise.

Boock war nicht gerade ein typischer Kommunarde der späten Sechziger. Er war zu gehemmt, um sich vor anderen einfach mal so auszuziehen. Doch die holländischen Kommunarden waren sensibel und halfen ihm, Stück um Stück seiner kleinbürgerlichen Ängste abzulegen. Drogen halfen dabei. Bei einer Hochzeit, die unter LSD zum Happening umgestaltet wurde, durfte Boock den Küster spielen. Zu Weihnachten demonstrierte die Gruppe mit einem Hungerstreik drei Tage und drei Nächte in der Kälte auf dem Straßenpflaster gegen den Vietnamkrieg. Das strapazierte sogar das Mitgefühl der toleranten Holländer.

Peter Jürgen Boock hatte in Holland eine Frau kennengelernt, die aus dem Grenzbereich zwischen Polit-Kabautern und Prostitution kam. Sie war ein paar Jahre älter als er. Irgendwann kam er auf den Gedanken, nach Hamburg zu fahren und sie seinen Eltern vorzustellen. Die waren entsetzt, in was für ein verruchtes Milieu ihr Sohn geraten war und informierten das Jugendamt. Kaum zurück in Holland, wurde Boock von der Polizei gesucht. Die Mitglieder der Kommune in Den Haag wurden nach Drogen gefilzt, und ausgerechnet in Boocks Tasche wurde Dope entdeckt. Er wurde ausgewiesen und an der Grenze von Mitarbeitern des Hamburger Jugendamtes in Empfang genommen.

Peter Jürgen Boock war 17, als er auf Antrag der Eltern in die Obhut der »Freiwilligen Erziehungshilfe« gegeben wurde, in ein geschlossenes Jugendheim nach Glückstadt.

Dort war es dann fürs erste mit der Freiheit vorbei: ein großes U-förmiges Gebäude inmitten einer hohen Umfassungsmauer, Schlafsäle für 20 bis 30 Jugendliche, die alle schon mehrmals aus Heimen abgehauen waren oder die wegen Delikten einsaßen, für die Jugendliche noch nicht ins Gefängnis gesperrt werden konnten. Boock lernte 15jährige Mörder und 14jährige Zuhälter kennen. In dünne Blaumänner gehüllt, klappernde Holzlatschen an den Füßen, durften die Insassen Fischernetze knüpfen und bekamen dafür vier Zigaretten Prämie am Tag. Oder sie konnten beim Bauern helfen, für eine Flasche Bier und vier Zigaretten am Tag. Wer an die frische Luft wollte, durfte in der Heringsfischerei arbeiten, dort, wo zuvor viele der Erzieher tätig gewesen waren. Nicht selten waren welche in Netzrollen hängengeblieben und hatten Finger, Arme oder Beine verloren. Das hinderte sie aber nicht daran, mit Gummiknüppeln auf die Zöglinge im Heim einzuprügeln, wann immer sich eine Gelegenheit dazu bot.

Doch die Revolte machte auch vor dem vergitterten Fenster des Heimes nicht halt. Als ein jugendlicher Insasse ein Paket von draußen bekam und der Gruppenleiter es ihm nicht aushändigen wollte, kam es erst zum Streit und dann zum Aufstand.

Der Zögling schlug dem Gruppenleiter nach einem heftigen Wortgefecht einen Backstein auf den Schädel und griff sich sein Paket. Minuten später war die Hölle los. Die Heizungen wurden aus den Halterungen gerissen, die Betten zerlegt. Irgend jemand schüttete flüssiges Bohnerwachs die Holztreppe hinunter und steckte es in Brand.

Die Heimleitung rief die Polizei, aber die fühlte sich dem Aufruhr nicht gewachsen und brachte gleich Marinesoldaten mit. Tränengasgranaten wurden ins Feuer geschossen. Kurz vor dem Ersticken gelang es Boock und ein paar anderen, sich mit Messern und Gabeln und Stemmwerkzeugen durch den Fußboden ins untere Stockwerk durchzuarbeiten. Sie waren mit dem Leben davongekommen, fanden sich aber umgehend im anstaltseigenen Bunker wieder. Drei mal drei Meter, eine mit Schimmel bedeckte Seegrasmatratze, ein Eimer, ein 30 mal 30 Zentimeter großes Fenster an der Decke. Kein Licht. Keine Zigaretten. Kein Hofgang.

Nach 14 Tagen, das war die zulässige Obergrenze, wurden die Aufrührer aus ihrer Zelle entlassen. Die Erzieher hatten sich in Reih und Glied zu einer Knüppelgasse aufgebaut. Einmal durchgeprügelt, dann ging es wieder zurück ins Loch. Ein 15jähriger meldete sich daraufhin freiwillig zum Netzeknüpfen in der Zelle. Er bekam Garn und Stricke und erhängte sich damit. Nach einem zweiten Selbstmord im Heim wurde der zuständige Abgeordnete im Kieler Landtag aufmerksam. Ein Untersuchungsausschuß sollte die Verhältnisse in Glückstadt aufklären.

Peter Jürgen Boock erfuhr nicht mehr, was dabei herauskam. Er wurde nach Hessen verlegt. Boock schmiedete sofort Ausbruchspläne. Doch die neue Zeit war im sozialdemokratischen Hessen schon bis zu den Toren geschlossener Jugendheime vorgedrungen.

Kaum war er zwei Wochen dort, tauchte eine Gruppe des Pädagogischen Seminars der Universität Frankfurt auf. Einige der Studenten fielen schon optisch aus dem Rahmen: Sie trugen Lederjacken und Jeans und gaben sich locker, engagiert und kämpferisch. Ihre Namen hatte Boock schon einmal gehört: Andreas Baader, Gudrun Ensslin, Astrid und Thorwald Proll.

Offenkundig hatten die zuvor aus der Haft entlassenen Brandstifter ihren revolutionären Elan nun auf die Befreiung von Fürsorgezöglingen konzentriert. Boock erzählte seine Geschichte von der Revolte in Glückstadt. Sie gefiel den Besuchern.

»Wer seid ihr denn?« fragte Boock.

»Wir sind die Brandstifter.«

Boock wußte, daß Baader, Ensslin und Thorwald Proll bis zum Inkrafttreten ihres Urteils auf freien Fuß gesetzt worden waren.

»Die haben uns eine Auflage gemacht«, erklärte einer aus der Gruppe. »Tätigkeit im sozialen Bereich. Das machen wir jetzt. Wir holen euch hier raus. Dann sehen wir, was wir daraus machen können.«

Die Sozial-Brandstifter hatten Cola, Tabak und Mao-Bibeln mitgebracht. Doch Boock hatte es mehr auf Baaders Lederjacke abgesehen. »Tolle Jacke«, sagte er.

Baader zog sie aus.

»Da«, sagte er und reichte sie Peter Jürgen Boock – und der wußte: »Das sind meine Leute.«

Einige der Studenten eröffneten die Diskussion über Verbesserungsmöglichkeiten im Heim und wollten wissen, welche Vorschläge die jugendlichen Insassen selbst hatten. Diesen schwebte eine Art Selbstverwaltung vor. Doch das stieß bei Andreas Baader und seinen Kumpanen auf offene Ablehnung. Sie wollten das Heim nicht verbessern, sondern auflösen. Peter Jürgen Boock kam das entgegen:

»Daß wir hier für Verbesserung kämpfen, das könnt ihr euch abschminken. Das geht auf Sommer zu. Die Leute wollen raus. Die wollen kein schöneres Heim und nicht mehr Blümchen vor den Fenstern. Die wollen weg hier.«

Unter den Blicken der Erzieher saßen die Zöglinge mit ihren aufrührerischen Besuchern auf dem Rasen und redeten ein ganzes Wochenende lang. Thorwald Proll, den die Heiminsassen aufgrund seiner dicken Brillengläser sofort »Apfelauge« getauft hatten, verteilte Unmengen von Mao-Bibeln. Niemand hatte die Absicht, sie zu lesen. Aber allein der Besitz der kleinen roten Bücher war Provokation genug.

Boock fühlte sich wie durch ein unsichtbares Band zu Baader und Ensslin hingezogen. Wie diese sich stillschweigend verständigen konnten, indem sie sich nur einen Blick zuwarfen, wie sie mit Gesten kommunizierten, wie sie gegenseitig Sätze ergänzten, sich die Bälle zuwarfen, faszinierte Boock schon am ersten Tag. Die beiden mußten sich nicht abstimmen, mußten nicht miteinander diskutieren. Sie waren eins. Nicht die Einzelpersonen hatten es Boock angetan, nicht die schmale Gudrun mit ihren langen blonden Haaren und der schwäbischen Aussprache, nicht der brünette Andreas Baader mit seiner John-Lennon-Brille mit den kleinen dunklen Gläsern. Es war die Symbiose der beiden, die Boock in ihren Bann schlug.

Andreas hatte den Jargon der Heimzöglinge drauf, Gudrun nahm die

Jugendlichen in den Arm. Astrid redete von schnellen Autos und starken Motoren. Und alle gemeinsam von der Revolution, die – jedenfalls hier – schnellstens gemacht werden müsse.

»Abhauen, wegkommen, was Neues finden.«

»Ja, aber was?«

Peter Jürgen Boock sagte etwas von »Kommune«.

»Nein«, sagte Gudrun, »das ist so ein Wort, das sollte man vielleicht nicht benutzen. Das ist etwas vorbelastet. Nennen wir das Ganze doch Kollektiv.«

Zwei Wochen später bestreikten die Heiminsassen den Gottesdienst. Sie setzten sich vor die Kirchentür und sagten: »Wir gehen nicht.« Die Erzieher rückten mit Hockeyschlägern an und droschen auf das gute Dutzend Aufrührer ein. Boock fand sich in der Arrestzelle wieder. Die Heimleitung beantragte seine Rückführung nach Glückstadt.

Am nächsten Wochenende tauchten die Frankfurter Sozialhelfer wieder auf. Boock nahm sie beiseite: »Die wollen mich zurückverlegen. Wenn wir hier eine richtige Fürsorgezöglingsgruppe aufbauen, kann das über Nacht passieren. Aber ich habe keine Lust, mich in Glückstadt wiederzufinden. Da komme ich nie wieder raus, bis ich 21 bin.«

Astrid gab ihm eine Telefonnummer. Die solle er anrufen, wenn er abgehauen sei. Sie würden ihn dann an der Autobahnbrücke abholen.

Als aus Glückstadt die Nachricht kam, man werde ihn wieder aufnehmen, hebelte Boock gemeinsam mit einem anderen Insassen ein Fenster auf und türmte. An der verabredeten Autobahnbrücke warteten die beiden vergeblich, denn Astrid Proll hatte den Treffpunkt verwechselt. So trampten sie nach Frankfurt und quartierten sich bei Baader, Ensslin und den Prolls ein. In der Freiherr-vom-Stein-Straße hatten sich die Freigänger in einem Wohnprojekt eingenistet, das eine Gruppe von Uni-Assistenten gegründet hatte. Den permanenten Streit in der komfortablen Villa nutzten Baader und Ensslin geschickt aus, um sich im Hause auszubreiten. Nach und nach flüchteten die Assistenten, und das Fürsorgeprojekt konnte in die nächste Runde gehen. Besucher aus München, Berlin und Hamburg tauchten auf, und es dauerte nicht lange, da drehte sich das Gespräch um den bewaffneten Kampf.

Andreas, Gudrun und die anderen wirkten irgendwie kränklich, geschwächt. Im Gefängnis hatten sie sich in wilden Träumen ausgemalt, was sie tun würden, wenn sie wieder in Freiheit wären. Eines davon war, sich eine Spritze zu setzen, mit Opiumtinktur. Noch am Tag ihrer Entlassung hatten sie sich gemeinsam einen Schuß gesetzt, alle aus ein und derselben Spritze, und die war unsauber gewesen. So hatten sie alle die Gelbsucht.

Am Abend, als Peter Jürgen Boock in der Villa auftauchte, saß Gudrun gerade in der Badewanne.

»Hallo, da bist du ja«, sagte sie. »Wo ist denn Astrid?«

»Weiß ich auch nicht. Haben wir verpaßt.«

Boock fragte, ob er auch ein Bad nehmen könne.

»Setz dich mit rein«, sagte Gudrun. »Ist doch voll. Keine Wasserverschwendung. Können wir uns unterhalten.«

Peter wurde rot, zog sich dann aber doch aus und setzte sich mit Gudrun in die Wanne. Wenig später kam Thorwald. Er warf die Tür fluchend ins Schloß: »Diese Idioten. Alles Verrückte, die MLler. Diese Wichser.«

Er war auf einer Diskussionsveranstaltung gewesen, bei der es um die Auflösung des SDS gegangen war und um die Frage, wie der Kampf weitergehen solle. Die Theoretiker hatten sich gegenüber der »Lederjackenfraktion« durchgesetzt. Thorwald kochte vor Wut.

Ein paar Tage später kam Andreas von einer Berlin-Reise zurück. Er hatte Jan-Carl Raspe getroffen, der dort in der Kinderladenszene aktiv war. Baader war völlig aufgekratzt und redete hektisch davon, wen er alles getroffen hatte: Antje und diese Idioten von der K2, Ulrike... Für Boock waren das Geschichten wie aus 1001 Nacht.

Eine gute Stunde vor Mitternacht sagte Baader plötzlich: »Was haltet ihr davon? Wir fahren jetzt nach Darmstadt und leeren das ›Underground‹.«

»Was tun wir?« fragte jemand. »Wir haben doch gar kein Auto.«

»Das macht nichts. Klauen wir zwei oder drei.«

So fuhr die ganze Truppe mit drei gestohlenen Wagen nach Darmstadt. Zwölf Leute, die eine ganze Diskothek aufmischten, Leute anrempelten, Gläser umwarfen, bis alle übrigen Gäste die Flucht ergriffen hatten und der Laden ihnen gehörte. Der Wirt sah tatenlos zu, wie sich die Besucher bedienten. Die Polizei zu rufen war ausgeschlossen. Im Morgengrauen fuhr die Gruppe zurück, aufgedreht und glücklich.

Am vierten Tag holte Boock sich seinen ersten Tripper. Da es innerhalb der Gruppe passiert war, machte die Infektion schnell die Runde. Am Ende saß man zu neunt im Wartezimmer eines Hautarztes.

Das lockere Leben außerhalb der Mauern von Fürsorgeheimen sprach sich schnell herum. Abhauen, nach Frankfurt gehen. Als Boock zu Baader und Ensslin stieß, bestand die vom Gericht angeordnete Sozialarbeit aus einer Gruppe von etwa 30 Zöglingen. Eine Woche später waren es 80, eine weitere Woche später 120. Allmählich waren die studentischen Ressourcen aufgebraucht. Vor allem aber begannen sich die Wohngemeinschaften zu wehren, in denen die Jugendlichen untergebracht worden waren: Plattensammlungen verschwanden, aus den Regalen fehlten plötzlich Bücher, ganze Stereoanlagen wurden abgebaut.

Andreas unterstützte seine Zöglinge moralisch, wenn die marodierend durch die Szene zogen: »Nehmt keine Rücksicht. Das sind eure zukünftigen Ärzte, Rechtsanwälte. Die leben sowieso von eurer Haut. Also bedient euch. Keine moralischen Skrupel.«

Und so verhielten die Jugendlichen sich. Wenn ihnen irgend etwas gefiel, dann nahmen sie es mit. Wenn jemand widersprach, dann gab es was auf die Fresse. Widersprechen taten nur wenige. Es war unbequem und unangenehm, aber auch irgendwie chic, vom militanten Proletariat unter Führung des prominenten Brandstifters ausgenommen zu werden. Eines Abends kam Peter Jürgen Boock in eine Wohnung, in der auch Evelyn wohnte. Sie arbeitete als Fotomodell und hatte nebenbei eine soziale Ader. »Die kriegst du auf die Matratze«, sagte einer der entlaufenen Fürsorgezöglinge zu Boock. Sie rauchten einen Joint, und dann schliefen sie miteinander. Boock dachte: »Sie hat mit der sozialen Randgruppe geschlafen und ich mit dem Playmate des Monats.«

Nach der Besetzung des Frankfurter Jugendamts gab es Zusagen für Wohnungen und Geld. Allerdings sollte für jedes Wohnprojekt ein Sozialarbeiter verantwortlich sein. Und so kam es, daß sämtliche Fraktionen der Frankfurter Linken vertreten waren, das Marxistisch-Leninistische Kollektiv, das Sponti-Kollektiv, das Kollektiv der Humanistischen Union. Entsprechend verliefen die Diskussionsprozesse: Wie weiter? Randgruppentheorie hin oder her. Aber alles hat seine Grenzen.

Inwischen waren andere Kollektive dabei, in Fortsetzung der Randgruppen-Kampagne eine Knast-Kampagne zu beginnen. Doch darüber waren Gudrun und Andreas längst hinaus. Im Kreise ihrer befreiten Fürsorgezöglinge kam das Gespräch immer wieder auf den bewaffneten Kampf. Südamerika, die Stadtguerilla, die Tupamaros... Boock saß bei solchen Diskussionen am Rande, hörte zu, redete manchmal mit. Das war alles neu für ihn. Aber weil die anderen es wollten, wollte er es auch. Ganz klar. Auch wenn er noch keine eigene Position dazu hatte. Peter Jürgen Boock gehörte zu den ersten entlaufenen Fürsorgezöglingen, die »außer Verfolgung« gesetzt wurden. Eine Frankfurter Sozialarbeiterin fuhr eigens nach Hamburg, um mit dem Jugendamt auszuhandeln, daß er ganz offiziell bei der Sozialarbeitergruppe Baader und Ensslin leben durfte. Umgehend wurde ein Verein unter dem Namen »Arbeits- und Erziehungshilfe« gegründet, um die revolutionäre Sozialarbeit vom Staat finanziert zu bekommen.

Währenddessen wurden die Kontakte nach Berlin immer enger. Dort war man auf dem Weg zum bewaffneten Kampf schon ein ganzes Stück weiter. Aus dem »Blues« der Szene um die »Umherschweifenden Haschrebellen« kristallisierte sich langsam eine erste Stadtguerilla-Formation heraus. Da konnte die Zöglings- und Erziehungsbewegung nicht zurückstehen. Vor allem Jan-Carl Raspe redete auf seine stille und bedächtige Weise gern über die Perspektiven eines Untergrundkampfes nach Tupamaro-Vorbild. Ulrike Meinhof drehte gerade ihren Film »Bambule«, der einen Aufstand im Mädchenheim zum Thema hatte. Für Boock war Ulrike Theorie. Baader und Ensslin waren Praxis.

Eines Tages sagte Gudrun Ensslin ihrem jugendlichen Schützling: »Daß du dir keine Gedanken machst, wenn wir mal von einem auf den anderen Tag verschwinden sollten. Wir vergessen dich nicht. Wir kommen wieder auf dich zu. Mach dir darüber keine Gedanken.«

Peter Jürgen Boock, gerade 17 Jahre alt, konnte damit leben. Als Andreas Baader, Gudrun Ensslin und die Geschwister Proll plötzlich von der Bildfläche verschwanden, zog er aus der Villa aus und in eine andere Wohngemeinschaft. Er wußte, sie würden ihn mitnehmen, wenn es wirklich losging. Im Kopf hatte er noch ein Gespräch mit Gudrun, in dem er sich beschwert hatte, daß da offenbar irgend etwas ohne ihn lief: »Ich weiß gar nicht, was da abgeht, aber ich will dabeisein.«

Da hatte Gudrun gelacht und dann gesagt: »Das kann ich mir vorstellen. Aber du bist noch ein bißchen zu jung dafür. Ich will dich da nicht reinziehen. Das kann ich nicht verantworten.«

»Nun hör aber auf«, hatte Boock erwidert. »Bisher haben wir nie über Alter geredet, und jetzt fängst du plötzlich so an.« Gudrun war plötzlich ganz ernst geworden: »Du, was wir da auf dem Schirm haben, das hat solche Dimensionen, das kannst du gar nicht beurteilen. Das hat was mit Lebenserfahrung zu tun. Das hat auch etwas damit zu tun, ob man für sich eine Sache abschließen kann. Das kannst du noch nicht in deinem Alter. Dazu hast du zuwenig gesehen, um dich entscheiden zu können. Aber du würdest dich entscheiden müssen. Und deswegen tun wir dir das nicht an.«

23. Auf der Flucht

Im November 1969 verwarf der Bundesgerichtshof die Revision des Brandstifterurteils. Damit war das Frankfurter Urteil rechtskräftig. Baader und Ensslin hatten zwar kurz zuvor ein Gnadengesuch eingereicht, waren ihren polizeilichen Meldeauflagen – eher schlecht als recht – nachgekommen, mußten nun aber täglich mit der Aufforderung zum Strafantritt rechnen. Sie beschlossen, zusammen mit Proll erst einmal unterzutauchen. In der Tiefgarage des »Hertie«-Kaufhauses stiegen sie in den Wagen eines Freundes, der sie nach Hanau brachte. Dort wechselten sie das Auto und fuhren nach Saarbrücken. Ein weiteres Fluchtfahrzeug stand bereit und brachte sie über die Grenze nach Frankreich. Einer der Fluchthelfer fuhr voraus und machte Quartier im lothringischen Forbach. Ohne Zwischenfälle erreichte die Gruppe Paris; kein Wunder, denn zu dieser Zeit wurde keiner der Kaufhausbrandstifter überhaupt gesucht.

Wochenlang lebten sie in der Pariser Wohnung des französischen Schriftstellers und Revolutionstheoretiker Regis Debray, Kampfgenosse Che Guevaras. 1967 war Debray in Bolivien gefangengenommen und zu 30 Jahren Haft verurteilt worden. 1970 wurde der Sohn einer einflußreichen französischen Familie freigelassen.

Die Wohnung im Quartier Latin galt als sicher. »Hierher kommt keine Kripo«, erzählte Gudrun Ensslin einem Besucher, »weil der Vater von Regis Politiker ist.« Telefonisch hielten die drei Flüchtlinge Kontakt zu ihren Freunden in Deutschland. Eines der ersten Gespräche führte Andreas Baader mit der Schwester Thorwald Prolls, Astrid. Sie sollte Bücher, Papiere und einen in einer Frankfurter Werkstatt zurückgelassenen Mercedes nach Paris bringen.

Ihr Bruder Thorwald erwartete sie – inmitten parkender Streifenwagen – vor dem Polizeipräsidium und lotste sie zur Debray-Wohnung. In den darauffolgenden Tagen durchstreifte das Quartett die Stadt. In einem Café fotografierten sie sich gegenseitig und amüsierten sich dabei über ihre inzwischen streichholzkurz geschnittenen Haare. Baader ließ die Bilder entwickeln, während Gudrun ihr Archiv, einen Koffer voller Zeitungsausschnitte, vor allem über den Brandstifterprozeß, ordnete.

Die Gruppe beratschlagte, was nun zu tun sei. Einer kam auf die Idee, in den Nahen Osten zu fahren und sich dort bei El Fatah, einer bewaffneten Gruppe innerhalb der PLO, umzusehen. Gudrun Ensslin dagegen neigte eher einer ruhigen Phase zu. Sie wollte ein Buch über die Frankfurter Lehrlingskampagne schreiben. Die meisten der gesammelten Unterlagen, Flugblätter, Personalakten von Heimzöglingen, Briefe und Tonbandinterviews waren aber in der Hektik des Aufbruchs in Frankfurt geblieben, so daß aus der schriftstellerischen Arbeit nichts wurde.

Astrid und ein Begleiter erhielten den Auftrag, nach Amsterdam zu reisen, um dort bei einem in linken Kreisen bekannten Experten falsche Papiere anfertigen zu lassen. Als verloren gemeldete Reisepässe deutscher Genossen sollten mit neuen Fotos ausgestattet werden. Bevor die beiden Amsterdam wieder verließen, sahen sie sich noch die amerikanische Originalfassung von »Easy Rider« mit holländischem Untertitel an. Dann fuhren sie zurück nach Paris.

Von dort sollte es in Richtung Süden gehen. In Straßburg hängten sie Thorwald Proll ab, der Baaders Einschätzung zufolge für ein konspiratives Leben nicht robust genug war.

Thorwald Proll stellte sich später, wie auch der vierte Kaufhausbrandstifter Horst Söhnlein, zum Strafantritt. Beide tauchten nie wieder im Zusammenhang mit der Baader-Ensslin-Truppe auf.

Baader, Ensslin und Astrid Proll reisten weiter nach Italien. Dort kamen sie bei Bekannten aus Berlin unter, besuchten auch die Schriftstellerin Luise Rinser, die später an die Familie Ensslin schrieb: »Gudrun hat in mir eine Freundin fürs Leben gefunden.«

Im Januar 1970 besuchte einer aus dem Frankfurter Lehrlingskollektiv Ulrike Meinhof in Berlin. Sie bereitete gerade die Dreharbeiten für ihren Fernsehfilm »Bambule« vor. Im Herbst hatte sie sich das Zöglings-

Projekt in Frankfurt angesehen, hatte versucht, Ratschläge zu geben und mit Baader und Ensslin lange Diskussionen über deren Arbeit geführt. Jetzt, da nach dem Untertauchen der wichtigsten Organisatoren das Projekt auseinanderzufallen drohte, sollte die Journalistin dazu bewegt werden, nach Frankfurt zu kommen und die Lehrlingsarbeit weiterzuführen. Aber Ulrike Meinhof lehnte ab. Sie war vollauf mit ihrem Film beschäftigt, darüber hinaus hatte sie ihre beiden Töchter zu versorgen. Sie erklärte sich aber bereit, ein Gnadengesuch für die Kaufhausbrandstifter zu unterstützen: »Ich kenne Heinemann (damals Bundespräsident) gut von früher, als er noch Gesamtdeutsche Volkspartei war.« Auch andere, wie der Leiter des Frankfurter Stadtjugendamtes Herbert Faller, schrieben Briefe an Regierungsmitglieder und baten um eine Begnadigung der Kaufhausbrandstifter. Faller lobte vor allem die Lehrlingsarbeit der Gruppe, die ohne sie nicht weitergeführt werden könne.

Anfang Februar 1970 lehnte der hessische Justizminister Hempfler das Gnadengesuch ab. Die Gesuchten erfuhren davon in Italien. Gudrun rief in Frankfurt an und erkundigte sich nach den Einzelheiten: »Wir haben hier unten im Radio etwas in Sachen Gnadengesuch gehört, es aber nicht genau verstanden.« Ihr Gesprächspartner bestätigte, daß ihr Gesuch abgelehnt worden sei. »Na, dann müssen wir weitermachen«, antwortete Gudrun.
Wie sie weitermachen könnten, hatte ihnen kurz zuvor ein Italienreisender aus Berlin vorgeschlagen. Sie sollten doch zurückkommen und sich einer im Aufbau befindlichen militanten Gruppe anschließen. Der Tourist hieß Horst Mahler.

In Rom wurde ein weißer Alfa Romeo gestohlen, in dessen Handschuhfach die Kraftfahrzeugpapiere lagen. Astrid Proll wollte damit nach Deutschland fahren. In Österreich fuhr ihr im starken Schneegestöber ein anderer Wagen in die Seite. Die Scheibe platzte, und die Tür war eingebeult. Astrid fuhr zu Freunden aus früheren Zeiten, die in der Nähe wohnten. Auf einer Feuerwehrwache half man ihr mit etwas Plastikfolie aus, um das Fenster abzudichten. Ohne Schwierigkeiten kam sie mit dem gestohlenen Wagen über die deutsche Grenze und fuhr zunächst nach Frankfurt.
Andreas Baader und Gudrun Ensslin verließen Italien einige Tage spä-

ter. Mitten in der Nacht standen sie vor dem Stuttgarter Pfarrhaus. Gudruns überraschter Vater beschwor die beiden, ihre Reststrafe zu verbüßen. »Geht doch hin und reißt die zehn Monate ab«, sagte er, stieß aber auf taube Ohren. »Wir gehen nicht in den Knast«, erklärte Gudrun kategorisch. »Nein, wir gehen nach Berlin, tauchen dort unter und wollen mal weitersehen.« Nachdem sie geduscht und gegessen hatten, fuhren sie noch in derselben Nacht weiter.

24. Bambule

Anfang 1970 war Ulrike Meinhof von Dahlem näher an das Berliner Zentrum gezogen. Mit den Zwillingen wohnte sie jetzt in Schöneberg, Kufsteiner Straße 12. Eine Zeitlang lebte dort auch Peter Homann, jener ehemalige Kunststudent aus Hamburg, der nach dem 2. Juni 1967 zusammen mit Gudrun Ensslin und anderen die »Albertz – Abtreten«-Aktion gemacht hatte. Einen Freundeskreis wie in Hamburg hatte Ulrike Meinhof in Berlin nicht wieder gefunden.

Sie wollte das wohl auch nicht mehr. In der vielfältigen politischen Szenerie West-Berlins, in der sich rasch alle Fronten veränderten, begegnete man etablierten Figuren, die nicht aus der Berliner politischen Subkultur kamen, eher mit Mißtrauen als mit Anerkennung.

Ulrike Meinhof war weiterhin eine vielbeschäftigte Journalistin. Seit Jahren hatte sie sich mit dem Thema Fürsorgeerziehung auseinandergesetzt, zahlreiche Artikel und Hörfunkfeatures über Jugendliche in Erziehungsheimen geschrieben.

Im Berliner Erziehungsheim Eichenhof hatte sie drei Mädchen kennengelernt, Jynette, Irene und Monika, deren Schicksal zur Grundlage des Drehbuches für den Film »Bambule« wurde. Die Dreharbeiten zu dem einzigen Fernsehspiel Ulrike Meinhofs begannen Ende 1969.

In einem Hörfunkbericht hatte sie 1969 geschrieben: »Mit Fürsorgeerziehung wird proletarischen Jugendlichen gedroht, wenn sie sich mit ihrer Unterprivilegiertheit nicht abfinden wollen.

Heimerziehung, das ist der Büttel des Systems, der Rohrstock, mit dem dem proletarischen Jugendlichen eingebleut wird, daß es keinen Zweck hat, sich zu wehren, keinen Zweck, etwas anderes zu wollen, als lebenslänglich am Fließband zu stehen ... Bambule, das ist Aufstand, Widerstand, Gegengewalt – Befreiungsversuche. So was passiert meist im Sommer, wenn es heiß ist, wenn das Essen noch weniger schmeckt, wenn sich die Wut mit der Hitze in den Ecken staut. So was liegt in der Luft – vergleichbar den heißen Sommern in den Negerghettos der Vereinigten Staaten.«

Ulrike Meinhof wollte keine Trennung mehr von den Objekten ihrer Berichterstattung und den Personen, die von ihr mehr erwarteten, als nur beschrieben zu werden.

Bald standen sie vor ihrer Tür. Fürsorgezöglinge aus dem Frankfurter Projekt und Berliner Jugendliche, die um Einlaß baten. Einige erhielten Quartier, legten sich in die Betten, bedienten sich aus dem Eisschrank, klauten und brachten Geklautes in die Wohnung, lärmten und bewarfen die Nachbarn vom Balkon aus mit Eiern. Ulrike fiel es schwer, die Jugendlichen vor die Tür zu setzen. Sie selber hatte Probleme genug. Sie stürzte sich in zahlreiche Projekte und Diskussionen, war nachts bis in den frühen Morgen unterwegs. Stunden später standen die Zwillinge in ihrem Schlafzimmer und riefen: »Aufstehen!« Sie kamen oft zu spät zur Schule. Ulrike Meinhof hatte Schuldgefühle, zuwenig für die Kinder zu tun.

Ein paar Tage vor Weihnachten 1968 hatte sie das Drehbuch für den Fernsehfilm an den Südwestfunk geschickt. »Hier endlich das MS«, schrieb sie an den zuständigen Fernsehredakteur Dieter Waldmann. »Zu treuen Händen.« Ganz professionelle Autorin, gab sie ein paar Hinweise für die Inszenierung: »Bei Irene ist noch wichtig, daß sie mit einem ungeheuren Wuschelkopf – verkorkste Dauerwelle – anfängt ... Und Jynette sieht aus wie ein Mann ... Von dem Gedanken, mit Laien dokumentarisch zu drehen, bin ich vollkommen abgekommen. Laien denke ich mir als Statisten. Im übrigen bin ich für Schauspieler. Dies ist einfach kein Dokumentarfilmdrehbuch.«

Wenn der Redakteur einen beseren Titel als »Bambule« wisse, interessiere sie das: »Ganz glücklich war ich mit keinem meiner Einfälle.« Am Ende wünschte sie fröhliche Weihnachten und hatte noch eine Bitte: »Wenn Geld – dann bitte erst im nächsten Jahr, wegen der Steuern.«

Die Arbeit an dem Film zog sich über mehr als ein Jahr hin. Währenddessen versank Ulrike immer mehr in eine Depression, die sie versuchte, politisch zu interpretieren.

Ihre journalistische und schriftstellerische Arbeit genügte ihr immer weniger. Nicht im Beschreiben der Wirklichkeit sah sie ihre Aufgabe, sondern in der Veränderung. Theoretisch jedenfalls. Selbst aktiv geworden war sie so gut wie nie – von der gescheiterten Aktion gegen ihre eigene Zeitschrift »Konkret« einmal abgesehen.

Die praktische Arbeit am Film stürzte Ulrike Meinhof in immer tiefere Zweifel über den Sinn ihres Tuns. Irgendwann skizzierte sie ihre Einsichten während der Dreharbeiten: »Dem Drehbuch nach sind die Mädchen die Hauptpersonen des Films. Das war der Zweck des Ganzen, diese Mädchen, denen man sonst nichts zutraut, die im Heim und außerhalb wie Dreck behandelt werden, zu zeigen, wie sie sind: leidend und handelnd, getretene Mädchen, die permanent Widerstand leisten, eine verfolgte Jugend, die sich wehrt.«
Es sei ihre Absicht gewesen, die Isolation der Mädchen aufzubrechen, Solidarität mit ihnen von außen herzustellen. Ulrike Meinhof bitter: »Die Absicht mag richtig sein, das Mittel – ein Film – erwies sich schon beim Drehen als falsch.«
Die echten Heimmädchen seien wie im richtigen Leben nur Statistinnen, eine Randgruppen, gewesen. Die Hauptpersonen seien von Schauspielerinnen gespielt worden. Ihre Gesichter seien die glatten Gesichter von Mädchen bürgerlicher Herkunft: »Ihre Stimmen sind die Stimmen von Mädchen, die, die gewohnt sind, Konversation zu machen, nicht Stimmen, die Auseinandersetzungen und Kämpfe gewohnt sind. Ihr Trotz ist kokett.« Für die Schauspielerinnen seien die Dreharbeiten im Heim nichts als ein exotisches Erlebnis. Die realen Heimmädchen hätten ihre Statistengage von 250 Mark sofort für Klamotten ausgegeben. Das wiederum hätte den Fürsorger im Heim veranlaßt, das Gerücht zu verbreiten, die Mädchen hätten das Geld versoffen. Als die Filmemacher wieder aus dem Heim verschwunden seien, hätte er seinen Terror unvermindert fortsetzen können. Den Kampf dagegen führten die Mädchen, als wären die Filmer nie dagewesen. »Der Film hat nicht einmal die unmittelbar an den Dreharbeiten Beteiligten für die Mädchen einnehmen können, wieviel weniger wird er die Zuschauer agitieren…«
Es sei ihre Absicht gewesen, mit dem Film etwas zu verändern. Spätestens seit den Erfahrungen bei den Dreharbeiten im Heim sei ihr klar geworden: Der Film ist ein ungeeignetes Mittel.

Der Text zeigt, wie weit Ulrike Meinhof sich inzwischen von ihrer publizistischen Arbeit verabschiedet hatte. »Ändern wird sich nur etwas«, so schrieb sie, »wenn die Unterdrückten selbst handeln. Wer sie dabei unterstützen will, muß es praktisch tun, muß den Unterdrückten selbst helfen, sich zu organisieren, zu handeln, ihre Forderungen durchzusetzen. Es kommt nicht darauf an, ihnen zu zeigen, wie man es machen muß, es kommt darauf an, selbst mitzumachen.«

Mit dem Film »Bambule« werde dem Fernsehpublikum das Elend der Mädchen zum Konsum – einen netten Abend lang – angeboten. »Ein Fernsehspiel«, so das Resümee der Autorin, »das die Mädchen einmal mehr verschaukelt, man darf sagen: Ein Scheißspiel.«

Um die Jahreswende 1969/70 herum wurde Ulrike Meinhof in ihrer Dahlemer Wohnung von der Filmemacherin Helma Sanders interviewt. Nervös rollte sie Papierkügelchen zwischen ihren Fingern und rauchte eine Zigarette nach der anderen. Verzweiflung stand in ihrem Gesicht. »Privatangelegenheiten sind immer politische«, sagte sie, »Kindererziehung ist unheimlich politisch, die Beziehungen, die Menschen untereinander haben, sind unheimlich politisch, weil sie etwas darüber aussagen, ob Menschen unterdrückt sind oder frei sind. Ob sie Gedanken fassen können oder ob sie keine Gedanken fassen können. Ob sie was tun können oder nichts tun können. Von den Bedürfnissen der Kinder her gesehen ist die Familie, ja ist die Familie der stabile Ort mit stabilen menschlichen Beziehungen notwendig und unerläßlich.«

Ulrike Meinhof machte eine Pause. Mit leiser Stimme fuhr sie fort: »Schwer – schwer – unheimlich schwer – na, es ist schwer – ist unheimlich schwer. Das ist natürlich viel einfacher, wenn man ein Mann ist und wenn man also eine Frau hat, die sich um die Kinder kümmert, und das geht in Ordnung. Und die Kinder brauchen ja wirklich stabile Verhältnisse und einen, der wirklich viel Zeit für sie hat. Und wenn man Frau ist und also keine Frau hat, die das für einen übernimmt, muß man das alles selber machen – es ist unheimlich schwer.«

Sie unterbrach ihren Redefluß, so als hätte sie sich selbst dabei ertappt, allzuviel Privates herauszulassen. Plötzlich wurde sie wieder ganz sachlich und politisch:

»Also ist das Problem aller politisch arbeitenden Frauen – mein eigenes inklusive – dieses, daß sie auf der einen Seite gesellschaftlich notwendige Arbeit machen, daß die den Kopf voll richtiger Sachen haben, daß sie eventuell auch wirklich reden und schreiben und agitieren können. Aber auf der anderen Seite mit ihren Kindern genauso hilflos dasitzen wie alle anderen Frauen auch. Und sehr viele von diesen Frauen haben dieselben Schwierigkeiten innerhalb ihrer Familien, die alle anderen Frauen auch haben.

Wenn man so will, ist das die zentrale Unterdrückung der Frau, daß man ihr Privatleben als Privatleben in Gegensatz stellt zu irgendeinem politischen Leben. Wobei man umgekehrt sagen kann, da, wo politische Arbeit nicht was zu tun hat mit dem Privatleben, da stimmt sie nicht, da ist sie perspektivisch nicht durchzuhalten.

Man kann nicht antiautoritäre Politik machen und zu Hause seine Kinder verhauen. Man kann aber auf die Dauer auch nicht zu Hause seine Kinder nicht verhauen, ohne Politik zu machen, das heißt, man kann nicht innerhalb einer Familie die Konkurrenzverhältnisse aufgeben, ohne nicht darum kämpfen zu müssen, die Konkurrenzverhältnisse auch außerhalb der Familie aufzuheben, in die jeder reinkommt, der also ...«

Sie zögerte und setzte dann ganz leise hinzu: »... seine Familie anfängt, zu verlassen.«

Wenige Monate später verließ Ulrike Meinhof ihre Kinder.

Ulrike fiel in immer tiefere Selbstzweifel. Zwei kleine Texte hatte sie noch über den »Bambule«-Film verfassen sollen. Sie schrieb sie lieblos herunter und schickte sie an den Fernsehredakteur Waldmann.

»Das Problem ist, daß mich die Dreharbeiten ziemlich fertig gemacht haben, daß ich nun erst voll begriffen habe, wie sie [sic!] mich einein-halb Jahre lang korrumpiert hat, insofern sie für mich ein unausgesprochenes Verbot darstellte, das Selbstverständliche zu tun, nämlich aus meinen Kenntnissen der Heime die richtigen, das heißt praktischen Konsequenzen zu ziehen.«

Natürlich könne sie ihm das nicht vermitteln, denn er sei ja auch nur ein Schreiber. Sein Job sei das Fernsehspiel. Also könne er sie nur für verrückt erklären.

»Nur ist mir jetzt wirklich klar geworden, daß ein Aufstand im Heim, die Organisierung der Jugendlichen selbst, tausendmal mehr wert sind als zich Filme.«

Sie selbst habe keine Lust mehr, ein Autor zu sein, der die Probleme der Basis in den Überbau hieve, womit sie nur zur Schau gestellt würden, damit andere sich daran ergötzten, zu ihrem eigenen Ruhm. »Verstehst Du? Das habe ich kapiert, daß ich mit diesem Film nichts als ein ästhetisches Verhältnis zu den Problemen dieser proletarischen Jugend herstelle, wie jeder andere Schriftsteller auch – daß das Gewäsch ist, Revolutionsgewäsch.«

Konsequenz daraus sei gewesen, daß sie ein fest vereinbartes Interview über den Film abgesagt hätte. »Ich kann mir unter diesen Umständen auch keinen neuen Film von mir vorstellen. Was ich vorhabe, ist, politisch zu arbeiten.«

Am Ende wurde sie noch einmal versöhnlich: »Versuche mal, jetzt nicht bitterböse auf mich zu sein, sondern die Geschichte ein bißchen zu verstehen. Sie ist nicht einfach verrückt. Im Grunde ist sie nur konsequent und zum Glück noch nicht so korrupt, daß ich es nicht noch ticken kann. Tschüß für heute. Ulrike.«

Ulrike Meinhof hatte ein Grundproblem angesprochen, das unter Autoren, Journalisten und Filmemachern der späten sechziger Jahre ständig diskutiert wurde. Doch nur wenige – vor allem wenige bekannte – hatten aus der Theorie praktische Konsequenzen gezogen. So wie die meisten Aufforderungen der radikalen Linken theoretisch aufgestellt, aber niemals praktisch befolgt worden waren. So hatten alle Anwesenden auf dem Vietnam-Tribunal im Audimax der Technischen Universität das überdimensionale Plakat beklatscht: »Es ist die Pflicht jedes Revolutionärs, die Revolution zu machen.« Aber nur wenige hatten es auch nur versucht.

So bekundete auch Fernsehredakteur Waldmann in der Antwort seine Sympathie mit Ulrikes Selbstzweifeln: »Das geistige Dilemma, in das Du geraten bist, kann ich gut verstehen; ich lebe ständig in dieser Situation des Zweifelns über die Effektivität dessen, was ich tu.« Aber die Reaktionen auf seine Arbeit rissen ihn immer wieder aus dem Schlamassel heraus. Er fände es einigermaßen naiv, wenn Ulrike erst jetzt, nach Abschluß der Dreharbeiten, auf diese Gedanken käme.

Besonders die Art und Weise, in der Ulrike Meinhof über die Mitglieder des Filmteams geurteilt hatte, empörte den Fernsehmann: »Du beschuldigst unser Team der Teilnahmslosigkeit. Liebe Ulrike, mein Team hat von morgens bis in die Nacht Schwerstarbeit geleistet… So ist das in dem Beruf, dessen Spielregeln das Team nicht bestimmt, leider. Daß unsere Mitarbeiter von der Misere, die sie gesehen haben, nicht betroffen gewesen wären, ist eine Unterstellung, die kränkend ist. Ist es nur Dir vorbehalten, mitzuleiden? Weißt Du eigentlich, daß die von Dir verleumdeten Schauspielerinnen sich mit einigen Mädchen verabredet haben nach dem Dreh? Zum Kaffee, zum Theaterbesuch? Daß unsere Maskenbildnerin einem der Mädchen in ihrem Beruf helfen will? Daß wir gestern gerade bei uns beredet haben, daß wir eben diesen Kontakt nicht abbrechen lassen?« Habe sie wirklich erwartet, daß das Team mit den Mädchen eine echte Revolution inszenieren und dabei Job, Familie, alles auf Spiel setzen würde?

»Du kommst mir vor«, schrieb Dieter Waldmann, »wie diese hochmütigen Intelligenzler, die den Springer-Arbeitern zurufen, sich mit ihnen zu solidarisieren, ohne zu fragen, wer denn dann den Lohn zahlt.« Offenbar würde sie wütend um sich herum alle beschuldigen, weil sie wieder einmal ihre eigene politische Misere vor Augen haben. Für sie, die Autorin, möge »Bambule« ein »Scheißspiel« sein. Für ihn sei es ein Versuch, anstelle von volksverdummenden »Scheißspielen« ein kleines Stückchen Aufklärungsarbeit zu leisten. »Im übrigen hoffe ich auf den Tag, da bei Dir wieder einmal die Kohlen nicht stimmen und Du gnädigst Dein zweites Spiel für uns schreibst.«

Aber Ulrike Meinhof schrieb bereits an ihrem Spiel. Es sollte eine Tragödie werden.

Die Dreharbeiten zum Fernsehfilm »Bambule« waren Anfang Februar 1970 abgeschlossen. Kurz darauf erhielt Ulrike Meinhof Besuch aus Italien. Vor ihrer Tür in der Kufsteiner Straße standen Andreas Baader, wie immer elegant, diesmal in maßgeschneiderten Seidenhemden, die er dem gutsortierten Kleiderschrank eines Komponisten in Rom entnommen hatte, und Gudrun Ensslin, die energische Pfarrerstochter. Sie suchten sich ein Zimmer aus. In Berlin, so glaubten die beiden, könnten sie sich unerkannt bewegen und gleichzeitig politisch aktiv sein. Natürlich konnte die Wohnung der prominenten linken Journalistin ihnen nur vorübergehend als Herberge dienen.

Ulrike Meinhof war einverstanden. Sie wollte den beiden helfen. Das Leben der Kaufhausbrandstifter schien ihr viel konsequenter als ihr eigenes. Sie hoffte, von ihnen zu lernen. Baader und Ensslin hatten sich auf ihrer Flucht durch Italien in einsamen Stunden manchmal einen »Schuß« verpaßt und versuchten, auch Ulrike Meinhof dafür zu gewinnen. Die Gastgeberin hatte jedoch seit ihrer Gehirnoperation panische Angst davor, mit chemischen Substanzen zu experimentieren. Eines Nachts ließ sie sich überreden, und alle nahmen eine jener gelben Pillen, die unter dem Namen »Sunshine« in der Berliner Drogenszene leicht erhältlich waren: LSD.

In dieser Nacht wechselte die Stimmung abrupt. Sie war heiter, ironisch, aggressiv, brutal und dann wieder voller geträumter Gemeinsamkeiten. Ulrike konnte sich nur mit äußerster Anstrengung konzentrieren und erlebte Momente großer Angst, in denen sie fürchtete, die Wirkung würde nie wieder aufhören. Es war die Angst, verrückt zu werden, die sie nach ihrer Operation kennengelernt hatte.

Mit Andreas Baader wäre sie wohl nicht allein auf den Trip gegangen. Aber da war Gudrun Ensslin, in deren Leben sie Gemeinsamkeiten mit sich selbst entdeckt hatte und von der sie fasziniert war. Sie hatte kompromißlos gehandelt, wie Ulrike meinte. Mit ihr sprach sie in dieser Nacht auch darüber, daß Gudrun ihr Kind verlassen hatte, um mit der Vergangenheit vollständig zu brechen. Gudrun Ensslin vertrat missionarisch eine neue Moral, die Moral der Revolutionäre, die einen Strich durch die eigene Herkunft machen und hinter sich alle Brücken verbrennen müßten. Deshalb sei Besitzlosigkeit und Illegalität für sie die einzig noch mögliche Lebensform.

Im Verlauf der nächtlichen Euphorie entwickelte Ensslin ein neues »Glaubensbekenntnis«, ein Gegenbekenntnis zu ihrer eigenen Herkunft. Alle zehn Gebote müßten gebrochen werden. Aus dem biblischen Gebot »Du sollst nicht töten« müsse in dieser Welt der Gewalt werden: »Du mußt töten.« Als die Wirkung des LSD am Morgen ausklang, frühstückten sie gemeinsam im Café Kranzler.

Viele ihrer früheren Freunde gaben damals ihr studentisches Leben vorübergehend auf. Sie arbeiteten in Fabriken, um ihre »Schuld«, in die falsche Klasse hineingeboren zu sein, durch körperliche Arbeit inmitten des Proletariats abzutragen. Auch angehende Schriftsteller waren dabei, »Betriebsarbeit« zu leisten. Das hatte immerhin den Vorteil, neben der Möglichkeit zur Agitation auch seinen Lebensunterhalt verdienen zu können. »Dem Volk dienen!« hieß die Mao-Losung dieser Zeit. Andere, die dem frühen Aufstehen nicht soviel abgewinnen konnten, riefen ihnen hinterher: »Seid schlau, bleibt beim Überbau!«

Etwa zwei Wochen blieben Ensslin und Baader in der Kufsteiner Straße. Den Zwillingen Bettina und Regine, damals sieben Jahre alt, wurde gesagt, daß es sich bei den beiden Besuchern um Andreas Baader und Gudrun Ensslin handele, daß diese ein Kaufhaus angezündet hatten und deswegen von der Polizei gesucht wurden. Aus diesem Grunde sollten sie die beiden im »Kinderladen« und in der Schule nicht erwähnen und sie zu Hause nur »Hans« und »Grete« nennen. Diese beiden Namen behielten Baader und Ensslin auch später als Decknamen.

Ulrike meinte, ihre beiden Gäste seien »Genossen«, besonders gute sogar. Die Zwillinge aber fanden an Baader überhaupt keinen Gefallen. Er war offenbar nicht besonders kinderlieb. Als Bettina eines Tages hinfiel und sich die Knie blutig schlug, hob er sie nicht auf, sondern lachte nur schadenfroh. Später, als die Kinder Karl-May-Bücher lasen, fand Bettina in »Winnetou I« eine Figur, die sie an Baader erinnerte. Es war Rattler, der zu einer Truppe rauhbeiniger Landvermesser gehörte, skrupellos war und gleichzeitig feige, so daß die Indianer später seine Hinrichtung am Marterpfahl abbrachen und ihn voller Verachtung im Fluß ertränkten.

Baader und Ensslin hatten zu dieser Zeit nicht etwa konkrete Pläne, eine Stadtguerilla-Truppe aufzubauen. Im Kopf bewegten sie sehr vage Vorstellungen von Randgruppenstrategien, zwar aus der Illegalität heraus, auch militant, aber keineswegs militärisch. Vordringliches Ziel indessen war schlichtweg, Wohnungen zu besorgen, Geld zu beschaffen, Kontakte zu knüpfen.

25. Mutproben

Eines Nachts kam es zum Treffen mit Dieter Kunzelmann, der ebenfalls von der Polizei gesucht wurde. Es entwickelte sich eine lange, harte Diskussion um die Frage, ob sich Baader und Ensslin und die Gruppe um Kunzelmann verbünden sollten. Es stellte sich schnell heraus, daß das kaum zu realisieren war, weil sich der radikal-maoistische Kurs von Baader und Ensslin – so vage formuliert er auch sein mochte – nicht mit dem »Blues« vereinbaren ließ.

Der »Blues«, das war ein Synonym für den militanten, aus der Hasch-Szene entstandenen Untergrund, jene Szene, aus der sich später die »Bewegung 2. Juni« entwickelte.

Im Hintergrund aber stand Baaders Führungsanspruch. Damit wollte sich Kunzelmann nicht abfinden, immerhin hatte er schon eine Gruppe um sich geschart. Aus der Zusammenarbeit wurde nichts.

Mahler war bei dem Gespräch dabei. Baader und Ensslin waren höchst irritiert, daß auch der Rechtsanwalt mit dem Aufbau seiner Truppe schon recht weit fortgeschritten war. Manfred Grashof, von Mahler zuvor juristisch vertretener Bundeswehrdeserteur, gehörte dazu, der sogar einen – allerdings kaum funktionsfähigen – verrosteten Revolver besaß, dessen Freundin Petra Schelm sowie Mahlers Freundin Renate.

Die Tatsache, daß Mahler Chef einer kleinen Gruppierung war, behagte Baader keineswegs. Im Laufe der Diskussion wurde jedoch sehr schnell deutlich, daß Mahlers Führungsrolle nicht unangreifbar war. Schließlich hatte der Anwalt bis dahin nichts als eine Rechtsanwaltspraxis geführt. Baader und Ensslin aber hatten bereits revolutionäre Praxis in deutschen Kaufhäusern gezeigt. Die zweite Besprechung mit Mahler in der kleinen Hinterhauswohnung Manfred Grashofs endete mit der Vereinbarung, sich in Zukunft gemeinsam auf den Untergrundkampf vorzubereiten. Ulrike Meinhof war nicht dabei.

Die erste Aktion wurde so etwas wie eine Mutprobe für Horst Mahler. Molotowcocktails sollten in das Verwaltungsbüro des Märkischen Viertels geworfen werden. Nach Abschluß des Gespräches wurden vier Flaschen präpariert, und dann zog die Truppe los. Scheiben splitterten, als die »Mollies« in das Büro flogen und das Mobiliar ansengten. Allein Horst Mahlers Cocktail ging daneben. Aber immerhin, er hatte geworfen. Der Schritt zur Tat war vollzogen. Nicht lange nach dieser Aktion wurde klar, daß Baader und Ensslin in Ulrikes Wohnung nicht mehr sicher waren. Mahler besorgte eine neue Unterkunft, nicht weit von der Kufsteiner Straße. In einem Neuköllner Möbellager, wo Einrichtungsgegenstände amerikanischer Soldaten zu Discountpreisen verhökert wurden, deckten sich Baader und Ensslin ein. Horst Mahler half ihnen, die Möbel nach oben zu tragen. Der Hausmeister kannte den Anwalt und begrüßte ihn artig mit »Guten Tag, Herr Mahler«. Die Wohnung blieb auch später noch Ausweichquartier für die Gruppe, und selbst als Mahler schon gesucht wurde, machte der Hausmeister keine Meldung bei der Polizei.

Andreas Baader gab die erste Probe seiner konspirativen Fähigkeiten. Der Eingangsflur zur Wohnung wurde mit gutem Geschmack bürgerlich eingerichtet, mit einem von Ulrike Meinhof gekauften Teppich, einem Biedermeier-Tisch und modischen Wand-Lampen. Es mußte vorgesorgt werden für den Fall, daß etwa der Postbote oder ein Nachbar an der Tür erschiene. Die anderen Zimmer wurden lediglich als Matratzenlager hergerichtet. Das Ganze sollte wirken wie ein Wohnbüro. Um diesen Eindruck zu vervollkommnen, bespielte Baader ein Tonband mit Schreibmaschinengeklapper und ließ es stundenweise ablaufen. Nach und nach wurden weitere Wohnungen angemietet, aber noch nicht bezogen – auf Vorrat gewissermaßen. Langsam weitete sich der Personenkreis aus, neue Leute kamen dazu, manche blieben, manche sprangen wieder ab. Ulrike Meinhofs Rolle war die einer teilnehmenden Beobachterin. Ihr mehrmals zaghaft vorgebrachtes, aber wichtigstes Argument gegen einen Absprung in den Untergrund war die Sorge um ihre Kinder. Es war unvorstellbar für sie, ihre Kinder aufzugeben, wie es Gudrun Ensslin mit ihrem Sohn gemacht hatte. Immer wieder kreisten die Diskussionen um dieses Problem. Schließlich erzeugte die Entwicklung der Gruppe aber eine Eigendynamik, der sie sich nicht mehr entziehen konnte und wollte.

Für den geplanten illegalen Kampf wurden natürlich Waffen gebraucht. Irgend jemand kam auf den Gedanken, an der Mauer Streife gehenden Polizisten die Pistole abzunehmen. Man setzte sich hin, nähte aus Stoffresten kleine Säckchen für Bleikugeln. Es waren Kugeln, mit denen normalerweise Gardinen am unteren Rand beschwert werden. Andreas Baader, der sich früher häufig seine Hosen selber genäht hatte, entwickelte besonderes Geschick mit Nadel und Faden. Die Säcke, dicken, schweren Würsten gleich, sollten nachts einem allein patrouillierenden Polizeibeamten von hinten über den Kopf geschlagen werden, um dem so betäubten Beamten die Waffe abnehmen zu können. Ein Knüppel oder eine Eisenstange kam dafür nicht in Frage, schließlich war man ja kein Barbar. Nach Fertigstellung der Bleisäckchen stahlen sie ein Auto und fuhren nach Neukölln – in eine abgelegene Gegend dicht an der

Mauer. Doch statt des erwarteten einsamen Streifengängers trafen sie nur auf Polizisten, die zu zweit oder gar zu dritt ihre nächtliche Runde drehten. Die Aktion wurde abgebrochen.

Die Gruppe fuhr zu einem Spätcafé am Kurfürstendamm. Am Nebentisch saß eine etwa dreißigjährige amerikanische Touristin, die ihre Handtasche neben sich auf einen Stuhl gelegt hatte. Die Frau stand auf und ging zur Toilette. Die Handtasche blieb liegen. Andreas Baader blickte Mahler an und sagte: »Horst, jetzt bringst du es.« Und der Anwalt »brachte« es. Er schaffte die Tasche beiseite, griff Geld und Papiere und stellte die Handtasche zurück. Bleich geworden verließ er das Lokal. Die anderen blieben noch einen Moment sitzen und amüsierten sich.

26. Waffensuche auf dem Friedhof

Die erste Waffenbeschaffungs-Aktion war gescheitert, aber Horst Mahler erschloß eine neue Quelle. Der ahnungslose Anwalt erklärte, sein alter Bekannter Peter Urbach könne die notwendigen Waffen besorgen. Auf einem Friedhof in Buckow habe Urbach eine Kiste mit Pistolen aus dem Zweiten Weltkrieg vergraben, rostfrei und gut verpackt. Baader sprang darauf an. Am Nollendorfplatz fand das erste Treffen mit dem Verfassungsschutzagenten statt. Dann fuhren Baader, Mahler und ein paar andere zusammen mit Urbach zum Friedhof. Der V-Mann deutete die Stelle an, wo die Waffen vergraben sein sollten. Doch trotz der nächtlichen Stunde war die Luft nicht rein. Einige späte Passanten verhinderten die Grabungsaktion.

Am Nachmittag des nächsten Tages fuhr Andreas Baader mit stark überhöhter Geschwindigkeit durch Kreuzberg. Plötzlich merkte er, daß er von einem Polizeiwagen verfolgt wurde, den er aber abschütteln konnte. Seine Autonummer wurde allerdings notiert. Am Abend wurde erörtert, welches Fazit aus der vergeblichen Buddelei auf dem Friedhof zu ziehen sei. Man überlegte hin und her, ob Urbach wohl bloß angegeben hätte; daß er ein Spitzel sein könnte, wurde noch nicht ernsthaft erwogen. Ihm solle noch eine Chance gegeben werden.

Einige Tage später trafen sie sich spät in der Nacht zum zweiten Mal mit dem Verfassungsschutzagenten. Urbach hatte, wie schon bei der ersten Grabungsaktion, die notwendigen Gerätschaften, wie Spaten und Hacken, mitgebracht.

Urbach deutete auf einen kleinen Erdwall. Dann begannen Baader und er zu graben, während einer mit einem Luftgewehr in der Hand Wache stand. Nach einer knappen halben Stunde stellte sich heraus, daß die Mühe vergebens war. Waffen waren, hier jedenfalls, nicht vergraben. Urbach konnte sich die Sache nicht erklären. Da müsse wohl jemand anders schon vor ihnen gegraben haben, versuchte er sich herauszureden. Die Truppe machte sich auf den Weg nach Hause.

Mahler und Urbach stiegen zusammen in einen Wagen und fuhren vor, Baader und die anderen in einem zweiten Auto hinterher. Gegen 3.15 Uhr stoppte ein Streifenwagen der Polizei auf der Waltersdorfer Chaussee das Fahrzeug. Die Polizisten verhielten sich wie bei einer normalen Verkehrskontrolle. In Wahrheit war die Festnahme durch einen Einsatzbefehl der Polizeifunkzentrale angeordnet worden. Urbach hatte eine Falle gestellt.

»Zeigen Sie bitte Ihre Papiere«, sagte der Polizist zu Baader. »Haben Sie Alkohol getrunken?« Baader verneinte. Der Beamte blätterte in Baaders Papieren, Führerschein und Personalausweis auf den Namen Peter C., geboren am 14.6.34 in Berlin. »Wo wohnen Sie denn?«

»Rom, Via Addia 4«, sagte Baader.

»Verheiratet sind Sie auch?« fragte der Beamte.

Baader nickte. »Wie viele Kinder haben Sie denn?«

Baader mußte passen. Zwar war die Zahl seiner Kinder im Ausweis eingetragen, Baader aber hatte offenbar nie nachgesehen.

Der Polizeibeamte forderte die Fahrzeuginsassen auf, zur Identitätsüberprüfung mit auf die Wache zu kommen.

Als einziger blieb Baader in Polizeigewahrsam. Die anderen konnten wieder gehen. Mahler und Urbach hatten die Festnahmeaktion aus einer Nebenstraße heraus beobachtet. Der Verfassungsschutzagent nahm Mahler noch mit in die Stadt und setzte ihn dort ab.

Am Vormittag des 4. April 1970, kurz nach 9 Uhr, rief Horst Mahler beim Polizeirevier 221 an: »In den heutigen Morgenstunden ist doch von Ihrer Dienststelle Herr Baader festgenommen worden«, erklärte der Anwalt dem Beamten. »Können Sie mir bitte sagen, wo er sich zur Zeit befindet und ob ich ihn dort sprechen kann?«

Darauf hatte der Beamte gerade gewartet, denn bis zu diesem Zeitpunkt war Baader noch nicht endgültig anhand seiner Fingerabdrücke identifiziert worden.

»Wenn Sie, Herr Rechtsanwalt, mir bestätigen, daß es sich bei der in den heutigen Morgenstunden von Abteilung I festgenommenen Person um Herrn Baader handelt, wäre ich Ihnen für Ihre Hilfe dankbar.« Mahler versuchte, sich zu korrigieren, indem er nur noch von der »festgenommenen Person« sprach, aber der Polizeibeamte hatte genug erfahren. Letztlich war ohnehin klar, wen die Polizei da gefangen hatte. Baader wurde in die Strafanstalt Tegel gebracht. Er sollte seine Reststrafe absitzen.

Der Verfassungsschutzagent war spätestens nach der Waffensuche auf dem Friedhof und der nachfolgenden Festnahme Andreas Baaders in den Verdacht geraten, ein Spitzel zu sein. Ihm selbst blieb das auch nicht verborgen, und er berichtete seinen Auftraggebern im Berliner Landesamt für Verfassungsschutz davon: »Mahler äußerte in einer Vorstandssitzung des Republikanischen Clubs, daß ich Andreas bei der Polizei verraten hätte. Zu mir sagte er nur im Vorbeigehen: ›Das hat man nun davon, wenn man sich mit Genossen einläßt, auf die man sich nicht verlassen kann.‹ Den Kontakt brach Mahler aber nicht ab, und ich stellte ihn in seiner Praxis zur Rede, wie er denn dazu käme, so etwas über mich zu verbreiten. Er reagierte darauf friedlich und schien nicht so recht zu wissen, woran er nun eigentlich bei mir sei. Den engen Kontakt habe ich jedoch verloren. Zwischen Verhaftung und Befreiung Baaders haben Astrid Proll und Ingrid Schubert sich mir gegenüber eigenartig benommen. Sie fotografierten mich, als ich mein Wohnhaus verließ, und sprachen auch mehrmals meine Kinder an. Mir ist nicht so recht klar, was sie vorhatten. Von der Befreiungsaktion des Baader erfuhr ich erst aus dem Rundfunk.«

Genauer informiert war Urbach nach eigenen Angaben über die Bestrebungen, eine bewaffnete Gruppe aufzubauen. Schon lange vor der Baader-Befreiung und vor der vergeblichen Waffensuche auf dem Friedhof war der Verfassungsschutzagent an verschiedenen Beschaffungsaktionen beteiligt – und berichtete seinem Amt detailliert darüber. So zum Beispiel über eine Reise nach Italien: »Mahler selbst konnte nicht mit. Der Genosse S. war auch verhindert, er gab uns jedoch ein Beglaubigungsschreiben für den italienischen Verleger Feltrinelli mit. Geld brauchten wir nicht. Es hieß, wir könnten in dessen großem Gästehaus in Mailand übernachten. Wir wollten mit drei Wagen fahren, um wegen der erhofften Menge von Waffen genügend Transportraum zur Verfügung zu haben.«

Er selbst sei wegen des Geburtstags seiner Frau einen Tag später als die übrigen abgereist. In Italien habe er Bommi Baumann, Georg von Rauch und andere getroffen. Die geplante Waffenübergabe fand jedoch nicht statt.

Urbach hatte die Sache verraten. »Einige Tage nach meiner Rückkehr«, so der Verfassungsschutzagent in seinem Bericht, »besuchte mich H. in meiner Berliner Wohnung und sagte mir, unsere Waffenreise sei von Anfang an zum Scheitern verurteilt gewesen. Ihre beiden Wagen seien von der deutsch-italienischen Grenze an ständig von der Polizei beschattet worden.«

In einem weiteren Spitzel-Bericht schilderte Urbach eine angebliche Reise, die er zusammen mit Horst Mahler nach Belgien unternommen hätte. Auch dort sei es um den Kauf von Waffen gegangen.

Möglicherweise sind einige dieser Aktionen der Phantasie des V-Mannes entsprungen. Dennoch war das Berliner Landesamt offenkundig recht gut informiert über das, was sich im Berliner Untergrund zusammenbraute: die Anfänge der »Rote Armee Fraktion«.

In den Tagen nach der Festnahme Andreas Baaders wurde intensiv darüber nachgedacht, auf welche Weise man ihn befreien könnte. Irgendeiner kam auf die Idee, daß man eine Ausführung aus dem Gefängnis herbeiführen müßte, die Frage war nur, wie. Jemand anders machte den Vorschlag, Ulrike Meinhof solle zusammen mit Baader ein Buchprojekt vorschieben, für dessen Realisierung eine Ausführung Baaders aus der Haftanstalt unumgänglich sei. Als Ziel der Ausführung wurde das Dahlemer Institut für Soziale Fragen anvisiert und auch umgehend ausgekundschaftet.

Über das Thema Gefangenenbefreiung wurde in diesen Tagen ohnehin viel diskutiert. Am 31. März war der deutsche Botschafter in Guatemala, Karl Graf von Spreti, von Guerillas entführt worden. Sie verlangten die Freilassung von 22 inhaftierten Untergrundkämpfern und ein Lösegeld von 2,5 Millionen Mark. Als die Regierung Guatemalas nicht auf die Forderungen einging, wurde Spreti am 4. April erschossen.

27. Vorbereitungen für eine Gefangenenbefreiung

Baader hatte immer noch unter den Folgen seiner Gelbsucht zu leiden. Deshalb war er nach der Festnahme zunächst in die Krankenabteilung des Untersuchungsgefängnisses Moabit verlegt worden. Er saß dort Zelle an Zelle mit Bommi Baumann, der ebenfalls Gelbsucht hatte, und einem Mann namens Eckehard L.

Sie waren sofort einig, daß sie gemeinsam ausbrechen würden. Bommi hatte schon damit begonnen, den Türrahmen in seiner Zelle herauszukratzen, was ihm dann aber zwecklos erschien, weil die Beamten seine Zellentür ohnehin ständig offen stehen ließen. Bommi war nämlich ein freundlicher Gefangener, der zum Aufsichtspersonal der Anstalt ein gutes Verhältnis »von Proletarier zu Proletarier« pflegte. Sein Zellennachbar Andreas Baader war da anders. Er beschimpfte die Beamten ständig mit den unflätigsten Ausdrücken. Daraufhin wurde seine Zellentür geschlossen gehalten. Die Haftärzte besuchten Bommi gelegentlich und verliehen ihrer Verwunderung Ausdruck: »Also, Herr Baumann – Sie sind ja ganz nett. Aber Ihr Kollege Baader, der ist ja fürchterlich.«

Bommi fand, daß Baader durch sein rotziges Verhalten jede Chance zur Flucht versaute. »Statt daß der nun auch ein bißchen auf nett macht, hat er die angemacht. Wir hätten den ganzen Tag im Haus herumspazieren können. Dann hätte bloß einer an der Außenmauer vorbeifahren müssen. Anker an das Gitter und hinten am Auto fest, losfahren, bing, wäre das Gitter weg. Wären wir draußen gewesen, gar kein Problem. Einfach rausgesprungen aus dem Fenster und weg, Wiedersehen. Da war doch damals keine Bewachung, nichts.«

Abends saßen sie am Fenster und redeten miteinander über die unterschiedlichsten Fluchtmöglichkeiten. Ihr Nachbar »Ecke« bekam das in allen Einzelheiten mit.

Baader wurde immer ungeduldiger, er konnte die Haftsituation nicht ertragen. Bommi Baumann fand, daß er sich anstellte wie der erste Mensch: »Der hat sich so aufgeführt, daß sie ihn in die Klapsmühle gesteckt haben. Der hat sich nie gewaschen und lauter so 'ne Geschichten. Dann war denen das unheimlich, er kriegte solche Depressionen, daß sie ihn in die PN, die psychiatrisch-neurologische Abteilung steckten. Baader war dann schon dabei, die Gänge immer hoch und runter zu laufen, die richtige Knastmacke.«

Gudrun Ensslin lief inzwischen draußen von Tür zu Tür, um Leute für eine Befreiungsaktion zu mobilisieren. Niemand wollte so richtig mitmachen, theoretisch stand Gefangenenbefreiung derzeit im Mittelpunkt der politischen Diskussion. Aber so richtig planen, organisieren? Das war die Sache der meisten in der Szene nicht.

Inzwischen hatte Andreas Baader eine Zelle im Haus I der Vollzugsanstalt Tegel bezogen. In den nächsten Tagen und Wochen erhielt er regelmäßig Besuch. Seine Mutter Anneliese Baader erschien, Horst Mahler als Anwalt, Ulrike Meinhof, sie allein fünfmal.

Und eines Tages, es war der 30. April, meldete sich nach 12.00 Uhr mittags eine Frau an der Anstaltspforte und legte einen Personalausweis auf den Namen Dr. Gretel Weitemeier vor. Keinem der Beamten fiel auf, daß es sich um die ebenfalls gesuchte Gudrun Ensslin handelte, die ihren Freund Andreas besuchen wollte. Für eine Stunde konnten sie zusammen sein, unter Aufsicht eines Justizbeamten. Weil alles gutgegangen war, besuchte Ensslin ihn noch zweimal, zuletzt einen Tag vor der Befreiung.

An jenem 30. April war auch ein Kriminalhauptmeister von der Staatsschutzabteilung der Berliner Polizei in Tegel. Gemeinsam mit einem Staatsanwalt vernahm er den Strafgefangenen Eckehard L. Der Häftling galt bei der Polizei als Wichtigtuer, der sich gelegentlich durch frei erfundene Hinweise auf bevorstehende APO-Aktionen Vorteile verschaffen wollte.

So waren die Beamten skeptisch, als sie dem Gefangenen gegenüber saßen. Sie waren auf das, was er ihnen sagen wollte, vorbereitet. Schon eine Woche zuvor hatte sich der Häftling an einen Vollzugsbeamten gewandt: »Ein Gefangener aus dem Haus I will ausbrechen. Er soll mit Hilfe der APO befreit werden.«

Der Wachtmeister fragte nach dem Namen. »Baader«, sagte der Häftling.

Der Vollzugsbeamte kannte Andreas Baader nicht. Er kannte aber einen anderen Häftling mit dem Namen Bader, Paul.

Er schrieb seine Meldung an den Anstaltsleiter: »Dem einsitzenden Gefangenen Bader, Paul, soll mit Hilfe der APO eine Entweichung ermöglicht werden.«

Der Polizeibeamte vom Staatsschutz, APO-Spezialist, erkannte den Irrtum und wies den Justizbeamten darauf hin, daß nicht Paul Bader, sondern Andreas Baader gemeint war. Die Meldung wurde handschriftlich abgeändert. Aus »Paul« wurde »Andreas«. Um ganz sicherzugehen, unterrichtete der Kriminalbeamte auch noch den Anstaltsleiter Glaubrecht persönlich über den angeblich geplanten Ausbruch Andreas Baaders.

Am selben Tag ging in der Anstalt ein Brief des Verlags Klaus Wagenbach ein, in dem es hieß, daß Andreas Baader und Ulrike Meinhof gemeinsam ein Buch über randständige Jugendliche verfassen sollten. Bei einem der Besuche fragte Ulrike Meinhof, ob es nicht möglich sei, daß Andreas Baader zur Sichtung von Literatur ausgeführt werden könne. In einem wissenschaftlichen Institut in Berlin gebe es Zeitschriften aus den zwanziger Jahren, deren Lektüre für das Buchprojekt unverzichtbar sei.

Der Anstaltsleiter Glaubrecht lehnte ab: »Eine mehrfache Ausführung ist schon wegen unseres Personalmangels nicht möglich.«

Baaders Anwalt Horst Mahler war gerade in Tegel. Er wollte sich damit nicht abfinden und bestand darauf, sofort den Anstaltsleiter zu sprechen. Dort zog der Rechtsanwalt noch einmal alle Register. Es gebe niemanden, der Baader die Auswahl aus der Autorenkartei abnehmen könne. Glaubrecht zeigte sich beeindruckt und stimmte einer einmaligen Ausführung von zwei bis drei Stunden zu, Mahler unterrichtete Baader, der gerade Besuch von Ulrike Meinhof hatte, vom Erfolg seiner Bemühungen.

Als der Anwalt gegangen war, bat Glaubrecht um die Akte Baader. Noch am selben Tag rief jemand aus der Anstaltsleitung beim Institut für Soziale Fragen an und vereinbarte den Häftlingsbesuch für den übernächsten Tag, Donnerstag, den 14. Mai 1970, 9.00 Uhr morgens.

Die Kerntruppe, die sich zum Ziel gesetzt hatte, Andreas Baader zu befreien, bestand im wesentlichen aus Frauen. Daß der bekannte Anwalt Horst Mahler nicht selbst bei der Befreiungsaktion mitwirken konnte, leuchtete allen Beteiligten ein. Dennoch sollte – Emanzipation hin, Emanzipation her – auf jeden Fall ein Mann an der Aktion teilnehmen. Daraufhin gab Mahler einen Tip. Wenige Tage vor der Befreiungsaktion sprach Gudrun Ensslin den von Mahler vorgeschlagenen Mann im Republikanischen Club an. Sie wußte, daß er schon im Knast gesessen und einige »harte Sachen« gemacht hatte. Für die Aktion waren das recht günstige Voraussetzungen, so schien es ihr. Der Mann sagte spontan zu, konnte wohl auch nicht so richtig überblicken, welche Tragweite seine Entscheidung hatte.

Was fehlte, waren Waffen, und die konnten am einfachsten in der kriminellen Szene erworben werden. Zwei der Frauen folgten einem Tip aus der Unterwelt und suchten spät nachts eine dem rechtsradikalen Milieu zugehörige Kneipe mit dem Namen »Wolfsschanze« auf. Sie sprachen den Geschäftsführer an, ob er ihnen eine Pistole oder gar eine Maschinenpistole verkaufen könne. Er reagierte abweisend. »Du kannst es dir ja noch mal überlegen«, sagte die eine und verschwand wieder. Zwei Tage später stand die Frau wieder in der »Wolfsschanze«. Diesmal erklärte ihr der Geschäftsführer: »Ich will mal sehen, was sich da machen läßt.«

Am 12. Mai gegen 23.00 Uhr, zwei Tage vor Baaders Ausführung in das Institut für Soziale Fragen war es soweit. An der Theke in der »Wolfsschanze« stand Günther V., der dem Wirt schon einmal Waffen angeboten hatte. An einem Tisch saßen die beiden Interessentinnen. »Guck mal, da sitzt die Olle«, sagte der Kneipier. Der Waffenlieferant setzte sich zu den beiden. Nach einiger Zeit verließen alle drei das Lokal. Der Mann, der sich »Teddy« nannte, nahm die Frauen mit in die Wohnung einer Freundin, wo er ein kleines Waffenlager unterhielt. Teddy verkaufte den beiden zwei Pistolen, eine Beretta und eine Reck inklusive Schalldämpfer. Er hatte die Pistolen illegal aus der Schweiz eingeführt und dazu selbst passende Schalldämpfer konstruiert. Die Frauen bezahlten die Waffen mit 1000 Mark pro Stück. Die Vorbereitung für die Befreiung ging in die Endphase.

Am 14. Mai 1970 um 9.00 Uhr morgens war es soweit. Andreas Baader wurde mit Waffengewalt aus dem Institut für Soziale Fragen im Westberliner Stadtteil Dahlem befreit.

Der Institutsangestellte Georg Linke erlitt dabei schwere Schußverletzungen.

Baader und seine Befreier entkamen.

Mit dem Sprung aus dem Fenster des Instituts für Soziale Fragen beendete Ulrike Meinhof ihre journalistische Karriere und ging in den Untergrund.

Ihr Film »Bambule«, der in diesen Tagen gesendet werden sollte, wurde kurzfristig vom Fernsehprogramm gestrichen.

2. Kapitel

»Die ungestüme Herrlichkeit des Terrors«

1. Die Reise nach Jordanien

Am 8. Juni 1970 flog eine West-Berliner Reisegruppe vom Ost-Berliner Flughafen Schönefeld nach Beirut. Auf der Passagierliste der Interflug-Maschine fand die Polizei später u. a. die Namen Bäcker, Grashof, Schelm, Mahler, Dudin und Ray.

Offenbar hatte die französische Journalistin ihren Paß in Berlin gelassen. Said Dudin, ein Verbindungsmann zur palästinensischen Befreiungsorganisation El Fatah, hatte die Flugtickets im Reisebüro »Karim« in West-Berlin gekauft.

Um 15.30 Uhr landete die Truppe in Beirut. Von dort aus sollte es ins jordanische Amman weitergehen. Der Flug fiel jedoch aus, weil in Jordanien Vorgefechte einer bürgerkriegsähnlichen Auseinandersetzung zwischen König Hussein und der PLO aufgeflammt waren. Königstreue Truppen und palästinensische Freischärler lieferten sich bereits blutige Kämpfe.

Ganz unplanmäßig mußten die Reisenden den Transitraum verlassen und dabei eine libanesische Kontrolle passieren. Drei von ihnen hatten statt eines Reisepasses lediglich ihren behelfsmäßigen Berliner Personalausweis dabei. Der Beamte wollte seinen Stempel in die Ausweise drücken, fand aber keinen dafür vorgesehenen Platz. Er blätterte hin, blätterte her, dann kam ihm die Sache nicht ganz geheuer vor, und er holte seinen Chef. Der kassierte die Personalpapiere der gesamten Reisegruppe aus Berlin und setzte sie fest. Said Dudin protestierte vergebens. Der Kommandant gab die Ausweise nicht wieder heraus. Die Gruppe wurde im Zollraum interniert, an den Fenstern und Türen hingen Trauben sich amüsierender Araber. Der Kommandant blickte auf die Uhr und stellte fest, daß Feierabend war. Er nahm den Stapel Personalausweise und schloß ihn in einen Metallschreibtisch ein. Dann ging er.

Die konspirative Reisegesellschaft war ratlos. Schließlich konnte man sich nicht wie eine normale Touristengruppe an die konsularische Vertretung der Bundesrepublik Deutschland wenden.

Horst Mahler hatte die Idee, sich an die Vertretung der DDR zu wenden, deren Geschäfte seiner Meinung nach von der französischen Botschaft wahrgenommen wurden. Das war allerdings ein Irrtum. Nach dem Abbruch der diplomatischen Beziehungen zwischen der Bundesrepublik und dem Libanon hatte Frankreich die Vertretung der bundesdeutschen Interessen übernommen.

Mahler hängte sich ans Telefon: »Hier ist Rechtsanwalt Mahler aus Berlin.« Bäcker und Petra Schelm, die neben ihm standen, bemerkten, mit wem Mahler sprach, und drückten die Gabel herunter. »Klick«, machte es, aber der Beamte des Bereitschaftsdienstes in der »Deutschen Interessenvertretung bei der Französischen Botschaft« hatte genug gehört. Hektisch begannen die Deutschen Behördenvertreter, von den libanesischen Sicherheitsdiensten die Festnahme der Touristengruppe zu verlangen. Telefonate wurden geführt, Haftbefehle hin und her hergeschickt. Aber die libanesischen Polizeidienststellen hatten wenig Neigung, sich mit palästinensischen Gruppierungen anzulegen, unter deren Schutz die Deutschen offenkundig standen.

Währenddessen marschierte eine Palästinensertruppe auf das Flughafengebäude zu und befreite die Berliner aus dem Zollraum. Einige der Fedayin fuhren zur Villa des Beamten, den sie für den Kommandanten hielten. Sie verprügelten ihn und forderten die Herausgabe des Schlüssels für den Metallschreibtisch, in dem die Ausweise lagen. Aber es handelte sich nur um den Stellvertreter, und er hatte keinen Schlüssel. Da luden sie den gesamten Schreibtisch auf einen Lastwagen und nahmen ihn mit.

Die Reisegruppe wurde im Hotel »Strand« untergebracht. Mitten in der Nacht tauchte die libanesische Miliz auf und nahm die Deutschen fest. Wieder ging es zum Flughafen, und wieder wurden sie von den Palästinensern befreit und im Auto sofort über die libanesisch-syrische Grenze nach Damaskus gebracht. Dort wurde die Gruppe in einer geheimen Unterkunft der Palästinenser einquartiert. Bevor die Reise fortgesetzt werden konnte, zeigten die Fedayin den Deutschen die Plantagen nahe der Stadt, wiesen sie auch schon einmal in den Gebrauch von Schußwaffen ein. Zwischendurch besuchten die Reisenden ein Schwimmbad, wo sie sich als Schweden oder DDR-Bürger ausgaben. Von Syrien aus wurden sie nach Jordanien gebracht. Die Fahrt endete in einem Ausbildungslager wenige Kilometer vor Amman an der Straße in Richtung Jerusalem. Das Camp lag inmitten der Gebirgswüste auf einem Plateau, umgeben von verkarsteten Hügeln. Zwei Steinhäuser, ein freier Platz für militärische Übungen, eine Schießhalle aus Beton, Zelte. Das war alles. Die Ausbildung begann. Horst Mahler ließ sich einen Bart wachsen.

Etwa zehn Tage nach Abflug der ersten Gruppe kehrte Said Dudin nach Berlin zurück, einen Stapel Pässe der Vereinigten Arabischen Republik im Gepäck, die mit den Fotos der Baader-Befreier versehen worden waren.

Am 21. Juni um 6.30 Uhr wurde die neue Reisegruppe, unter ihnen Andreas Baader, Gudrun Ensslin und Ulrike Meinhof, von Helfern im Auto nach Neukölln gefahren. Mit der U-Bahn ging es zum Bahnhof Friedrichstraße nach Ost-Berlin. Nach einer kurzen Paßkontrolle konnten die mit gefärbten Haaren in »Araber« verwandelten Deutschen den Transit zum Flughafen Berlin-Schönefeld fortsetzen. Die Volkspolizei machte keinerlei Schwierigkeiten.

Doch der Flug nach Damaskus fiel an diesem Nachmittag aus. Die Reisegruppe wurde in einem Hotel in Flughafennähe untergebracht.

Es wurde wenig gesprochen an diesem Tag in Berlin-Schönefeld. Miteinander deutsch sprechende Araber wären zu auffällig gewesen. Wenn sie sich von der Volkspolizei unbeobachtet glaubten, redeten Baader und Ensslin miteinander, tauschten Urteile über einzelne Mitglieder der Reisegruppe aus und verbreiteten Urteile über ihre Vorzüge und Nachteile, auch wenn die Betroffenen dabei waren.

Ulrike Meinhof kam dabei schlecht weg. »Die taugt eigentlich zu nichts«, sagte Baader immer wieder. Ulrike schluckte das widerspruchslos. Andreas Baader und Gudrun Ensslin waren die Führungspersönlichkeiten, daran durfte niemand zweifeln.

Die vollbesetzte Maschine landete am nächsten Nachmittag in Damaskus. Wieder gab es Probleme mit der Einreise. Diesmal wollten die syrischen Beamten die Deutschen nicht ins Land lassen. Aber damals hatten auch dort die Palästinenser ein gewichtiges Wort mitzureden. Nur wenige Stunden wurde die Gruppe auf dem Flughafen festgehalten. Said Dudin, der als einziger den Raum hatte verlassen dürfen, kam mit einem Papier und vier bewaffneten Palästinensern zurück. Die Reisenden konnten nun passieren, bestiegen Taxis und wurden zum selben Geheimquartier gefahren, in dem schon die erste Gruppe gewohnt hatte. Einer der Palästinenser prahlte mit waffen technischen Kunststücken und anderen Kraftakten. Dann gab es ein karges Mahl, geschlafen wurde in großen Räumen auf übereinandergestellten Feldbetten.

Am nächsten Morgen ging die Reise weiter. An der Grenze zwischen

Syrien und Jordanien brauchte Said Dudin nur mit einem Passierschein der El Fatah zu winken. Alle Posten waren auch von bewaffneten Palästinensern besetzt. In beiden Ländern existierte zu dieser Zeit eine Art Doppelherrschaft.

Am frühen Nachmittag erreichten sie Amman und wurden von militärischen Führern der Fatah empfangen. Der Sicherheitsdienst der Fatah fotografierte die Gäste. Auf Karteikarten vermerkten die palästinensischen Geheimdienstler alle wichtigen persönlichen Daten. Dann mußte jeder mit seinem richtigen Namen unterschreiben. Später eroberten die Israelis in Beirut das Hauptquartier des El-Fatah-Geheimdienstes und gelangten in den Besitz dieser Akten.

Nach einer knappen Stunde erreichte die Reisegruppe das Lager außerhalb der Stadt. Es war früher Abend und noch hell. Sie bog von der Hauptstraße ab auf einen geschlängelten Sandweg, der zum Camp führte. Nach einigen hundert Metern hatte sie den Eingang erreicht. Das Berliner Vorauskommando erwartete sie schon und begrüßte die Neuankömmlinge mit Schulterklopfen und Umarmungen.

2. Im Camp

Horst Mahler sah mit seinem Bart und der grünen Militärmütze aus wie Fidel Castro in der Sierra Maestra. Er strahlte und war ganz Chef einer Guerilla-Einheit, von seinen Leuten akzeptiert und von den Palästinensern anerkannt.

Nach Baaders Ankunft sollte sich das innerhalb weniger Stunden ändern. Schon beim ersten gemeinsamen Essen startete Baader seinen Angriff auf den Führer der Vorhut. Er warf ihm die Panne auf dem Beiruter Flughafen – verschiedene deutsche Zeitungen hatten davon berichtet – als Beweis seiner vollständigen Unfähigkeit vor. Mahler hatte dem nicht viel entgegenzusetzen. Der bisherige Guerilla-Chef wurde schon an diesem Abend degradiert.

Horst Mahler, der brillante Anwalt, der vor Gericht so geschliffen argumentieren konnte, war dem aggressiven, höhnischen Andreas Baader nicht gewachsen. Baader konnte anderen ihre Unfähigkeit auf eine Weise vorwerfen, die sie völlig aus der Fassung brachte. Er geiferte die anderen an, bis er im wahrsten Sinne des Wortes Schaum vorm Mund hatte. Rationalen Argumenten war er nicht zugänglich und wenn er nicht mehr weiter wußte, sprang Gudrun Ensslin ein und predigte ihre neue Moral von der Übertretung aller bürgerlichen Gesetze, der »tiefsten Freiwilligkeit«, mit der jeder Revolutionär sich unterordnen müsse, oder daß man die Illegalität nur in der Illegalität erlernen könne. Nach den Ausfällen Baaders folgte dann Gudrun Ensslins Mao-Bibelstunde. Mit dieser Arbeitsteilung waren Baader und Ensslin schnell das unbestrittene Führungspaar der entstehenden RAF.

Anfangs hatten die Gastgeber nur ein Programm vorbereitet, das eine Art Revolutionstourismus zum Inhalt hatte, wie sie es vielen Ausländern präsentierten, die damals zu den kämpfenden Palästinensern kamen. Die riesigen Zeltstädte wurden gezeigt, in denen die Menschen oft noch zwei Jahrzehnte nach ihrer Vertreibung aus Palästina lebten. Lazarette mit verwundeten Frauen, Kindern und Männern, die eigenen Schulen, in denen Lernen und militärische Ausbildung eine Einheit bildeten. All dies bekamen die Deutschen ebenfalls zu sehen. Aber dann setzten sie durch, an einer richtigen militärischen Ausbildung teilnehmen zu können.

Alle wurden truppenmäßig eingekleidet, erhielten grüne Kampfanzüge und Mützen. Nur Andreas Baader wollte weiterhin seine hautengen Samthosen tragen, in denen er später beim Training durch die steinige Wüste robbte. Die Gruppe der Deutschen bestand aus über 20 Frauen und Männern, die nach den Vorstellungen des algerischen Kommandanten Achmed getrennt untergebracht werden sollten. Frauen waren bisher noch nie in diesem Lager ausgebildet worden. Es gab den ersten Protest. Baader und Ensslin verlangten, daß gemischt geschlafen werden durfte. Sie hielten die Zusage für einen großen emanzipatorischen Erfolg und merkten nicht, daß sie den Grundstein für dann folgende Auseinandersetzungen gelegt hatten.

Das Haus, in dem alle untergebracht waren, hatte vier Räume. Zwei dienten als Schlafräume, ein dritter als Küche, Eß- und Aufenthaltsraum, wo sich die Deutschen an einem großen Tisch zum Essen und zu Diskussionen versammelten. Der vierte Raum war Büro und Schlafraum des Kommandanten.

Auf den Tisch kam das dürftige Essen, von dem die Palästinenser schon seit vielen Jahren lebten: Fleisch aus Konserven von der UNRRA, der Flüchtlingsorganisation der Vereinten Nationen, gestiftet, meist mit

Reis vermischt. Dazu gab es arabisches Fladenbrot und Wasser, Obst nur selten, frisches Fleisch nie.

Das Essen schmeckte den Deutschen nicht, und sie mäkelten von Anfang an daran herum. Eines der jungen Mädchen verlangte allen Ernstes, im Wüstenlager einen Cola-Automaten aufstellen zu lassen.

Morgens um sechs Uhr, es gab süßen starken Tee, begann das Training mit einem Dauerlauf. Danach standen Schießübungen auf dem Plan, am Gewehr, an der Maschinenpistole und auch mal an der Haubitze. Alle wurden mit einer russischen »Kalaschnikow« bewaffnet, die Abends an den Bettpfosten gehängt wurde. Mit einem Angriff war jederzeit zu rechnen.

Auch das Werfen von Handgranaten wurde geübt. Ulrike Meinhof bekam eines Tages eine russische Stilhandgranate. Der Ausbilder zeigte ihr, wie man die Kapsel abschraubt, um dann den freiwerdenden Ring zu ziehen. Ulrike zog, die Granate begann leicht zu fauchen, Qualm entwickelte sich. Statt zu werfen betrachtete Ulrike die Granate in ihrer Hand und fragte: »Was soll ich jetzt machen?«

»Wegschmeißen!« schrie jemand. Kurz vor der Explosion konnte Ulrike das unheimlich Ding noch wenige Meter weit schleudern. Alle waren hinter Steinhaufen in Deckung gegangen.

Von Zeit zu Zeit wurden Guerilla-Taktiken geübt, die die Gruppe nach ihrer Rückkehr in deutschen Großstädten anwenden wollte. Auf dem Schulungskalender stand auch: »Wie raube ich eine Bank aus.« Der algerische Lagerleiter war vertraut mit diesem Thema. Während des algerischen Unabhängigkeitskrieges war er selbst an solchen »Enteignungsaktionen« beteiligt gewesen.

Baader achtete streng darauf, daß das Training in engem Praxisbezug zum »Job« stand, wie er die großstädtische Guerilla nannte.

Als eines Tages geübt wurde, durch unwegsames Gelände zu robben, und die Palästinenser, wie üblich, mit scharfer Munition dazwischen schossen, um einen realistischen Eindruck vom Kampf zu vermitteln, protestierte Baader:

»Das ist für eure Verhältnisse sicher richtig. Aber bei uns in der Großstadt gibt es solche Situationen nicht.«

Später inspizierte der für die Ausbildungslager zuständige Palästinenserführer Abu Hassan das Camp. Zur Ehre seines Besuches kochten ihm die jungen Fedayin ein frisch geschlachtetes Huhn. Baader beschwerte

sich: »Was ist denn das für ein autoritärer Haufen hier. Wenn der Ober-
kommandierende kommt, gibt es Fleisch für ihn, und wir kriegen
keins.«

3. Der rote Prinz

Abu Hassan hieß in Wahrheit Ali Hassan Salameh. Es war der Sohn des
legendären Sheik Hassan Salameh, einer der fünf Führer des Araberauf-
standes von 1936–39 gegen die britische Fremdherrschaft und ihre Politik der Ansiedlung von Juden in Palästina. Aus blutigen Kämpfen mit
Briten und Zionisten war Sheik Hassan als Volksheld hervorgegangen.
Nach dem Zusammenbruch des Aufstandes floh er ins benachbarte Ausland und gelangte Anfang der 40er Jahre zusammen mit dem Mufti von
Jerusalem nach Deutschland. Dort nahm er an militärischen Kursen teil
und wurde speziell in Guerilla-Taktik ausgebildet.
1948, kurz nach der Gründung Israels, war Sheik Hassan Oberkomman-
dierender der palästinensischen Arabertruppen.
Als Sheik Hassan Salameh im Krieg fiel, war sein Sohn Ali gerade
sieben Jahre alt. Er lebte bei seiner Mutter in einem der noblen Stadt-
viertel von Beirut. Für die palästinensische Familie war klar, daß Ali das
Erbe seines Vaters als Kämpfer für die Unabhängigkeit seines Volkes
antreten sollte. Nach dem Sechstagekrieg schloß er sich 1967 der El
Fatah innerhalb der PLO, der Palästinensischen Befreiungsfront, an.
Yassir Arafat, Chef der Fatah, gehörte zu den glühenden Bewunderern
des Volkshelden Sheik Hassan und ließ den Sohn zu sich kommen.
Dann brachte er ihn mit seinem Stellvertreter Abu Iyad zusammen, der
den jungen Salameh in den von ihm geleiteten PLO-Geheimdienst Jihad
el Razd aufnahm.
Zu den ersten Aufgaben Ali Hassan Salamehs gehörte es, in den Aus-
bildungslagern der palästinensischen Freischärler nach mutmaßlichen
israelischen Agenten zu fahnden. Sein Einfluß wuchs ständig. Er konnte
Leute für Kommandoaktionen nach Israel aussuchen und hatte bald
weitgehende Kontrolle über die Ausbildungslager selbst.
Sein »nome de guerre« war jetzt Abu Hassan. Als die konkurrierende
PFLP des Georges Habash die Guerilla-Aktivitäten weltweit ausdehnte,
Anschläge auf israelische Einrichtungen unternahm und Flugzeuge ent-

führte, wurde innerhalb der El Fatah ebenfalls eine besondere Einheit für auswärtige Operationen aufgebaut. Es war eine kleine Gruppe aus wenigen ausgesuchten Personen, die später unter dem Namen »Schwarzer September« agierte. Planungschef wurde Abu Hassan. Über Jahre wurde er vom israelischen Geheimdienst Mossad gejagt. Er galt als der meistgesuchte Terrorist der Welt.

Die Isarelis nannten ihn »der rote Prinz«. 1979 wurde er von der Mossad in seinem Auto in die Luft gesprengt, neun Jahre, nachdem die Baader-Meinhof-Gruppe ihn in Jordanien getroffen hatte. Aber schon damals, 1970, gehörte er zu den wichtigsten Figuren der El Fatah. Die Deutschen ahnten davon nichts.

4. Krach im Lager

Von Zeit zu Zeit konnten die mit leichten Waffen ausgerüsteten Fedayin und ihre deutschen Gäste israelische Kampfflugzeuge am Himmel kreisen sehen. Wenige Kilometer vom Camp entfernt wurden jordanische Truppen zusammengezogen. Krieg lag in der Luft. Tatsächlich begann, wenige Wochen nachdem die Deutschen das Land wieder verlassen hatten, der Kampf jordanischer Truppen gegen die Fatah, der »Schwarze September«. Im Camp in der Nähe Ammans gab es kaum Überlebende. Auch der algerische Kommandant Achmed fiel.

Zuvor, im Juni und Juli, spielten sich im Camp Szenen ab, die nichts mit der Realität des Landes zu tun hatten. Die bunt zusammengewürfelte Gruppe aus Berlin hatte die unterschiedlichsten politischen Meinungen mitgebracht.

Allen gemeinsam war das dumpfe Gefühl einer Niederlage der großen Protestbewegung und eine vage Hoffnung, durch exemplarische Aktionen die verlorengegangene Einheit, die es in Wirklichkeit nie gegeben hatte, wiederherzustellen. Die öffentliche Reaktion auf die Baader-Befreiung hatte die daran Beteiligten in eine Hochstimmung versetzt. Die Akteure fühlten sich als Avantgarde auch im fernen Jordanien.

Zu Beginn der Ausbildung wurde Munition in jeder gewünschten Menge zur Verfügung gestellt. Doch bald fanden die Ausbilder, daß das sinnlose Geballer der Deutschen ihnen Ärger mit den eigenen Leuten einbrachte, die zum sparsamen Verbrauch von Munition angehalten wurden.

So wurden den Gästen pro Tag und Person nur noch zehn Patronen zugebilligt. Baader sah darin eine Benachteiligung seiner Stadtguerilla durch die palästinensische Landguerilla und brach einen lautstarken Streit mit dem Kommandanten vom Zaun, dem er mit einem Ausbildungsstreik drohte. Der Kommandant war zunächst sprachlos, dann aber fest entschlossen, von seiner Befehlsgewalt im Lager Gebrauch zu machen. Es blieb bei zehn Patronen pro Tag. Am nächsten Morgen weigerten sich die Gäste, zu ihrer Ausbildung anzutreten, und Baader verlangte, mit Abu Hassan gleichberechtigt von Partisanenchef zu Partisanenchef zu verhandeln.

Doch die Berliner hatten den Einfluß des drahtigen kleinen Lagerkommandanten unterschätzt. Vom Algerienkrieg angefangen, hatte er sich in fast allen kriegerischen Auseinandersetzungen im arabischen Raum bewährt und galt, trotz seines verhältnismäßig niedrigen Ranges, bei den Palästinensern etwas. Vor allem hatte er erstklassige Beziehungen zu Abu Hassan. Er hatte den Deutschen mehrmals Zugeständnisse gemacht. Frauen und Männer konnten zusammen übernachten, sie hatten sogar ein eigenes Haus bezogen.

Die Gäste begriffen wenig von fremden Traditionen. Während des »Streiks« sonnten sich weibliche Gruppenmitglieder auf dem auch für die Fedayin einsehbaren Dach des Hauses, und zwar nackt. Die jungen palästinensischen Kämpfer hatten zumeist noch nie vorher in ihrem Leben eine nackte Frau gesehen und wurden unruhig.

Dem Algerier platzte der Kragen: »Wir sind hier nicht am Touristenstrand von Beirut.«

Das hüllenlose Sonnenbaden mußte eingestellt werden. Abends kam es zu heftigen Diskussionen: »Antiimperialistischer Kampf und sexuelle Befreiung gehören zusammen.« Oder, um es mit den Worten Baaders zu sagen: »Ficken und Schießen sind ein Ding.« Die Deutschen machten sich Gedanken darüber, wie man die jugendlichen Palästinenser über ihre sexuelle Unterdrückung durch ihre militärischen Führer aufklären könnte.

In den Nächten wurde häufig Gefechtsalarm gegeben. Alle im Lager, auch die Berliner Stadtguerilla, mußten kampfbereit und angezogen die Nacht verbringen. In der Gruppe kam es zu heftigen Auseinandersetzungen über die gegenwärtige Praxis und den künftigen Kurs. Am härtesten wurde der Streit mit Peter Homann, der nach der Baader-Befreiung in die Fahndung geraten war, weil er fälschlicherweise für den Schützen gehalten wurde. Er lag quer zu Politik und Führungsanspruch von Andreas Baader. Nach Jordanien war er mitgefahren, um vorerst der Fahndung zu entgehen. Den wirklichen Schützen kannte er, wollte aber dessen Namen nicht nennen, nur um sich selbst aus der Affäre zu ziehen. Aus gemeinsamen Zeiten in der Berliner Künstler-Szene kannte er Baader gut, zu gut, um in ihm den künftigen Volkshelden zu sehen. Sie waren mehrmals heftig aneinandergeraten. Homann hatte sich im Camp von den anderen zurückgezogen, besuchte die Fedayin in ihren Zelten und hatte, unter den mißtrauischen Blicken von Baader und Ensslin, einen persönlichen Draht zum algerischen Kommandanten hergestellt. Als alle anderen in ein anderes Haus umgezogen waren, wohnte er allein. Man ging sich aus dem Weg. Aber abends, wenn er auf der Terrasse seines Hauses saß, trug der Wind Wortfetzen aus den Gesprächen der anderen herüber. Er hörte etwas von einem »Volksprozeß« und von einem kurzen Prozeß, den Baader vorschlug, der als Schießunfall getarnt werden könnte. Der größte Teil der Unterhaltung ging im Gekläff der Hunde unter, die im Lager streunten.

Er hatte richtig gehört. In einem Gespräch, das Andreas Baader, Gudrun Ensslin, Horst Mahler, Ulrike Meinhof, Hans-Jürgen Bäcker und andere führten, ging es um sein Leben. Baader und Ensslin forderten die Liquidierung. Homann sei ein Verräter. Horst Mahler als Rechtsanwalt plädierte für einen Prozeß, und Bäcker und Ulrike Meinhof wollten ihn von den Palästinensern einsperren lassen.

Am späten Abend ging eine der Frauen an Homanns Baracke vorbei.

»Na, was wird?« fragte er. Sie zog eine Patrone aus der Tasche und nahm sie zwischen Daumen und Zeigefinger.

»Das«, sagte sie und verschwand in der Dunkelheit.

Die Deutschen hatten ihren »Streik« nach kurzer Zeit beendet. Eines Tages kam Abu Hassan, der Kommandeur der Ausbildungslager der PLO, zu einem Kontrollbesuch ins Camp. Bei dieser Gelegenheit wollte er den unzufriedenen Gästen einen Überblick über die politische und militärische Lage des palästinensischen Befreiungskampfes geben, um sie mit den Verhältnissen besser vertraut zu machen.

Doch er konnte seinen Vortrag nicht zu Ende bringen. Immer wieder wurde er unterbrochen. Die Deutschen hörten nicht zu und meldeten statt dessen neue Forderungen an.

Von nun an änderte sich alles. Hassan befahl dem Lagerkommandanten, den Deutschen nichts mehr durchgehen zu lassen. Als sie sich am folgenden Tag mit dem Ausbildungsprogramm unzufrieden zeigten, handelten die Gastgeber. Eine Gruppe von Palästinensern stürmte in einem Handstreich das Haus und entwaffnete die Gäste. Sie durften die Baracke nicht mehr verlassen. Zwei bewaffnete Posten bewachten die Tür. Das militärische Training wurde abgesagt.

5. Vorauskommando zurück

Die Palästinenser wollten die Deutschen so schnell wie möglich loswerden.

Hans-Jürgen Bäcker, der in Berlin noch nicht gesucht wurde, erhielt seinen Paß von den Palästinensern zurück und durfte als Kundschafter vorausfahren. Die übrigen Pässe blieben weiterhin unter Verschluß.

Über Zypern flog Hans-Jürgen Bäcker nach Berlin-Schönefeld. An der Paßkontrolle zeigte er seine arabischen Papiere. Die ostdeutschen Grenzbeamten stellten ihm eine Frage, und Bäcker antwortete auf Englisch. Den Beamten fiel der deutsche Akzent auf, und sie schickten den angeblichen Araber zur Sonderuntersuchung.

»Nun machen Sie sich mal frei«, sagte ein Volkspolizist.

»Meine Herren, bedienen Sie sich«, antwortete Bäcker und öffnete seine Jeansjacke. Eine Pistole kam zum Vorschein. Die Beamten nahmen ihm die Waffe ab und holten die Kollegen vom Staatssicherheitsdienst. Bäcker wurde von drei Herren in einen Wartburg verladen und nach Karlshorst gebracht. Seine Begleiter klingelten an der Tür eines scheinbar privaten Wohnhauses. Ein Uniformierter öffnete, und Bäcker wurde in eine Wohnung mit vergitterten Fenstern geführt. Er durfte sich in einen Sessel setzen, und man bot ihm West-Zigaretten an. Dann begann das Verhör. Es dauerte vierundzwanzig Stunden. Hans-Jürgen Bäcker wunderte sich, wie genau die Stasi-Beamten über die Baader-Meinhof-Gruppe informiert waren. Sie wußten, wer bei der Baader-Befreiung dabei war und wer geschossen hatte. Sie kannten die Decknamen der

Gruppenmitglieder, waren über die Einzelheiten der Ausbildung im Palästinenserlager unterrichtet.

Gestärkt mit Brathähnchen, Coca-Cola und Rothändle schrieb Bäcker seinen Lebenslauf. Einer der Geheimdienstleute nahm das Papier, wedelte damit herum und sagte: »Das wird jetzt geprüft. Wenn die Generalstaatsanwaltschaft der DDR feststellt, daß alles stimmt, können Sie gehen.«

Am nächsten Tag wurde Hans-Jürgen Bäcker von den Stasi-Männern zum Grenzübergang Friedrichstraße gebracht. Dort gaben ihm die Beamten seine Pistole zurück, und er durfte die DDR in Richtung Westen verlassen.

6. »Shoot him«

Zur selben Zeit wurde Peter Homann von den Palästinensern aus dem Lager abgeholt und in einem alten Mercedes nach Amman gefahren. Er bekam ein Zimmer zugewiesen, erhielt englische Zeitungen und einen Betreuer. Dann gab ihm die PLO den Auftrag, einen Bericht über die Gruppe und ihr Verhältnis zur politischen Situation in der Bundesrepublik anzufertigen. Er verfaßte etwa zehn Seiten und hielt mit seinem negativen Urteil über die Baader-Mahler-Meinhof-Truppe nicht zurück. Als er seinen Bericht abgeliefert hatte, wurde er von Abu Hassan zum Essen abgeholt. Er kam auf Homanns Konflikte mit der Gruppe zurück. »Du bekommst von mir die Möglichkeit, ihnen zuzuhören; was sie zu sagen haben und auch, was sie über dich sagen werden.«

Das Treffen fand am nächsten Abend auf der Terrasse des Hauses statt, in dem Homann untergebracht war. Er konnte das Gespräch Abu Hassans mit Baader, Ensslin, Mahler und Ulrike Meinhof durch das geöffnete Fenster aus fünf Meter Entfernung verfolgen. Das Zimmer, in dem er saß, war dunkel, die Terrasse nur vom Nachthimmel über Amman erleuchtet. Ab und zu hörte man Schüsse und fernes Maschinengewehrfeuer. Die anderen konnten ihn nicht sehen. Anfangs ging es um die Rückkehr der Gruppe nach Deutschland. Diplomatisch und distanziert erklärte Abu Hassan, die Fatah werde selbstverständlich dafür sorgen, daß die Gruppe unbeschadet nach Berlin zurückkehren könne. Gudrun Ensslin war die Wortführerin der vier, weil sie als einzige fließend Englisch sprach. Baader machte seine Bemerkungen auf Deutsch und zischelte Gudrun ungeduldig zu: »Übersetz ihm das doch, übersetz ihm das doch.« Gudrun fragte, ob El Fatah der Gruppe Waffen zur Verfügung stellen würde. Abu Hassan hielt das für denkbar, machte aber keine Zusagen.

Dann sprach Gudrun Ensslin davon, daß Ulrike Meinhofs Kinder, zwei siebenjährige Mädchen, zur Zeit auf Sizilien versteckt seien. Dort könnten sie aber nicht länger bleiben. Ob es denkbar sei, daß die Zwillinge nach Jordanien gebracht und dort in einem der Ausbildungslager für palästinensische Waisenkinder aufgezogen würden? Abu Hassan konnte sich das vorstellen, aber er bemerkte: »Wenn das geschieht, werdet ihr die Kinder nie wiedersehen. Dann sind sie palästinensische Waisenkinder.«

Zum Schluß kam das Gespräch auf Peter Homann.

»Wo ist er überhaupt?« fragte Gudrun Ensslin.

»Wir mußten ihn erst mal von euch trennen.«

»He is an Israeli spy. Shoot him«, sagte Gudrun.

»Das hättet ihr mir früher sagen müssen«, antwortete Abu Hassan.

Außer Homann wollten noch zwei andere der Gruppe nicht länger dabei sein. Sie wurden aber nicht von der Polizei gesucht, und ihre Rückreise war unproblematisch.

Wenige Tage nach dem nächtlichen Gespräch auf der Terrasse sprach Abu Hassan noch einmal kurz mit Homann über die Berliner und ihre Reise: »Sie sind als Freunde gekommen und werden entsprechend der arabischen Gastfreundschaft auch als Freunde sicher wieder hinausgeleitet.« Er werde noch ein Treffen zwischen ihm, den beiden anderen Dissidenten und der Gruppe herbeiführen, damit man gemeinsam die Modalitäten der Abreise besprechen könne.

Die Verhandlungen in einem kleinen Hotel in Amman waren kurz. Homann wollte eigene Wege gehen.

Die Gruppe flog nach Berlin-Schönefeld und wechselte mit der U-Bahn in den westlichen Teil der Stadt über. Die Polizei merkte nichts davon. Sie hatte nicht einmal jene Wohnungen aufgestöbert, in denen die Truppe vor der Jordanienreise Unterschlupf gefunden hatte. Die Wohnungen konnten wieder benutzt werden.

Homann bekam von den Palästinensern einen arabischen Reisepaß, der auf den Namen Omar Sharif lautete, seinen gefälschten deutschen Reisepaß, 200 US-Dollar Reisegeld und ein Flugticket Beirut–Rom. Eine Woche, nachdem die anderen in Berlin angekommen waren, passierte er am römischen Flughafen die Paßkontrolle. Er kaufte sich eine Fahrkarte und bestieg am Abend den Zug nach Hamburg.

7. Kindergeschichten

Unmittelbar nach der Baader-Befreiung hatte ich von dem Fernsehmagazin »Panorama« den Auftrag erhalten, Recherchen für ein Porträt Ulrike Meinhofs anzustellen, die ich aus meiner Zeit bei »konkret« (1966–69) kannte. Ich versuchte damals in Berlin, Peter Homann zu finden, den ich ebenfalls bei »konkret« kennengelernt hatte und von dem ich wußte, daß er in Verbindung mit Ulrike Meinhof stand. Es gelang mir nicht.

Etwa drei Monate danach, im Spätsommer 1970, erhielt ich plötzlich in Hamburg einen Anruf. Ich sollte sofort zu einer Wohnung in der Himmelstraße kommen. Dort stand Peter Homann im Bad und färbte sich die Haare.

Er berichtete, daß die Gruppe Ulrike Meinhofs Kinder, die Zwillinge Bettina und Regine in ein palästinensisches Waisenlager nach Jordanien bringen wollte. Klaus Rainer Röhl, der Vater der Zwillinge, hatte sie monatelang erfolglos über Interpol suchen lassen.

Am Vormittag des 14. Mai, als Baader befreit wurde, waren die Kinder in der Schule gewesen. Als die Fahndungsaktion bereits anlief, ging eine Freundin ihrer Mutter auf das Polizeirevier in der Nähe der Kufsteiner Straße, wo Ulrike Meinhof wohnte, und holte die schon einige Zeit zuvor beantragten Ausweise für die Kinder ab. Der diensthabende Beamte merkte nicht, daß hier Pässe für die Kinder derjenigen Frau abgeholt wurden, die gerade von der gesamten Berliner Polizei gesucht wurde.

Zunächst waren die Kinder nach Bremen zu einem alten Freund Ulrikes gebracht worden. Wenige Tage später holten zwei Frauen aus Berlin die Zwillinge wieder ab und fuhren mit ihnen im Auto Richtung Süden. Über die »grüne Grenze« ging es zu Fuß nach Frankreich. Dort wartete eine dritte Frau mit Auto. Am nächsten Abend erreichten sie die Grenze nach Italien.

Die Paßstraße war noch gesperrt und sollte erst am nächsten Tag geöffnet werden. Deshalb gab es noch keine Grenzkontrollen.

Zwei der Frauen stiegen aus und gingen vor dem Auto her, dirigierten den Wagen zwischen den Schneebergen auf der einen und dem Abgrund auf der anderen Seite über die Grenze. Die Kinder lagen im Halbschlaf auf dem Rücksitz, unter Decken versteckt.

Die Fahrt endete in einem Barackenlager in der Nähe des Vulkans Ätna auf Sizilien. Dort wurden sie von italienischen Genossen erwartet, die den Kindern und einer der Frauen eine Baracke zuwiesen. Die beiden anderen Frauen fuhren sofort nach Deutschland zurück.

Mehrere Wochen blieb das Mädchen mit dem Namen Hanna bei den Zwillingen. Sie gingen an den Strand, fingen Seeigel, sonnten sich, spielten und wurden auch dazu angehalten, ihre Schulbücher zu studieren. Abends gab es Gitarrenmusik und Gesang. Als Hanna aus Berlin erfuhr, daß der Vater Klaus Rainer Röhl seine Kinder von der Polizei suchen ließ, wurde Versteckspielen geübt. Später quartierte man das Mädchen mit den Kindern in einem einfachen großen Steinhaus gegenüber dem Vulkan ein.

Hanna mußte zurück nach Berlin, und die beiden Mädchen wurden ins Barackenlager gebracht. Dort kümmerten sich vier deutsche Hippies um sie. Zwei von ihnen reisten bald weiter, und die Zwillinge blieben bis Anfang September in der Obhut des einen Pärchens.

In den ersten Septembertagen 1970 hatte Peter Homann Kontakt zu Hanna aufgenommen und sie nach Hamburg gebeten. An einem Samstag trafen wir uns. Hanna berichtete, daß die Gruppe inzwischen nach Berlin zurückgekehrt war und jemand nach Sizilien schicken wollte, um die Kinder ins Waisenlager nach Jordanien zu bringen.

Der Entschluß war schnell gefaßt. Man mußte dem Abgesandten der Gruppe zuvorkommen. Wir riefen den italienischen Kontaktmann in Sizilien an, nannten das Kennwort »Professor Schnase« und kündigten an, daß am nächsten Tag um 14.14 Uhr auf dem Flughafen in Palermo jemand ankäme, um die Kinder abzuholen.

Am Morgen um sieben Uhr saß ich in der Maschine nach Rom und flog von dort aus nach Sizilien weiter. Auf dem Flughafen Palermo traf ich einen hippiemäßig gekleideten Mann, der deutsch aussah, und einen Italiener.

»Ich bin Professor Schnase«, sagte ich.

Die beiden blickten auf den Gepäckaufkleber auf meinem Koffer: »Wieso kommst du aus Hamburg und nicht aus Berlin?«

»Ich war früher mal bei ›konkret‹, mit Ulrike …«

Die beiden waren nicht gut auf die Gruppe zu sprechen. »Die haben sich monatelang nicht bei uns gemeldet. Wir wußten überhaupt nicht wohin mit den Kindern. Geld haben wir auch nicht mehr«, sagte der Hippie.

In einem kleinen Fiat mit italienischem Kennzeichen fuhren wir zur Küste. An einem menschenleeren Strand wartete ein vergammelter VW-Bus. Darin saßen zwei braun gebrannte Mädchen mit sonnengebleichten blonden Haaren, Ulrike Meinhofs Töchter.

Bettina und Regine hatten mich oft bei »konkret« gesehen, in der Röhlschen Villa in Blankenese, auch noch später in Berlin, wo ich Ulrike manchmal besucht hatte.

»Wir nehmen gleich die nächste Maschine zurück«, sagte ich.

»Das geht nicht«, meinte der Hippie. »Auf dem Flughafen werden die Pässe kontrolliert. Wir haben keine Ausweise für die Kinder. Wir haben uns aber schon nach Zugverbindungen erkundigt.«

Morgens um 7.00 Uhr waren wir in Rom und kamen bei Bekannten unter. Es dauerte fünf Tage, bis wir den Vater der Kinder telefonisch erreicht hatten. Zufällig machte er in Italien Urlaub. In einer Wohnung an der Piazza Navona konnte er die Zwillinge entgegennehmen.

In der Zwischenzeit hatte jemand aus Berlin in Sizilien angerufen: »In den nächsten Tagen holen wir die Kinder ab.«

»Wieso, ihr wart doch schon hier. Die Kinder sind weg.«

In der Gruppe wurde überlegt, wer den Aufenthaltsort der Kinder gekannt haben könnte. Man kam auf Hanna und machte sich auf die Suche. An der Tür einer Wohngemeinschaft fragte Baader: »Wo ist Hanna?«, und zog die Pistole. »Sie ist nicht hier«, sagte man ihm, gab aber einen Tip, wo sie sein könnte. Als sie aufgespürt worden war, wurde auch ihr eine Pistole vorgehalten. Hanna sagte, wer die Kinder geholt hatte.

Kurz darauf tauchte ein Freund Hannas bei mir in Hamburg auf. Wir übernachteten in meiner Wohnung; insgesamt sechs Personen waren in dieser Nacht dort. Um 3.00 Uhr morgens klingelte es an der Tür. Draußen stand ein alter Bekannter, ehemaliger SDS-Aktivist, normalerweise ein Bär von einem Mann, immer souverän, immer überlegen. Jetzt war er völlig aufgelöst. »Ihr müßt hier weg, sofort. Die wollen euch umlegen.«

Baader und Mahler seien in seiner Wohnung gewesen. Mit vorgehaltener Pistole hätten sie ihn gefragt, wo ich wohne. Zum Schein habe er sich auf ihre Seite geschlagen, sei mit ihnen zu meiner Wohnung gefahren und habe sie dazu gebracht, draußen im Wagen zu warten, bis er geklärt habe, ob nicht möglicherweise Polizisten in der Wohnung seien.

Ohne Licht zu machen, verließen wir durch einen Nebenausgang das Haus und übernachteten in einem Hotel.

Am nächsten Tag wollten Homann und ich uns aus Hamburg absetzen. Es war ein schöner Tag, also beschlossen wir, nach Sylt zu fahren, dort hatten wir Bekannte. Ungeschützt wollten wir uns jedoch nicht auf die Reise begeben. Wir kauften ein Kleinkalibergewehr mit zehnschüssigem Magazin und brachen auf. Der Wahnsinn jener Zeit hatte auch uns ergriffen.

In der Ortschaft »Königreich Appen« bogen wir in einen Feldweg. Dort stand das Wrack eines alten DKW-Kombiwagens, in dem Gartengeräte abgestellt waren. Wir gaben eine Serie von Schüssen auf das Schrottauto ab. Plötzlich kam ein gutes Dutzend Jäger, Schrotflinten im Anschlag, aus dem Dickicht. »Hände hoch!« rief einer. Wir gehorchten. Einer nahm uns das Kleinkalibergewehr ab: »Endlich haben wir euch.«

»Was soll das?« fragte Peter Homann.

Man hielt uns für Wilderer und schickte nach dem Dorfpolizisten.

Der örtliche Polizeibeamte fuhr im Streifenwagen den Feldweg herauf. Die Jäger übergaben uns als Beute. Der Polizist verstaute das Kleinkalibergewehr und forderte Homann auf, sich neben ihn zu setzen. Ich durfte hinterherfahren – zur Polizeiwache.

Der Beamte war nicht gut auf die Jäger zu sprechen. Sie hatten ihn vom Abendbrottisch weggeholt. Er fand die Aktion der Grünröcke übertrieben.

Homann stand immer noch auf der Fahndungsliste gesuchter Terroristen. Und dann bei Schießübungen ertappt?

An der Wand der Dienststelle hing ein Fahndungsplakat, darauf ein Foto von ihm.

Wir fragten den Polizeibeamten, was er denn zu Abend gegessen habe.
»Bratkartoffeln«, sagte der Beamte.
»Mit Speck und Zwiebeln?«
»Aber immer.«
Wir lachten. Der Polizist ließ sich die Pässe geben und begann, das Protokoll aufzunehmen. Er rief bei der Polizei in Hamburg an, um meine Personalien zu überprüfen. Alles war in Ordnung. Der Paß war nicht gestohlen, keine Fahndungsersuchen, nichts. Dann nahm er Homanns Paß, der in Bremen ausgestellt war – und auf einen anderen Namen lautete.
»Können Sie mir die Vorwahlnummer von Bremen sagen?«
Homann kannte die Vorwahlnummer seines angeblichen Heimatortes nicht. »Nun gut«, sagte der Polizist, »dann muß ich eben im Telefonbuch nachsehen.«
Es war nach 18.00 Uhr, die Amtsleitung nach Bremen war besetzt. Schließlich, nach einer halben Stunde fruchtloser Dreherei an der Wählscheibe sagte ich: »Wissen Sie was? Sie wollen nach Hause, wir wollen nach Hause. Jetzt schreiben Sie das alles auf meinen Namen, und die Sache ist okay. Dann bezahle ich das Bußgeld eben allein.« Der Polizeibeamte nickte. Ich unterschrieb das Protokoll, wir konnten uns verabschieden und fuhren zurück nach Hamburg. Das Kleinkalibergewehr blieb in polizeilichem Gewahrsam.

Als später öffentlich bekannt wurde, daß die Polizei Homann nicht mehr der Mitwirkung an der Baader-Befreiung verdächtigte, stellte er sich und wurde nach kurzer Untersuchungs-Haft entlassen.

8. Der Dreierschlag

In Berlin wurde der »Untergrundkampf« vorbereitet. Wohnungen wurden angemietet und Autos besorgt. Ulrike Meinhof nahm Kontakte zu Linken und Liberalen auf, die sie aus ihrer Zeit als Journalistin kannte. Einige von ihnen waren durchaus prominent. Nur wenige sympathisierten mit dem bewaffneten Kampf, aber einer Ulrike Meinhof, zumal wenn sie von der Polizei gesucht wurde, schlug man nicht die Tür vor der Nase zu.

Auch Ulrike lief jetzt mit einer Pistole in der Handtasche herum. Eines Tages ließ sie sich darin unterweisen, wie man Autos knackt. Ungeschickt, wie sie in technischen Dingen war, brach sie dabei das Lenkrad des Wagens ab und brachte es als Trophäe mit nach Hause.

Manchmal ließ sie durchblicken, daß sie Schuldgefühle ihrer Kinder wegen hatte. Solche »Anwandlungen von Schwäche« wurden von Baader und Ensslin heftig attackiert. Baader beschimpfte sie als »bürgerliche Fotze«, und Ulrike verstummte.

So mutig sie in ihrer politisch-publizistischen Arbeit nach außen hin immer erschienen war, so sehr neigte sie im privaten, in der persönlichen Auseinandersetzung zum Nachgeben, zur Unterwerfung, zur Selbsterniedrigung. Ihr Einfluß innerhalb der Gruppe war gering, sehr viel geringer jedenfalls als das Schlagwort »Baader-Meinhof-Gruppe« nach außen hin signalisierte.

Auch Andreas Baader und Gudrun Ensslin besannen sich ihrer alten Kontakte und schickten einen Abgesandten zu Peter Jürgen Boock nach Frankfurt. Der hatte in der Zwischenzeit Geld für die Tupamaros in Uruguay gesammelt, hatte mitgeholfen, farbige Amerikaner, die nach Vietnam eingezogen worden waren, ins neutrale Schweden zu schaffen, hatte auch gemeinsam mit Schwarzen gedealt. Und hatte natürlich in den Zeitungen verfolgt, daß seine Helden aus der Fürsorgebewegung im Laufe weniger Monate zu Staatsfeinden geworden waren.

»Jemand will dich sprechen«, sagte der Bote. »Kauf dir eine ›Herald Tribune‹.« Mit dieser Zeitung unter dem Arm solle er an einem Treffpunkt erscheinen. Dann werde er weitergeführt.

Boock hatte zwar den Namen dieser Zeitung noch nie gehört, schaffte es aber, alle Anforderungen ordentlich zu erfüllen. Baader und Ensslin erwarteten ihn in einem Hochhaus-Appartement. Bald darauf saßen sie wie früher zu dritt auf einem Matratzenlager. Er mußte erzählen, womit er sich im Augenblick beschäftigte, und dann berichteten die beiden von ihrer Reise nach Jordanien und der militärischen Ausbildung im Palästinenser-Lager. Jetzt seien sie zurück, lebten in der Illegalität und planten Anschläge.

»Kannst du dir vorstellen, die eine oder andere Hilfsgeschichte für uns zu machen?«

»Was denn so?« fragte Boock.

»Fangen wir mal klein an. Wir brauchen Bücher aus der Uni-Bibliothek, über anorganische Chemie. Hier ist eine Liste.«

Boock nickte und zog los. Der Einfachheit halber nahm er die Bücher aus der Bibliothek einfach mit. Fotokopieren, das erklärte er Baader und Ensslin bei der Übergabe, wäre zu lästig gewesen. Die beiden waren begeistert und gaben ihm den nächsten Auftrag. Er sollte Fahrräder klauen. Doch als die abgeholt werden sollten, standen nur noch die Rahmen angeschlossen da. Die übrigen Teile hatte ein anderer Dieb abmontiert.

In seiner Wohngemeinschaft bekam Boock Ärger, weil er plötzlich vor den anderen Geheimnisse hatte.

Boock blieb hart: »Das geht euch nichts an. Das ist nicht eure Sache. Kann ich euch nicht einweihen. Müßt ihr mit leben.« Er war froh, daß Andreas und Gudrun endlich wieder da waren, daß er ihnen helfen konnte. Endlich war die Wartezeit vorüber.

Am 14. August 1970 erhielt der Automechaniker Eric G. Besuch in seiner Berliner Werkstatt. Hans-Jürgen Bäcker, ein Freund aus dem »Republikanischen Club«, hatte zwei Männer mitgebracht. Die Ehefrau kochte Kaffee und holte den Aushilfsmechaniker Karl-Heinz Ruhland aus der Werkstatt dazu.

Nachdem man sich über die politische Lage unterhalten hatte, kamen die Besucher zur Sache:

»Wir brauchen Autos. Die kann man entweder klauen oder mieten und nicht zurückgeben. In beiden Fällen müssen die Wagen umfrisiert werden. Könnt ihr solche Arbeiten übernehmen?«

Gegen gute Bezahlung sollten die Fahrzeuge mit neuen Motor- und Fahrgestellnummern versehen und teilweise umgespritzt werden. Außerdem sollten neue Tür- und Zündschlösser eingebaut werden. Die beiden Automechaniker sagten zu.

Karl-Heinz Ruhland war tief verschuldet. Er interessierte sich mehr für das in Aussicht gestellte Bargeld als für Baaders und Mahlers politische Absichten.

»Kalle« Ruhland, geboren 1938 in Berlin, hatte ein ziemlich trostloses Leben hinter sich. Sein Vater war Buchbinder gewesen und hatte die acht Kinder kaum ernähren können. Schon als Schüler mußte Karl-Heinz mitarbeiten, da blieb für den Unterricht kaum Zeit.

Er ging von der Schule ab, wurde Laufbursche bei einer Elektrofirma, arbeitete in einer Tischlerei, auf einem Bauernhof und heuerte schließlich auf einem Binnenschiff an. Er heiratete, wurde Vater zweier Kinder, ließ sich scheiden, heiratete wieder. Er nahm eine Stelle auf dem Schlachthof an, wechselte die Arbeitsplätze in immer schnellerer Folge. Von Ratenzahlungen gedrückt, stand er mehrmals wegen Unterschlagung und Betrug vor Gericht, wurde zu kurzen Freiheitsstrafen verurteilt.

Das Gespräch in der Autowerkstatt dauerte bis zum Abend. Ruhland nahm an, daß hinter Baader und Mahler eine größere »Kampftruppe« stand, und war enttäuscht, als er erfuhr, daß es gerade 25 Leute waren, die in der Bundesrepublik einen revolutionären Umsturz planten. Die weitschweifigen politischen Erörterungen der Besucher langweilten ihn. Er ging wieder an seine Arbeit.

In den folgenden Tagen tauchten dort in Abständen neue Leute auf. Irene Goergens, die »Peggy« genannt wurde, Astrid Proll, genannt »Rosi«, Gudrun Ensslin unter dem Namen »Grete«. Horst Mahler ließ sich »James«, Andreas Baader »Hans« nennen. Nur von diesen beiden erfuhr Ruhland die wirklichen Namen.

Die ersten Wagen rollten in die Reparaturwerkstatt. Sie wurden umgespritzt und bekamen neue Motor- und Fahrgestellnummern. Hans und James halfen dabei.

Um den 1. September herum sprach der Werkstattbesitzer seinen Mitarbeiter Ruhland an:

»Die haben mit mir darüber geredet, daß sie einen Banküberfall planen, und mich gefragt, ob ich mitmachen würde.«

»Und was hast du gesagt?«

»Ich hab' gesagt, ich mache mit und du wahrscheinlich auch.«

Ruhland war überrascht: »Das muß ich mir erst mal überlegen.«

Eine Woche später war James wieder da und erklärte, daß sie vier Banken in Berlin gleichzeitig überfallen wollten, wozu vier Gruppen gebildet werden müßten.

Er fragte Ruhland, ob er bereit sei, mitzumachen.

Ruhland sagte zu.

Am Morgen des 29. September war es soweit. Zwischen 9.48 Uhr und 9.58 Uhr wurden in Berlin drei Banken überfallen.

Die Beute aus der Berliner Bank in der Rheinstraße betrug 154182,50 Mark. In der Sparkasse am Südwestkorso waren es 55152 Mark, in der Sparkasse Altonaer Straße 8115 Mark. Hier hatte Ulrike Meinhof einen Karton mit 97000 Mark übersehen. Später machte man sich in der Gruppe über sie lustig: »Die paar Mark hättest du dir auch mit schmutzigerer Arbeit verdienen können – bei ›konkret‹.«

Eine Woche nach dem »Dreierschlag«, wie dieser Coup in der Gruppe genannt wurde, trafen sich alle zur Manöverkritik in einer Wohnung in der Kurfürstenstraße.

Bei Kaffee und Bier wurde der Ablauf der Banküberfälle besprochen. Mahler und Baader meinten, das Eindringen in die Bank und auch die Flucht könnten noch besser klappen. Mahler, wie immer mit Toupet, kam auf die moralische Vertretbarkeit solcher Banküberfälle zu sprechen: »Es handelt sich dabei um das Geld von Kapitalisten. Der kleine Mann ist davon nicht betroffen.«

Baader meinte, die Gruppe müsse vergrößert werden. Dann erzählte er, Bäcker und der seit Jordanien zur Gruppe gehörende Ali Jansen seien nach Munsterlager abgereist, um Möglichkeiten für den Einbruch in ein Waffenmagazin der Bundeswehr auszukundschaften.

Einen Tag später erhielt Karl-Heinz Ruhland 1000 Mark aus der Beute. Er war unzufrieden, denn das war ihm nicht genug.

Bäcker und Ali Jansen kehrten von Munsterlager zurück. Der Überfall wurde für Mitte Oktober geplant. Ulrike Meinhof und Ali sollten die Aktion vorbereiten. Am 8. Oktober ließen sich die beiden zum Flughafen Tempelhof fahren. Unerkannt nahmen sie in der Maschine Platz.

9. »Kompliment, meine Herren!«

Am selben Tag um 13.38 Uhr klingelte bei Kriminalhauptkommissar Kotsch von der Staatsschutzabteilung der Berliner Polizei das Telefon.
»Sind Sie Herr Kotsch?«
»Ja.«
»Hier ist Müller. Ich habe Ihnen eine wichtige Mitteilung zu machen. Um halb drei Uhr werden Baader, Mahler und die Ensslin sich in der Knesebeckstraße 89, Vorderhaus, eine Treppe, bei Hübner treffen. Baader ist rotblond und trägt einen Schnauzbart. Sie sind alle schwer be-

waffnet. Sonst halten sie sich in der Hauptstraße 19, im 2. Stock bei Wendt auf. Baader fährt einen grünen Mercedes B – MA 118. Bitte unternehmen Sie endlich etwas!«

Kotsch war überrascht. »Haben Sie diese Mitteilung auch schon einem anderen gegenüber gemacht?«

»Ja«, sagte der Anrufer. »Aber man hält mich scheinbar für einen Idioten und nimmt meine Mitteilung nicht ernst.«

»Herr Müller, ich kenne Sie nicht«, erwiderte Kotsch.

»Das ist auch ganz gut so«, sagte der Anrufer und hängte auf.

Zwanzig Minuten später bezogen Observanten vor dem Haus Knesebeckstraße 89 unauffällig Position.

Den Nachmittag über tat sich nichts, und so beschloß der Einsatzleiter, die Wohnung durchsuchen zu lassen. 14 Polizeibeamte betraten den Hausflur und schlichen die Treppe zum ersten Stock hinauf. Bei Hübner klingelten sie. Niemand öffnete. Durch den Türschlitz schimmerte Licht, und über Funk kam von den draußen postierten Observanten die Nachricht, daß sich eine Frau am Balkonfenster gezeigt hatte. Die Polizeibeamten drückten die Tür auf. Um 17.40 Uhr standen sie im Korridor der Wohnung. Aus dem Balkonzimmer erschien eine junge Frau, die ohne viele Worte Paß und Führerschein auf den Namen »Dorothea R.« vorlegte.

»Ich wohne nicht hier«, sagte die Frau. »Ich warte auf die Wohnungsinhaberin. In der Zwischenzeit habe ich gebadet.«

»Bitte bleiben Sie während der Durchsuchung hier«, sagte der Einsatzleiter und bot der Frau einen Stuhl an. Ein Polizist setzte sich neben sie. Beim Durchwühlen einer schwarzen Kommode fand einer der Beamten in einer grünen Plastiktüte eine Pistole vom Typ Llama, Kaliber neun Millimeter.

Im Nebenzimmer lagen mehrere Auto-Kennzeichen, von denen eines als gestohlen gemeldet war. Ein Molotowcocktail, verschiedene Chemikalien und brennbare Flüssigkeiten standen in einem anderen Zimmer herum. Die Frau, später stellte sich heraus, daß es Ingrid Schubert war, wurde zum Polizeirevier 131 gebracht und durchsucht. Unter der Kleidung trug sie eine durchgeladene Pistole.

Die Polizisten in der Wohnung Knesebeckstraße wurden durch einen Fotografen und Beamte des Erkennungsdienstes verstärkt. Sie setzten den Plattenspieler in Gang und warteten. Gegen 18.00 Uhr klingelte es. Die Beamten zogen ihre Pistolen und öffneten vorsichtig die Tür. Draußen stand ein Mann mit dunklen, halblangen, nach vorn gekämmten Haaren und einem Kinn-, Backen- und Oberlippenbart. Er trug eine stahlblaue Jacke, dunkle Hose, ein weißes Hemd und eine orange-dunkel gestreifte Krawatte.

Die Beamten erkannten Horst Mahler auf den ersten Blick. Sie holten ihn in die Wohnung und baten um seine Papiere.

»Sie sind doch Horst Mahler.«

Der Mann bestritt das. Daraufhin zog ihm einer der Polizisten die Perücke vom Kopf.

»Kompliment, meine Herren«, sagte Horst Mahler.

Ohne Gegenwehr ließ sich der ehemalige Rechtsanwalt durchsuchen. In seiner rechten hinteren Hosentasche steckte eine geladene und entsicherte Neun-Millimeter-Pistole vom Typ Llama Especial. In der Jackentasche hatte er zwei gefüllte Magazine und insgesamt 36 Patronen sowie einen Packen Geldscheine.

Die Polizeibeamten nahmen ihm die Krawatte ab, lockerten seinen Hosengürtel und brachten ihn ins Präsidium. Andere Polizisten hielten die Stellung.

Eine halbe Stunde später beobachtete einer von ihnen im Treppenhaus eine junge Frau, die an der Tür der besetzten Wohnung lauschte. Er schleppte sie hinein. In ihrer braunen Ledertasche fand sich eine Pistole vom Typ Reck und ein Ausweis auf den Namen Monika Berberich.

Wenige Minuten darauf klingelte es erneut. Die Frau versuchte, den Neuankömmling durch einen lauten Zuruf zu warnen. Daraufhin warfen sich mehrere Polizisten auf sie und drückten ihr ein Tuch auf das Gesicht. Mit gezogenen Pistolen öffneten die Beamten die Tür. Vor ihnen stand der Wohnungsnachbar, ein älterer Herr, der sich über die laute Musik in der Wohnung beschweren wollte.

Gegen 19.40 Uhr klingelte es erneut, und die Beamten konnten Brigitte Asdonk festnehmen. Eine dreiviertel Stunde später tauchte Irene Goergens auf und wurde ebenfalls von der Polizei in Empfang genommen.

In der Zwischenzeit hatten sich Dutzende von Reportern und neugierige Passanten vor dem Haus versammelt. Die Polizeibeamten konnten nicht mehr damit rechnen, daß ihnen noch weitere Gruppenmitglieder in die Falle liefen. Sie begannen mit der Spurensicherung.

Neben Rezepten und Zutaten zur Sprengstoffherstellung, Fälscherutensilien, Broschüren und Gegenständen für den täglichen Bedarf fanden sie in der Wohnung auch die »Buchhaltung«.

Auf neun kleinen Zetteln und einer Gesamtabrechnung hatten die Stadtguerillas ihre persönlichen Ausgaben verzeichnet. »H« und »G«, Hans und Grete, also Baader und Ensslin hatten gemeinsame Gesamtausgaben von 2484 Mark geltend gemacht: Für zwei Jacketts 500 Mark, zwei Hosen 180 Mark, Socken 18 Mark, Friseur 9 Mark, Zigaretten 60 Mark, und so weiter.

»Anna«, Ulrike Meinhof, hatte 1300 Mark ausgegeben: ein Kostüm für 220 Mark, zwei Blusen 120 Mark, Schuhe 100 Mark, Mantel 330 Mark, Zigaretten, Fressen, Taxe, Telefon pauschal 100 Mark und so weiter.

Die Gesamtausgaben der Gruppe summierten sich zu 58 230 Mark. An Hand von Schriftvergleichen stellte die Kriminalpolizei fest, daß Gudrun Ensslin die Kassenverwalterin war.

Zwei Tage nach der Verhaftungsaktion traf sich die Restgruppe in der Wohnung Kurfürstenstraße zur Lagebesprechung.

Irgend jemand mußte die Wohnung in der Knesebeckstraße verraten haben, und das konnte nur einer aus der Gruppe selbst gewesen sein. Plötzlich fiel der Name »Harp«, Hans-Jürgen Bäcker. Er war von dem geplanten Treffen in der Knesebeckstraße unterrichtet gewesen. Zudem galt er ohnehin als etwas unsicherer Kantonist. Als einer der wenigen in der Gruppe hatte er sich gelegentlich mit Baader angelegt, hatte seine Autorität nicht bedingungslos akzeptiert.

»Harp ist unzuverlässig«, sagte Gudrun Ensslin, »schon deswegen ist ihm Verrat zuzutrauen.«

Plötzlich ging die Tür auf, und Hans-Jürgen Bäcker stand in der Wohnung. Eisiges Schweigen empfing ihn. Bäcker blickte irritiert in die Runde und setzte sich. »Du hast Horst verraten«, sagte Baader und begann ein Verhör.

Bäcker wurde wütend: »Ihr seid wohl wahnsinnig geworden.« Er sprang auf und verließ die Wohnung. Seine Reaktion wurde von den anderen als Eingeständnis der Schuld gewertet. Man überlegte, wie Mahler und die festgenommenen Frauen befreit werden könnten.

Jemand schlug vor, die Pläne für die Kanalisation der Haftanstalt zu besorgen, um Mahler unterirdisch in die Freiheit zu holen.

Der einfallsreiche Werkstattbesitzer Eric hatte noch eine Idee: »Wir bauen einen Mini-Hubschrauber. Damit landen wir in der Freistunde auf dem Hof des Gefängnisses und fliegen die Genossen aus.«

Die anderen lachten, aber der Vorschlag war durchaus ernst gemeint.

»Ich hab' da Zeichnungen. Das ist wirklich möglich. Wir nehmen den Motor und das Getriebe von einem Volkswagen 1500. Die übrigen Teile werden nach und nach besorgt und zusammengebaut.«

Tatsächlich machte er sich noch im Oktober an die Arbeit. Motor und Getriebe waren vorhanden. Das Gerüst wurde nach einem Handbuch über Hubschraubertechnik konstruiert, das aus Ost-Berlin stammte. Auf die Idee war er gekommen, weil er bei einer Reise nach England in einem Luftfahrtmuseum einen solchen Mini-Hubschrauber gesehen hatte.

Der Automechaniker fertigte Zeichnungen an und konstruierte drauflos.

Als Mitte Februar 1971 Polizeibeamte die Werkstatt durchsuchten, stießen sie auf Einzelteile des unfertigen Mini-Hubschraubers. Verwirrt notierten die Beamten: »In der Garage stand eine Konstruktion aus einem Motor mit dazugehörigen Maschinenteilen, welche erkennen ließen, daß hier versucht wurde, einen Apparat zu fertigen, dessen Antrieb durch Gelenke in einem rechten Winkel zur eigentlichen Kurbelwelle liegt. In diesem Raum lag auf einer Werkbank ein halbfertiges Gerüst für eine tragflächenähnliche Konstruktion. Daneben wurde ein Gerüst gefunden, welches vermutlich als tragende Konstruktion für ein Kabinengehäuse vorgesehen ist.«

Die Polizeibeamten fotografierten das unbekannte Flugobjekt.

10. Im Zick-Zack-Kurs durch die Republik

Ruhland machte sich in seinem VW-Bus auf den Weg nach West-Deutschland. Am 1. November 1970 sollte er Ulrike Meinhof in Hannover treffen. »Anna«, die er bis dahin nur flüchtig kennengelernt hatte, wartete vor einer Tasse Kaffee im ersten Stock des Bahnhofsrestaurants auf ihn. Sie trug kurze, blond gefärbte Haare. Gemeinsam brachen sie zu einer planlosen Reise durch die Republik auf. In Köln, Oldenburg und Hannover besuchten sie alte Freunde Ulrikes, die später, als Ruhland Aussagen bei der Polizei gemacht hatte, mit Ermittlungsverfahren wegen Unterstützung einer kriminellen Vereinigung überzogen wurden. Einer von ihnen war Professor Peter Brückner, damals 49 Jahre alt, Ordinarius für Psychologie an der Technischen Hochschule Hannover. Der Professor wurde vom Dienst suspendiert und durfte nie wieder an einer Universität lehren.

Später, in der Haft, schrieb Ulrike Meinhof über ihn: »Peter Brückner. Der sich den Luxus läßt, sein kontemplatives Verhältnis zu Erscheinungen und Bewegungen der Macht zu pflegen. Kein Revolutionär ... Stößt Brückner mit der Schnauze in die Wahrheit ...«

Ende 1970: die Zeit der Ostverträge. Brandt und Scheel, Kanzler und Außenminister, hatten in Moskau den deutsch-sowjetischen Vertrag unterschrieben; man verhandelte über die Verträge mit Polen. Die äußeren Feindbilder aus der Zeit des Kalten Krieges begannen zu verblassen. Innerhalb der SPD forderten die Jusos eine Rückbesinnung auf Arbeiterpartei und Klassenbewußtsein; der Parteivorstand, Parteirat und Kontrollkommission der SPD beschlossen am 14. November 1970: zwischen Sozialdemokraten und Kommunisten gibt es keine Arbeitsgemeinschaft. Es war die Grundlage für den späteren »Radikalenerlaß«.

Ulrike Meinhof und Karl-Heinz Ruhland setzten ihre Zick-Zack-Tour durch die Republik fort. In Oberhausen sollte Ali Jansen, der seit der Jordanienreise zur Gruppe gehörte, Pässe beschaffen. In der Kneipe »Rex 2« am Hauptbahnhof trafen sie Jansen um die Mittagszeit in einem Kreis fröhlicher Zecher. Er selbst war so betrunken, daß er kaum sprechen konnte. Meinhof und Ruhland schleppten ihn zu ihrem Wagen und fuhren nach Köln. Pässe hatte er nicht besorgt, das dafür vorgesehene Geld auf den Kopf gehauen.

Gemeinsam fuhren sie zum Bundeswehrstützpunkt Munsterlager und legten sich mit dem Nachtglas auf die Lauer. Alle zwei Stunden passierten die Wachsoldaten das Depot. Ruhland holte eine Leiter, und während Ulrike Meinhof Schmiere stand, kletterten die Männer über den zwei Meter hohen Maschendrahtzaun.

Das Waffendepot befand sich in einem kleinen Kasernenanbau. Die Tür war aus Stahlblech, gesichert mit einem Vorhängeschloß. Ruhland flüsterte Jansen zu: »Das knacke ich in acht Minuten.« Die Aktion sollte gestartet werden, sobald aus Berlin Verstärkung eingetroffen war. Andreas Baader mußte dabei sein.

Sie übernachteten zweimal in der Wohnung Professor Brückners und zogen dann in ein von Ulrike Meinhof gemietetes Wochenendhaus in Polle bei Hannover. Nach und nach sollten die Berliner dorthin kommen. Ali war inzwischen wieder nach Munsterlager gefahren. Als er mit der Bahn zurückkehrte, war er wieder einmal betrunken. Den blauen VW, mit dem er losgefahren war, hatte er bei Soltau auf einen Acker gesetzt. Das Auto gehörte einem Rundfunkredakteur vom WDR, einem alten Bekannten Ulrike Meinhofs, der es ihr geliehen hatte.

Ulrike rief ihn an: »Es tut mir leid, aber dein Wagen hat ein Eselsohr.« Durch den Unfall waren die Planungen für den Einbruch in das Waffendepot durcheinandergeraten.

Schließlich wurde die Aktion abgeblasen. Meinhof, Jansen und Ruhland machten sich auf die Suche nach neuen Fahrzeugen.

Sie hatten ein kompliziertes, aber sehr wirkungsvolles System der Tarnung gestohlener Autos entwickelt, die sogenannte »Doubletten-Methode«. Die Beamten des Bundeskriminalamts reagierten darauf später mit Erstaunen und professioneller Anerkennung.

Gruppenmitglieder postierten sich dazu auf Parkplätzen vor Wohnhäusern. Sobald ein Wagen des gewünschten Typs auftauchte, folgten sie dem Fahrer zu seiner Wohnung. Ein paar Tage später klingelten sie, ausgestattet mit dem Ausweis eines Meinungsforschungsinstituts, und befragten den Autobesitzer nach den Daten seines Fahrzeugs. Anschließend wurde ein neuer Kraftfahrzeugschein mit den entsprechenden Angaben, Name des Besitzers, Tag der Erstzulassung, Kennzeichen, Typ, Farbe hergestellt. Danach machte man sich auf die Suche nach einem anderen Wagen, der exakt die gleichen technischen Daten aufwies. Dieses Duplikat wurde dann gestohlen und mit dem Kennzeichen des ausgespähten Erstwagens versehen. Auf diese Weise gab es plötzlich zwei Wagen mit gleichem Aussehen und gleichem Kennzeichen. Wurde jemand in einer solchen »Doublette« von der Polizei angehalten und überprüft, ergab die Nachfrage beim Kraftfahrzeugbundesamt, daß ein solches Fahrzeug tatsächlich unter dem Namen des entsprechenden Halters registriert und nicht als gestohlen gemeldet sei.

Später, als es der Gruppe zu aufwendig wurde, ständig Autos zu stehlen, wurden häufig Fahrzeuge bei Verleihfirmen angemietet und umfrisiert.

In der Zwischenzeit hatte die Gruppe ihr System vereinfacht: sie gab die umständliche »Interviewpraxis« zur Feststellung von Kfz-Daten auf, statt dessen wurden die entsprechenden Daten im Polizeifunk abgehört und danach die Papiere für die »Doubletten« angefertigt.

Entsprechend einer Anweisung aus Berlin schwärmten die drei in der zweiten Novemberwoche aus, um im Vorland des Harzes und im Weserbergland Rathäuser zu besichtigen. Sie wollten auskundschaften, welche Paßämter für einen Einbruch in Frage kämen. Um falsche Pässe und Ausweise herzustellen, brauchte die Gruppe dringend Blanko-Papiere und Dienstsiegel.

In der Nacht vom 15. auf den 16. November brach Ruhland mit einem Schraubenzieher die Hintertür des Rathauses in Neustadt am Rübenberge auf und schlich zusammen mit Ulrike und Ali in das Gebäude. Plötzlich überfiel ihn Angst. »Ich habe meine Handschuhe im Auto vergessen«, flüsterte er den anderen zu und verschwand.

Wenige Minuten später kamen Ulrike Meinhof und Ali vollgepackt mit Paßvordrucken, Ausweisen, Dienstsiegeln und Briefpapier nach draußen. Unbehelligt kehrten sie in ihr Quartier nach Polle zurück. Ruhland schnürte ein Paket mit den im Rathaus Neustadt erbeuteten Formularen und schickte es nach Berlin an eine Adresse in Schöneberg, wo Baader und Ensslin wohnten. Allerdings hatte sich Ulrike Meinhof bei der Entschlüsselung der Adresse geirrt – sie rutschte in der Code-Tabelle zwei Zeilen zu tief –, und so landete das Paket nicht in Berlin, sondern als »unzustellbar« im zentralen Paket-Zustellamt in Bamberg.

Deshalb wurde die »Aktion Paßamt« eine Woche später wiederholt. Diesmal wurde das Rathaus in Langgöns bei Gießen anvisiert. Im Zimmer des Bürgermeisters stießen sie auf einen unverschlossenen Stahlschrank, der von Blanko-Personalausweisen überquoll. Im Schein der Taschenlampe wurden die Formulare eingesackt, dazu Dienstsiegel und ein Stanzgerät mit den dazugehörigen Nieten zum Einheften von Paßfotos.

Ruhland entdeckte noch eine Flasche Cognac, die er unverzüglich öffnete und halb leer trank.

Wenige Tage später traf Jan-Carl Raspe in einem roten »Renault 16« in Polle ein. Er hatte mehrere Funkgeräte dabei, die in die Fahrzeuge der Gruppe eingebaut werden sollten. Von nun an nahm er an den Erkundungsfahrten teil. Nach und nach sollten auch die übrigen Berliner Gruppenmitglieder ins Bundesgebiet kommen.

11. Jan-Carl Raspe

Jan-Carl Raspe wurde 1944 geboren. Sein Vater, ein Kaufmann, starb vor seiner Geburt. Zusammen mit zwei älteren Schwestern wuchs er in einem alten verwinkelten Haus in Ostberlin bei seiner Mutter auf. Im vaterlosen Haushalt lebten noch zwei Tanten. Nach der Grundschule in Ostberlin wurde er dort nicht in eine höhere Schule aufgenommen, da das Kind großbürgerlicher Herkunft nicht den geforderten »gesellschaftlichen Einsatz« gezeigt hatte. Fortan fuhr der Junge jeden Tag mit der S-Bahn nach West-Berlin und besuchte die »Bertha von Suttner Oberschule«. Von Zeit zu Zeit blieb er auch mal bei Verwandten in West-Berlin und übernachtete dort. Als am 13. August 1961 die Mauer gebaut wurde, schrieb Jan-Carl an seine Mutter im anderen Teil der Stadt: »Ich will auf jeden Fall hierbleiben. Ich sehe in Ostberlin keine Zukunft.«

Der 17jährige blieb bei Onkel und Tante im Westen der Stadt, machte zwei Jahre später das Abitur und studierte anschließend an der Freien Universität, anfangs Chemie, zwei Semester später wechselte er zur Soziologie über.

Wie viele Studenten in West-Berlin engagierte er sich gegen die Notstandsgesetze und demonstrierte gegen den Schahbesuch. Der 2. Juni 1967, der Tod Benno Ohnesorgs durch die Kugel aus der Dienstpistole eines Polizisten, hatte auch ihn verändert. Er wurde Mitglied im »Sozialistischen Deutschen Studentenbund«.

Im August 1967 wurde er zum Mitbegründer der Wohngemeinschaft »Kommune II«. Vier Männer, drei Frauen und zwei Kinder lebten in einer großen Altbauwohnung mit der Hoffnung, sich selbst zu verändern, um dann die Gesellschaft zu ändern. Ihr Leben, ihre Gespräche und Reflexionen protokollierten sie und veröffentlichten diesen Erfahrungsbericht als Buch.

Jan-Carl Raspe war als Autor daran beteiligt. Er schrieb über seine Erfahrungen in der politischen Wohngemeinschaft: »Der Versuch ... ist weitgehend gescheitert. Der Anspruch aber, die einmal ausgesprochenen Interessen auch zu verwirklichen, war so stark, daß davor nur die Flucht möglich schien. Austritt aus der Kommune oder Sturz in einen betäubenden Aktionismus.«

Raspe verließ die »Kommune II«, machte sein Diplom in Soziologie mit »Sehr gut« und zog später mit seiner Freundin Marianne in eine kleine Wohnung in der Kurfürstenstraße.

Marianne war mit Ulrike Meinhof befreundet. Nach der Rückkehr aus Jordanien wurde die Wohnung zu einem Zufluchtsort der Gruppe, und im Herbst 1970 waren Jan-Carl Raspe und Marianne nicht nur Quartiergeber, sondern auch bei Aktionen dabei.

12. Eine Polizeikontrolle

Der von Raspe aus Berlin mitgebrachte »R 16« war inzwischen auf einem Parkplatz in der Ortschaft Heinsen abgestellt worden. Ruhland und Ulrike Meinhof fuhren dorthin, um den Wagen abzuholen. Als Ulrike gerade in den roten Renault umsteigen wollte, tauchte eine Funkstreife auf. Der Polizeimeister hatte den Wagen schon seit ein paar Tagen im Auge gehabt und sprach Ulrike Meinhof an. Sie legte einen Reisepaß und einen Führerschein auf den Namen Sabine M. und den Kraftfahrzeugschein des Wagens vor, dessen Halter ein Wolfgang B. aus Berlin sein sollte.

»Von dem haben Sie auch den Wagen geliehen?« fragte der Polizeibeamte.

»Nein, ich kenne ihn nicht. Ich habe den Wagen von einem Mann, dessen Namen ich aus privaten Gründen nicht nennen möchte. Ich habe den Wagen hier abgestellt und wollte nur etwas herausholen. Das Auto soll hier stehenbleiben. Ich bin mit meinem Bekannten von Hameln gekommen und will mit ihm weiter nach Holzminden.«

Sie deutete auf Ruhland. Die Frau wirkte auf den Polizeibeamten unsicher und ungepflegt.

»Ich muß Ihre Angaben überprüfen«, sagte er.

»Sie können ja den Autoschlüssel und die Papiere mitnehmen. Ich erledige dann in der Zwischenzeit noch etwas in Holzminden und komme später zurück.«

Der Beamte blätterte unschlüssig in den Papieren. »Sie sind Lehrerin in Suhlendorf?«

»Ja«, sagte Ulrike Meinhof, »aber ich bin schon längere Zeit krank und währenddessen nicht in Suhlendorf gewesen.«

»Ich sehe, Sie waren öfter in der DDR?«

»Ja, ich habe dort Bekannte besucht.«

Der Polizeimeister bat die Frau, in seinen Dienstwagen einzusteigen, bis er die Überprüfung abgeschlossen habe. Über Funk rief er die Zentrale an und gab den Namen der Lehrerin durch. Währenddessen versuchte Ulrike Meinhof, aus dem Streifenwagen auszusteigen.

»Ich gehe ein bißchen spazieren«, sagte sie.

»Bitte bleiben Sie hier.« Ulrike Meinhof öffnete die Tür und lief in Richtung Bundesstraße, wo Ruhland auf sie wartete.

Zusammen mit seinem Kollegen rannte der Polizeibeamte hinter ihr her und hielt sie fest. Gemeinsam brachten sie Ulrike Meinhof zum Dienstwagen zurück. Eine halbe Stunde später kam über Funk die Meldung, daß nichts gegen Sabine M. vorliege und auch der Wagen nicht als gestohlen gemeldet sei.

Die Beamten durchsuchten den roten Renault, konnten aber nichts Verdächtiges finden. Daraufhin ließen sie Ulrike Meinhof gehen. Sie stieg zu Ruhland in den Wagen.

Die Polizeibeamten merkten sich noch, wie der Fahrer aussah, und gaben das später zu Protokoll: »Bei dem Fahrer handelte es sich um einen etwa 40jährigen Mann, ca. 170 cm groß, mit rotem, zurückgekämmtem, lückenhaften Haar.«

Ruhland wurde damals noch nicht von der Polizei gesucht. Aber Ulrike Meinhofs Bild und Personenbeschreibung hing auf jeder Polizeidienststelle. Die Personenüberprüfung hatte eine Stunde gedauert.

In Frankfurt setzte Ruhland Ulrike Meinhof vor dem Lokal »Westend« ab. Dort wollte sie sich mit Vertreter der El Fatah treffen, um Waffen zu kaufen. Anschließend war sie mit der Familie B. verabredet. Als sie dort eintraf, hatte sie 23 Pistolen der Marke »Firebird«, Kaliber neun Millimeter, fabrikneu in Pappkartons bei sich.

Raspe und Ruhland erhielten je eine der Waffen, fünf blieben in der

Wohnung, die übrigen wurden am nächsten Tag nach Lützellinden zu einer Freundin Ulrikes aus früheren Tagen gebracht. Die Zahl der Helfer aus ihrem alten Freundeskreis wurde größer.

13. »Eine bestimmte psychologische Disposition«

In Berlin waren neue Leute zur Gruppe gestoßen: Holger Meins, Student an der Berliner Filmakademie, Beate Sturm, Physikstudentin und Ulrich Scholze, ebenfalls Physikstudent.

Beate Sturm war 19 Jahre alt. Sie kam aus Leverkusen. Ihr Vater war Physiker bei Bayer.

Nach dem Abitur schrieb sie sich an der Freien Universität Berlin für das Fach Physik ein. In den Vorlesungen verstand sie nichts, lief ziellos in der Universität herum und schloß sich bald einer Ad-hoc-Gruppe von Studenten an, die mit ähnlichen Anfangsschwierigkeiten zu kämpfen hatten wie sie selbst. Berlin mit seinen alten Gebäuden, den asphaltierten Hinterhöfen, Kohlen- und Müllhaufen, Ratten und dazwischen spielenden Kindern war ein Schock für sie. »Da wird man einfach echt sauer«, sagte sie später. »Das ist nicht nur Mitleiden, nee, das ist ganz einfach blinde Wut. Das war aktuell in Berlin: Macht kaputt, was euch kaputtmacht.« Im Herbst 1969 lernte Beate Sturm in Berlin den Studenten an der Hochschule für Film Holger Meins kennen, der ständig Bücher mit sich herumschleppte. Einmal sah sie bei ihm vier Mao-Bände. Fast auf jeder Seite hatte er Kernsätze des großen Vorsitzenden unterstrichen.

Holger Meins wurde 1941 geboren. Nach dem Abitur in Hamburg besuchte er die Kunsthochschule und wechselte Mitte der sechziger Jahre zur Filmhochschule nach Berlin. Er war still, schüchtern, neigte zu Depressionen. Mit der Filmkamera war er in der Studentenbewegung aktiv, war Mitautor eines Dokumentarfilms über den Schahbesuch im Juni 1967. Zwei Jahre später drehte er einen Kurzfilm über die Herstellung von Molotowcocktails und ihre Anwendung, von den Studenten im Audimax der Freien Universität begeistert aufgenommen.

Kurz nach der Baader-Befreiung wurde seine Wohnung von der Polizei durchsucht. Meins griff sich das Telefon, um einen Anwalt anzurufen. Ein Polizeibeamter hielt ihm die Pistole an die Stirn.

Wohnungsrazzien wurden immer häufiger, mit immer schwererer Bewaffnung. Maschinenpistolen. »Raus aus den Betten! Hände hoch!« So empfand es Holger Meins. Es dauerte nicht lange, da schloß er sich der Baader-Meinhof-Gruppe an.

Ende Oktober lud er Beate Sturm zu einer politischen Diskussion in der Kulmbacher Straße ein. »Ich will dich da mit zwei interessanten Typen bekannt machen.«

Holger Meins führte sie in eine nur mit Matratzen »möblierte« Wohnung. Nach einiger Zeit erschienen Ulrich Scholze, der ihr als »Ulli« vorgestellt wurde, und »Hans«. Vorsichtig begann »Hans« das Gespräch. Sie seien eine Gruppe nach dem Vorbild der Stadtguerilla in Latein-Amerika. Beate Sturm hatte das Gefühl, Hans wolle sie anwerben. Er imponierte ihr.

»Was wollt ihr denn nun konkret wissen?« fragte Baader. »Etwas über den Hintergrund oder wie man Autos knackt?«

»Wie man konkret Autos knackt«, antwortete Beate Sturm. Und Baader erklärte, auf welche Weise man die Zündung kurzschließt. Beate hatte den Eindruck, daß er ganz froh darüber war, nicht über Politik reden zu müssen.

»Und damit hat Baader es dann auch geschafft, daß unsere politisch-heroischen Vorstellungen flöten gingen, man war jetzt richtig im Krimi drin«, erinnerte sich Beate Sturm später. »Die Frage, was wir eigentlich wollten, haben wir uns klar gar nicht mehr gestellt. Man rutscht in so etwas hinein. Und da man zu wissen glaubte, daß man von der richtigen politischen Linie herkam, da hat das einem gefallen, auch noch den Krimi mitzukriegen.«

Mitte November war Beate Sturm bereit, in die Illegalität zu gehen. Über die Folgen hatte sie sich kaum Gedanken gemacht. Sie hoffte, eines Tages ihr Studium wieder aufnehmen zu können. Auf den Kontakt zu Eltern und Geschwistern wollte sie auf keinen Fall verzichten.

Am 6. Dezember kam es zu einem neuen Treffen in der Kulmbacher Straße. In der Wohnung waren Andreas Baader, Holger Meins, ein Mädchen mit dem Namen »Prinz«, Petra Schelm, und Ulrich Scholze bereits auf dem Matratzenlager versammelt. Baader machte einen hektischen und nervösen Eindruck. »Der Boden in Berlin ist zu heiß geworden«, sagte er. »Wir wollen erst mal in der BRD weiterarbeiten. Da soll ein Apparat aufgebaut werden.« Dazu müßten Autos und die dazugehöri-

154

gen Papiere beschafft und Geld besorgt werden. Zugleich sollten Anschläge verübt werden, um die Öffentlichkeit auf den politischen Kampf der Gruppe aufmerksam zu machen.

»Ihr reist in zwei Gruppen nach Westdeutschland«, erklärte Baader. »Beate und Holger fahren auf getrennten Wegen nach Frankfurt, Teeny und Ulli nach Nürnberg.« Ilse S., »Teeny« genannt, war mit 16 Jahren die Jüngste in der Gruppe.

Meins übergab Beate Sturm einen Briefumschlag mit Geld, etwa 3000 Mark. »Davon kannst du auch den Flugschein bezahlen«, sagte er. »Das kommt mir ein bißchen zu überraschend«, sagte sie. »Eigentlich wollte ich über Weihnachten zu meinen Eltern fliegen.« Meins beruhigte sie: »Vorher bist du längst wieder zurück.« Er machte eine Pause und schlug danach einen etwas schärferen Ton an: »Entweder morgen oder gar nicht.«

Am nächsten Morgen flog Beate Sturm nach Frankfurt. Dort wartete sie gegenüber dem Hauptbahnhof im Restaurant »Aschinger« auf Holger Meins, der zwei Stunden später im Auto aus Berlin eintraf. Gemeinsam fuhren sie zu einer Grünanlage im Westend.

Meins klemmte sich ein Exemplar des »Time-Magazine« unter den Arm und ging zu einer Telefonzelle, wo er mit »Anna«, die er bis dahin noch nie gesehen hatte, verabredet war. Beate Sturm sollte in einem Café auf ihn warten. Nach einiger Zeit kam er mit Ulrike Meinhof zurück.

Sie fuhren zur Wohnung der Familie B., wo Beate neue Genossen kennenlernte: »Fred«, Jan-Carl Raspe, und »Kalle«, Karl-Heinz Ruhland.

»Hast du mir Geld aus Berlin mitgebracht?« fragte Ulrike Meinhof. Beate Sturm gab ihr den Umschlag.

In der Zwischenzeit hatten Ulli und Teeny in Nürnberg Banken ausgekundschaftet.

Ulrich Scholze war am selben Tag zur Gruppe gestoßen wie Beate Sturm. Er war 23 Jahre alt und Tutor im Fachbereich Physik an der FU. An seinem eigenen Beispiel erfuhr er, wie leicht es der Gruppe damals fiel, neue Mitglieder zu rekrutieren. »Eine Voraussetzung für die Teilnahme«, so erklärte er nach seiner Festnahme, »ist eine bestimmte psychologische Disposition. Man muß emotional davon überzeugt sein, daß sämtliche Reformbemühungen nur einer Stabilisierung dieses Gesellschaftssystems und der Festigung des Kapitalismus dienen. Die dann existierende Einheit zwischen Ratio und Emotionen ist erst die Voraussetzung für entschlossenes Handeln. Völlige Bestätigung tritt dann durch den entsprechenden Druck der Strafverfolgungsbehörden ein. Durch entsprechende reißerische Presseberichte und Äußerungen von Regierungsstellen, wie ›Staatsfeind Nr. 1‹, treten Erfolgserlebnisse auf, die einem die Kraft zum weiteren Handeln geben.«

Der Rutsch in die Illegalität ginge sehr schnell. Erst werde ein Interessent zur Wohnungsbeschaffung herangezogen. Anschließend mache er vielleicht bei einem Autodiebstahl mit, von da bis zu einem Banküberfall sei kein weiter Weg.

Scholze lernte Baader als einen »intelligenten, schnell begreifenden Mann« kennen, der »Situationen realistisch einschätzen konnte und über hohe psychische Reserven verfügte«. Er neige aber dazu, andere ständig anzubrüllen. Gudrun Ensslin, seine Lebensgefährtin im Untergrund, sei in der Diskussion nicht so ungeduldig wie Baader. Ulrike, so meinte Scholze, habe die schlechtesten Nerven von allen und eine geringe Reizschwelle gehabt. Sie war hochgradig nervös und rieb ständig ihren rechten Daumen, Zeige- und Mittelfinger gegeneinander. Oft formte sie dabei aus abgerissenen Papierstückchen Kugeln, die sie dann überall herumliegen ließ.

Später, als die Polizei das auch von anderen Zeugen erfahren hatte, suchte sie in illegalen Wohnungen systematisch nach solchen Papierkügelchen.

14. Im Frankfurter Hauptquartier

Inzwischen waren auch Andreas Baader und Gudrun Ensslin auf dem Weg nach Westdeutschland. Ruhland und Ulrike Meinhof holten sie am Frankfurter Hauptbahnhof ab.

Baader trug die ursprünglich langen dunklen Haare nun kurz und hellblond, fast weiß, und blinzelte durch eine randlose Brille. Gudrun Ensslin hatte sich die kurzen Haare schwarz gefärbt. Noch auf dem Bahnsteig verabredeten sie sich zu einer Einsatzbesprechung in einer von Ulrike Meinhof requirierten Frankfurter Wohnung.

Am 10. Dezember hatte sie an der Tür des Schriftstellers Michael Schulte gestanden. Schulte merkte das und öffnete, ohne auf das Klingelzeichen zu warten. Draußen stand eine Frau mit mittellangen blonden Haaren und Brille.

»Wohnt hier R. W.?« fragte sie.

»Sie meinen den Schriftsteller?«

Sie nickte.

»Der wohnt jetzt in Basel in der Schweiz. Kommen Sie rein, dann schreibe ich Ihnen die neue Adresse auf.«

»Die Schweiz nutzt mir nichts.«

»Was wollen Sie denn von ihm?«

»Ich habe gehört, daß er bereit wäre, Leuten aus linken Kreisen Unterkunft zu geben.«

»Das halte ich für ausgeschlossen, dafür kenne ich ihn zu gut.«

»Wohnen Sie allein hier?«

»Ja.«

»Würden Sie denn solche Leute unterbringen? Sie haben doch genug Platz.«

»Das würde ich schon machen, wenn ich weiß, um wen es sich handelt.«

»Das kann ich im Moment noch nicht sagen, weil ich noch nicht weiß, wer Sie sind und was Sie machen.«

Schulte sagte, er sei Schriftsteller und zeigte ihr einige seiner Bücher. Eines davon hieß »Die Dame, die Schweinsohren nur im Liegen aß«. Darin hatte er bekannt: »Ich liebe Abenteuer, und doch habe ich so gut wie nichts erlebt. Gefahren weichen mir aus, mein Dasein ist geordnet, mein Alltag bleibt alltäglich.« Das sollte sich ändern.

Ulrike Meinhof begann, den Schriftsteller zu duzen. »Was hältst du von den Mahler-Leuten?«

»Nicht viel.«

»Kannst du nicht trotzdem ein paar Leute für einige Nächte bei dir aufnehmen?«

Schulte zögerte.

»Ich bin Ulrike Meinhof.«

»Das glaube ich nicht. Die ist doch zusammen mit Mahler festgenommen worden.«

»Da irrst du dich. Das war jemand anders.«

Die Frau war dem Schriftsteller sympathisch, und er sagte ihr zu, sie kurzfristig in seiner Wohnung aufzunehmen. Beim Abschied gab er ihr seinen Wohnungsschlüssel.

In der übernächsten Nacht kehrte Michael Schulte kurz nach 1.00 Uhr aus seiner Stammkneipe zurück. Als er die Wohnungstür öffnete, kam ihm Ulrike Meinhof aus dem Wohnzimmer entgegen. »Bitte geh nicht da rein«, sagte sie. »Wir haben dort eine Besprechung, an der du besser nicht teilnimmst.« Schulte verzog sich in sein Schlaf- und Arbeitszimmer und hörte von nebenan Stimmen, ohne zu verstehen, was gesprochen wurde.

Nacheinander waren alle in die Wohnung des Schriftstellers gekommen. Raspe brachte einen »Minispion-Sucher« mit, um verborgene Wanzen aufzuspüren. Er kletterte über Tische und Schränke und suchte die Wände ab. In einer Ecke gab das Gerät kräftige Pfeiftöne von sich. Man beratschlagte längere Zeit, ob dort vielleicht eine Abhöranlage eingebaut war. Es stellte sich aber heraus, daß der Wanzen-Sucher auch auf Lichtleitungen ansprach. Dann eröffnete Baader die Sitzung: »Wir geben jetzt Berlin auf und konzentrieren uns auf die Bundesrepublik.« Als nächstes sollten die im Ruhrgebiet geplanten Banküberfälle ausgeführt werden. Dazu müßte die Gruppe noch weitere Autos besorgen.

Es schloß sich eine allgemeine Diskussion über politische Fragen an. Dann spielte Baader ein Tonband ab, das er aus Berlin mitgebracht hatte. Baaders Stimme tönte aus dem Lautsprecher und gab den Inhalt von Ermittlungsakten über die Gefangenenbefreiung aus dem Institut für Soziale Fragen in Berlin wieder.

Dann kam die Diskussion auf aktuelle Ereignisse. Einige Tage zuvor war die 16jährige »Teeny« zu schnell gefahren und hatte dabei parkende Fahrzeuge gestreift. Obwohl bei dem Mercedes nur ein Scheinwerfer zersplittert war, hatte sie den Wagen in der Nähe des Unfallortes stehengelassen. Als Holger Meins das Auto wenig später abholen wollte, waren alle vier Reifen durchstochen.

Einige meinten, es habe sich wohl um den Racheakt des Besitzers eines der beschädigten Wagen gehandelt. Ulrike Meinhof setzte zu einer umfangreichen politischen Begründung an: »Ich halte das für bedeutsam und für einen berechtigten Akt der Notwehr des Bürgers bzw. der Selbsthilfe, die nicht auf polizeiliche Maßnahmen wartet.« Sie zog Parallelen zu den Selbsthilfeaktionen der amerikanischen Bürgerrechtsbewegung.

Beate Sturm widersprach: »Für mich sind das nichts weiter als faschistische Umtriebe.«

»Nein, das ist ein Akt der zum politischen Bewußtsein erwachenden Volkswagenbesitzer gegenüber dem wohlhabenden Mercedes-Fahrer. Das ist ein Fortschritt in Richtung auf das politisch bewußt werdende und selbst handelnde Proletariat.«

So jedenfalls erinnerte Beate Sturm den Dialog. Solche Argumentationen empfand sie als typisch für Ulrike Meinhof.

Immer wieder kam die Gruppe zu Besprechungen in Schultes Wohnzimmer zusammen. Er selbst durfte den Raum nicht mehr betreten. Überhaupt kam er nur noch ungern in seine Wohnung und hielt sich statt dessen Abend für Abend in seiner Stammkneipe »Globetrotter« auf.

»Das einzige, was ich in meiner Wohnung noch hatte, war mein Bett«, berichtete er später. »Alles andere war der Sozialisierung zum Opfer gefallen.«

Vor allem Andreas Baader war ihm unsympathisch: »Der sah in seinem Tarnaufzug aus, als hätte er sich einfach eine Tüte Mehl übers Haar geschüttet.« Von Schultes Büchern riß Baader den Einband ab und benutzte deren Rückseiten als Notizzettel.

Auch Astrid Proll gefiel dem Schriftsteller nicht. Eines Tages, so berichtete er, sei sie zu ihm gekommen: »Schlaf endlich woanders, ich habe es satt, immer auf der Luftmatratze zu pennen.« Für vernünftig hielt er außer Ulrike Meinhof nur noch Jan-Carl Raspe, den er als »feinen, sensiblen Menschen« kennenlernte.

Die Gruppenmitglieder hänselten den Literaten wegen seiner Bücher, unter denen es zu wenig linkes Schrifttum gebe, und wegen seiner Schallplattensammlung. Er besaß im wesentlichen klassische Musik. Als er aber einmal Tschaikowskis »Vierte« auflegte, fragte »Prinz«, Petra Schelm: »Haste noch mehr davon?«

Dem Schriftsteller fiel auf, daß die »Gäste« im gegenüberliegenden Supermarkt immer die teuersten Lebensmittel einkauften. Zu trinken gab es nur Fruchtsäfte, lediglich Raspe trank hin und wieder ein Bier.

Kurz vor Weihnachten wurde Michael Schulte die Sache zu bunt. Er flüchtete in das Haus eines Onkels nach Mallorca.

»Diese Zustände in meiner Wohnung sind so nicht abgemacht gewesen«, sagte er zu Ulrike Meinhof und bat sie, dafür zu sorgen, daß seine Wohnung umgehend geräumt würde.

»Wir ziehen ohnehin bis spätestens Weihnachten woanders hin«, beruhigte sie ihn.

Den Schlüssel durfte sie vorerst behalten.

Als Schulte am 10. Januar nach Frankfurt zurückkehrte, war seine Wohnung von Leuten besetzt, die er noch nie gesehen hatte. Nach einigem Hin und Her beschloß der Schriftsteller, seine Wohnung aufzugeben und woanders hinzuziehen. Auf Drängen Ulrike Meinhofs blieb er noch für eine Weile offiziell Wohnungsinhaber und bekam die Miete zurückerstattet.

Später, von der Polizei festgenommen, erklärte er: »Im Grunde habe ich es aus Gutmütigkeit getan. Leute, hinter denen die Polizei her war, standen mir noch immer näher als die Bullen.«

So dachten zu jener Zeit viele, die Unterkunft gaben. Vor allem alte Freunde und Bekannte Ulrike Meinhofs halfen immer wieder mit Quartieren aus. Sie hatte sich durch die Wohnungsbeschaffung, die fast ausschließlich ihr überlassen war, einen Freiraum geschaffen, in dem sie politisch mit anderen argumentieren konnte. Das war innerhalb der Gruppe immer weniger möglich.

15. Strategiediskussion im Sanatorium

In den späteren politischen Erklärungen der Gruppe war immer wieder vom »Primat der Praxis« die Rede: »Ob es richtig ist, den bewaffneten Widerstand jetzt zu organisieren, hängt davon ab, ob es möglich ist.« Das sei nur praktisch zu ermitteln.

In der Illegalität wurde das »Primat der Praxis« höchst banale Realität. Da wurden Wohnungen beschafft, Autos gestohlen, »Geld-Kisten gemacht«, also Banken überfallen. Die Organisation des täglichen Lebens im Untergrund verdrängte zunehmend jede politische Diskussion. Man war auf der Flucht, und das bestimmte das Leben der Gruppe mehr als alle strategischen Zielvorstellungen.

Jan-Carl Raspe hatte bei einer alten Freundin Ulrikes, Tochter eines bekannten Psychoanalytikers, gewohnt. Zum Abschied gab sie ihm eine Ansichtskarte mit dem Bild eines ehemaligen Sanatoriums in Bad Kissingen. Auf die Rückseite schrieb sie, daß der Träger dieser Karte das

Haus betreten dürfe. Es war ein leerstehendes, etwas heruntergekommenes Gebäude, das nur im Sommer für ein paar Wochen als Feriendomiziel für die Kinder eines »Kinderladens« diente.

Am Nachmittag des 14. Dezember fuhren Ruhland und Astrid Proll nach Bad Kissingen. Sie kauften im Ort Ölöfen, Lampen und Kabel. Am nächsten Tag kamen Baader, Ensslin, Jansen, Raspe und dessen ehemalige Freundin Marianne im Sanatorium an, spät abends Meinhof, Meins und Sturm.

Man sprach über künftige Aktionen. Beate Sturm erschien das alles mehr wie Spinnerei. Sie hatte die Gruppe immer nur auf der Flucht erlebt, die Mitglieder fühlten sich ständig beobachtet und verfolgt, hatten in kurzen Abständen die Quartiere gewechselt und sich nur unter großen Vorsichtsmaßnahmen getroffen. Jetzt über große Aktionen wie etwa Entführungen zu sprechen, fand sie absurd.

Baader verlangte Aktionen. Vielleicht könnte man den Verleger Axel Springer entführen, um die Gefangenen in Berlin freizupressen. »Oder Franz Josef Strauß?«

»Auf dessen Freilassung legt doch niemand Wert.« Alle lachten.

Jemand erwähnte Willy Brandt. »Der macht abends in Bonn häufig allein Spaziergänge. Oder er wird nur von einem Beamten begleitet.«

Das fand keine Zustimmung. Eine Entführung des SPD-Kanzlers könne nur der CDU nützen.

Die Strategie-Debatte machte keine Fortschritte. Die Gruppe verlegte sich auf die konkrete Planung neuer Banküberfälle. Das war ein greifbares Ziel. Außerdem wurden die Mittel knapp. Gudrun Ensslin verwaltete nach wie vor die Kasse. Jeder bekam das, was er brauchte; das Leben in der Illegalität war kostspielig.

Die Zusammenkünfte in dem »Sanatorium« verliefen planlos und ungeregelt. Das Haus war verwahrlost, Möbel so gut wie nicht vorhanden. Ruhland hatte in drei Zimmern Ölöfen installiert, die übrigen Räume blieben unbewohnbar.

Nach wenigen Tagen hatten alle genug vom engen Zusammensein in der ungastlichen Herberge, und man schwärmte wieder aus, um im Ruhrgebiet Banküberfälle vorzubereiten.

16. Heimweh und Verhaftung

Ruhland und Beate Sturm machten sich in einem Mercedes auf die Reise. Kalle erzählte von seiner Familie. Beate wußte bereits von Ulrike Meinhof, daß seine Frau an Leukämie erkrankt war. Durch diese Krankheit, erzählte Ruhland, sei er in schwierige finanzielle Verhältnisse geraten. Er sei vorbestraft und habe das Sorgerecht für seine Kinder verloren. Beate Sturm erinnerte sich, daß Ulrike ihr gesagt hatte, Ruhland sei ein »Opfer des Systems«.

Als die beiden in die Nähe von Leverkusen kamen, sagte Beate: »Da wohnen meine Eltern.«

»Wir können ja mal kurz vorbeifahren«, schlug Ruhland vor.

Langsam fuhren sie an dem Grundstück mit dem modernen Einfamilienhaus vorbei, und Beate Sturm konnte kurz über den Zaun sehen. Dann gab Ruhland wieder Gas. Sie wußten, daß der Ausflug nicht den konspirativen Regeln entsprach, aber Kalle beruhigte das Mädchen: »Das bleibt unter uns.«

Gegen 22.00 Uhr erreichten die beiden Oberhausen, wo sie sich in dem Lokal »Rex 2« mit Ali treffen wollten. Die Kneipe war schon geschlossen, und sie klopften an die Tür. Nach einiger Zeit erschien Ali, der mit dem Wirt befreundet war, und setzte sich zu ihnen in den Wagen. Er war betrunken. Ruhland machte ihm Vorwürfe.

Sie fuhren durch Oberhausen und besichtigten die von Ali zum Diebstahl ausgewählten Fahrzeuge. Die Wagen entsprachen auch Ruhlands Vorstellungen. Die Männer wollten sich noch in derselben Nacht an die Arbeit machen. Es fehlte nur das notwendige Werkzeug.

»Ich weiß jemanden, der die Sachen beschaffen kann«, sagte Ali. Sie fuhren zurück zum »Rex 2«. In der Kneipe saßen vier oder fünf Gäste. Ali holte einen jungen Mann heraus. Mit hoher Geschwindigkeit steuerte Ruhland dessen Wohnung in einem Außenbezirk von Oberhausen an. Plötzlich tauchte ein Streifenwagen der Polizei auf und setzte sich hinter den Mercedes. Ruhland versuchte, die Verfolger abzuhängen, aber die Polizisten blieben dicht auf, überholten schließlich und hielten die Kelle hinaus.

Ruhland mußte seine Papiere vorzeigen. Sie lauteten auf seinen richtigen Namen, waren aber gefälscht. Die Beamten forderten ihn auf, zum Funkstreifenwagen zu kommen, um die Papiere zu überprüfen. Als er ausstieg, flüsterte Ruhland den anderen zu: »Haut ab!« Kaum hatten er und die Polizisten sich ein Stück entfernt, verschwanden Beate Sturm, Ali und dessen Freund in der Dunkelheit.

Ruhland setzte sich in den Streifenwagen. Die Polizeibeamten hatten schnell erkannt, daß an seinen Papieren etwas nicht in Ordnung war. »Sie müssen mitkommen.« Ruhland zog seine geladene und entsicherte Pistole aus dem Hosenbund und übergab sie den Beamten. Er wurde festgenommen.

Nicht lange danach begann er, Aussagen zu machen.

Ali hatte die Verhaftung aus der Entfernung beobachtet. Beate und Alis Freund waren mit einem Taxi zurück ins Zentrum gefahren. Aus einer Telefonzelle rief Beate Sturm in der Frankfurter Wohnung an. Ensslin nahm den Hörer ab. Atemlos erzählte Beate, was geschehen war. »Ich habe nur noch vier Mark in der Tasche. Was soll ich bloß machen?«

Gudrun holte Baader ans Telefon. »Leih dir von Alis Freund Geld und fahr' nach Gelsenkirchen.« Dort gab es eine Unterkunft der Gruppe.

Am nächsten Morgen in aller Frühe tauchten Ulrike Meinhof und Jan-Carl Raspe auf. Auch sie waren in der vergangenen Nacht in eine Polizeikontrolle geraten. »Als die Bullen die Papiere kontrolliert haben, sind mir plötzlich Zweifel gekommen«, erklärte Ulrike Meinhof. Während die Beamten über Funk die Personaldaten überprüften, hatte sie kurzentschlossen Gas gegeben und war davongefahren. Die Papiere blieben bei den Polizisten. Auf diese Weise kamen die Sicherheitsbehörden zu einem neuen Fahndungsfoto, das Ulrike Meinhof mit kurzen blonden Haaren zeigte.

Beate Sturm war fertig, übermüdet, verzweifelt. Die Festnahme Karl-Heinz Ruhlands war ihr sehr nahegegangen. Sie mochte »Kalle« und »Ali«; mit ihnen konnte man herumziehen und lachen. Ihr gefiel nicht, wie die beiden in der Gruppe beurteilt wurden: »Der eine ist ewig besoffen, und der andere wird sowieso kein Kader.«

Eine ähnliche Haltung hatte sie auch gegenüber den Quartiergebern beobachtet: »Entweder die Leute waren sowieso politisch aktiv, in Baaders Sinn, oder man hielt sie für dämlich – dann brauchte man auch keine Rücksicht zu nehmen.«

Beate Sturms Bedenken wuchsen. Sie übernachtete bei einem Freund in Köln, der mit der Gruppe nichts zu tun hatte. Am nächsten Tag, dem 21. Dezember, brachte er sie nach Frankfurt. In der Schriftstellerwohnung traf sie Andreas, Gudrun, Holger, Marianne, Ulrike und Teeny.

Die Pläne für Banküberfälle im Ruhrgebiet wurden aufgegeben. Statt dessen wollten sie es in Nürnberg versuchen. Uli Scholze und Astrid Proll waren schon vorausgefahren.

Baader war nicht gut auf Scholze zu sprechen. Als er ihn in die Technik einer »Kalaschnikow«-Maschinenpistole einwies, hatte ihm Scholze vorgeworfen, die Mitglieder der Gruppe in unverantwortlicher Weise in die Illegalität zu treiben. Baader reagierte wütend: »Du kannst nicht teilweise am illegalen Leben der Gruppe teilnehmen und dann wieder in die Legalität zurückkehren.«

Die anderen gaben Baader recht. »Man kann nicht an einem Tag bei einem Banküberfall mitmachen und am nächsten Tag zur Diplomarbeit zurückkehren«, sagte Beate Sturm.

In Nürnberg trafen sich alle wieder. Spät in der Nacht fuhren Ulrich Scholze und Astrid Proll in die Watzmannstraße. Dort warteten Ulrike Meinhof und Ali Jansen. Sie hatten sich einen Mercedes ausgesucht. Es gelang ihnen, die Tür aufzubrechen und die Zündung kurzzuschließen, aber die Maschine sprang nicht an, es gab Fehlzündungen. Der plötzliche Lärm weckte den Autobesitzer. Er rief die Polizei, öffnete das Fenster und schrie laut um Hilfe.

Aufgeschreckt sprang Ali aus dem Wagen und rannte zum hellen Ford. Ulrike Meinhof lief zum BMW, den Astrid Proll sofort startete. Beide Autos rasten davon. Die Frauen bogen auf den Parkplatz des Esso-Hotels ein, die Männer fuhren geradeaus weiter. Sie stoppten kurz vor der Meistersinger-Halle und stiegen aus. Ulrich Scholze wollte gerade die Wagentür abschließen, als ein Volkswagen neben ihnen hielt. Zwei Polizeibeamte in Zivil fragten nach den Papieren. Scholze gab ihnen seinen echten Führerschein. »In der Watzmannstraße wurde ein PKW aufgebrochen«, sagte einer der Beamten. »Kommen Sie bitte mit, wir müssen Sie dem Fahrzeughalter gegenüberstellen.« In diesem Augenblick rollte ein über Funk alarmierter Streifenwagen heran. Ali und Uli wurden aufgefordert, jeweils in eines der beiden Polizeifahrzeuge zu steigen. Uli kletterte zu der Zivilstreife in den Volkswagen und wurde abtransportiert.

Ali Jansen, der einen gefälschten Ausweis vorgelegt hatte, war von den uniformierten Polizisten zu dem einige Meter entfernt stehenden Streifenwagen geführt worden. Einer der Beamten tastete Jansen nach Waffen ab. Ali öffnete seinen Mantel und schlug ihn leicht nach hinten. Blitzschnell griff er zu einer Pistole. Die Beamten packten sein Handgelenk und versuchten, ihm die Waffe zu entreißen. Jansen wehrte sich und schrie: »Haut ab, laßt mich los, oder ich schieße.« Er hatte den Zeigefinger am Abzug und ließ den Lauf zwischen den beiden Beamten hin- und herpendeln. Der eine Polizist rief dem anderen zu: »Hau ab!« Der rannte im Zickzack davon und warf sich in zehn bis fünfzehn Meter Entfernung zu Boden. Sein Kollege suchte Deckung in einem Gebüsch. Ali Jansen schoß wild in der Gegend herum und sprang dann in den Polizeiwagen. Als er den Motor anlassen wollte, schossen auch die Polizisten. »Aufhören!« rief Jansen.

Er schob sich über den Beifahrersitz aus dem Streifenwagen und streckte die Hände nach oben. In der rechten Hand hielt er seine Pistole.

»Werfen Sie die Waffe weg!«

Jansen schleuderte die »Firebird« von sich. Die Polizisten warfen sich auf ihn. Sie rutschten auf dem schneeglatten Boden aus. Jansens Nase begann zu bluten.

Einer der Beamten kniete auf ihm, während der andere Handschellen aus dem Streifenwagen holte. Ali wurde zur Kriminalbereitschaft gebracht. Dort zog man ihn aus und durchsuchte seine Kleidung.

Im Gerichtsurteil gegen ihn hieß es später: »Es kann nicht ausgeschlossen werden, daß der Angeklagte geschlagen wurde.« Ali Jansen wurde 1973 wegen versuchten Mordes zu einer Freiheitsstrafe von zehn Jahren verurteilt.

Bei Ulrich Scholze hatten die Polizeibeamten einen gefälschten Ausweis gefunden. Er wurde vorläufig festgenommen, aber schon am nächsten Tag wieder auf freien Fuß gesetzt. Er fuhr zu seiner Mutter, hatte genug von dem kurzen Baader-Meinhof-Abenteuer und meldete sich nicht mehr bei den anderen.

17. Die Weihnachts-Krise

Am zweiten Weihnachtstag 1970 trafen sie sich in Stuttgart: Andreas Baader, Gudrun Ensslin, Ulrike Meinhof, Jan-Carl Raspe, Holger Meins, Marianne, Beate und Teeny. Nach etwas mehr als einem halben

Jahr im Untergrund waren mehr Gruppenmitglieder verhaftet worden als jetzt zusammensaßen. Die Stimmung war gedrückt. Ulrike Meinhof übte Kritik. Die Ereignisse der letzten Zeit, die Verhaftungen und Unfälle seien auf fehlerhaftes Verhalten der Gruppe und eine falsche Gesamtplanung zurückzuführen. Baader hielt dagegen: »Das ist das Versagen einzelner.« Er schlug vor, so wie bisher weiterzumachen. »Wir müssen planvoller und umsichtiger vorgehen«, beharrte Ulrike Meinhof. Baader fühlte sich angegriffen. »Wir brauchen mehr Sicherheitsmaßnahmen«, sagte Ulrike. »Wir können nicht einfach in eine fremde Stadt gehen und Aktionen starten, ohne mit der Örtlichkeit vertraut zu sein.« Baader wurde wütend: »Die Aktionen müssen blitzartig durchgeführt werden. Die Fehlschläge gehen auf das ungeschickte Verhalten einzelner zurück. Es ist nicht die Gesamtplanung.« Die Diskussion nahm an Heftigkeit zu, drehte sich im Kreise. »Jetzt sind wir alle zusammen«, sagte Ulrike Meinhof, »jetzt probieren wir doch mal, das zu diskutieren. Wenn es nicht weitergeht, dann müssen wir Fehler gemacht haben.«

»Fehler, klar sind Fehler gemacht worden. Aber von einzelnen, nicht von der Gruppe. Also müssen sich die einzelnen ändern, nicht die Gruppe«, antwortete Baader mit zunehmender Lautstärke. Jetzt wurde auch Ulrike Meinhof laut: »Diese planlose Rumrennerei, dieses Hetzen – wenn's hier nicht klappt, dann gehen wir mal schnell in die nächste Stadt. Man hat nie überlegt, warum was nicht geklappt hat.«

Baader brüllte: »Ihr Fotzen, eure Emanzipation besteht darin, daß ihr eure Männer anschreit!« Plötzlich war Stille. Gudrun Ensslin sagte ganz ruhig: »Baby, das kannst du gar nicht wissen.«

Das verschlug Baader die Sprache. Astrid Proll versuchte, einzugreifen, aber sie war inzwischen ohnehin zum roten Tuch für Baader geworden. Die übrigen saßen stumm und entsetzt daneben. In die peinliche Stille hinein sagte Marianne zu Baader: »Hör mal, ich halte viel aus, ich kann viel aushalten, aber das mach' ich nicht mit, das halte ich einfach nicht durch. Wieso kannst du nicht sachlich zu Ulrike sein?«

»Wer in dieser Gruppe ist«, sagte Baader, »der muß einfach hart sein. Der muß das durchhalten können. Wenn du nicht hart genug bist, hast du hier nichts zu suchen. Der Druck der Illegalität, der führt zum Aggressionsstau, das muß man rauslassen, das kann man nicht nach außen ablassen, wegen der Illegalität, das muß man innerhalb der Gruppe ablassen, und dann kracht es natürlich, das muß man verkraften, so hart muß man sein.«

Sie diskutierten mehrere Stunden lang. Schließlich setzte sich Andreas Baader mit seiner Meinung durch. Die neuen Aufgaben wurden verteilt. Noch von Nürnberg aus rief Beate Sturm in Leverkusen an, um zu erfahren, wie ihre Eltern das Weihnachtsfest verbracht hatten. Ihre Mutter war besorgt: »Die Polizei ist bei uns gewesen und hat nach dir gefragt. Bei jemandem, der geschossen hat, ist ein Brief von dir gefunden worden.«

Zusammen mit den anderen fuhr Beate Sturm nach Kassel, um dort für einen Überfall geeignete Sparkassen auszukundschaften. Während sie durch die Stadt streifte, dachte sie über ihre Lage nach. Um ein Fluchtauto zu lenken, reichte ihre Fahrpraxis nicht aus. Andererseits galt sie in der Gruppe als zu lahm, die Gelder in der Kasse zusammenzuraffen. Sie malte sich aus, daß es ihre Aufgabe sein würde, mit der Waffe in der Hand im Schalterraum einer Bank zu stehen. In der Phantasie spielte sie durch, was dabei geschehen könnte.

Es mußte nur einer nervös werden, und es käme zu einer Schießerei. An eine solche Vorstellung konnte und wollte sie sich nicht gewöhnen. Hier, so dachte sie, würde nicht der Klassenfeind getroffen, sondern das Volk in Gestalt der Sparkassenangestellten. Die Fehler und Lücken im ideologischen und theoretischen Konzept gingen ihr durch den Kopf.

Die Erfahrungen in Stuttgart, Baaders Streit mit Ulrike hatten ihr den Rest gegeben. Sie war ganz einfach fertig. Zwar hatte sie das Gefühl gehabt, wirklich emanzipiert zu sein, weil die Frauen manche Dinge einfach besser konnten als die Männer, weil sie stärker waren, weniger Angst hatten, sich weniger stritten. Aber die Rangunterschiede hatten sie gestört. Sie dachte an Stuttgart, wo sie verschiedene Wohnungen gehabt hatten. Aber wer wohnt wo? Da gab es eine Wohnung mit Bad, und es war völlig klar, daß Andreas und Gudrun diese Wohnung bekamen. Ja, wieso denn, hatte jemand gefragt, diese Wohnung entspricht doch nicht Baaders Sicherheitsvorschriften? Weil die Wohnung ein Bad hat. Ja, wieso kriegt Andreas ein Bad und wir nicht?

Das war doch wohl klar: der hat mal im Knast gewohnt. Das kannst du dem doch nicht zumuten, hatte es geheißen, der hat da so im Knast gelitten, der muß immer ein Bad haben.

Beate hatte Andreas nicht einschätzen können. Mit seinen Wutausbrüchen konnte sie nichts anfangen. Sie fand es sinnlos. Man konnte nur zurückbrüllen.

In Kassel langte es ihr dann vollends. Ein Auto streikte. Sie schob, und es sprang nicht an. Sie hatte die Nase voll und ging ins Bett. Mitten in der Nacht wurde sie von Ulrike geweckt. Vier Stunden lang redete sie auf Beate ein und kam zum Schluß darauf, ihr fehle die politische Motivation. Beate Sturm hatte das Gefühl, Ulrike würde das achtzigmal wiederholen. »Nun sag doch mal«, forderte Ulrike sie auf. »Sag doch endlich was dazu, du mußt mir doch sagen können – ist die politische Motivation da oder nicht?«

»Kann ich nicht sagen, weiß ich nicht«, antwortete Beate, aber Ulrike wollte ein klares Ja oder Nein hören.

»Überleg dir das mal«, sagte sie. Da war für Beate alles klar.

Wenige Tage später, als die anderen nach Frankfurt gefahren waren, um dort Autos für Banküberfälle zu knacken, rief Beate Sturm bei ihren Eltern in Leverkusen an.

»Ich komme nach Hause«, sagte sie und brach in Tränen aus.

»Komm nur«, sagte die Mutter.

Am 15. Januar 1971 wurden in Kassel zwei Banken überfallen, die Zweigstellen der örtlichen Sparkasse in der Akademiestraße und im Kirchweg. Um 9.30 Uhr fuhren fünf Gruppenmitglieder mit einem in Göttingen gestohlenen Mercedes bei der Filiale Akademiestraße vor. Einer blieb im Auto sitzen, die anderen betraten den Schalterraum. Alle waren einheitlich dunkel gekleidet und hatten Pudelmützen mit Sehschlitzen über das Gesicht gezogen.

Jemand rief: »Überfall! Nehmen Sie die Hände hoch, verhalten Sie sich ruhig! Es geschieht Ihnen nichts!« Zwei Warnschüsse wurden abgegeben. Die Beute betrug 54 185 Mark. Zur selben Zeit hielt ein in Frankfurt gestohlener BMW 2000 vor der Sparkasse im Kirchweg. Die zweite Mannschaft, ebenfalls mit dunklen Pudelmützen getarnt, stürmte in den Schalterraum. »Überfall! Ruhig bleiben! Hände hoch!« Einer sprang über den Tresen in den Kassenraum und stopfte 60 530 Mark in eine Tasche.

Noch am selben Tag schickte Gudrun Ensslin zwei Pakete mit Geld in die Stuttgarter Wohnungen. Ein drittes Paket folgte eine Woche später.

18. Der Familienbulle

Alfred Klaus ist ein hochgewachsener, schlanker Mann, der gern lächelt und überaus höflich ist. Er kleidet sich sportlich elegant und trägt meist einen dünnen Seidenschal um den Hals. Alfred Klaus ist ein freundlicher Mensch, der sein Gegenüber beim Gespräch aus strahlend blauen Augen anblickt. Zu Besuchen, besonders bei Damen, bringt er oft Blumen mit.

Ende des Jahres 1970 hatte sich Alfred Klaus in einer Dependance der Sicherungsgruppe Bonn des Bundeskriminalamtes gerade ein neues Büro eingerichtet, mit neuen Möbeln, Zimmerpflanzen und allem, was dazugehört. Er war Sachgebietsleiter. Zwölf Beamte arbeiteten ihm zu. Alfred Klaus und seine Leute beschäftigten sich gerade mit dem Mord an einem algerischen Exilpolitiker, als er in seinen neuen Räumen angerufen wurde.

»Komm runter, wir müssen eine Sonderkommission aufstellen«, hieß es am Telefon.

Es ging um Bekämpfung des Terrorismus. Bis zu diesem Zeitpunkt hatten sich die örtlich zuständigen Polizeibehörden und Landeskriminalämter mit der Verfolgung der Baader-Meinhof-Gruppe beschäftigt. Zwar war seit der Baader-Befreiung im Mai 1970 ein gutes Dutzend Gruppenmitglieder festgenommen worden, die Hauptfiguren Baader, Ensslin und Meinhof waren aber immer noch auf freiem Fuß. Jetzt, so hatte Bundesinnenminister Genscher den auf ihrer Länderhoheit bestehenden Innenministern abgerungen, sollte das Bundeskriminalamt zentrale Ermittlungsstelle werden.

Alfred Klaus war in den Augen seiner Vorgesetzten der richtige Mann, um entscheidend beim Aufbau einer »Sonderkommission Terrorismus« mitzuwirken. Schon in den fünfziger Jahren hatte er sich mit politischen Straftaten – oder was man dafür hielt – befaßt. Er hatte gegen die verbotene KPD ermittelt und sich beruflich auch mit dem ideologischen Hintergrund, mit Theorie und Praxis des Marxismus beschäftigt.

Klaus und seine Kollegen bezogen im Gebäude der Sicherungsgruppe Bonn eine Zimmerflucht von Büros und erhielten drei große Kartons mit Akten, vorwiegend aus Berlin – von der Politischen Abteilung der Polizei, dem »Staatsschutz«.

Zunächst wollte Alfred Klaus für sich und seine Behörde herausfinden, was das eigentlich für Leute waren, die das ganze Jahr 1970 für Schlag-zeilen gesorgt hatten, und er wollte wissen, welche politischen Ziele und Absichten hinter ihren Aktionen steckten. Am 1. Februar 1971 be-gann er seine Arbeit und filterte aus den Berliner Dossiers heraus, was er an Erkenntnissen über den »Baader-Meinhof-Komplex«, wie es bald amtsintern unbeabsichtigt doppeldeutig hieß, fand.

Am 19. Februar war sein »Vorbericht« fertig. Auf 61 Seiten schilderte er die Vorgeschichte, angefangen vom Prozeß gegen die Kaufhaus-Brandstifter bis zu den Banküberfällen in Kassel.

In einem eigenen Kapitel skizzierte er den »Ideologischen Hinter-grund«:

»Die Beweggründe für das strafbare Tun der Täter und die von ihnen verfolgten revolutionären Ziele haben ihren Ursprung in den gesell-schaftlichen Auseinandersetzungen der letzten Jahre, die durch die an-tiautoritäre Studentenbewegung und andere Kräfte der außerparlamen-tarischen Opposition ausgelöst wurden.«

Der BKA-Beamte Klaus hatte sich durch ganze Stapel von Büchern, Zeitschriften, Flugblättern und Broschüren gearbeitet. Er war der An-sicht, die Polizei könne nur Erfolg haben, wenn die Fahndungsbeamten sich in die Denkweise der von ihnen Verfolgten einfühlten.

Der BKA-Beamte zitierte zur Schulung seiner Kollegen aus einem in der Wohnung des Psychologie-Professors Peter Brückner gefundenen Manifest mit dem Titel: »Den bewaffneten Widerstand organisieren, die Klassenkämpfe entfalten, die rote Armee aufbauen.«

»Die meisten intellektuellen Linken haben ihren Marx und Mao inzwi-schen auf den Kopf gestellt. Um ihr bißchen privilegiertes Sein nicht in Frage stellen zu müssen, ihren Trödelkram und bunt bemalte Küchen-möbel, greifen sie – wie die Springerpresse – nach psychoanalytischen Interpretationsmustern zur Erklärung revolutionärer Entschlossen-heit …«

Als der BKA-Beamte Alfred Klaus diese Sätze in seinem Vorermitt-lungsbericht zitierte, wußte er noch nicht, von wem sie stammten. Spä-ter, als er sich über Jahre mit den RAF-Schriften befaßte, entwickelte er ein sicheres Gespür für die Ausdrucksweise der einzelnen Gruppenmit-glieder – vor allem für Ulrike Meinhofs Diktion.

»Trödelkram« und »bunt bemalte Küchenmöbel« etwa als Reminiszen-zen aus Ulrikes bürgerlicher Vergangenheit. Dann gab Alfred Klaus einen Überblick über die bisherigen Aktivitäten der Gruppe. Von Mai 1970 bis zum Januar 1971 waren dies: die Baader-Befreiung, Banküberfälle in Berlin und Kassel, Einbrüche in Paßämter, Autodiebstähle und das betrügerische Anmieten von Leihwagen. Tote hatte es bis dahin nicht gegeben. Zwölf Beschuldigte waren in Untersuchungshaft, gegen acht weitere flüchtige Gruppenmitglieder waren Haftbefehle ergangen.

Über viele Jahre blieb es das Spezialgebiet des BKA-Beamten Klaus, den persönlichen und politischen Hintergrund der RAF-Mitglieder auszuleuchten. Im April 1971 machte er eine Rundreise durch die Bundesrepublik und besuchte die Angehörigen. Er sprach mit Andreas Baaders Mutter, mit den Eltern von Gudrun Ensslin, mit Ulrike Meinhofs Pflegemutter Renate Riemeck, mit den Vätern von Astrid Proll und Holger Meins und mit Manfred Grashofs Eltern. Er wollte wissen, mit welcher Art von Persönlichkeiten es die Polizei zu tun hatte, nicht, weil er glaubte, die Angehörigen würden ihre Kinder verraten, sondern in der vagen Hoffnung, sie würden bei einer eventuellen Kontaktaufnahme auf ihre Kinder einwirken, »mit dem Unfug aufzuhören«.

Alfred Klaus wurde fast überall freundlich empfangen. Mit Baaders Mutter und Großmutter trank er eine Flasche Rotwein und erfuhr so manches über »Andis« Entwicklung. Er legte Aktenvermerke über die Gespräche an. Diese Berichte wurden später Grundlage der beim BKA geführten Personenakten, im Behördenjargon »Personagramme« genannt.

Alfred Klaus galt im Amt bald als Spezialist für persönliche und politische Hintergründe. Er hielt Vorträge, versuchte Polizeibeamte, für die Baader-Meinhof-Leute nichts als einfache Kriminelle waren, über deren Motive und Denkstrukturen aufzuklären. Er selbst war mehr und mehr fasziniert von seinen Untersuchungsobjekten. Ihn beeindruckte die Unbedingtheit, die Furchtlosigkeit und auch die Rücksichtslosigkeit sich selbst gegenüber.

Für Alfred Klaus stellte sich ein völlig neues Bild von Kriminalität dar. Es waren »Täterpersönlichkeiten«, mit denen die Polizei bis dahin nie zu tun gehabt hatte. Sie waren intelligent und zu allem entschlossen, ohne Rücksicht auf das eigene Leben. Darauf mußte sich die Polizei einstellen.

Klaus hatte den Eindruck, daß dies der Polizei besser gelang als der Justiz, denn manch ein Richter hatte seine Beförderung abgelehnt, um nicht Vorsitzender einer Strafkammer zu werden, die sich mit Terroristen herumzuschlagen hatte.

Das Sonderreferat der Sicherungsgruppe Bonn, zu dem Klaus gehörte, war nun primär für die Terroristenjagd zuständig. Beamte aus den Landeskriminalämtern wurden jeweils für mehrere Monate nach Bad Godesberg abkommandiert, um für den Einsatz vor Ort ausgebildet zu werden. So entstanden auch die persönlichen Verbindungen, die eine schnelle Kommunikation zwischen BKA und Landeskriminalämtern ermöglichten. Bundesinnenminister Genscher setzte sein Vertrauen in das Bundeskriminalamt als Zentrale der Verbrechensbekämpfung. 1969 hatte das BKA einen Etat von 24,8 Millionen Mark. 1970 wurde dieser Etat um ein Drittel erhöht, auf 36,8 Millionen. In den folgenden beiden Jahren sollten jeweils 20 Millionen Mark dazukommen. Im selben Zeitraum sollte das Personal in Wiesbaden von 934 Beamten Anfang 1970 auf 1779 Beamte im Jahre 1972 annähernd verdoppelt werden.

Zusätzlich wurden von den Ländern regionale Sonderkommissionen zur Terrorismusbekämpfung aufgestellt.

Alfred Klaus blieb zuständig für Hintergründe, Ideologie und Familienbetreuung. Später wurde er auch dafür eingesetzt, inhaftierte Gruppenmitglieder zu besuchen. Er wollte und sollte mit ihnen ins Gespräch kommen. Bald nannte er sich selbst »Familienbulle«.

Die Auseinandersetzung mit dem Terrorismus wurde für ihn fast zum wichtigsten Lebensinhalt. Immer wieder las er die neu erschienenen politischen Manifeste der Gruppe und versuchte, seinen Kollegen klarzumachen, daß sie die politischen Motive nicht außer acht lassen dürften. Viele Beamte sträubten sich dagegen. Es fielen Bemerkungen wie: »Du bist ja der Chefideologe der ›Roten Armee Fraktion‹. Du sagst denen erst, was sie wollen.«

Später, nach dem Tod der RAF-Gründer, schrieb Alfred Klaus im Auftrag des Innenministeriums Analysen der Zellenzirkulare der Stammheimer Häftlinge. Es kam häufig vor, daß Gefangene aus dem Umfeld der RAF sich ans Innenministerium wandten und um Übersendung der Klaus-Materialien baten. Nirgendwo sonst konnten sie sich so leicht über die Gedankengänge der ersten RAF-Generation informieren.

19. Der Verfassungsschützer

Beamte der BKA-Sonderkommission, örtliche Polizisten und Mitarbeiter des Verfassungsschutzes bildeten gemeinsame Einsatzgruppen. Vor allem die Verfassungsschutzbeamten aus Berlin kannten den linken Untergrund verhältnismäßig gut.

Einer der Spezialisten war der Verfassungsschutzbeamte Michael Grünhagen.

Bereits 1968 hatte er sich an verschiedenen APO-Aktivitäten beteiligt. In der Arbeitsgemeinschaft der Jungsozialisten im Berliner SPD-Bezirk Wilmersdorf brachte Grünhagen es zum stellvertretenden Vorsitzenden. Zu jener Zeit bildeten sich eine Reihe von Stadtteil-Basisgruppen, die vor allem »Mieter-Agitation« betrieben. Der Verfassungsschutz-Mann engagierte sich in der Basisgruppe Wilmersdorf, zu der auch Rechtsanwalt Eschen, Sozius von Horst Mahler, und der Mitbegründer des Untergrundblattes »Agit 883« und spätere Bundestagsabgeordnete der »Grünen«, Dirk Schneider, gehörten. Grünhagen nannte sich in der Szene Michael Hagen und begründete seine Namensänderung damit, daß es ihm die SPD übelnehmen könnte, wenn er sich in einer APO-Zelle betätigte. »Hagen« kam regelmäßig zu den wöchentlichen Sitzungen. Er schien viel Zeit zu haben und erklärte das mit seiner Tätigkeit als Mitarbeiter beim »Gewerbeaußendienst«. Er müsse nur abends in Gaststätten auf die Einhaltung der behördlichen Richtlinien achten.

Eines Tages sollte die Adressenkartei der Basisgruppe Wilmersdorf neu geordnet werden. Grünhagen bot sich an, diese mühevolle Aufgabe zu übernehmen. Eine Woche später kam er mit einem Packen ordentlich getippter Karteikarten zurück. Die säuberliche Maschinenschrift, offenkundig mit einer hochmodernen IBM-Maschine angefertigt, erregte Verdacht. Das brachte Grünhagen in Verlegenheit, aber er erzählte rasch von einer Tante, die zu Hause Adressen schreibe und eine solche Maschine besitze. Daraufhin wurde ihm auf den Kopf zugesagt, daß er V-Mann des Verfassungsschutzes oder der Politischen Polizei sei. Grünhagen tauchte nie wieder in der Basisgruppe auf.

Wenig später brachte »883« auf der Titelseite eine Notiz: »Grünhagen als Agent entlarvt.« Dazu seine Adresse. APO-Anhänger schütteten ihm daraufhin Buttersäure durch den Briefschlitz in die Wohnung.

Grünhagen mußte sich die politischen Hintergründe und die Motivationen illegal operierender Gruppen nicht erst mühsam anlesen. Er kannte viele der Personen, die später im Umfeld der Baader-Meinhof-Gruppe auftauchten, von Angesicht zu Angesicht. So lag es nahe, Grünhagen nach Westdeutschland zu schicken, als die Gruppe ihr Tätigkeitsfeld dorthin verlagerte.

20. Eine Schießerei im Westend und ihre Folgen

Am 10. Februar 1971 saß der Verfassungsschutzbeamte Michael Grünhagen im Restaurant »Schultheiss am Westend« in Frankfurt vor einer Tasse Suppe. Er hatte schon vorher bezahlt.
Als ein junger Mann und ein Mädchen vom Nebentisch das Lokal verließen, folgte ihnen Grünhagen. Aus einem vor dem »Schultheiss« geparkten Wagen stieg daraufhin der Kriminaloberkommissar Heinz Simons von der Sicherungsgruppe Bonn und folgte dem Verfolger Grünhagen. Vor der nahen Staufenstraße bog das Quartett – immer auf Distanz – in die Unterlindau ein. Vor dem Haus Nummer 28 zögerten der Mann und die Frau, blickten zurück und gingen dann eilig weiter.
Grünhagen und Simons schlossen auf, und kurze Zeit später stoppten sie die beiden: »Ausweiskontrolle«. Es war 21.15 Uhr. Daraufhin, so erinnerte sich Simons später, zog der junge Mann eine Pistole und rief seiner Begleiterin zu: »Hau ab, lauf weg!« Simons schoß hinter den Flüchtenden her. Verletzt wurde niemand. Das Pärchen entkam. Es waren Manfred Grashof und Astrid Proll.
Grashof hatte nicht geschossen. Astrid Proll war unbewaffnet.
Über eine Baustelle rannte Grashof davon und mischte sich unter Passanten. Einige Zeit später sprach er einen jungen Mann an und erzählte ihm, was geschehen war. Der Mann lotste Grashof aus der Gefahrenzone und kaufte ihm zum Abschied eine U-Bahn-Fahrkarte.

Die Schießerei in der Unterlindau wurde mehr als zweieinhalb Jahre später zum Hauptanklagepunkt gegen Astrid Proll: Mordversuch, sie habe auf die Beamten geschossen. Schon im ersten Verfahren kamen Zweifel an der Glaubwürdigkeit der beiden Beamten auf, zu groß waren die Widersprüche in ihrer Schilderung des Tathergangs. Aber erst im zweiten Proll-Prozeß – die Angeklagte war inzwischen aus gesundheitlichen Gründen freigelassen worden und hatte sich nach England abgesetzt, war dort aber wieder festgenommen worden – wurde die Mordversuch-Anklage gegen sie fallengelassen. Es waren nämlich noch weitere Beamte am Schauplatz gewesen, Mitarbeiter des Bundesamtes für Verfassungsschutz. Sie hatten in einem Aktenvermerk festgehalten, daß Astrid Proll nicht geschossen hatte. Das entlastende Verfassungsschutzpapier wurde erst acht Jahre nach dem Vorfall an das Gericht gegeben.

Nach der Schießerei im Frankfurter Westend lief die erste große bundesweite Fahndungsaktion an. Die von Ruhland genannten Wohnungen wurden durchsucht, die Quartiergeber festgenommen und verhört. Die Presse stieg ein, Einzelheiten aus den Vernehmungen Karl-Heinz Ruhlands machten die Runde, aus dem Zusammenhang gerissen, verfälscht oder übertrieben. Die »Hamburger Morgenpost« schrieb: »Inzwischen scheint sich die Fahndung nach den Bandenmitgliedern zu einer Art Hysterie zu entwickeln. Rund ein Dutzend falscher Meldungen lösten in den letzten Tagen bei der Polizei Alarm aus und hielten die Beamten im ganzen Bundesgebiet in Atem.«
Ein Gastwirt im Dorf Wiershausen bei Hannoversch-Münden glaubte, Ulrike Meinhof und Manfred Grashof in seinem Lokal gesehen zu haben. Ein Paar, auf das die Beschreibung paßte, hatte das Lokal betreten und etwas zu trinken bestellt. Als die beiden auf dem Tresen eine Zeitung mit den Fahndungsfotos der Baader-Meinhof-Gruppe entdeckten, so sagte der Gastwirt aus, hätten sie sofort bezahlt und seien, ohne vorher das Licht einzuschalten, mit dem Auto davongebraust. Eine Fahndung der sofort alarmierten Polizei blieb erfolglos.
In Bremen glaubte das Personal eines Hotels am Hauptbahnhof, Ulrike Meinhof als Gast erkannt zu haben. In Wirklichkeit handelte es sich um eine nervenkranke Frau aus Bonn. Als sie hörte, daß man sie als Bandenchefin verdächtigte, wollte sie flüchten. Doch die Polizei kam ihr zuvor und nahm sie fest. Die Frau bestritt energisch, Ulrike Meinhof zu sein. In Handschellen wurde sie abgeführt, und erst zwei Stunden später, nachdem man ihr Fingerabdrücke abgenommen hatte, klärte sich der Irrtum auf.

Ruhlands Aussagen über die gutbürgerlichen Quartiergeber der Gruppe lieferten der Boulevard-Presse Tag für Tag Schlagzeilen.

»Bild«: »Baader-Bande erpreßt Prominente.«

»Die Welt«: »Gesinnungsfreunde erschweren Fahndung nach Baader-Gruppe.«

»Hamburger Abendblatt«: »Prominente schützen die Baader-Bande.«

»Bild«: »Pfarrer versteckte Beutegeld der Baader-Bande.«

Die Fahndung nach Terroristen wurde zum beherrschenden innenpolitischen Thema. Die »Welt am Sonntag« brachte es auf die Formel: »Bonner Geheimpolizei jagt Staatsfeind Nr. 1: Die Baader-Bande.«

Journalisten, Politiker, Sicherheitsbeamte, Psychologen und Philosophen machten sich an die Arbeit, das Phänomen zu analysieren.

Günter Nollau, damals im Bundesinnenministerium und später Präsident des Bundesamtes für Verfassungsschutz, sah »etwas Irrationales an der ganzen Sache«. Ihm fiel auf, »daß so viele Mädchen dabei sind«, und er hatte auch gleich eine Erklärung parat: »Vielleicht ist das ein Exzeß der Befreiung der Frau.«

Der Frankfurter Philosoph Alfred Schmidt kam zu der Einsicht: »Das ist ein historisches Überbleibsel der abschlaffenden Protestbewegung. Die stehen nun da mit ihrer Revolution, und die anderen gehen zur Tagesordnung über. Das ist so, als wenn beim Fußball ein Tor fällt, und 20 000 Menschen schreien ›Tor‹, und dann ist da einer, der schreit zwei Minuten länger als die anderen. Dann drehen sich alle um und denken: ›Was ist denn das für einer.‹«

Der Soziologe Oskar Negt hielt die Aktionen der Baader-Meinhof-Gruppe für eine »gefährliche Narretei«, entstanden aus der »falschen Faschismus-Analyse«, die sie ihrer Gesellschaftskritik zugrunde gelegt hätte. Und Professor Max Horkheimer urteilte: »So dumm kann keiner sein, um nicht zu spüren, daß sie genau das Gegenteil von dem erreichen, was sie eigentlich wollen.«

21. Namensgebung – die »Rote Armee Fraktion«

In der Öffentlichkeit hieß die herumreisende Truppe immer noch »Baader-Meinhof-Gruppe« oder »Baader-Meinhof-Bande« – je nach politischem Standpunkt des Beobachters. Seit der Baader-Befreiung, seit dem Interview mit Michèle Ray, hatte sich die Gruppe nicht mehr schriftlich und theoretisch geäußert.

Anfang 1971 verfaßte Horst Mahler in seiner Gefängniszelle ein »Positionspapier«, in dem er die Ziele der Stadtguerilla zu definieren suchte. Die Schrift wurde unter der Tarnbezeichnung »Neue Straßenverkehrsordnung« veröffentlicht und später im Berliner Verlag Klaus Wagenbach nachgedruckt. Mahler hatte sein Papier nicht mit den in Freiheit operierenden Genossen abgestimmt. Als Baader, Ensslin und Meinhof das von Mahler entwickelte Konzept für ihren Kampf in die Hände bekamen, waren sie empört: »Das hat mit uns überhaupt nichts zu tun. Das ist ein Konzept von Guerilla, aufgeblasen wie Indianerspielen.«

Wo immer sie mit Helfern und Sympathisanten zusammentrafen, distanzierten sie sich von Mahlers strategischen Überlegungen. Ulrike Meinhof bekam den Auftrag, zur korrekten Selbstdarstellung der Gruppe ein eigenes Manifest zu entwickeln, das »Konzept Stadtguerilla«. Darin tauchte zum ersten Mal der Begriff »Rote Armee Fraktion« auf. Die Titelseite zierte eine »Kalaschnikow«-Maschinenpistole, darauf die Abkürzung »RAF«. Name und Signet setzten sich bald als Markenzeichen durch.

Über den Namen RAF war mehr oder weniger gemeinsam entschieden worden. Erst im nachhinein kamen einigen der selbsternannten Rotarmisten Zweifel. RAF, das hieß auch Royal Airforce, britische Königliche Luftwaffe, die im Zweiten Weltkrieg ihre Bombenteppiche über deutschen Städten abgeladen hatte. Auch die Bezeichnung »Rote Armee« weckte bei den meisten Bundesbürgern nicht gerade freundliche Assoziationen.

Einer aus der Kerntruppe der RAF später über die Namensgebung: »Mist, ein Witz.«

Auf Seite 1 des »Konzept Stadtguerilla« stand ein Mao-Zitat: »Wenn der Feind uns bekämpft, ist das gut und nicht schlecht.« Und weiter: »Wenn uns der Feind energisch entgegentritt, uns in den schwärzesten Farben malt und gar nichts bei uns gelten läßt, dann ist das noch besser; denn es zeugt davon, daß wir nicht nur zwischen uns und dem Feind eine klare Trennungslinie gezogen haben, sondern daß unsere Arbeit auch glänzende Erfolge gezeitigt hat.«

»Viele Genossen«, so schrieb Ulrike Meinhof, »verbreiten Unwahrheiten über uns. Sie machen sich damit fett, daß wir bei ihnen gewohnt hätten, daß sie unsere Reise in den Nahen Osten organisiert hätten, daß sie über Kontakte informiert wären, über Wohnungen, daß sie was für uns täten, obwohl sie nichts tun. Manche wollen damit nur zeigen, daß sie ›in‹ sind. Manche wollen damit beweisen, daß wir blöde sind, unzuverlässig, unvorsichtig, durchgeknallt. Damit nehmen sie andere gegen uns ein. In Wirklichkeit schließen sie nur von sich auf uns. Sie konsumieren.

Wir haben mit diesen Schwätzern, für die sich der antiimperialistische Kampf beim Kaffee-Kränzchen abspielt, nichts zu tun. Solche, die nicht schwatzen, die einen Begriff von Widerstand haben, denen genug stinkt, um uns eine Chance zu wünschen, weil sie wissen, daß ihr Kram lebenslängliche Integration und Anpassung nicht wert ist, gibt es viele …

Wir machen nicht ›rücksichtslos von der Schußwaffe Gebrauch‹. Der Bulle, der sich in dem Widerspruch zwischen sich als ›kleinem Mann‹ und als Kapitalistenknecht, als kleinem Gehaltsempfänger und Vollzugsbeamten des Monopolkapitals befindet, befindet sich nicht im Befehlsnotstand. Wir schießen, wenn auf uns geschossen wird. Den Bullen, der uns laufen läßt, lassen wir auch laufen.

Es ist richtig, wenn behauptet wird, mit dem immensen Fahndungsaufwand gegen uns sei die ganze sozialistische Linke in der Bundesrepublik und in Westberlin gemeint. Das bißchen Geld, das wir geklaut haben sollen, die paar Auto- und Dokumentendiebstähle, derentwegen gegen uns ermittelt wird, auch nicht der Mordversuch, den man uns anzuhängen versucht, rechtfertigen für sich den Tanz.

Der Schreck ist den Herrschenden in die Knochen gefahren …«

22. Der erste Prozeß

Im Frühjahr 1971 stand Horst Mahler wegen Beteilung an der Baader-Befreiung in Berlin vor Gericht. Mit angeklagt waren Irene Goergens und Ingrid Schubert, beide zusammen mit Mahler ein gutes halbes Jahr zuvor festgenommen.

Das Kriminalgericht in Moabit war für den Prozeß in eine Festung verwandelt worden. Auf den Gängen und an den Ein- und Ausgängen patrouillierten maschinenpistolenbewaffnete Polizisten, vor dem Gebäude standen Mannschaftswagen mit laufenden Motoren, Beamte mit Sprechfunkgeräten, und im Innenhof warteten weitere Einheiten auf ihren Einsatz für den Notfall.

Mahler und die beiden Frauen wurden mit Handschellen gefesselt in den Saal geführt. Der Rechtsanwalt hatte sich in der Haft wieder einen Vollbart wachsen lassen, war offenkundig gut gelaunt und begrüßte die Zuschauer im Saal mit nach oben gereckter Faust. Als sich nach zwei Monaten Prozeßdauer ein Freispruch für den Rechtsanwalt abzeichnete, kündigte der Berliner Innensenator Neubauer in der Presse eine »Geheimwaffe« für den Mahler-Prozeß an: den Auftritt eines V-Mannes des Verfassungsschutzes.

Nur über die drei Tage vor der Festnahme Baaders durfte der Agent Peter Urbach aussagen, weitergehende Fragen von Mahlers Verteidiger Otto Schily beantwortete er nicht:

»Haben Sie persönlich im Kreis der Linken Waffen angeboten, Pistolen, Maschinenpistolen, ja sogar Mörser mit Phosphorgranaten?«

»Ich darf die Frage nicht beantworten.«

»Haben Sie eine Bombe bei der »Kommune I« hinterlegt?«

»Ich darf die Frage nicht beantworten.«

»Kamen die Bomben vom Verfassungsschutz?«

»Darüber darf ich nichts sagen.«

»Haben Sie bei den Beisetzungsfeierlichkeiten für Paul Löbe vor dem Rathaus Schöneberg an einem Kommune-Happening teilgenommen und einen selbstgebastelten Sarg mitgetragen?«

»Darüber kann ich nichts sagen.«

»Haben Sie anläßlich der Springer-Demonstration 1968 Fahrzeuge in Brand gesetzt?«

»Darauf darf ich keine Auskunft geben.«

»Haben Sie einen Brandanschlag auf einen Polizeipferdestall verübt, wobei das Polizeipferd ›Zerline‹ schwer verletzt wurde?«

»Darauf kann ich nicht antworten.«

Nach dem Auftritt Urbachs brach der Angeklagte Horst Mahler zum ersten Mal sein Schweigen. Ironisch bekundete er Verständnis für die Haltung des Innensenators, Urbach nur eine beschränkte Aussagegenehmigung zu erteilen: »Urbach müßte sonst das Geheimnis um die Herkunft der im November 1969 im jüdischen Gemeindehaus aufgefundenen Brandbombe lüften. Kurt Neubauer hätte sicherlich große Schwierigkeiten, einer erstaunten Weltöffentlichkeit plausibel zu machen, daß es eine Bombe aus den Arsenalen des Verfassungsschutzes war, die die Jüdische Gemeinde zu Berlin schreckte.«

22 Verhandlungstage dauerte der Prozeß gegen Horst Mahler. Er wurde freigesprochen. Seine Mitangeklagten wurden wegen ihrer Beteiligung an der Baader-Befreiung verurteilt; Irene Goergens zu vier Jahren Jugendstrafe und Ingrid Schubert zu sechs Jahren.

Das Gericht ging in der Urteilsbegründung davon aus, daß Mahler von der geplanten Befreiung gewußt habe, weil er in der Zeit davor enge Kontakte zu der Gruppe um Baader und Ensslin hatte. Eine Beteiligung sei ihm aber nicht nachzuweisen – trotz der Aussagen des V-Mannes Peter Urbach.

Nach dem Freispruch wurde Horst Mahler aber nicht auf freien Fuß gesetzt. Es lagen noch zwei weitere Haftbefehle gegen ihn vor.

23. »Irre ans Gewehr!«

Im Februar 1970, drei Monate vor der Baader-Befreiung, war in Heidelberg von Dr. Wolfgang Huber das »Sozialistische Patientenkollektiv« gegründet worden. Der 35jährige Arzt, wissenschaftlicher Assistent an der psychiatrisch-neurologischen Universitätsklinik Heidelberg, hatte Schwierigkeiten mit Vorgesetzten und Kollegen und wurde entlassen. Daraufhin mobilisierte er seine Patienten, vorwiegend Studenten, die er in Gruppentherapie behandelt hatte. Gemeinsam besetzten sie die Diensträume des Verwaltungsdirektors der Klinik und traten in den Hungerstreik. Nach dieser Aktion lenkte die Universitätsleitung ein, zahlte Huber weiter seine Bezüge und stellte der Gruppe vier Räume zur Fortsetzung des sozial-psychiatrischen Projekts zur Verfügung.

Im Frühsommer kam es wieder zu Schwierigkeiten mit der Universität. Huber und seine Patienten besetzten das Rektorat. Die Hochschule stellte wiederum einen Kompromiß in Aussicht, der aber vom Baden-Württembergischen Kultusministerium untersagt wurde. Inzwischen war nämlich bekannt geworden, was Dr. Huber und sein SPK unter Therapie verstanden.

Im »Patienten-Info Nr. 1« hieß es: »Genossen! Es darf keine therapeutische Tat geben, die nicht zuvor klar und eindeutig als revolutionäre Tat ausgewiesen ist … Das System hat uns krank gemacht, geben wir dem kranken System den Todesstoß!«

Die Auseinandersetzung zwischen dem SPK auf der einen und der Universität und dem Kultusministerium auf der anderen Seite wurde immer heftiger. Die Räume wurden gekündigt, täglich rechneten die SPK-Mitglieder mit einem Polizeieinsatz. Sie fühlten sich ausgestoßen und geächtet, was die kämpferische Stimmung in der Gruppe nicht unerheblich förderte. Das SPK erhielt eine neue Struktur: Es entstand ein »innerer Kreis« von etwa zwölf Leuten, die als Therapeuten und politische Führungskader arbeiten sollten. Die Existenz des »inneren Kreises« wurde vor den übrigen 300 SPK-Mitgliedern und Patienten geheimgehalten. Zusätzlich wurden »Arbeitskreise« eingerichtet, so der »Arbeitskreis Funktechnik«, der »Arbeitskreis Sprengtechnik« und der »Arbeitskreis Fototechnik«, später auch der »Arbeitskreis Karate«.

Die ursprünglich geplante Patientenselbstorganisation entwickelte sich immer mehr zu einer »revolutionären« Kampfgruppe. Auf einer Veranstaltung in Berlin erklärte Dr. Huber, es gäbe eine »Identität von Krankheit und Kapital«. Mit den Sachwaltern des kapitalistischen Systems müsse man »genauso umgehen wie mit Mordwerkzeugen aller Art; nämlich, man muß sich vor ihnen hüten, ihnen aus dem Weg gehen, wo es möglich ist, und da wo nicht, sie unschädlich machen«.

Das SPK begann sich zu bewaffnen. Im »inneren Kreis«, der sich regelmäßig mittwochs abends bei Huber traf, wurden die Perspektiven für die Revolution erörtert. Huber glaubte, 1000 Leute, richtig eingesetzt, würden für einen Umsturz ausreichen. Als Termin nannte er die Jahreswende 1972/73. Bei der Festlegung der Zeitpläne gingen die Angehörigen des »inneren Kreises« von der bisherigen Wachstumsrate des SPK aus.

Zum Gründungszeitpunkt im Februar 1970 hatte das Kollektiv 30 Mitglieder, Anfang März 1971 waren es angeblich 500. Huber sprach zu dieser Zeit davon, Kontakt zu anderen »Gleichgesinnten« aufzunehmen und mit ihnen zusammenarbeiten zu wollen. Vor allem die Gruppe um Baader, Ensslin und Meinhof erschien ihm dafür geeignet.

Im Frühjahr 1971 wurden die bis dahin losen Verbindungen zwischen SPK und RAF enger geknüpft. Die Baader-Meinhof-Gruppe war durch die Serie von Festnahmen immer kleiner geworden, ein gutes Dutzend Kernmitglieder befanden sich noch auf freiem Fuß. Zudem hatte sich die Gruppe durch den konspirativen Aufbau im Untergrund weitgehend selbst isoliert, hatte kaum noch Zugang zum legalen Umfeld und damit nur wenig Möglichkeiten, neue Mitglieder zu rekrutieren.

Eines Tages reisten Andreas Baader und Gudrun Ensslin nach Heidelberg, um Anwerbungsgespräche zu führen. Einigen SPK-Mitgliedern wurde der Treffpunkt genannt, und höchst konspirativ fuhren sie nacheinander mit der Straßenbahn dorthin.

Dabei war Gerhard Müller, damals 23 Jahre alt. Er war in einem kleinen Dorf in Sachsen geboren und 1955 mit seinen Eltern nach Westdeutschland gezogen. Gerhard Müller besuchte, nach einer kurzen Episode auf dem Gymnasium, die Volksschule. Eine Lehre als Fernmeldemechaniker brach er vorzeitig ab, riß nach Frankreich aus, kehrte zurück und arbeitete als Hilfsarbeiter in einer Brauerei.

Gerhard Müller ordnete die Gesellschaft in seiner Vorstellungswelt in Kreise ein und kam zu dem Ergebnis, daß er sich im falschen Kreis befand. Er begann, die »Unterwelt« zu idealisieren. Dort, so dachte er bei sich, müßten die Menschen ein anderes Verhältnis zueinander haben als in der bürgerlichen Gesellschaft. Seine bisherigen Ausreiß-Touren und die anschließend reuevolle Rückkehr hatte er immer als Niederlage empfunden. Diesmal wollte er sich den Rückweg verbauen. Das erschien ihm gar nicht so einfach, und so beschloß er erst mal, sich zu betrinken. Als das geschafft war, nahm er Punkt zwei in Angriff. Er drang in eine Wäscherei in der Nachbarschaft ein und raubte 30 Mark aus der Kasse, dann holte er aus dem Keller ein paar Flaschen Wein und aus dem nächsten Haus Zigaretten. Während er bepackt den Rückzug antrat, wurde er von einem wachgewordenen Nachbarn erkannt. Das war Gerhard Müller ziemlich gleichgültig, da er ja ohnehin weg wollte. Er ging nach Hause, packte noch ein paar Reiseutensilien zusammen und verließ die Wohnung durchs Fenster.

In seiner betrunkenen Phantasie malte er sich eine Riesenfahndung mit Hundertschaften von Polizisten und Bluthunden aus und marschierte zur Sicherheit erst einmal zehn Kilometer durch Wälder. An einem kleinen Bahnhof wartete er auf den Zug und fuhr nach Frankfurt. Dort wurde ihm sehr schnell klar, daß in der »Unterwelt« die Verhältnisse am kapitalistischsten, brutalsten und härtesten sind. »Hungrig, ohne Bett, doof und vom Lande«, wie er es später selbst formulierte, stand er da, ohne eine Mark in der Tasche. »Spaßeshalber hatte mir mal jemand vor dieser Untergrund-Reise erzählt, daß auch Männer auf den Strich gehen und daß man auch so Geld verdienen könne. Da ich zum Betteln zu stolz war, wurde aus mir sehr schnell ein Gelegenheitsstrichjunge. Nach wenigen Malen hat mich diese Art, Geld zu verdienen, derart angeekelt, daß ich heilfroh war, als ich von der Polizei aufgegriffen wurde.« Wegen verschiedener mehr oder weniger kleiner Delikte erhielt Gerhard Müller ein Jahr Jugendstrafe auf Bewährung.

Er zog nach Heidelberg, ernährte sich von Gelegenheitsarbeiten und kam in Kontakt mit der Studentenbewegung. Er begann Jack Kerouac, »On the Road«, zu lesen und zimmerte sich daraus so etwas wie eine Lebensphilosophie. Dann geriet er kurzzeitig in die Rauschgiftszene, machte einen Selbstmordversuch und beschloß, Kunstmaler zu werden. Als auch das nicht so recht klappen wollte, besann er sich auf seine inzwischen erfolgte Politisierung und begann, in einem Betrieb zu arbeiten, um dort an der Basis zu agitieren. In einer sozialistischen Arbeiter- und Lehrlingsgruppe, der SALG, erhielt er erste marxistische Grundkenntnisse.

Gerhard Müller litt zu dieser Zeit unter Allergien, für deren Ursache die Ärzte der Heidelberger Universitätsklinik keinerlei Erklärung hatten. In seiner Not wandte sich Müller an den Initiator und Leiter des SPK, Wolfgang Huber. Bei dieser ersten »Konsultation« sagte Huber: »Im Kapitalismus gibt es keine Heilung. Deshalb muß zuerst der Kapitalismus abgeschafft werden.« Müller behielt seine Allergie, wurde aber Mitglied im »Sozialistischen Patientenkollektiv«, über das er, wie viele andere SPK-Mitglieder auch, den Weg in die ›RAF‹ fand.

Bei jenem Kontaktgespräch im Frühjahr 1971 in Heidelberg traf Müller zum ersten Mal auf Baader und Ensslin. Andreas Baader behauptete, die RAF sei inzwischen einen Schritt weiter als das SPK, man hätte begonnen, konsequent Theorie in Praxis umzusetzen. Müller war beeindruckt von Baaders Auftreten. Er wirkte ruhig, bestimmt und selbstbewußt. Gerhard Müller wurde Mitglied der RAF. Von 1971 an folgte ihm etwa ein Dutzend Leute aus dem Umfeld des »Sozialistischen Patientenkollektivs«, ein Großteil der sogenannten »zweiten Generation« der RAF: Elisabeth von Dyck, Knut Folkerts, Ralf Baptist Friedrich, Siegfried Hausner, Sieglinde Hofmann, Klaus Jünschke, Bernhard Rössner, Carmen Roll, Margrit Schiller, Lutz Taufer und andere.

Während einige SPK-Mitglieder schon in der RAF waren, wähnten sich andere noch in einem gesellschaftlich orientierten Selbsthilfeprojekt psychisch Labiler.

Einer von ihnen war Klaus Jünschke, Jahrgang 1947, Psychologie-Student aus Mannheim, Sohn eines Bundesbahn-Beamten. Er war zum SPK gestoßen, als es schon unter massivem Beschuß von seiten der Universitätsverwaltung und des Kultusministeriums stand. Während eines Teach-ins hatte er Wolfgang Huber sagen hören: »Es gibt zwei Möglichkeiten, entweder man holt sich Nierensteine, oder man schmeißt Steine in die Zentren des Kapitals. Hütet euch vor Nierensteinen!« Die Zuhörer im Saal tobten vor Begeisterung. Sich zu wehren, sich nicht mehr vom System kaputtmachen lassen, das entsprach einer Haltung, die viele nachvollziehen konnten.

In den Räumen des SPK lief immer wieder die Platte der Berliner Gruppe »Ton, Steine, Scherben«: »Macht kaputt, was euch kaputt macht ...«
»In dieser Gesellschaft«, sagte Huber, »sind wir alle krank.« Wissenschaftliche Begründungen für diese Theorie glaubten sie in den Büchern des englischen Psychiaters Ronald Laing zu finden oder in der Veröffentlichung des Italieners Basaglia, der die psychiatrische Klinik in Triest auflöste und die Patienten in die Gesellschaft, in die Freiheit entließ.

Ein Mädchen, SPK-Mitglied, wurde von einem Polizisten angehalten, als es bei Rot über die Straße ging. Das Mädchen brüllte ihn hysterisch nieder. Daraufhin wurde es festgenommen und in die psychiatrische Klinik Wiesloch eingeliefert. Als die Nachricht davon im SPK eintraf, waren alle überzeugt, daß ein solches Schicksal auch ihnen blühen würde. Sobald der geschützte Freiraum des SPK von den Behörden aufgeknackt sei, würden sie alle in der geschlossenen Abteilung landen. So dachten sie, und sie betrachteten sich alle als Patienten.

»Jeder ist Patient«, sagte Huber, »vom Arbeiter bis zum Unternehmer.« Als eines Tages vor dem Fenster der SPK-Räume Bauern mit ihren Traktoren demonstrierten, rief einer: »Wir sind alle Bauern!« Sie identifizierten sich mit allen Unterdrückten, Kranken und Entrechteten. Natürlich besonders mit denen, die einen revolutionären Ansatz hatten. Den Schwarzen in Amerika zum Beispiel. Als die Black Panthers in schwarzer Kluft mit Gewehren vor ihrem Hauptquartier Posten bezogen, um der Öffentlichkeit zu zeigen, daß sie sich gegen die Macht der »Pigs«, der Schweine, der Polizei, zur Wehr setzen würden, da schafften sich SPK-Mitglieder auch Gewehre an, Kleinkalibergewehre. Und Klaus Jünschke und seine Freundin Elisabeth von Dyck wollten nach

Black-Power-Art vor dem SPK Posten beziehen. Sie taten es nicht, statt dessen dachten sie mehr und mehr daran, in den Untergrund zu gehen – wie Baader und Meinhof und Ensslin.

»Mahler, Meinhof, Baader, das sind unsere Kader«, riefen sie, erst leise, dann lauter. Und natürlich mobilisierten sie damit die Sonderkommission der Polizei, und jede Haussuchung und jede Festnahme trieb sie weiter an die Seite der Baader-Meinhof-Leute.

Ihr Alltag nahm immer stärker konspirative Züge an, zunächst eher spielerisch, später ganz ernst. Im Sommer gingen sie noch gemeinsam zum Schwimmen, am Samstagmorgen fuhren sie regelmäßig aufs Land, in die großen Wälder am Rande der Bergstraße. Sie stahlen Gemüse, das sie anschließend gemeinsam im SPK kochten. Aber dieser Spaß wechselte mit ausgeprägtem Verfolgungswahn, mit Depression und Angst. Im April 1971 stürzte sich ein junges Mädchen von einem Turm im Wald. In ihrem Abschiedsbrief hatte sie geschrieben, mit Marx und Lenin käme sie nicht zurecht. Sie hatte eine lange psychiatrische Karriere hinter sich, war im SPK über einen längeren Zeitraum stabilisiert worden. Aber dann hatte es den Druck von außen gegeben, die Kündigung der SPK-Räume, die Kampagne in den Zeitungen. Und die Nervosität hatte sich auf alle übertragen. Und da war sie gesprungen.

Für Huber und die anderen im Kollektiv war klar, daß die Universitätsverwaltung und das Kultusministerium verantwortlich waren für den Selbstmord des Mädchens. Das war aus ihrer Sicht nur konsequent, denn sie machten den Staat und die Gesellschaft verantwortlich für den psychischen Zusammenbruch jedes einzelnen.

Auch auf der anderen Seite war man mit Schuldzuweisungen nicht zimperlich. In einem polizeilichen Ermittlungsbericht über das SPK heißt es: »Es ist nicht auszuschließen, daß die erheblich psychisch kranke Marlies L. bewußt zum Selbstmord getrieben wurde, um dadurch auf die Suizidgefährdung der Patienten des SPK hinzuweisen.«

Eines Nachts wurde eine Polizei-Razzia erwartet und die Mitglieder verbarrikadierten sich in den Räumen des SPK. Einige hatten Flaschen mit Benzin besorgt. So saßen sie in der Wohnung und warteten auf die Polizei. Wer gehen wolle, könne gehen, hatte Huber gesagt. Er wollte prüfen, wieweit jeder bereit war, sich zu verteidigen. Einige SPK-Mitglieder standen auf und verließen die Wohnung. Unter ihnen war Klaus

Jünschke. Als er auf der Straße stand, schämte er sich so, wie er sich noch nie geschämt hatte. »Entweder es war richtig, was wir bis jetzt gemacht haben«, dachte er, »dann muß man bereit sein, bis zum Äußersten zu gehen. Oder es war alles falsch.« Schlagartig hatte er erkannt, daß diejenigen geblieben waren, die sich voll für die Sache des SPK einsetzten, die nicht im Hinterkopf das Studium und die bürgerliche Existenz hatten.

Als er zu Hause in Mannheim ankam, war er zu allem bereit. Er hängte sich ans Telefon, rief im SPK an. »Wir brauchen dich jetzt nicht, morgen früh kannst du kommen«, lautete die kühle Antwort. Am nächsten Morgen stürzte sich Klaus Jünschke wieder in die SPK-Arbeit. Auch wenn die Polizei in dieser Nacht nicht gekommen war, keine Molotowcocktails gegen Beamte geschleudert worden waren, der Schritt über die Grenze war vollzogen.

Ende Juni 1971, gegen drei Uhr morgens, gerieten SPK-Mitglieder in eine Verkehrskontrolle. Sie wiesen sich mit gefälschten Papieren aus und konnten entkommen. Die Polizei setzte nach und wurde bei einer wilden Verfolgungsjagd beschossen. Einer der Beamten erlitt einen Schulterdurchschuß. »Baader-Meinhof in Heidelberg?« fragten die Zeitungen in Riesenschlagzeilen. Wenig später sagte ein Mitglied des SPK vor der Polizei aus, schilderte Struktur und Strategie des Patientenkollektivs, nannte Namen und Adressen. Daraufhin erschien die Polizei in dem Heidelberger Quartier. Klaus Jünschke lag angezogen auf einem Bett. Die mit Maschinenpistolen bewaffneten Beamten stürmten das Haus. Alle bis auf Jünschke wurden festgenommen. Seinen Namen hatte ein Jurastudent, der bei der Polizei über das SPK ausgesagt hatte, nicht gekannt. Wohnungen wurden durchsucht, Waffen und Munition gefunden. Die Polizei kam zu dem Ergebnis: »Aufgrund des bisher bekanntgewordenen Sachverhalts kann davon ausgegangen werden, daß die genannten Personen ein bestimmtes hochverräterisches Unternehmen gegen die Bundesrepublik Deutschland vorbereitet haben.«

Huber und seine Frau wurden festgenommen. Obwohl sie Zeit dazu gehabt hätten, waren sie nicht untergetaucht. Andere SPK-Genossen, die sich vor der Polizei verstecken konnten, schlossen sich der RAF an. Huber hatte die Parole ausgegeben: »Irre ans Gewehr!«

24. Die erste Tote

Am 6. Mai 1971 wurde in Hamburg Astrid Proll von einem Tankwart erkannt und von der Polizei festgenommen. Die Kriminalbeamten wollten ihre Verhaftung geheimhalten. Sie hatten in Astrid Prolls Tasche einen Schlüsselbund gefunden und suchten die dazugehörige Wohnung, in der sie noch mehr Gruppenmitglieder vermuteten. Die Polizisten zogen einen Kreis mit dem Radius von 500 Metern um den Ort ihrer Verhaftung. Dann schwärmten Beamte aus, um das passende Schlüsselloch zu dem Haustürschlüssel zu finden. Drei Tage lang steckten die Polizisten drei Schlüssel in 2167 verschiedene Schlüssellöcher, ohne daß die Bewohner der Häuser etwas davon merkten. Am dritten Tag hatten sie das passende Schloß gefunden; eine Wohnung im dritten Stock in der Lübecker Straße 139.

Doch alles, was sie entdeckten, waren Fingerabdrücke von Gudrun Ensslin und Andreas Baader – und Papiere, aus denen hervorging, daß Überfälle auf Geldtransporte der Hamburger Sparkasse und des Armoured Car Service geplant waren.

Im Bundeskriminalamt wurde ein neuer Plan zur Ergreifung der übriggebliebenen neun Gruppenmitglieder ausgearbeitet. Die Aktion unter dem Decknamen »Hecht« war Verschlußsache, nur die Chefs der verschiedenen Kripodienststellen waren davon unterrichtet.

Am Morgen des 15. Juli 1971 sperrten 3000 Polizeibeamte in ganz Norddeutschland die wichtigsten Straßen ab und führten Kontrollen durch. Es war der 425. Tag der Baader-Meinhof-Fahndung.

Um 14.15 Uhr näherte sich auf der Stresemannstraße im Hamburger Stadtteil Bahrenfeld ein blauer BMW 2002 einer der 15 Polizeisperren, die an diesem Tage in Hamburg errichtet worden waren. Am Steuer saß ein blondes Mädchen, daneben ein bärtiger junger Mann. Die Polizisten hoben ihre Kellen. Sie hatten den Auftrag, jeden BMW zu stoppen. Die schnellen bayerischen Autos galten zu jener Zeit als bevorzugte Fahrzeuge der Gruppe. Im Volksmund hieß BMW bereits Baader-Meinhof-Wagen.

Das Mädchen am Steuer gab Gas, durchbrach die Sperre und raste an acht Polizisten mit Maschinenpistolen im Anschlag vorbei. Ein Funkwagen nahm die Verfolgung auf. Ein zweiter Polizeiwagen, ein Mercedes, überholte den BMW und stellte sich mit quietschenden Reifen quer.

Das Mädchen und ihr Begleiter sprangen aus dem Wagen und liefen davon. Dabei, so behaupteten die Beamten später, schossen die beiden aus belgischen Armeepistolen vom Typ FN, Kaliber neun Millimeter.

Das Mädchen lief in eine Toreinfahrt, der junge Mann rannte durch einen Park auf eine Baustelle zu und versteckte sich unter einem Kran. Vom Hubschrauber »Libelle 1« hatten Polizeibeamte die Flucht beobachtet. Sie schickten 80 Kollegen zur Festnahme. Umzingelt gab Werner Hoppe auf, und während die Handschellen zuschnappten, fluchte er: »Scheißbullen, leckt mich am Arsch.«

Das Mädchen glaubte die Verfolger abgeschüttelt zu haben und kam aus der Toreinfahrt hervor. Ein Polizist entdeckte sie und rief: »Halt, Mädchen – stehenbleiben!« Sie zog eine Pistole und schoß. Ein zweiter Polizist rief: »Mädchen, mach keinen Quatsch, gib doch auf.« Sie drehte sich um und feuerte, der Polizist schoß zurück. Die Kugel traf das Mädchen unter dem linken Auge.

Um 16.23 Uhr meldete die Deutsche Presseagentur: »Ulrike Meinhof erschossen.« Doch die Tote war nicht Ulrike Meinhof, sondern die zwanzigjährige Petra Schelm.

Drei Jahre zuvor hatte Petra Schelm noch als Friseuse in Berlin gearbeitet. Sie wollte Maskenbildnerin werden. Nach ihrer Lehre arbeitete sie für kurze Zeit in einem Kunstgewerbeladen. Anschließend bekam sie, gerade 18 Jahre alt, einen Job als Begleiterin einer amerikanischen Reisegruppe. Aus Rom, München, Paris und Madrid schickte sie Ansichtskarten an ihre Eltern. Dann kehrte sie nach Berlin zurück, lebte in einer Kommune und engagierte sich in der außerparlamentarischen Opposition. Sie lernte den jungen Filmstudenten und Bundeswehr-Deserteur Manfred Grashof kennen. Petra stellte ihn ihren Eltern vor.

Später, nach dem Tod seiner Tochter, sagte der Vater einem Reporter: »Vielleicht habe ich damals einen großen Fehler gemacht. Sie wollte den Mann heiraten, und ich sollte die Einwilligung zur Hochzeit geben. Es ging einfach über meine Kraft, dazu ja zu sagen. Und damit war der erste Bruch zwischen mir und meiner Tochter da. Der Junge hat sich eigentlich gar nicht mal danebenbenommen. Er hat sich ganz bescheiden an den Tisch gesetzt und hat meine Tochter reden lassen. Erst als ich nein sagte und erklärte, daß ich keinen verkommen aussehenden Schwiegersohn möchte, als ich also etwas kraß und unhöflich war, da wollte sich der junge Mann ins Gespräch einschalten. Ich habe ihm dann das Wort abgeschnitten, was eigentlich nicht richtig war, und gesagt: ›Wir brauchen darüber gar nicht zu debattieren.‹ Dann sind die beiden aufgestanden und gegangen.«

Der Vater sah seine Tochter erst im Gerichtsmedizinischen Institut wieder – tot.

Petra Schelm war das erste Todesopfer im Krieg der »sechs gegen 60 Millionen«, wie es Heinrich Böll später formulierte.

Zehn Tage nach der Hamburger Schießerei veröffentlichte das Allensbacher Meinungsforschungsinstitut die Ergebnisse einer Repräsentativumfrage zum Thema »Baader-Meinhof: Verbrecher oder Helden?« Von den rund 1000 Befragten befanden 18 Prozent, die Untergrund-Gruppe handele »auch heute noch vor allem aus politischer Überzeugung«. 31 Prozent äußerten keine Meinung. 82Prozent kannten die Baader-Meinhof-Gruppe. Jeder vierte Bundesbürger unter dreißig gestand den Meinungsforschern »gewisse Sympathien« für die »Rote Armee Fraktion« ein. Jeder zehnte Norddeutsche erklärte sich sogar bereit, gesuchte Untergrundkämpfer für eine Nacht zu beherbergen; im Bundesdurchschnitt war es jeder zwanzigste.

Die Demoskopen kamen zu dem Ergebnis, daß ihre Umfrage ein »schwieriges sozialpsychologisches Klima für die Fahndung der Polizei« ergeben hätte. Die »Frankfurter Allgemeine Zeitung« sorgte sich wegen der Hilfsbereitschaft der Bundesbürger: »Fünf Prozent wirken hier wie hundert Prozent.«

Auf dieses Umfrageergebnis, damals sicher auch Reaktion auf den Tod der jungen Petra Schelm, berief sich die RAF in ihren Schriften immer wieder. Noch Jahre später im Stammheimer Prozeß führte Baader dieses Meinungsbild als Beweis dafür an, wie weit die Ideen der RAF in der Bevölkerung verbreitet seien.

Gerhard Müller, der aus dem »Sozialistischen Patientenkollektiv Heidelberg« zur RAF gestoßen war, berichtete im Stammheimer Prozeß über die Reaktion innerhalb der Gruppe auf den Tod Petra Schelms:

»Die Pläne, Sprengstoffverbrechen zu verüben, sind nach dem Tod von Petra Schelm aufgetaucht.« Damals, im Juli 1971, so berichtete Gerhard Müller, hätten sich alle in Manfred Grashofs Wohnung in der Heinrich-

Hertz-Straße getroffen. »Als wir dort waren, hat Grashof gegenüber Baader den Plan entwickelt, aus Rache für den Tod von Petra Schelm in Hamburg Polizei-Hubschrauber zu sprengen. Baader war dagegen und hat schließlich Manfred Grashof dazu gebracht, von diesem Plan abzulassen.« Grashof habe damals auch vorgehabt, eine Wohnung zu verminen: »Also, eine Art Splitterbombe in eine Wohnung einzubauen. Die sollte mit einem Mechanismus gekoppelt werden, so daß sie beim Öffnen, nachdem bei der Polizei ein Hinweis auf diese Wohnung eingegangen wäre, automatisch explodiert.«

Wie andere Gruppenmitglieder auch wurde Manfred Grashof im Stammheimer Prozeß als Zeuge geladen, um die Aussagen des »Kronzeugen« Gerhard Müller zu widerlegen. Grashof sagte: »Nach der Ermordung Petras gab es damals in allen Gruppen ein sehr starkes Bedürfnis zu handeln. Es war klar, daß die Bullen nach eineinhalb Jahren permanenter Niederlagen gezielt Jagd gemacht haben. Wir wissen, daß es damals einen Schießbefehl für die Bullen gab.
Wir hatten eine Diskussion darüber und haben diese Aktionen verworfen, ganz einfach, weil sie bedeutet hätten, daß ein Angriff auf Polizeistationen und Polizeieinrichtungen im Widerspruch stehen würde zur Hauptlinie, nämlich bewaffneter Kampf gegen den Hauptfeind, den Imperialismus, die US-Militärpräsenz in der Bundesrepublik und in West-Berlin.«

25. RAF und »2. Juni« – erstes Gespräch

In diesem Sommer 1971 wurde Bommi Baumann aus der Haft entlassen. Als er durch das Anstaltstor trat, sah er ein hübsches, achtzehnjähriges Mädchen, das auf ihn wartete: Juliane Plambeck. Später ging sie zur RAF und kam bei einem Autounfall ums Leben.
»Soll ich dir ein Eis kaufen?« fragte Juliane. Bommi Baumann hatte nach fast zwei Jahren Haft eigentlich etwas anderes im Sinn.

An einem der nächsten Tage ging er zu seinen alten Freunden, die inzwischen eine Art anarchistische Konkurrenzorganisation zur RAF aufgebaut hatten, die »Bewegung 2. Juni«, benannt nach dem Todestag des Studenten Benno Ohnesorg.

Um•diese Zeit meldete sich in Berlin einer der RAF-Kader bei den Leuten vom 2. Juni. Sie sollten eine bestimmte Telefonnummer in Hamburg anrufen. Bommi und Georg von Rauch gingen in eine Telefonzelle. »Ja, kommt jetzt alle rüber nach Hamburg, schneidet euch die Haare …« sagte Gudrun Ensslin.

»Ihr seid wohl nicht mehr ganz klar im Kopp«, antwortete Georg. »Warum seid ihr überhaupt in Hamburg?«

»Ja, Hamburg ist eine große Stadt …« antwortete Gudrun Ensslin gedehnt.

»Das ist ja ein unheimlich günstiges Argument«, warf Bommi Baumann ein, der mitgehört hatte. »Dann können wir ja alle nach New York gehen, oder Kalkutta, noch besser. Das sind auch große Städte. Kenn ich Hamburg, oder was? Das ist doch Wahnsinn. Wir bleiben hier.«

Gudrun Ensslin wurde ärgerlich.

Die Angehörigen der »Bewegung 2. Juni« hatten sich gerade überlegt, wie sie die nächsten Monate gestalten könnten. »Wir haben uns gesagt: wir holen jetzt Leute aus dem Knast. Das ist die einzige Chance, daß es irgendwie weitergeht. Wenn *wir* einreiten, dann holen uns *die* wieder raus. So haben wir dann eine Kontinuität gesichert. Also machen wir eine Befreiungsaktion«, schilderte Bommi Baumann später die damalige Lage.

26. Spätlese

Als das »Sozialistische Patientenkollektiv in Heidelberg« von Petra Schelms Tod erfuhr, fühlten sich die Mitglieder in ihrer Meinung bestätigt, daß es notwendig sei, den Weg in den Untergrund anzutreten.

Klaus Jünschke fuhr im VW-Kübelwagen des SPK-Chefs Dr. Huber umher und übte Geländefahren. Eine Polizeistreife, die Mitglieder des SPK immer im Visier, hielt ihn an und prüfte seine Papiere. Jünschke zog seinen Personalausweis und überreichte ihn den Beamten. Sie sahen erst das Foto an, dann ihn.

Er hatte das Paßbild gegen ein Foto von Mao-Tse-Tung ausgetauscht. Jünschke wurde festgenommen. Ein paar Tage war er in Haft, dann wurde er wieder freigelassen.

Nicht lange danach tauchten ehemalige SPK-Mitglieder, die inzwischen bei der RAF waren, bei ihm auf und wollten ihn anwerben.

Wenn er einverstanden sei, solle er an einem bestimmten Abend um 22.00 Uhr in einem Park in Frankfurt sein. Erkennungszeichen sei eine »Welt am Sonntag« unterm Arm. Klaus Jünschke beschloß, die Reise anzutreten – eine Reise, die in einer lebenslangen Strafe endete.

Später, nach 13 Jahren Haft, sagte er während eines Gesprächs im Gefängnis: »Ich habe sicherlich tausendmal darüber nachgedacht, wie jeder, der zu lebenslänglich verurteilt ist. Du hast ja genügend Zeit, dich damit rumzuquälen. Es war eine Stimmung, in der eine sehr hohe Opferbereitschaft bestand. Rationales Denken im Sinne eines Kalküls hat überhaupt keine Rolle gespielt. Lebenslänglich? Was soll's? Als Außenstehender mag das sehr unernst erscheinen, aber die Bereitschaft, das eigene Leben zu opfern, war ernst. Nach der Zerschlagung des SPK gab es diese Verzweiflung, man mußte etwas tun. Als die SPK-Leute verhaftet wurden, habe ich mich oben aus dem Fenster gebeugt, das Grundgesetz in der Hand und die Paragraphen runtergebetet: ›Die Würde des Menschen ist unantastbar.‹ Ein paar Monate später war ich bei der RAF.«

Jünschke fand sich zur verabredeten Zeit im Park ein. Niemand erschien. Für einen solchen Fall war ein anderer Treffpunkt verabredet worden: er sollte eine Stunde später in einem Eiscafé sein. Jünschke klemmte die Zeitung unter den Arm und betrat das Café. Zwei etwas abgerissen aussehende Männer saßen an einem Tisch. Als sie den Mann mit der Zeitung entdeckten, verschluckten sie fast ihr Eis. Jünschke setzte sich an einen anderen Tisch und wartete. Nach einer Weile verließ einer der beiden Männer das Lokal, kehrte aber kurze Zeit darauf zurück.

»Komm mit«, forderte Jan-Carl Raspe ihn auf. Holger Meins folgte den beiden in hundert Meter Entfernung.

Raspe klingelte an der Tür einer Neubauwohnung. Eine Frau öffnete und ließ die beiden in die vollkommen leere Wohnung. Auf Jünschke wirkte die Frau wie eine Amerikanerin. Sie trug eine graue Perücke mit hochtoupierten Haaren und darüber ein Kopftuch. Ihr Pulli saß knalleng. Sie trug Hosen. Jünschke lehnte an der Wand und wartete. Er hatte sich für seine erste Begegnung mit den Illegalen feingemacht, wie sonst nie: er trug einen Blazer, weißes Hemd, Krawatte, graue Hose.

»Nun sag mal, wer du bist und was du machst«, sagte Ulrike Meinhof. Jünschke erzählte seine Vorgeschichte, über die, das merkte er an den

Fragen, seine Gesprächspartner bereits gut unterrichtet waren. Als die Rede auf das »Sozialistische Patientenkollektiv« kam, sagte Ulrike Meinhof unvermittelt: »Aber Gruppensex gibt es bei uns nicht.«

»Wie kommst du denn darauf, daß ich Gruppensex-Interessen hab'?.«

Gegen Ende des Gespräches deuteten die anderen an, was Jünschke für die Gruppe tun könnte. »Da sind verschiedene Sachen, die für uns wichtig sind, zu erledigen. Das können wir nicht selbst machen, ohne uns zu gefährden. Es geht um Einkäufe. Bist du bereit, so etwas zu machen?.« Jünschke stimmte zu. Es wurden vor allem Nummernschilder für Autos gebraucht.

Klaus Jünschke war Kriegsdienstverweigerer und hatte das mit den Worten begründet: »Ich kann keinen Menschen umbringen.« Er hatte das nicht nur so dahingesagt, er meinte es sehr ernst. Und plötzlich gehörte er zu einer Gruppe von Leuten, die bewaffnet herumliefen und keinen Zweifel daran ließen, daß sie ihre Waffen auch gebrauchen würden. Eines Nachts ging er mit Holger Meins durch Frankfurt. Holger fragte ihn: »Bist du eigentlich bewaffnet?.«

»Nee, natürlich nicht.«

»Du mußt doch irgend etwas dabeihaben. Wenigstens ein Messer.«

Einige Monate später, kurz vor seiner Verhaftung, geriet Holger Meins in eine Schlägerei mit drei betrunkenen Rockern. Sie schlugen ihn zusammen. In der Gruppe wurde später darüber diskutiert: »Was macht man in einer solchen Situation?.« Obwohl sein Nasenbein zerschlagen worden war, waren alle erleichtert, daß er seine Waffe nicht gezogen hatte.

Klaus Jünschke war der Zwiespalt, in dem er jetzt lebte, schmerzlich bewußt. »Ich kam in eine Situation, in der ich letztlich auch Sachen gemacht habe, die ich nicht mehr vor mir selbst rechtfertigen konnte. Da bin ich praktisch zusammengebrochen. Ich habe mich meine gesamte Haftzeit hindurch gequält wie ein Tier, gewehrt dagegen, daß ich verrückt werde. Weil ich das nicht integrieren konnte. Die RAF und das eigene Leben und die Zukunft.«

Im August 1971 erhielt Jünschke den Auftrag, nach Hamburg zu fahren, wo die Gruppe seit dem Frühjahr ihren Hauptstützpunkt hatte. Dort traf er in einer Wohnung im Schanzenviertel die anderen. Andreas Baader, mit blondgefärbten Haaren, war in ausgezeichneter Verfassung. Wieder mußte Klaus Jünschke seine Vorgeschichte erzählen. Es war etwa so wie bei einem Vorstellungsgespräch in einer Firma. Jünschke empfand Baaders Ton als reichlich autoritär. Eigentlich wollte *er* ja wissen, was nun auf ihn zukäme. »Jetzt bist du da, erklär' dich mal, was willst du hier?« fragte Baader. Klaus Jünschke hatte das Gefühl, Baader führe derartige Gespräche bewußt so provokativ, um den Selbstbehauptungswillen der Neulinge zu testen. Jünschke erhielt den Namen »Spätlese«.

In der ersten Woche sollte er die Stadt kennenlernen. Tagelang fuhr er allein mit der U-Bahn durch Hamburg, stieg immer wieder um und durchstreifte die einzelnen Viertel. Er hatte sich einen Stadtplan gekauft, trug die Standorte aller Polizeireviere ein und markierte sie mit kleinen Fähnchen. Ab und zu besuchte ihn Gudrun Ensslin, begutachtete seine polizeigeographische Arbeit und zeigte sich zufrieden damit. Jünschke erhielt einen neuen Paß und durfte in eine der illegalen Wohnungen einziehen. Dort lernte er Teeny kennen. Sie liefen zusammen durch Hamburgs Straßen und beobachteten die Umgebung ihrer Stützpunkte, um festzustellen, ob in der Nähe Autos mit zwei Antennen, Observationsfahrzeuge, herumstanden. Meistens waren sie nachts unterwegs und gingen erst gegen drei oder vier Uhr morgens schlafen. Jünschke fühlte sich bei den nächtlichen Streifzügen nicht sehr wohl und dachte: »Eigentlich sind wir die einzigen, die in der Nacht auf der Straße sind.«

Er sprach Ulrike Meinhof darauf an, und sie antwortete: »Der Winter ist meine liebste Zeit. Da kann man mich nicht sehen, da ist es dunkel auf den Straßen und auch am Tage dämmrig.« Vor allem in Hamburg, wo sie viele Jahre lang gelebt hatte, wo zahllose Leute sie kannten, befürchtete sie, erkannt zu werden – an ihrem Gang, ihrer Gestalt, ihrer Stimme. Eine Zeitlang lebte Jünschke mit Ulrike Meinhof und zwei anderen zusammen in einer Drei-Zimmer-Wohnung. Er kochte für seine Mitbewohner, Ulrike Meinhof wusch ihm die Haare mit Wasserstoffsuperoxyd, sodaß er, von Natur aus ein dunkler Typ, nun aschblond war. Manfred Grashof wies ihn in die Kunst des Fälschens ein, und gemeinsam sorgten sie für die übrigen logistischen Erfordernisse: Sie tapezierten Wohnungen und kauften in Gebrauchtmöbellagern eine betont kleinbürgerliche Einrichtung zusammen.

Jünschke später: »Man geht zur Stadtguerilla, und dann bist du dabei, die Wohnung herzurichten, vier Wochen lang, und ewig muß man was einkaufen, die Sachen, die gebraucht werden. Das ist 99 Prozent dessen, was gemacht wird.« Alle paar hundert Meter kam man an dem eigenen Fahndungsfoto vorbei, an jeder Litfaßsäule, in jedem Postamt, jeder Bank. Den meisten Gruppenmitgliedern war nur allzu klar, daß am Ende ihres Weges nur das Gefängnis oder der Tod stehen konnte. Manche befielen Zweifel, sie dachten an Aussteigen, aber jeder fürchtete, es einem anderen zu sagen, obwohl der vielleicht selbst ebenso dachte. Manchmal überlegte sich Jünschke, ob es nicht besser sei, statt aller Illegalität ins Kino zu gehen, in Urlaub zu fahren, sich in Spanien vier Wochen an den Strand zu legen, ohne Waffe, und über die eigene Lage nachzudenken, alles abzuschütteln, sich entspannen: »Das hätte natürlich dazu geführt, daß ich nicht zurückgegangen wäre.«

Vom Staat gejagt und von der Linken nicht geliebt, war man aufeinander angewiesen. Die Gruppe war alles, was man hatte: »Wie im normalen Leben, da hast du doch Freunde, Freundinnen, das gab es nicht.«

Wenn sie bei den früheren Genossen aus der Studentenbewegung oder den Basisgruppen anklopften, dann wurde ihnen die Tür vor der Nase zugemacht, nicht nur einmal. »Laß uns in Ruhe«, sagten die meisten – oder traurig: »Die kriegen euch doch, alle.«

Jünschke: »Aber keiner hat sich vor mich hingestellt und gesagt: ›Jetzt komm mal wieder zu dir, auf den Boden der Realitäten, was machst du für 'ne Scheiße, bleib ein paar Tage hier und schlaf dich mal aus!‹ Wir waren eben eine Autorität, wir waren bei der kämpfenden Truppe.«

Hilfe und Unterstützung fanden sie eher bei Freunden von früher, die keiner politischen Gruppe angehörten. Da konnte man schon mal eine Nacht bleiben. Und wenn die zaghaft ein paar kritische Worte zu der Gewalt-Politik der RAF äußerten, dann stellte man sich stur: »Arschloch, was weißt denn du davon? Aufhören? Das ist kein Thema. Das Haupt beugen? Nie. Da geh' ich doch lieber tot, als mich in diesen Saustall von Gesellschaft wieder zu integrieren.«

Dann das Gefühl von Enttäuschung. Da hatte einer früher gesungen: »Zwischentöne sind nur Krampf im Klassenkampf.« Und als man bei ihm vor der Tür stand, da sagte er, sie hätten drei Minuten Zeit zu verschwinden, sonst würde er die Polizei anrufen. Oder jene, die Cathleen Cleaver, Ehefrau des amerikanischen Black-Panther-Führers Eldridge Cleaver, zu einer Veranstaltung eingeladen hatten, auf der sie aufgetreten war wie eine Rachegöttin. Als man bei denen anklopfte, stand ihnen der Schweiß im Gesicht. Und wie war es in Berlin? Beim Vietnam-Kongreß 1968 hatte an der Stirnwand des Audimax der Technischen Universität ein Zitat von Che Guevara gestanden: »Es ist die Pflicht eines Revolutionärs, die Revolution zu machen!«

Was war mit denen, die das überdimensionale Plakat dorthin gehängt hatten, mit jenen, die es beklatschten?

Nur wenige der Studentenführer aus der APO-Zeit brachten den Mut auf zu bekennen, daß auch sie mit vorbereiten halfen, was die »Baaders und die Meinhofs« später in die Tat umsetzten.

Peter Schneider zum Beispiel. 15 Jahre nach Beginn des Untergrundkampfes schrieb er an Peter Jürgen Boock, der aus Baaders Frankfurter Lehrlingsarbeit den Weg in die zweite Generation der RAF gefunden hatte: »Die Idee von der Stadtguerilla und vom bewaffneten Kampf in den Metropolen ist keineswegs in den Hirnen von ein paar isolierten Einzelkämpfern entstanden. Sie schwamm von Anfang an mit im Gedanken- und Gefühlsstrom der 68er Generation und wurde mit einer heute unvorstellbaren Offenheit auf Teach-ins diskutiert, an denen Tausende teilnahmen. Allerdings wurden diese Diskussionen mit einer gewissen Unschuld geführt: sie hatten sich noch nicht zu einer Strategie des bewaffneten Kampfes gefestigt und mußten sich an der entsprechenden Praxis nicht messen lassen.

Als dann Gruppen wie die ›Bewegung 2. Juni‹ und die ›Rote Armee Fraktion‹ ernst machten, wich der theoretische Flirt mit dem bewaffneten Kampf rasch einer hastigen Abgrenzung. Diese Abkehr war aber nicht das Ergebnis einer energischen Kritik und Selbstkritik. Sie fand ebenso still und fast sprachlos statt wie die Abwendung von anderen Ideen jener Zeit, die sich als illusionär oder falsch herausstellten. Was den Umgang mit der eigenen Vergangenheit angeht, haben es die Söhne kaum besser gemacht als die Väter: was sich nicht bewährte, vergaß man lieber und überließ es der natürlichen historischen Selektion. Nach der Niederlage wurde man Hals über Kopf demokratisch, gewaltfrei und fing an, die Verfassung zu lesen. Fortan nannte man sich nicht mehr Marxist, sondern links, nicht mehr revolutionär, sondern radikal, und was bei diesem Namenswechsel alles mit über Bord ging und über Bord zu werfen verdiente, wollte man nicht so genau wissen. Der Gang der Dinge ersetzte den Lernprozeß. Die Sprachlosigkeit, in die sich die meisten Wortführer der Studentenbewegung Mitte der siebziger Jahre zurückzogen, war nie mit bloßer Theoriemüdigkeit zu erklären. Diese Müdigkeit ist das Ergebnis einer Verdrängung.«

Mitte Oktober 1971 kehrten Andreas Baader und Gudrun Ensslin nach Berlin zurück. Dort waren inzwischen erste Vorarbeiten für eine Großaktion der RAF geleistet worden: auf einen Schlag sollten der amerikanische, der britische und der französische Stadtkommandant entführt werden.

Der Rest der Gruppe blieb in Hamburg. Einer ihrer Stützpunkte war eine Wohnung am Heegbarg in Poppenbüttel. Sie gehörte einem bekannten Liedermacher. Nach einem Konzert hatte Gudrun Ensslin ihn angesprochen und um Übernachtungsmöglichkeit gebeten. Der Sänger gab ihr den Wohnungsschlüssel und setzte seine Tournee fort.

27. Der Tod eines Polizeibeamten

Am 22. Oktober 1971, gegen halb zwei Uhr nachts fuhren die Polizeimeister Norbert Schmid und Heinz Lemke in einem zivilen Ford 17 M durch den Hamburger Vorort Poppenbüttel. Am S-Bahnhof sahen sie eine junge Frau, dunkelhaarig, einen Meter achtzig groß, schwarzer Mantel, Hornbrille. Norbert Schmid stieg aus und versuchte der Frau zu folgen. Nach kurzer Zeit verlor er sie aus den Augen und ging zurück zum Streifenwagen. Die beiden Beamten suchten die Umgebung ab. Am Wentzelplatz entdeckten sie die Frau wieder. Sie kam aus einer Tiefgarage des Einkaufszentrums Alstertal, eines riesigen Betonkomplexes. Sie merkte, daß sie beobachtet wurde, und verschwand im Garten eines Behelfsheimes. Die Beamten suchten die Gegend mit Nachtgläsern ab. Plötzlich näherte sich von der gegenüberliegenden Straßenseite ein Paar. Auch die Frau tauchte wieder aus der Dunkelheit auf.

Polizeimeister Schmid drehte die Scheibe herunter und rief: »Halt, Polizei. Bleiben Sie stehen!« Die Frau verschwand in den Grünanlagen einer Wohnsiedlung. Schmid sprang aus dem Wagen und nahm die Verfolgung auf. Sein Kollege stellte den Motor ab. Dann lief er hinter Schmid her. Plötzlich rannte auch das Paar los.

Polizeimeister Lemke dachte: »Das ist ja nett, die wollen uns helfen.« In diesem Moment hatte Schmid die Frau erreicht und packte sie am

Arm. Das Pärchen war nur noch zwei Meter entfernt. Lemke schrie: »Die sind ja bewaffnet!« Da fielen auch schon Schüsse. Von vier Kugeln getroffen brach Schmid zusammen. Lemke warf sich zu Boden und feuerte aus seiner Dienstpistole. Das Pärchen und die Frau entkamen in der Dunkelheit. Lemke, am Fuß verwundet, humpelte zu seinem Kollegen, der in einer Blutlache lag und »Hilfe, Hilfe« flüsterte. Lemke fragte: »Norbert, was ist?« Aber er bekam keine Antwort mehr. Der 32jährige Polizeimeister Norbert Schmid war tot.

Lemke schleppte sich zum Haus Heegbarg 61 und klingelte. Niemand rührte sich. Dann schrie er: »Hilfe, Polizei!« Nichts.

Das Paar und die Frau liefen zum Polizeiwagen, in dem Lemke den Schlüssel stecken gelassen hatte, und rasten davon. Nach zwei Kilometern ließen sie den Ford stehen.

Kurz darauf wurde eine Großfahndung eingeleitet. Um halb drei Uhr morgens fiel der Besatzung eines Funkstreifenwagens eine Frau auf, die nicht weit entfernt vom Schauplatz der Schießerei in einer Telefonzelle stand. Die Beamten zogen ihre Pistolen und verlangten den Ausweis. »Ich dachte schon, ihr wollt mich ficken«, sagte die Frau und griff zu ihrer schwarzen Handtasche. Die Beamten entrissen ihr die Tasche und fanden darin eine Pistole vom Kaliber neun Millimeter und den Schlüssel des Streifenwagens.

Auf dem Polizeipräsidium blieb die Frau stumm. Auf Fragen schüttelte sie nur den Kopf. Ihr Personalausweis lautete auf den Namen Dörte G. Doch die Kripo-Beamten wußten längst, wen sie gefaßt hatten. Gegen fünf Uhr morgens unterschrieb die Frau ein Formular – mit ihrem richtigen Namen: Margrit Schiller. Als sie den Fehler bemerkte, fing sie an zu weinen.

Am nächsten Morgen um 11 Uhr wurde sie der Presse vorgeführt. Eine Beamtin hielt sie im Würgegriff, ein Kollege hatte ihre Beine gepackt. Der Rock war hochgerutscht. Die Fotografen fotografierten, das Fernsehen filmte. Ein Reporter rief: »Haare aus dem Gesicht!« Daraufhin riß ein Beamter die Haare nach oben. Am Abend lief die Szene bundesweit im Fernsehen.

Margrit Schiller wurde in Haft genommen, die Fahndung nach dem Paar fortgesetzt.

Die Hamburger Polizisten knüpften Trauerflore an die Antennen ihrer Streifenwagen. Bürgermeister Schulz erklärte: »Man sollte jetzt endlich aufhören, falls es sich erweist, daß die Baader-Meinhof-Gruppe für diesen Mord verantwortlich zu machen ist, diese Gruppe als Zusammenschluß mit politischen Zielsetzungen zu sehen. Dieses ist eine rein kriminelle Gruppe im wahrsten Sinne des Wortes.«

Für Hinweise, die zur Ergreifung des Mörders führen könnten, wurden 10000 Mark Belohnung ausgesetzt.

Daß Margrit Schiller den Polizeibeamten nicht getötet hatte, wurde schnell klar. Aus ihrer Pistole, das ergaben kriminaltechnische Untersuchungen, war in letzter Zeit nicht geschossen worden. Polizeihauptmeister Lemke gab auch zu Protokoll, daß es ein Mann gewesen sei, der auf seinen Kollegen gefeuert hatte. Zunächst fiel der Verdacht auf den flüchtigen Holger Meins. Dann aber identifizierte Lemke nach Fahndungsfotos Gerhard Müller als den Todesschützen. Die Frau, die mit ihm zusammen war, sollte Irmgard Möller gewesen sein.

Während die Hamburger Polizei den Stadtteil Poppenbüttel durchkämmte, saßen die gesuchten RAF-Mitglieder in der Wohnung am Heegbarg. Unmittelbar nach der Schießerei, so sagten einige von ihnen später, sei Gerhard Müller »praktisch mit dampfendem Revolver« hereingestürmt und habe sich damit gebrüstet, »einen Bullen umgelegt« zu haben.

In der panischen Angst aller vor Entdeckung übernahm Manfred Grashof »als Dienstältester« die Leitung der »Sicherheitsmaßnahmen«. Drei Tage und drei Nächte blieben sie in der Wohnung und fühlten sich wie in einer Falle.

28. Der Kronzeuge

Mehr als dreieinhalb Jahre später wurde Irmgard Möller und Gerhard Müller der Prozeß gemacht. Die »Morgenpost« in ihrer Schlagzeile: »Heute in Hamburg vor Gericht – Der Meinhof-Geliebte, der einen Polizisten erschoß.«

Es sah nicht gut aus für den Angeklagten Gerhard Müller, denn der Polizeimeister Lemke hatte aus nächster Nähe beobachtet, wie sein Kollege Schmid erschossen worden war. Zudem waren Müllers Fingerabdrücke in der Wohnung am Heegbarg gefunden worden, in unmittelbarer Nähe des Tatortes. In den Vorermittlungen hatte Lemke zu Protokoll gegeben, er habe Müller als Todesschützen wiedererkannt.

Im Prozeß gegen Gerhard Müller schwächte Lemke seine Aussagen erheblich ab. Die Staatsanwaltschaft rückte von dem Vorwurf des Polizistenmordes ab. Auch in den anderen Anklagepunkten, der Mittäterschaft bei den Bombenanschlägen des Frühjahrs 1972, die ihm eine lebenslange Strafe hätten einbringen können, kam Müller glimpflich davon. Er wurde wegen versuchten Mordes und anderen Delikten zu zehn Jahren Freiheitsstrafe verurteilt, von denen er nicht viel mehr als die Hälfte absitzen mußte.

Im Stammheimer Prozeß wurde Gerhard Müller einer der Hauptbelastungszeugen. Die Verteidiger bemühten sich, ihn als »gekauften Kronzeugen« zu entlarven. Sie vermuteten, daß Gerhard Müller der Mord an dem Hamburger Polizisten »geschenkt« worden war, um ihn als Zeugen der Anklage zu gewinnen.

Margrit Schiller trat im Stammheimer Verfahren auf und sagte: »Ich habe gesehen, daß Gerhard Müller in der Nacht vom 21. zum 22. Oktober 1971 den Polizeibeamten Schmid erschossen hat.«

Sie habe beobachtet, wie Schmid das Paar verfolgte und es schließlich erreichte. Der Beamte habe der Frau die Handtasche entrissen. »Müller war neben ihr, hielt seine Pistole in der Hand und schoß auf Schmid. Schmid ließ die Handtasche los und fiel zu Boden. Müller und die Person liefen weiter, und dabei hörte ich weitere Schüsse.«

In der Tat stellte sich im Stammheimer Verfahren allerhand Ungereimtes im Zusammenhang mit dem Zeugen Müller heraus. So waren seine Aussagen vor der Hamburger Polizei in der Sonderakte 3 ARP 74/75 I festgehalten, dem Stammheimer Gericht aber nicht ausgehändigt worden. Das Bundesjustizministerium hatte sie für »geheim« erklärt. Erst nach langem Tauziehen war es den Verteidigern gelungen, die Akte freizubekommen. 15 Seiten daraus blieben allerdings nach wie vor geheim.

Generalbundesanwalt Buback soll in diesem Zusammenhang bei einem Gespräch in der Bundesanwaltschaft gesagt haben: »Wenn diese Akte bekannt wird, können wir alle unseren Hut nehmen.«

Als Zeuge im Stammheimer Prozeß berief Buback sich stets auf seine beschränkte Aussagegenehmigung, wenn die Befragung durch die Anwälte auf die Geheimakte zielte.

»Enthält die Akte, in der offensichtlich auch die Vernehmungsprotokolle von Herrn Müller sind, Ermittlungsergebnisse, die, wenn auch nur entfernt, etwas mit diesem Verfahren zu tun haben könnten?« wollte Verteidiger Otto Schily wissen.

»Herr Rechtsanwalt, dazu kann ich keine Aussage machen, weil sich darauf meine Aussagegenehmigung nicht erstreckt«, antwortete Buback.

Rechtsanwalt Dr. Heldmann fragte: »Kennen Sie die Akten 3 ARP 74/75 I?«

»Ja, Herr Rechtsanwalt, es kommt immer wieder auf die Frage der Aussagegenehmigung an. Das Vorhandensein dieser Akte ist mir selbstverständlich bekannt.«

»Die Frage zielte auf den Inhalt. Kennen Sie den Inhalt dieser Akte?«

»Ich möchte das doch auf die Aussagegenehmigung jetzt abheben.«

»Haben Sie, Herr Zeuge, veranlaßt, daß diese Akte mit einem Sperrvermerk belegt wird?«

»Ich habe das vorgeschlagen.«

»Haben Sie den Bundesminister der Justiz aufgefordert oder ihm empfohlen, Ihnen eine Aussageerlaubnis als Zeuge in diesem Verfahren nicht zu erteilen?«

»Ja, ich kann die Frage wegen mangelnder Aussagegenehmigung nicht beantworten.«

Auch Gerhard Müller selbst wurde von der Verteidigung in Stammheim zu der Ermordung des Polizeibeamten Norbert Schmid und zu der Geheimakte 3 ARP 74/75 I befragt.

»Herr Müller, wo waren Sie im Oktober 1971?« erkundigte sich Rechtsanwalt Schily am 126. Verhandlungstag.

»In Kiel und in Hamburg.«

»Kennen Sie die Straße Heegbarg und den Saseler Damm?«

»Ja.«

»Kennen Sie auch den großen Parkplatz hinter dem Einkaufszentrum?«

»Herr Vorsitzender, ich meine, das geht ein ganzes Stück zu weit«, wandte sich Müller hilfesuchend an den Richter Dr. Prinzing.

Der Vorsitzende erklärte ihm, nach Paragraph 55 müsse er sich nicht selbst belasten. Müller beantwortete Schilys Frage mit: »Ja«.

»Wo waren Sie in der Nacht vom 21. zum 22. Oktober 1971?«

Müller drehte sich zu seinem Anwalt um.

»Wir haben das Mikrophon ausgeschaltet, so daß Sie sich unterhalten können«, bemerkte Dr. Prinzing.

Nach kurzer Besprechung mit seinem Rechtsbeistand erklärte Müller: »Die Fragen von Herrn Schily zielen offensichtlich auf die Ermordung des Polizisten Schmid ab. Das Verfahren läuft noch. Ich habe da bisher keine Angaben gemacht, im Gegensatz zu den Unterstellungen dieser Anwälte. Ich möchte das im Moment auch nicht machen, weil das Verfahren noch läuft. Es ist aber so, daß ich den Polizisten Schmid nicht erschossen habe. Und ich verweigere auf weitere Fragen in diesem Zusammenhang die Aussage.«

Ganz so leicht wollte sich Schily nicht geschlagen geben: »Also, zunächst mal die Frage, ob sie den Polizeibeamten Schmid erschossen haben.«

»Bereits beantwortet mit ›Nein‹«, sagte der Vorsitzende.

Schily ließ nicht locker: »Sind Ihnen wegen dieser Erschießung von anderen Personen Vorwürfe gemacht worden? Haben sie darauf erwidert, Sie seien stolz darauf, einen Bullen erschossen zu haben?«

»Das ist eine Unverschämtheit«, antwortete Müller.

Rechtsanwalt Dr. Heldmann richtete eine letzte Frage an den Zeugen Gerhard Müller: »Wenn nicht Sie, wie Sie hier behauptet haben, Norbert Schmid erschossen haben, wer hat ihn dann erschossen?«

»Verweigere die Aussage.«

»Keine Frage mehr.«

29. RAF und »2. Juni«. Eine mißglückte Kooperation

Andreas Baader und Gudrun Ensslin waren eine Woche vor der Ermordung des Polizeibeamten Norbert Schmid nach Berlin gereist und tauchten eines Nachts bei den Leuten vom »2. Juni« auf. Sie hatten gehört, daß Bommi Baumann und Georg von Rauch eine Gefangenenbefreiung planten.

»Ihr wollt da Leute rausholen. Wenn ihr die rausholt, dann bleiben sie ja bei euch. Das geht nicht.« Baader und Ensslin vertraten die Auffassung, daß jemand, der einmal bei der RAF gewesen war, auch wieder zur RAF zurückkehren solle, ganz gleich, wer ihn befreie. Sie wußte auch, wie: »Paßt auf, wir helfen euch dabei. Aber die Leute werden gleich in eine Wohnung von uns gefahren. Ihr behaltet die gar nicht.« Es ging um Irene Goergens und Ingrid Schubert, die in der Frauenhaftanstalt Lehrter Straße einsaßen. Horst Mahler stand, wohl wegen seiner theoretischen Eigenmächtigkeiten, nicht mehr auf der Befreiungsliste. Kunzelmann hatte das Angebot abgelehnt. »Das ist unseriös«, hatte er Bommi Baumann gesagt. Er sympathisierte schon mit der maoistischen Studenten-KPD. Anfang der 80er Jahre, als sich die KPD auflöste, zog er für die »Alternative Liste« ins Berliner Abgeordnetenhaus ein.

Der »2. Juni« war zur Zusammenarbeit mit der RAF bereit. Gemeinsam setzten sich die technischen Experten beider Gruppen an den Tisch. Sie entwarfen ein kompliziertes Leitersystem, mit dessen Hilfe die Gefängnismauer überwunden werden sollte.

»Wie kriegen die Frauen drinnen denn die Gitter kaputt?« fragte jemand vom »2. Juni«.

»Da haben wir einen in Hamburg«, sagten die Leute von der RAF. »Der ist Bildhauer, der hat so Sägedrähte, mit denen er seine Bronzen zerschneidet.« Wenig später hatten sie die Drähte besorgt. Baumann probierte einen davon aus. Die Säge funktionierte. Die übrigen Drähte wurden in die Haftanstalt eingeschmuggelt.

Dann kam die Nacht der Befreiung. Mit zwei Kleinlastwagen rückte das Kommando an. Baumann stellte sich mit einer Kalaschnikow auf die dunkle Straße. Die anderen vier versuchten, das Leitersystem an die Gefängnismauer zu bringen. Doch die »Technikexperten« hatten sich verrechnet. Sie schafften es zwar noch, die eine Leiter von außen an die Mauer zu stellen, aber die übrigen Brückenteile waren selbst für vier Leute zu schwer. Plötzlich kamen Lichtsignale aus dem Innern der Anstalt. Die beiden Frauen hatten ihre Fenstergitter nicht durchsägen können. Sie gaben mit einer Taschenlampe fünf Blinkzeichen ab: »Alles verraten.« Die Befreier sprangen in ihre Autos und rasten davon. Die Leitern blieben liegen.

Andreas Baader hatte vor Beginn der Aktion noch ein Ablenkungsmanöver vorgeschlagen. Die Polizeikaserne in Ruhleben sollte mit Flakgeschützen beschossen werden. Doch weder RAF noch »2. Juni« waren im Besitz von solchen Kanonen.

Auch nach der gescheiterten Befreiungsaktion trafen sich Baader und Ensslin noch mehrmals mit den Leuten vom »2. Juni«, hatten aber die Hoffnung aufgegeben, sie in die RAF integrieren zu können. »Am besten ihr bleibt in Kreuzberg«, hatte Ensslin resigniert gesagt. Lebensstil von RAF und »2. Juni« paßten nicht zusammen.

»Was macht ihr denn, ihr rennt durch die Wohnungen, fickt kleine Mädchen, raucht Haschisch. Das macht Spaß. Das darf es nicht. Dieser Job, den wir machen, der ist ernsthaft. Es darf keinen Spaß machen«, sagte Gudrun Ensslin.

»Du mußt doch nicht mehr richtig ticken«, erwiderte Bommi.

»Wie du schon rumläufst«, sagte Ensslin. Sie spielte auf Baumanns lange Haare, den Bart, das schlampige Äußere an. Sie selbst trug lange Strickhosen, weit wie ein Rock, darüber eine elegante Lederjacke. Es paßte alles nicht so recht zusammen, wirkte aber irgendwie bürgerlich. Gudrun kam auf die Promiskuität der Leute vom »2. Juni« zu sprechen. »Wir unterstützen die Zweierbeziehung«, sagte sie tadelnd.

Ensslin und Baader tauchten fast immer zu zweit auf. Zwar verkehrten die beiden in höchst rüdem Ton miteinander, aber dennoch war stets erkennbar, daß sie zusammengehörten, daß niemand einen Keil zwischen sie treiben konnte. Von Frauen sprachen sie immer als »Fotzen«, Andreas Baader redete auch Gudrun Ensslin so an. Sie nannte ihn »Baby«.

Baumann ging die gewollte Vulgärsprache auf die Nerven, sie wirkte unnatürlich, aufgesetzt, künstlich.

Wenn Andreas Baader in einen seiner endlosen Monologe verfiel, blickte sie schweigend von einem Zuhörer zum anderen, drehte ihren Kopf von links nach rechts und wieder zurück. »So, wie eine Kobra ihr Opfer einpendelt«, dachte Baumann. Dann machte sie blitzschnell eine Bemerkung. »Sie hat genau gemerkt, wenn jemand eine psychische Schwäche zeigte. In dem Moment hat sie etwas gesagt. Das hat auch immer gestimmt. Sie war eine hervorragende Psychologin.«

Manchmal, erinnerte sich Baumann, habe sie Baader gebremst, ihn besänftigt. »Laß mal, Baby«, sagte sie dann, »das kannst du nicht so sagen.«

Vor allem Andreas Baader war inzwischen ein Nervenbündel. Manchmal erschien er bei den verabredeten Treffen vollkommen unter dem Einfluß von »Speed«, Aufputschmitteln. Er trank übermäßig viel Kaffee und rauchte ununterbrochen, am liebsten die starken »Celtic«. Bommi Baumann: »So saß er nächtelang, redete ohne abzusetzen, von Adam und Eva bis Josef Stalin. In den Mundwinkeln standen ihm Speicheltropfen. Fast ständig raufte er sich beim Reden die Haare, zog rechts und links über den Schläfen an den blondierten Strähnen, drehte und zog, zog und drehte, bis ihm kleine blonde Hörner über der Stirn standen. Er war immer nur Vortrag, sie hat auch mal gelacht.«

Bei einem dieser nächtlichen Treffen nahm Gudrun Ensslin ein Buch, in dem Bommi gelesen hatte, in die Hand und hielt es hoch. Sein Titel: »Name Viktor Serge. Beruf Revolutionär«.

»Ein Buch«, sagte sie knapp, voll Verachtung in der Stimme. Dann ließ sie es zu Boden fallen.

30. »Ein Eimer Teer über die Fresse«

Baader und Ensslin blieben in Berlin. Dort waren auch Brigitte Mohnhaupt und deren Freund für die RAF aktiv. Eine Reihe von Bekannten aus der Zeit der Studentenbewegung half bei der Wohnungsbeschaffung, betreute inhaftierte RAF-Mitglieder und machte sich sonstwie nützlich. Auch Edelgard G., 27 Jahre alt, geschieden, Mutter eines fünfjährigen Sohnes.

Zusammen mit ihrer Freundin Katharina Hammerschmidt hatte sie nach einigen Treffen mit Baader und Ensslin Wohnungen für die Gruppen gemietet. Sie wollte jedoch nicht in die Illegalität und begründete das mit der Sorge um ihr Kind.

»Meine eigene jetzige Tätigkeit hat erst dazu geführt, meine wahre Identität zu erkennen«, sagte Ensslin, die ihren Sohn verlassen hatte. Edelgard verstand sie nicht.

Schon nach kurzer Zeit wurden Edelgard und Katharina die Arbeit für die RAF lästig. Die von ihnen besorgten Wohnungen waren ihren Auftraggebern häufig nicht gut genug. Katharina Hammerschmidt schilderte Baader bei einem Treffen ihre Bedenken gegen das illegale Leben.

Baader antwortete: »Diesen Job kann man nur aus einer tiefsten Freiwilligkeit heraus machen.« Als sie ihrer Freundin Edelgard davon berichtete, fügte sie hinzu: »Vor ein paar Monaten habe ich für mich selbst
eine Wohnung gesucht und mir die Füße dabei wundgelaufen. Der einzige Unterschied zwischen damals und heute besteht darin, daß ich es
jetzt aus tiefster Freiwilligkeit tue.«

Die beiden Frauen wollten Anfang November 1971 ihre Hilfstätigkeit
beenden. Am 10. November holte Edelgard ihren Sohn aus dem Kinderladen ab. Als sie sich ihrer Wohnung in der Pariser Straße näherte, sah
sie dort ein großes Polizeiaufgebot. Sie parkte ihren Wagen und traf auf
dem Hof einen Nachbarn. »Willi, draußen steht ein großes grünes Auto
für dich«, rief sie ihm scherzhaft zu. »Die Bullen sind bei dir in der
Wohnung«, erwiderte er. »Bei dir wird nach Waffen gesucht.« Edelgard
übergab ihrem Nachbarn das Kind und lief in Richtung des »Sozialistischen Anwaltskollektivs«. Auf dem Weg dorthin stieß sie auf ihren
Rechtsanwalt.

Gemeinsam gingen sie zur Wohnung. Edelgard wurde festgenommen.
Bei der Polizei erklärte man ihr, sie würde ihr Kind nie wiedersehen. Es
sei denn, sie mache Aussagen. Drei Wochen später sagte sie aus. Sie
konnte zu ihrem Kind zurückkehren.

Am 27. März 1972 ging gegen 20.00 Uhr bei der Deutschen Presseagentur in Berlin ein anonymer Eilbrief ein. In dem Umschlag steckte ein
Zettel mit der Schreibmaschinenaufschrift: »Das ist Edelgard G. Diese
Denunziantin steckt mit den Killerschweinen unter einer Decke. Es lebe
die RAF!« Beigefügt war ein Foto, das eine Frau zeigte, die mit einer
dunklen Flüssigkeit übergossen worden war. Der diensttuende dpa-Re-
dakteur reichte den Brief an die Polizei weiter. Zwei Kriminalbeamte
machten sich auf den Weg in die Pariser Straße. Die Polizisten legten
Edelgard G. den Brief und das Foto vor.

»Ich habe erwartet, das Bild in den nächsten Tagen in der ›BZ‹ veröffentlicht zu sehen«, sagte sie.

»Können sie etwas über die Entstehung des Bildes sagen?« Die Frau
schüttelte den Kopf.

»Ist das möglicherweise eine Fotomontage?«

Sie antwortete nicht. Als die Beamten weiterfragten, begann sie am
ganzen Körper zu zittern.

Im Polizeiprotokoll hieß es später: »Ihren weiteren Reaktionen und vagen Andeutungen war ohne Frage zu entnehmen, daß sie tatsächlich geteert worden ist und daß es sich um kein gestelltes oder retuschiertes Bild handelt. Sie war auch danach nicht bereit, weitere Informationen über Täter, Ort und Zeit zu geben. Anschließend wurde die Frage ihrer persönlichen Sicherheit mit ihr erörtert. Frau G. erklärte, daß sie sich im Augenblick selber nicht darüber im klaren ist, ob sich eine solche Aktion wiederholen wird oder ob sie noch in weit stärkerem Maße, möglicherweise sogar lebensgefährlich, bedroht ist.«

Das Polizeiprotokoll schloß mit den Worten: »Inwieweit sich aus der Mißhandlung der Beschuldigten Konsequenzen auf ihre weitere Aussagewilligkeit ergeben, ist im Augenblick ebenfalls noch nicht abschätzbar. Es muß jedoch befürchtet werden, daß sie demnächst die Aussage verweigern wird.«

Später, im Stammheimer Prozeß, wurde Brigitte Mohnhaupt über die Behandlung Abtrünniger befragt. »Weißt du etwas darüber, ob es Trennungen von der Gruppe gab und wie die abgelaufen sind?« wollte Verteidiger Temming von der Zeugin wissen.

»Es ist niemals von Liquidation geredet worden, also bei keiner Trennung. Es gibt die Geschichte, die auch bekannt ist, und zwar in Berlin. Edelgard G., die hat ein halbes Dutzend Leute hochgehen lassen. Also, sie hat Leute verraten, Wohnungen verraten. Passiert ist, gemacht worden ist: sie hat einen Eimer Teer über die Fresse gekriegt und ein Schild um den Hals.

Also ich meine, wenn bekannt ist, daß jemand Leute verraten hat und sie praktisch zum Abschuß freigibt, wenn der einen Eimer Teer über den Kopf kriegt, dann ist es um so absurder anzunehmen, daß einer, der niemanden verraten hat, einfach so abgeknallt werden könnte. Das ist ausgeschlossen.«

Edelgard G.s Freundin Katharina Hammerschmidt stellte sich nach längerer Fahndung der Polizei.

Im Gefängnis entwickelte sich bei ihr ein bösartiger Tumor, den die Haftärzte nicht erkannten, obwohl er auf den Röntgenbildern leicht festzustellen war. Ärzte von außen wurden lange Zeit nicht zugelassen. Sie starb.

31. »Gib auf, Ulrike!«

Mitte November 1971 schrieb Ulrike Meinhofs Pflegemutter Renate Riemeck für »konkret« einen offenen Brief unter dem Titel »Gib auf, Ulrike!«:

»Du bist anders, Ulrike. Ganz anders, als die Leute meinen, die dein Bild auf dem Steckbrief gesehen und von dir in Presse, Funk und Fernsehen gehört haben. Wer dich näher kennt, weiß: du knallst nicht jeden nieder, der sich dir in den Weg stellt. Du hast Ängste, wie alle Menschen sie haben. Aber du bist tapfer, tapferer als die meisten. Und du stehst für deine Freunde gerade. Du hast den jüngeren unter deinen Genossen voraus, daß du schon politisch engagiert warst, als sie noch teilnahmslos die Schulbank drückten. In der Antiatombewegung 1958/59 bist du nach vorn gegangen. Du weißt also, daß politische Bewegungen plötzlich entstehen können, wieder abebben und daß man im Amoklauf nichts gewinnt. Dies zu wissen, ist viel.

Dir konnte also nicht der Irrtum unterlaufen, den antiautoritären Aufstand mit dem Beginn einer großen Revolution zu verwechseln.

Wir waren uns – damals sprachst Du ja noch gelegentlich mit mir – über die Berechtigung des Angriffs auf die Institutionen und Strukturen völlig einig. Du machtest dir über die tatsächliche Stärke des Machtapparates keine Illusionen. Es kam alles so, wie es vorauszusehen war: als es der Protestbewegung nicht gelang, die Solidarisierung der lohnabhängigen Massen zustande zu bringen und die Revolution ausblieb, war der Eklat perfekt und die Enttäuschung unvermeidbar.

Die Bundesrepublik ist kein Pflaster für eine Stadtguerilla lateinamerikanischen Typs. Hierzulande sind höchstens die Voraussetzungen für ein Schinderhannes-Drama gegeben. Du weißt, Ulrike, daß ihr von unserer Öffentlichkeit nichts anderes zu erwarten habt als erbitterte Feindschaft. Du weißt auch, daß ihr dazu verurteilt seid, die Rolle einer Geisterbande zu spielen, die der Reaktion als Alibi für eine massive Wiederbelebung jener antikommunistischen Hexenjagd dient, die durch die Studentenbewegung spürbar verdrängt worden war.

Wer – außer einer Handvoll Sympathisanten – hat noch Verständnis für den politisch-moralischen Impuls eures Handelns? Opfermut und Todesbereitschaft werden zum Selbstzweck, wenn sie nicht begreifbar gemacht werden können.

Der Tod von Petra Schelm und das Schicksal von Margrit Schiller müssen dir doch an die Nerven gehen. Ihr habt nicht die Rechtfertigung der Tupamaros von Uruguay für Aktionen, bei denen geschossen wird und Menschen ihr Leben verlieren. Ihr müßt euch korrigieren.

Ich weiß nicht, wie weit dein Einfluß innerhalb der Gruppe reicht, wie weit deine Freunde rationalen Überlegungen zugänglich sind. Aber du solltest versuchen, die Chancen von bundesrepublikanischen Stadtguerillas einmal an der sozialen Realität dieses Landes zu messen. Du kannst es, Ulrike.«

32. »Eine Sklavenmutter beschwört ihr Kind«

Drei Wochen, nachdem »konkret« am Kiosk aushing, fand eine Angestellte des Gartenbauamtes in einem Papierkorb am Berliner Wittenbergplatz eine Plastiktüte mit Munition und einigen Schriftstücken. Neben Fotokopien eines Briefes der RAF an die Partei der Arbeit der Volksrepublik Korea, der dem Stil nach von Ulrike Meinhof stammte und auch mit handschriftlichen Zusätzen von ihr versehen war, befand sich in der Tüte auch die Durchschrift eines Schreibens mit dem Titel »Eine Sklavenmutter beschwört ihr Kind«:

»Ulrike, du bist anders als dein Steckbrief, ein Sklavenkind – selbst Sklavin.

Wie also solltest du fähig sein, auf deine Unterdrücker zu schießen?

Laß dich nicht verführen von jenen, die keine Sklaven mehr sein wollen. Du kannst sie nicht schützen.

Ich will, daß du Sklavin bleibst – wie ich. Ich und du – wir haben gesehen, wie die Herren den Aufstand der Sklaven zerschlugen, noch ehe er begann.

Viele Sklaven sind umgekommen, wir aber überlebten. Sie, die sich heute über die Herren erbittern, wissen ja nicht, welch herrliches Gefühl es ist, noch einmal davongekommen zu sein. Genieße es – denn nichts sonst bleibt uns zu genießen.

Die Revolution ist groß – wir sind zu klein für sie.

Sklavenseelen sind Flugsand, auf den ein Sieg nicht zu gründen ist.

Als du aufwachtest und die Freiheit verlangtest, da hat sie dir niemand gebracht. Warum hast du nicht resigniert – wie andere?

Sieh mich! Ich habe Widerstand geleistet, wenn mich die Herren schlugen – ich schrie.

Doch du erzürnst die Herrschaft, daß sie wieder schlagen möchte. Wer aber wird noch schreien wollen, wenn wir selbst dafür noch mißhandelt werden?

Du bist ein braves Kind. Du bist gar nicht über den Zaun der Herrschaft geklettert, das waren doch die anderen. Sie haben die Hunde aber auf dich losgelassen.

O Kind, du hast etwas besseres verdient. Was du alles hättest werden können.

Sicher hättest du es zur Aufseherin gebracht.

Siehst du nicht, wie stark die Herrschaft ist? Alle Sklaven gehorchen ihr. Selbst jene, die sich empört hatten und siegten, werden der Herrschaft ihren Sieg zu Füßen legen, damit sie weiter Sklaven sein dürfen.

Die Sklaven hassen jene, die frei sein wollen. Sie sollen dir auch nicht helfen, damit du endlich begreifst, daß deine Rebellion sinnlos ist.

Dein Mut ist herzlos, denn wie können wir vor ihm noch unsere Feigheit verborgen halten? Wenn du auch lieber tot bist als für immer eine Sklavin, so hast du doch nicht das Recht, uns zu beunruhigen.

Ich weiß: du willst, daß wir alle frei werden; aber werden wir uns wohler fühlen?

Den geprügelten Feldsklaven auf den Plantagen in Asien, Afrika und Südamerika, die ihre Aufseher erschlugen, mag Gott vergeben.

Wir Haussklaven haben nicht das Recht, die Herren, die jene Aufseher mit den Ochsenziemern ausschicken, zu verjagen.

Ihr Haus in Ordnung zu halten, ist unsere Pflicht.

Kind, versündige dich nicht. Tu Buße, mag die Strafe der Herrschaft auch fürchterlich sein. Es ist Gottes Wille.

Sei Untertan der Obrigkeit, die Gewalt über dich hat.

Ulrike, gib auf!

Verflucht der Gott, der Sklaven zu seiner Zerstreuung schuf.«

Im Papierkorb am Wittenbergplatz lag Ulrike Meinhofs Antwort an ihre Pflegemutter Renate Riemeck.

33. Der BKA-Präsident und seine Computerwelt

In jenem Herbst 1971, als die RAF eineinhalb Jahre alt war, als es zwei Tote gegeben hatte, die Hälfte der ersten Generation in Haft war, als neue Leute sich dem Untergrundkampf anschlossen, erhielt das Bundeskriminalamt in Wiesbaden einen neuen Präsidenten.

Sein Name war Horst Herold, und er wurde zum Symbol für die Jagd nach den RAF-Terroristen, so wie der Name Baader für die RAF selbst stand. Fast zehn Jahre lang leitete Horst Herold das BKA, baute es von einer unbedeutenden polizeilichen Koordinierungsstelle des Bundes zu einem mächtigen Fahndungsapparat auf.

Nach seiner Pensionierung im März 1981 zog Herold auf das Gelände einer Polizeikaserne im süddeutschen Raum in ein bescheidenes Fertighaus, geschützt durch einen Zaun und einen schußsicheren Erdwall. Im Keller installierte er eine kleine Computeranlage, auf der er weiterhin Programme zur Verbrechensbekämpfung entwickelte. Wenn er seine Fluchtburg verließ, wurde er begleitet von mit Maschinenpistolen bewaffneten BKA-Beamten, die ihn vor Anschlägen schützen sollten, denn noch im Ruhestand galt Horst Herold als eine der meistgefährdeten Personen der Bundesrepublik. Für die gepanzerte Limousine mußte er Kilometergeld an den Bund bezahlen.

Herold fühlt sich als der Mann, der den Krieg der siebziger Jahre gegen den Terrorismus gewonnen hat, und er fühlt sich von Politikern und Öffentlichkeit schlecht und undankbar behandelt, vor allem aber mißverstanden. Das von ihm aufgebaute Computernetz des BKA, für manche die Inkarnation eines Orwellschen Überwachungsstaates, ist aus seiner Sicht nichts anderes als ein Instrument der »gesellschaftssanitären Aufgabe« der Polizei.

Mit Andreas Baader, der sein Hauptgegner war in den Jahren des »innerstaatlichen Krieges«, verbindet ihn fast so etwas wie eine Haß-Liebe. Manchmal rutschen ihm Sätze heraus wie: »Baader war der einzige, der mich jemals richtig verstanden hat. Und ich bin der einzige, der ihn jemals richtig verstanden hat.« Und er verweist, fast ein wenig stolz, darauf, daß Baader seine, Horst Herolds, Schriften über Terrorismusbekämpfung zur Pflichtlektüre der RAF gemacht hatte.

Tatsächlich gab es zuweilen bemerkenswerte Übereinstimmungen in der Einschätzung des Kampfes von Terroristen und Staatsapparat zwischen Herold und der RAF. So zitierte der Verteidiger Otto Schily im Stammheimer Verfahren eine Rede Horst Herolds auf dem »Hessenforum«, während des Prozesses gehalten, als Beleg für die RAF-These, daß es in dem Verfahren nicht um einen normalen Straffall gehe, sondern um eine militärisch-politische Auseinandersetzung zwischen dem bürgerlich-kapitalistischen Staat und seinen radikalsten Gegnern.

Herold hatte gesagt: »Die erste Frage ist, ob der Terrorismus in seinen Erscheinungsformen in Deutschland, aber auch in der ganzen Welt ein Produkt der Hirne der Täter ist, der Baaders, der Meinhofs, ein Produkt der kranken Hirne, wie man ja auch behauptet, oder ob der Terrorismus eine Widerspiegelung gewisser gesellschaftlicher Situationen in der westlichen, auch in der östlichen Welt ist, so daß der Terrorismus im Überbau lediglich die Probleme reflektiert, die objektiv bestehen. Dabei wäre zu erörtern, wer dann vorrangig den Terrorismus zu bekämpfen hat – die Polizei oder die Politik. Meiner Meinung nach sind es die politischen Mächte, die die Verhältnisse zu ändern haben, unter denen Terrorismus entstehen kann … Dann nützt es nichts, auf Köpfe einzuschlagen oder, wie es manche fordern, Köpfe abzuschlagen, sondern dann gilt es, auf die historischen Ursachen, auf die Gesetzmäßigkeiten einzuwirken.«

Und Herold weiter zum Problem der »Gegenmacht«, welche die Terroristen aufzubauen versuchten: »Deshalb werden ja auch in dem ganzen Kampf nicht nur militärische Kategorien verwendet, sondern zunehmend auch – ich spreche es ungern aus, aber die Tendenz dahin zeichnet sich ab – gleichsam völkerrechtliche Kategorien eingeführt.«

Nachdem Otto Schily mit der Darlegung Heroldscher Thesen geendet hatte, setzte sich Baader mit der Position des BKA-Chefs Herold auseinander. Ironisch bemerkte er, daß er ja wohl das Recht habe, sich auf Herold zu beziehen, nachdem er »uns seit fünf Jahren so exzessiv verwendet, um seinen Apparat aufzublähen«.

»Es ist Herold, der Polizist«, sagte Baader, »der um rechtliche Normen der Guerilla ringt, schließlich völkerrechtliche Normen, weil sie für seinen Machtanspruch funktional sind. Er sagt, die Tendenz ist die Verpolizeilichung des Krieges und die Verlagerung der militärischen Auseinandersetzungen nach innen. Und ich bin der Mann, der diesen Krieg zu führen hat, also gebt mir den Apparat, gebt mir das Geld, und vor allen Dingen gebt mir politische Macht. Herold ist auf der Höhe der Reaktion.«

Horst Herold wurde am 21. Oktober 1923 in Thüringen geboren. Er besuchte eine Oberrealschule in Nürnberg und machte dort Abitur. Von 1941 bis 1945 war er Soldat, erlitt 1942 als Panzerkommandant vor Woronesch eine schwere Splitterverwundung. Er studierte Rechts- und Staatswissenschaften an der Universität Erlangen und wurde 1951 mit einem völkerrechtlichen Thema zum Dr. jur. promoviert. Ein Jahr später legte er in München das große juristische Staatsexamen ab.

1953 wurde er Staatsanwalt in Nürnberg-Fürth. 1956 Amtsgerichtsrat, 1957 Landgerichtsrat in Nürnberg. Anfang der sechziger Jahre hatte er mit einem komplizierten Scheck- und Wechselbetrugsverfahren zu tun und entwickelte dabei ein neues Ermittlungsmodell, mit dessen Hilfe er die Wege und Methoden der Täter bis ins letzte Detail nachzeichnete. Aus diesem Fall heraus wurde er im Mai 1964 als Kriminaldirektor in den Polizeidienst übernommen, wurde Vertreter des Nürnberger Polizeipräsidenten, dessen Nachfolge er am 1. Februar 1967 antrat. Es dauerte nicht lange, da machte sich Herold durch die Einführung der Datenverarbeitung bei der Verbrechensbekämpfung einen Namen.

Eines Tages meldete sich bei Herold der Adjutant des damaligen Innenministers Hans-Dietrich Genscher, Oberstleutnant Wegener vom Bundesgrenzschutz, der später Chef der Anti-Terroristen-Gruppe GSG 9 wurde.

»Der Herr Innenminister macht demnächst eine Reise nach Mittelfranken. Kann er bei Ihnen vorbeikommen?«

Herold, froh, seine Neuerungen an höchster Stelle zu demonstrieren, sagte: »Ja, sehr gern.«

Der Innenminister war beeindruckt von Herolds Computer-Programmen. Dann bat der Polizeichef den Minister ans Fenster. Draußen hatte er zwei Hundertschaften Polizei antreten lassen. Leise sprach Herold in ein kleines Mikrophon: »Links um.« Und wie von Geisterhand bewegt, folgte die Truppe dem Kommando. Genscher staunte. So etwas hatte er noch nicht gesehen. Stolz erklärte Herold dem Minister seine Erfindung. Er hatte die Polizeibeamten mit neuen Schutzhelmen ausgerüstet, die im Innern einen Funkempfänger trugen. Auf diese Weise konnte ein

Polizeioffizier seine Leute bei Demonstrationseinsätzen drahtlos steuern.

Zwei Monate später wurde Horst Herold zu einer Tagung eingeladen. Der Münchner Polizeichef Schreiber war anwesend, der Fernsehfahnder XY-Eduard Zimmermann und 50 Polizei-Spezialisten. »Meine Herren«, sagte Innenminister Genscher zur Eröffnung, »wir müssen die Verbrechensbekämpfung modernisieren.« Herolds Vorstellung hatte bei Genscher Erfolg gehabt. Es wurde eine Kommission zur Reform des Bundeskriminalamts gebildet. Herold übernahm den Vorsitz. Nach einem Jahr Arbeit legte er einen 300seitigen Kommissionsbericht vor, der den Vorschlag für ein elektronisches Datenverarbeitungssystem enthielt.

Im Juli 1971 kam für Herold die große Stunde. Während eines Essens mit dem Nürnberger Oberbürgermeister wurde der ans Telefon gerufen und kam mit der Nachricht zurück: »Horst, Genscher hat angerufen. Er will dich zum BKA-Chef machen.«

Am 1. September 1971 trat Herold in Wiesbaden an. Damit war er der oberste Terroristenfahnder der Bundesrepublik –, als Chef einer Behörde, bei der 1113 Beamte arbeiteten und die über einen Etat von 54,8 Millionen Mark jährlich verfügte. Er wollte das BKA völlig neu aufbauen. Genscher versprach ihm jegliche Unterstützung, politisch und finanziell. Die Zeit war günstig. Die RAF machte den Polizeibehörden in den Ländern immer größere Schwierigkeiten. Eine Art deutsches FBI sollte Abhilfe schaffen. Die Länderinnenminister, sonst immer streng auf ihre Polizeihoheit achtend, waren bereit, einen Teil ihrer Macht an das BKA abzutreten.

Die Abteilung Terrorismusbekämpfung des Bundeskriminalamtes operierte in jener Zeit noch immer von Bonn aus. 50 Beamte gehörten zur sogenannten »Sicherungsgruppe Bonn«. Herold flog alle paar Tage mit dem Hubschrauber von Wiesbaden nach Bonn, um mit Genscher und dem Chef der »SG« zu konferieren. Die Sicherungsgruppe führte praktisch ein Eigenleben, war eine Art selbsternannte Elitetruppe des BKA.

»Was machen wir mit dem Terrorismus?« fragte Genscher.

Herold: »Man kann den Terrorismus nicht von Bonn aus bekämpfen. Das geht nur dezentral, an der Basis.«

Dann entwickelte Herold die Idee eines Meldesystems zwischen BKA und Länderpolizeien. Die einzelnen Bundesländer sollten aufgefordert werden, jeweils eine Sonderkommission »Terrorismusbekämpfung« zu bilden, die vom BKA aus gesteuert wurde. Altgediente Beamte im Bundesinnenministerium hielten das für eine ziemlich überzogene Idee, wußten sie doch, wie sehr die Polizeibehörden der Länder auf ihre Eigenständigkeit achteten. Herold hatte offenbar keine Ahnung vom Kompetenzenbewußtsein der Landesämter.

Genscher aber war auf Herolds Seite. Er beschloß, Herolds Plan der Innenministerkonferenz vorzulegen, die alle vierzehn Tage zusammentraf, immer häufiger beim BKA in Wiesbaden. Vorsitzender der Innenministerkonferenz war damals der Hamburger Innensenator Heinz Ruhnau, der seine Kollegen schnell auf den Herold-Plan einstimmte. Das BKA erhielt den Auftrag, die Sonderkommissionen der Länder zu steuern; nicht durch Weisungen, denn dazu war das BKA als Bundesbehörde nicht befugt, sondern durch Informationen. Das Bundeskriminalamt sollte zentrale Sammel- und Auswertungsstelle für Hinweise und Ermittlungsergebnisse in Sachen Terrorismus werden und als eine Art Superhirn den angeschlossenen Länderpolizeien und deren Sondereinheiten informatorische Impulse vermitteln. So ließen sich nach Herolds Meinung auch ohne klare Befehlsstruktur »Befolgungsreflexe durch informatorische Überlegenheit« erreichen.

Herold pflegte bis in die Nacht hinein zu arbeiten. Das Amt sollte aufgebaut, ein Computerzentrum installiert und neue Leute, Informatiker und weitere Kriminalisten eingestellt werden.

Während des Ausbaues der »Hardware« brütete Herold über neuen Anwendungsmodellen für seine Elektronenhirne. Er arbeitete »Vorgaben« aus und erklärte seinen Informatikern, wie er sich in groben Zügen sein Programm vorstellte. »Wenn ihr fertig seid, haltet mir mal einen Vortrag, wie die logischen Abläufe sind, und dann möchte ich mal euren Ablaufplan sehen.« Herold kontrollierte jeden Rechnerschritt und wurde so allmählich selbst zum Computerspezialisten. Als er auch seine Privatwohnung ins Amt verlegt hatte, verließ er »sein Stammheim«, wie er es später manchmal nannte, nur noch dienstlich und werkelte nicht selten nachts selbst an den Elektronenrechnern herum. Er ließ in den BKA-Computer nicht nur Daten von Leuten aufnehmen, die per Haftbefehl gesucht wurden, sondern auch von solchen, gegen die ein Ermittlungsverfahren lief oder von denen »eine Gefahr ausging« – was auch immer damit gemeint sein mochte.

Herold war kreativ, und er war Perfektionist. Er entwickelte sich selbst zum Sachbearbeiter, der bis ins kleinste Detail, bis zur letzten Waffennummer alles im Kopf und im Magnetspeicher haben wollte. Er schlief immer weniger. Er gebar phantastische Ideen, wie man Verbrechen, nicht nur terroristische, schon im Vorfeld bekämpfen könne. Als Grundlage dafür sollte das von der Polizei in Jahrzehnten angehäufte gigantische Datenmaterial dienen.

Manchmal schien es, als würde Herold in der Beurteilung seines Amtes und seiner selbst ständig schwanken: zwischen Überschätzung und Unterschätzung, zwischen Allmachtsphantasien und Verzagtheit, zwischen Selbstbeweihräucherung und Selbstmitleid. Manchmal äußerte er den Gedanken, daß ein Reichskriminalamt nach dem Muster des BKA die Nazi-Herrschaft hätte verhindern können.

Herold verstand viele der politischen Beweggründe der »Baaders und der Meinhofs« sehr genau; nicht zuletzt deshalb war er bei der Fahndung manchmal sehr erfolgreich.

Auf dem Höhepunkt der Terroristenjagd fühlte Herold sich in seinem Amt oft genauso gefangen wie die bereits inhaftierten Terroristen in den Hochsicherheitstrakten. Im Unterschied zu den Terroristen, beklagte er sich, genieße er aber kein Mitleid in der Öffentlichkeit. Der Clinch, den er mit den Terroristen habe, verbinde ihn mehr mit ihnen als mit dem Rest der Gesellschaft. Wenn Leute so intensiv gegen die Verhältnisse anrannten, dann müsse das auch mit den Verhältnissen selbst zu tun haben. Seine Aufgabe sei es, im Rahmen des ihm Möglichen, unauffällig aber wirkungsvoll, auf die Politik Einfluß zu nehmen.

1971, als Herold sein Amt in Wiesbaden antrat, hatte das BKA einen Jahresetat von 54,8 Millionen Mark und 1820 Planstellen, von denen 1113 besetzt waren. 1981, zum Zeitpunkt seines Ausscheidens aus dem Bundeskriminalamt, betrug der Etat 290 Millionen Mark, und obwohl es »nur« 3289 Planstellen gab, arbeiteten tatsächlich 3536 Beamte und Angestellte für das BKA.

Mit der von Herold aufgebauten Datenverarbeitung stand zum ersten Mal ein System zur Verfügung, das zwei kriminalistische Wunschträume zugleich erfüllte: möglichst viel zu sammeln, also zu wissen, und die einzelnen Bausteine in kürzester Zeit zusammentragen zu können. 1979 wurden in einem Überprüfungsbericht des späteren Bundesinnenministers Baum 37 Dateien bzw. Karteien aufgelistet, in denen 4,7

Millionen Namen und etwa 3100 Organisationen enthalten waren. Viele davon kamen mehrfach vor. In der Fingerabdrucksammlung befanden sich die Abdruck-Karten von 2,1 Millionen Personen. Es gab eine Lichtbildersammlung mit den Fotos von 1,9 Millionen Menschen. Die »Personenidentifizierungszentrale« (PIZ), eingerichtet nach dem Mord an Generalbundesanwalt Buback 1977, enthielt Namen von mehr als 3500 Personen, dazu jeweils eine kurze Personenbeschreibung und die Aufzählung der vorhandenen Identifizierungsunterlagen wie Fotos, Fingerabdrücke und Handschriftproben. Darunter waren viele, die beispielsweise im Jahre 1970 des Terrorismus verdächtigt worden waren, ohne, daß sich der Verdacht bestätigt hätte.

Auch eine »Kommunekartei« legten die Beamten an, in der Daten von Wohngemeinschaften gespeichert waren, die der Polizei im Bereich der Terrorismusfahndung bekannt geworden waren. Sie enthielt 1000 »Objekte« und etwa 4000 Personen. In der »Organisationskartei« waren Meldungen von Sicherheitsbehörden über Initiativkreise gegen Berufsverbote, Menschenrechtsorganisationen, Soldaten- und Reservistenkomitees gespeichert.

In der »Zentralen Handschriftensammlung« wurden rund 60 000 Schriftproben Bekannter und Unbekannter zusammengetragen, die bei einer Straftat oder bei einem Straftatversuch Geschriebenes hinterlassen hatten. Dazu kamen Schriftproben unterschiedlichster Art von Terroristen, des Terrorismus Verdächtigten und Kontaktpersonen, insgesamt 2000. Einen wesentlichen Teil davon erhielt das BKA aus den Haftanstalten – im Rahmen der sogenannten Häftlingsüberwachung durch Übersendung der handschriftlich ausgefüllten Besucherscheine. Herzstück des elektronischen BKA-Gedächtnisses war die Datei PIOS (Personen, Institutionen, Objekte und Sachen).

PIOS/Terrorismus enthielt Erkenntnisse über rund 135 000 Personen, 5500 Institutionen, 115 000 Objekte und etwa 74 000 Sachen. Eingegeben wurden neben Erkenntnissen aus anderen Karteien und aus der Beobachtenden Fahndung auch die aus dem Sondermeldedienst »Gewalttätige Störer«. Diese Meldungen enthielten nicht nur die Personalien, sondern auch nähere Angaben über den Grund der Meldung. 1979 waren darin rund 800 Personen erfaßt.

Unter dem Stichwort »Kontaktpersonen/Häftlingsüberwachung« waren im Januar 1979 allein 6632 Personen registriert, die irgendwann einmal einen des Terrorismus Verdächtigten im Gefängnis besucht hatten, Gesinnungsgenossen ebenso wie Schulfreunde, Geschwister oder Eltern.

Ein Computerausdruck vom 15. Januar 1979 listete 6047 Personen mit dem Vermerk »BEFA-7-Kontaktperson« auf. Dabei handelte es sich zum Beispiel um Personen, die in Begleitung von Leuten angetroffen worden waren, die der »Beobachtenden Fahndung« unterlagen und selbst als »BEFA-7-Person« registriert waren.

Daneben existierten beim BKA noch zahlreiche weitere Dateien aus dem Bereich der allgemeinen Kriminalität.

Der Aufbau des gesamten Instrumentariums für den »Großen Bruder BKA« dauerte viele Jahre. Einige wenige der Dateien wurden später auf Weisung von Bundesinnenminister Baum gelöscht.

34. Bitte um militärische Zusammenarbeit mit Korea

Die Plastiktüte, die am Wittenbergplatz mit der Antwort Ulrike Meinhofs auf den offenen Brief Renate Riemecks gefunden worden war, enthielt noch einen anderen Brief. Nach der Analyse des Bundeskriminalamts stammte er ebenfalls »mit an Sicherheit grenzender Wahrscheinlichkeit« von Ulrike Meinhof. Der Adressat des Briefes war durch einen Zahlencode verschlüsselt. Erst ein halbes Jahr später konnte der BKA-Beamte Alfred Klaus den Code entschlüsseln. In einer konspirativen Wohnung waren zwei Ausgaben des »Spiegel« gefunden worden, in denen der Text der »Hausmitteilung« mit Zahlen markiert worden war.

Der Brief in der Plastiktüte trug das Datum 17. November 1971. Klaus besorgte sich die »Spiegel«-Ausgabe vom 15. November und numerierte die Buchstaben der Hausmitteilung durch. In einer Zahlenreihe von 1 bis 119 markierte jede Ziffer einen Buchstaben. Der Adressat konnte entschlüsselt werden: »Die Partei der Arbeit der Volksrepublik Korea«.

Die RAF stellte sich vor als »eine noch zahlenmäßig kleine Gruppe kommunistischer Arbeiter und Intellektueller, die begonnen hat, den antiimperialistischen Kampf in Westdeutschland und Westberlin bewaffnet zu führen. Wir meinen, daß die Organisation von bewaffneten

Aktionen in der Metropole Bundesrepublik der richtige Weg ist, die Befreiungsbewegungen in Afrika, Asien und Lateinamerika zu unterstützen, der richtige Beitrag westdeutscher und westberliner Kommunisten zur Strategie der sozialistischen Weltbewegung, die Kräfte des Imperialismus durch Angriffe von allen Seiten zu zersplittern und zersplittert zu schlagen ...«

Der Kern des Briefes: »Wir möchten die Partei der Arbeit um Unterstützung bitten. Was wir am nötigsten brauchen, ist eine militärische Ausbildung. Wir brauchen auch Waffen. Aber während wir uns Waffen, Wohnungen, Geld und Fahrzeuge noch am ehesten selbst beschaffen können, ist es für uns extrem schwer, uns selbst militärisch – vor allem im Pistolen- und Maschinenpistolenschießen – auszubilden. Es gibt in der Bundesrepublik keine größeren unbewohnten Gebiete, wo man schießen könnte, ohne von der Polizei bemerkt zu werden.«

Einige RAF-Mitglieder seien im Jahre 1970 bei den Palästinensischen Fedayin ausgebildet, viele davon aber inzwischen verhaftet worden. »Wir glauben, daß wir unsere Arbeit, wenn wir militärisch besser ausgebildet wären, besser machen könnten.«

Ob Nordkoreas Partei der Arbeit auf den Brief reagierte, ist nicht bekannt.

35. Der Tod des Georg von Rauch

Der Hilferuf an die vermeintlichen Genossen in Nordkorea kam nicht von ungefähr, denn die Gruppe hatte kurz zuvor einen erheblichen Schlag hinnehmen müssen. Nach der Verlagerung des Aktionsfeldes zurück nach Berlin schickten Helfer aus Hamburg Ausrüstungsgegenstände per Post hinterher. Die Pakete, mindestens 15 Stück, waren derart schlampig verpackt, daß Munition herausfiel. Die Beamten der Bundespost alarmierten die Polizei, und die gesamte Sendung wurde beschlagnahmt.

Der Inhalt bestand aus 16 Pistolen der Marken Firebird und Parabellum, drei Schnellfeuergewehren, dazugehörigen Schalldämpfern und Zielfernrohren, 3280 Schuß Munition diverser Kaliber, zwei Handfunksprechgeräten, zehn Perücken, zahlreichen künstlichen Bärten, einem

Plastikbeutel mit Autoplaketten verschiedener Bundesländer, verschiedene Rausch- und Betäubungsmittel in Ampullen. Außerdem wurden Uniformstücke, wie eine Uniformjacke der bayerischen Landpolizei, eine Jacke der bayerischen Grenzpolizei, die Uniformjacke eines Oberleutnants gefunden. Dazu 15 Stangen Sprengstoff und 16 Sprengkapseln. Wenige Tage später startete die Berliner Polizei eine Großrazzia. 3000 Polizisten wurden in die Jagd eingeschaltet. Die Sicherheitsmaßnahmen und Personenkontrollen an den Grenzübergängen wurden verschärft. Die Polizei rief Wohnungsmakler, Hausverwalter, Tankstellen, Autowerkstätten, Schlüsseldienste und Kraftfahrzeug-Kennzeichen-Hersteller zur Mitarbeit auf. Besonderes Augenmerk sollte die Bevölkerung auch auf verdächtige BMW richten. Gesucht wurden nicht nur Mitglieder der RAF, sondern auch der »Bewegung 2. Juni«.

Die Polizei-Aktion begann am 3. Dezember 1971. Einen Tag darauf gab es wieder einen Toten.

Zwei Polizeibeamte in Zivilfahrzeugen und Verfassungsschützer hatten einen als gestohlen gemeldeten Ford Transit verfolgt. In der Eisenacher Straße stoppten sie den Lieferwagen und einen gleichfalls gestohlenen roten VW-Variant. Die Polizeibeamten versuchten, die vier Insassen beider Wagen festzunehmen. Einer rannte sofort davon, die anderen drei stellten sich mit erhobenen Händen an eine Hauswand. Der eine Beamte – in Zivil – tastete sie nach Waffen ab. Ein Anwohner beobachtete die Szene vom Fenster aus und rief die Polizei an. Aufgeregt sagte er: »In der Eisenacher Straße, Ecke Fugger, werden drei junge Leute mit der Pistole bedroht von einem. Ich weiß nicht, ob das schon die Auswirkung der Baader-Jagd ist. Können Sie mal sofort da hinfahren.«

»Eisenacher, Ecke …« wiederholte der diensthabende Beamte am anderen Ende der Leitung.

»Fugger, das Antiquitätengeschäft gegenüber vom Spielplatz«, rief der Beobachter, der das Telefon mit ans Fenster genommen hatte.

»Was is 'n da?« fragte der Polizist.

»Da werden drei junge Leute von einem mit der Pistole bedroht. Die lehnen sich jetzt an die Wand, mit erhobenen Händen und so.«

»Bedrohung mit Pistole, ja«, wiederholte der Beamte.

»Von einem Zivilisten, nicht Polizisten.«

»Wir kommen hin.« Der Beamte hatte verstanden. In diesem Moment wurde geschossen. »Es wird geschossen, schnell«, schrie der Anrufer.

»Ja, bleiben Sie bitte dran.«

Die Stimme des Zeugen überschlug sich: »Einer liegt, einer liegt, es wird geschossen. Hören Sie, hören Sie, hören Sie. Einer ist erschossen …«

»Bleiben Sie ruhig, der Funkwagen ist schon unterwegs.«

»Wir gucken vom Balkon. Schnell jetzt … oh, Mensch. Mir gehen die Nerven durch, verdammt.«

»Ganz ruhig bleiben«, sagte der Polizist. »Der Funkwagen ist unterwegs. Können Sie eine Täterbeschreibung geben?«

»Nein nicht, nichts, gar nichts. Wir wohnen zu weit weg davon, wir sind im dritten Stock hier …«

»Bleiben Sie bitte dran. Ich gebe dem Funkplatz Bescheid.«

»Da putzt einer sein Auto unten. Einer liegt da, der liegt da …«

»Sind Sie noch dran?« fragte der Beamte.

»Einer ist wahrscheinlich tot. Der liegt da reglos.«

»Da liegt jemand, ja?« fragte der Polizist.

»Tot vor dem Geschäft gegenüber vom Spielplatz.«

»Bleiben Sie bitte am Apparat«, sagte der Beamte.

»Ja gut, ja.«

»Feuerwehr fährt schon.«

»Ist ja ein dolles Ding, Mensch, und die Leute putzen da ihr Auto weiter, als sei nichts geschehen, und die Leute sind seelenruhig. Ich begreife nichts.«

»Ach du Schande«, sagte der Polizist. »Das ist eben die heutige Zeit.«

Das Gespräch war in der polizeilichen Notrufzentrale auf Band aufgenommen worden. Der Tote war Georg von Rauch, Professorensohn aus Kiel.

Er war Bommi Baumanns bester Freund gewesen. Jetzt lag er auf dem Straßenpflaster, mit einem Schuß durchs Auge getötet. Baumann hatte gesehen, daß von Rauch zuerst die Pistole gezogen und geschossen hatte. Aber welchen Unterschied machte das schon. Baumann rannte davon, die Pistole immer noch in der Hand. Auf dem Kurfürstendamm geriet er in eine Gruppe Hare-Krishna-Jünger. Mit fuchtelnder Pistole konnte er die orange gekleideten Gestalten dazu bewegen, ihn durchzulassen. Dann flüchtete er in die Wohnung von Bekannten. Während unten auf der Straße die Polizei nach ihm suchte, ließ er sich von zwei dort wohnenden Teenagern auf die Straße begleiten und ging mit ihnen direkt an den Polizeikontrollen vorbei. Die Mädchen waren einer Ohnmacht nahe.

Baumann fand in einer Hinterhauswohnung Zuflucht. Nach einiger Zeit nahm er Kontakt zu Andreas Baader auf: Die »Bewegung 2. Juni« brauchte Hilfe.

Einige Wochen später, an einem Vormittag, trafen sie sich. Baumann hatte sich die Zeit zuvor fast nur nachts auf die Straße gewagt. An diesem hellen Wintermorgen blendete ihn das ungewohnte Licht so sehr, daß er kaum etwas erkennen konnte. Er kniff die Augen zusammen. Baader trug einen langen Schlosserkittel. In der Hand hielt er eine Plastiktüte mit Äpfeln, dazwischen steckte eine Maschinenpistole. Baader ging in der Mitte der Straße. Rechts und links von ihm auf dem Bürgersteig patrouillierten je drei seiner Leute. Auch sie trugen Plastiktüten, in denen ebenfalls kleine Maschinenpistolen eines englischen Typs versteckt waren. Baumann kannte die Waffen.

Nur einem der Begleiter war er schon einmal begegnet: Holger Meins. Die anderen waren ihm unbekannt. Alle waren in Pelzmützen, Schals und hochgeschlagene Mantelkragen gehüllt.

Baumann ging auf Baader zu, der nach einer kurzen Begrüßung sagte: »Na, da habt ihr ja euren besten Mann verloren.« Er meinte Georg von Rauch. Das war ein Thema, über das Baumann nicht reden mochte. »Paß auf, wir brauchen jetzt Ausweise. Unsere ganzen Wohnungen sind hochgeflogen. Georg hatte alle Schlüssel bei sich«, sagte er. Baader versprach zu helfen, ließ aber nie wieder von sich hören.

36. Revolutions-Fiktion

Bundesinnenminister Genscher äußerte verhaltene Zuversicht. »Ich sage nicht bald, aber in absehbarer Zeit.« Die »Welt« machte daraus die Schlagzeile: »Genscher bläst zum Schlußangriff auf die Anarchistenbande.«

Zwar wurden kurz nach der Berliner Schießerei einige Randfiguren der Gruppe festgenommen, aber der entscheidende Schlag blieb aus. Die Kerntruppe der RAF setzte sich wieder nach Westdeutschland ab.

Andreas Baader hatte die Idee, falsche Spuren zu legen, um die Polizei in die Irre zu führen. Er gab den Auftrag, einen Volkswagen und einen

Mercedes 280 SL, der in Hamburg gestohlen worden war, in München abzustellen. Alle wichtigen Gruppenmitglieder hatten in dem Wagen ihre Fingerabdrücke hinterlassen.

Nach mehr als eineinhalb Jahren im Untergrund, die im wesentlichen mit dem immer wieder neuen Aufbau eines logistischen Systems von Autos, Wohnungen und gefälschten Papieren sowie der dazu notwendigen Finanzierung durch Banküberfälle ausgefüllt waren, sollte jetzt mit Sprengstoffaktionen auf die politischen Ziele der RAF aufmerksam gemacht werden.
Zunächst aber brauchte die Gruppe Geld. Zwar hatten BM-Mitglieder auch in den letzten Herbstmonaten gelegentlich Banken überfallen und ausgeraubt, aber auf Anraten des Bundeskriminalamts war in den Banken der Bestand an Bargeld erheblich reduziert worden, sodaß Überfälle wesentlich weniger einbrachten als zuvor.
Manchmal kam es vor, daß nur druckfrische Geldscheine erbeutet wurden, die umzutauschen zu gefährlich gewesen wäre. Deshalb dachte man darüber nach, wie »neues« in »gebrauchtes« Geld zu verwandeln wäre. Die Geldnoten wurden mit schmutzigen Händen gerollt und mehrmals gefaltet. In einer Wohnung verteilten die Gruppenmitglieder Banknoten auf dem Fußboden und liefen tagelang darauf herum. Gelegentlich taten sie des Guten etwas zu viel: Die Geldscheine waren kaum noch als gültiges Zahlungsmittel zu erkennen.
Frankfurt am Main wurde zum neuen Zentrum. Kurz vor Weihnachten 1971 erhielt der Metallbildner Dierk Hoff Besuch in seiner gut ausgerüsteten Werkstatt für künstlerische und kunsthandwerkliche Arbeiten. Drei Jahre zuvor, 1968, hatte er im Trödlergeschäft eines Bekannten den Studenten an der Berliner Filmhochschule Holger Meins kennengelernt. Er hatte ihn schon fast wieder vergessen. An diesem Dezembertag stand Holger Meins plötzlich in der Werkstatt. Er begrüßte Hoff freundschaftlich, so, als seien sie alte Bekannte. Hoff konnte sich anfangs nicht so recht erinnern.
»Woher kennen wir uns?«
»Dich kennt doch jeder, du bist doch stadtbekannt.«
Holger Meins sagte, er arbeite gerade an einem Filmprojekt. Dafür seien bestimmte technische Arbeiten erforderlich. Wenn Hoff Interesse hätte, könne man ihm die Aufträge geben. Dierk Hoff erklärte sich dazu bereit.

Einige Zeit später tauchte Holger Meins erneut in der Werkstatt auf, diesmal in Begleitung eines weiteren jungen Mannes: Jan-Carl Raspe, den Meins als »Lester« vorstellte. Holger Meins hatte auch seinen eigenen Namen nicht genannt, aber den Gesprächen zwischen den beiden entnahm Dierk Hoff, daß cr sich »Erwin« nannte. Die drei setzten sich in den oberen Teil des doppelstöckigen Ateliers und plauderten über Hippies und die Subkultur. Sie rauchten ein bißchen Haschisch, und Hoff zeigte ihnen sein Musterbuch, in dem er verschiedene seiner Arbeiten abgebildet hatte. Manche der Werkstücke waren waffenähnlich. Die beiden Besucher fanden das alles ganz beachtlich und stellten Hoff Aufträge für ihren Film in Aussicht. Das Projekt würde sich zwar noch ein bißchen hinziehen, in der Zwischenzeit könne er aber ein Gerät zum Herausziehen von Hohlsplinten herstellen. Holger Meins hatte ein Muster mitgebracht, und Hoff erklärte sich bereit, sechs Stück davon anzufertigen. In Wirklichkeit handelte es sich um Schloßausdreher, mit denen man Autos aufknacken konnte.

Nach ein paar Tagen kam Holger Meins wieder, lobte die gute Arbeit und zahlte 200 Mark. »Mit dem Film sind wir jetzt soweit. Wir können an die Requisiten denken«, sagte »Erwin«. Hoff fragte, worum es denn bei dem Film gehe. »Eine Art Revolutionsfiktion«, antwortete Holger Meins. In den üblichen Requisitenkatalogen könne man nur ziemlich primitives Zeug finden. Er zeigte Hoff ein Handgranatenoberteil mit einem himmelblau gespritzten Blechbügel. Das Ganze sah wie ein Spielzeug aus. Meins erklärte ihm die Funktionsweise und fragte, ob er das Ding in etwas »urigerer« und »knuffigerer« Ausführung nachbauen könne. Hoff stellte ein gutes Dutzend Duplikate her und bekam dafür 500 Mark in bar.

Innerhalb der Gruppe erhielt der »Metallbildner« den Decknamen »Pfirsich«.

37. »Sechs gegen 60 Millionen«

Am 22. Dezember 1971 überfielen mindestens vier Personen die Zweigstelle der Hypotheken- und Wechselbank in der Fackelstraße in Kaiserslautern. Sie erbeuteten rund 100 000 Mark und ausländische Währung im Wert von etwa 35 000 Mark. Um den ungestörten Ablauf der Aktion zu sichern, hatten Helfer kurz vor dem Überfall das Tor des in der Nähe der Bank gelegenen Polizeireviers mit ihren Autos blokkiert.

Der Überfall begann um 8.00 Uhr. Ein roter VW-Bus hielt vor der Bank. Bis auf den Fahrer hatten alle Insassen Pudelmützen mit Sehschlitzen über die Köpfe gezogen und waren einheitlich mit grünen Parkas bekleidet. Sie stürmten mit gezogenen Pistolen in die Bank: »Überfall! Hände hoch! An die Wand!« Einer sprang über die Brüstung zur Sortenkasse und räumte sie aus, während ein anderer in die Hauptkasse vordrang und das Geld in seine Aktentasche stopfte. Dann wurde der Kassierer aufgefordert, den Tresor zu öffnen.

In der Zwischenzeit war draußen auf der Straße einem zufällig vorbeikommenden Polizeibeamten aufgefallen, daß ein roter VW-Bus vor der Bank verkehrswidrig parkte. Er trat an das Beifahrerfenster. Plötzlich fiel aus dem Wageninnern durch die Scheibe ein Schuß. Der Polizist Herbert Schoner wurde von Glassplittern an Hals und Gesicht verletzt. Der Mann auf dem Fahrersitz gab einen zweiten Schuß ab, der den Polizisten in den Rücken traf. Lebensgefährlich verletzt brach der Beamte zusammen, riß im Fallen seine Pistole hoch und erwiderte das Feuer. Er schleppte sich in den Kassenraum der Bank. Auf dem Tresen hockte einer der Bankräuber. Er schoß auf den Polizisten. Später stellten die Gerichtsmediziner fest, daß jeder dieser Schüsse für sich allein tödlich gewesen wäre.

Ohne auf das Öffnen des Tresors zu warten, ergriffen die Bankräuber die Flucht. Eine Damenhandtasche und einen Kassettenrecorder, den sie auf einem Tisch abgestellt und eingeschaltet hatten, ließen sie zurück. Sie sprangen in den VW-Bus und rasten davon.

Am nächsten Morgen, es war der Tag vor Heiligabend 1971, machte die »Bild-Zeitung« mit der Schlagzeile auf: »Baader-Meinhof-Bande mordet weiter. Bankraub: Polizist erschossen.«

Die Voreiligkeit, mit der die BM-Gruppe zunehmend für alles und jedes verantwortlich gemacht wurde, signalisierte eine weitere Verschärfung des innenpolitischen Klimas. Zwei Wochen später veröffentlichte der »Spiegel« einen Artikel Heinrich Bölls unter der Überschrift: »Will Ulrike Gnade oder freies Geleit?« Der Aufsatz spiegelte die Ratlosigkeit vieler Linker und Liberaler dem Privatkrieg der RAF gegenüber.

»Es ist eine Kriegserklärung von verzweifelten Theoretikern«, schrieb Böll, »von inzwischen Verfolgten und Denunzierten, die sich in die Enge begeben haben, in die Enge getrieben worden sind und deren Theorien weitaus gewalttätiger klingen, als ihre Praxis ist … Es kann kein Zweifel bestehen: Ulrike Meinhof hat dieser Gesellschaft den Krieg erklärt, sie weiß, was sie tut und getan hat, aber wer könnte ihr sagen, was sie jetzt tun sollte? Soll sie sich wirklich stellen, mit der Aussicht, als die klassische rote Hexe in den Siedetopf der Demagogie zu geraten?«

Der Schriftsteller machte eine Rechnung auf: sechs RAF-Leute gegen 60 Millionen Bundesbürger.

»Das ist tatsächlich eine äußerst bedrohliche Situation für die Bundesrepublik Deutschland. Es ist Zeit, den nationalen Notstand auszurufen. Den Notstand des öffentlichen Bewußtseins, der durch Publikationen wie ›Bild‹ permanent gesteigert wird …

Muß es so kommen? Will Ulrike Meinhof, daß es so kommt? Will sie Gnade oder wenigstens freies Geleit? Selbst wenn sie keines von beiden will, einer muß es ihr anbieten. Dieser Prozeß muß stattfinden, er muß der lebenden Ulrike Meinhof gemacht werden, in Gegenwart der Weltöffentlichkeit. Sonst ist nicht nur sie und der Rest ihrer Gruppe verloren, es wird auch weiter stinken in der deutschen Publizistik, es wird weiter stinken in der deutschen Rechtsgeschichte.«

Seit dieser Zeit galt Heinrich Böll als Baader-Meinhof-Sympathisant, wie viele andere auch, die versuchten, sich in der allgemein ausbreitenden Hysterie einen Sinn für Proportionen zu wahren. Heinrich Bölls Appell führte zu einem Sturm der Empörung, vor allem in der rechtsgerichteten Presse. »Bewaffnete Meinungsfreiheit« war ein Kommentar in der »Welt« überschrieben.

Im »Spiegel« antwortete der nordrhein-westfälische Minister für Bundesangelegenheiten, Diether Posser, auf Bölls Polemik: »Böll verharmlost in gefährlicher Weise die Tätigkeit der Gruppe. Der Zorn emotionalisierte seine Kritik und machte sie unsachlich. Seine Polemik übertrieb nicht nur – sie schadete. Er wollte zur Besinnung rufen und schrieb selbst unbesonnen.«

Heinrich Böll korrigierte sich:

»Die Wirkung meines Artikels entspricht nicht andeutungsweise dem, was mir vorschwebte: eine Art Entspannung herbeizuführen und die

Gruppe, wenn auch versteckt, zur Aufgabe aufzufordern. Ich gebe zu, daß ich das Ausmaß der Demagogie, die ich heraufbeschwören würde, nicht ermessen habe ...

Möglicherweise habe ich mehr demokratisches Selbstverständnis vorausgesetzt, als ich hätte voraussetzen dürfen.

Ich bin Schriftsteller, und die Worte ›verfolgt‹, ›Gnade‹, ›Kriminalität‹ haben für mich andere Dimensionen, als sie notwendigerweise für einen Beamten, Juristen, Minister und auch für Polizeibeamte haben.«

Es war nicht die Zeit für Besinnung. Jeden Tag schürten Zeitungen die Angst vor der Baader-Meinhof-Gruppe, peitschten die Emotionen hoch, gaben dadurch den Gruppenmitgliedern, die regelmäßig das publizistische Echo auf ihre Aktionen studierten, ein Gefühl der eigenen Bedeutung. Neue Großaktionen der Polizei wechselten einander ab, zumeist ohne Erfolg. Für die sozial-liberale Bonner Regierung unter Kanzler Willy Brandt wurden Erfolge bei der Jagd nach den flüchtigen RAF-Mitgliedern zur politischen Prestige-Frage. Selbst als »Milchbrüder des Terrorismus« verdächtigt, beeilten sich die Sozialdemokraten, den Forderungen der konservativen Opposition nachzukommen.

Kein Zufall, daß ausgerechnet jetzt, am 28. Januar 1972 die Ministerpräsidenten der Länder unter Vorsitz des Bundeskanzlers Willy Brandt einmütig Sanktionen gegen das für die innere Sicherheit belanglose Häuflein von DKP-Genossen verabschiedeten.

Es war der sogenannte Radikalenerlaß, der auf dem Höhepunkt der BM-Fahndung die politische Verschmutzung der heilen Beamtenwelt verhindern sollte: »Gehört ein Bewerber einer Organisation an, die verfassungsfeindliche Ziele verfolgt, so begründet diese Mitgliedschaft Zweifel daran, ob er jederzeit für die freiheitlich-demokratische Grundordnung eintreten wird. Diese Zweifel rechtfertigen in der Regel eine Ablehnung des Anstellungsantrages.«

Zur Begründung verstieg sich der nordrhein-westfälische Ministerpräsident Heinz Kühn gar zu der Äußerung: »Ulrike Meinhof als Lehrerin oder Andreas Baader bei der Polizei beschäftigt, das geht nicht.«

38. Andreas Baaders Daumen

Im Januar 1972 kam es in Köln erneut zu einer Schießerei. Ein Polizeiobermeister entdeckte im Hafengelände von Köln-Niehl einen BMW 2000 mit Berliner Kennzeichen. Er dachte sofort an die BM-Gruppe und stellte sein Motorrad mit laufendem Motor und eingeschalteten Scheinwerfern hinter den Wagen. Dann zog er seine Handschuhe aus und lud die Dienstpistole durch. Von hinten klopfte er an die Scheibe der Fahrertür. Baader drehte die Scheibe herunter und sah den Polizisten an. »Ihre Fahrzeugpapiere bitte«, sagte der Beamte und richtete den Lauf seiner Pistole auf ihn.

»Einen Moment bitte«, sagte Baader, beugte sich zum Handschuhfach, zog eine langläufige Pistole und schoß. Der Polizist hatte die Waffe gesehen und sich blitzschnell zur Seite bewegt. Der Schuß verfehlte ihn. Baader raste davon. Der Beamte schoß hinterher, traf aber nicht.

Ende Januar hatte »Bild« wieder Sensationelles zu berichten. Angeblich hatte sich Andreas Baader bei einem Hamburger Rechtsanwalt gemeldet. Er wollte den Kampf aufgeben und sich stellen. Das las auch Andreas Baader und war empört. Er schrieb an das bayerische Landesbüro der Deutschen Presseagentur und dementierte »Bild«. Seinen Brief unterzeichnete er eigenhändig mit »A. Baader« und setzte einen Daumenabdruck daneben. Der Abdruck war echt.

Seinem Schreiben stellte Baader ein Zitat des südamerikanischen Guerilla-Ideologen Marighella voran: »Die Bullen werden so lange im finstern tappen, bis sie sich gezwungen sehen, die politische in eine militärische Situation umzuwandeln.«

Dann ging Andreas Baader ins Detail:

»Ich denke nicht daran, mich zu stellen. Kein Gefangener aus der RAF hat bis jetzt ausgesagt. Erfolgsmeldungen über uns können nur heißen: verhaftet oder tot. Die Stärke der Guerillas ist die Entschlossenheit jedes einzelnen von uns. Wir sind nicht auf der Flucht. Wir sind hier, um den bewaffneten Widerstand gegen die bestehende Eigentumsordnung und die fortschreitende Ausbeutung des Volkes zu organisieren. Der Kampf hat erst begonnen.«

Der Brief wurde in Millionenauflage von den Zeitungen verbreitet.

Am 21. Februar 1972 stürmten acht RAF-Miglieder die Ludwigshafener Filiale der Hypo-Bank und entkamen mit 285 000 Mark. Sie hatten sich mit Karnevals-Masken getarnt.

39. Pfirsich

In den ersten Wochen des Jahres 1972 bekam der Frankfurter Metallbildner Dierk Hoff in seiner Werkstatt immer mehr zu tun. Noch immer, so sagte er jedenfalls später aus, glaubte er daran, Requisiten für eine Revolutionsfiktion herzustellen. Bei einem der Besuche seines Auftraggebers Holger Meins, der sich »Erwin« nannte, erzählte der ihm vom Clou des geplanten Films. Sie hätten sich überlegt, eine Bombenhülle zu bauen, die an einem Leibgurt, ähnlich einem Hüfthalter, befestigt werden konnte. In dem Film gebe es eine Szene, in der eine Frau einen Sprengkörper in eine Toilette bringen würde, wo das Ding dann abgeschnallt und durch einen aufblasbaren Ballon ersetzt werden sollte.

Hoff machte sich an die Arbeit. Er kaufte eine Halbkugel aus Metall und befestigte sie auf einer Art Korsett aus Segeltuch. Dann besorgte er einen Wasserball in derselben Größe, was ihm einige Schwierigkeiten bereitete, denn es war Winter.

»Erwin« und »Lester« waren begeistert. Einer von den beiden schnallte sich den Bombengürtel um und mimte lachend eine Schwangere. Hoff erhielt 400 Mark. Als »Erwin« die »Babybombe« abholte, gab er Dierk Hoff eine leere Schrothülse und fragte, ob er ein dazu passendes Abschußgerät bauen könne.

»Eine Schrotpatrone hat einen zu großen Rückstoß. Das ist zu gefährlich«, sagte Dierk Hoff. »Ich wüßte nicht, wie stark man so was machen muß, damit es nicht auseinanderreißt.«

»Das ist nicht dein Problem. Wir haben beim Film dafür einen Spezialisten. Der kann die Patronen entsprechend verändern. Es geht nur um den Feuerstrahl, der vorne rauskommt.«

Dierk Hoff baute drei der Abschußgeräte, für 100 Mark das Stück. Das nächste Mal brachte Holger Meins ein Schrotgewehr mit. Lauf und Schaft waren abgesägt. »Wir haben uns vorgestellt, daß man da ein Magazin anbringen könnte und einen Kolben aus Metall, so daß das

Ding nach einer militärischen Waffe aussieht. Das können wir für unseren Film gut brauchen.«

Hoff hatte Bedenken, denn die vorgesehene Nachladeeinrichtung für das Schrotgewehr war mechanisch ein ziemlich komplizierter Eingriff. Er könne kaum kalkulieren, wie lange er dazu brauchen würde.

»Da kommt es auf ein paar hundert Mark nicht an. Der ganze Film steht und fällt mit den Requisiten.« Holger Meins gab ihm noch einige technische Ratschläge. Zu Hoffs eigener Überraschung funktionierte die neu konstruierte Nachladevorrichtung. Er hatte aus dem Schrotgewehr ein Schrot-Maschinengewehr gemacht.

Allmählich bekam Dierk Hoff ein flaues Gefühl. Er versuchte, auszusteigen: »Ihr zieht mich in irgendeine Geschichte rein, die ich nicht übersehen kann. Bringt mir die Brocken wieder, die ich gemacht habe. Ich will davon nichts mehr wissen, sonst muß ich zur Polizei gehen.«

Beim Stichwort Polizei zog »Erwin« eine Pistole, richtete sie auf Hoff und fauchte: »Du hast ja die Sache gemacht und steckst voll mit drin. Es ist lächerlich, hier von Polizei zu reden.«

Hoff bekam Angst. »Erwin« wurde etwas milder: »Polizei kommt überhaupt nicht in Frage. Und außerdem, was willst du denn, du würdest doch nur dich selbst belasten.«

»Lester« schaltete sich ein:

»Komm hier, mach mal keine Panik, bloß keine Angst. Mach bloß keinen Fehler, jetzt zur Polizei zu gehen, das ist gar nicht nötig. Das Ganze ist harmlos, nimm das nicht so ernst.«

»Erwin« war anderer Meinung : »Guck, der Arsch. Der redet von Polizei. Ich glaube, es geht los. Da hilft doch nur Druck. Der Schwachkopf. Guck ihn doch mal an.«

Ein paar Tage später tauchte Jan-Carl Raspe alias »Lester« wieder auf. In seiner freundlichen Art sagte er: »Das war ja das letzte Mal ein Auftritt … Das finde ich nicht gut, dir die Waffe vorzuhalten.«

Hoff beklagte sich: »Am Ende ist es noch so, ich baue euch Waffen, und ihr haltet mir die noch vor den Bauch. Das ist doch Wahnsinn, was ihr hier abzieht mit mir.«

»Das habe ich auch nicht gut gefunden. Wir müssen darüber mal in Ruhe reden. Es hat ja keinen Zweck, daß wir uns hier was vormachen.«

Er legte eine Broschüre auf den Tisch und sagte: »Das ist von uns.« Das Heft war ziemlich abgegriffen und schmuddelig. Hoff blätterte ein wenig darin herum, erkannte den fünfzackigen, mit einer Kalaschnikow verzierten Stern und die Buchstaben ›RAF‹.

»Studier das mal in aller Seelenruhe. Das ist sicher gut für dich«, sagte Raspe.

Hoff machte weiter mit.

Eines Tages blieb Holger Meins in der Werkstatt demonstrativ mit dem Rücken zu Hoff stehen. »Was ist denn los?«, fragte der.

Holger Meins wirbelte herum, Hände in den Manteltaschen. Erst auf den zweiten Blick erkannte Hoff, daß »Erwin« den Lauf einer Pistole aus der Tasche auf ihn gerichtet hatte. Hoff lachte beklommen.

Auch »Lester« spielte gelegentlich mit seiner Pistole. Hoff nahm das bei ihm aber nicht so ernst. Holger Meins dagegen gab ihm das Gefühl, daß aus Spaß schnell Ernst werden konnte. Beim nächsten Besuch brachte »Erwin« einen weiteren jungen Mann mit, der Hoff als »Harry« vorgestellt wurde. Es war Gerhard Müller.

»Das ist einer von uns«, sagte »Erwin«, »auf den ist hundertprozentig Verlaß. Wenn ich mal nicht kommen kann, dann schicke ich Harry.«

»Wau, was für ein prima Laden, hier kann man ja alles machen«, begeisterte sich »Harry«, als »Erwin« ihm die Werkstatt zeigte. Die beiden hatten eine Schachtel mit neuen Zündkapseln dabei, die Hoff auf Handgranatenkörper aufschrauben sollte. Die Gewinde paßten nicht und mußten in der Drehbank umgeschnitten werden. Dazu wurden sie fest eingeschraubt und mit einer Zange bearbeitet. Hoff hatte Angst, daß ihm die Zündkapseln bei der groben Behandlung um die Ohren fliegen könnten. »Ne, ne, da bringen mich keine zehn Pferde zu. Den Scheiß fasse ich nicht an, kommt überhaupt nicht in Frage.«

»Erwin« beruhigte ihn:

»Komm, du Hasenfuß, das ist doch kein Problem. Mach doch mal, es ist ungefährlich, ich fresse einen Besen.«

»Nein, nein, kommt überhaupt nicht in Frage.«

Hoff blieb stur und ging ins Nebenzimmer. Daraufhin übernahm Holger Meins die gefährliche Aufgabe selbst. Hoff wunderte sich, wie gut er mit den technischen Geräten umgehen konnte. Keine der Zündkapseln explodierte.

Kurze Zeit später trat eine vierte Figur in Hoffs Werkstatt. Er war gerade bei der Arbeit und hörte auf dem Hinterhof Männerstimmen, die der Werkstatt näher kamen. Hoff dachte, das könnten keine von der RAF sein, denn bisher hatten sie sich immer still und konspirativ verhalten. Hoff öffnete die Tür und ließ »Erwin« und »Lester« und deren Begleiter ein. Der dritte Mann hatte hellblond gefärbte Haare und trug einen roten Wintermantel. Er wurde Dierk Hoff nicht vorgestellt. Ohne etwas zu sagen, ging er an ihm vorbei in die Werkstatt. Er sah sich die Maschinen an, blieb stehen, nickte, ging in das Nebenzimmer, sah sich die Drehbank an. Während der Unbekannte die Werkstatt inspizierte, stand Dierk Hoff leicht benommen da. Er hatte das Gefühl, als würde hier sein Vorgesetzter einen Kontrollgang machen. Nach 20 Minuten und ein paar spärlichen Worten gingen die drei. Der Unbekannte war Andreas Baader.

In der folgenden Zeit erhielt Dierk Hoff immer wieder neue Aufträge. Als »Erwin« wieder einmal bei ihm auftauchte, sprach Hoff ihn auf den Besuch des Blonden an. Es gefalle ihm nicht, daß immer mehr Leute von seiner Tätigkeit erführen.

»Da mach dir mal überhaupt keine Sorgen«, sagte Holger Meins. »Die Jungs sind alle hundertprozentig. Darauf ist totaler Verlaß. Der einzige Unsicherheitsfaktor bist du. Du bist kein Kader für uns. Wir sind von falschen Voraussetzungen ausgegangen. Jetzt müssen wir die Sache auf die eine oder andere Weise mit dir zu Ende bringen.«

Baader, Ensslin, Raspe und Meins hatten in Frankfurt eine Hochhauswohnung in der Inheidener Straße bezogen. Von hier aus unternahmen sie Abstecher in andere Städte. Als die Wohnung später entdeckt wurde, fanden die Kriminalbeamten Fingerabdrücke fast aller Gruppenmitglieder in dieser Unterkunft – nur nicht von Ulrike Meinhof.

40. Baader und Ensslin fahnden nach Ulrike Meinhof

Noch im Februar 1972 stieß ein neues Mitglied zur Gruppe, der 19jährige Schriftsetzer Hans-Peter Konieczny. Nach einer Odyssee durch verschiedene politische Gruppierungen, von der SPD, dem DGB über den SDS, die SDAJ, Jugendorganisation der DKP, bis hin zu marxistisch-leninistischen und trotzkistischen Gruppen, landete er bei der RAF.

Im Spätsommer 1971 hatte er an einer »Rote-Punkt-Aktion« in Esslingen teilgenommen, bei der für die Einführung des Null-Tarifs der städtischen Verkehrsbetriebe demonstriert wurde. Es kam zu einer Prügelei mit der Polizei, und »Conny« wurde wegen Widerstand und Nötigung angeklagt. Sein Verteidiger war Jörg Lang, der Kontakte zur RAF hatte und später, am 13. Juli 1972, unter dem Verdacht festgenommen wurde, der Gruppe bei der Wohnungsbeschaffung geholfen zu haben. Wieder auf freiem Fuß, setzte Lang sich ab –, vermutlich in den Nahen Osten. Erst nach Ablauf der Verjährungsfrist kehrte er in die Bundesrepublik zurück.

Jörg Lang gelang es, im Februar 1971 einen Freispruch für Konieczny zu erreichen. Kurz nach dem Prozeß trafen sich eines Abends Anwalt und Mandant zufällig in Tübingen.

Konieczny klagte, wie unzufrieden er mit der politischen Gruppenarbeit sei, er wolle endlich andere Wege gehen: »Ich druck mal Geldscheine oder falsche Papiere und schick sie an BM.« Damit waren sie beim Thema.

Ein paar Tage später trafen sie sich im Stuttgarter »Mövenpick«. Lang sagte, er könne Konieczny mit ein paar Leuten zusammenbringen, die ähnlich dachten wie er. Der Anwalt skizzierte den Weg zu der betreffenden Adresse auf einem Zettel. Um Mitternacht brach Konieczny auf und ging über den kleinen Schloßplatz auf das markierte Haus zu. Er klopfte in dem von Lang beschriebenen Rhythmus an eine Metalltür, stieg zwei Treppenstufen hinunter und betrat ein Appartement.

Konieczny beschrieb das Szenario später so:

»Ich sah als erstes einen Typ, der 'ne schwarze Hose anhatte und ein Hemd in Ocker. Mit dem Hinterteil lehnte er an einem Schränkchen, und er sah irre bleich aus – wie ein Theaterschauspieler, der geschminkt ist. Eine Frau machte die Tür zu. Sie hatte einen rotbraunen Wildledermantel an. Man hätte sie vom ersten Blick her für so 'ne Tante halten können, die ein bißchen Geld hat. Er sah wie ein typischer Zuhälter aus.«

Konieczny setzte sich in einen ungemütlichen Korbsessel und sagte: »Ich bin Conny.« Er sah sich um: die Frau hielt in der rechten Hand eine

Pistole, eine P 38 Spezial. Im Hosenbund des Mannes steckte ebenfalls eine automatische Pistole. Konieczny war nicht besonders erschrocken, er hatte so etwas erwartet.

»Nun schieß mal los«, sagte der Mann. Konieczny brachte kein Wort heraus.

Die Frau begriff sofort seine Schwierigkeiten und überbrückte die Spannung: »Was machste denn so?« Gudrun Ensslin wirkte auf ihn ungewöhnlich gelassen. Baader dagegen war nervös. Sobald draußen auf der Straße ein Auto vorbeifuhr, sprang er ans Fenster, blickte hinaus. Er rauchte eine »Gitanes« nach der anderen und stopfte ununterbrochen Kekse in sich hinein. Gudrun Ensslins Waffe hatte eine silbrige Farbe. Weil er so etwas noch nicht gesehen hatte, fragte Konieczny: »Du, was ist das für eine?«

»'ne Achtunddreißiger«, antwortete Ensslin.

»Das gibt's doch nicht, in Silber.«

Da mischte sich Baader ein: »Ja, die Fotzen haben alle was Silbriges oder was Glänziges.«

Konieczny erklärte, als gelernter Drucker alles machen zu können: Führerscheine, Pässe, Kraftfahrzeugscheine. Er brauche nur das Original-Papier dazu, alles andere würde er sich beschaffen. Ensslin sagte: »Nächste Woche ruft dich jemand unter dem Namen Gerda an.« Er gab ihr die Telefonnummer seiner Firma.

Gudrun Ensslin hatte es verstanden, sofort ein sehr persönliches Verhältnis zu dem Neuling herzustellen. Plötzlich war sie für ihn nicht mehr die gesuchte Bandenchefin, die prominente Ensslin. »Das war einfach so«, erklärte er später, »ich war ein Genosse, sie war eine Genossin, und da hat man halt was untereinander gemacht.«

Etwa eine Woche darauf übergab Gudrun Ensslin ihm zwei Kraftfahrzeugschein-Reproduktionen und Original-Briefbögen vom Stuttgarter Otto-Graf-Institut und von der Universität. Er solle 30 bis 40 Kopien davon drucken. Mit den Briefbögen, sagte sie, könne man eine Menge Zeugs bestellen, das man sonst nicht bekäme. »Wahrscheinlich Chemikalien«, dachte Konieczny, denn er wußte, daß das Institut eine chemische Abteilung hatte.

Mitte Februar war die Diplompsychologin Emiliane M. von einem Mittelsmann angesprochen worden, ob sie bereit sei, einem Paar, das in

Schwierigkeiten geraten sei, zu helfen. Es könne sein, daß diese Leute mit der Bitte um Übernachtung an sie heranträten. Die Psychologin willigte ein. Ihr wurde schnell klar, wer das »Paar mit den Schwierigkeiten war«, nämlich Andreas Baader und Gudrun Ensslin. Sie hatte Baader nach einem Fahndungsfoto erkannt. Gudrun Ensslin erzählte, ihr Vater sei Pfarrer in Stuttgart.

Die Psychologin hatte den Besuchern Schlüssel für ihre Wohnung gegeben, und immer, wenn sie den Weg in ihr anderes Quartier scheuten, tauchten sie bei ihr auf. Meistens kamen sie spät abends und ganz leise. Einmal zog Gudrun Ensslin sogar ihre Schuhe aus, um nicht zu stören. Wenn die beiden telefonieren wollten, verließen sie die Wohnung und gingen zu einer Telefonzelle. Ihren Wagen hatten sie immer in einer gewissen Entfernung vom Haus geparkt, so daß ihre Gastgeberin ihn nie zu Gesicht bekam.

Die Psychologin fand, daß die beiden sehr müde aussahen und gehetzt. Manchmal schreckten sie zusammen, wenn Emiliane die Wohnung betrat. Gleichzeitig taten sie sehr geschäftig. Ihre Bewaffnung erklärten sie damit, daß sie jederzeit mit Maschinenpistolen-bewaffneten »Bullen« rechneten. Irgendwie taten sie Emiliane leid. Schon die Tatsache, daß Baader und Ensslin auf Leute wie sie zurückgreifen mußten, schien ihr ein Zeichen zu sein, daß sich die Zahl ihrer Helfer in der letzten Zeit erheblich verringert haben mußte. »Sonst«, so sagte sie später, »hätten sie sich belastbarere und ideologisch gefestigtere ausgesucht.«

Die Psychologin bekam mehr und mehr Angst. Aber sie hätte ein schlechtes Gewissen gehabt, wenn sie den Gesuchten nicht geholfen hätte. Und sie wollte sich nicht blamieren. Einmal versuchte sie, den Kontakt abzubrechen und schrieb ihnen einen Brief über ihre persönlichen Ängste und Schwächen. Gudrun Ensslin gab ihr den Brief zurück, lächelte dabei mitleidig und sagte: »Heb' ihn auf und lies ihn in zwei Jahren noch mal.« Emiliane M. schämte sich und versuchte nie wieder, ihre ungebetenen Gäste loszuwerden.

In den letzten Märztagen des Jahres 1972 kam sie eines Abends spät nach Hause. Baader und Ensslin waren in der Wohnung und wirkten sehr aufgeregt. Telefonisch hatten sie die Nachricht bekommen, im Fernsehen sei der Tod von Ulrike Meinhof gemeldet worden. Sie waren verunsichert, glaubten einen Moment, die Information könnte stimmen.

In der Wohnung gab es keinen Fernseher, so daß sie die nächste Nachrichtensendung nicht einschalten konnten. Ohne ihre sonstigen Sicherungsmaßnahmen zu befolgen, telefonierten sie von der Wohnung aus, um von Gruppenmitgliedern zu erfahren, ob Ulrike Meinhof noch lebte oder nicht. Nach einer Weile erreichten sie jemanden, der Ulrike Meinhof noch nach der Fernsehmeldung gesehen hatte und auch wußte, wo sie sich aufhielt.

Tatsächlich geisterte Ende März das Gerücht durch die Bundesrepublik, Ulrike Meinhof sei tot. »Bild« hatte mit der Schlagzeile aufgemacht: »Beging Ulrike Meinhof Selbstmord?« Und auch die »Frankfurter Allgemeine« hatte gemeldet, nach Informationen aus Bonn sei Ulrike Meinhof »bereits Ende Februar gestorben«. Als Todesursache wurden an der Gerüchtebörse mehrere Versionen gehandelt: Tod durch Tumor etwa, oder Selbstmord mit Gift aufgrund von Depressionen wegen einer unheilbaren Krankheit. »Bild« verwies sogar auf angebliche Tips aus linksradikalen Kreisen an die Hamburger Polizei, Ulrike Meinhof sei »unter falschem Namen in einem Hamburger Krematorium verbrannt und beerdigt worden«.

Die Spezialisten vom Bundeskriminalamt hatten keine Hinweise auf den Tod Ulrike Meinhofs. Eines aber stimmte auch sie nachdenklich. Seit der Jahreswende 1971/72 hatten sie keinerlei Spuren von ihr entdeckt. Tatsächlich war sie damals in Italien.

Erst Mitte März 1972 tauchte sie wieder in Hamburg auf. Baader und Ensslin ließen sich dort nicht sehen. Ulrike Meinhof und die anderen versuchten, auf eigene Faust, neue Leute anzuwerben.

41. Die statistische Lebenszeit-Erwartung

Anfang 1972 begann in Berlin der zweite Prozeß gegen Horst Mahler. Die Anklage: Gründung einer kriminellen Vereinigung und Teilnahme an drei Banküberfällen.

Mahler stand nach wie vor zur RAF und beantwortete dem »Spiegel« schriftlich vorgelegte Fragen zur Strategie des bewaffneten Kampfes. Auf die Frage, ob er politisch gescheitert sei, erklärte der ehemalige Rechtsanwalt:

»Selbst hohe Wahrscheinlichkeit eines Fehlschlages entbindet nicht von der Verpflichtung, das Mögliche zu wagen. Der Klassenkampf ist keine Beamtenlaufbahn mit Pensionsanspruch. Überall macht die sozialistische Revolution glänzende Fortschritte. Ich habe unheimlich große Lust, das mir noch Mögliche zu ihr beizutragen. Also bin ich nicht gescheitert.«

Auf den Vorbehalt, ob denn nicht tatsächlich Menschenleben aufs Spiel gesetzt, also »Genossen verheizt« würden, wenn in der Bundesrepublik zum bewaffneten Kampf aufgerufen werde, sagte Mahler:

»Die Kategorie des ›Verheizens von Genossen‹ verrät bei dem, der sie benutzt, ein schier unüberwindliches Bedürfnis, sich unter allen Umständen für den Tag aufzusparen, an dem es gilt, den Sieg der Revolution zu beklatschen, den andere errungen haben. Ist dieser Wunsch auch menschlich verständlich, zählt er doch nicht zu den Tugenden eines Revolutionärs.«

Jeder Genosse, dem die »bürgerliche Unordnung« zum Halse raushänge, müsse sich die Frage stellen, »ob er nicht mehr aus seinem Leben macht, wenn er endlich aus dem Ghetto ausbricht und die Mauern einreißt, selbst wenn sich dadurch seine statistische Lebenszeiterwartung verringern sollte«.

In der Tat verringerte sich die »statistische Lebenszeiterwartung« der RAF-Genossen im Untergrund zusehends.

Ein Wohnungsmakler in Augsburg hatte im Februar der Polizei gemeldet, ein »verdächtiges Pärchen« habe sich in der Wohnung über ihm eingemietet. Die Frau gehöre bestimmt zur Baader-Meinhof-Gruppe. Der Hinweis löste ein polizeiliches Großunternehmen aus. 13 Beamte der Sicherungsgruppe Bonn, des Verfassungsschutzes und des Landeskriminalamtes mieteten sich im Hotel »Augsburger Hof« ein und observierten die verdächtige Wohnung. Wanzen wurden installiert. Der beste Beobachtungsplatz, so stellten die Beamten fest, war gegenüber, in der Sakristei von St. Georg. Sie weihten den Pfarrer ein, der ließ die Beamten bereitwillig ins Haus und ging auf eine Reise ins Heilige Land.

Die Sonderkommission war mit sieben Wagen und Funkgeräten ausgerüstet, die für diesen Einsatz Geheimcodes erhalten hatten: 201 für Baader, 202 für Meinhof und so weiter, je nach Bedeutung. Mit der Augsburger Stadtpolizei war vereinbart worden, die Zahl 4444 als Superalarmstufe zu funken, wenn der Einsatz los ging.

Am Donnerstag, dem 2. März, war es soweit. Um 12.25 Uhr verließ das observierte und belauschte Paar die Wohnung, fuhr mit einem gestohlenen Wagen ins Stadtzentrum und parkte ordnungsgemäß an einer Parkuhr. Die beiden gingen ins Hotel »Thalia« und kamen nach wenigen Minuten zurück. Als sie ihren Wagen erreichten, kehrte die Frau wieder um. In diesem Moment griffen die Polizisten ein.

Es fiel ein Schuß aus einer Polizeipistole.

Die Kugel traf das Herz des jungen Mannes: Thomas Weisbecker, 23 Jahre alt, Sohn eines Professors aus Kiel. Nach Angaben der Polizei hatte er versucht, seine Pistole zu ziehen. Die Frau, die kurz danach festgenommen wurde, war 24 Jahre alt, kam aus dem »Sozialistischen Patientenkollektiv« und hieß Carmen Roll.

Am Nachmittag dieses Tages besetzte der Chef der »Sonderkommission Baader/Meinhof«, Hauptkommissar Hans Eckhardt, zusammen mit zwei Kollegen ein Appartement im Hamburger Stadtteil Harvestehude, in dem eine Fälscherwerkstatt der RAF entdeckt worden war. Im Treppenhaus wurde ein vierter Beamter postiert, auf der Straße vor dem Haus ein fünfter.

Nach Einbruch der Dunkelheit fuhren Manfred Grashof und Wolfgang Grundmann, der kurz zuvor zur RAF gestoßen war, zu der Wohnung. Kaum hatten sie die Tür geöffnet, wurde geschossen.

Grundmann hob die Hände: »Nicht schießen, ich bin nicht bewaffnet«. Grashof schoß.

Der Kommissar brach von zwei Schüssen in den Leib getroffen zusammen. Seine Kollegen trafen Grashof im Kopf und in der Brust. Im Universitätskrankenhaus Eppendorf versuchten die Ärzte das Leben des Polizeibeamten und des RAF-Mitglieds zu retten. Der Beamte starb zwei Wochen später. Grashof überlebte.

In der Intensivstation wurde er unter der OP-Lampe erkennungsdienstlich behandelt.

Wenige Tage später wurde der Schwerverletzte in einer Blitzaktion vom Staatsschutz aus dem Krankenhaus in eine Gefängniszelle verfrachtet, eine normale Haftzelle, unhygienisch, mit offenem Klo in der Ecke, durch das Fenster wehte Sand herein. Außen an der Tür hing ein Pappschild: Bestand des Zentralkrankenhauses. Tag und Nacht brannte – angeblich zu seiner eigenen Sicherheit – das Licht in der Zelle.

Zwei Monate, in denen er sich weder außerhalb der Zelle bewegen noch mit jemandem sprechen konnte. Dann wurde er aus der Krankenabteilung fünf Zellen weiter in die Sicherheitsabteilung verlegt, die links und rechts von Doppelgittern begrenzt war. Die Zellen unter und über ihm waren leer. Er konnte wieder aufstehen. Jeden Tag eine halbe Stunde Hofgang – mit auf dem Rücken gefesselten Armen. Seine Wunden platzten wieder auf.

42. Wer zuerst schießt, überlebt

Die Schüsse von Augsburg und Hamburg zeigten, daß inzwischen auf beiden Seiten die Finger schnell am Abzug waren. Nach 22 Monaten Flucht und Fahndung waren auf beiden Seiten Angst, Hysterie und Verfolgungswahn entstanden. Der Berliner Psychologe Helmut Kentler sagte dazu: »Die Flüchtigen haben heute die Mentalität von Vogelfreien. Ihre Handlungen sind längst nicht mehr politisch zu rechtfertigen. Ihr Denken und Tun wird nur noch vom Willen des Überlebens bestimmt. Sie schießen, um noch einmal davonzukommen.«

Auch viele Polizeibeamte schossen jetzt, um noch einmal davonzukommen. Ein Beamter aus der Sonderkommission des ermordeten Kriminalhauptkommissars Hans Eckhardt sagte: »Jetzt ist es soweit. Wer zuerst schießt, überlebt. Es ist wohl besser, im Zweifelsfall lieber ein Disziplinarverfahren an den Hals als eine Kugel in den Bauch zu bekommen.«

So dachten viele, und sie handelten auch so. Am 1. März 1971 nahm der 17jährige Lehrling Richard Epple einer Tübinger Verkehrsstreife die Vorfahrt. Er hatte keinen Führerschein, und das linke Rücklicht seines alten Ford 12 M war defekt. Die Polizisten nahmen die Verfolgung auf. Im Abstand von wenigen Metern rasten sie über die Straßen. Die Beamten forderten Verstärkung an. Über Funk hörten sie von einem ihrer Kollegen: »Dann aber Feuer frei.« Der Lehrling raste an einer Straßensperre vorbei, und einer der dort postierten Beamten eröffnete das Feuer. Er schoß neunmal mit seiner Dienstpistole in die Luft und griff dann zur Maschinenpistole. Aus dem Seitenfenster und bei 70 Stundenkilometern Geschwindigkeit gab er Dauerfeuer auf den flüchtenden Fordfahrer ab. Zehn Kugeln schlugen in eine Hauswand, sieben zertrümmerten die Heckscheibe des Fluchtwagens und trafen den Lehrling am Steuer. Richard Epple war sofort tot.

Die Verwechslungen Unbeteiligter mit gesuchten Terroristen nahmen zu. Auf der Autobahn Hamburg–Bremen überholte ein schwarzer Mercedes einen hellen Glas 1700 TS mit niederländischem Kennzeichen und brachte ihn zum Halten. Zwei Männer in Rollkragenpullovern, in der Hand Pistolen, sprangen heraus. Der Fahrer des gestoppten Fahrzeugs dachte: »Das sind Räuber. Wir werden überfallen.«
Er gab Gas und raste davon. Einer der Rollkragenmänner hatte noch beobachtet, wie die Beifahrerin in die Handtasche griff, außerdem glaubte er, Mündungsfeuer zu sehen. Er warf sich auf den Boden und feuerte dreimal.
Das Paar meldete sich bei der nächsten Polizeiwache. Es waren verängstigte Touristen aus Holland. Die Männer in den Rollkragenpullovern waren Polizisten in Zivil, Terroristenjäger.

Einem 35jährigen Verlagsvertreter des »Spiegel« geschah es zweimal, daß er für Andreas Baader gehalten wurde. Nach einem Verkehrsunfall in der Frankfurter Innenstadt sahen er und seine Sekretärin plötzlich in die Läufe von acht Polizeipistolen. Als sich der Irrtum aufgeklärt hatte, fragte der Baader-Doppelgänger: »Was wäre passiert, wenn einer von uns in die Tasche gegriffen hätte?«
»Dann hätten wir geschossen«, antwortete der Polizeibeamte. Zwei Wochen später wurde der Verlagsvertreter erneut von Polizisten gestoppt. Einer der Beamten richtete seine Pistole auf ihn und sagte: »Verkehrskontrolle«.
»Nein, nicht schon wieder«, sagte der Mann. »Ich bin nicht Baader. Ich bin vom ›Spiegel‹!«
Unter Bewachung wurde er diesmal zum Bundeskriminalamt nach Wiesbaden gefahren, wo seine Fingerabdrücke mit denen Baaders verglichen wurden. Dabei erklärte ein BKA-Beamter: »Die Baader-Meinhof-Bande – das sind ganz kluge Leute, die handeln immer anders, als man denkt. Aber nun denken wir auch schon so.«

Der Fahrer eines blauen Porsche aus Hannover wurde von einem Polizisten an der Straßenkreuzung als Baader identifiziert. Er bog mit seinem Wagen um die Ecke und verschwand in einer Tiefgarage. Erst am nächsten Tag erfuhr er aus der Zeitung, daß 20 bis 30 Streifenwagen und mehrere Polizeihubschrauber unterwegs gewesen waren, um ihn zu fangen: »Jagd nach blauem Porsche in Niedersachsen.« Er meldete sich bei der Polizei, wurde eine Stunde lang überprüft und dann entlassen.

Eine Hamburger Journalistin, klein und blond, flog von Berlin nach Nürnberg. Schon auf der Gangway wurde sie von zwei kräftigen Herren erwartet und in das von Polizisten abgeriegelte Flughafengebäude geführt. In einem Büroraum wurde die Überraschte verhört. »Das muß eine Verwechslung sein«, beharrte sie. Aber die Beamten blieben fest: »Nun geben Sie es doch zu, Sie sind Ulrike Meinhof!«
Später erhielt die Journalistin auf ihren Wunsch hin eine amtliche Bescheinigung: »Ursula G. wurde vorübergehend festgenommen aufgrund einer Ähnlichkeit mit Ulrike Meinhof. Die Untersuchung verlief negativ.«

43. Die Sprengstoff-Küche

In Frankfurt wurde Anfang April der Metallbildner Dierk Hoff zunehmend unter Zeitdruck gesetzt. Seine Auftraggeber hatten ihm etwa 80 Zentimeter lange Metallrohre von knapp 20 Zentimeter Durchmesser angeliefert, die er in jeweils vier Teile zerschneiden und an den Enden zuschweißen sollte. Gerhard Müller half ihm, die glühend heißen Bombenhüllen ins Badezimmer zu schleppen, wo sie in der Wanne abgekühlt werden mußten. Es erhob sich eine gewaltige Dampfwolke.
In den Tagen und Wochen zuvor hatte Müller in verschiedenen Städten mehrere hundert Kilogramm Chemikalien für die Füllung der Bomben eingekauft: Bleimennige, Aluminiumpulver, Ammonium-Nitrat, Kalium-Nitrat, Kalium-Chlorat, Schwefel, Holzkohle, Holzmehl, Glyzerin, Eisenoxid und verschiedene Säuren. Dazu besorgte Müller Batterien, Drähte, Litzen, Stecker, Klemmen, Drahtwiderstände und Kurzzeitwecker.
Die Gruppe wollte Sprengkörper unterschiedlicher Bauart herstellen,

um die Ermittlungsbehörden mit immer neuen Bombentypen zu verwirren. Zur Verstärkung der Splitterwirkung besorgte Müller vier bis neun Millimeter dicke Stahlkugeln, die mit dem Sprengstoff vermischt werden sollten.

Die für die Bombenherstellung nötigen Grundstoffe wurden in die Wohnung Inheidener Straße gebracht. Einige der Chemikalien mußten zerkleinert werden. Baader hatte die Idee, dafür Kaffeemühlen zu verwenden. Er schickte Müller, um die elektrischen Mühlen einzukaufen. Da die Kaffeemühlen nur eine geringe Kapazität hatten und bei der Massenproduktion schnell verschlissen, wurde eine größere Kaffeemühle beschafft, die dann aber noch schneller kaputtging. So blieb es bei der Zerkleinerung von Ammonium-Nitrat und Holzkohle in kleinen Portionen. Um die Staubbelästigung möglichst gering zu halten, steckte Baader die Mühlen in Eimer. Die Polizei entdeckte später in der Wohnung Inheidener Straße eine ganze Batterie sorgsam eingepackter Kaffeemühlen, insgesamt zehn Stück. Zum Mischen der Sprengstoffe wurden ebenfalls Küchengeräte verwendet, Handmixer. Aber auch diese Geräte vertrugen die Zweckentfremdung auf die Dauer schlecht. Baader schraubte Schneebesen in eine Bohrmaschine und quirlte damit die hochbrisanten Mischungen. Um den mühsamen Vorgang etwas zu beschleunigen und größere Mengen gleichzeitig zu mixen, versuchte er, ein Gerät herzustellen, bei dem mehrere Schneebesen mit einer Gewindestange von einer Bohrmaschine angetrieben werden konnten.

Das Rezept, das Ammonium-Nitrat, Bleimennige und Aluminiumpulver im Mischungsverhältnis vier zu drei zu zwei vorsah, lieferte nicht das gewünschte Resultat. Baader machte einen Sprengversuch und stellte fest, daß zu viel Bleimennige übrigblieb. Daraufhin wurde der Anteil des roten Stoffes auf 2,5 Teile verringert. Der graue Sprengstoff bestand aus Ammonium-Nitrat, Kalium-Nitrat, Schwefel, Holzkohle und Holzmehl. Beide Sprengstoffarten, insgesamt zehn bis zwölf Zentner, wurden mit Hilfe von Trichtern in die Bombenkörper gefüllt, einige zusätzlich mit Stahlkugeln angereichert. Sprengkapseln und Sprengschnur wurden mit eingebaut, nur die elektrischen Zündanlagen vorerst zur Sicherheit weggelassen. Sie sollten erst kurz vor dem Einsatz der Bomben montiert werden.

Im Frühjahr 1972 war eine Reihe von Anwälten in der Öffentlichkeit unter Beschuß geraten. Nach der Festnahme von RAF-Angehörigen hatten sie sich als Verteidiger gemeldet und Vollmachten vorgelegt, die zum Teil schon von den Mandanten unterschrieben worden waren, als diese noch gesucht wurden.

Manche Rechtsanwälte schienen also Kontakt zu gesuchten Terroristen zu haben.

Der Stuttgarter Anwalt Klaus Croissant wurde später, am 19. Juni 1972 in einem Fernsehinterview gefragt: »Wenn jemand aus der Gruppe von Personen, die heute noch gesucht werden, zu Ihnen kommt, würden Sie ihn überreden, sich zu stellen?«

Croissant antwortete: »Ich würde die Entscheidung desjenigen, der völlig mit dieser Gesellschaftsordnung gebrochen hat und sich zu einem bewaffneten Kampf entschlossen hat, anerkennen. Ich meine, daß auch derjenige, der sich als Revolutionär versteht, und jedes Mitglied der Baader-Meinhof-Gruppe wird dies tun, Anspruch auf Achtung hat …«

Der Interviewer fragte, ob Croissant einen Gesuchten, der zum Beispiel einen Anschlag plane, anzeigen würde, wenn er zu ihm käme.

»Die Frage ist sehr konkret, nur ist sie sehr hypothetisch. Wenn Sie glauben, daß irgend jemand, der einen derartigen Anschlag vorhat, dies einem Rechtsanwalt sagen würde, täuschen Sie sich ganz sicher.«

Nicht erst seit diesem Interview wurde Croissant von den Sicherheitsbehörden beobachtet.

Am 9. Mai rief eine unbekannte Frau in seinem Stuttgarter Büro an:

»Ihr Telefon wird überwacht.«

»Ja, ich meine, hallo«, sagte Croissant.

»Ja.«

»Sind Sie noch da?«

»Ja.«

»Das ist bei allen Anwälten in politischen Strafsachen anzunehmen, oder das kann man nicht ausschließen?« fragte der Rechtsanwalt.

»Ihre Wohnung wird auch überwacht.«

»Das würde mich aber schon interessieren.«

»Sie haben mir mal geholfen, und deswegen schmeiße ich den Stein zurück«, sagte die Unbekannte.

»Das ist nett von Ihnen.«

Croissant und die Frau verabredeten sich für den Abend in einem Restaurant. Das Treffen wurde von Beamten des Landeskriminalamtes observiert. Anschließend wurde die Frau festgenommen. Croissants Telefon war tatsächlich abgehört worden.

Die Anruferin war Schreibkraft im Landeskriminalamt. Sie wurde in Haft genommen.

44. Bomben-Anschläge

Am 27. April 1972 scheiterte im Bundestag das erste »konstruktive Mißtrauensvotum« gegen einen amtierenden Bundeskanzler. Willy Brandt blieb im Amt. Überall in der Bundesrepublik war es zu Sympathiekundgebungen für Brandt und die sozialliberale Koalition gekommen. Im Ruhrgebiet hatten Arbeiter gegen das Mißtrauensvotum des CDU/CSU-Kanzlerkandidaten Rainer Barzel gestreikt.

Im Mai 1972 verminte die amerikanische Luftwaffe Häfen in Nordvietnam.

Andreas Baader, Jan-Carl Raspe, Holger Meins, Gudrun Ensslin und Gerhard Müller waren in Frankfurt, in der Wohnung Inheidener Straße. Sie hörten Nachrichten, und Gudrun Ensslin schlug als Gegenaktion einen Sprengstoffanschlag auf amerikanische Einrichtungen vor. »Na, denn mal los!« sagte Baader nach Gerhard Müllers Erinnerung. In einem roten Volkswagen machten sich Gudrun Ensslin und Raspe auf den Weg, um ein geeignetes Bombenziel auszukundschaften. Nach ihrer Rückkehr in die Wohnung wurde eine kleine Gasflasche sprengfertig gemacht. Zusätzlich montierte Raspe eine Rohrbombe und packte sie in eine Ledertasche. Gudrun Ensslin verstaute einen weiteren Sprengkörper in einem Karton und wollte zur Tarnung einen Blumenstrauß darauflegen, so daß das Paket wie ein Geschenk aussah. Baader und Holger Meins übernahmen die Gasflasche, legten sie in eine Segeltuchtasche und warfen ein Tuch darüber.

Am 11. Mai 1972, zwischen 18.59 und 19.02 Uhr verwüsteten drei Rohrbomben Eingangsportal und Offizierscasino des V. US-Korps im IG-Farben-Haus in Frankfurt am Main.

Der Busfahrer Vömel sah den Explosionsblitz am Eingangsportal. Dann war alles voll Qualm und Rauch. Er dachte an eine Gasexplosion. »Man war ja noch nicht daran gewöhnt, daß Bomben seit dem Krieg wieder in die Luft gehen.« Zwei Militärpolizisten liefen mit gezogenen Waffen an ihm vorbei. Kurz darauf eine zweite Explosion. Vömel und andere, die neben ihm gestanden hatten, liefen über Trümmer und Glasscherben davon.

Im Casino explodierte eine dritte Bombe. Jemand rief: »Zieht euch die Jacken über den Kopf.« Viele Menschen waren von Glassplittern getroffen worden und bluteten. Sie flüchteten sich in den Keller, ohne zu wissen, warum. »Das ist vielleicht noch ein deutsches Erbe«, sagte der Busfahrer später, »wenn Bomben fallen, in den Keller zu rennen, anstatt gleich raus.« Ein amerikanischer Soldat schrie: »Everybody out of the building!«

Leute irrten durch die Gänge, suchten einen Weg aus dem Gebäude. Plötzlich standen sie vor einer Tür, rüttelten, doch sie ging nicht auf. Einer sagte: »In der Tür sind überhaupt keine Scheiben mehr.« Sie kletterten hindurch, kamen blutend ins Freie.

Als die Bombe im Offizierscasino explodierte, dachte eine Servierin zunächst an ein Gewitter. Dann aber blitzte und klirrte es, der Haupteingang und das Dach des Casinos stürzten ein. Die Frau rannte durch die Küche nach draußen. Dort sah sie einen amerikanischen Offizier, der wenige Minuten zuvor bei ihr die Rechnung bezahlt hatte. Oberstleutnant Paul A. Bloomquist, 39 Jahre alt, lag auf dem Boden, in seinem Hals steckte ein Stück der Glasscheibe aus der Casinotür. Niemand kam zu Hilfe, weil alle Angst hatten, es könne noch eine Bombe hochgehen. Bloomquist war ohnehin nicht mehr zu helfen.

13 Verletzte und ein Toter waren die Bilanz dieses Anschlags.

Die RAF-Erklärung wurde mit »Kommando Petra Schelm« unterschrieben: »Für die Ausrottungsstrategen von Vietnam sollen Westdeutschland und West-Berlin kein sicheres Hinterland mehr sein. Sie müssen wissen, daß ihre Verbrechen am vietnamesischen Volk ihnen neue, erbitterte Feinde geschaffen haben, daß es für sie keinen Platz mehr geben wird in der Welt, an dem sie vor den Angriffen revolutionärer Guerilla-Einheiten sicher sein können.«

Am nächsten Morgen wurde Gerhard Müller geweckt. Andreas Baader, Holger Meins und Gudrun Ensslin wollten nach München fahren, um dort als Rache für den Tod von Thomas Weisbecker eine Bombe zu legen. Müller sollte in Frankfurt bleiben, das Telefon bewachen und als Reserve zur Verfügung stehen. Beim Abschied machte Baader noch eine Andeutung: »In Augsburg wird es auch noch krachen.« Sie holten aus der Garage am Hofeckweg einen Wagen, beluden ihn mit Sprengkörpern und brachen auf.

Am 12. Mai 1972, kurz nach 12.15 Uhr detonierten auf zwei Büroschränken in der Augsburger Polizeidirektion zwei Stahlrohr-Sprengkörper. Fünf Polizisten wurden verletzt.

Zwei Stunden nach der Explosion in Augsburg flog auf dem Parkhof des Münchner Landeskriminalamts ein mit Sprengstoff beladener Ford 12 M in die Luft. 60 Autos wurden demoliert. In sechs Stockwerken zerbarsten die Fensterscheiben.

Am 15. Mai 1972 um 12.40 Uhr explodierte in Karlsruhe in der Klosestraße ein roter Volkswagen. Er gehörte dem Bundesrichter Buddenberg, am Steuer aber saß seine Frau.
Sie hatte ein paar Besorgungen machen und anschließend ihren Mann vom Bundesgerichtshof abholen wollen. Frau Buddenberg setzte sich ins Auto und warf ihre Tasche auf den Rücksitz. Sie drehte den Zündschlüssel herum und bemerkte Brandgeruch. Dann folgte eine Explosion. Frau Buddenberg wurde mit Autoteilen, Asche, Staub und Schmutz zugedeckt. Es gelang ihr, auf die Straße zu kriechen. Sie schrie laut um Hilfe: »Dies ist ein Anschlag der Baader-Meinhof-Gruppe. Bitte benachrichtigen Sie meinen Mann, den Bundesrichter Buddenberg.« Nachbarn schauten aus den Fenstern, unternahmen aber nichts. »Holen Sie doch meine Sachen, meine Sachen aus dem Auto«, rief Frau Buddenberg immer wieder. Sie blutete aus mehreren Wunden: Verletzungen am linken Unterschenkel, Splitter im rechten Bein und im rechten Arm.

Am 19. Mai 1972 gegen 15.30 Uhr erhielt eine Telefonistin im Hamburger Springer-Hochhaus an der Kaiser-Wilhelm-Straße einen Anruf: »In fünf Minuten geht bei Ihnen eine Bombe hoch.«

Die Frau nahm das nicht so ernst. Anrufe dieser Art waren in der Zentrale des Springer-Verlages keine Seltenheit. Sie ließ sich mit dem Anrufer auf ein Gespräch ein. »Ihr Schweine, ihr nehmt aber auch gar nichts ernst«, sagte der Mann und legte auf.

In Ruhe nahm die Telefonistin noch ein paar andere Gespräche entgegen und benachrichtigte dann die Verwaltung des Springer-Hauses über die Bombendrohung. Inzwischen war ein zweiter Anruf gekommen. Eine Kollegin hatte ihn entgegengenommen. Wieder war es eine männliche Stimme, wenn auch ziemlich hoch, die sagte: »In fünf Minuten geht bei Ihnen eine Bombe hoch.« Der Anrufer verlangte wütend: »Räumt sofort das Haus.«

»Ist das wieder der Verrückte?« fragte die Kollegin vom Nebenplatz. Die Telefonistin nickte. Der Anrufer sagte: »Ihr verdammten Schweine!« Dann legte er auf.

Die Telefonistinnen hatten gerade jemanden von der Verwaltung am Apparat, als es einen furchtbaren Knall gab. Eine Bombe war explodiert. Unmittelbar darauf klingelte erneut das Telefon, diesmal war es ein Ferngespräch. »Ist bei Ihnen eben eine Bombe hochgegangen?« fragte eine Frau. »Ja«, antwortete die Telefonistin. Dann klickte es in der Leitung.

Der erste Sprengkörper war im Korrektur-Saal des Springer-Hauses explodiert. 15 Korrektoren saßen dort über ihrer Arbeit. Die meisten von ihnen erlitten Verletzungen. Kurz darauf detonierten zwei weitere Bomben. Sie waren in den Toiletten versteckt.

Einer der verletzten Korrektoren erklärte später im Stammheimer Prozeß:

»Wir wußten zwar, daß das Springer-Hochhaus oft belagert wurde von Studenten und daß man uns auch mal hinderte, an die Arbeit zu gehen. Aber daß man uns direkt angreifen würde, indem man uns eine Bombe hinlegt, da haben wir wirklich nicht mit gerechnet, keiner von uns.«

Ein Springer-Redakteur machte die Aussage: »Ich wunderte mich nur, daß man eigentlich, wenn man das Haus Springer treffen wollte, ausgerechnet bei den Korrektoren getroffen hat, wo Menschen sind, deren Gesinnung ein kleines bißchen mehr links von der Mitte ist. Es gibt, glaube ich, lohnenswertere Ziele, wenn man nur die Sache treffen wollte. Wenn man das Rechenzentrum ausgesucht hätte, das hätte einen größeren Schaden für das Haus ergeben.«

Insgesamt gab es 17, zwei davon schwer, Verletzte.

Am Tag darauf meldete sich wieder ein anonymer Anrufer: »Es liegen noch mehr Bomben im Haus. Die Polizisten sind alle Trottel, die suchen an der falschen Stelle.« Tatsächlich fand die Polizei noch drei weitere Sprengkörper im Verlagsgebäude: einen neben der Rotation, einen in der Direktion und einen in einem Putzmittelschrank. Die Bomben konnten entschärft werden.

Drei Tage nach diesem Anschlag gingen »Bekennerschreiben« bei dpa, UPI, der »Süddeutschen Zeitung« und bei »Bild« ein, unterschrieben mit »Kommando 2. Juni«. Sie waren auf einer Maschine getippt, die die Polizei später in einer Hamburger Wohnung fand:
»Springer ging lieber das Risiko ein, daß seine Arbeiter und Angestellten durch Bomben verletzt werden als das Risiko, ein paar Stunden Arbeitszeit, also Profit, durch Fehlalarm zu verlieren. Für die Kapitalisten ist der Profit alles, sind die Menschen, die ihn schaffen, ein Dreck. – Wir sind zutiefst betroffen darüber, daß Arbeiter und Angestellte verletzt worden sind.«
Am 24. Mai, um 18.10 Uhr, detonierten im Abstand von 15 Sekunden vor dem Kasernenblock 28 und dem Casino des Europa-Hauptquartiers der US-Armee in Heidelberg zwei in Autos deponierte Bomben. Im Bereitschaftsraum des amerikanischen Hospitals hatte ein deutscher Ambulanzfahrer die Explosion gehört. Kurz darauf läutete das Telefon. Er wurde zum Haupttor befohlen und von dort aus sofort zur Computerstation am Ende des Hauptquartiers weitergeschickt.
Das Gelände war von Trümmern übersät. Der Sanitäter und seine Kollegen fragten Militärpolizisten: »Was ist los?« Sie zuckten mit den Schultern: »Was soll schon los sein? Eine Detonation.«
Unter umgestürzten Mauerteilen, Holzbalken und Glassplittern suchten Sanitäter und Soldaten nach Verletzten. Vor einem herausgerissenen Fenster lag ein Körper, der sich noch bewegte. Die Kleider waren von der Druckwelle fortgerissen worden. Der Ambulanzfahrer hielt den Kopf des Mannes hoch.

Als der Wagen das Tor erreichte, sagte ein Offizier: »Fahr langsam, es hat keine Eile, der Mann ist gestorben.« Nachdem die Sanitäter den Toten im Krankenhaus abgeliefert hatten, fuhren sie wieder zurück.

In der Zwischenzeit war ein zweites Bombenopfer gefunden worden. Es lag neben einer eingestürzten Mauer. Ein schwerer Coca-Cola-Automat hatte den Soldaten unter sich begraben. Nur einer seiner Füße war zu sehen. Der Getränkeautomat wurde beiseite gehievt, doch für den Mann kam jede Hilfe zu spät.

Das dritte Opfer war zerrissen worden. Sein Oberkörper lag noch da. Der Sanitäter sah Leichenfetzen in den Lindenbäumen neben dem Explosionsort und verbrannte Fußsohlen auf dem Boden. Die Sanitäter nahmen einen Kopfkissenbezug und sammelten die Überreste ein.

Auf dem Parkplatz, wo ein zweiter Sprengkörper explodiert war, wurden weitere Verletzte versorgt. Ein Offizier sah aus wie skalpiert, Kopfhaut und Haare waren abgerissen.

Insgesamt waren bei diesem Anschlag drei amerikanische Soldaten getötet worden, Clyde Bonner, Ronald Woodward und Charles Peck. Fünf weitere GIs waren verletzt.

Auch das »Bekennerschreiben« zu diesem Anschlag war auf der später in Hamburg gefundenen Maschine geschrieben worden:

»Die Menschen in der Bundesrepublik unterstützten die Sicherungskräfte bei der Fahndung nach den Bombenattentätern nicht, weil sie mit den Verbrechen des amerikanischen Imperialismus und ihrer Billigung durch die herrschende Klasse hier nichts zu tun haben wollen; weil sie Auschwitz, Dresden und Hamburg nicht vergessen haben; weil sie wissen, daß gegen die Massenmörder von Vietnam Bombenanschläge gerechtfertigt sind; weil sie die Erfahrung gemacht haben, daß Demonstrationen und Worte gegen die Verbrecher des Imperialismus nichts nützen.«

45. »Aktion Wasserschlag«

Fünf Tage nach dem Anschlag von Heidelberg rief der Präsident des Bundeskriminalamtes die Leiter der Sonderkommissionen der Länder und Vertreter des Bundesgrenzschutzes zusammen und informierte sie über einen Plan. Am übernächsten Tag sollte bundesweit eine Fahndungsaktion laufen, wie sie die Republik noch nicht erlebt hatte. Die gesamte Schutzpolizei sollte für einen Tag praktisch unter dem Oberbefehl des BKA stehen. Herold hatte sich von Genscher grünes Licht dafür geben lassen. Der Bundesinnenminister meinte nur: »Machen Sie's so, wenn das notwendig ist. Wenn wir nicht weiterkommen, wollen wir doch mal sehen, wer uns da die Gefolgschaft aufkündigt.«
Herold stellte die obersten Polizeiführer der Länder vor vollendete Tatsachen: »Bitte informieren Sie Ihre Minister.« Es gab ein paar empörte Anrufe, aber schließlich machten sie mit.

Am 31. Mai 1972 wurden alle Hubschrauber, die im Öffentlichen Dienst der Bundesrepublik verfügbar waren, in die Luft gebracht. Sie nahmen jeweils eine Gruppe von Polizeibeamten auf, flogen die Autobahnen ab und landeten für kurze Zeit an Auf- oder Abfahrten. Dort wurden Straßensperren errichtet, alle Fahrzeuge gestoppt und die Fahrer überprüft. Anschließend sprangen die Beamten wieder in ihre Helikopter, flogen ein Stück weiter und errichteten eine neue Sperre. Auf diese Weise, so Herold, wurde die Bundesrepublik »richtig durchgeklopft«.
Es gab ein totales Verkehrschaos, aber die verunsicherten Bürger zeigten Verständnis. Es war nicht so, wie die RAF in ihrem Bekennerschreiben vorausgesagt hatte: »Die Menschen in der Bundesrepublik unterstützen die Sicherungskräfte bei der Fahndung nach den Bombenattentätern nicht . . .«
»Ich habe nie wieder einen so hohen Grad an Identifikation zwischen Bürger und Polizei erlebt wie an diesem Tag«, erinnerte sich Herold später. »Ich bin selbst mit dem Hubschrauber die Strecken abgeflogen, und wir begegneten eigentlich überall nur winkenden Autofahrern. Man kann sich heute gar nicht mehr vorstellen, wie tief der Schock über die Attentate gesessen hatte. Unsere Aktion hatte das erklärte Ziel, durch einen Schlag ins Wasser die Fische mal richtig in Bewegung zu bringen. Das Fernsehen war ganz überrascht. Die kamen mit Teams überall an-

gefahren. Es war die erste, die größte und nicht mehr wiederholte öffentliche Aktion, die es jemals gegeben hat.«

46. Die Belagerung

Schon vor der Großfahndung hatte die Polizei auf den Tip eines Anwohners hin am Hofeckweg in Frankfurt, in unmittelbarer Nähe des Hessischen Rundfunks, eine Garage observiert. In der Nacht hatten sich BKA-Beamte hineingeschlichen und umgesehen. In großen Eimern standen dort an die zwei Zentner graues Pulver, das verdächtige Ähnlichkeit mit Sprengstoff hatte. Die Beamten nahmen die Behälter mit und ließen den Stoff im BKA untersuchen. Ihr erster Eindruck war richtig gewesen. Aus Knochenmehl stellten sie daraufhin eine Mischung her, die dem grauen Sprengstoff zum Verwechseln ähnlich sah, und brachten die Eimer in der folgenden Nacht zurück.

Wenige Stunden nach Abschluß der »Aktion Wasserschlag«, die kaum brauchbare Ergebnisse erbracht hatte, regte sich etwas bei der observierten Garage am Hofeckweg.
1. Juni 1972, 5.50 Uhr: Drei Männer fuhren in einem auberginenfarbenen Porsche Targa die Kaiser-Siegmund-Straße in östlicher Richtung. Sie bogen nach rechts in die Eckenheimer Landstraße und von dieser wiederum nach rechts in den Kühlhornshofweg ab. Die Polizeibeamten registrierten, daß der Porsche die Einbahnstraße in falscher Richtung befuhr. Kurz vor Erreichen des Hofeckwegs wendete der Wagen. Drei Männer kletterten aus dem Fahrzeug. Zwei von ihnen, Holger Meins und Andreas Baader, gingen sofort in die Garage. Der dritte, Jan-Carl Raspe blieb als Sicherungsposten stehen.
Zwei Polizeibeamte, die zum Observationskommando gehörten, näherten sich in ihrem Wagen. Durch das Seitenfenster forderten sie Raspe auf, stehenzubleiben. Raspe griff in die rechte Tasche seines Mantels und zog eine Pistole. Vom Hofeckweg aus kamen in diesem Moment zwei weitere Polizeibeamte angelaufen. Jan-Carl Raspe lief den beiden ein paar Meter entgegen und schoß aus etwa 28 Meter Entfernung. Einer der Beamten warf sich hinter das parkende Auto, der andere suchte im Wageninnern Schutz. Raspe lief weiter, zwischen den Häusern hindurch

in Richtung auf ein Gartengrundstück. Dort stellte ihn der Polizeihauptkommissar Irgel. Raspe ließ sich ohne Widerstand festnehmen. Bei ihm wurde eine 9 Millimeter Parabellum gefunden. Vier Monate später entdeckte ein Schüler im Erdreich des Gartens einen Revolver vom Typ Smith & Wesson, den Jan-Carl Raspe unmittelbar vor seiner Festnahme verscharrt hatte.

In der Zwischenzeit waren Baader und Meins in die Garage gegangen und hatten die Tür hinter sich geschlossen. Als sie die Schüsse hörten, öffnete Holger Meins einen Türflügel, um nachzusehen, was draußen vor sich ging. Ein Polizeibeamter war bis auf 15 Meter an die Garage herangekommen, richtete seine Maschinenpistole auf Meins und forderte ihn auf, in die Garage zurückzutreten. Nachdem die Tür wieder geschlossen war, schoben die Beamten eines der Observationsfahrzeuge, einen Audi, vor die Tür, um einen Ausbruch der beiden zu verhindern. Einer der Beamten schlich sich noch einmal zum Auto, um das Funkgerät abzustellen. Baader schoß durch den geschlossenen rechten Flügel der Garagentür. Niemand wurde getroffen.
Inzwischen war polizeiliche Verstärkung angerückt. Die Garage wurde von Beamten umzingelt, an die 150 Schußwaffen richteten sich auf die Belagerten. Regierungskriminaldirektor Scheicher vom BKA hatte die Einsatzleitung vor Ort übernommen.
Später wunderte sich BKA-Präsident Herold darüber, daß Baader und Meins sich nicht sofort ergeben hatten: »Ich muß heute noch bewundern, daß sie dann auch gewagt haben, zu schießen. Die mußten ja davon ausgehen, daß sie auf Pulver sitzen.«

Auf der Rückseite der Garage hatten die Polizeibeamten in der Zwischenzeit Löcher in die Glasbausteine geschlagen. Im Halbdunkel konnte der Kriminalhauptmeister Pfeiffer die beiden Männer erkennen. »Teilweise haben sie uns angelacht oder ausgelacht«, erinnerte er sich später. »Sie haben Zigaretten geraucht und hin und wieder ihre Pistolen in unsere Richtung gehalten.«
Durch die Löcher in der Rückwand wurden Tränengaskörper in die Garage geworfen. Scheicher forderte die beiden über Lautsprecher auf, ihre Waffen auf den Hof zu werfen, ihre Oberbekleidung auszuziehen und mit erhobenen Händen die Garage zu verlassen.

Baader und Meins stießen einen Türflügel gegen den Audi. Die Polizisten hatten den Eindruck, sie wollten sich ergeben, und zogen mit einem Seil den Wagen zurück. Daraufhin wurde die Garagentür von innen etwas weiter geöffnet, damit das Tränengas abziehen konnte. Baader schleuderte rauchende Tränengasgranaten zurück. Er stand vorn rechts in der Garage, lehnte sich an den dort parkenden silbermetallfarbenen Sportwagen »Iso Rivolta«, einen Revolver in der linken und eine Zigarette in der rechten Hand. Holger Meins lag links neben dem Wagen hinter einer Gasflasche in Deckung und hatte seine Pistole nach draußen gerichtet.

Gegen 7.45 Uhr wurde ein mit vier Beamten besetzter Panzerwagen eingesetzt. Mit ihm sollten die beiden Flügel der Garagentür zugedrückt werden, damit das Tränengas besser wirken konnte. Es gelang jedoch nur, den rechten Türflügel zu schließen.

»Geben Sie auf, jeder Widerstand ist zwecklos«, tönte es aus dem Polizeilautsprecher. Als die beiden Eingeschlossenen die Garage immer noch nicht verließen, wurden neue Tränengasgranaten aus Leuchtpistolen in den Unterschlupf geschossen. Der Polizeibeamte Stumpf und sein Kollege Brandau feuerten abwechselnd ihre Tränengasgranaten ab. Sie konnten den blonden Mann erkennen, der den Arm hob und die Polizeibeamten über seine Pistole anvisierte. »Paß auf, der schießt«, rief Brandau. Ein Schuß fiel, dann noch einer, und die beiden Polizeibeamten warfen sich in Deckung. Der Wind trieb den Beamten das Tränengas in die Augen, und sie zogen sich weiter zurück. Der Panzerwagen machte einen neuen Vorstoß, fuhr auf die Garage zu und drückte die Tür ein.

Der Kriminalhauptmeister Bernhard Honke hatte sich gegen 7 Uhr an den Einsatzort begeben. Das Gebiet um den Hofeckweg war schon abgesperrt. Er ließ sich von den Kollegen über die Lage informieren. Eine Frau aus dem dritten Stock des gegenüber der Garage liegenden Mietshauses rief ihm zu, aus ihrem Fenster könne man den Hof und die Garageneinfahrt beobachten. Der Beamte ging in die Wohnung und konnte von dort aus den blonden Mann, Baader, sehen.

Langsam wurde die Polizeikette enger um die Garage gezogen. Kriminalhauptmeister Honke verließ seinen Beobachtungsposten im dritten Stock und fragte bei der Einsatzleitung, ob man ihm ein Gewehr mit

Zielfernrohr besorgen könne. Nach wenigen Minuten wurde ihm die Waffe übergeben, und er ging zurück ans Fenster im dritten Stock.

Durch das Zielfernrohr visierte er Baaders Oberschenkel an und schoß. Baader fiel und schrie. Wieder wurden die beiden durch Lautsprecher aufgefordert, sich zu ergeben und die Waffen herauszuwerfen. Holger Meins verließ mit erhobenen Händen die Garage. Er wurde aufgefordert stehenzubleiben, sich bis auf die Unterhose auszuziehen und zum Ausgang des Hofes zu kommen.

Kriminalhauptmeister Honke meldete sich bei der Einsatzleitung und sagte, er sei der Schütze gewesen. »Gibt es noch irgendwelche Einsätze? Werde ich noch gebraucht?« – »Nein.«

Honke setzte sich in sein Auto und fuhr nach Hause.

Der Polizeibeamte Reinhold Stumpf nahm Holger Meins in den Polizeigriff und brachte ihn zum Überfallwagen.

»Was ist mit der zweiten Person?« fragte er.

»Der ist verreckt«, antwortete Holger Meins.

Stumpf und zwei weitere Kollegen zogen sich wieder ihre Panzerwesten an und liefen auf die Garage zu. Dort fanden sie Andreas Baader. Er lag auf der Seite und schrie. Mit der linken Hand hielt er immer noch seine Pistole umklammert. Einer der Polizisten trat ihm die Waffe aus der Hand. Dann wurde Baader aus der Garage gezogen, auf eine Trage gelegt und zum Notarztwagen gebracht. »Ihr Schweine, ihr Scheißbullen«, rief er.

47. Sieger und Besiegte

Der BKA-Beamte Alfred Klaus hielt sich bei der Sicherungsgruppe Bonn auf, als er die Nachricht von der Festnahme in Frankfurt erhielt. Baader, so wurde ihm mitgeteilt, sei verletzt und solle ins Haftkrankenhaus nach Düsseldorf verlegt werden. Klaus informierte die Flugbereitschaft des Bundesgrenzschutzes, um einen Hubschrauber für den Transport zu organisieren. Der zuständige BGS-Oberst wollte es sich nicht nehmen lassen, den Bandenboß höchstpersönlich zu fliegen. Mit einigen Bedenken willigte Klaus ein.

Sie flogen mit dem Helikopter nach Frankfurt, wo Baader in der Universitätsklinik erste Hilfe bekommen hatte. Der Gewehrschuß hatte seinen Oberschenkel zertrümmert, Baader weigerte sich, narkotisiert zu werden. »Ihr wollt mich nur aushorchen«, sagte er, als Alfred Klaus bei ihm auftauchte und ihn fragte, warum er sich keine Narkose geben lassen wollte. »Das ist doch albern«, sagte der BKA-Beamte. »Machen Sie mal eine Vernehmung in Narkose.« Er bestellte Andreas Baader einen Gruß von dessen Großmutter, die er vor einiger Zeit besucht hatte. »Soll ich ihr etwas ausrichten?« Aber Baader sah Klaus nur verständnislos an.

Nach langem Zureden durch die Ärzte war Baader mit einer Narkose einverstanden. Sein Bein wurde in Gips gelegt, man packte ihn auf eine Trage und brachte ihn durch einen unterirdischen Gang zum Notarztwagen. Draußen wimmelte es von Pressefotografen, die sich zum Teil als Ärzte verkleidet hatten, um Bilder des gefangenen Terroristenchefs zu schießen.

Von einem Sportplatz aus startete der Grenzhubschrauber und flog am Rhein entlang Richtung Düsseldorf. Alfred Klaus hatte neben dem Piloten Platz genommen, sich die Kopfhörer aufgesetzt, um den Funkverkehr zu verfolgen. Nun ist's geschafft, dachte er. Wir haben also den Krieg, den die gegen uns angezettelt haben, im wesentlichen gewonnen. Er blickte auf den Rhein unter sich, der Drachenfelsen flog vorbei. Klaus war besinnlicher Stimmung. In Düsseldorf lieferte er Baader beim Arzt der Haftklinik ab, einem Ausländer, der Angst hatte, ihm könne etwas geschehen, wenn er einen Terroristen im Gefängnis ärztlich versorgte. Baader war aus seiner Narkose aufgewacht und verlangte nach Zeitungen.

Am Abend fuhr der BKA-Beamte mit der Bahn zurück nach Bonn. Im Nobelrestaurant Maternus genehmigte er sich ein Steak und einen Schoppen Rotwein. Anschließend ging er noch auf einen Sprung ins Dienstgebäude der Sicherungsgruppe. Bundesinnenminister Genscher war dort zusammen mit Helmut Kohl. Sie brannten darauf, von Klaus über die Vorgänge um die Verhaftung Andreas Baaders unterrichtet zu werden.

Wilhelm Meins, Holgers Vater, hatte die Verhaftung seines Sohnes im Fernsehen verfolgt. 30 Stunden später erhielt er eine Besuchserlaubnis. Holger sei im Krankenhaus. Wilhelm Meins wunderte sich darüber. Im Fernsehen hatte er seinen Sohn nackt bis auf die Unterhose gesehen, ohne Verletzungen.

Das Krankenhaus war abgesichert wie eine Festung, das Zimmer, in dem Holger Meins lag, weiß, ordentlich und geräumig. Holger Meins hatte die Bettdecke bis zum Kinn hochgezogen. Der Vater ging auf seinen Sohn zu und wollte ihn umarmen. Zwei Beamte rissen ihn zurück.

»Weshalb liegst du hier im Krankenhaus?« fragte er.

Sein Sohn gab ausweichende Antworten, sah nur auf die Bettdecke. Wilhelm Meins zog ihm die Decke beiseite, bevor die Bewacher eingreifen konnten.

»Und da sah ich einen Menschen liegen, der nur voller Blutergüsse, Prellstellen und Schlagstellen von hier oben bis übers Becken hinweg war«, erklärte Wilhelm Meins später in einem Filminterview.

»Um Gottes willen, was haben sie mit dir gemacht«, fragte der Vater.

Einer der Beamten schritt ein: »Sprechzeit zu Ende!«

»Ich denke überhaupt nicht daran. Ich will jetzt genau wissen, was los ist.«

Der Beamte verließ das Krankenzimmer und holte einen Vorgesetzten. Wilhelm Meins nutzte die knappe Zeitspanne aus: »Nun erzähl mal, du bist ja krankenhausreif geschlagen worden.«

»Ich kann dir genau den Sachverhalt sagen«, meinte Holger Meins. »Du kannst mir jedes Wort glauben. Ich bin abgeführt worden, in eine Polizeiwache, so wie ich war. Acht Polizisten sind da vor mir gestanden, so mir gegenüber in fünf bis sechs Metern. Der eine zog seine Pistole, legte sie auf seinen Fuß und schubste sie mit seinem großen Stiefel an mein Schienbein. Er sagte: ›So, du alter Terrorist, nun schieß los!‹ Und was hab' ich gemacht? Ich habe ganz hämisch gelacht und ihm, ohne daß ich die Hände bewegte, und weil ich ja barfuß war, die Pistole mit dem Fuß zurückgeschleudert, dem Polizisten ans Schienbein. Da sind sie alle über mich hergefallen. Ich hätte sie angegriffen. Ich habe nicht gepiept und nicht geschrien. Wurde grün und blau getreten mit den dicken Stiefeln. Das kann man überhaupt nicht beschreiben.«

Drei Wochen später, es war ein heißer Tag, besuchte Anneliese Baader ihren Sohn in der Düsseldorfer Haftanstalt. Der Gefängnisleiter begrüßte sie. »Ihr Sohn hat zwar ein anderes Weltbild«, sagte er, »aber wir werden ihn schon umfunktionieren.«

Die Mutter hatte immer damit gerechnet, daß Andreas erschossen würde. Sie konnte kaum glauben, daß sie ihn lebend wiedersah. Vor dem Besuch hatte sie Beruhigungsmittel geschluckt. Andreas Baader lag allein in einem Zimmer, direkt an der Tür neben der Heizung, den Blick auf das vergitterte Fenster gerichtet. Neben dem Bett stand ein kleines Tischchen, darauf Tabletten, eine Schüssel Pudding mit Himbeersaft und eine Blechdose für Zigarettenkippen. In der Ecke ein weiterer Tisch, davor ein Stuhl, auf dem der Sicherheitsbeamte saß. Baader lag in einem Streckverband, das rechte Bein halb hoch.

Als Anneliese Baader ins Zimmer trat, sah sie als erstes seinen Kopf mit dem blondgefärbten Haar, das an der Wurzel schon wieder dunkel nachgewachsen war. Die Mutter fuhr ihm mit der Hand durchs Haar, war überrascht, daß sie an seinem Bett sitzen, ihn streicheln und küssen durfte. Andreas sah seine Mutter prüfend an. Sie fragte: »Habe ich mich so verändert?«

»Nein«, sagte er, »du hast dich nicht verändert. Du siehst nach wie vor gut aus.«

»Du weißt ja, wir sind gut im Nehmen«, antwortete sie. »Uns sieht man so etwas nicht so leicht an.«

Anneliese Baader hatte Bilder von seiner siebenjährigen Tochter mitgebracht. Andreas fragte, ob sie ihn nicht einmal besuchen könne. »Das halte ich nicht für gut«, antwortete die Mutter, »du darfst nicht vergessen, sie hat kein Verhältnis zu dir, du bist für sie ein Fremder.« Sie hatte das Gefühl, daß ihm die Antwort weh tat.

»Es ist für mich doch sehr wichtig«, sagte Anneliese Baader, »daß du hier und nicht in einem Gefängnis in Südamerika oder Persien bist. Wie es dort zugeht, ist uns ja bekannt.«

»Mutter, mach dir doch da keine Illusionen, auf die Dauer ist das kein Unterschied.«

Peter Jürgen Boock saß in der »Kanne«, der Wohngemeinschaft eines Drogenprojektes, als die Nachricht über die Festnahme Andreas Baaders, Jan-Carl Raspes und Holger Meins' über den Fernsehbildschirm lief. Boock war starr vor Schreck. Er stand auf, schaltete den Apparat aus und sagte: »Jetzt muß ich gehen.« Als er Andreas da so liegen gesehen hatte, war ihm klar geworden: Jetzt war nicht mehr die Zeit für kleine Hilfsdienste. Jetzt mußte er selbst in den Untergrund abtauchen. Er mußte irgend etwas tun, um Baader herauszuholen.

In der folgenden Woche klapperte er alle seine Bekannten ab, von denen er annahm, daß auch sie reif für die Illegalität waren. Darunter war auch ein gewisser Rolf-Clemens Wagner. Boock war klar: »Wir sind die nächste Generation. Jetzt sind die anderen weg, und wir müssen weitermachen.«

Sie waren nicht unkritisch in ihrer Beurteilung der vergangenen Monate des »bewaffneten Kampfes«: alles zu spontan, zu schlecht geplant. Boock und seine neuen Mitstreiter wollten es besser machen, professioneller. Sie stellten Listen auf, was man für den Untergrundkampf brauchte: Personalpapiere, konspirative Wohnungen, Fahrzeuge und vor allem Geld. Sie mußten lernen, lernen, lernen.

Sie gingen auf Reisen, besuchten alte Freunde, um sie zu rekrutieren, Leute, zu denen persönliche Beziehungen bestanden, die man unauffällig nach ihrem Verhältnis zum bewaffneten Kampf befragen konnte. Vorsicht und Unauffälligkeit waren das wichtigste. Keine spektakulären Sportwagen, wie Baader sie für sich requiriert hatte, keine langen Haare wie die Angehörigen der Anarcho- und Drogenszene. Nein, wie junge Manager wollten sie aussehen, und das waren sie ja auch. Denn sie hatten nur ein Ziel: die Gefangenen zu befreien.

48. Verhaftung in der Mode-Boutique

Nach der Festnahme der drei in Frankfurt war Gudrun Ensslin nach Hamburg gefahren. Dort traf sie Ulrike Meinhof, Klaus Jünschke und Gerhard Müller. Sie hatten im Fernsehen die Bilder der Festnahme gesehen. Seit dem Bombenanschlag auf das Hamburger Springer-Haus war Ulrike Meinhof tief deprimiert. Bekannte von früher, die ihr immer noch verbunden waren, hatten gesagt: »Um Gottes willen, hört doch jetzt endlich auf.« Und sie hatte geantwortet: »Jetzt geht es erst richtig los.« Aber so recht überzeugt schien sie nicht mehr zu sein. »Es war wie eine Talfahrt«, erinnerte sich Klaus Jünschke, »wenn du rausspringst, gehst du kaputt, wenn du weiterfährst, gehst du auch kaputt.«

Angst und Nervosität nahmen zu. Gudrun Ensslin fuhr nun nicht, wie gewohnt, mit Andreas Baader, sondern mit Klaus Jünschke. Er schaltete, die Gänge knarrten, fuhr unsicher. Gudrun Ensslin geriet in Panik. Sie stieg mit ihm in ein Taxi um. Der Fahrer blickte sie an. Sie fühlte sich erkannt und flüsterte: »Jetzt muß ich mir sofort andere Klamotten besorgen.« In der Nähe war eine Boutique.

An diesem 7. Juni 1972, genau eine Woche nach der Verhaftung von Andreas Baader, stand die Geschäftsführerin der Boutique »Linette« am Hamburger Jungfernstieg neben der Kasse, als eine junge Frau das Geschäft betrat. Sie trug einen roten Pullover, halblange krause Haare und war sehr mager. Die Boutique-Chefin betrachtete die Frau genau, die den Blick mit einem Lächeln erwiderte. Sie wirkte sehr krank. Die Frau legte ihre Jacke ab und ließ sich verschiedene Pullover zeigen. Eine andere Kundin hatte im Laden zehn bis fünfzehn Hosen anprobiert und auf einer Couch verstreut. Die Geschäftsführerin wollte die Hosen wieder einpacken. Da bemerkte sie eine blau-graue Lederjacke und wollte sie ebenfalls beiseite räumen. Die Jacke schien ihr unverhältnismäßig schwer. Sie tastete die aufgesetzten Taschen ab und drehte sich zu ihren Kolleginnen um: »Also, ich glaube, hier hat jemand eine Pistole.« Ihre Kolleginnen hielten das für einen Scherz. Eine von ihnen griff ebenfalls nach der Jacke und sagte: »Ja, das stimmt.«

Die Boutique-Chefin rief bei der Polizei an.

Polizeiobermeister Reiner Freiberg war mit seinem Funkstreifenwagen gerade in der Nähe. Er bekam den Einsatzbefehl. Sein Kollege Millhahn lief voraus in die Boutique. Eine Angestellte deutete auf die Frau mit dem Lockenkopf. Gudrun Ensslin richtete den Blick nach unten und versuchte ruhig an dem Polizeibeamten vorbeizugehen. Millhahn packte sie am Arm. In diesem Moment kam sein Kollege Freiberg zu Hilfe. Verzweifelt wehrte Gudrun Ensslin sich und riß die beiden Beamten zu Boden. Dann wurde sie überwältigt. Freiberg nahm ihr die Handtasche ab, reichte sie einer Verkäuferin und sagte: »Öffnen Sie bitte die Tasche.« Er selbst durchsuchte Gudrun Ensslins Jacke und zog einen silberglänzenden Revolver hervor.

In der Handtasche steckte noch eine weitere Waffe, eine großkalibrige Pistole mit Reservemagazin. Als er Handschellen holen wollte, traf ein zweiter Peterwagen ein.

Auf dem Polizeipräsidium wurde Gudrun Ensslin von weiblicher Kriminalpolizei durchsucht. Dann fragten Beamte, ob sie sich freiwillig Fingerabdrücke abnehmen und fotografieren lassen würde.

»Ich sage nichts, und von mir kriegt ihr auch nichts«, antwortete sie. Daraufhin wurden ihr die Fingerabdrücke gewaltsam abgenommen. Sie ballte die Hände zu Fäusten, aber die Beamten bogen jeden Finger einzeln gerade, drückten ihn erst auf ein Stempelkissen und dann auf ein Stück Papier. Anschließend sollte Gudrun Ensslin fotografiert werden, doch sie ließ ihren Kopf hängen und verbarg ihr Gesicht. An der Wand des Vernehmungsraumes hing ein Blumenbild. Nur aus nächster Nähe konnte man sehen, daß eine der gemalten Blumen ein Loch hatte. Dahinter, im Nebenzimmer stand eine Kamera. Einer der Polizeibeamten gab Gudrun Ensslin eine Zigarette, sie riß den Filter ab, rauchte, hob aber nicht den Kopf. Nun kraulte und kitzelte ihr ein anderer Beamter minutenlang den Nacken. Als Gudrun Ensslin einmal kurz aufsah, wurden die Aufnahmen gemacht.

Später, im Prozeß, wurde der Beamte dazu befragt. Er antwortete: »Ich habe ihren Nacken ein klein wenig gekrault. Darüber hat man später geschmunzelt, die Kollegen. Die Haare habe ich nicht gestreichelt, ich habe nur ihren Nacken gekrault, sagt man dazu in Hamburg.«
»Könnte man das Kraulen als Kitzeln bezeichnen?« fragte Oberstaatsanwalt Zeis.
»Ja, ›Kitzeln‹ möchte ich nicht sagen, weil Kitzeln ist mehr gefühlsbetont. Ich habe als Beamter sachlich objektiv die Aufgabe gehabt, das Lichtbild zu ermöglichen. Und zu dieser Zeit mußte ich sie reizen, provozieren.«
Rechtsanwalt Heldmann als Verteidiger beanstandete, daß der Vorsitzende den Polizeibeamten nicht gemäß Paragraph 55 belehrt habe, nach dem Zeugen die Aussagen verweigern können, wenn sie sich sonst selbst belasten müßten. Das Kitzeln sei eine körperliche Behandlung, die durch ihre Wirkung die freie Willensentscheidung einer festgenommenen Person aufheben könne. »Dürfen wir noch den Tatbestand nennen, nach dem sich das Ganze richten soll?«, fragte der Vorsitzende Richter.
»Nötigung im Amt«, antwortete Rechtsanwalt Dr. Heldmann.

In der Haftanstalt Essen schrieb Gundrun Ensslin einen Kassiber für Ulrike Meinhof:
»HUT-Befehl, mach die Fresse zu und bleib im Loch.

Liesel ... zwei Monate, in denen Ihr nichts tut als die Struktur reparieren ...«

Nach einer Reihe von Verhaltensmaßregeln, welche Wohnungen abzustoßen seien, wo Geld deponiert werden solle, welche Aktionen geplant werden müßten, kam Gudrun Ensslin auf ihre Verhaftung in Hamburg: »Auf dem Weg zum Bunker Taxi ... Fahrer hat im Schimmer der Gitanes gesehen und mich sowieso erkannt. Ich wie im Dschungel. Aber da war die Idee andere Klamotten. Dann in dem Laden hab' ich nur noch Scheiße im Gehirn gehabt, erregt, verschwitzt. Sonst hätte ich ticken müssen, ich hab' aber gepennt. Ging auch irre schnell, sonst wäre jetzt eine Verkäuferin tot (Geisel), ich und vielleicht zwei Bullen. Also echt unklar, ob ich da weggekommen wäre, und es ging so schnell, daß ich die Hand aus der Tasche mit der Knarre halb gebrochen von Bullenpfoten nur rausbekam ...«

Später, nachdem dieser sogenannte »Ensslin-Kassiber« bei der verhafteten Ulrike Meinhof gefunden worden war, stellten die Behörden Ermittlungen an, wer den Brief aus der Haftanstalt herausgeschmuggelt haben könnte. Gudrun Ensslins Anwalt Otto Schily geriet in Verdacht und sollte deswegen von der Verteidigung ausgeschlossen werden. Die Beweislage war aber so dürftig, daß Schily das Mandat behielt.

Bei ihrer Festnahme hatte Gudrun Ensslin einen Schlüssel in der Tasche, der in das Schloß einer konspirativen Wohnung in der Seidenstraße in Stuttgart paßte.

Am 7. August 1972 durchsuchten Polizeibeamte diese Unterkunft. Ein Kriminalkommissar des LKA Stuttgart gab zu Protokoll:

»Betr.: Fahndung nach anarchistischen Gewaltverbrechern. Hier: konspirative Wohnung in der Seidenstraße 71.

Anlage: 22 Mickymaus-Hefte.

Die beigefügten Mickymaus-Hefte wurden in der oben angegebenen Wohnung gefunden. Es besteht der begründete Verdacht, daß die Mickymaus-Heftchen vom Bandenmitglied Andreas Baader gelesen wurden.«

49. Festnahme und Zwangsnarkose

Nach der Festnahme Gudrun Ensslins in Hamburg schlug Klaus Jünschke vor, erst mal auf Tauchstation zu gehen. »Jetzt ist Schluß«, sagte er zu Ulrike Meinhof und Gerhard Müller. »Wir rühren uns sechs Wochen nicht, bleiben hier. Alles andere ist Quatsch.«

Müller war anderer Meinung: »Da ist ein VW-Bus, der muß umgesetzt werden.«

»Nichts, ich mach' gar nichts mehr«, beharrte Jünschke.

Da stand Müller auf, zog seinen Revolver und richtete ihn auf Jünschke. Er zitterte vor Wut. »Ihr müßt euch mal überlegen, was mit uns passiert, wenn es schon so kommt«, sagte Jünschke. Ulrike Meinhof und Gerhard Müller standen auf und verließen die Wohnung.

Zwei Tage nach Gudrun Ensslins Verhaftung wurden in Berlin Brigitte Mohnhaupt und ihr Freund festgenommen. Die Hamburger Polizei hatte einen Hinweis auf eine konspirative Wohnung in Berlin erhalten. Obwohl sie bewaffnet waren, leisteten sie keinen Widerstand. Um einen Fluchtversuch zu verhindern, zog ein Beamter dem Mann die Hose herunter.

Am Donnerstag, dem 15. Juni, eine halbe Stunde nach Mitternacht, klingelte es an der Wohnungstür eines Lehrers in der Walsroder Straße in Hannover-Langenhagen. Er öffnete im Morgenmantel. Vor ihm stand ein junges Mädchen mit langen braunen Haaren. Der Lehrer sagte später der Polizei, er habe sie nicht gekannt. »Darf ich dich einen Moment sprechen?«

Der Lehrer ließ die verstört wirkende Frau ins Wohnzimmer: »Können bei euch zwei Personen übernachten?«

Er willigte ein.

Am nächsten Morgen beim Frühstück erzählte der Lehrer seiner Freundin von dem nächtlichen Besuch. Sie meinte, das ließe doch nur eine »ganz bestimmte Vermutung« zu. »Du mußt zur Polizei.«

Der Lehrer fand das Mißtrauen übertrieben. Er wollte erst mal zum Dienst und dabei die Sache überdenken.

Ihm war nicht wohl bei dem Gedanken, von der Polizei Gesuchte anzuzeigen. Gleichzeitig überlegte er, welche Konsequenzen es für ihn als linken Lehrer und als Gewerkschaftsmitglied haben könnte, wenn tatsächlich Mitglieder der Baader-Meinhof-Gruppe bei ihm übernachteten. Nach Schulschluß beriet er sich mit einem Freund. Dann ging er zur Polizei.

Im Präsidium wurde er sofort an die BM-Sonderkommission verwiesen.

Der Polizeibeamte Robert Severin stand kurz vor seiner Pensionierung. Zusammen mit zwei jüngeren Kollegen erhielt er den Auftrag, zu prüfen, wie man das Haus in der Walsroder Straße am besten observieren könne. In Zivilkleidung begutachteten sie das Treppenhaus. Als sie gegen 18 Uhr das Gebäude verlassen wollten, kamen ihnen eine Frau und ein junger Mann entgegen.

Der Hauswart stand in der Tür und fragte die beiden, wohin sie denn wollten. Sie sagten es ihm.

»Ja, der Lehrer wohnt oben in der zweiten Etage, aber er wird wahrscheinlich nicht da sein.« Der Mann und die Frau gingen die Treppe hinauf. Die Beamten forderten von der Dienststelle Verstärkung an. Während sie noch beratschlagten, ob sie die Wohnung ohne Durchsuchungsbefehl betreten dürften oder nicht, kam der junge Mann aus dem Haus. Die Beamten holten ihn an einer Telefonzelle ein. Er hatte gerade ein Markstück in den Automaten geworfen. Die Beamten rissen die Tür auf und nahmen ihm seine Pistole ab. Severin, der unbewaffnet zum Einsatz gekommen war, steckte sie ein.

Inzwischen war die Verstärkung eingetroffen. Severin und drei weitere Beamte gingen in die zweite Etage und klingelten. Die Frau, in Schwarz gekleidet, mit struppigen kurzen Haaren, öffnete, und während sie von den Beamten in den Polizeigriff genommen wurde, schimpfte sie: »Ihr Schweine!« Die Polizisten wußten nicht, ob sich noch mehr Personen in der Wohnung aufhielten, und riefen: »Alles drinbleiben, keiner weiter rauskommen, sonst wird geschossen.« Vorsichtig schlichen sie in die Wohnung. Überall lagen Waffen, Munition und Handgranaten.

»Mensch, guckt euch das an, das muß kein kleiner Fisch sein«, sagte Severin. Aber keiner kam darauf, daß die Festgenommene Ulrike Meinhof war. Sie hatte sich verändert, war abgemagert, sah krank aus und hatte keine Ähnlichkeit mit ihren Fahndungsfotos.

Die Polizisten durchsuchten die Wohnung und fanden in einer Tasche ein aufgeschlagenes Exemplar der Illustrierten »Stern« mit Röntgen-aufnahmen von Ulrike Meinhofs Schädel. Da erst begriffen sie, daß sie die meistgesuchte Frau der Bundesrepublik festgenommen hatten.

Die Beamten hielten ihr das Foto aus dem »Stern« vor: »Sind Sie das?«

Ulrike Meinhof schwieg.

Severin durchsuchte eine schwarze Samtjacke, die in der Wohnung lag, und fischte einen Zettel aus der Jackentasche.

Es war der Kassiber von Gudrun Ensslin.

Ulrike Meinhof wurde direkt in die Haftanstalt gebracht. Severin fuhr ins Polizeipräsidium und besprach mit seinen Kollegen, wie man die Festgenommene identifizieren könne. Fingerabdrücke lagen von Ulrike Meinhof nicht vor. Severin dachte an die Röntgenfotos aus der Illustrierten und machte den Vorschlag, den Kopf der Verhafteten röntgen zu lassen. Die Silberklammer, mit der vor zehn Jahren der Blut-schwamm in ihrem Gehirn am weiteren Wachstum gehindert worden war, mußte auf dem Röntgenbild zu erkennen sein.

Die Polizeibeamten hielten Rücksprache mit der Staatsanwaltschaft und mit einem Richter. Dort hatte man keine Einwände, Ulrike Meinhof in eine Klinik zu transportieren und dort zur polizeilichen Identifikation medizinisch untersuchen zu lassen. Spät am Abend fuhr Severin in die Klinik. Ulrike Meinhof war bereits dort hingebracht worden. Der diensttuende Arzt ließ sich von Severin den »Stern« mit der Geschichte über Ulrike Meinhofs Tumoroperation geben. »Also, wenn die Festge-nommene diese Person sein soll, dann müßte sie irgendwie eine Narbe auf dem Kopf haben«, sagte der Arzt. Zusammen mit den Kranken-schwestern versuchten Polizist und Arzt die Frau zu überreden, sich den Kopf freiwillig abtasten zu lassen. Nach langem Hin und Her willigte sie ein, aber der Arzt konnte keine Narbe entdecken. Schließlich wurde Ulrike Meinhof gegen ihren Willen geröntgt. Man hatte sie dazu zwangsweise narkotisiert.

50. Eine Falle am Kiosk

Klaus Jünschke verließ Hamburg und traf sich mit Irmgard Möller, die ihn nach Offenbach zu einem Treffen mit zu Hans-Peter Konieczny nahm. In einem Park gingen sie spazieren und besprachen ihre Situation. Die noch nicht festgenommenen Randfiguren der RAF saßen versprengt irgendwo herum. »Die haben sich alle in ihren Löchern verkrochen, und keiner meldet sich«, sagte Jünschke. Geld hatten sie auch nicht mehr, und so schmiedeten die drei Pläne für einen neuen Banküberfall.

Am 7. Juli 1972 stand plötzlich die Polizei in der Tübinger Druckerei, in der Konieczny arbeitete. Einer der Beamten schlug demonstrativ seine Jacke zur Seite, unter der er eine Pistole trug. Conny ließ sich widerstandslos festnehmen. Die Ermittlungsbeamten stellten ihm einiges in Aussicht, wenn er helfe, auch den Rest der Gruppe ins Gefängnis zu bringen. Conny war einverstanden. Er könne noch am selben Tag in Offenbach ein Treffen vereinbaren.

In einer Kneipe besprachen sie die Einzelheiten. Der Leiter der Stuttgarter Sonderkommission Textor wollte ihm eine kugelsichere Weste geben. Conny verzichtete.

Gegen halb zwei verließ er die Kneipe und ging die letzten 300 Meter zum Treffpunkt zu Fuß. Etwa dreißig Polizeibeamte sicherten die Umgebung ab. Sie saßen auf Parkbänken, an einer Bushaltestelle, spielten mit Kindern oder mimten an einem Kiosk Betrunkene.

Dann stieg Klaus Jünschke aus einem Bus. Er trug eine schwarze Kollegmappe unter dem Arm, sah sich mißtrauisch um und merkte sofort, daß irgend etwas nicht stimmte. »Was ist denn hier los?« fragte er. »Da drüben hocken zwei im Auto«, erwiderte Conny.

Er hatte Angst. Die Polizisten schienen nicht sehr aufmerksam zu sein. »Du, wir latschen mal hin und gucken uns die Typen an«, schlug er vor. Nach knapp einer Minute sprangen plötzlich aus allen Richtungen Beamte auf sie zu. Sie packten Jünschke von hinten, rissen ihm die Beine weg, zwei schlugen ihm die Tasche aus der Hand. Dann kam Soko-Chef Textor und hielt Jünschke eine Pistole an den Hals. Zum Schein wurde auch Conny ergriffen, mit einer Waffe bedroht und in Handschellen abgeführt.

Auf der Polizeiwache wurden ihm die Handschellen wieder abgenommen, und es ging zurück zum Kiosk. Um halb drei kam niemand, eine Stunde später auch nicht. Als Textor schon das Zeichen zum Abbruch der Aktion gegeben hatte, kam plötzlich Irmgard Möller. Fast hätte Conny sie nicht erkannt, denn »Gabi« hatte ihr Aussehen völlig verändert. Sie trug die Haare kurz und sah aus wie eine adrette Sekretärin. Sie hatte ihr Portemonnaie in der Hand und kramte darin herum. Conny tat so, als würde er sie nicht kennen. Als sie ihn ansprechen wollte, sagte er: »Paß auf, hier hat's 'ne Menge Bullen.« Dann wollte er weggehen. Sie ging ein Paar Schritte neben ihm her.

Textor hatte jedoch erkannt, daß sein Lockvogel ein Gruppenmitglied getroffen hatte. Zusammen mit fünf anderen Polizeibeamten rannte er auf die Frau zu. Dem ersten, der sie packen wollte, trat Irmgard Möller vors Knie. Dann warfen sich die übrigen Beamten auf sie. Irmgard Möller wehrte sich verzweifelt, schrie »Ihr Schweine«, biß und kratzte. Zum Schein war Conny inzwischen von zwei Polizisten mit drohend erhobenen Pistolen gegen die Wand des Kiosks gedrängt worden.

Zwei Monate später wurde Hans-Peter Konieczny aus der Haft entlassen. Von da an mußte er sich »zur Verfügung halten«, denn »befreundete Dienststellen« wollten mit ihm plaudern.

3. Kapitel

»Die Kostüme der Müdigkeit«

1. »Klares Bewußtsein, daß man keine Überlebenschance hat«

Getrennt voneinander und vom normalen Anstaltsbetrieb isoliert verbrachten die RAF-Gefangenen das erste Jahr ihrer Haft: Andreas Baader in Schwalmstadt, Gudrun Ensslin in Essen, Holger Meins in Wittlich, Irmgard Möller in Rastatt, Gerhard Müller in Hamburg und Jan-Carl Raspe in Köln.

Ulrike Meinhof saß in einer Zelle in Köln-Ossendorf, in der zuvor Astrid Proll untergebracht war. Das Gebäude war ansonsten vollkommen leer. Der Raum war weiß gestrichen und hatte eine hellgrüne Tür. Die Neonbeleuchtung blieb Tag und Nacht angeschaltet. Erst nach schweren Auseinandersetzungen erreichte Ulrike Meinhof, daß die Röhre am Abend gegen eine schwächere ausgetauscht wurde.

Astrid Proll war in das Nachbargebäude verlegt worden, in den Männertrakt. Sie wußte, daß Ulrike Meinhof in ihrer alten Zelle saß. Die Gefängnisbeamten unternahmen alles, um zu verhindern, daß die beiden einander sehen oder hören konnten. Wenn Astrid Proll zum täglichen Hofgang geführt wurde, wozu sie eigentlich Ulrike Meinhofs Zelle hätte passieren müssen, schlugen die Beamten einen weiten Umweg durch das Gefängnisgelände ein. Über ihre Anwälte ließ Astrid Proll ausrichten, wann sie ins Bad geführt wurde, das in der Nähe von Ulrike Meinhofs Zelle war. Einmal rief Ulrike laut: »Astrid!« Daraufhin stellten die Wärter an jedem Badetag einen Staubsauger oder einen Wasserhahn an, um auch solche Kontaktaufnahme zu verhindern.

Vom 16. Juni 1972 bis zum 9. Februar 1973 blieb Ulrike Meinhof in diesem »toten Trakt« der Vollzugsanstalt Ossendorf. Als in der Öffentlichkeit bekannt wurde, daß sie einer fast totalen akustischen Isolation unterlag, versicherten die Behörden, es gebe keinen »toten Trakt«. Anstaltsleiter Bücker beschrieb die Haftbedingungen in einem Brief an den Präsidenten des Justizvollzugsamtes Köln so:

»Bekanntlich ist die Untersuchungsgefangene Meinhof im Frauentrakt der psychiatrischen Untersuchungsabteilung untergebracht. Während die Untersuchungsgefangene Proll im Männertrakt der Untersuchungsabteilung zumindest akustisch an dem Leben in der Anstalt teilnehmen kann, ist die Gefangene Meinhof in ihrem Haftraum auch akustisch isoliert.«

Besuch durfte Ulrike Meinhof während ihres achtmonatigen Aufenthalts in der »stillen Abteilung« nur von Verwandten empfangen, und auch das nur etwa alle vierzehn Tage für jeweils eine halbe Stunde – unter Bewachung.

Während sie allein in ihrer Zelle saß, schrieb sie ihre Empfindungen nieder:

»Das Gefühl, es explodiert einem der Kopf.

Das Gefühl, die Schädeldecke müßte eigentlich zerreißen, abplatzen.

Das Gefühl, es würde einem das Rückenmark ins Gehirn gepreßt …

Das Gefühl, die Zelle fährt. Man wacht auf, macht die Augen auf: die Zelle fährt, nachmittags, wenn die Sonne reinscheint, bleibt sie plötzlich stehen. Man kann das Gefühl des Fahrens nicht absetzen …

Rasende Aggressivität, für die es kein Ventil gibt. Das ist das schlimmste. Klares Bewußtsein, daß man keine Überlebenschance hat. Völliges Scheitern, das zu vermitteln. Besuche hinterlassen nichts. Eine halbe Stunde danach kann man nur noch mechanisch rekonstruieren, ob der Besuch heute oder vorige Woche war.

Einmal in der Woche baden dagegen bedeutet: einen Moment auftauen, erholen – hält auch für ein paar Stunden an –

Das Gefühl, Zeit und Raum sind ineinander verschachtelt …«

Manchmal hielt Ulrike Meinhof das Schweigen nicht mehr aus, und sie redete mit den Vollzugsbeamten. Auf einen Zettel tippte sie:

»Es stimmt gar nicht, daß ich noch nie mit den Krähen geredet hätte. Als ich in dem Loch mit dem Antisemitismusproblem nicht weiterkam, keine Bücher und tausend Fragen, habe ich angefangen, die Wärter zu fragen. Sie wußten 'ne Menge von dem, was ich wissen wollte, und kamen auch ins Nachdenken, und der eine Bulle versprach auch, in seinem Lexikon zu Hause nachzulesen, was ich wissen wollte. Als ich ihn am nächsten Tag fragte, hatte er es natürlich vergessen. Was geblieben war, die Einbildung, man könne mit mir quatschen. Daraufhin hab ich's abgebrochen. Man behandelt sie wie Hunde, oder sie behandeln einen wie'n Hund.«

Die RAF hatte sich in der Haft einen Verhaltenskatalog aufgestellt:

»Kein Wort zu den Pigs, in welcher Verkleidung sie auch immer ankommen, vor allem: Ärzte. Kein einziges.

Natürlich auch keine einzige Handreichung, keinen Finger für sie krumm machen, nichts, nur Feindschaft und Verachtung …

Keine Provokationen, das ist wichtig. Aber sich unversöhnlich, unerbittlich bis zum Äußersten verteidigen mit der Methode Mensch.«

Margrit Schiller, kurzzeitig weich geworden, meinte hinterher selbstkritisch: »Auf den Einkaufszettel hatte ich geschrieben: Schnittlauch, Petersilie. Daraufhin kam die Obersau. Sagte: Hat der Kaufmann nicht, aber ich habe zu Hause einen Garten, da kann ich Ihnen die Kräuter mitbringen, wollen Sie? Ich wurde rot, sagte ja, am nächsten Tag brachte sie 'nen Blumentopf mit eingepflanztem Schnittlauch mit, ich wurde rot, grinste. Da stand er Monate unberührt auf dem Flur vor meiner Zelle. Ich versuchte immer, darüber wegzusehen. Diese Obersau hat meine Kollaborationsbereitschaft getestet, und ich habe kollaboriert.«

Ulrike Meinhof ließ sich auf eine handfeste Auseinandersetzung mit einer Justizbeamtin ein und meinte anschließend selbstkritisch: »Zuletzt, vor'n paar Tagen, hab' ich 'ner Bullenfotze hier die Klobürste auf'm Kopf zerhauen. Die alte Scheiße: nur an mich dabei gedacht – ich wollte mir Luft verschaffen in diesem fight – Selbstkritik, hab' die Folgen nicht überlegt, was die Bullen damit gegen uns RAF machen können.«

Jan-Carl Raspe notierte in seiner Zelle handschriftlich: »Als ich hier reinkam, hatte ich nur einen Gedanken im Kopf: Widerstand leisten, wo es geht, um nicht kaputtgemacht werden zu können … Dieser eine Gedanke wurde zu einer Frage ziemlich bald: wie, um alles in der Welt. Und daran bin ich völlig verrückt geworden, daran, diese Frage nicht beantworten zu können.«

Horst Mahler hatte Vorschläge: »Wir können schreien, singen, gegen die Tür treten, mit Tassen und Schüsseln schmeißen, beim Pol.-Inspektor den Schreibtisch umschmeißen und vieles mehr. Wir riskieren, daß sie uns dabei auch zusammenschlagen. Das nehmen wir in Kauf … Mich stinkt dieser passiv-masochistische Widerstand gewaltig an …«

Andreas Baader lehnte individuelle Formen des Widerstandes ab. »Genau darauf ist die Maschine eingerichtet, und genau das gibt ihnen die Möglichkeit, einzelne fertigzumachen«, antwortete er auf Horst Mahlers Vorschläge. »Unternimm so was nur, wenn du's brauchst.«

2. Schwarzer September

»Heitere Spiele« hatten es werden sollen. Am 5. September 1972, morgens um 4.30 Uhr kletterte ein Kommando der Palästinensischen Terrororganisation »Schwarzer September« über den Zaun des Olympischen Dorfes in München, drang in das Quartier der israelischen Mannschaft ein und erschoß zwei der Sportler. Neun andere wurden als Geiseln genommen. Das Kommando verlangte die Freilassung palästinensischer Gefangener in Israel.

Während die Spiele fortgesetzt wurden, umstellten Polizisten das Olympische Dorf. Vor den Augen von Millionen Fernsehzuschauern in aller Welt entwickelte sich das Drama. Am Abend wurden Geiseln und Geiselnehmer zum Flughafen Fürstenfeldbruck gebracht, angeblich, um sie nach Kairo auszufliegen. Als die ersten beiden Palästinenser das Flugzeug besteigen wollten, eröffneten deutsche Scharfschützen das Feuer. Die Geiselnehmer streckten die Israelis mit Salven aus ihren Kalaschnikow-Maschinengewehren nieder. Dann feuerten sie auf die Polizisten.

Am Ende waren elf israelische Sportler, ein deutscher Polizist und fünf Terroristen tot. Drei Palästinenser wurden festgenommen.

Organisator des Anschlags war – Erkenntnissen des israelischen Geheimdienstes zufolge – Hassan Salameh, jener Abu Hassan, der zwei Jahre zuvor die Baader-Meinhof-Gruppe im jordanischen Palästinenser-Lager hatte ausbilden lassen.

In ihrer Zelle in Köln-Ossendorf schrieb Ulrike Meinhof nach dem Olympia-Massaker ein Papier: »Die Aktion des Schwarzen September in München – Zur Strategie des antiimperialistischen Kampfes.«

Obwohl auf der Titelseite das RAF-Emblem mit der gezeichneten Kalaschnikow abgebildet war, hatten es die übrigen »Führungskader« der RAF vor der Veröffentlichung nicht zu sehen bekommen. Die Druckschrift wurde in hoher Auflage an Universitäten ausgelegt.

In dem Papier wurde die Aktion des »Schwarzen September« als beispielhaft für die revolutionäre Strategie des antiimperialistischen Kampfes gewürdigt, »an der die westdeutsche Linke ihre Identität wiederfinden könnte«.

»Die Genossen vom Schwarzen September«, schrieb Ulrike Meinhof, »haben ihren eigenen Schwarzen September 1970 – als die jordanische Armee über 20 000 Palästinenser hingemetzelt hat, dahin zurückgetragen, wo dieses Massaker ursprünglich ausgeheckt worden ist: Westdeutschland – früher Nazideutschland – jetzt imperialistisches Zentrum. Dahin, von wo aus die Juden aus West- und Osteuropa nach Israel auszuwandern gezwungen worden sind – dahin, von wo Israel sein Wiedergutmachungskapital bezog und bis 1965 offiziell Waffen. Dahin, wo der Springerkonzern Israels Blitzkrieg im Juni 67 als antikommunistische Orgie gefeiert hat …«

Gudrun Ensslin nahm an, Horst Mahler hätte diese dritte RAF-Schrift verfaßt. Sie schrieb an ihn:

»Einfach Scheiße … Es wäre besser gewesen, wenn es vorher andere gelesen hätten … Haben uns mal kurz gefragt, warum Du's nicht vorher mal rüberreichtest, aber jetzt ist es natürlich wichtig, weil Du irre bist, wenn Du ausläßt, was uns die zwei Jahre Praxis gebracht haben …«

Ulrike Meinhof erhielt eine Kopie des Briefes und reagierte mit einer Verteidigung ihrer Schrift, die fälschlicherweise Horst Mahler zugeordnet worden war. In dem Papier, so schrieb sie, seien die gemeinsamen Ziele der RAF und des »Schwarzen September« zum Ausdruck gebracht worden: »Materielle Vernichtung von imperialistischer Herrschaft. Zerstörung des Mythos von der Allmacht des Systems. Im materiellen Angriff die propagandistische Aktion: der Akt der Befreiung im Akt der Vernichtung.«

Sie fügte hinzu: »Klar – ein ekelhafter Gedanke – aber ›welche Niedrigkeit begingest Du nicht, um die Niedrigkeit abzuschaffen …‹«

Erst als sie Ulrike Meinhofs Verteidigungsschrift in Händen hielt, erkannte Gudrun Ensslin, von wem das Papier wirklich stammte – und schwenkte um: »Für den Wortlaut meiner ›Kritik‹ könnte ich doch nur noch rot werden … Irgendwie bist Du so was wie verbittert, versteh' ich überhaupt nicht, oder wie oft soll ich noch sagen, daß wenn, nur ich Grund hätte (aber doch nicht habe), betrübt zu sein, Deinen Kopf und Deine Hand in dem Schwarzen September nicht sofort gesehen zu haben … Und trotz aller Erfahrungen mit dem Schrotthaufen immer noch doof genug war zu glauben, das alles könnte von ihm (Horst Mahler) sein – aber auch das bedeutet doch nur, daß ich verrückt war, bin oder sein kann …«

Handschriftlich erwiderte Ulrike Meinhof darauf: »Also wirklich – ich finde mein Zeug trostlos – aber man fängt an, drauf zu sitzen, was noch trostloser ist.«

Horst Mahler hatte inzwischen auch ein neues Strategie-Papier verfaßt. Es fand nicht Gudrun Ensslins Zustimmung. Sie schrieb an ihn: »Und – halt Dich fest – daß ich tatsächlich denke, daß es jemand gibt, der Dich für einen ›Rädelsführer‹ hält: Du selbst.«
Streit bahnte sich an.

In ihrem Brief an Gudrun Ensslin hatte Ulrike Meinhof geschrieben: »Welche Niedrigkeit begingest Du nicht, um die Niedrigkeit abzuschaffen ...« Diesen Satz hatte sie aus Bertolt Brechts Lehrstück »Die Maßnahme«. Dort heißt es:

> »Mit wem säße der Rechtliche nicht zusammen
> Dem Recht zu helfen?
> Welche Medizin schmeckte zu schlecht
> Dem Sterbenden?
> Welche Niedrigkeit begingest du nicht, um
> die Niedrigkeit auszutilgen?
> Könntest du die Welt endlich verändern, wofür
> wärest du dir zu gut?
> Wer bist du?
> Versinke in Schmutz
> Umarme den Schlächter, aber
> Ändere die Welt: sie braucht es!«

Ulrike Meinhof ging in ihrer Anlehnung an Brechts Stück noch weiter. Das Lied »Lob der Partei« dichtete sie in ihrer Zelle in das »Lied der RAF« um, mit dem Untertitel »Lob des antiimperialistischen Kampfes«.

> »Die RAF ist der Vortrupp der Massen
> sie führt ihren Kampf
> mit den Methoden der Klassiker ...
> Schlagt die Faschisten wo ihr sie trefft.«

Die letzte Zeile stammt von dem KPD-Spitzenfunktionär Heinz Neumann und wurde 1932 von Kurt Tucholsky in einem Gedicht satirisch umgewandelt in »Küßt die Faschisten wo ihr sie trefft«.

3. Briefe aus dem toten Trakt

Der erste Brief von Ulrike Meinhof an ihre inzwischen zehnjährigen Kinder wurde vom Haftrichter zurückgehalten.
Am 12. August 1972, nach drei Monaten Untersuchungshaft, schrieb sie:
»Liebe Regine und liebe Bettina –
Es ist alles sehr schwierig. Es ist alles sehr einfach.
Ihr denkt, Mami könnte ja nun endlich mal schreiben. Ich dachte, jetzt haben die Kinder ja meinen Brief. Ihr habt ihn nicht – ich weiß. Es war ein Wort drin, das der Richter, der meine Post kontrolliert, als beleidigend empfand – da hat er den Brief nicht an Euch weitergeschickt …
Also fang' ich jetzt wieder von vorne an. Ich habe jetzt schon zweimal Post von Euch gehabt. Natürlich habe ich mich unheimlich gefreut. Ich habe mir den siebenfach angesehen. Heute erfuhr ich auch, daß Ihr mich besucht und daß auch niemand von der Polizei dabei sein muß, nur zwei Aufseherinnen vom Gefängnis.
He Mäuse! Und beißt die Zähne zusammen. Und denkt nicht, daß Ihr traurig sein müßt, daß Ihr eine Mami habt, die im Gefängnis ist. Es ist überhaupt besser, wütend zu werden als traurig zu sein. Au warte – ich werd' mich freuen, wenn Ihr kommt. Verdammt, ja …«

15. September 1972

»He Mäuse –
… Ich sitze hier in meiner Zelle und führe meine Gedanken spazieren und einmal am Tag meine Beine auf einem Hof, wo ich hundert mal oder wie oft im Kreis rumlaufe. Da könnt ihr von mir keine großen Taten erwarten – von wegen, daß ich Euch besuche, das läuft nicht.
Von mir gibt's sonst nichts zu erzählen. Ich höre und sehe niemanden und nichts – nur die Wärter, wenn sie mir das Essen bringen –, da gewöhnt man sich das Mäkeln ab, wenn man nicht verhungern will,

wobei ich nicht finde, daß Ihr Euch deshalb das Mäkeln abgewöhnen sollt – im Gefängnis ist das noch früh genug. Und ab und zu kommt ein Rechtsanwalt und staunt, was hier alles verboten ist. Und dann lese ich eben ein paar Bücher, die ich immer mal lesen wollte – mehr kann man im Gefängnis nicht machen. Seht zu, daß Ihr nicht nur älter, sondern auch klüger werdet, damit Ihr wißt, wo's lang geht. Und erzählt mir nicht, man müßte auch hübsch sein. Das seid Ihr sowieso, und trotzdem ist das vollkommen unwichtig ...

Ich habe einen blauen Kittel an und darunter eine Strickjacke. Das ist die Gefangenenkleidung. Eine Zelle ist ein Zimmer mit einem Klo. Außerdem geht die Tür nur von außen auf und hat von innen weder eine Klinke noch ein Schlüsselloch. Die Tür ist auch viel größer als eine einfache Tür. Außerdem hat sie ein Guckloch. Ab und zu guckt ein Polizist durch das Loch, ob ich noch da bin. Bisher war ich jedesmal da. Das Fenster ist nämlich auch zu, und davor ist noch ein Gitter aus Beton, und davor ist noch ein Fliegengitter.

Von außen sieht das Gefängnis – glaube ich – sogar ganz hübsch aus. Drumherum ist eine riesige weiße Mauer. Zu den Besuchern sind die Angestellten vom Gefängnis auch freundlich – da kann man nichts sagen. Zu den Gefangenen sind sie manchmal pampig – wie der Lehrer in Berlin, der auf dem Flur so viel rumgeschimpft hat. Entweder man schimpft zurück oder hört gar nicht hin ...«

Am 22. September 1972: »... und dann wurde ich Knall und Fall woanders hingeschafft, im Hubschrauber, was natürlich Spaß macht – sonst war es nicht so lustig«.

4. »Ich bin die Meinhof – mich sollt ihr identifizieren!«

Im September 1972 war Ulrike Meinhof im Hubschrauber nach Zweibrücken geflogen worden. Dort, in der Justizvollzugsanstalt, sollte sie drei Zeugen gegenübergestellt werden. Am Nachmittag des 20. September erschien der Kriminalhauptkommissar Ruckmich in ihrer Zelle und überreichte ihr den Gegenüberstellungsbeschluß. »Ich nehme an der Gegenüberstellung nicht teil«, erklärte Ulrike Meinhof.

Ruckmich wies sie darauf hin, daß die Gegenüberstellung auf jeden Fall stattfinden würde, egal ob sie zustimme oder sich weigere.

Ein Schulungssaal der Haftanstalt war ausgewählt worden. Ulrike Meinhof und fünf andere Personen sollten jeweils einzeln durch den Saal geführt und den Zeugen präsentiert werden.

Die »Wahlpersonen« waren weibliche Kriminalbeamte und Sekretärinnen aus dem Polizeipräsidium, die in Häftlingskleidung gesteckt wurden. Ein Maskenbildner schminkte sie. Dann wurden Regieanweisungen erteilt: »Die zu identifizierende Person wird sich vermutlich wehren. Aus diesem Grunde verhalten Sie sich bitte ähnlich. Widersetzen Sie sich der Vorführung, bieten Sie unterschiedliche Verhaltensweisen, damit die Zeugen eine möglichst breite Auswahlskala haben.«

Anschließend gab es eine Runde Schnaps zur Auflockerung.

Den Zeugen wurden indessen Plätze in der Mitte des Saales zugewiesen. Sie hatten Monate zuvor in Hamburg eine Frau gesehen, bei der es sich möglicherweise um Ulrike Meinhof gehandelt hatte. Die Gegenüberstellung sollte dazu dienen, ihre Beobachtungen zu verifizieren.

13 Terroristenfahnder setzten sich zu den drei Zeugen: zwei Staatsanwälte, drei BKA-Beamte, zwei LKA-Beamte, vier Kripo-Beamte aus Kaiserslautern, eine Angehörige der weiblichen Kripo sowie der Leiter der Justizvollzugsanstalt Zweibrücken.

Dann wurde Ulrike Meinhof aus ihrer Zelle geholt. Wie es später im Protokoll hieß, »unter geringfügiger Gewaltanwendung«. Die Vorführung begann um 14.20 Uhr. Person Nummer eins wurde hereingeführt. Sie leistete Widerstand und stöhnte laut. Dann die Nummer zwei, Ulrike Meinhof. Sie rief: »Ich bin die Meinhof! Das soll eine Gegenüberstellung sein?«, und versuchte, ihr Gesicht von den Zeugen abzuwenden. Kurz vor Verlassen des Raumes stolperte einer der Beamten über die sich wehrende Ulrike Meinhof. Die Dreiergruppe kam beinahe zu Fall.

Person Nummer drei schrie schon vor Betreten des Saales lautstark »Nein!« und wurde gewaltsam vorgeführt. Auch sie versuchte, ihr Gesicht zu verdecken und rief: »Mich sollt ihr sehen, ihr Kerle!«

Person Nummer vier wendete ebenfalls ihr Gesicht ab. Die beiden Begleitbeamten drehten ihr daraufhin den Kopf zurecht.

Person Nummer sechs mußte in der Saalmitte der Kopf festgehalten werden, sonst verhielt sie sich ruhig.

Beim zweiten Durchgang hatten sich die Füllpersonen eingespielt. Nummer eins kreischte: »Merkt ihr denn nicht, daß das immer eine Schau ist?«, murmelte Unverständliches und rief dann: »Ich bin die

Meinhof.« Bei geringer Gegenwehr wurde sie durch den Saal geschleppt.

Person Nummer zwei schrie »Schweine!« und versuchte die Beamten abzuschütteln.

Diesmal rangierte Ulrike Meinhof als Nummer drei. Während sie in den Saal geschleppt wurde, rief sie: »Hier ist nochmals die Meinhof.« Dann zog sie die Beine an, so daß sie getragen werden mußte. »Erkennt ihr sie?« Person Nummer vier blieb stumm und wurde mit angezogenen Beinen durch den Saal getragen. Person Nummer fünf ließ sich schleppen und stöhnte dabei. Person Nummer sechs schrie schon auf dem Flur und wehrte sich so stark, daß der Lärm im Saal gehört werden konnte. Vor den Zeugen schrie sie: »Laßt mich los, ihr Schweine! Ich bin's wieder!«, und schlug auf die Beamten ein. Der BKA-Beamte Keß von der Sicherungsgruppe Bonn notierte: »Nach Überzeugung des Unterzeichners war es den Erkennungszeugen und den im Saale anwesenden Beamten nicht möglich, aus dem Verhalten der gegenübergestellten Personen auf die Beschuldigte zu schließen.«

Der Zeuge Bernd B., der eine Meinhof-verdächtige Person in Poppenbüttel gesehen hatte, erklärte nach der Gegenüberstellung dem Ermittlungsrichter des Bundesgerichtshofes: »Ich habe die Frau, die ich damals in die genannte Wohnung habe gehen sehen, nicht wiedererkannt. Die Beschuldigte Meinhof, die sich bei der Gegenüberstellung unter den sechs Frauen befand, habe ich erkannt, weil ich wiederholt Fahndungs- und andere Fotos von ihr gesehen habe.«

Ob das aber die Person aus Hamburg sei, wisse er nicht.

5. Kinderbesuch

Anfang Oktober 1972 besuchten Ulrike Meinhofs Kinder ihre Mutter zum ersten Mal im Gefängnis. Die Mädchen waren inzwischen zehn Jahre alt und lebten beim Vater. Klaus Rainer Röhl begleitete die Zwillinge bis in den Warteraum, gleich hinter dem Gefängnistor. Die Kinder wurden von zwei Gefängnisbeamten, einem Mann und einer Frau, in Empfang genommen und in das Besuchszimmer geführt. Die beiden Beamten nahmen Platz, und nach wenigen Minuten wurde Ulrike Meinhof in den Raum gebracht. Sie war abgemagert, sah aber nicht mehr so angegriffen aus, wie die Kinder sie von den Fotos ihrer Festnahme in Erinnerung hatten. Die Beamten schlossen die Tür ab und traten zur Seite. Ulrike Meinhof blieb einen Moment stehen und sah die Mädchen an. Sie erschien den Kindern genauso verlegen, wie sie sich selbst fühlten. Dann umarmte sie ihre Töchter und fragte dabei, ob sie das überhaupt dürfe: »Kinder mögen ja manchmal nicht umarmt werden.« Dann lachte sie verhalten. Sie betrachtete die Zwillinge von allen Seiten: »Hey, Ihr seid ja groß geworden.«

Manchmal sah Ulrike Meinhof sich nach den Beamten um, fast ein wenig stolz und gleichzeitig besorgt, daß sie Einblicke in ihre Gefühlswelt bekämen. Die Kinder hatten ihre Mutter zwar fast drei Jahre nicht gesehen, aber nach wenigen Minuten plauderten sie los, erzählten von der Schule, den Freunden, ihren Klavierstunden und dem Leben zu Hause beim Vater. Ulrike Meinhof erkundigte sich nie direkt nach ihrem geschiedenen Ehemann, wollte aber erfahren, ob sich die Kinder bei ihm wohl fühlten.

Die Zwillinge fragten nach dem Leben im Gefängnis, wollten wissen, wie das Essen sei.

»Das Essen ist beschissen«, sagte Ulrike Meinhof. Einer der Beamten stand abrupt auf, ging auf sie zu und sagte: »Frau Meinhof, Sie dürfen nur sagen, das Essen finden Sie beschissen, nicht das Essen ist beschissen.« Dann setzte er sich wieder hin.

Ulrike Meinhof lachte ironisch: »Also, ich finde das Essen beschissen.« Bettina und Regine durften zwei Stunden bei ihrer Mutter bleiben. Alle ein bis zwei Monate kamen die Kinder – solange Ulrike Meinhof in der Haftanstalt Köln-Ossendorf einsaß.

Nach dem ersten Besuch schrieb sie:

»Ihr wart da! Ich glaube, der ganze Knast hat sich gefreut. So kam es mir vor. Besucht Ihr mich wieder?

Neulich, im Oktober, standen bunte Drachen über dem Knast. Also da mußten irgendwo Kinder sein, die sie steigen ließen. Unheimlich hoch, grün und rot. Das war richtig schön. Und dann fliegen hier Möwen rum – vom Rhein rüber. Kennt Ihr Drosseln? Das sind Nachmacher. Sie gehören zur Familie der Amseln. Aber sie singen nicht wie Amseln, auch wie Rotschwänze, Scherenschleifer, Zaunkönige. Gibt's so was in Eurem Garten? Ich wollte ja mal Vogelforscher werden. Aber die Vo-

gelforscher haben auch 'n bißchen 'n Tick. Trotzdem. Sie haben gute Ohren …
Laßt mal ruhig von Euch hören. Ihr zwei.

Eure Mami.«

Das Verhältnis zwischen Mutter und Töchtern wurde zunehmend vertrauter. Ulrike Meinhof gab ihnen Ratschläge für den Umgang mit Freunden, wieviel Taschengeld sie verlangen sollten, wie sie sich gegenüber Schwächeren in der Klasse verhalten müßten. Gelegentlich versuchte sie den Zehnjährigen auch die Lage der Arbeiterklasse in der Bundesrepublik zu erklären und daß Willy Brandt und die SPD nur das kleinere Übel seien.

6. »Den 24-Stundentag auf den Begriff Haß bringen«

Ende der sechziger Jahre hatten sich zur Unterstützung »politischer Gefangener« vor allem in Berlin und Frankfurt sogenannte »Rote Hilfe«-Gruppen gebildet, um Solidaritätsaktionen »zur Abwehr der Maßnahmen von Justiz und Polizei« zu organisieren.

Ende 1972 veröffentlichte die Rote Hilfe Berlin eine Dokumentation über die »Vorbereitung der RAF-Prozesse durch Presse, Polizei und Justiz«. Darin sollte auf die »Brutalität, mit der die Gefangenen fertiggemacht werden sollen, die Unverfrorenheit, mit der die Rechte der Verteidigung außer Kraft gesetzt werden, die Verleumdungen, Diffamierungen und Drohungen, mit denen gearbeitet wird«, hingewiesen werden.

Den Gefangenen gingen die Aktionen der Roten Hilfe zumeist nicht weit genug. Gudrun Ensslin an die Genossen: »Eine Sprechblase, etwa ›lieber einen Richter umlegen als ein Richter sein‹, habe ich in der Dokumentation umsonst gesucht, einfach nicht drin.

Daß die RAF-Typen alle Tassen, und was für schöne, im Schrank haben, das könnt Ihr uns überlassen. Auf was wir scheißen und auf was wir spucken, steht z. T. in ein paar RAF-Papieren. Wir haben nix zu beweisen, sondern zum Ausdruck zu bringen: den 24-Stundentag auf den Begriff Haß zu bringen …

Der Kampf, den die RAF begonnen hat, ist attraktiv … Ihr habt kein Recht, aus uns die Luft rauszulassen, nur weil Ihr 'nen Platten habt …«

Auch Andreas Baader äußerte sich zur Dokumentation der Roten Hilfe:
»Mit der Dokumentation ficken sich die Dokumenteure immer noch ins
Knie …

Was ist zu machen. Klar: über den 24-Stundenfick endlich so quatschen,
daß keine Seminararbeit draus wird … Die ganze Scheiße auseinander-
zerren, damit mehr sie so sehen, wie wir sie sehen: I-DEN-TI-FI-KA-
TION. Weil die Genossen halb tot sind, können sie uns nicht anders als
halb tot denken. Sie drehen die Sache genauso, wie die Schweine sie
global drehen: die Gewalt bleibt das Tabu, sie verschanzen sich hinter
dem Tod wie die Pfaffen …

Die Knarre löst die Starre. Der kolonisierte Europäer erwacht: nicht am
Thema und Problem der Gewalt der Verhältnisse, sondern weil jede
bewaffnete Aktion den Zwang der Verhältnisse dem Zwang der Ereignisse unterwirft …«

Zum Schluß gab Baader die Parole für das geplante grundlegende RAF-
Buch aus:

»Ich sage, unser Buch muß mindestens heißen: Die Knarre spricht.«

7. Den Körper zur Waffe machen

Ende 1972 wurde Andreas Baader in Berlin als Zeuge im Prozeß gegen
Horst Mahler vernommen. Auf Antrag der Verteidigung sollte er, wie
auch Ulrike Meinhof und Astrid Proll, über die Haftbedingungen Auskunft geben. »Ab heute«, so erklärte Baader, »fresse ich nichts mehr,
bis sich die Haftbedingungen geändert haben.«

Baaders Worte standen am nächsten Tag in allen Zeitungen. Von da an
hungerten alle Gefangenen der RAF. Dieser erste Hungerstreik dauerte
fast zwei Monate.

Hans-Christian Ströbele, damals Verteidiger von Andreas Baader, rief
Bundesanwalt Dr. Wunder in Karlsruhe an und schilderte ihm die Situation. Wunder sagte eine Lockerung der Haftbedingungen zu. Unabhängige Ärzte sollten die Gefangenen begutachten, und nach ihren
Vorschlägen würden die Ermittlungsbehörden dann verfahren. Ströbele
vertraute den Versprechungen des Bundesanwalts, denn tatsächlich war
Ulrike Meinhof, gleichsam als Vorleistung, noch während des Hungerstreiks aus dem toten Trakt in Ossendorf in eine andere Abteilung verlegt

worden. Der Verteidiger bat den Bundesanwalt, ihm ein Telefonat mit Andreas Baader zu ermöglichen. Ströbele schilderte Baader das Gespräch mit Dr. Wunder. Baader war skeptisch: »Die halten das doch nicht ein. Das ist wieder ein schmutziger Deal. Wir sollen nur aufhören …«

»Wenn die Zusagen nicht eingehalten werden, kann man ja zur Not wieder anfangen. Jedenfalls hört doch erst mal auf.«

Baader war einverstanden, und Ströbele rief andere Häftlinge an, um sie von Baaders Ansicht zu unterrichten.

Der Hungerstreik wurde beendet. Kaum eine Woche später befand sich Ulrike Meinhof wieder im »toten Trakt«. Auch bei den anderen Gefangenen wurde die Isolation nicht aufgehoben. Ströbele fühlte sich von der Bundesanwaltschaft aufs Kreuz gelegt. Er hatte sich als Unterhändler verstanden und war gescheitert. Von da an galt sein Wort bei den Gefangenen nicht mehr viel.

Als im Februar 1973 eine Gruppe von RAF-Verteidigern vor dem Bundesgerichtshof in Karlsruhe gegen die »Isolationshaft« ihrer Mandanten demonstrierte und sich, in Roben gehüllt, auch zu einem kurzen Hungerstreik niederließ, war diese Aktion den Inhaftierten nicht genug.

Manfred Grashof schrieb seinen Anwälten: »Wenn Ihr Euch nicht umgehend von dem Verdacht befreit, uns angeschissen zu haben, sehe ich schwarz für die weitere Zusammenarbeit …

Unsere letzte und stärkste Waffe ist unser Körper, ihn haben wir kollektiv eingesetzt …

Jedenfalls verlange ich eine gründliche Selbstkritik …«

Das wollten manche Anwälte sich denn doch nicht sagen lassen. »Die Jacke ziehen wir uns nicht an«, antwortete Rechtsanwalt Ströbele. »Vielleicht macht Ihr Euch bis zu meinem nächsten Besuch im Laufe der nächsten Woche auch mal grundsätzliche Gedanken zur Funktion der Anwälte … Aber bitte realistische. Die Anwälte als Speerspitze der Revolution oder der RAF oder der verlängerte Arm der RAF-Genossen, die inhaftiert sind? Wohl kaum! Oder dann eben keine juristische Hilfe mehr!«

»Kein Zweifel, jedes niedergelegte und jedes entzogene Mandat ist Scheiße«, schrieb Gudrun Ensslin, »nützt den Bullen … macht uns aber natürlich nicht erpreßbar.«

Als sie dem Hamburger Rechtsanwalt Reinhard das Mandat entzog, meinte sie: »Man wird vielleicht kritisieren den Schritt, den ich gegen Reinhard gemacht habe … Warum? Weil Reinhard nicht zuhört, das Zeug, das wir schreiben, nicht liest …«

Der Anwalt begreife nicht, »was für uns (und allerdings auch für ihn) lebenswichtig ist: Identifizierung, und so schließlich vielleicht mal Identität …«

In einem anderen Brief schrieb sie: »Die Anwälte, die sich dem Politisierungsprozeß zäh und gerissen entziehen, muß man rausschmeißen … Ob sie uns im Prozeß verteidigen, ist eine andere Frage. Ihre Besuche muß man nicht ertragen.«

Als einige Verteidiger sich den Befehlston aus der Zelle verbaten, lenkte Gudrun Ensslin etwas ein: »Liebe RA's! Seid's doch nicht so empfindlich. Überlegt selbst und – verdammt – versteht nicht nur – auch begreift! – die hungernde Ungeduld in der Pest der Isolation!«

Im nächsten Satz aber war sie schon wieder ganz Chefin: »Wart Ihr bei Böll, Sölle, Scharf, Mitscherlich, Niemöller, noch mal Gollwitzer, Amnesty, Flechtheim, Schallück, Brentano und dann noch bei all denen, die wir Euch gesagt haben? Bei Kipphardt, Peter Stein – habt Ihr die bekniet?«

Die von Gudrun Ensslin genannten Prominenten sollten gemeinsam Strafantrag gegen den nordrhein-westfälischen Justizminister Posser stellen, weil Ulrike Meinhof wieder im toten Trakt von Köln-Ossendorf einsaß. »Wenn sie's aber nicht tun – und natürlich tun sie's wahrscheinlich nicht«, ergänzte Gudrun Ensslin, »kann man sie aber damit erpressen, sich was andres einfallen zu lassen … z. B. so was wie Böll im Spiegel …«

Allzuviel Erfolg hatten die Gefangenen nie bei ihrem Versuch, die linke und liberale Öffentlichkeit für ihre Ziele einzuspannen. Wenn sich politische oder moralische Autoritäten für eine Verbesserung der Haftbedingungen einsetzten, dann eher wegen der kleinen oder großen Schikanen in den Haftanstalten.

Tatsächlich galt für die meisten Gefangenen ein Katalog von Sondermaßnahmen, wie ihn der Leiter der Vollzugsanstalt Wittlich auf Betreiben der Sicherungsgruppe Bonn am 26. März 1973 gegen Holger Meins erlassen hatte. Darin hieß es:

»Besuche bei dem Untersuchungsgefangenen Meins werden nur in Gegenwart von zwei Beamten durchgeführt. Der Gefangene wird unmittelbar nach jedem Besuch körperlich durchsucht und neu eingekleidet.« Während der Bewegung des U-Gefangenen Meins im Freien dürften keine Fahrzeuge in die Anstalt eingelassen werden, Ausnahmen seien nur zu machen, wenn der Fahrer bekannt sei, zum Beispiel der Viehhändler und der Eierhändler.

Und weiter: »Der Untersuchungsgefangene Meins wird auf Abteilung 2, Zelle 51 in strenger Einzelhaft gehalten.

Die unmittelbar rechts und links und die unter und über der Zelle des U-Gefangenen Meins liegenden Zellen dürfen nicht mit Gefangenen belegt werden.

Der Gefangene wird nur im Beisein des Aufsichtsdienstleiters in Begleitung eines zweiten Beamten in der Zelle aufgesucht.

Die Essensausgabe, der Kleidertausch, die Ausgabe von Reinigungsmitteln u. ä. erfolgt ausschließlich durch Anstaltsbedienstete ohne Beisein von Gefangenen.

Einzelspaziergang mit Bewachung durch zwei Bedienstete. Von diesen ist ein Bediensteter bewaffnet. Er hat die Waffe verdeckt zu tragen.

Der U-Gefangene ist bei der Bewegung im Freien ab Austritt aus der Zelle bis zu seiner Rückkehr zu fesseln.

Ausschluß von allen Gemeinschaftsveranstaltungen einschließlich Kirchgang.

Täglich Zellenkontrolle in Abwesenheit des Gefangenen und Leibesvisitation.

Zum Baden wird der Gefangene von zwei Bediensteten in das Bad der Hausvaterei geführt.

Keine Arbeitszuweisung.«

Nach acht Monaten in der »stillen Abteilung« Köln-Ossendorf schrieb Ulrike Meinhof: »Nun ist eine Verhaftung immer ein Hammer, der erste Knast, angenagelt in der Zelle. Aber ich kannte mich selbst nicht mehr. Ich brachte mich selbst nicht mehr mit mir zusammen. Alles, was ich hörte, auch von Genossen im Knast, konnte ich mit dem, was bei mir lief, nicht zusammenbringen. Es war schon ganz schön finster. Der Symptomatik nach war das, was lief, am nächsten dem, wie Elektroschockbehandlung beschrieben wird – von einem bestimmten Zeitpunkt an das, was Überdosisbehandlung bewirkt –, was man wiederum mit Folgen von Gehirnerschütterung vergleicht.

Ab Mitte Dezember war's mir dann endlich klar, daß ich mich da rauskämpfen muß, daß ich selbst kein Recht habe, diese maßlose Schweinerei länger mit mir machen zu lassen – daß es meine Pflicht ist, daß ich mich da rauskämpfe. Was man im Knast dann so macht: Wände bemalen – es zu 'ner Prügelei mit 'nem Bullen kommen lassen – Inventar zerstören, Hungerstreik. Ich wollte sie zwingen, mir wenigstens Arrest zu geben, weil man da was hört – da hat man kein Radio, diese Peter-Alexander-Plärrdose, zu lesen nur die Bibel, evtl. keine Matratze, kein Fenster etc. – aber das ist 'ne andre Art von Quälerei als nichts hören. Wäre für mich ganz klar 'ne Erleichterung gewesen …«

Später, als Ulrike Meinhof aus der »stillen Abteilung« in Köln-Ossendorf in den benachbarten Männertrakt der Anstalt verlegt wurde, saß sie in jener Gefängniszelle, in der vor ihr der Kindermörder Jürgen Bartsch eingeschlossen war. Sie wußte das.
Jahre zuvor hatte sie in »konkret« über ihn geschrieben.

Der erste Kassiber, den Peter Jürgen Boock zu Andreas Baader in die Zelle schickte, war ein kleines Zettelchen von fünf mal fünf Zentimetern. In winzig kleinen Buchstaben schrieb Boock, daß es ihn noch gebe, daß er nicht in der Kifferszene untergegangen sei. Er wolle weitermachen, wo sie aufgehört hätten, und am Ende solle eine Befreiungsaktion stehen.

Baader antwortete rüde, das müsse viel schneller passieren. Boock hielt im nächsten Kassiber dagegen. So ginge das nicht, man wolle schließlich nicht dieselben Fehler noch einmal machen. Die Bedingungen hätten sich geändert, der Fahndungsapparat der Polizei sei sehr viel größer geworden. Es habe keinen Sinn, sofort in die Illegalität abzutauchen. Besser sei es, aus der Normalität heraus den Kampf vorzubereiten.

»Zählt ihr euch zur Sachschadensfraktion?« gifteten die Gefangenen zurück, womit sie die »Revolutionären Zellen« meinten, die aus der Legalität heraus Anschläge verübten. »Das legale Land ist nicht das wirkliche Land«, zitierten sie Gramsci. Boock mußte erst einmal nachschlagen, wer Gramsci war, um zu verstehen, was damit gemeint war. Dort las er dann: Es gebe immer eine legalistische Oberfläche, wo jeder sich an das Gesetz hält, man miteinander verheiratet ist, zur Arbeit geht und sein Leben lebt. Man könne behaupten, das sei die Wirklichkeit, das stimme aber nicht. In Wirklichkeit klaue der Vater im Betrieb, gemeinsam betrüge man die Steuer, die Kinder gingen ab und an nicht zur Schule. Das legale Land sei nicht das wirkliche Land. Die Oberfläche sei nicht die Wirklichkeit.

Auf die konkrete Debatte bezogen, hieß das: »Die Wirklichkeit bestimmen, wahrnehmen und ändern kann man nur, wenn man unterhalb der Oberfläche lebt, wenn man die Oberfläche nicht lebt oder höchstens als Cover, als Täuschungsmoment, als Mimik benutzt.«

Auf diese Weise ideologisch angeleitet, ging die entstehende »Zweite Generation« ihren allmählichen Weg in den Untergrund. Verschiedene Gruppen wurden gebildet, die kaum etwas voneinander wußten und als gemeinsamen Nenner nur die Beziehung zu den Gefangenen hatten. Wie beim Geheimdienst galt das strikte Abschottungsprinzip.

In Hamburg fanden sich die »Hamburger Tanten« um die Häuserkampfzeile Eckhoffstraße zusammen, Silke Maier-Witt, Susanne Albrecht, Sigrid Sternebeck. Dazu kamen Karl-Heinz Dellwo und Stefan Wisniewski. In Karlruhe bildeten Adelheid Schulz, Monika Helbing, Christian Klar und Knut Folkerts die süddeutsche RAF-Schiene. Man traf sich untereinander kaum. Die Kontakte wurden über »Reisekader« gehalten. Zusammenhalt gaben vor allem die Kassiber der Gefangenen, die streng getrennt gehalten wurden. Das alles hatte eine gewisse konspirative Logik, machte die Kommunikation aber höchst umständlich und zeitaufwendig.

8. Die Jagd auf den Leviathan

Im Dezember 1972, noch während des Hungerstreiks, schrieb Ulrike Meinhof an ihre Kinder:

»Als Ihr hier wart, war ich ziemlich sauer über den Adventskranz. Ich dachte, das dient nur dazu, Euch zu täuschen, daß das Gefängnis in Wirklichkeit alles andere als freundlich ist. Aber die Wärterin, die ihn aufgestellt hat, hat es – glaube ich – wirklich gut gemeint – das habe ich inzwischen eingesehen. Sie wollte Euch wohl wirklich was Schönes machen. Dagegen kann man nix sagen.

Wenn Ihr Onkel Ebi wieder besucht, dann nehmt ihm mal das Buch »Lord Jim« von Josef Conrad mit. Das ist ein schönes Buch fürs Krankenhaus falls er's nicht schon kennt.

Es ist schön lang und auch spannend. Ein Seemannsgarn.

Und ›Moby Dick‹, das ist auch gut, wenn man schön viel Zeit hat. Das habe ich aber noch nicht gelesen – da warte ich selber noch drauf, daß ich das hier kriege …«

Gudrun Ensslin hatte gerade Decknamen für die Gruppenmitglieder ersonnen, um die Postüberwacher irrezuführen. Fast alle Namen entlehnte sie Herman Melvilles Roman »Moby Dick«.

»Ahab« stand für Baader. »Starbuck« für Holger Meins. »Zimmermann« für Jan-Carl Raspe. »Quiqueg« für Gerhard Müller.

»Bildad« für Horst Mahler. »Smutje« für sie selbst.

Nur Ulrike Meinhof hatte keinen Platz in der Geschichte von der Jagd auf den weißen Wal. Für sie wählte Gudrun Ensslin den Namen »Theres«. In Meyers Konversations-Lexikon, 1897, steht unter dem Stichwort »Therese«:

»Therese von Jesu, Heilige, geb. 1515 zu Avila in Altkastilien, wo sie 1535 in ein Karmeliterkloster eintrat. Sie stellte in den von ihr reformierten Klöstern der unbeschuhten Karmeliterinnen den Orden in seiner ursprünglichen Reinheit wieder her und hatte schwere Verfolgungen von seiten der Karmeliter der laxen Observanz auszustehen, die selbst gegen sie einen Ketzerprozeß anstrengten. Sie starb 1582 im Kloster zu Alba de Liste in Altkastilien und ward 1622 kanonisiert.«

Bei den Decknamen, die Gudrun Ensslin der Besatzungsliste des Walfängerschiffes »Pequod« entnahm, lieferte sie die Interpretation teilweise mit. »Smutje«, der Koch, so schrieb sie an Ulrike Meinhof, das sei sie selbst: »Du erinnerst, der Koch hält die Töpfe spiegelblank und predigt gegen die Haie.«

In der Crew der Walfänger war der Koch ein alter Neger, der vom Deck des Schiffes aus den Haien eine Predigt hielt, damit sie vom erlegten Pottwal abließen. Er war damit nicht sonderlich erfolgreich, auch wenn der zweite Steuermann ihm zurief: »Gut gesprochen, Smutje, das nenn ich wahrhaft christlich. Mach weiter.« Aber: »An Bord ist der Koch ja eine Art Offizier.« So war es auf der »Pequod«, und so war es wohl auch bei der RAF.

Ahab war der Kapitän, der sich auf der Jagd nach Moby Dick, dem weißen Wal, verzehrte.

Ahab wurde der Deckname für Baader. Auch hier gab Gudrun Ensslin ihren Mitgefangenen Verständnishilfe. Sie schrieb an »Theres«: »An der Stelle tritt niemand geringeres als Ahab zum ersten Mal in Moby Dick auf, sehr kunstvoll, nach diesen Gesetzen.« Sie zitierte Melville: »... sichtbar vor aller Welt. Und sollte von Geburt an oder durch besondere Umstände hervorgerufen tief auf dem Grunde seiner Natur etwas Krankhaftes sein eigensinnig grillenhaftes Wesen treiben, so tut das seinem dramatischen Charakter nicht den geringsten Eintrag. Alle tragische Größe beruht auf einem Bruch in der gesunden Natur, des kannst du gewiß sein ...«

Kapitän Bildad, dessen Namen Gudrun Ensslin »in Großmut«, wie sie schrieb, Horst Mahler zugedacht hatte, war ein wohlhabender Waljäger im Ruhestand, dessen »Ozeanleben ... diesen Erzquäker nicht um Haaresbreite vom Wege abgebracht, nicht den winzigsten Zipfel seines Rockes berührt« hatte.

Bei Melville heißt es weiter: »Und doch offenbarte der Wandel des würdigen Kapitäns Bildad bei allen strengen Grundsätzen einen Mangel an einfachster Konsequenz. Wenn er sich auch geschworen hatte, kein Menschenblut zu vergießen, so hatte er in seinem enganliegenden Quäkerrock das Blut Leviathans in Tonnen und aber Tonnen vergossen. Wie der fromme Bildad nun am besinnlichen Abend seiner Tage diese Widersprüche rückschauend in Einklang brachte, weiß ich nicht; aber sie schienen ihn nicht sonderlich zu berühren, und höchstwahrscheinlich war er längst zu dem weisen und vernünftigen Schluß gekommen, daß für den Menschen die Religion eines ist und die reale Welt ein ganz anderes. Die Welt aber zahlt Dividenden.«

Holger Meins erhielt den Namen des Ersten Steuermannes, »Starbuck«. Über ihn heißt es in »Moby Dick«: »Er war ein langer, ernster Mann, und obwohl an einer eisigen Küste geboren, schien er wohlgeeignet, Tropenhitze zu ertragen ...

Starbucks Leib und Starbucks unterjochter Wille gehörten Ahab, solange Ahab die magnetische Kraft seines Geistes auf Starbucks Hirn ausstrahlen ließ; allein ihm war bewußt, daß der Steuermann trotz allem den Kriegszug seines Kapitäns in tiefster Seele verabscheute.«

Jan-Carl Raspe erhielt den Decknamen »Zimmermann«.

In »Moby Dick« baut der Zimmermann unablässig Särge für die Opfer der Jagd nach dem weißen Wal, er schnitzt dem Kapitän Ahab ein neues Bein aus Walknochen und macht sich überall nützlich:

»Er glich den nicht selbst denkenden, aber höchst sinnreich erdachten und vielseitig verwendbaren Werkzeugen aus Sheffield, die, multum in parvo, wie ein – nur ein wenig angeschwollenes – gewöhnliches Taschenmesser aussehen, jedoch nicht bloß Klingen jeder Form enthalten, sondern auch Schraubenzieher, Pfropfenzieher, Pinzetten, Ahlen, Schreibgerät, Lineale, Nagelfeilen und Bohrer. Wollten seine Vorgesetzten den Zimmermann als Schraubenzieher benutzen, so brauchten sie nur diesen Teil seiner Person aufzuklappen, und die Schraube saß fest; oder sollte er Pinzette spielen, so nahmen sie ihn bei den Beinen, und die Pinzette war fertig …«

Gerhard Müller hieß Quiqueg.

»Quiqueg«, der Harpunier auf dem Walfangschiff, war ein »edler Wilder« aus der Südsee, der mit seiner Waffe, der Harpune, ins Bett ging. In »Moby Dick« heißt es über ihn:

»So blieb er in seinem Herzen ein Götzendiener wie eh und je und lebte doch unter der Christenheit, trug ihre Kleidung und mühte sich, in ihrem Kauderwelsch mitzuplappern.«

War für sie, die Gruppe, die sich »Rote Armee Fraktion« nannte, die Idee von der Revolution, für die sie ihr Leben und das von anderen nicht schonten, so etwas wie die Jagd auf den weißen Wal, den Leviathan? Auf den Staat, den sie als Maschine begriffen, von dem sie als »die Maschine« sprachen?

»Künstlich erschaffen ist jener gewaltige Leviathan, den man Gemeinwesen oder Staat (lateinisch civitas) nennt und der nichts anderes ist als ein künstlicher Mensch.« (Erster Satz von Hobbes' »Leviathan« – zitiert in »Moby Dick«)

9. Das Info-System

Mit den Decknamen aus »Moby Dick« neu getauft, verständigten sich die Gefangenen im Frühjahr 1973 durch ein neu aufgebautes Informationssystem. Ziel war es, den Gruppenzusammenhalt zu wahren und damit die »politische Identität«, das »revolutionäre Bewußtsein« zu erhalten.

Über die damals noch unkontrollierte Verteidigerpost wurden Nachrichten an die einzelnen Gefangenen verteilt. Gudrun Ensslin:

»Die roten Anwälte sind dazu unentbehrlich, ohne ihre gebündelten und sortierten Informationen geht es nicht.«

Zunächst sollte die Kanzlei des Hamburger Rechtsanwalts Kurt Groenewold als »zentrale Kontakt- und Schaltstelle zur Information für alle Gefangenen und zwischen den Anwaltsbüros sowie für die Komitees« dienen.

»Ohne diese Systematisierung«, meinte Gudrun Ensslin, »kommt sonst früher oder später Scheiße zustande und dann 'ne Sekte raus, eingesperrt, fromm und doof …«

Im »Info-System« hieß Andreas Baaders Zelle »Kajüte«. Gudrun Ensslin nannte ihre eigene Zelle das »Sekretariat«. Von hier aus bestimmte sie den Kurs. Zusammen mit Baader, der von RAF-Gefangenen auch »Generaldirektor« genannt wurde, bildete sie den »Stab«. Sie entschieden über die Verteilung der »Info«-Materialien, »damit jeder, der sie kriegen soll, sie auch kriegt und die, die sie nicht kriegen sollen, sie nicht kriegen. Kann den Anwälten nicht überlassen werden«.

Bei Verstößen gegen die »revolutionäre Disziplin« war vorgesehen – und wurde auch durchgesetzt –, den »Abweichlern« das Info vorzuenthalten. Gudrun Ensslin notierte dazu auf der Rückseite eines Anwaltsbriefes:

»Sanktion: Ausflippen aus der Kommunikation«.

Den Befehlsbegriff der RAF definierte sie so:

»Was ist ein Befehl?

Ein Befehl resultiert aus dem Aufbau des Kollektivs, aus dem Abbau jeder Art von Hierarchie.

Ein Befehl ist das, wovon einer überzeugt ist bzw. überzeugt wird. Und wenn das nicht möglich ist, woran einer ausflippt …«

Was die »revolutionäre Disziplin« in der Praxis bedeutete, wurde am

Beispiel Astrid Prolls deutlich. Durch die monatelange Unterbringung in der »stillen Abteilung« in Köln-Ossendorf körperlich und seelisch am Ende, hatte sie den ersten Hungerstreik nicht konsequent mitgemacht. Von Andreas Baader kam daraufhin die Aufforderung: »Astrid soll mal mitteilen, ob die Information stimmt, daß sie genau so lange gehungert hat, bis sie Hunger hatte. Wenn sie dazu keine Selbstkritik bringen kann, ist unsere Reaktion: sie flippt aus dem Infosystem …«
Und Ulrike Meinhof schrieb: »Astrid. Sie treibt sich rum. Ich hab ihr gesagt, daß sie aus der RAF rausflippt, wenn … Nicht als Drohung, sondern als Tatsache.«

Regelmäßig erhielten alle inhaftierten Gruppenmitglieder über die Verteidigerpost gebündelt Kopien fast aller Briefe, die untereinander geschrieben wurden. Darunter auch private Korrespondenz und manchmal das, was sie »Kritik und Selbstkritik« nannten.
Klaus Jünschke im August 1974:
»Ich hatte mich wie ein konterrevolutionäres Arschloch verhalten. Anstatt meine Mängel aufzudecken und die Schulung konsequent mittels Info etc. auszubauen, habe ich das Info mehr konsumiert, als es als Werkzeug, Rüstzeug für den Kampf zu gebrauchen.«

Das Rüstzeug für den Kampf wurde den Gefangenen direkt und ganz legal in die Zellen geliefert. Offenbar hatte kein Untersuchungsrichter, der für Postzensur und Kontrolle der zugesandten Bücher verantwortlich war, etwas dagegen, daß sich die Gefangenen Literatur zuschicken ließen, die sie für die Weiterbildung als Stadtguerilla brauchten.
So konnten sich die RAF-Gefangenen eine umfangreiche Bibliothek zusammenstellen, mit Handbüchern über Zündung und Verhinderung der Entschärfung von Sprengkörpern, neue Fahndungsmethoden der Polizei, neue Waffen, Alarmanlagen, Werkschutz, Minispione, polizeilichen Sperrenbau und ähnliches.

Eine kleine Auswahl der Titel:
»Deutsches Waffenjournal«, »Wehrtechnik«, »Militärtechnik«, »Allgemeine Schweizerische Militärzeitschrift«, »Funktechnik«, »Der Funkamateur«, Militärverlag der DDR, »Was wir von den Tupamaros lernen können«, »Lehrmeister des kleinen Krieges«, »Stadtguerilla«,

»Der bewaffnete Aufstand«, »Urban Guerilla Warfare«, »Guerilla im Industriestaat«, »Partisanenbuch«, »Der verdeckte Kampf«, »Kriegstheorien«, »Deutsches Militärwörterbuch und Nato-ABC«, »The Special Forces Handbook«, »Le Coup d'Etat«, »Selbstverteidigung«, »Polizei der BRD«, »Grundlagen der Befehlstechnik«, »Attentäter und Saboteure – der moderne Terrorismus«, »Der Sprengmeister – neuzeitliche Sprengtechnik«, »Handbuch für Kleinoffsetdruck und Reprofotografie« …

»Diese Arbeitsunterlagen«, kommentierte der BKA-Beamte Alfred Klaus in einem Bericht, »waren durchaus geeignet, das politische, logistische und operative Wissen zu erweitern und jeden Inhaftierten in die Lage zu versetzen, nach seiner Freilassung oder Befreiung selbständig Guerillagruppen aufzubauen und zu führen.«

Während jeder Untersuchungshäftling sich nur sorgfältig und oft kleinlich gefilterte Literatur zuschicken lassen darf, gestatteten die BM-Richter solches Schulungsmaterial.

Gleichzeitig arbeitete der Gesetzgeber an neuen Paragraphen, die das verhindern sollten, was vorher großzügig gestattet worden war.

In einer Broschüre, die der Bundesminister für Justiz 1982 verbreitete, steht als Begründung für die Notwendigkeit von Gesetzesänderungen der – wohl eher unbeabsichtigt – deutliche Satz: »Aus der Haft heraus terroristische Organisationsformen aufrechtzuerhalten und weitere Straftaten zu planen und vorzubereiten, erforderte eine Verbesserung des strafrechtlichen Instrumentariums.«

10. »Was wollt Ihr denn, Ihr lebt ja noch.«

Sie hatten ihren Untergrundkampf als eine Art Experiment begonnen, indem sie Leben und Freiheit einsetzten, um zu zeigen, daß der Staat so war, wie sie ihn sich vorstellten: faschistisch.

Jetzt, im Gefängnis, sahen sie sich als Opfer, verglichen sich mit den Insassen nationalsozialistischer Konzentrationslager.

»Der politische Begriff für den toten Trakt, Köln, sage ich ganz klar – ist: das Gas«, schrieb Ulrike Meinhof. »Meine Auschwitzphantasien darin waren realistisch …«

Und Gudrun Ensslin notierte: »Unterschied toter Trakt und Isolation: Auschwitz zu Buchenwald. Der Unterschied ist einfach: Buchenwald haben mehr überlebt als Auschwitz … Wie wir drin ja, um das mal klar zu sagen, uns nur darüber wundern können, daß wir nicht abgespritzt werden. Sonst über nichts …«

Mit der Einführung des »Info« war die Kommunikation unter den Gefangenen in den verschiedenen Haftanstalten wesentlich verbessert worden. An der nächsten Hungerstreikaktion beteiligten sich etwa 40 Häftlinge, darunter einige, die nicht der RAF angehörten.

Dieser zweite Hungerstreik dauerte sechs Wochen, vom 8. Mai bis zum 29. Juni 1973.

Zum ersten Mal setzten die Gefängnisbehörden das Mittel der Zwangsernährung ein. Nach einer leichten Lockerung der Haftbedingungen, wohl auch Ergebnis der breiten Öffentlichkeit, die der Streik fand, begannen die Gefangenen, wieder Nahrung zu sich zu nehmen.

Schon vor dem offiziellen Ende der Aktion hatte Gudrun Ensslin in einem Zellenzirkular geschrieben:

»Aus dem Hungerstreik ist die Hefe raus … aber scheiß drauf … Wir werden mit dem Streik die Aufhebung der Isolation nicht erreichen, und wie's aussieht, nicht mal das KZ.«

Ein Grund für den Abbruch mag auch gewesen sein, daß sich der Gesundheitszustand einiger der Hungernden rapide verschlechterte. Daraufhin war über das Info die Anweisung gekommen:

»Alle, bei denen die Zwangsernährung glimpflich/erträglich abläuft … soll'n weiterhungern. Alle anderen – z.B. Andreas – hören sofort auf. Und das ist, verdammt, ein Befehl!«

Horst Mahler lehnte den Hungerstreik als »Ohnmachtsstrategie« ab und hielt ihn nur in außergewöhnlichen Notfällen für berechtigt, »dann ist das Mittel des Hungerstreiks zulässig, wenn es wirklich ums Überleben der RAF geht …«

Gerhard Müller, damals noch voll auf Linie, schrieb dazu: »Wenn ich das lese, kriege ich eine Wut   Du Arschloch halt die Schnauze. Wenn Du nicht von Deinem Sockel runter willst, muß man Dich runter knallen.«

Vorbehalte gegen Hungerstreiks und den Begriff des Politischen Gefangenen hatten auch Mitglieder der Roten Hilfe Berlin. Ein Papier mit dem Titel »Einige individuelle Gedankensplitter zum Hungerstreik« löste mit seinen ketzerischen Thesen einen Proteststurm unter den Inhaftierten aus.

»Der Hungerstreik ist ein moralisches Kampfmittel. Er rechnet mit dem Vorhandensein humanitärer Gefühle bei dem zu Erpressenden – ein anderer lacht nur darüber.

Der Hungerstreik der RAF-Genossen wendet sich somit einmal mehr an die alte, ewig gleiche Sympathisantenszene der RAF: das linksliberale, anpolitisierte und sensibilisierte Bürgertum … Nur dort kann der Hungerstreik verstanden werden und Bestürzung und Aktivität hervorrufen. Die Verknüpfung sozialistischer Kampfziele mit dem Hungerstreik ist schlichter Unsinn. Keiner denkt daran, ein System, das sich humanitär erpressen läßt, abzuschaffen.«

Die Gefangenen und einige ihrer Anwälte bezeichneten das Schriftstück als »Bullen-Papier«.

Ulrike Meinhof in einem Zellenzirkular: »Zu der Tatsache, daß wir von Folter reden, fällt Euch nichts anderes ein als: Was wollt Ihr denn, Ihr lebt ja noch.«

Immer noch hielt Ulrike Meinhof Kontakt zu ihren Kindern. Einmal wurden die Zwillinge während des Hungerstreiks zu ihrer Mutter gelassen. Bleich und abgemagert, geschwächt und mit blau angelaufenen Händen saß sie den Mädchen in der Besucherzelle gegenüber.

Im Mai 1973 schrieb sie ihren Töchtern:

»Haltet die Daumen, daß wir mit unserem Hungerstreik was erreichen. Mehr als Daumen halten könnt ihr ja wohl noch nicht tun.

Laßt wieder von euch hören.

Tschüs Mami

Mal zusammen Fußball spielen? Hätt ich natürlich Lust.«

Zur gleichen Zeit lehnte das Bundesverfassungsgericht eine Beschwerde der Baader-Meinhof-Verteidiger gegen die strengen Haftbedingungen ab.

Im Spätherbst 1973 schrieb Ulrike Meinhof an ihre Kinder:

»Also ich mach mir jetzt ziemlich viele Gedanken über Euch. Oma soll mal schreiben, wie's läuft. Sagt ihr das.

Und besucht mich!

Und schreibt – los! Oder malt mir was, ja? Ich finde, ich brauche mal wieder ein neues Bild. Die ich hab, kenn ich jetzt auswendig.

Meine Idee, daß Ihr mal sagen sollt, wie ich denn nun bei Euch heiße, war glaube ich, eine Schnapsidee.

Ich bin eben die Mami, Eure, fertig.«

Kurz vor Weihnachten 1973 brach Ulrike Meinhof den Kontakt zu ihren Kindern abrupt ab. Ein Adventskalender, den die Kinder gebastelt hatten, kam zurück: Annahme verweigert. Auf die Briefe ihrer Kinder antwortete sie nicht mehr. Die Mädchen sahen ihre Mutter nie wieder. Am 5. Februar 1974 wurde Gudrun Ensslin nach Köln-Ossendorf verlegt, wo sie eine Zelle neben Ulrike Meinhof bezog. Die bis dahin strenge Einzelhaft der Frauen wurde gelockert. Sie durften gemeinsam zum Hofgang und konnten sich außerdem bis zu zwei Stunden täglich gemeinsam in einer Zelle einschließen lassen.

Manchmal spielten sie zusammen Mühle.

11. »Es werden Typen dabei kaputtgehen ...«

Im April 1974 kamen die beiden Frauen in den neu eingerichteten Hochsicherheitstrakt der Vollzugsanstalt Stuttgart-Stammheim. Durch eine »Hausverfügung« wurden am 28. April 1974 die Haftbedingungen festgelegt. Danach mußten ihre Zellen 718 und 719 im 7. Stock der Anstalt »Tag und Nacht unter doppeltem Verschluß« gehalten werden. Bei der Öffnung der Zellen hatten jeweils zwei männliche und eine weibliche Bedienstete anwesend zu sein. Privatwäsche und Privatkleidung der Häftlinge waren zugelassen. Das Essen wurde den Stationsbeamten gegen Unterschrift in der Küche ausgegeben.

Gudrun Ensslin und Ulrike Meinhof durften täglich auf der überdachten Terrasse über dem 7. Stock des Anstaltsgebäudes gemeinsam ihren eineinhalbstündigen »Hofgang« machen. Während des Tages konnten sie sich für jeweils vier Stunden zusammen in einer Zelle einschließen lassen.

Ihre Zellen waren jeden Tag »besonders gründlich« zu durchsuchen. In unregelmäßigen Abständen sollte eine Leibesvisitation vorgenommen werden. Bis 20.00 Uhr hatte eine Justizbeamtin mindestens einmal in der Stunde einen Blick auf die Gefangenen zu werfen. Zweimal wöchentlich, »jedoch nicht an Samstagen, Sonn- und Feiertagen« durfte gebadet werden. Die Häftlinge waren von allen Gemeinschaftsveranstaltungen »einschließlich des Kirchgangs« ausgeschlossen. Besuche waren nur von Angehörigen und Anwälten erlaubt.

Baader blieb vorerst in Schwalmstadt, Holger Meins in Wittlich und Jan-Carl Raspe in Köln.

Über mehrere Monate bereiteten die Gefangenen einen neuen Hungerstreik vor, den dritten. Es sollte der längste und härteste werden. Am Ende gab es zwei Tote.

»Ich denke, wir werden den Hungerstreik diesmal nicht abbrechen. Das heißt, es werden Typen dabei kaputtgehen …« schrieb Baader.

Ziel war die Zusammenlegung der Gefangenen zu großen Gruppen. Dabei ging es aber um mehr als nur die Aufhebung der Isolation. Prozesse standen an.

Baader schrieb: »Sicher ist, daß wir den Hungerstreik so anlegen, daß die Gefangenen in seiner Folge verhandlungsunfähig werden.«

In einem weiteren Papier schrieb Baader: »Die Perspektive sind Explosionen im Gefängnissystem.«

Und in einem Info-Beitrag, vermutlich von Gudrun Ensslin, hieß es: »Eine Waffe wird der Hungerstreik nur, wenn klar ist, daß er durchgehalten wird, bis seine kollektive Forderung erfüllt ist – auch wenn es Kranke und Tote gibt.«

Die Ziele, so wiederum Baader, müßten so formuliert sein, daß »sich jeder Rocker und auch jeder, der seine Alte abgejakst hat, darin findet«.

Am 27. August 1974 wurde Ulrike Meinhof aus Stammheim vorübergehend zum Prozeß nach Berlin verlegt. Es ging um ihre Beteiligung an der Befreiung Andreas Baaders 1970. Horst Mahler war beim ersten Prozeß freigesprochen worden, der Bundesgerichtshof hatte das Urteil gegen ihn jedoch wieder aufgehoben. So saßen auf der Anklagebank im Saal 700 des Kriminalgerichts Moabit Ulrike Meinhof, Horst Mahler und Hans-Jürgen Bäcker, den der Staatsanwalt für den Mann hielt, der den Bibliotheksangestellten Georg Linke niedergeschossen hatte.

Ulrike Meinhof wirkte krank, saß stumm auf der Bank, tauschte kaum Blicke mit Mahler aus.

Und dann sagte sie aus, vierzig Minuten lang, mit matter Stimme, fast tonlos, ohne beschwörende Empörung, sachlich. »Könnt ihr mich verstehen?« fragte sie manchmal zwischendurch, an die Zuhörer gewandt. Sie erläuterte die Ziele der RAF: »Antiimperialistischer Kampf, wenn das nicht nur Geschwätz sein soll, heißt: Vernichtung, Zerstörung, Zerschlagung des imperialistischen Herrschaftssystems – politisch, ökonomisch, militärisch.«

Danach kündigte Ulrike Meinhof den Hungerstreik der Gefangenen an, erklärte die Forderungen: Renten- und Sozialversicherung für alle Gefangenen, freie Arztwahl, Streikrecht, sexuelle Kontakte ohne Überwachung, Besuche ohne Kontrollen, Aufhebung der Briefzensur, Abschaffung der Jugendstrafanstalten, Einrichtung gemischter Vollzugsanstalten. »Wenn die Schweine im einen oder anderen nachgeben, um so besser. Dann können wir mit unseren Kräften für etwas anderes kämpfen.«

Bei den meisten Journalisten im Saal erregte Ulrike Meinhof mit ihrer Erklärung nur noch Mitleid. Einer schrieb: »Ulrike Meinhof redet, die Schärfe ihres Verstandes mitleidslos gegen sich selber gewendet. Eine Selbstmärtyrerin, eine von sich selbst berufene Jeanne d'Arc des proletarischen Internationalismus, die keine andere Armee hinter sich hat als diejenigen, die sie die RAF nennt, ein Spukgebilde in ihrem armen gescheiten Kopf …«

Unmittelbar nach Ulrike Meinhofs Auftritt in Moabit begannen die Gruppenmitglieder in den verschiedenen Haftanstalten mit ihrer Nahrungsverweigerung. Horst Mahler hungerte nicht mit.

Kaum vierzehn Tage später erklärte Monika Berberich als Zeugin im Baader-Befreiungsprozeß, Mahler sei »vor einiger Zeit, und zwar einstimmig, aus der RAF rausgeflogen«. Mahler sei wegen seines Dünkels, seiner Allüren und seines Herrschaftsanspruchs ausgeschlossen worden. Monika Berberich nannte ihn einen »belanglosen Schwätzer und eine lächerliche Figur«.

Nach seiner Haftentlassung schrieb Horst Mahler über die RAF in den Gefängnissen:

»Wer überzeugt ist, durch die Abgeschlossenheit zerstört zu werden, der bekommt wirklich Kreislaufbeschwerden, und dessen Bewußtsein wird wirklich getrübt. Wer sich den Gedanken einhämmert, mittels der Vorenthaltung von sinnlichen Reizen und menschlicher Kommunikation langsam umgebracht zu werden, der wird tatsächlich daran sterben – vielleicht, indem er Hand an sich legt.«

Mahler rief seinen hungernden Ex-Genossen in den Gefängnissen noch ein aufmunterndes Wort zu: »Ein Indianer weint nicht!«

12. »Eine scheinheilige Sau aus der herrschenden Klasse«

Schon Monate vor Beginn des dritten Hungerstreiks hatte Ulrike Meinhof mit der Arbeit für das »grundlegende Werk« über die Geschichte der RAF beginnen sollen. Sie wollte es »Über den anti-imperialistischen Kampf« nennen. Im internen Gruppenjargon wurde das Projekt »Bassa« genannt, nach dem Staudamm »Cabora Bassa« in Moçambique. Handschriftlich machte Ulrike Meinhof die ersten Notizen dazu:
»Die Bildung der RAF 1970 hatte in der Tat spontaneistischen Charakter. Die Genossen, die sich ihr anschlossen, sahen darin die einzige wirkliche Möglichkeit, ihre revolutionäre Pflicht zu erfüllen.
Angeekelt von den Reproduktionsbedingungen, die sie im System vorfanden, der totalen Vermarktung und absoluten Verlogenheit in allen Bereichen des Überbaus, zutiefst entmutigt von den Aktionen der Studentenbewegung und der Apo hielten sie es für nötig, die Idee des bewaffneten Kampfes zu propagieren.
Nicht weil sie so blind waren, zu glauben, sie könnten diese Initiative bis zum Sieg der Revolution in Deutschland durchhalten, nicht weil sie sich einbildeten, sie könnten nicht erschossen und nicht verhaftet werden.
Nicht weil sie die Situation so falsch einschätzten, die Massen würden sich auf ein solches Signal hin einfach erheben.
Es ging darum, den ganzen Erkenntnisstand der Bewegung von 1967/68 historisch zu retten; es ging darum, den Kampf nicht mehr abreißen zu lassen.«
»Bassa Sammelpunkt ist Theres«, verfügte Gudrun Ensslin, »kriegt Arbeit, ich seh das nicht in der Dimension von Jahren, aber doch von Monaten bis ein Jahr, so ungefähr.«

Doch Ulrike Meinhof kam mit der Arbeit nicht voran.

Gudrun Ensslin drängte: »Bassa wäre das, ist das, deshalb läßt man Dir keine Ruhe. Und jeder, außer natürlich Dir, weiß, daß Du die Stimme (der RAF) warst, bist, sein wirst.«

Ulrike Meinhof antwortete: »… und außerdem denkst Du natürlich viel schneller als ich, und – Himmel! – abgesehen davon, daß ›Stimme‹ ein Wort ist, dem man sowieso nur aus'm Weg gehen kann …« Im übrigen habe Gudrun ohnehin die Endredaktion. Ulrike Meinhof schaffte es noch, die Hungerstreikerklärung zu verfassen. Mit ihren Entwürfen dafür waren Baader und Ensslin offenbar nicht zufrieden und kritisierten sie scharf. Ulrike Meinhof reagierte mit Selbstzweifeln und Selbstkritik.

Über ihr Verhältnis zu Baader schrieb sie:

»Das Wesentliche, mein gestörtes Verhältnis zu Euch und besonders zu Andreas käme daher, daß ich nicht von der revolutionären Gewalt durchdrungen sei, war einfach 'ne schamlose Phrase, bezogen auf das, was hier bei mir Sache ist:

Meine Sozialisation zum Faschist, durch Sadismus und Religion, die mich eingeholt hat, weil ich mein Verhältnis dazu, d. h. zur herrschenden Klasse, mal ihr Schoßkind gewesen zu sein, nie vollständig aufgelöst, restlos in mir abgetötet habe …

Die Scheiße in meinem Wahn … sich zur RAF verhalten, wie ich mich zur herrschenden Klasse verhalten habe: Arschkriecher; d. h. Euch behandeln wie Bullen, das heißt einfach: Selbst längst 'n Bulle sein, in den psychischen Mechanismen von Herrschaft und Unterwerfung, Angst und Klammern an die Vorschrift. Eine scheinheilige Sau aus der herrschenden Klasse, das ist einfach die Selbsterkenntnis. Alles nur ›als ob‹ …«

In der Erinnerung an die Niederlage der RAF, die Verhaftungen im Frühsommer 1972, vielleicht auch das Springer-Attentat, schrieb sie: »Ich dachte dann, Ihr müßtet mich doch kritisieren. Im Trakt hatte ich auch 'ne Zeitlang gedacht, daß das eigentlich klar sein müßte, daß die Niederlage 72 hauptsächlich durch meine Scheiße kam. Aber das war natürlich – so – auch nur der verdrehte Größenwahn. Aber in der Erwartung, kritisiert zu werden, steckte die Kapitulation vor der Schwäche, es nicht selbst zu bringen – wollte geführt werden. Eine Nonne, weil da drin immer, bei mir: religiöser Wahn …«

Baader antwortete auf Ulrike Meinhofs verzweifelte Selbstkritik mit ein paar handschriftlichen Sätzen, die er auf die Rückseite des kritisierten Entwurfs für die Prozeßerklärung kritzelte:
»Und hör endlich auf, Dich zu quälen und zu kriechen. Arbeite, wie es möglich ist. Du hast den falschen Schluß aus der Kritik gezogen. Du sollst Dich nicht zu einem kriechenden Köter regredieren, sondern Dir endlich mal dazu verhelfen, daß Du das, was Du wissen kannst, auch bringst.«

Noch im August 1974 zeichnete Andreas Baader die »Selbstkritik« Ulrike Meinhofs für das »Info« ab. Damit bekamen auch die übrigen RAF-Gefangenen Kopien der Schriftstücke übersandt – zusammen mit Selbstanklagen anderer RAF-Mitglieder.
Margrit Schiller schrieb: »Haß: Ich hatte immer eine wahnsinnige Angst vor a (Baader) was ja nur die andere, die fotzige Seite von Haß ist … die Abwehr meiner Enteignung gegenüber demjenigen, der sich nicht bestechen ließ …«

Gudrun Ensslin antwortete ihr und charakterisierte Andreas Baaders Rolle in der Gruppe:
»Der Rivale, absolute Feind, Staatsfeind: das kollektive Bewußtsein, die Moral der Erniedrigten und Beleidigten, des Metropolenproletariats – das ist Andreas.
Daher der Haß der Bourgeoisie, Presse, bürgerlichen Linken, auf ihn konzentriert …
Weil sich schon der 14. Mai (1970 Baader-Befreiung in Berlin) als genau das vermittelt hat – Machtkampf. Der erste, den wir gewonnen haben, 'ne bewaffnete Befreiungsaktion, das Beispiel.
An Andreas, über das, was er ist, konnten wir uns bestimmen, weil er das alte (erpreßbar, korrupt usw.) nicht mehr war, sondern das neue: klar, stark, unversöhnlich, entschlossen …
Weil er sich über die Ziele bestimmt …«

13. Entweder Schwein oder Mensch

Am 2. Oktober 1974 erhob der Generalbundesanwalt offiziell Anklage gegen die fünf Kernmitglieder der Gruppe, Andreas Baader, Gudrun Ensslin, Ulrike Meinhof, Holger Meins und Jan-Carl Raspe. Der Prozeß sollte im folgenden Jahr beginnen, Prozeßort Stammheim sein. Fünf Morde wurden den Angeklagten vorgeworfen. Die Verfahrensakten umfaßten zunächst 170 Bände, rund 1000 Zeugen und 70 Sachverständige sollten gehört werden.

Baader und Raspe wurden nach Stammheim verlegt. Holger Meins blieb in Wittlich, denn seine Gesundheit war durch den Hungerstreik, der inzwischen in die vierte Woche ging, schwer angegriffen.
Anfang Oktober begannen die Gefängnisärzte mit der künstlichen Ernährung, zunächst bei Holger Meins und Gudrun Ensslin. Ende Oktober wurden fast alle hungernden RAF-Gefangenen künstlich ernährt – auch dann, wenn sie sich dagegen sträubten.
Die Anwälte Otto Schily und Klaus Croissant erstatteten Strafanzeige gegen die für die Zwangsernährung verantwortlichen Anstaltsärzte und erklärten auf einer Pressekonferenz, Zwangsernährung sei »bewußt Quälerei und sadistische Folter«.
Tatsächlich war allen Beteiligten bewußt, daß die Zwangsernährung eine unmenschliche Tortur war. Holger Meins notierte nach einer Behandlung:
»Festschnallen, zwei Handschellen um die Fußgelenke, ein 30 Zentimeter breiter Riemen um die Hüfte, linker Arm mit vier Riemen vom Handgelenk bis zum Ellenbogen … von rechts der Arzt auf'n Hocker mit 'nem kleinen ›Brecheisen‹. Damit geht er zwischen die Lippen, die gleichzeitig mit den Fingern auseinandergezogen werden, und dann zwischen die Zähne und hebelt die auseinander.
Sowie die Kiefer weit genug auseinander sind, klemmt, schiebt, drückt der Sani von links die Maulsperre zwischen die Zähne … Verwendet wird ein roter Magenschlauch, mittelfingerdick …«

Die Justizminister der Länder versicherten, es gebe nicht den geringsten Grund für den Hungerstreik. Das Wort von der »Isolationshaft« oder gar »Isolationsfolter« sei ein politischer Kampfbegriff ohne realen Hintergrund. Die Inhaftierten hätten in der Regel Radio, Briefkontakt, Anwaltsbesuche und zuweilen sogar gemeinsamen Umschluß mit anderen Gefangenen. Die Abschottung vom übrigen Anstaltsbetrieb sei aus Sicherheitsgründen notwendig. Untersuchungshaft sei generell Einzelhaft.

Das war zwar richtig, aber die Untersuchungshaft der RAF-Mitglieder dauerte bereits wesentlich länger als die U-Haft bei anderen Beschuldigten. Radio, Bücher, Zeitschriften und Anwaltsbesuche waren bei so lange andauernder Einzelhaft nur spärlicher Ersatz für zwischenmenschliche Kontakte, wie sie in jeder Anstalt sonst möglich sind.

Die Haftbedingungen in den verschiedenen Gefängnissen waren unterschiedlich, wechselten auch von Zeit zu Zeit, je nach Verhalten der Gefangenen oder nach den »Erfordernissen der Sicherheitslage«.

Ende Oktober 1974 brach Manfred Grashof den Hungerstreik ab, nahm ihn aber nach wenigen Tagen wieder auf.

In dieser Situation schrieb ihm Holger Meins, selbst dem Hungertod nahe, einen Brief:

»Du machst nicht mehr weiter mit, bringst Dich in Sicherheit, gibst den Schweinen damit einen Sieg, heißt: lieferst uns aus, bist Du das Schwein, das spaltet und einkreist, um selbst zu überleben. Dann – also wenn Du nicht weiter mithungerst – sagste besser, ehrlicher (wenn Du noch weißt, was das ist: Ehre): ›Wie gesagt: ich lebe. Nieder mit der RAF. Sieg dem Schweinesystem‹ –

Entweder Schwein oder Mensch

Entweder Überleben um jeden Preis

oder Kampf bis zum Tod

Entweder Problem oder Lösung

Dazwischen gibt es nichts.

Ziemlich traurig, Dir so was noch mal schreiben zu müssen. Weiß natürlich auch nicht, wie das ist, wenn man stirbt oder wenn sie einen killen. Woher auch? In einem Augenblick der Wahrheit da morgens ist mir als erstes durch den Kopf geschossen:

Ach soo ist das (wußte ich ja auch noch nicht) und dann (vor dem Lauf, genau zwischen die Augen gezielt): Na egal, das war's. Jedenfalls auf der richtigen Seite.

Du müßtest da eigentlich auch was wissen. Na ja. Es stirbt allerdings ein jeder. Frage ist nur, wie und wie Du gelebt hast, und die Sache ist ja ganz klar: Kämpfend gegen die Schweine als Mensch für die Befreiung des Menschen: Revolutionär, im Kampf – bei aller Liebe zum Leben: den Tod verachtend. Das ist für mich: dem Volke dienen – RAF.«

Gudrun Ensslin erhielt eine Kopie dieses Briefes und schrieb an Holger Meins: »Hör doch uff, dem Typen in den Soldaten-Arsch zu blasen – wozu? Was hast Du, was hat die Guerilla davon? Jedenfalls ist das nicht der totale Krieg, sondern die totale Defensive.
Würd ich einfach mal lassen. ›Ziemlich traurig …‹ Ohne zu trauern. Das – das Ziel. Du bestimmst, wann Du stirbst. Freiheit oder Tod.«
Drei Tage nachdem Gudrun Ensslin dies geschrieben hatte, war Holger Meins gestorben.

14. Der Tod des Holger Meins

Nach fast zwei Monaten Hungerstreik war Holger Meins bis zum Skelett abgemagert. Bei 183 Zentimetern Körpergröße wog er noch 39 Kilogramm. Am Freitag, dem 9. November 1974 hatte er seine Anwälte benachrichtigt: »Bitte schickt jemanden! Macht's schnell. Ich komm nicht mehr vom Bett hoch.«
Samstagvormittag fuhr sein Verteidiger Siegfried Haag nach Wittlich. Niemand wollte ihn in die Anstalt lassen. Meins sei bettlägerig, und in der Zelle sei aus Sicherheitsgründen kein Anwaltsbesuch erlaubt.
Haag rief seinen Kollegen Croissant an, der den Vorsitzenden Richter des Zweiten Strafsenates Stuttgart, Dr. Theodor Prinzing, informierte: »Der Zustand von Meins ist kritisch. Ordnen Sie an, daß ihn ein Arzt seines Vertrauens besuchen kann! Und lassen Sie meinen Kollegen Haag in die Haftanstalt.«
Als Richter im anstehenden Stammheimer BM-Prozeß war Dr. Prinzing für die Haftbedingungen der Angeklagten zuständig. Er genehmigte den Besuch Haags im Gefängnis, lehnte aber die Hinzuziehung eines externen Arztes ab.

Zwei Beamte der Strafanstalt trugen Holger Meins auf einer Bahre in ein Zimmer des Verwaltungstraktes. Er hatte die Augen halb geschlossen. Sein Verteidiger Siegfried Haag beugte sich über ihn. »Ich bin fertig. Es ist aus. Ich sterbe«, flüsterte Holger Meins.

Der Anwalt hatte genug gesehen. »Als ich ihn da auf der Bahre liegen sah, wußte ich, was die Stunde geschlagen hatte«, berichtete Haag später. »Ich hab mein Ohr an seinem Mund gehabt, nur so konnte ich ihn verstehen. Manches Mal hat er sich unter Aufbietung aller Kräfte einen einigermaßen laut gesprochenen Satz abringen können. Der Besuch dauerte zwei Stunden, zwei Stunden auch deshalb, weil mir klar geworden ist, daß das sein letztes Gespräch war und daß er das wußte.«

Am Ende bat Holger Meins seinen Anwalt um eine Zigarette. Haag zündete sie an und steckte sie Holger Meins zwischen die Lippen. Um 15.00 Uhr verließ der Verteidiger die Anstalt und rief Klaus Croissant an. Am Telefon formulierte er einen Brief an den Richter Dr. Prinzing: »… Holger Meins stirbt. In höchstens zwei Tagen wird er tot sein. Sie sind für seinen Tod verantwortlich, denn die Bedingungen der Haft bestimmen Sie.«

Mit diesem Schreiben fuhren Croissant und seine Kollegin Marielouise Becker nach Untertürkheim zu Richter Prinzing. Es war 18.00 Uhr. Der Senatsvorsitzende nahm den Brief am Gartentor entgegen.

Kurz nachdem Siegfried Haag die Anstalt verlassen hatte, war auch den Beamten der bedrohliche Zustand des Gefangenen aufgefallen. Sie riefen einen Arzt aus Wittlich zu Hilfe. Als er um 17.15 Uhr eintraf, war Holger Meins tot.

Der Anstaltsarzt und der Wittlicher Gefängnisleiter, die laut ausdrücklicher Anweisung das Ministerium hätten informieren und den Stuttgarter Strafsenat um eine Überführung von Holger Meins in die Intensivstation eines Krankenhauses ersuchen müssen, waren untätig geblieben. Der Arzt war ins verlängerte Wochenende gefahren. Einen Vertreter gab es nicht.

Als die Nachricht vom Hungertod Holger Meins' im Rundfunk verbreitet wurde, formierten sich in Frankfurt, Köln, Hamburg, Berlin und Stuttgart Protestzüge von jeweils einigen hundert Demonstranten. In Stuttgart-Untertürkheim zogen sie vor das Haus des Richters Dr. Prinzing.

Journalisten gegenüber erklärte der Vorsitzende des Strafsenats, er habe alles zur Erhaltung des Lebens und der Gesundheit von Holger Meins getan. Inwieweit jedoch in der Strafanstalt Wittlich von diesen Möglichkeiten Gebrauch gemacht worden sei, könne er nicht beurteilen.

Für die Sympathisantenszene war klar: Holger Meins war ermordet worden. An Haus- und Kirchenwände wurde gesprüht: »Rache für Holger Meins.«

Er selbst hatte, lange vor Beginn des Hungerstreiks, in sein Testament geschrieben:

»Für den Fall, daß ich in der Haft vom Leben in den Tod komme, war's Mord. Gleich was die Schweine behaupten werden ... Glaubt den Lügen der Mörder nicht.«

In den Unterstützerkreisen war es kein Geheimnis, daß die Gefangenen den Hungerstreik bis zum bitteren Ende durchführen wollten. Ein Ende aber, das die Stammheimer weniger für sich selbst als für andere vorgesehen hatten. Es wurde eine regelrechte Reihenfolge festgelegt, wessen Leben als erstes, wessen als zweites und wessen als drittes aufs Spiel gesetzt werden sollte. Das war ohne weiteres steuerbar, denn jene, die noch nicht sofort dran waren mit dem Sterben, konnten heimlich essen. Peter Jürgen Boock konnte es später kaum noch fassen, daß niemand in den Unterstützergruppen daran Anstoß nahm und daß man diese zynische Todesliste einfach akzeptierte. Damit war auch klar, daß die »Leader« überleben mußten. Lediglich Jan-Carl Raspe hielt sich konsequent an den Hungerstreik, hielt bis zu Ende durch und überlebte dennoch. Andreas Baader, Gudrun Ensslin und auch Ulrike Meinhof aßen heimlich – in vorher abgemachter Reihenfolge.

15. Ein Richter wird ermordet

Am 10. November 1974, einem Sonntag, wurde gegen 20.50 Uhr an der Wohnungstür des Hauses Bayernallee 10–11 im Berliner Stadtteil Neu-Westend geklingelt. Über die Türsprechanlage sagte ein Mann, er komme von der Firma Fleurop und wolle Blumen bringen. Er wurde eingelassen; in den vergangenen Tagen waren mehrmals Blumenboten gekommen, denn der Hausherr hatte tags zuvor seinen 64. Geburtstag gefeiert. Günter von Drenkmann, Präsident des Kammergerichts, höchster Richter Berlins, blickte durch den Spion seiner Tür. Als er den Blumenboten sah, öffnete er einen Spaltbreit. Vorsichtshalber hatte er die Sicherungskette vorgelegt. Doch die Gruppe junger Leute, die plötzlich aus dem Treppenhaus auftauchte, drückte die Wohnungstür auf. Es kam zu einem kurzen Handgemenge. Plötzlich fielen drei Schüsse. Zwei davon trafen den Richter. Blutend brach Günter von Drenkmann zusammen.

Die Täter jagten mit einem Peugeot und einem Mercedes in verschiedene Richtungen davon. Die Frau des Richters alarmierte die Polizei. Wenige Minuten später wurde er in ein nahegelegenes Krankenhaus gebracht. Dort starb er.

Günter von Drenkmann war von Amts wegen nie mit dem Baader-Meinhof-Komplex befaßt. Er hatte nie über die Haftbedingungen von RAF-Mitgliedern zu entscheiden, nie über Anwaltsbeschwerden, hatte nie ein »Terroristen-Urteil« gefällt. Günter von Drenkmann war Zivilrichter gewesen, ein liberaler Jurist und SPD-Mitglied. Später stellte sich heraus, daß es ein Kommando der »Bewegung 2. Juni« war, das den Richter – offenbar bei dem Versuch, ihn zu entführen – erschossen hatte.

Gemeinsam formulierten die Gefangenen in Stammheim eine Erklärung zur »Hinrichtung« Günter von Drenkmanns:

»Wir weinen dem toten Drenkmann keine Träne nach. Wir freuen uns über eine solche Hinrichtung. Diese Aktion war notwendig, weil sie jedem Justiz- und Bullenschwein klargemacht hat, daß auch er – und zwar heute schon – zur Verantwortung gezogen werden kann.«

Zur öffentlichen Empörung linker und liberaler Kreise über den Drenkmann-Mord hieß es weiter:

»… die Bölls, für die der Tod eines Schreibtischtäters schwerer wiegt als der Tod eines Revolutionärs. Was hat Böll eigentlich mit seiner ›Katharina Blum‹ gemeint, wenn nicht, daß die Erschießung eines Vertreters des herrschenden Gewaltapparates moralisch gerechtfertigt ist. Wenn aus »literarischer Gewalt« materielle Gewalt wird, schlägt sich derselbe Böll auf die Seite derer, deren Wort er eben noch als verlogen gegeißelt hat …«

16. Ein Vernehmungs-Versuch

Die Vollzugsbeamten in der Haftanstalt Zweibrücken hatten sofort ans Landeskriminalamt gemeldet, daß Manfred Grashof wieder Nahrung zu sich nahm. Das LKA schickte daraufhin ein Fernschreiben ans Bundeskriminalamt, in dem es hieß, Grashof hänge durch, er bekäme kein Geld mehr, werde von der Gruppe fallengelassen: »Ein Herantreten an ihn, zwecks Vernehmung, scheint angebracht.«

Eines Abends kam ein Gefängnisbeamter in seine Zelle, berichtete Grashof im Stammheim-Prozeß:

»Hier ist jemand von der Polizei, der will sich mal mit Ihnen unterhalten.«

»Ist nichts«, sagte Grashof.

In dem Moment schob sich der BKA-Mann bereits durch die Tür. »Guten Tag, ich bin der Herr Klaus vom BKA. Sie werden mich ja kennen.«

»Ja, ich kenn' Sie aus den Akten. Sie sind der, der hier die Psychogramme entwirft. Der sich mit dem Schriftverkehr befaßt und die Unterlagen auswertet. Sie sind der, der hier Zuordnungen vornimmt, der Ulrike als Kopf, Andreas als Motor und Gudrun als Seele charakterisiert.«

Klaus betrat die Zelle und wedelte mit einem Schriftstück: »Kennen Sie das?«

»Wieso? Ich kenn' gar nichts. Was wollen Sie?«

Der BKA-Beamte deutete auf den Brief: »Das ist doch von Ihnen. Wir wissen ja Bescheid. Wir suchen hier einen Brief von Andreas Baader.«

»Was für einen Brief?«

»Sie wissen schon. Wenn Sie ihn nicht freiwillig herausgeben, dann müssen wir die Zelle durchsuchen.«

»Haben Sie einen Durchsuchungsbefehl?«

»Brauchen wir nicht. Das kennen Sie ja.«

Alfred Klaus begann, die Zelle zu durchsuchen. Grashof hatte das Gefühl, es ginge dem BKA-Beamten weniger darum, etwas zu finden, als mit ihm ins Gespräch zu kommen. Zwei Stunden wühlte Klaus in der Zelle herum, hob etwas an, sah unter das Bett. Er öffnete die Schranktür und sagte zu seinem Kollegen: »Ja guck mal hier, das ist ja wie bei Preußens. Na ja, wenigstens einer, der Ordnung hält.«

Grashof antwortete einsilbig. Der typische Vater-Bulle, dachte er. Hans-Albers-Typ.

»Ja, du armer Junge«, sagte Klaus. »Ich kenne übrigens Holger. Ich kenn' auch seine Familie. Ich komme ja auch aus Hamburg. Holger Meins … ja, vielleicht hättest du es sein sollen. Weißt du das? Einer in der Gruppe hat ja bestimmt, daß Holger stirbt. Vielleicht hätte es ja dich treffen sollen. Aber du bist ja schlau. Und mutig. Du hast das durchschaut.«

Der BKA-Beamte versuchte, Grashof eine Entwicklung wie bei Horst Mahler schmackhaft zu machen: »Wenn man sich von der Gruppe trennt, muß man ja nicht gleich unpolitisch werden oder ein Verräter. Findest du das nicht auch?«

Während der andere Beamte schweigend in Grashofs Papieren blätterte, sah Klaus den Gefangenen aus seinen stahlblauen Augen an: »Ich hab' ja mal mit deinem Vater gesprochen. Ich weiß ja, wie das ist, lange Haare tragen und Ärger zu Hause. Ich hab' ja auch einen Sohn.« Er machte eine Pause und blickte Manfred Grashof wieder an: »Ich weiß ja, du bist kein Mörder.«

Grashof wurde wütend. Er war in Kaiserslautern des zweifachen Mordes angeklagt. »Jetzt ist aber Schluß. Hauen Sie endlich ab.«

»Moment mal, wir sind noch nicht fertig«, sagte Klaus. Er bot Grashof einen Anwalt an. »Ich weiß ja, du hast kein Geld. Aber das ist ja nicht das Problem. Da findet sich immer einer.«

Grashof wollte nicht. Er war schon wieder im Hungerstreik.

17. Kritik und Selbstkritik

Zwei Jahre später wurde Manfred Grashof im Stammheimer Prozeß als Zeuge vernommen. Auf Antrag der Verteidigung sollte er Auskunft geben, ob die Disziplin während des Hungerstreiks durch Sanktionen aufrechterhalten wurde. Baaders Verteidiger, Rechtsanwalt Dr. Heldmann, fragte ihn:

»Warum haben Sie denn wieder begonnen mit dem Hungerstreik?«

»Das war eigentlich selbstverständlich. Ich habe es nur nicht sofort gebracht. Dieser Abbruch, diese Flucht, ist natürlich in der Hauptsache eine Wirkung der Isolation gewesen. Aber das ist überhaupt keine Entschuldigung …«

Der Vorsitzende drängte: »Sie sind gefragt, warum Sie wieder fortgesetzt haben, Herr Grashof«.

»Na ja, das habe ich eben erkannt, verdammt noch mal. Es ging da wirklich um eine existentielle Entscheidung. Verstehen Sie das?«

»War das Ihre völlig freie, eigene Entscheidung?« wollte Dr. Heldmann wissen.

»Ja sicher. Ich hatte überhaupt keinen Anlaß, an der Richtigkeit dieser Politik zu zweifeln. Natürlich hat die Gruppe gesagt: ›Hör mal, fang wieder an.‹ Meins hat mir geschrieben: ›Hast Du Dir in die Hosen geschissen, wasch sie Dir.‹ Dieser Brief ist wirklich ein unheimlich starker Ausdruck. Das war die Gruppe, die an mich schrieb, nicht nur Holger. Dieser Brief hat mir natürlich ungeheuer geholfen. Ich hab' mich da nicht vor den Kopf geknallt gefühlt oder so.«

»Gut, ist also beantwortet«, sagte Dr. Prinzing ungeduldig, »aus freien Stücken …«

»Nicht aus freien Stücken, sondern angesichts der Situation und der Entschlossenheit der Bundesanwaltschaft, uns zu vernichten.«

Nach der Schilderung seiner Gründe für die Wiederaufnahme des Hungerstreiks war Grashof als erster RAF-Gefangener bereit, auch Fragen des Gerichts und der Bundesanwaltschaft zu beantworten. Oberstaatsanwalt Zeis hielt ihm Zitate aus seinem Brief an Baader vor: »›Dann drohst Du wie ein Bulle, original mit 20 Jahren, mehr nicht. Oder sich den Strick zu nehmen. Das höre ich ja nicht zum ersten Mal, mein Lieber.‹ An anderer Stelle: »›Am Schluß dann der Hammer: Von uns hast Du nichts mehr zu erwarten, es sei denn, Du begreifst es als Befehl.‹ Okay, ich begriff es als Befehl … und begann den Streik wieder am Freitag früh …«

Eine weitere Stelle: »›Mit den Sanktionen, raus aus Info, Mandate abgeben, raus aus RAF, drinnen, draußen für Euch gestorben, bin ich einverstanden.‹«

Der Bundesanwalt fragte Grashof: »Wollen Sie nach diesem Vorhalt, in dem Sie selbst von ›Sanktionen‹ sprechen, weiterhin aufrechterhalten, daß keine Sanktionen gegen Sie stattgefunden haben?«

»Natürlich«, sagte Grashof.

»Ich habe vorhin erklärt, wir haben den Hungerstreik als Gefecht bestimmt, als äußerste Defensive, als eine existentielle Entscheidung. Natürlich wie jeder Kampf auf Leben und Tod, das ist vollkommen klar. In jeder Aktion im bewaffneten Kampf kann man eben sterben.«

Der Vorsitzende fiel ihm ins Wort: »Also Sie bestätigen, daß Sanktionen angedroht worden sind.«

»Nein«, widersprach Grashof.

»Anders kann man Ihre Antwort bis jetzt nicht verstehen …«

»Es geht darum, daß Sie hier eine autoritäre Struktur behaupten, also in der Art, daß jemand, der nicht mehr kämpft, entweder liquidiert wird oder sich selbst liquidiert.«

Oberstaatsanwalt Zeis holte einen weiteren der bei Zellenrazzien beschlagnahmten Briefe hervor: »Es kommt dann die Selbstkritik von Ihnen …«

Der Bundesanwalt zitierte: »Ich antworte Euch. Statt Ehre möchte ich den Begriff Selbstachtung setzen. Das Gegenteil davon ist Feigheit. Feigheit vor dem Feind. Das aber genau ist die richtige, exakte Definition meines Verhaltens. Soweit ich weiß, wird dieses Problem in regulären Armeen mit der Todesstrafe bestraft … und in Guerilla-Armeen mit dem Ausstoß und der politischen Ächtung. Habt Ihr die letzte Form der Sanktion …« Beim Vorlesen betonte der Bundesanwalt das Wort »Sanktion«.

Er senkte das Papier und sprach Grashof an: »Bleiben Sie immer noch dabei, daß keine Sanktionen gegen Sie stattgefunden haben?«

»Ich habe doch meine wirklich ausgeflippte Situation erklärt, damals, nachdem ich aufgehört hatte. Ich hatte mein Bewußtsein vollständig verloren, sonst hätte ich ja nicht aufgehört. Sicher ist, daß in diesen Schreiben alle Begriffe schwimmen, natürlich unheimlich viel Falsches da drin ist.«

Ungeduldig sagte der Vorsitzende: »Was Sie jetzt im Augenblick tun, ist eine zusätzliche Selbstkritik …«

Grashof fuhr ihn an: »Ach, du Affe, hast doch keine Ahnung von Selbstkritik und Kritik …«

18. »Holger, der Kampf geht weiter!«

Einen Ansturm von Trauergästen wie bei Holger Meins' Beerdigung
hatte es auf dem kleinen Hamburger Friedhof noch nicht gegeben. Manche Bürger wollten nicht, daß der Terrorist neben ihren Angehörigen
beigesetzt wurde. Jeden Tag, wenn der Vater des Toten in der Zeit nach
der Beisetzung das Grab besuchte, waren die Kränze und Blumen in der
Umgebung verstreut. Vater Wilhelm Meins legte sie auf die Grabstätte
zurück. Eines Tages fand er einen Zettel neben dem Grabstein seines
Sohnes: »Sie werden ihn nicht mehr wiederfinden. Er wird an einem
Baum aufgehängt, dann wird er endlich wirklich sterben.« Wilhelm
Meins erhielt für zehn Tage Polizeischutz. Dann sagte man ihm, es gebe
keine Möglichkeit mehr, ihn und das Grab zu schützen.
Wilhelm Meins ließ in dreiviertel Meter Tiefe eine Betondecke über den
Sarg ziehen: »Damit sie ihn nicht rausholen können.«

Am Tag nach der Beerdigung von Holger Meins machte die »Bild«-Zei-
tung mit der Schlagzeile auf: »Rache! schrien 2000 in Hamburg am
Grab von Holger Meins.«
»Der Baader-Meinhof-Terrorist Holger Meins ist gestern früh beerdigt
worden ... Die letzte Ruhe fand er nicht: Mehr als 2000 Kommunisten
schrien ›Rache!‹ Gespenstisch hallte es über den Friedhof. Und als der
Pastor das Christus-Wort ›Vater vergib ihnen‹ sagte, schrie jemand:
›Den Schweinen vergeben wir nie‹ ...«
Neben dem Artikel ein Foto von Rudi Dutschke – mit der Bildunter-
schrift: »Baskenmütze in der Linken, die rechte Hand zur Faust geballt.
Er ruft: ›Holger, der Kampf geht weiter!‹«
Es schien, als hätte Rudi Dutschke den Kampf der »Roten Armee Frak-
tion« ideologisch unterstützt. Das paßte sowohl den rechten Medien als
der RAF-Sympathisantenszene ins Konzept. Rudi Dutschke erklärte in
einem Leserbrief an den »Spiegel«, wie er den Satz gemeint hatte:
»Holger, der Kampf geht weiter, das heißt für mich, daß der Kampf der
Ausgebeuteten und Beleidigten um die soziale Befreiung die alleinige
Grundlage unseres politischen Handelns als revolutionäre Sozialisten
und Kommunisten ausmacht.
Der politische Kampf gegen die Isolationshaft hat einen klaren Sinn,
darum unsere Solidarität. Die Ermordung eines antifaschistischen und

sozialdemokratischen Kammer-Präsidenten ist aber als Mord in der reaktionären deutschen Tradition zu begreifen.«

Rudi Dutschke lehnte den individuellen Terror ab. Und doch waren die Mitglieder der RAF für ihn immer noch »Genossen«. Manche von ihnen hatte er gut gekannt, aus Berlin, aus der Zeit der Studentenbewegung. Holger Meins etwa, der die Kamera zur politischen Waffe machen wollte, der einen Lehrfilm über die Herstellung von Molotowcocktails gedreht hatte und dann noch weiter ging, viel weiter, und am Ende ausgemergelt, mit überwucherndem Bart und spindeldürren Fingern auf dem Totenbett lag.

Und Jan-Carl Raspe, der 1967 im SDS-Vorstand gearbeitet hatte, der sich in der »Kommune 2« Gedanken über die Revolutionierung des bürgerlichen Individuums gemacht hatte.

Rudi Dutschke wußte auch, welche Verletzungen manche von ihnen davongetragen hatten, andere Verletzungen als seine eigene Schußverletzung, aber dennoch traumatisch genug. Er wußte auch, daß Josef Bachmanns Schüsse auf ihn, genauso wie der Tod Benno Ohnesorgs, nicht wenige auf den Weg der Gewalt gebracht hatten.

Kurz nach der Beerdigung Holger Meins' besuchte Rudi Dutschke im Gefängnis Köln-Ossendorf Jan-Carl Raspe. Er hatte seinen Sohn Hosea-Che und dessen Freund mitgenommen. »Wollte dem Jan Raspe andere, ganz andere Gesichter zeigen«, schrieb er in sein Tagebuch. »Sie kamen mit ins Gefängnis hinein, aber nicht mit ran zu Jan Raspe. ›Ohne gebilligten Antrag kommen hier auch keine Kinder durch, Herr Dr. Dutschke. Und was soll so ein Besuch?‹«

Später schrieb Rudi Dutschke in einem Brief an das Ehepaar Gollwitzer: »Subjektiv sich als antiimperialistische Revolutionäre fühlen schließt nicht aus, eine verhängnisvolle Rolle zu spielen. Die Gruppe will das bisher wohl noch immer nicht glauben, gerade das aber scheint mir ein besonderes Zeichen der Auswirkungen von Isolationshaft zu sein. Bei Jan Raspe hatte ich beim Besuch in Köln-Ossendorf den Eindruck, daß er diese Gefahrenquelle richtig durchschaute, sein ›Begierig-Sein‹ nach Information über die gesellschaftliche Wirklichkeit außerhalb des Gefängnisses war dafür ein Ausdruck. Aber die Gruppenzwänge scheinen da, trotz Isolationshaft bzw. gerade darum, ihre Eigendynamik zu haben. Die Resultate einer falschen Konzeption, einer Isolationshaft im Gefängnis u. a. treiben einen Selbstzerstörungsprozeß voran. Den zu durchbrechen sehe ich zur Zeit keine Chance.«

Der Besuch Rudi Dutschkes bei einem gefangenen Mitglied der ersten RAF-Generation blieb die Ausnahme. Die politischen Weggefährten der APO-Jahre engagierten sich zuweilen bei Protesten gegen die Haftbedingungen, Versuche aber, zum Beispiel Ulrike Meinhof oder Gudrun Ensslin in einen Prozeß der politischen Auseinandersetzung mit der »legalen Linken« zu verwickeln, blieben aus.

Inzwischen formierten sich außerhalb der Haftanstalten neue Gruppen. Sie entstanden zumeist aus den »Folterkomitees«, Initiativen oft ganz junger Leute, die Baader und Ensslin nie in ihrem Leben kennengelernt hatten, aber empört über die tatsächliche oder vermeintliche Unmenschlichkeit der Haftbedingungen den Weg in die Illegalität antraten. Zu keiner Zeit des »Untergrundkampfes« besaß die RAF eine so magnetische Anziehungskraft wie aus der Haft heraus.
Erst im Gefängnis entwickelte die Gruppe eine politische Präsenz, die sie vorher nie hatte. Die überdimensionalen Sicherheitsvorkehrungen verliehen den Gefangenen den Rahmen politischer Bedeutung, den sie mit ihren Schriften und Aktionen nicht andeutungsweise erreicht hatten. Zwischen 1970 und 1972 hatte die Polizei nach etwa 40 Personen gefahndet. Jetzt, Ende 1974, wurden 300 gesucht. Die sogenannte »Sympathisantenszene« schätzten die Experten des Bundeskriminalamts auf über 10 000 Personen. Der Begriff des »Sympathisanten« wurde immer großzügiger ausgelegt.
Der Tod Holger Meins' hatte der RAF Auftrieb gegeben.

19. »Das Messer im Rücken der RAF«

Am 29. November 1974 wurde Ulrike Meinhof in Berlin wegen Mordversuchs bei der Baader-Befreiung 1970 zu acht Jahren Freiheitsstrafe verurteilt. Anschließend wurde sie wieder nach Stuttgart-Stammheim verlegt. Baader, Ensslin und Raspe hatten bereits ihre Zellen im 7. Stock bezogen.

Sehen durften sich zu dieser Zeit nur die Frauen einerseits und die Männer andererseits.

Schon vor Beginn des Hungerstreiks hatte Baader an Gudrun Ensslin geschrieben: »Man muß sich darüber klar sein, daß bei diesem Hungerstreik einer oder zwei sterben können – aber sicher nicht mehr. Und die Wirkung wird dann sowieso die Lage aller verändern.«

Doch die Hungerstreik-Front bröckelte. In Hamburg hatte Gerhard Müller den Streik abgebrochen, ebenso Margrit Schiller. Sie schrieb an die anderen: »Vor ein paar Wochen, irgendwann während der Aktion, habe ich davor kapituliert, noch RAF werden zu können.«

Sie wolle nicht sterben, und deshalb könne sie sich nicht mehr zur Gruppe zählen.

In Rundbriefen hatte Gudrun Ensslin immer wieder versucht, die Disziplin aufrechtzuerhalten.

Ende Oktober, also noch vor dem Tod Holger Meins', hatten Ulrike Meinhof und Ingrid Schubert Verständnis für den Hungerstreikabbruch von Irene Goergens geäußert. Voll Verachtung hatte Gudrun Ensslin damals geschrieben:

»Kampf ohne Konsequenzen ... unmöglich ist: die Prinzipien, also den Kampf, Deinen Fotzenbedürfnissen – dem Überleben – unterzuordnen ...«

Als in der »Welt« ein Artikel über die angebliche Idylle Stammheim erschien, schrieb sie an Ulrike Meinhof:

»*Du* kriegst keinen Befehl. Weil wir keine Gefangenen machen, keine Opfer liquidieren.«

Und: »Blickste bei dem ›Welt‹-Artikel durch? Wenn Stammheim die Idylle – kann Ulrike Meinhof nur was sein? Opfer, verrückt, Macke – Deine Linie, seit, weiß ich wann, aber jedenfalls wie's seit Wochen ununterbrochen ganz ›eisern‹ von Dir kommt gegen uns in diesem Gefecht.«

Am Schluß schrieb Gudrun Ensslin:

»Na warte, die Kostüme der Müdigkeit – wie ich sie satt, wie ich sie gefressen habe, wie sie mir zum Hals raus zehntausendmal um die ganze Welt gehangen und mich erwürgt haben – die raunenden Pastoren, Pfadfinder, Tantchen, fressenden Weiber, Jüngelchen, uralte von Schminke erstickte wesenlose Wesen – wie ich das satt habe: Hunger! Und mal wissen.

Bin ich im Kino oder was, Quäker-Film,
Suppenschildkröte, oder
bin ich: Kampf!«

Andreas Baader nahm den Hungerstreik offenkundig nicht allzu ernst. Einmal erbrach er nach dem Besuch eines Anwalts in der Zelle Hühnerfleisch, ein anderes Mal fanden Vollzugsbeamte bei einem anderen Verteidiger, eingewickelt in ein Taschentuch, 200 Gramm kleingeschnittenes Bratenfleisch, das er als eigenes Frühstück ausgab.
Baader erwies sich immer wieder als Antreiber im gemeinsamen Gefecht. Für seine Notizen an die anderen benutzte er häufig grüne »Chef-Tinte«. An Ulrike Meinhof schrieb er:
»Aber Du bist natürlich 'ne liberale Fotze … Du wirst Dich nur im Kampf befreien, aber kaum wie im Kampf *um* Dich wie ein Kreisel. Und natürlich krankt daran auch Deine Produktion …«
An die nicht mehr voneinander getrennten Frauen in Stammheim richtete er die Aufforderung:
»Es gibt keine andere Lösung für Euch als Produktion, Suche, Schreiben, Kämpfen. Die Waffen ausgraben, entdecken, erobern. Ach!«

Der zeitweise Zusammenschluß von Gudrun Ensslin, Ulrike Meinhof und Carmen Roll verstärkte die Spannungen unter den Frauen.
Gudrun Ensslin beschwerte sich bei Baader:
»Ulrike, willst Du wissen … Wirklich finster: ein Vampir, zitternd vor Blutgier.« Und weiter:
»Ulrikes zweimaliges Gelächter während der Arbeit noch: nekrophil, hysterisch, wirklich absolut häßlich und eindeutig … gegen mich. Obwohl ich immer noch sage, erst recht sage: im Grunde nicht gegen mich, sondern gegen Dich. Aber das ist es eben: deshalb wirklich auch gegen mich, weil gegen die Revolution …«
So war das also: »gegen« Gudrun Ensslin bedeutete »gegen« Baader. »Gegen« Baader bedeutete »gegen« die Revolution. »Gegen die Revolution« bedeutete »gegen Gudrun Ensslin«.
An Ulrike Meinhof schrieb sie: »Du machst den Bullen die Tür auf – das Messer im Rücken der RAF bist Du, weil Du nicht lernst …«
Baader schrieb an Gudrun Ensslin: »Wirklich, ich verstehe es nicht: Also ich kann das Problem nicht sehen, das Dich in jedem Brief so total

beschäftigt: Diese wirren Schlachten mit ihr um weiß der Teufel was inzwischen. Wirklich zwei groteske Irre …«

Das einzige, was in dieser Situation anscheinend Bestand hatte, war die Beziehung Ensslins zu Baader. In ein paar der wenigen persönlichen Zeilen, die BKA-Beamte bei den Zellenrazzien fanden, standen Gudrun Ensslins Worte:
»Und daß ich Dir jetzt 'n irre schönes Buch schreiben könnte, Kind Kreuze weiße Wand und schwarzes Kreppkleid, ›ich hatt einen Kameraden‹ und so weiter, das ist ja klar …« Und an anderer Stelle: »Nichts hatte ich begriffen. Was Du da, vor 'n paar Monaten, gesehen hast und ich auch natürlich –
Verrat, ja, und mehr:
es ist auch der Weg …
zu lieben und zu ficken: Politik …«
Andreas Baader seinerseits griff auch Gudrun Ensslin an, wenn er an die »Zofen«, die Frauen nebenan im Hochsicherheitstrakt von Stammheim schrieb. Hauptziel seiner »Kritik« war aber immer wieder Ulrike Meinhof:
»Ihr seid wirklich die Pest, die Zofen …
Und was da ringt, ist natürlich das Schwein.
Das muß einfach nicht mehr erklärt werden; es ist in jedem Schritt, jedem Versuch von Ulrike drin, und Verrat ist dafür nur ein Wort …«
Und weiter an die Adresse Ulrike Meinhofs:
»Also Haß – mach Dir doch nichts vor: Du haßt uns – dafür gibt es einen Sack Signale, der dann natürlich einfach so lässig in den bestimmenden Momenten Passivität, Sich-Entziehen, 'ne kaputte Grammatik, kaputte Inhalte, Zerstörung, Mißverständnisse produziert usw. Das Problem ist, daß Du/Ihr als die fürchterlich desorientierten Schweine, die Ihr seid, inzwischen eine Belastung geworden seid. Wie, was Ihr Selbstkritik nennt, mit der ich nichts zu tun haben will, und daß ich es muß, glaub lieber nicht. Ihr seid es, die uns fertig machen – was die Justiz nie könnte …
Was aber soll das Ganze noch?
Wie es jetzt ist, hab ich Dir nichts mitzuteilen. Also halt die Fresse, bis Du was verändert hast, oder geh endlich zum Teufel …«

Gegen Ende des Hungerstreiks formulierte Gudrun Ensslin eine neue Idee, die sie erst einmal dem RAF-Stab vorschlagen wollte:

»Hab den Einfall, den ich erst mal erstens dir, Kutscher (Baader), zweitens Ulrike und Jan vorbringe. Einfall nur insofern, als wir den Hungerstreik anders machen können.

Wir können sagen: jede dritte Woche (oder egal zweite oder vierte) wird sich einer von uns töten, so lange, bis die Isolation für alle aufgehoben ist ...«

20. Sartre in Stammheim

Für den Hungerstreik wurde Öffentlichkeit gebraucht, Weltöffentlichkeit. Noch im Oktober hatte Ulrike Meinhof eine Einladung an Jean-Paul Sartre formuliert:

»Sartre,

wir wissen, daß Du krank bist ... aber wir sind der Meinung, daß das, was wir von Dir wollen, an Dringlichkeit alles andere übertrifft ...

Wir kämpfen mit diesem Hungerstreik gegen unsere Vernichtung in den Gefängnissen durch Sonderbehandlung, durch Isolation ...

Was wir von Dir wollen ist, daß Du im Zusammenhang mit diesem Hungerstreik, also jetzt – ein Interview mit Andreas Baader machst.

Weil die Bullen – ... beabsichtigen, Andreas zu ermorden ...

Um das Interview zu machen, ist es nicht notwendig, daß Du uns in allem zustimmst, was wir von Dir wollen ist, daß Du uns den Schutz Deines Namens gibst und Deine Fähigkeit als Marxist, Philosoph, Journalist, Moralist für das Interview einsetzt, um uns die Möglichkeit zu geben, dadurch bestimmte politische Inhalte für die Praxis des antiimperialistischen Kampfes zu transportieren ...«

Jean-Paul Sartre kam, machte allerdings kein Interview mit Baader. Anschließend gab der Philosoph eine Pressekonferenz.

»Warum haben Sie Baader im besonderen besucht?« fragte ein Journalist.

»Die Gruppe heißt Baader-Meinhof-Gruppe, und Baader ist deren Chef.«

»Drückte sich Baader in der Diskussion gut aus?«

»Er war schwach, er hatte seinen Kopf in den Händen, um ihn hochzu-halten. Er hatte Konzentrationsschwierigkeiten.«

»Braucht Demokratie solche Methoden wie die der RAF?«

»Diese Gruppe gefährdet die Linke. Sie ist für die Linke schlecht. Man muß zwischen den Linken und der RAF unterscheiden.«

»Wessen Idee war dieser Besuch? Und warum jetzt?«

»Jetzt ist die richtige Zeit. Ich kam, um zu helfen – vor drei Monaten wäre das nicht möglich gewesen. Die Initiative kam von Croissant. Der Grund für den Hungerstreik waren die Haftbedingungen.«

Die gesamte internationale Presse berichtete über Sartres Besuch bei Baader. Die deutschen Zeitungen betrachteten ihn als Einmischung in die inneren Angelegenheiten der Bundesrepublik. »Sartre inszenierte sein schlechtestes Stück« überschrieb die »Welt« ihren Bericht. Die »Frankfurter Rundschau« kommentierte:

»Zu allem Überfluß muß der Rechtsstaat auch noch mit Verdächtigun-gen ausländischer Weltenrichter fertig werden, die, wie jetzt gerade der französische Philosoph und Schriftsteller Jean-Paul Sartre, nach eige-nem Eingeständnis von deutschen Verhältnissen wenig Ahnung haben, dafür aber nach einer Stunde Aufenthalt in Stuttgart-Stammheim alles über die Haftbedingungen der dort eingesperrten Terroristen wissen …«

In der Öffentlichkeit galt Jean-Paul Sartre nun als RAF-Sympathisant. Nach dem Treffen schrieb Baader an die anderen Gefangenen:

»Ich habe über Haftbedingungen nicht gesprochen … die Situation war völlig irre; ich weiß nicht, was er überhaupt verstanden hat …

Ich würde aber sagen: Was mich betrifft, war das Ganze so präzise und gezielt und bewußt wie möglich – was ihn angeht, hatte ich den Ein-druck von Alter …«

21. Anwälte: »Mietwucherer, intrigante Lügner und korrupte Ratten«

Der Hungerstreik dauerte 140 Tage. Holger Meins hatte ihn nicht über-lebt. Fast alle RAF-Gefangenen hatten gesundheitliche Schäden davon-getragen. Günter von Drenkmann war ermordet worden.

Die RAF als Organisation hatte sich nach außen hin profiliert: als Kampftruppe gegen die »Isolationsfolter«. Die »Rote Armee Fraktion« war ihr eigenes Thema geworden. Von der Jahreswende 1974/75 an ging der gesamte Kampf der RAF – ob drinnen oder draußen – fast ausschließlich um die Befreiung der Gefangenen selbst.

Schon die Erklärung, mit der am 2. Februar 1975 der Hungerstreik beendet wurde, signalisierte diese Entwicklung:

»An die Gefangenen aus der RAF.

Wir bitten Euch, den Streik jetzt abzubrechen, obwohl … seine Forderung, die Aufhebung der Isolation, nicht durchgesetzt werden konnte.

Versteht das als Befehl.

Wir nehmen Euch diese Waffe, weil der Kampf um die Gefangenen … jetzt … mit unseren Waffen entschieden wird.«

Baader und Raspe sagten dem Anstaltsarzt Dr. Henck: »Wir hören heute auf.« Daraufhin ging er auf die andere Seite des Traktes zu den Frauen und teilte Ulrike Meinhof den Entschluß der Männer mit: »Sie sollten auch wieder anfangen zu essen.«

»Das tun wir nicht«, antwortete Ulrike Meinhof. »Das wollen wir schriftlich sehen, von Andreas.«

Dr. Henck ließ sich von Baader mit Filzschreiber auf einen großen Papierbogen schreiben: »essen«, darunter ein »A«.

Er gab den Zettel Ulrike Meinhof, und sie begann wieder zu essen.

Der Anstaltsarzt hatte sich oft Gedanken über das gruppendynamische Verhalten der Gefangenen gemacht. Der Vorgang paßte in sein Bild.

Später sagte er: »Ich hatte den Eindruck, daß Gudrun Ensslin die geistig führende Kraft war. In ihrem kühlen, schizoid anmutenden Temperament erdachte sie unerhörte Gedanken, die Ulrike Meinhof als ehemalige Journalistin zu Papier brachte, damit das schließlich von Baader genehmigt oder abgelehnt wurde. Raspe stand im zweiten Glied gegenüber den anderen drei sogenannten Führungskräften. Baader hat die meisten Anregungen, auch Befehle gegeben.«

Dennoch habe nie einer für sich allein einen Entschluß gefaßt. »Es wurde immer beraten, beschlossen und verkündet. Wenn ich beispielsweise bei der Zwangsernährung gesagt habe: ›Wir geben morgen noch ein bestimmtes Medikament in diese Flüssigkeit, diese Nahrung, sind Sie damit einverstanden?‹ Dann bekam man keine Antwort, es wurde erst beraten. Am nächsten Tag wurde dann ja oder nein gesagt.«

Andreas Baader durfte seinen hungernden Genossen das Signal für den Streikabbruch telefonisch übermitteln. Vom Büro des Anstaltsleiters in Stammheim aus sprach er mit RAF-Gefangenen in Zweibrücken, Berlin, Hamburg und Hannover und ermahnte sie, nach dem Ende der Aktion »nicht gleich zuviel zu essen«, das sei schädlich.

Nach Abbruch des Hungerstreiks durften sich die vier Stammheimer Gefangenen mehrere Stunden am Tag zum »Umschluß« treffen. Im Vergleich mit den Haftbedingungen anderer Untersuchungsgefangener konnte von »Isolation« nicht mehr die Rede sein. Zusätzlich erhielten sie fast täglich Besuch von ihren Anwälten.

Die Besucherliste von Andreas Baader zum Beispiel sah an manchen Tagen aus wie der Terminkalender eines Anwalts. Nur daß hier nicht ein Rechtsanwalt seine Mandanten empfing, sondern der Mandant seine Anwälte.

24. Januar 1975:

10.20 Uhr bis 10.55 Uhr Rechtsanwalt Haag

10.58 Uhr bis 11.10 Uhr Rechtsanwalt Haag

14.20 Uhr bis 14.35 Uhr Rechtsanwalt Haag

14.35 Uhr bis 15.20 Uhr Rechtsanwalt Schily

14.45 Uhr bis 15.55 Uhr Rechtsanwältin Becker

15.20 Uhr bis 15.32 Uhr Rechtsanwalt Groenewold

15.32 Uhr bis 15.45 Uhr Rechtsanwalt Haag

In diesem Monat bekam Baader 58 Besuche von acht verschiedenen Anwälten. Insgesamt wurde Andreas Baader vom 8. November 1974 bis zum Beginn der Kontaktsperre im Zusammenhang mit der Schleyer-Entführung am 5. September 1977 523mal besucht. Darunter waren 43 Privatbesuche.

Die Anwaltsbesuche dienten vor allem der Vorbereitung und später der Verteidigung im Stammheimer Prozeß. Und doch dürfte – abgesehen von den Mitangeklagten Gudrun Ensslin, Ulrike Meinhof und Jan-Carl Raspe – wohl kaum ein Untersuchungsgefangener in der Bundesrepublik so intensiv von seinen Verteidigern betreut worden sein wie Andreas Baader.

Dabei war das Verhältnis zwischen den inhaftierten RAF-Kadern und ihren Anwälten weniger gut, als man in der Öffentlichkeit mutmaßte; den Sicherheitsbehörden war das durchaus bekannt.

Im April 1975 stieß die Bundesanwaltschaft bei der Durchsuchung einer Anwaltskanzlei auf ein Schreiben, das mit »a« unterzeichnet war – Andreas Baader. Es war an die Rechtsanwälte Golzem und von Plottnitz gerichtet und stammte vom 5. Februar.

In rüdem Ton versuchte Baader die Anwälte auf eine bestimmte Verteidigungslinie festzulegen:

»Na schön, kommt noch mal her, dann legen wir die Bedingungen politischer Verteidigung fest – verbindlich für die Prozesse und die Verteidigung durch Mobilisierung revolutionärer und demokratischer Öffentlichkeit.«

Die Alternative: »Wir verständigen uns nicht, und Ihr verliert die Mandate.«

Baaders erste Bedingung: »Die Gefangenen bestimmen die Prozeßstrategie, und zwar kollektiv.«

Wenn irgendeiner der Verteidiger damit nicht einverstanden sei, dann müßte er eben »rausgehen«. Keiner der Anwälte könne das Mandat behalten, wenn er die Gefangenen in Interviews oder Komitee-Arbeit bekämpfe. Einige bekamen sofort ihr Fett ab: Golzem hätte »intrigante Lügen drauf«, Groenewold sei ein »Mietwucherer«, Koch eine »korrupte Ratte«, die sich bei den Gefangenen besser nicht mehr sehen lassen sollte. Einige, so Baader, »versuchen die Gefangenen einzuseifen, indem sie ihren albernen Verbalradikalismus hier anbringen«. Über den Rechtsanwalt Koch meinte Baader noch: »Jetzt fragt man sich natürlich, warum ich ihn nicht zusammengetreten habe: aus Desinteresse. Es ist aber nicht sicher, daß das so bleibt, wenn er seine Schnauze hier noch mal reinsteckt.«

Schily sei ein anderes Problem. Der Berliner Anwalt hatte kurz zuvor Katharina Hammerschmidt beraten und begleitet, als sie sich den Behörden stellte. Baader meinte: »Eigentlich muß man ihn nach der Sache mit Cat sofort loswerden. Was so 'n Typ anrichten kann, wenn sich Militante an ihn wenden, weil er uns verteidigt (und auch ganz systematisch als die Top-Figur der Verteidigung aufgebaut wird, obwohl er nichts tut), haben wir an Cat gesehen.«

Baaders Urteil über Schily: »Ich denke, daß der Typ in jedem Prozeß stört.« Es sei besser, klarzumachen, daß der Staat in diesem Prozeß nicht nur die Gerichte, Urteile und Beweise durchorganisiert hätte, sondern auch die Anwälte. »Also dann lieber Pflichtverteidiger, die man als Bullen in Roben bezeichnen kann.«

22. Anwälte: »Helfer der Terroristen«

Nacheinander waren BM-Anwälte wie Groenewold, Croissant, Ströbele und Lang aufgrund zum Teil fadenscheiniger Verdachtsmomente von der Vertretung der RAF-Gefangenen ausgeschlossen worden. Der Bonner Gesetzgeber war ebenfalls nicht untätig geblieben. Am 20. Dezember 1974 verabschiedete der Bundestag eine Reihe von Gesetzen, um die Abwicklung der RAF-Prozesse für die Justiz zu erleichtern.

Dies geschah nach monatelangen Diskussionen um die Rolle der RAF-Verteidiger und unter dem Eindruck von Holger Meins' Hungertod und dem Mord an Kammergerichtspräsident Günter von Drenkmann.

Es gab nun die Möglichkeit, einen Verteidiger von einem Verfahren auszuschließen, wenn er »verdächtig ist, an der Tat, die den Gegenstand der Untersuchung bildet, beteiligt zu sein oder eine Handlung begangen zu haben, die für den Fall der Verurteilung des Beschuldigten Begünstigung, Strafvereitelung oder Hehlerei wäre«.

Es reichte der Verdacht aus. Beweise waren nicht nötig.

Zu welchen grotesken Folgen das führte, zeigte sich im Fall des Rechtsanwalts Ströbele, für dessen Ausschluß genügte, daß er seine Mandanten als »Genossen« bezeichnete, sich »Sozialist« genannt und seine Arbeit als »politische Verteidigung« verstanden hatte. Damit sei er dringend verdächtig, eine kriminelle Vereinigung unterstützt zu haben. Das wurde in den entsprechenden Beschlüssen etwas detaillierter und juristischer ausgedrückt, lief im Endeffekt aber auf nichts anderes hinaus.

Die Anwälte Croissant und Groenewold wurden mit ähnlich dürftigen Begründungen von der Verteidigung ausgeschlossen.

Die zweite wesentliche Gesetzesänderung verbot die Gemeinschaftsverteidigung. Früher konnte ein Anwalt mehrere Beschuldigte im selben Verfahren vertreten, dies war nun nicht mehr zulässig. Vertrauensanwälte der RAF-Angeklagten, die sich jahrelang zusammen auf den

Prozeß vorbereitet hatten, durften nicht mehr gemeinsam verteidigen. Die Prozeßstrategie »jeder Verteidiger vertritt jeden Angeklagten« war dadurch nicht mehr möglich. Zudem durften auch Rechtsanwälte, die in anderen Terroristenverfahren tätig waren, z.B. in Stammheim nicht mehr verteidigen. Bei der Fülle derartiger Verfahren gab es bald kaum noch qualifizierte Verteidiger für solche Prozesse. Im Laufe der nächsten Jahre traten in »Terroristenverfahren« deshalb immer mehr berufliche Neulinge an.

Noch gravierender wirkte sich die Neufassung des Paragraphen 231 der Strafprozeßordnung aus, wonach eine Hauptverhandlung auch in Abwesenheit der Angeklagten durchgeführt werden konnte, wenn diese sich »vorsätzlich in einen verhandlungsunfähigen Zustand versetzt und dadurch die Durchführung der Hauptverhandlung verhindert« hatten. Dies war vor allem eine Antwort auf die Hungerstreiks.

Den Behörden erschien die »Sicherheitslage« entspannt. Die namentlich bekannten Terroristen der ersten Generation waren fast alle in Haft. Eine Expertenkommission der Innenministerkonferenz sah die zuvor beschlossene Weisungsbefugnis des Bundeskriminalamts im Zusammenhang mit dem »BM-Komplex« als erledigt an. Sonderkommandos der Kripo wurden aufgelöst, weil man nur noch »einzelne versprengte Reste« im Untergrund wähnte.

Die als »Verschlußsache« »VS-vertraulich« gestempelten Lageberichte des BKA-Beamten Alfred Klaus, der aus den Zellenzirkularen die innere Struktur der Gruppe rekonstruiert hatte, verstaubten in den Schreibtischen untergeordneter Sachbearbeiter.

23. Die ersten der »Zweiten Generation«

Einem Stuttgarter Anwaltsbüro war inzwischen besondere Bedeutung zugewachsen: der Kanzlei des Rechtsanwalts Dr. Klaus Croissant in der Langen Straße Nr. 3. Croissant war ein durchaus bürgerlicher Anwalt gewesen, mit einem normalen Büro, normalen Mandanten, normalem Büropersonal und normalen Fällen.

Croissant und sein Kollege Jörg Lang hatten in Stuttgart 1973 das »Komitee gegen die Isolationsfolter« gegründet, einen Zusammenschluß

Linker bis Linksliberaler, denen es um die Veränderung der Haftbedingungen für RAF-Gefangene ging. Das Spektrum reichte vom »Stern«-Reporter bis zum SPD-Stadtrat.

Anfang 1974 tauchte Rechtsanwalt Lang unter. Die Lücke im Komitee füllten damals ein paar jüngere Leute aus der »Roten Hilfe«. Einer von ihnen war Volker Speitel, ein junger Graphiker, der später zum wichtigsten Zeugen des Bundeskriminalamtes und der Bundesanwaltschaft im Zusammenhang mit den Todesfällen von Stammheim werden sollte.

Speitel hatte zusammen mit seiner Frau Angelika und dem später bei einer RAF-Fahndung erschossenen Willy Peter Stoll in einer Wohngemeinschaft gelebt. Sie hatten sich mehr für den Drogenapostel Timothy Leary interessiert als für Politik.

Als gemeinsame Projekte alternativer Arbeits- und Lebensformen im Ansatz steckenblieben, nahmen sie Kontakt zur »Roten Hilfe« auf. »So chaotisch diese Gruppe auch war, so füllte sie zumindest mal das Vakuum meiner Orientierungslosigkeit«, schrieb Speitel später. Ein Teil der »Roten Hilfe« neigte der aktiven Unterstützung der RAF zu. Speitel wußte wenig von der »Roten Armee Fraktion«, aber er war beeindruckt von den Anschlägen auf US-Einrichtungen in Frankfurt und Heidelberg, der Entschluß, zur »Knarre zu greifen«, erweckte seine ungeteilte Bewunderung.

Während des großen Hungerstreiks im Herbst 1974 näherten sich die Leute von der »Roten Hilfe« dem »Komitee gegen die Isolationsfolter« immer weiter an.

Weil sie bereit waren, Plakate zu kleben, Flugblätter zu verteilen, bekamen sie dort immer mehr Einfluß. Angelika und Volker Speitel begannen, im Büro Croissant zu arbeiten. Bald übernahmen sie die Betreuung der Gefangenen, organisierten den über das Büro laufenden Info-Dienst der RAF, sammelten Zeitungsausschnitte, vervielfältigten die Rundbriefe der Häftlinge, besorgten Bücher, trieben Spenden ein. Daraus entwickelte sich ein »Lernprozeß« für Volker und Angelika Speitel und andere aus ihrer Gruppe.

Speitel später:

»Die Gefangenen gaben Anregungen und Vorschläge selbst für die kleinsten Büroabläufe wie Fotokopieren und Telefondienst. Sie konzipierten eine politische Schulung für uns.«

Dann starb Holger Meins. »Der Tod von Holger Meins und der Entschluß, die Knarre in die Hand zu nehmen, waren eins. Ein Nachdenken war nicht mehr möglich, es reagierte nur noch der emotionale Schub der letzten Monate.«

Volker Speitel ging in den Untergrund. Später behauptete er, der Anwalt Siegfried Haag habe den Kontakt zu den »Illegalen« hergestellt. Treffpunkt war eine Kneipe in Frankfurt, wo ihn Hanna Krabbe und Bernhard Rössner empfingen und zum »Stützpunkt«, einer möblierten Dachkammer, führten. Dort warteten Lutz Taufer, Ulrich Wessel und andere. Als Speitel die kleine Dachkammer betrat und das erste Gespräch mit den »Illegalen« führte, war er enttäuscht: »Was von der früheren RAF-Struktur noch existierte, waren Sprengstoff und Handgranaten sowie ein Manuskript über Fälschertechniken und Geld. Der Polizei ist es praktisch gelungen, die RAF völlig trockenzulegen. Bis auf unsere zum damaligen Zeitpunkt fünf Personen zählende Gruppe existierte die RAF Ende 1974 nicht mehr bzw. nur noch im Knast.«

Die Stammheimer Gefangenen wollten endlich Taten sehen. Für sie war die erste Nachfolgegeneration, die sich Ende 1973 in Hamburg gebildet hatte und in einer Blitzaktion der Polizei am 4. Februar 1974 gefaßt worden war, ein abschreckendes Beispiel. Die Gruppe, später nach dem Verhaftungstermin »4. 2.« genannt, hatte über Wochen und Monate Pläne geschmiedet und war dabei vom Hamburger Landesamt für Verfassungsschutz rund um die Uhr abgehört und observiert worden.

Das sollte sich nicht wiederholen. Die neue RAF-Generation wollte »weniger planen und mehr handeln«. Als erstes wurde eine Liste möglicher Aktionsziele zusammengestellt. Ganz oben, schon wegen der Reihenfolge im Alphabet, stand darauf das Wort »Botschaft«:

London, Amsterdam, Wien, Stockholm und Bern. Volker Speitel fuhr in die Schweiz und stellte fest, daß die Deutsche Botschaft in Bern »militärisch« kaum anzugreifen war; sie war zu gut gesichert.

In der Zwischenzeit begann die Gruppe illegale Wohnungen anzumieten und neue Mitglieder zu werben; vor allem im Kreis der »Folterkomitees«.

Speitel, so sagte er jedenfalls später, ging das illegale Getue auf die Nerven. Er befürchtete, die Gruppe könnte sich in ihrem Verfolgungswahn in unüberlegte Abenteuer stürzen: »Einer brachte es mal auf die

Formel, daß seine Angst vor dem Handeln jeden Tag größer werde, deshalb möchte er jetzt handeln, um nicht länger Angst zu haben.«
Speitel tauchte wieder aus dem Untergrund auf und ging zurück zum Stuttgarter Anwaltsbüro Croissant.

24. Ein Politiker wird entführt

Im Frühjahr 1975 sollte in Berlin gewählt werden. Zum ersten Mal nach insgesamt 27 Jahren Regierung oder Regierungsbeteiligung mußten die Sozialdemokraten damit rechnen, nicht wieder als stärkste Fraktion ins Abgeordnetenhaus zurückzukehren. Das lag allerdings mehr an den Verschleißerscheinungen der SPD als an ihren christ-demokratischen Gegnern und deren Spitzenkandidat Peter Lorenz, 52 Jahre, Rechtsanwalt. Was dem Bürgermeisterkandidaten der CDU vor allem fehlte, war Popularität. Doch das sollte sich bald ändern.
Lorenz hatte seinen Wahlkampf unter das Motto gestellt: »Mehr Tatkraft schafft mehr Sicherheit.« Über eine CDU-Anzeige, die über Lorenz' Porträt die Schlagzeile »Berliner leben gefährlich« trug, höhnte Bundeskanzler Helmut Schmidt: »Der Peter Lorenz, der das verantwortet, diesen Unfug, der muß sich offenbar nachts in seiner Wohnung ängstigen.«

71 Stunden vor der Wahl, am 27. Februar 1975 um 8.52 Uhr verließ Peter Lorenz seine Wohnung in Zehlendorf. Drei Minuten später wurde sein Mercedes, 1500 Meter von seiner Villa entfernt, von einem Viertonner Lastwagen blockiert und von einem Fiat gerammt. Lorenz' Fahrer wurde mit einem Besenstiel niedergeschlagen und der CDU-Spitzenkandidat selbst in ein bereitstehendes Fahrzeug gezerrt.
Das erste Lebenszeichen des Entführten kam 24 Stunden später. Ein Polaroid-Foto zeigte den Politiker mit einem Pappschild um den Hals: »Peter Lorenz, Gefangener der Bewegung ›2. Juni‹«. Die Entführer verlangten die Freilassung von sechs Inhaftierten: Horst Mahler, Verena Becker, Gabriele Kröcher-Tiedemann, Ingrid Siepmann, Rolf Heißler, Rolf Pohle. Alle, bis auf Horst Mahler, waren dem weiteren Umfeld des »2. Juni« zuzurechnen. Von den Spitzen der RAF kein Wort, nur eine kleine Entschuldigungszeile: »An die Genossen im Knast: Wir würden

gern mehr Genossen von Euch herausholen, sind aber dazu bei unserer jetzigen Stärke nicht in der Lage.«

Die Fahnder staunten. »Hier haben eiskalte Profis gearbeitet«, meinte der Berliner Oberstaatsanwalt Nagel.

Die Forderungen waren gerade so, daß der Staat sie noch erfüllen konnte. Es war niemand dabei, der wegen Mordes angeklagt oder verurteilt war.

In Bonn bildete sich zum ersten Mal der »Große Krisenstab« mit Beteiligung aller politischen Führungspersonen. Ohne Verfassungsauftrag, ohne eigentliche Entscheidungsbefugnis.

Die Entführer hatten verlangt, daß der ehemalige Regierende Bürgermeister von Berlin, Heinrich Albertz, die freigepreßten Gefangenen auf ihrem Flug begleiten sollte. »Eine späte Antwort auf den Tod von Benno Ohnesorg? Holt dieses Datum mich wieder ein?« dachte Albertz, als ihm ein Beamter der Berliner Senatskanzlei am Telefon die Forderung der Entführer vom »2. Juni« mitteilte. Albertz rief Bischof Scharf an. Die beiden Kirchenmänner wurden sich einig, daß Albertz sich zur Verfügung stellen solle, wenn sich die politischen Instanzen auf den Austausch einließen. In einem Gespräch mit Bürgermeister Klaus Schütz sagte Albertz, er würde den Auftrag nur als Pfarrer der Evangelischen Kirche durchführen. Er bestehe auf einer festen Zusage der politisch Verantwortlichen, daß keine gewaltsame Lösung der Geiselaffäre, wie etwa in Fürstenfeldbruck, geplant würde.

Am Sonntag, dem 2. März 1975, hielt Albertz im Gemeindehaus Berlin-Schlachtensee den Gottesdienst: »Und der Herr sprach: Nimm Isaak, deinen einzigen Sohn, den du lieb hast, und gehe hin in das Land Morija und opfere ihn daselbst zum Brandopfer auf einem Berg, den ich dir sagen werde.«

Am Schluß seiner Predigt sagte Albertz: »Die Namen, die Bezüge, die Verwirrungen, die Verstrickungen, die Knechte, das ausgestreckte Messer, die Opfer, die Qual, die Hoffnung, den Gehorsam, den Glauben – heute, hier am 2. März 1975 in Berlin – könnt ihr selber einsetzen.«

Wenige Stunden später flog der Pfarrer nach Frankfurt. Durch die unterirdischen Straßen des Flughafenkomplexes, bewacht von Polizeiposten mit Maschinenpistolen, wurde er in einen Raum geführt, in dem die für den Abflug zusammengeführten Gefangenen saßen. Ein Tisch, ein paar Stühle, ein Transistorradio. Und Abhörmikrophone.

Unmittelbar nach seiner ersten Begegnung mit den Häftlingen wurde Albertz von einem Beamten darauf hingewiesen, daß sich in der Zelle Abhörgeräte befänden. Albertz sprach den zuständigen Vorgesetzten darauf an: »Trifft das zu?«

Der Polizeioffizier schüttelte den Kopf. Er sah Albertz nicht in die Augen.

»Sie sind Beamter. Ich hoffe, daß ich mich auf Ihr Wort verlassen kann«, sagte Albertz und ging zu den Gefangenen.

Der Abflug des bereitgestellten Lufthansa-Flugzeugs wurde im Fernsehen live übertragen. Horst Mahler war nicht dabei, als die Maschine startete. Er hatte einen Austausch abgelehnt.

Die Maschine landete schließlich im jemenitischen Aden und setzte die Gefangenen ab. Nach seiner Rückkehr am 4. März sagte Pfarrer Heinrich Albertz das Losungswort im Fernsehen: »So ein Tag, so wunderschön wie heute ...«

In der Nacht darauf wurde Peter Lorenz in einem Berliner Park freigelassen. Die Entführer hatten ihm noch ein paar Groschen mit auf den Weg gegeben, damit er seine Familie anrufen konnte.

Vom Chef der Berliner Senatskanzlei erfuhr Pfarrer Albertz, daß doch Abhörmikrophone in der Zelle am Frankfurter Flughafen gewesen waren. Man habe aber nichts hören können, da ja ein Transistorradio in Betrieb gewesen sei. Albertz glaubte das nicht. Der Transistorempfänger wurde während seiner Gespräche mit den Gefangenen nur ganz kurz für die stündlichen Nachrichten eingeschaltet.

Der ehemalige Regierende Bürgermeister in seinem Bericht: »Ich wünsche eine Aufklärung dieser Angelegenheit. Ich bin als Pfarrer in dieser Zelle gewesen. Ein Abhören meiner Gespräche mit den Gefangenen ist ein unverantwortlicher Vertrauensbruch gegenüber einem Mann, der sich ja nicht aus Vergnügen für diese schwierige Aufgabe zur Verfügung gestellt hat.«

Die »Wanzen« im Frankfurter Flughafen waren nicht die einzigen, die in diesen Tagen installiert worden waren.

25. Sturm auf die Deutsche Botschaft

In Stammheim wurden gerade die letzten Meter der Mauer rings um die für den Baader-Meinhof-Prozeß gebaute Mehrzweckhalle gestrichen. Im Sitzungssaal schalteten Tontechniker die Regler für die Lautsprecheranlage, und eine Putzkolonne brachte die gelben Plastikstühle für die Zuschauer auf Hochglanz. In kleiner Runde erklärte der Gerichtsvorsitzende Dr. Theodor Prinzing, 49: »Der Prozeß wird stattfinden, zumindest beginnen.« Es war kurz vor 12.00 Uhr mittags am 25. April 1975.

Zur selben Zeit hielten sich etwa hundert Schweden und Deutsche in der Botschaft der Bundesrepublik in Stockholm auf. Sechs von ihnen waren mit Pistolen und Sprengstoff beladen:

Siegfried Hausner, 23 Jahre alt, der schon als Schüler Bomben gebastelt hatte und später im »Arbeitskreis Sprengtechnik« des »Sozialistischen Patientenkollektivs« Heidelberg wirkte. Hanna-Elise Krabbe, 29, Beste ihres Abiturjahrgangs in Nordhorn. Als Studentin in Heidelberg ebenfalls Mitglied des SPK. Karl-Heinz Dellwo, 23, Postangestellter, der sich in Hamburg der militanten Hausbesetzer-Szene angeschlossen hatte.

Lutz Taufer, 31, Mitglied im SPK. Bernhard-Maria Rössner, 29, der Polizei aufgefallen als Initiator einer Sitzdemonstration gegen die »Folterhaft« in Hannover. Ullrich Wessel, 29, Millionärssohn, Mitglied der RAF-Sympathisantenszene in Hamburg.

In der Konsularabteilung zogen die sechs ihre Waffen, griffen sich einen Botschaftsangestellten, von dem sie offenbar wußten, daß er die Schlüssel zum oberen Stockwerk des Gebäudes hatte, und schossen auch schon los. In wilder Panik flüchteten die meisten Anwesenden ins Freie. Elf wurden von den Bewaffneten festgehalten, in den dritten Stock der Botschaft getrieben und dort gefesselt, geknebelt und auf den Fußboden gelegt.

Wenige Minuten später war die schwedische Polizei zur Stelle, besetzte die untere Etage und bereitete sich mit Gaspatronen auf einen Angriff auf das Obergeschoß vor. Einer der Terroristen forderte, die Polizei solle verschwinden: »Sonst erschießen wir den deutschen Militärattaché.« Die Polizei blieb.

Um 13.17 Uhr meldeten sich die Botschaftsbesetzer telefonisch im Stockholmer Büro der Deutschen Presseagentur: »Das ›Kommando Holger Meins‹ hat Botschaftsmitglieder gefangengenommen, um Gefangene in Westdeutschland zu befreien. Wenn die Polizei eingreift, wird das Gebäude mit 15 Kilo TNT gesprengt.«

Die Besetzer hatten im Eckzimmer des Botschafters Stoecker bereits Sprengstoff deponiert und Zündkabel unter dem Teppich verlegt. Noch einmal forderten sie den Einsatzleiter der schwedischen Polizei auf, seine Leute abzuziehen: »Innerhalb von zwei Minuten, oder es knallt.«

Als keine Reaktion erfolgte, befahlen sie dem Militärattaché Andreas Baron von Mirbach, mit gefesselten Händen auf den Flur zu treten. Dann schossen sie. In Kopf, Brust und Bein getroffen, brach der Oberstleutnant zusammen. Zwei, zum Zeichen, daß sie unbewaffnet waren, nur mit Unterhosen bekleidete schwedische Polizisten schleppten den Sterbenden die Treppe herunter. Die Polizisten zogen sich zurück und richteten ihre Einsatzzentrale in der Botschafter-Wohnung im Nebenhaus ein. Sie sicherten das Gebäude mit Sandsäcken ab und teilten kugelsichere Westen aus.

Um 15.30 Uhr riefen die Besetzer erneut bei dpa in Stockholm an und übermittelten ihre Forderung nach Freilassung von 26 Gefangenen aus der Bundesrepublik, unter ihnen: Ulrike Meinhof, Andreas Baader, Jan-Carl Raspe, Gudrun Ensslin.

Als Bundeskanzler Helmut Schmidt die Nachricht von der Botschaftsbesetzung erhielt, zog er sich für eine halbe Stunde in sein Arbeitszimmer im Bonner Palais Schaumburg zurück. Dann teilte er den zusammengetretenen Mitgliedern des »Großen Krisenstabs« seine Entscheidung mit: »Meine Herren, mein ganzer Instinkt sagt mir, daß wir hier nicht nachgeben dürfen.«

Gegen 20.00 Uhr wurde der schwedische Justizminister von der ablehnenden Haltung der Bundesregierung unterrichtet. Nach kurzem Zögern sagte er: »Wir akzeptieren diese Entscheidung.« Der Minister rief in der Botschaft an und sagte den Terroristen, daß Bonn ihre Forderungen kompromißlos zurückgewiesen habe. Für einen Moment schien die Leitung tot zu sein. Der Mann am anderen Ende schien das alles nicht fassen zu können.

Neunmal sprach der schwedische Justizminister in dieser Nacht mit den

Besetzern, versuchte ihnen freien Abzug anzubieten, wenn sie ihre Geiseln freiließen. Sie lehnten ab: »Zwecklos, wir verhandeln nicht. Wenn unsere Forderungen nicht erfüllt werden, erschießen wir alle Stunde eine Geisel. Sieg oder Tod!«

Um 22.20 Uhr fragte einer der Terroristen nach dem Wirtschaftsattaché. »Hier bin ich«, rief Dr. Hillegaart. Er wurde nach draußen vor ein geöffnetes Fenster geführt. »Hallo, hallo – hört ihr mich?« rief er. Dann fielen drei Schüsse. Der 64jährige Wirtschaftsattaché sank langsam vornüber und blieb, halb aus dem Fenster hängend, liegen. Er war tot.

Die schwedische Polizei brachte einen Wagen mit dem Betäubungsgas »K 62« in Stellung, das zum ersten Mal bei der Überwältigung zweier Bankräuber 1973 in Stockholm eingesetzt worden war. Aus hundert Metern Entfernung sollten die beim Aufprall zerplatzenden Gaspatronen in das Gebäude geschossen werden. Es kam nicht mehr dazu.

13 Minuten vor Mitternacht erschütterte eine Kette von Detonationen das Botschaftsgebäude.

Die Fensterscheiben im dritten Stock flogen samt Rahmen auf die Straße. Dachrinnen wurden in die Bäume geschleudert, ein Bürostuhl landete fast hundert Meter entfernt auf dem Rasen. Draußen wurden Polizisten durch den Explosionsdruck zu Boden gerissen. Im selben Moment raste eine Feuerwelle durch den dritten Stock der Botschaft, die Flammen schlugen über das Dach. »Hilfe«, hallte es aus dem Feuer. Dann taumelte der Botschafter Stoecker, dem es gelungen war, seine Fesseln zu lösen, aus dem Inferno. Drei der Terroristen folgten ihm, sie hatten ihre Waffen verloren oder weggeworfen und ließen sich widerstandslos festnehmen. Zwei weitere stürzten verletzt vor dem Haus zu Boden. Der sechste wurde sterbend an der Rückseite der Botschaft im Gras gefunden. Die Druckwelle hatte ihn aus dem Haus geschleudert.

Polizei und Feuerwehr stürmten das brennende Gebäude und befreiten die Geiseln. Fast alle hatten schwere Verbrennungen.

Drei Tote hatte es gegeben: die Botschaftsangehörigen von Mirbach und Hillegaart und einen Terroristen, Ulrich Wessel. Ein Schwerverletzter, Siegfried Hausner, wurde trotz seiner Brandwunden wenige Tage später in einem Sonderflugzeug nach Deutschland gebracht. Auf der Intensivstation der Vollzugsanstalt Stammheim starb er am 5. Mai an einem Lungenödem.

Der Sprengstoff in der Botschaft, das ergaben polizeiliche Untersuchungen, war von den Besetzern versehentlich zur Explosion gebracht worden.

Am Nachmittag hatte sich Peter Jürgen Boock mit zwei anderen Vertretern aus der Unterstützerszene in einer Kölner Hochhauswohnung getroffen. Das Appartement lag nicht weit vom Bundesamt für Verfassungsschutz entfernt. Sie hatten die Fernseher eingeschaltet, um die Berichterstattung über den Stockholmer Botschaftsanschlag zu verfolgen. Bei den ersten Meldungen waren alle drei davon überzeugt, daß nicht die RAF dahintersteckte. Doch schon nach wenigen Minuten mußten sie ihre Meinung ändern.

»Leute, das geht schief«, sagte Boock. »Das war ein großer Fehler. Man darf sich nicht an einem Ort festsetzen. Und im übrigen: So kurz nach der Berliner Geschichte können die nicht wieder nachgeben. Da verlieren die ja völlig das Gesicht.«

Ein umstelltes Gebäude würde sich geradezu für eine Erstürmung von außen anbieten. Da könnte sich die Polizei Zeitpunkt und Art des Zuschlagens förmlich aussuchen. Einer hielt dagegen: »Die haben sich das vorher auch überlegt.«

»Wenn das die RAF ist«, sagte Boock, »wenn das die Art der Aktionen ist, liebe Leute, dann ohne mich.«

Als noch ein paar weitere Genossen dazustießen und mehrheitlich Boocks Ansicht waren, beschlossen sie, einen Brandbrief an die Gefangenen in Stammheim zu schreiben. Sie fänden es völlig unverständlich, wie eine Aktion so angegangen werden könne. Man hätte sich an einem Finger ausrechnen können, wie das ausgehen würde. Sie seien zwar nach wie vor gewillt, eine Befreiungsaktion zu machen, würden sich aber in keiner Weise von den Gefangenen vorschreiben lassen, auf welche Weise. Die Stammheimer antworteten bitterböse. Wie man denn darauf käme, daß die Gefangenen die Zielpunkte für Aktionen vorschreiben würden? Guerilla sei immer autonom. Sie könnten aus dem Gefängnis heraus nicht einmal Tips geben, was politisch besonderes Gewicht hätte. Sie könnten auch nicht beurteilen, worin die Stärken oder Schwächen einer

Gruppe lägen. Dann eine kleine Drohung: Niemand würde sie zwingen, sich als RAF zu fühlen oder zu definieren.

Boock und die übrigen verstanden es so, wie es gemeint war: Wenn ihr euch RAF nennen wollt, dann habt ihr nach unseren Anweisungen zu handeln.

Ursprünglich hatte Peter Jürgen Boock vermutet, daß er und seine Gruppe nach dem Desaster von Stockholm die letzten Illegalen aus dem RAF-Umfeld seien. Erst später erfuhr er, daß Mitglieder des Stockholm-Kommandos nicht nur überlebt hatten, sondern auch unentdeckt entkommen konnten. So hatte etwa Stefan Wisniewski 200 Meter von der Botschaft entfernt im Gebüsch eines Parks gelegen und den Besetzern über ein Funksprechgerät geschildert, was draußen lief. Das Abschottungsprinzip, nach dem es verschiedene Gruppen geben sollte, die nichts voneinander wußten, hatte funktioniert.

Zwei Wochen nach dem Anschlag auf die Stockholmer Botschaft wurde Rechtsanwalt Siegfried Haag festgenommen. Er sollte in der Schweiz Waffen für die Botschaftsbesetzer besorgt haben. Als sich jedoch bei der Durchsuchung seiner Anwaltskanzlei keine Beweise fanden, wurde er am 10. Mal 1975 wieder freigelassen. Haag tauchte unter. In einer Presseerklärung teilte er mit: »In einem Staat, der politische Gefangene durch systematische Langzeitisolation foltert und der Gehirnwäsche in toten Gefängnistrakten unterzieht, in einem Staat, dessen Funktionsträger Holger Meins und Siegfried Hausner hingerichtet haben«, könne er seinen Beruf als Rechtsanwalt nicht mehr länger ausüben. Am Ende verkündete er: »Es ist an der Zeit, im Kampf gegen den Imperialismus wichtigere Aufgaben in Angriff zu nehmen.«

Der Untergrundkampf sollte weitergehen, während die Gründergeneration der RAF in Stammheim vor Gericht stand. Knapp zwei Wochen nachdem Haag abgetaucht war, begann der Prozeß in Stammheim.

4. Kapitel

Der Prozeß:
Die Baader-Meinhof-Gruppe vor Gericht

1. Die Mehrzweckhalle
(1. Tag, 21. Mai 1975)

Ein Denkmal aus Stahl und Beton hatte man ihnen schon zu Lebzeiten errichtet. Für den Prozeß gegen den »harten Kern« der Baader-Meinhof-Gruppe ließen die baden-württembergischen Justizbehörden auf einem Kartoffelacker neben der modernsten Strafanstalt Europas ein neues Prozeßgebäude bauen. Die »Mehrzweckhalle«, in wenigen Monaten aus Fertigteilen montiert, kostete zwölf Millionen Mark. Das fensterlose Gebäude sollte später als Werkhalle für die Häftlinge der Vollzugsanstalt Stuttgart-Stammheim genutzt werden.

Im Sitzungssaal, 610 Quadratmeter groß und hoch wie eine Turnhalle, konnten 200 Zuhörer untergebracht werden. Weder die Heizungs- und Belüftungsrohre unter der Decke noch die Stahlkonstruktion des Daches wurden verkleidet. Die Wände bestanden aus nacktem Beton. Gelbe Plastiksitze für das Publikum, weiße Tische für Richter, Staatsanwälte, Verteidiger und Angeklagte. Modern und funktionell. Der Saal hätte auch die Aula einer modernen Gesamtschule sein können, eine notdürftig möblierte Sporthalle oder ein Dorfgemeinschaftshaus.

An der Stirnseite hing ein überdimensionales Wappen des Bundeslandes Baden-Württemberg.

Am 21. Mai 1975 begann hier der Prozeß gegen Andreas Baader, Gudrun Ensslin, Ulrike Meinhof und Jan-Carl Raspe. Es war ein sonniger Tag, rund um die Prozeßfestung drängten sich die Menschen wie bei einem Volksfest. Reiter der Polizei patrouillierten um das mit Stacheldraht abgesicherte Gebäude. Der Luftraum über dem Gefängnis und der Mehrzweckhalle war gesperrt. Innenhof und Dach des Prozeßgebäudes waren mit einem Netz aus Stahl überspannt, so daß auch Sprengkörper aus der Luft keinen Schaden anrichten konnten.

Die überdimensionalen Sicherheitsvorkehrungen hatten ihren Grund sicher auch darin, daß niemand im Behördenapparat persönliche Verantwortung für denkbare Risiken übernehmen wollte. Etwas mehr Sicherheit schien allemal besser als etwas zu wenig.

Anwälte, Zuschauer und Journalisten wurden vor Betreten des Sitzungssaals einer Leibesvisitation unterzogen. Hosentaschen mußten geleert werden, ihr Inhalt wurde in Klarsichthüllen verpackt und eingeschlossen. Selbst angebrochene Zigarettenpackungen mußten abgegeben werden, dafür gab es im Vorraum des Verhandlungssaals einen Zigarettenautomaten, aus dem sich die Besucher neu bedienen konnten. Kugelschreiber wurden konfisziert; Journalisten erhielten als Ersatz behördeneigene Bleistifte. Für alles war gesorgt worden, nicht nur in baulicher und organisatorischer Hinsicht.

Im Vorfeld des Stammheimer Verfahrens war die Strafprozeßordnung vom Bundestag geändert worden. Baaders Anwälte Croissant, Groenewold und Ströbele waren kurz vor Beginn der Hauptverhandlung ausgeschlossen worden. Als der Prozeß begann, hatte Andreas Baader keinen Verteidiger.

Der Vorsitzende, Dr. Prinzing, erklärte vor vollbesetztem Saal: »Die Sitzung ist eröffnet.«

»Schön«, sagte der Vorsitzende, »damit komme ich zum Aufruf der Strafsache gegen Andreas Baader, Ulrike Meinhof, Gudrun Ensslin, Jan-Carl Raspe.«

Er zählte die Namen der anwesenden Verteidiger auf: die Rechtsanwälte von Plottnitz, Riedel, Marielouise Becker und Schily. Sie waren die Vertrauensverteidiger der Angeklagten. Zusätzlich hatte das Gericht eine Reihe von Pflichtverteidigern aufgeboten, die nicht das Vertrauen der Angeklagten besaßen, um für den Fall des freiwilligen oder unfreiwilligen Ausscheidens eines der Wahlverteidiger den ordnungsgemäßen Fortgang des Prozesses zu gewährleisten.

Die Angeklagte Ulrike Meinhof meldete sich zu Wort. Es ging um die vom Gericht bestellten Pflichtverteidiger, die sogenannten »Zwangsverteidiger«: »Keiner von denen hat im geringsten das Recht ...« Der Vorsitzende unterbrach sie: »Halt. Es läuft nicht über Band. Frau Meinhof, entschuldigen Sie bitte, es läuft nicht auf Band. Wir müssen's ja auf's Protokoll bekommen. Es ist nicht meine Schuld.«

»Lassen Sie mich mal ausreden!«

Baader griff ein: »Ja, was sollen denn diese Mätzchen hier!«

»Ja, Herr Baader«, rief Prinzing dazwischen, »ich glaube, Frau Meinhof ist Manns genug, ihre Erklärungen selbst abzugeben.«

»Laß uns reden!« rief Ulrike Meinhof.

Baader wandte sich an den Vorsitzenden: »Das ist doch nicht Ihr Problem.« Dr. Prinzing reagierte ungehalten: »Ist das eine Kollektiv-Verteidigung, wenn Sie hier nun kollektiv durcheinander reden?«

»Aber nun hören Sie doch mit Ihren dummen Witzen auf«, sagte Baader.

Dr. Prinzing entzog Baader das Wort.

»Hör doch mal auf mit dem Unterbrechen!« rief Ulrike Meinhof dazwischen, »laß uns doch mal ausreden!«

»Sie haben doch zwei Methoden«, sagte Baader, »Sie unterbrechen uns auf der einen Seite, oder Sie manipulieren uns mit Ihrer Aufnahmeanlage.«

»Gewiß«, bestätigte der Vorsitzende, »mit der Technik machen wir's unmöglich, daß Sie Erklärungen abgeben können.«

Dann konnte Ulrike Meinhof zur Sache kommen: »Sie sind uns aufgezwungen worden, Staatsschutzverteidiger, die sich in einem Abhängigkeitsverhältnis von der Bundesanwaltschaft befinden, bei denen bei jeder Äußerung davon auszugehen ist, daß sie gegen uns gerichtet ist … Außerdem ist zu protokollieren, daß die Manipulation an diesen Mikrophonen darauf schließen läßt, daß sie deswegen vorgenommen worden ist, um das, was wir hier sprechen, abzuhören.«

»Ja, was soll denn in einer öffentlichen Verhandlung für ein Interesse bestehen, abzuhören?« fragte der Vorsitzende.

»Es ist festzustellen«, sagte Baader, »daß die Mikrophone so geschaltet sind, daß sie auch die Kommunikation zwischen den Verteidigern und den Gefangenen aufnehmen, ja, sozusagen die nicht öffentliche.«

Das hielt Dr. Prinzing für einen Irrtum. Baader erklärte dem Gerichtsvorsitzenden, daß schließlich die Schalter an den Mikrophonen auf der Anklagebank zugeklebt worden seien. »Die Einrichtung ist wirklich perfekt«, sagte Baader. Im übrigen habe jemand »Kopf ab« neben sein Mikrophon geschrieben.

»Was war mit dem Kopf?« fragte der Vorsitzende.

»Ich habe gerade entdeckt, daß jemand neben das Mikrophon geschrieben hat ›Kopf ab‹. Was fällt Ihnen dazu ein?«

»Das ist mir zu dunkel, dieser Sinn. Ich weiß nicht, was Sie damit wollen.«

2. Baader ohne Verteidiger
(2. Tag, 5. Juni 1975)

Zügig wollte Dr. Prinzing mit der Vernehmung zur Person beginnen.
Aber Andreas Baader meldete sich zu Wort: »Das kann Ihnen ja nicht
entgangen sein, daß ich keinen Verteidiger habe, bisher. Wir hatten nicht
vor, auf die juristische Verpackung dieser Veranstaltung hier überhaupt
einzugehen. Es ist auch unmöglich, sich in einem Verfahren auf Verteidigung einzulassen, für das permanent und kontinuierlich Gesetze geändert werden und wo der legislative Ablauf nicht nachkommt, gebeugt
bzw. von der Bundesanwaltschaft lächerlich gemacht wird.«
Das Verfahren sei ein Lehrstück, in dem die Richtigkeit der RAF-Ana-
lyse bewiesen werde. Jetzt säße er auch noch ohne Verteidiger da. »Es
ist sehr schwierig geworden, einen Verteidiger zu finden«, fügte Baader
hinzu. »Es war in der Woche, die Sie mir Zeit gegeben haben, nicht
möglich.« Gespräche mit Anwälten, die für eine Verteidigung in Frage
kamen, hätten nur unter Überwachung geführt werden dürfen. »Es war
also auch objektiv nicht möglich, rauszufinden, ob es einen Verteidiger
gibt, der die Verfolgung auf sich nimmt, die die Bundesanwaltschaft
und das Bundeskriminalamt mit meinem Mandat offenbar verbindet.«
Baader beantragte, die Verhandlung zu unterbrechen, bis er einen Verteidiger gefunden habe und ihm nicht überwachte Gespräche mit
Rechtsanwälten genehmigt würden. Dieses sei eine Bedingung. Drei
Jahre lang habe die Anklagebehörde jedes Wort zur Verteidigung kontrolliert, mit Durchsuchungen der Zellen und der Anwaltskanzleien,
durch Beschlagnahme der Post. Und wörtlich fügte Baader hinzu:
»Durch Abhörgeräte in den Besuchszellen für Verteidigerbesuche, von
denen wir seit Sommer 73 wissen.«

Die Bemerkung Baaders, Gespräche der Angeklagten mit ihren Anwälten seien abgehört worden, führte in der Öffentlichkeit lediglich zu Kopf-
schütteln. Die Presse konnte sich nicht vorstellen, daß Behörden der
Bundesrepublik Deutschland mit Hilfe von »Wanzen« und Tonbandge-
räten in das streng geschützte Vertrauensverhältnis zwischen Verteidigern und Angeklagten eingreifen würden. Andreas Baaders Bemerkung
wurde allgemein als Ausdruck des paranoiden Wahns der Baader-Meinhof-Gruppe betrachtet. Tatsächlich hatte Baader nicht so unrecht.

3. »Wanzen« in den Zellen

Am 27. Februar 1975, dem Tag der Lorenz-Entführung, hatte der Präsident des baden-württembergischen Landesamtes für Verfassungsschutz, Wagner, beim Bundesamt für Verfassungsschutz in Köln angerufen. Er ließ sich mit dem Leiter der Abteilung 4, Rausch, verbinden. Wagner erklärte dem Chef der Spionagebekämpfung, er benötige technische Hilfe. In Stammheim sollten Abhörmikrophone, Wanzen, installiert werden.

Ohne seinen Chef, den Präsidenten des Bundesamtes für Verfassungsschutz, Günter Nollau, zu informieren, sagte Rausch zu. Am 1., 2. und 3. März 1975 installierten zwei Techniker des BfV in fünf Zellen der Vollzugsanstalt Stuttgart-Stammheim Abhörmikrophone. Damals wurde »ganz allgemein so verfahren«, erklärte Rausch später dem Bundesinnenministerium, »daß bei Inanspruchnahme der ›Nachrichtendienst-Technik‹ und von Observationskräften anderer Teile des BfV oder durch die Landesämter für Verfassungsschutz ich als Leiter der Abteilung Spionagebekämpfung lediglich in groben Zügen über das Hilfeersuchen unterrichtet worden bin. Die Durchführung der Operation war ausschließlich Sache der in Anspruch nehmenden Stelle und gehörte auch voll in deren Verantwortlichkeit.«

Fast zwei Monate später, am 1. Mai 1975, rückten noch einmal die Techniker des Bundesamtes für Verfassungsschutz in Stammheim an und leisteten weitere »Hilfstätigkeit« für die baden-württembergischen Kollegen.

Eine gute Woche danach, am 9. Mai 1975, meldete sich das »Referat Staatsschutz« des Landeskriminalamtes Baden-Württemberg beim »Verbindungsreferenten« des Bundesnachrichtendienstes (BND) in Stuttgart. Ohne ihm nähere Einzelheiten mitzuteilen, wurde der BND-Mann um »technische Beratung« gebeten. Der Verbindungsreferent unterrichtete seine Zentrale in Pullach bei München. Daraufhin wurde am 12. Mai ein Techniker des BND zum Landeskriminalamt nach Stuttgart geschickt. Dort erfuhr er zunächst nur, daß man »ein Gespräch über technische Beratung« wünsche.

»Wenn ich beraten soll, dann muß ich auch wissen, was das konkret ist«, sagte der Abhörspezialist, »sonst kann ich keinen Rat geben.« Daraufhin wurde der Geheimdienstmann nach Stammheim in die Vollzugsanstalt gebracht. Man zeigte ihm das von den Kölner Kollegen installierte Abhörsystem und fragte, ob die Anlage möglicherweise »verändert oder verbessert« werden könne.

»Unter den gegebenen Umständen nicht«, sagte der BND-Mann und fuhr zurück nach Pullach.

Drei Tage später, am 15. Mai 1975, meldete sich das LKA wieder in Pullach beim Bundesnachrichtendienst. Diesmal ging es um mehr als »technische Beratung«. Die Techniker des Nachrichtendienstes sollten eine Abhöranlage in Stammheim installieren. Die BND-Spitze gab zu bedenken, daß eine solche Operation vorher mit dem Bundeskanzleramt abzustimmen sei. Dort war Staatssekretär Dr. Manfred Schüler für die Koordination der Geheimdienste zuständig und hatte die Aufsicht über den BND.

Am folgenden Tag, dem 16. Mai, versuchte Ministerialdirektor Kurt Rebmann vom Stuttgarter Justizministerium den Präsidenten des BND, Wessel, ans Telefon zu bekommen. Wessel war nicht da, sein Vertreter ebenfalls nicht. Rebmann ließ sich mit dem Abteilungsleiter Rieck verbinden und schilderte in groben Zügen sein Anliegen. Einzelheiten wollte er am Telefon »aus naheliegenden Gründen« nicht sagen. Rieck verwies Rebmann an das Bundeskanzleramt.

Rebmann, im baden-württembergischen Justizministerium für den Komplex Stammheim zuständig und später Generalbundesanwalt, rief den zuständigen Gruppenleiter im Kanzleramt, Ministerialdirigent Schlichter, an und beschwerte sich über die bürokratische Schwerfälligkeit des BND. Die Sache sei sehr dringend, und der BND könne die gewünschte technische Hilfe wohl am besten leisten.

Schlichter fragte, ob die geplante Abhörmaßnahme rechtlich geprüft sei. Rebmann bestätigte das. Zwei Häuser, das Innen- und das Justizministerium, seien der Auffassung, die Sache sei »rechtlich einwandfrei und liege im übrigen in der völligen Verantwortung des Landes«.

Schlichter, der den Stuttgarter Ministerialdirektor als »sehr qualifizierten Juristen« kannte, gab sich damit zufrieden und erstattete seinem

Chef, dem Staatssekretär Schüler, Bericht. Schüler stimmte der Einschaltung des Bundesnachrichtendienstes zu. Ein paar Tage später gab er dem BND-Präsidenten Wessel grünes Licht.

Kurz darauf reisten die Techniker des BND nach Stammheim und installierten Abhöranlagen in »zwei nicht belegten Zellen«.

Damit waren wohl insgesamt sieben Zellen in Stammheim »verwanzt«: fünf durch die Techniker des Bundesamtes für Verfassungsschutz, zwei durch Techniker des Bundesnachrichtendienstes.

Zwei Jahre lang konnte die Stammheimer »Lauschaktion« geheimgehalten werden. Dann mußten die beiden verantwortlichen Minister, Traugott Bender, Justiz, und Karl Schiess, Inneres, zugeben, daß in Stammheim abgehört worden war. Sie erklärten damals, in »zwei Fällen rechtfertigenden Notstands« seien in der Vollzugsanstalt Gespräche zwischen Verteidigern und Mandanten abgehört worden:

»Die erste Maßnahme begann am Tag nach dem Anschlag auf die Deutsche Botschaft in Stockholm vom 24. April 1975. Die Abhörung von Gesprächen erfolgte an zehn Tagen, letztmals am 9. Mai 1975.

Das zweite Mal wurde nach der Festnahme des früheren Rechtsanwalts Haag und Roland Meyer vom 30. November 1976 abgehört. In dieser zweiten Phase wurden Abhörmaßnahmen an insgesamt zwölf Tagen vollzogen, nämlich im Zeitraum zwischen dem 6. Dezember und 21. Januar 1977.«

Die Gespräche, so Bender damals, seien auf Band aufgenommen und anschließend sofort wieder gelöscht worden. Lediglich von einem Gespräch zwischen dem Rechtsanwalt Klaus Croissant und Ulrike Meinhof am 29. April 1975 gebe es noch eine Tonbandabschrift. Bender legte sie dem Stammheimer Gericht vor. Es war ein kleiner Auszug des Gesprächs, aus dem Zusammenhang gerissen und damit vieldeutig:

Dr. Croissant: »Ich habe wieder ein Interview.« (Es folgen einige unverständliche Worte und Lachen.) »Das muß natürlich raus, dann geht's mir wieder besser, das seh ich noch. Verstehst?« (Es folgen einige unverständliche Worte.) »Wir haben den Pop Shop oder weiß der Teufel was mit Franz S. Und einen Typ.« (Der Rest des Satzes ist unverständlich.) »Und er hat gesagt, es muß aber auch ziehn. Es könnte ja auch ein Kind sein, das die Terroristen nehmen. Ein Kind, ja. Dann ist die Entscheidung genauso schwierig für die Regierung. Es kann ja auch ein Kind sein, vom Spielplatz. Das war mir dann zuviel, da hab' ich mal geschrien … (Der letzte Halbsatz ist undeutlich.)

Meinhof: »Aber, ich will grad sagen.«

Dr. Croissant: »Aber das ist wohl zu blöd mit Terror.«

Meinhof: »Das ist zu blöd. Das ist doch ganz einfach. Wenn also wirklich wer ein Kind, uns auszulösen, ich bitte dich, dann sollte man es tun.«

Dr. Croissant: »Ahhh.«

Das Original-Band dieses angeblichen Gespräches zwischen Ulrike Meinhof und Klaus Croissant wurde niemals vorgelegt; angeblich war es gelöscht worden. Nur dieses »Transkript« gelangte zu den Akten. Es bleibt deshalb offen, ob Ulrike Meinhof und Croissant sich tatsächlich so geäußert hatten.

Damals wurde lediglich zugegeben, daß in zwei Phasen Anwaltsgespräche abgehört wurden. In wie vielen Zellen die Mikrophone installiert waren, wurde weiterhin geheimgehalten. Die Staatsanwaltschaft ermittelte auf Anzeige von BM-Verteidigern gegen die Minister Bender und Schiess. Generalstaatsanwalt Schüle schrieb am 23. Mai 1977 an die beiden Minister und bat um Aufklärung:

»War die Abhöranlage nur in einer oder in mehreren Zellen installiert? Mit welchen Angeklagten waren die abgehörten Zellen belegt? Sind nur Gespräche mit Verteidigern abgehört worden? Konnten durch die Anlage auch andere Gespräche abgehört werden?«

Innenminister Karl Schiess antwortete dem Staatsanwalt am 8. Juni 1977:

»Die Abhörmaßnahmen erfolgten in den Besucherzellen, in den Haftzellen waren keine Abhöreinrichtungen vorhanden. Es sind nur Gespräche mit Verteidigern abgehört worden.«

Die Tatsache, daß Geheimdiensttechniker Mikrophone in fünf und in zwei Zellen eingebaut hatten, läßt den Rückschluß zu, daß es nicht nur die Besucherzellen für Anwälte waren, in denen gelauscht wurde. Im 7. Stock von Stammheim gab es nämlich nur vier solcher Räume.

344

Der Stuttgarter Ministerialdirektor im Justizministerium Dr. Kurt Rebmann, der selbst maßgeblich an der Einleitung der Abhörmaßnahmen beteiligt war, weigerte sich, dem Generalstaatsanwalt gegenüber Angaben zu machen. Er schrieb am 29. Juni 1977: »Im Hinblick darauf, daß die einschlägigen Vorgänge der Staatsanwaltschaft bekannt sind, habe ich nicht die Absicht, zu dem gegen mich erhobenen Vorwurf wegen der Abhörmaßnahmen in der Vollzugsanstalt Stuttgart Stellung zu nehmen.«

Der Generalstaatsanwalt gab sich mit dieser Antwort zufrieden. Vierzehn Tage später, am 13. Juli 1977, trat Dr. Kurt Rebmann sein neues Amt als Generalbundesanwalt in Karlsruhe an.

4. »Die Zwangsverteidiger«
(3. Tag, 10. Juni 1975)

Auch am dritten Verhandlungstag hatte Andreas Baader keinen Verteidiger seiner Wahl. Die vom Gericht verordneten Pflichtverteidiger saßen stumm auf ihren Plätzen. Die Angeklagten weigerten sich strikt, mit den »Zwangsverteidigern« zu sprechen. Die Prozeßatmosphäre wurde von Stunde zu Stunde gespannter. Zu allem Überfluß hatte der Vorsitzende Richter dem Angeklagten Baader nicht mehr als eine Dreiviertelstunde Zeit für das Gespräch mit dem Frankfurter Rechtsanwalt Dr. Heldmann zugebilligt, der trotz allem bereit war, die Verteidigung Baaders zu übernehmen.

Die Bundesanwaltschaft meinte, daß Baader mit den zwei Pflichtverteidigern, die ihm »einmal aus Fürsorgegründen und zum anderen auch zur Sicherung des Verfahrens beigefügt wurden« gut verteidigt sei. »Wenn er sich dieser Herren nicht bedienen will, ist es seine Sache.«

»Na ja, dazu habe ich nochmals festzustellen und immer wieder festzustellen, daß diese Verteidiger dort drüben mich nicht verteidigen können. Mich nicht vertreten, mit mir nie gesprochen haben und mich auch nie sprechen werden«, sagte Andreas Baader.

Endlich wollte der Vorsitzende mit der Vernehmung zur Person beginnen. Er kam nicht dazu. Rechtsanwältin Becker verlas statt dessen einen Antrag, die »Zwangsverteidiger« zu entpflichten. Sie hätten allein die Funktion, als Verteidiger des Vertrauens der Bundesanwaltschaft und des Gerichtes den reibungslosen Ablauf des Verfahrens als »Marionetten in dem bis ins Detail vorprogrammierten Schauprozeß imperialistischer Staatsmacht zu sichern«.

Der Vorsitzende forderte einen der abgelehnten Zwangsverteidiger, den Rechtsanwalt Linke, zu einer Stellungnahme auf. Linke sagte: »Die geliebten Verteidiger, ja, das ist Linke, die …«

Baader rief dazwischen: »Halt die Schnauze, Linke.«

Prinzing griff ein: »Herr Baader, noch ein paar solcher Bemerkungen, und das würde zu Maßnahmen zwingen, die wir gar nicht wünschen. Wir wollen ja, daß Sie hier bei der Verhandlung dabei sind.« Die Angeklagten und ihre Verteidiger schrien dazwischen. Der »Zwangsverteidiger« Künzel meldete sich: »Die Art und Weise des Vortrags und die Behauptungen, die hier aufgestellt werden, zwingen mich, nun doch noch aus standesrechtlichen Gründen einige Bemerkungen zu machen.«

Gudrun Ensslin unterbrach ihn: »Du sprichst nicht für mich!«

»Ich spreche nicht zur Frau Ensslin, in gar keiner Weise, weil ich sie …«

Baader brüllte: »Sie haben einfach die Fresse zu halten!«

»Herr Baader, ich glaube nicht, daß Sie im Augenblick das Wort haben«, bemerkte der Vorsitzende.

»Herr Baader, mit Ihnen unterhalte ich mich im Augenblick doch gar nicht«, sagte Künzel.

Mühsam versuchte der Vorsitzende, Ruhe herzustellen. Gudrun Ensslin, der das Mikrophon abgeschaltet worden war, versuchte sich bemerkbar zu machen.

»Frau Ensslin, Augenblick, Frau Ensslin …«, rief der Vorsitzende.

»Quatschen Sie nichts weg«, schrie Gudrun Ensslin.

»Ich will nichts wegquatschen. Aber Tatsache ist, daß Sie niemand anders reden lassen wollen. Möglicherweise jemand, der nur andere Ansichten vertritt. Dann hören Sie doch einmal in Ruhe zu. Dann können Sie sich dazu äußern.«

Die Zuhörer im Saal begannen jetzt ebenfalls zu schreien. Dr. Prinzing wies Baader zurecht: »Ich bin befugt, Ihnen zu sagen, daß das Gericht bei solch einem Verhalten gezwungen sein könnte, die Verhandlung zunächst mal ohne Sie fortzusetzen. Das wäre uns sehr unlieb.«

Baader redete weiter. Seine Worte waren nicht zu verstehen, weil ihm das Mikrophon abgeschaltet worden war.

»Herr Baader, Sie haben im Augenblick jetzt nicht das Wort und spielen Sie sich nicht so auf. Es hat gar keinen Wert.«

Die Angeklagten riefen dazwischen und erhoben sich von ihren Plätzen.

»Augenblick, nein, nein, es gibt keinen Auszug hier. Es gibt keinen Auszug hier«, stammelte der Vorsitzende. In dem allgemeinen Chaos versuchte Dr. Prinzing, Rechtsanwalt Schily das Wort zu erteilen. Otto Schily schlug vor, die Verhandlung für eine halbe Stunde Pause zu unterbrechen. Der Vorsitzende sah dazu keinen Anlaß:

»Wir wollen jetzt sehen, wie sich die Angeklagten weiterhin aufführen. Ich stelle also zu Protokoll fest, daß die Angeklagten versuchen, durch Rufen zu verhindern, daß sich Herr Rechtsanwalt Künzel hier äußern kann.«

»Was wollen Sie eigentlich noch«, schrie Gudrun Ensslin.

»Frau Ensslin!« Mühsam versuchte der Richter seine Fassung zu bewahren. »Wenn Sie jetzt weiter stören, wie gesagt, dann werden wir uns zurückziehen und uns überlegen, welche Maßnahmen wir gegen Sie zu treffen haben.«

Ulrike Meinhof, ebenfalls ohne Mikrophon, rief Unverständliches dazwischen.

»Darf ich zunächst mal bitten«, sagte der Vorsitzende, »daß sich die Angeklagten, bevor jetzt die Verhandlung weitergeht, setzen, oder wollen Sie sich auch in dieser Beziehung weigern?«

Rechtsanwalt von Plottnitz warf ein:

»Man kennt auch keine Regelung, daß Angeklagte gezwungen werden könnten, während der Hauptverhandlung zu sitzen.«

»Nein«, meinte Dr. Prinzing, »es ist ganz selbstverständlich, daß hier im Rahmen der Sicherheitsvorkehrungen, die getroffen sind, das Sitzen der Angeklagten wichtig ist. Die Angeklagten haben sich jetzt zu setzen.«

»Stehen ist ein Sicherheitsrisiko?« fragte Otto Schily.

»Herr Rechtsanwalt Schily, man braucht wohl nicht zu überlegen, was daraus werden kann. So vernünftig müßten Sie auch sein. Ich bitte die Angeklagten, jetzt wieder Platz zu nehmen.«

Baader weigerte sich: »Wir nehmen natürlich jetzt nicht Platz. Wir haben doch gesagt, Sie haben die Wahl, entweder wir bleiben hier, oder wir müssen mit Gewalt erzwingen, daß Sie uns hier rausschaffen lassen, oder diese Zwangsverteidiger da drüben halten die Schnauze.«

Der Vorsitzende lenkte ein: »Gut. Dann dürfen Sie sich das zunächst mal im Stehen anhören.«

Rechtsanwalt Künzel meinte, er habe Verständnis dafür, daß die Angeklagten nach ihren Erfahrungen die »Zwangsverteidiger« abqualifizierten. Er fände es nur bedauerlich, daß dieses nun auch die Wahlverteidiger täten. Baader unterbrach ihn: »Ja, verdammt noch mal, bringt uns jetzt raus hier.«

Das Gericht zog sich zur Beratung zurück.

Fünf Minuten später waren die Richter wieder auf ihren Plätzen.

Dr. Prinzing wandte sich an Baader: »Bei Fortsetzung eines solchen Verhaltens wäre das Gericht gezwungen, Ihre Ausschließung für diesen Teil der Hauptverhandlung zu beschließen. Sie können sich dazu äußern. Sie können aber auch dazu schweigen und sich ab jetzt geordnet benehmen.«

»Ich stelle das jetzt noch einmal klar«, sagte Andreas Baader, »solange diese Zwangsverteidiger da drüben hier sprechen, uns aufgezwungen und gegen unseren Willen, solange werden wir stören. Und für diesen Teil, das heißt, solange sie sprechen, würde ich Ihnen dann auch vorschlagen, damit nicht diese Szenen hier, diese albernen, zustande kommen, also diese Rangeleien hier, uns für den Teil der Hauptverhandlung jeweils auszuschließen.«

Der Vorsitzende versuchte, sich bemerkbar zu machen, aber Gudrun Ensslin übertönte ihn:

»Und damit Sie dieses Wir auch verstehen, wenn diese Schweine dort drüben nochmals die Schnauze aufmachen …«

»Wen haben Sie jetzt gemeint, mit der Schnauze?« fragte Dr. Prinzing.

»Es geht genau um diese Frage. Entweder Sie oder wir«, sagte Gudrun Ensslin.

»Wir nehmen also zur Kenntnis«, erklärte der Vorsitzende, »Sie wollen für den Fall, daß der Zwangsverteidiger, wie Sie ihn bezeichnen, nochmals sich zu Wort meldet, weiterhin stören.«

Baader, Meinhof, Ensslin und Raspe wurden von Justizbeamten abgeführt.

Regierungsdirektor Widera, Vertreter der Bundesanwaltschaft, trat dem Antrag auf Entpflichtung der »Zwangsverteidiger« entgegen:

»Die Angeklagten reden davon, die Pflichtverteidiger hätten nicht das Vertrauen der Angeklagten. Andererseits bezeichnen die Angeklagten die Pflichtverteidiger als Schweine, die ihre Fresse oder ihre Schnauze zu halten hätten. Das ist genau der Ton, den sie ihren dort sitzenden Anwälten gegenüber außerhalb der Hauptverhandlung, nachweisbar, wiederholt angeschlagen haben. Sie haben sie – jedenfalls schriftlich – immer wieder als Schweine, Säue, Arschlöcher, Lappen und abgefuckte Jungs bezeichnet. Das können sich die Anwälte des Vertrauens, nicht aber die Pflichtverteidiger bieten lassen.«

Rupert von Plottnitz meldete sich zu Wort:

»Ob ein Mandant uns als Arschloch, Lappen oder dergleichen bezeichnet oder wir einen Mandanten mit ähnlichen Ausdrücken belegen, sei es innerhalb oder außerhalb der Verhandlung, das geht nur uns und unsere Mandanten was an. Das geht keinen Bundesanwalt was an, und das geht auch kein Gericht was an, um das hier erst mal klipp und klar festzustellen.«

Rechtsanwalt Schily ergriff das Wort. Die Auseinandersetzungen in diesem Verfahren, so lächerlich sie auch wirkten, zeigten, daß es sich letztlich um einen politischen Prozeß handele. Das würde allein die Bundesanwaltschaft in dem Verfahren jeden Tag unter Beweis stellen: »Mit jeder Maßnahme, die Sie treffen, und mit jedem Gesetz, daß Sie eigens für diesen Prozeß schaffen. Und wenn Sie da immer weiter die Linie zurückdrängen, sind wir ja noch nicht an den Grenzen des Rechtsstaates angelangt. Ich weiß ja gar nicht mehr, in welchem Niemandsland wir da eigentlich landen sollen.«

»Sie sind am Ende, wie mir scheint«, sagte der Vorsitzende. Die Zuschauer im Saal lachten.

Am Nachmittag verlas Dr. Prinzing die Ablehnungsbegründung für den Antrag auf Entpflichtung der Zwangsverteidiger:

»Es sind Verteidiger, deren Qualifikation außer Zweifel steht. Und wir meinen, daß es hoch anzuerkennen ist, daß sich diese Rechtsanwälte als Organe der Rechtspflege trotz der zu erwartenden und nun auch eingetretenen Angriffe ihrer Berufspflicht entsprechend bereit gefunden haben, Pflichtverteidiger in diesem Verfahren zu sein.«

Andreas Baader meldete sich: »Ich habe nun gerade festgestellt, daß einer dieser qualifizierten Verteidiger eingeschlafen war, wie schon häufiger in dem Verfahren.«

»Herr Baader, sind Sie sich dessen sicher, was Sie gerade sagen?« fragte der Vorsitzende.

»Ja, man kann das beobachten. Er sitzt in der zweiten Reihe, es ist der zweite von links.«

Das Publikum im Saal brach in schallendes Gelächter aus und wurde augenblicklich von Prinzing gerügt: »Wir haben nichts dagegen, daß Sie innerlich am Verfahren Anteil nehmen, aber Sie haben nur das Recht zuzuhören. Wir wollen weder Beifalls- noch Mißfallensausbrüche hier haben von seiten des Publikums. Bitte richten Sie sich danach.«

Am Nachmittag dieses Verhandlungstages erhielt der Angeklagte Andreas Baader noch einmal das Wort.

»Wir akzeptieren selbstverständlich die Gesetze des bürgerlichen Staates und des Kapitals nicht, aber wenn Sie damit Fußball spielen, wer soll sie denn überhaupt noch ernst nehmen? Wir beharren auf der juristischen Widerspruchsebene, weil es wichtig ist, genau an ihr die Zersetzung des gesamten ideologischen Begründungszusammenhanges des bürgerlichen Rechtsstaats zu vermitteln.

Hier liegt auch der Grund, warum wir um Wahlverteidiger kämpfen, obwohl sie praktisch gegenüber diesem Senat keine Interventionsmöglichkeit haben und selbstverständlich an der Verurteilung nichts ändern werden.«

5. »Die Akten sind alle«
(4. Tag, 11. Juni 1975)

Am vierten Verhandlungstag hatte Andreas Baader einen Verteidiger seines Vertrauens. Rechtsanwalt Dr. Hans Heinz Heldmann aus Darmstadt hatte das Mandat übernommen. Gleich zu Beginn stellte Heldmann den Antrag, den Prozeß um zehn Tage zu unterbrechen, damit er vorbereitende Gespräche mit seinem Mandanten führen und sich in die umfangreiche Prozeßmaterie einarbeiten könne.

Als nächstes bemängelte der Rechtsanwalt, daß er bisher weder eine

Anklageschrift noch die übrigen Prozeßakten erhalten habe. Daraufhin schlug ihm der Richter vor, sich diese doch von seinen ausgeschlossenen Kollegen zu besorgen. Bundesanwalt Dr. Wunder stellte bedauernd fest: »Hier sind auch keine Exemplare mehr vorhanden, und da gibt es leider keinen anderen Weg, als Herrn Rechtsanwalt Heldmann jetzt schon an die übrigen Kollegen zu verweisen. Ich glaube sicher, die werden ihm hier unter die Arme greifen.«

»Herr Vorsitzender, ist dem Senat bzw. der Bundesanwaltschaft eigentlich bewußt, was sich hier im Moment abspielt?« fragte Rechtsanwalt von Plottnitz. »In einem Verfahren, in dem aber und aber Millionen für angebliche Sicherheitsbelange investiert werden, scheinen Bundesanwaltschaft und auch der Senat aus Kostengründen davor zurückzuscheuen, die minimalsten Verteidigungsunterlagen dem Kollegen Heldmann zur Verfügung zu stellen.«

Der Vorsitzende fand, daß von Plottnitz wegen seiner »überzogenen Formulierungen nicht mehr ernst zu nehmen« sei.

Um 15.30 Uhr erklärte Otto Schily, daß die Angeklagten nicht mehr verhandlungsfähig seien. Bundesanwalt Dr. Wunder meinte, Schilys Antrag diene offensichtlich der Prozeßverschleppung.

»Sehen Sie sich die Angeklagten doch bitte mal etwas näher an, in welchem erbarmungswürdigen körperlichen Zustand sie sich befinden nach drei Jahren Isolierungshaft«, sagte Rechtsanwalt Heldmann. »Fragen Sie sich doch bitte einmal selbst, wer von Ihnen auf der Richterbank dafür kompetent ist, hier Verhandlungsfähigkeit kurzerhand zu deklarieren.«

Das Gericht lehnte die Unterbrechung der Verhandlung ab.

Um 16.05 Uhr erklärte Otto Schily: »Hier soll mit verhandlungsunfähigen Angeklagten weiter verhandelt werden. Und ich sage Ihnen: Für mich ist die Verhandlung jetzt zu Ende.« Der Rechtsanwalt stand auf und verließ den Saal.

Heldmann erklärte, sein Mandant habe sich bereits in der Mittagspause als verhandlungsunfähig erwiesen. Er werde ebenfalls den Saal verlassen. Als auch die übrigen Wahlverteidiger sich von ihren Sitzen erhoben, sagte der Vorsitzende: »Es ist hochinteressant, daß, wenn das Gericht Ihrer Argumentation nicht stattgibt, Sie gleichwohl glauben, Sie könnten damit die Verhandlung sabotieren und den Saal verlassen. Das ist ein außerordentlich interessantes Beispiel für das, was uns die Notwendigkeit vorgeschrieben hat, hier Vorkehrungen zu treffen, daß das ganze Verfahren nicht dasselbe Schicksal erleidet.«

Das Gericht würde die Sitzung nun tatsächlich für heute unterbrechen, nicht weil es wirklich glaube, daß die Angeklagten verhandlungsunfähig seien, sondern weil die Verteidiger den Saal verließen.

6. »Die Verhandlungsfähigkeit«
(5. Tag, 15. Juni 1975)

Der Vorsitzende eröffnete die Sitzung mit einer Rüge für die Wahlverteidiger. Wenn sie sich noch einmal vor Abschluß der Verhandlung aus dem Saal entfernten, liefen sie Gefahr, entpflichtet zu werden.

Die Wahlverteidiger waren auch als »Pflichtverteidiger« beigeordnet und wurden somit aus der Justizkasse bezahlt.

Dr. Prinzing kam auf die Frage der Verhandlungsfähigkeit der Angeklagten zu sprechen. Gleich nach Ende des vergangenen Prozeßtages habe er sich bemüht, den behandelnden Arzt der Vollzugsanstalt vorladen zu lassen. Leider befinde sich der Herr Oberregierungsmedizinaldirektor Dr. Henck im Urlaub. Man habe es aber geschafft, ihn mit einem Hubschrauber einfliegen zu lassen.

Dr. Henck erklärte, daß er sich während des Hungerstreikes um die Gefangenen gekümmert habe, allerdings ohne die Möglichkeit, irgendwelche Untersuchungen durchzuführen. Nur Frau Ensslin und Herrn Raspe, bei denen er während des Hungerstreiks eine vitale Gefährdung vermutet habe, sei im November vergangenen Jahres unter Anwendung von Gewalt Blut entnommen worden. Bei Raspe habe sich eine besorgniserregende Erhöhung der Kaliumwerte im Blut ergeben.

Man habe in der Anstalt aber durch Einsatz der kostspieligsten Nährsubstanzen alles getan, um den Gesundheitszustand der Gefangenen zu bessern.

Als sich bei ihnen Sehstörungen einstellten, hätten alle getönte Brillen bekommen.

Nach Abschluß des Hungerstreiks seien die Gefangenen zusätzlich zur Anstaltskost mit Sonderrationen verpflegt worden: »Mit Butterzulagen, Fleisch, Käse, Ei, Joghurt, Quark. Je nachdem, was im einzelnen verlangt wurde. Und Weißbrot, das wurde dann wieder abbestellt, dann Knäckebrot.«

Dr. Henck erklärte weiter, er habe während seiner Anwesenheit im Verhandlungssaal die Angeklagten beobachten können. »Sie waren sehr intensiv mit sich beschäftigt und haben sich unterhalten. Es fand sich in der Mimik, in der Gestik, in der Unterhaltsamkeit, in der Kommunikation der vier untereinander, zum Teil auch mit den Herrn Verteidigern, kein Hinweis, der eine Verhandlungsunfähigkeit rechtfertigen könnte.« Rechtsanwalt Schily fragte den Arzt: »War Ihnen eigentlich bekannt, was das Ziel des Hungerstreiks war?«

»Das Ziel?« fragte Dr. Henck.

»Ja«, sagte Rechtsanwalt Schily.

»Das Ziel des Hungerstreiks, soweit ich informiert wurde, war, Hafterleichterung zu erhalten.«

»Können Sie das vielleicht noch etwas konkretisieren?«

»Größeren Zusammenschluß«, sagte Dr. Henck, »mehr Hofgang, eine verbesserte Kommunikation.«

Heldmann erkundigte sich: »Die Aufhebung der Isolation wäre zu jenem Zeitpunkt das Mittel der Wahl gewesen. Hatte ich Sie da richtig verstanden?«

»Das ist das Ziel des Eßstreiks wohl gewesen, des Durststreiks«, antwortete Dr. Henck.

»Und der wäre sicherlich, wenn also andere Haftbedingungen, erleichterte Haftbedingungen geschaffen worden wären, vielleicht auch schon früher abgebrochen worden?«

Das ging dem Vorsitzenden nun aber zu weit:

»Ich bin überzeugt, Herr Rechtsanwalt, wenn die Frage so gestellt worden wäre, ob nicht auch die Haftentlassung aus medizinischer Sicht das geeignetere Mittel gewesen wäre, um die Lebensgefahr durch den Hungerstreik zu vermindern …«

Schily unterbrach: »Sie machen sich da was zu eigen, was wirklich in einer lügenhaften Form in vielen Medien propagiert worden ist, daß nämlich mit dem Hungerstreik die Haftentlassung erreicht werden soll. Wir haben, ich weiß nicht in wie vielen Pressekonferenzen, immer wieder erklärt, der Hungerstreik ist von einem Tag auf den anderen zu Ende, wenn die Isolation aufgehoben wird. Und es ist nie, aber auch nie erklärt worden, daß der Hungerstreik dazu dient, die Haftentlassung zu erreichen.«

»Verzeihen Sie«, sagte der Vorsitzende, »Sie engagieren sich jetzt.«

»Ja, ich engagiere mich jetzt.«

»Aber umsonst«, bemerkte der Vorsitzende.

»Weil es mir um die Wahrheit zu tun ist«, sagte Otto Schily.

»Ja, mir auch.«

Nach einigem Hin und Her ergriff Baader selbst das Wort und befragte den Sachverständigen: »Also schön, Herr Henck, Sie haben gesagt, es sei richtig, daß mildere Haftbedingungen zu besserem Befinden führen.«

»Ja«, bestätigte der Anstaltsarzt.

»Würden Sie auch sagen, daß man diesen Satz umdrehen kann?«

»Die Frage habe ich nicht verstanden«, erwiderte Dr. Henck.

Baader fragte noch einmal: »Ist es möglich, daß man den Satz, den Sie gesagt haben, daß mildere Haftbedingungen zu besserem Befinden führen, auch umkehren kann. Insofern, daß besonders verschärfte Haftbedingungen zu einer Zerstörung der Gesundheit der Gefangenen führen?«

Endlich hatte Baader den Gefängnisarzt dort, wo er ihn haben wollte.

»Das versteht sich von selbst«, bestätigte Dr. Henck.

Baader bohrte weiter: »Und dann wollte ich Sie fragen, ob Sie in Ihrer Praxis, in Ihrer Erfahrung als Gefängnisarzt in 20 Jahren eine ähnliche Unterbringung von Gefangenen irgendwo beobachtet oder erlebt haben wie dieser Gefangenen in Stuttgart im 7. Stock.«

»Ist mir nicht bekannt. Nein«, sagte Dr. Henck.

Trotzdem stellte der Gefängnisarzt die Verhandlungsfähigkeit der Angeklagten fest.

Nach einer einstündigen Unterbrechung sollte der Prozeß gegen 16.00 Uhr fortgesetzt werden. Aber die Angeklagten fühlten sich nicht mehr fähig, der Verhandlung zu folgen. Obwohl die Mikrophone abgestellt waren, versuchten Baader und Raspe dem Vorsitzenden zu erklären, daß sie nun den Gerichtssaal zu verlassen wünschten.

»Herr Baader und Herr Raspe, ob Sie rausgehen, können Sie nicht bestimmen«, erklärte der Vorsitzende und gab ihnen gleich noch einen Rat: »Sie wissen ganz genau, wie die Mittel sind, Sie müssen halt entsprechend gestört haben.«

Baader fragte: »Was wollen Sie denn, daß wir hier Krach machen sollen?« Baader stand auf.

»Es stört mich nicht, wenn Sie hier stehen«, sagte Dr. Prinzing. Baader warf krachend einen Gegenstand auf sein Sprechpult. Dann schrie er: »Verdammt noch mal, ich will raus hier!«

Bundesanwalt Widera fragte: »Herr Baader, gefallen Sie sich in dieser Rolle?«

Die Angeklagten schrien unverständlich durcheinander.

»Was soll denn das hier, Herr Vorsitzender?« mischte sich einer der »Zwangsverteidiger« ein.

»Wenn einer von denen redet, gehen wir«, drohte Jan-Carl Raspe.

Und Baader fügte hinzu: »Sollen wir uns hier schinden lassen, weil Sie uns nicht ausschließen wollen, wenn diese Arschlöcher da drüben reden. Dann schließen Sie uns doch aus.«

»Ich stelle fest«, sagte der Vorsitzende, »daß die Angeklagten eben die Pflichtverteidiger mit …« Raspe vervollständigte den Satz: »Als Arschlöcher bezeichnet haben.«

Der Vorsitzende wiederholte: »… Arschlöcher bezeichnet haben, daß Sie sich hier lautstörend benehmen, was aus den Protokollen hervorgeht. Ich drohe Ihnen hiermit an, daß Sie ausgeschlossen werden müssen, wenn Sie dieses störende Verhalten fortsetzen.«

»Was heißt hier fortsetzen, verdammt noch mal«, brüllte Baader.

Als nun auch einer der »Zwangsverteidiger« das Wort ergriff, begannen die Angeklagten zu randalieren. Sie standen auf und konnten nur durch das handfeste Zugreifen der Vollzugsbeamten daran gehindert werden, den Sitzungssaal zu verlassen.

Richter Dr. Prinzing erklärte: »Ich stelle fest, daß die Angeklagten ihr Verhalten fortgesetzt haben!«

»Das ist klar, daß wir rausgehen«, schrie Gudrun Ensslin. Baader griff den Vorsitzenden an: »Sie sind doch wirklich ein Schwein, Prinzing. Sie sehen doch, in was für einem Zustand wir hier sind.«

Um 16.11 Uhr wurden Baader, Ensslin, Meinhof und Raspe von Justizbeamten abgeführt.

Der Vollzugsbeamte Bubeck legte Baader die Hand auf die Schulter: »Machen Sie keinen Ärger. Es bringt doch nichts. Sie müssen doch raus.«

Baader schüttelte die Hand ab: »Machen Sie das nie wieder. Denken Sie an Ihre Frau und Ihre Kinder.«

Als sie den Sitzungssaal verlassen hatten, sagte der Justizbeamte: »Sie können sich die Drohung mit den Kindern ersparen. Ich habe keine Kinder. Im übrigen finde ich das billig, was Sie hier machen. Sie wissen genau, daß wir das machen müssen.«

Baader, der vorher laut und erregt war, schaltete plötzlich um: »So hab' ich das gar nicht gemeint. Ich wollte sagen, Sie sollen an Ihre Frau und Ihre Kinder denken, damit Sie nicht in den Ruf eines Sympathisanten kommen und Ihren Beruf verlieren, wenn Sie mir hier freundschaftlich die Hand auf die Schulter legen.«

7. Baader versucht, sich verständlich zu machen
(6. Tag, 18. Juni 1975)

Allmählich wurde die Frage der Verhandlungsunfähigkeit und damit die Frage der Haftbedingungen zum beherrschenden Thema des Verfahrens. Die Angeklagten durften wieder im Sitzungssaal erscheinen, und Andreas Baader gab als Sprecher der Gruppe seine politische Einschätzung der Haftbedingungen und der politischen Zielrichtung der »Isolationsfolter« zu Protokoll.

Er verlas ein Papier, das an Unverständlichkeit nichts zu wünschen übrigließ: »Das Grundproblem ist auch in diesem Detail des Antagonismus, daß Umerziehung oder Gehirnwäsche als Projekt Legitimation vom Apparat verlangt. Das heißt, um es zu unterwerfen, muß der Apparat das Subjekt konstituieren können. Sache zwischen repressivem Staatsapparat und gefangenem Revolutionär ist aber, daß beide wissen, daß sie in ihrer Unversöhnlichkeit wie ihrer Beziehung Ausdruck der Reife der Entwicklung sind, in der der Widerspruch zwischen Produktivkräften und Produktionsverhältnis antagonistisch wird zur letzten Krise des Kapitals und damit Ausdruck der Tendenz, in der die Legitimation des bürgerlichen Staates zerfallen ist.«

Der Vorsitzende entzog Baader das Wort.

Ulrike Meinhof meldete sich: »Ich erkläre, daß ich verhandlungsunfähig bin. Also, daß ich hier maximal, das war sehr hochgegriffen, dem, was hier abläuft, folgen kann. Und daß ich natürlich fast überhaupt nicht in der Lage bin, in dem Moment, an der Stelle, wo unbedingt was zu sagen wäre, ich was sagen will, sprechen könnte. Die Zwecke, die mit der Isolation verfolgt werden, sind natürlich nicht wirkungslos geblieben. Und das, womit wir zu kämpfen haben an Assoziationsschwierigkeiten, ist natürlich ungeheuer. Völlig absurd, völlig absurd zu glauben, diese drei Jahre wären an irgendeinem von uns spurlos vorbeigegangen. Ich beantrage also, einfach weil es notwendig und nötig ist, für mich und jeden von uns hier, eine ärztliche Untersuchung, und zwar von einem Arzt von draußen.«

Weiterhin beantragte Ulrike Meinhof, nur noch maximal zwei bis drei Stunden am Tag zu verhandeln.

Die Anträge wurden abgelehnt.

8. Die Anrede »Herr« und Vergleiche zum Dritten Reich
(13. Tag, 3. Juli 1975)

Dr. Prinzing versuchte erneut, mit der Vernehmung zur Person zu beginnen, vergeblich. Diesmal meldete sich der Angeklagte Jan-Carl Raspe zu Wort und erklärte, er lehne »Prinzing und den Senat wegen Befangenheit ab«. Es war in diesem Verfahren nicht der erste Ablehnungsantrag, und es sollte auch nicht der letzte bleiben. Der Vorsitzende reagierte verärgert und biß sich an Kleinigkeiten fest. »Herr Raspe, um Sie von vornherein darauf hinzuweisen. Ich sagte Ihnen, die beharrliche Verweigerung der Anrede ›Herr‹ in diesem Gerichtssaale wird als Beleidigung verstanden werden müssen. Bitte gewöhnen Sie sich an diese Form, damit Sie unbeanstandet reden können.«

Raspe begründete seinen Ablehnungsantrag damit, daß der Richter sich permanent weigere, unabhängige Ärzte zur Feststellung der Verhandlungsunfähigkeit der Gefangenen zuzulassen. Er entlarve sich dadurch als Marionette der Bundesanwaltschaft. Mit der Zulassung unabhängiger Ärzte würde die Tatsache der Folter, die Vernichtungsstrategie des Staates gegen politische Gefangene, gegen die Guerilla, gegen die RAF offensichtlich. Für ihn, die Bundesanwaltschaft und den Staatsschutz sei das Sicherheitsbedürfnis erst dann erfüllt, wenn die politischen Gefangenen tot seien.

»Es ist unmöglich, die Analogie zur Justiz des ›Dritten Reiches‹ nicht zu sehen«, erklärte Raspe. »Dieser Richter ist in seiner Argumentation, in seinen Lügen, in seiner Methode, ein Muster der Sorte richterlicher

Unabhängigkeit, die nach 1945 massenhaft auftrat und von ihren Opfern nichts gewußt hatte.«

»Ich höre mir das nicht mehr länger an«, sagte der Vorsitzende. »Also mäßigen Sie sich bitte in Ihren Formulierungen. Der Vergleich mit der Justiz des ›Dritten Reiches‹ wird hier nicht hingenommen.«

»Vielleicht kommen Sie mal auf die Idee, was für eine Beleidigung die Tatsache, daß Sie auf diesem Stuhle sitzen, für uns darstellt«, entgegnete Raspe.

Der Ablehnungsantrag gegen den Senat wurde zurückgewiesen.

9. Die Gefährlichkeit der Angeklagten
(16. Tag, 10. Juli 1975)

Selbstverständlich war die Bundesanwaltschaft in bezug auf die Haftbedingungen ganz anderer Ansicht als die Angeklagten und ihre Verteidiger: »Entgegen Ihrem wiederholten Vorbringen sind die Angeklagten nicht isoliert.« Andreas Baader stände eine Doppelzelle mit einer Grundfläche von 20 Quadratmetern zur Verfügung. Lediglich durch das Magazin von dieser Zelle getrennt, befinde sich die Zelle des Angeklagten Raspe mit einer Größe von zehn Quadratmetern. Diese räumliche Anordnung ermögliche den beiden einen ständigen Sprechkontakt. Von dieser Möglichkeit machten sie regelmäßig, teils bis in die tiefe Nacht hinein, Gebrauch.

Auch die Angeklagten Ensslin und Meinhof, so meinte die Bundesanwaltschaft, könnten sich so verständigen. »Die Ausstattung dieser Zellen vermittelt durchaus eher den Eindruck einer Wohnung als einer Haftzelle. In den Zellen haben die Angeklagten, im Gegensatz zu anderen Gefangenen, ständig Radiogeräte und Plattenspieler zur uneingeschränkten Verfügung. Darüber hinaus benutzen sie in ihren Zellen in ungewöhnlichem Umfang Zeitungen, Zeitschriften und Bücher.«

»Was hat das mit der Isolation zu tun?« fragte Baader.

Die Bundesanwaltschaft bestätigte, daß die Angeklagten an keiner Gemeinschaftsveranstaltung, an keinem Gemeinschaftsgottesdienst, den es für Frauen ohnehin nicht in Stammheim nicht gab, teilnehmen könnten. Dieses sei aber wegen der besonderen Gefährlichkeit der Angeklagten unabdingbar.

Als Beweis dafür verlas Regierungsdirektor Widera einen Befreiungsplan, den Andreas Baader in der Haftanstalt Schwalmstadt geschrieben und nach draußen geschmuggelt habe: »Am besten, Ihr schafft mir vier bis fünf Kilogramm Sprengstoff rein, Stück Zündschnur, zwei Kapseln. Die Menge müßt Ihr durch Versuche schätzen, an irgendwelchen alten Gemäuern, Burgen oder so. Gibt's ja genug, die einsam liegen.«

In dem Plan seien noch mehrere Versionen für einen Ausbruch durchgespielt worden. Oberstaatsanwalt Zeis stellte fest: »Daß die Angeklagten aus der Haft befreit werden wollen und sollen, ergibt sich unter anderem auch daraus, daß die Terroristen in Stockholm ihre Freilassung gefordert haben.«

10. »Herr Baader in der Rolle des Gequälten«
(17. Tag, 16. Juli 1975)

Knapp eine Woche später antwortete Baader auf den Vortrag der Bundesanwaltschaft:

»Die Argumentation läuft im Grund darauf raus, wir wären nicht isoliert, weil wir über etwas größere Zellen verfügten als andere Gefangene in Stuttgart-Stammheim. Ich stelle darum nochmals fest: Wir waren bis auf einen ganz kurzen Zeitraum während des Hungerstreiks, in dem je zwei von uns ein paar Stunden am Tag miteinander sprechen konnten, in den letzten drei Jahren vollständig innerhalb des Gefängnisses isoliert. Wenn Zeis dagegen anbringt, wir könnten – zum Beispiel Jan und ich – durch einen ein Zentimeter breiten Schlitz oben in der Tür Sprechkontakt haben, dann sagt er doch wirklich alles über sich. Immer wenn da gesprochen wird, steht jemand vor der Tür und schreibt mit, oder die Gespräche werden aufgenommen und ausgewertet. Ich will sagen, das sind Haftbedingungen, wie sie in dieser Dauer und Härte nicht mal der Staatsschutz des Dritten Reiches, in dessen Tradition die Bundesanwaltschaft hier sitzt und argumentiert, verfügen konnte.«

Das ging dem Vorsitzenden zu weit. Er entzog Baader das Wort. Dann zitierte er ein Urteil des Obersten Gerichtshofes der USA: »Unsere Gerichtshöfe, die das Paladium der Freiheit sind, dürfen nicht ungestraft respektlos behandelt werden. Es kann nicht geduldet werden, daß ein Angeklagter durch Störungen für unbegrenzte Zeit die Durchführung seines Verfahrens beeinträchtigt. Es würde unser Land und unser Gerichtssystem erniedrigen, wenn wir erlauben, daß unsere Gerichte tyrannisiert, beleidigt, erniedrigt werden und ein ordentliches Verfahren unmöglich gemacht wird.« Der Vorsitzende bat darum, an diese Worte zu denken, wenn er, wie es seine Pflicht sei, derartige Ausfälle der Angeklagten zu verhindern suchte.

Rechtsanwalt Heldmann erwiderte, daß die Verteidigung sehr gern damit einverstanden wäre, wenn der Senat von nun an amerikanisches Recht anwende: »Sie selbst, Herr Vorsitzender, wissen wohl am besten, daß Sie dann dieses Verfahren sofort einzustellen hätten, wegen der öffentlichen Vorverurteilung, die sich durch Ihre Äußerungen hier im Gerichtssaal hinreichend dokumentiert.«

Heldmann protestierte dagegen, daß Andreas Baader das Wort entzogen worden war:

»Diese Wortentziehung ist nicht erfolgt wegen Ungebühr vor Gericht, sondern diese Wortentziehung bedeutet die Zensur einer politischen Meinungsäußerung, die durch Artikel 5 des Grundgesetzes geschützt und privilegiert ist.«

Für die RAF, so erklärte Baader, gelte überhaupt kein Recht. »Wir sollen vernichtet werden. Also nicht einmal Kriegsrecht. In diesem Verfahren wird sogar noch das Sonderrecht, das für die Bundesanwaltschaft und ihr Gericht hier geschaffen worden ist, gebrochen.«

Bundesanwalt Dr. Wunder schaltete sich ein: »Herrn Baader kommt die Rolle, sich zum Gequälten und zum Richter über die Justizorgane aufzuschwingen, nicht zu. Er sollte nicht vergessen, daß man ihn des mehrfachen Mordes angeklagt hat. Ob er in der Verhandlung überführt wird, werden die Sitzungen ergeben. Die Bundesanwaltschaft ist davon überzeugt. Gleichwohl merkt aber Herr Baader, daß die Bundesanwaltschaft ebenso wie das Gericht um besondere Objektivität bemüht ist.«

Die Angeklagten lachten, und der Bundesanwalt fuhr fort: »Im übrigen gibt es, trotz der Unschuldsvermutung, Herr Baader, für die Bundesanwaltschaft nicht die Pflicht, Sie etwa mit Glacéhandschuhen anzufassen.«

Die Mehrheit der Zuschauer klatschte Beifall.

11. »Ein normaler Straffall«
(21. Tag, 30. Juli 1975)

»Ja, nach unseren Vorstellungen sollte es langsam mit der Vernehmung zur Person weitergehen«, eröffnete Dr. Prinzing den 21. Verhandlungstag. Ein Ablehnungsantrag der Angeklagten Meinhof, nach der Strafprozeßordnung vorrangig zu behandeln, machte ihm einen Strich durch die Rechnung.

In einer Sendung der ARD zum Auftakt des Baader-Meinhof-Prozesses hatte Richter Prinzing sinngemäß erklärt, der Prozeß gegen die vier Gefangenen sei kein politisches Verfahren, es handele sich vielmehr um einen »normalen Straffall«.

Zur Begründung ihres Ablehnungsantrages erklärte Ulrike Meinhof: »Dieser Prozeß ist der erste politische Prozeß in der Bundesrepublik seit 1945. Die Bundesanwaltschaft und das Gericht sind nicht intelligent genug, im Objekt ihrer Vernichtungsmaßnahmen auch das Opfer zu sehen. Die Bundesanwaltschaft und das Gericht sehen nur den Feind, den sie erschlagen wollen. Darin zeigt sich auch die grundsätzlich andere Bestimmung unseres Kampfes. Wir können im Faschisten auch das Objekt seiner Umstände sehen und seines Apparates. Es sind nicht wir, die Fanatismus nötig haben, sondern Bundesanwaltschaft und Gericht sind fanatisch. Sie sind nie zu einer inhaltlichen Stellungnahme zu den Argumentationen von Andreas und von uns gekommen. Sie sind immer nur formalistisch.«

Am 2. August 1976 wurde den im 7. Stock untergebrachten Gefangenen Baader, Raspe, Ensslin und Meinhof, zu denen inzwischen auch die RAF-Frauen Mohnhaupt und Schubert gekommen waren, gestattet, den Hofgang gemeinsam durchzuführen und sich täglich für vier Stunden auf dem Flur zum »Umschluß« zu treffen. Baden war jetzt während der Woche täglich erlaubt, nach Geschlechtern getrennt auch gemeinsam. Die Sportgeräte im Trakt, ein Trockenrudergerät und ein Fahrradergometer, durften täglich benutzt werden. Auf Anordnung des Anstaltsarztes wurde der elektrische Strom auch nachts angeschaltet – wohl, damit sie ihre Plattenspieler benutzen konnten. Glühbirnen und Leuchtstoffröhren mußten sie dagegen abends abgeben.

12. Die Grundregeln des Terrorismus
(23. Tag, 5. August 1975)

Während der Vorsitzende Richter immer wieder versuchte, den Prozeß in den Griff zu bekommen, um endlich mit der Vernehmung zur Person beginnen zu können, stellten Angeklagte und Verteidiger einen Ablehnungsantrag nach dem anderen. Sie versuchten, den Prozeß auf eine politische Ebene zu heben, der Öffentlichkeit ihre Motive für den Untergrundkampf zu vermitteln. In ihren Zellen hatten sie Erklärungen vorbereitet, die sie im Prozeß vortrugen; immer wieder unterbrochen vom Vorsitzenden, dem das alles zu weitschweifig war.

Zwei Welten prallten hier aufeinander, die, wenn überhaupt, nur durch die Strafprozeßordnung zusammengehalten wurden.

Andreas Baader versuchte, sich mit der staatsoffiziellen Definition der Stadtguerilla auseinanderzusetzen. Er zitierte den Innenminister von Rheinland-Pfalz, der gesagt hatte: »Die Grundregel des Terrorismus ist, möglichst viele Menschen zu töten. Lähmendes Entsetzen, das ist der Gefühlszustand, den Terroristen offenbar bei immer mehr Menschen in der ganzen Welt herstellen wollen.«

»Ich würde sagen«, meinte Andreas Baader, »das ist die präzise Definition von Israels Politik gegen die palästinensische Befreiungsbewegung, das ist die präzise Definition der Vietnam-Politik der USA bis zu ihrer Niederlage. Das ist die präzise Definition der Politik der Junta in Chile, und das ist die präzise Definition der Politik der Bundesanwaltschaft und ihre Grundregel, möglichst viele tote Kämpfer, möglichst viele tote Gefangene, Exekutionen auf offener Straße, der Todesschuß und so weiter. Lähmendes Entsetzen ist in der Tat präzise der Gefühlszustand, den die Bundesanwaltschaft bei immer mehr Menschen herstellen will, wenn sie immer mehr tote Trakts bauen läßt und immer öfter Gefangene in tote Trakts bringt und darin läßt.«

Dr. Prinzing verwarnte Baader: »Sie haben Ablehnungsgründe gegen diese Richter vorzutragen und nicht allgemeine Ausführungen zu machen.«

Baader fuhrt fort: »Was der Generalbundesanwalt Buback macht, ist, exakt definiert, Terrorismus, staatlicher Terrorismus. Also der Terrorist Buback …«

»Herr Baader«, unterbrach ihn der Vorsitzende, »jetzt entziehe ich Ihnen das Wort. Wenn Sie dem Generalbundesanwalt vorwerfen wollen, er betreibe staatlichen Terrorismus, dann geht es über das hinaus, was wir …«

Baader wollte etwas erwidern, aber der Richter drehte ihm das Mikrophon ab.

Ulrike Meinhof meldete sich:

»Terrorismus ist die Zerstörung von Versorgungseinrichtungen, also Deichen, Wasserwerken, Krankenhäusern, Kraftwerken. Eben alles das, worauf die amerikanischen Bombenangriffe gegen Nordvietnam seit 1965 systematisch abzielten. Der Terrorismus operiert mit der Angst der Massen. Die Stadtguerilla dagegen trägt die Angst in den Apparat.«

Der Vorsitzende unterbrach Ulrike Meinhof und verwarnte sie: »Ich kann nicht hinnehmen, daß Sie hier eine Begründung abgeben, die keinen Sachzusammenhang erkennen läßt.«

»Schließen Sie uns doch gleich aus«, sagte Andreas Baader, »Sie wollen hier doch jedes Wort verhindern.«

Ulrike Meinhof durfte fortfahren: »Die Aktionen der Stadtguerilla richten sich nie, richten sich nie gegen das Volk. Es sind immer Aktionen gegen den imperialistischen Apparat. Die Stadtguerilla bekämpft den Terrorismus des Staats.«

Der Vorsitzende entzog Ulrike Meinhof das Wort, worauf die Angeklagten aufstanden, ihre Sachen zusammenpackten und aus der Sitzbank drängten. »Bitte nehmen Sie Platz, Sie haben kein Recht, die Hauptverhandlung zu verlassen«, sagte der Vorsitzende. Im Stehen antwortete Baader: »Sie lassen uns nicht mal die Begründung von Ablehnungsanträgen bringen, das heißt, unsere Anwesenheit ist vollkommen funktionslos. Sie berauben uns wirklich unserer elementarsten letzten Rechte.«

»Du Pfeife, du«, schrie ein Zuhörer dem Vorsitzenden entgegen.

Dr. Prinzing drehte Baader das Mikrophon ab, der aber sprach ohne Verstärker weiter: »Sie sind der Herr der Mikrophone, das mag ja sein. Aber der Herr des Verfahrens sind Sie deswegen noch lange nicht.«

Die Angeklagten Baader, Ensslin und Meinhof wurden auf Anweisung des Vorsitzenden aus dem Saal entfernt.

13. »Herr Baader, Sie haben mich ein faschistisches Arschloch geheißen.«

(26. Tag, 19. August 1975)

Wieder einmal wollte der Vorsitzende mit der Vernehmung zur Person beginnen. Aber noch waren die Angeklagten nicht von Ärzten ihres Vertrauens untersucht worden. Die Verteidiger erklärten, sie könnten es nicht mehr verantworten, daß die Angeklagten mit Medikamenten gedopt würden, nur um während der Verhandlung nicht von den Stühlen zu fallen. Die oberflächliche Begutachtung durch Sachverständige wie den Gefängnisarzt Dr. Henck reiche nicht aus, um den Gefangenen Verhandlungsfähigkeit zu bescheinigen.

Rechtsanwalt von Plottnitz erklärte dem Gericht: »Wir werden hier erst wieder verteidigen, wenn nicht mit Provisorien gearbeitet wird, sondern auf der Grundlage gesicherter Erkenntnisse.«

Im Saal wurde Beifall geklatscht, und Rechtsanwältin Becker und Rechtsanwalt Schily standen auf, packten ihre Unterlagen zusammen und blieben vor der Verteidigerbank stehen.

»Die Verhandlung wirt fortgesetzt, auch wenn Sie abwesend sind«, wandte sich der Vorsitzende an die Anwälte.

Ungerührt stand jetzt auch Rechtsanwalt von Plottnitz auf, schob seine Akten zusammen und stellte sich neben die Kollegen.

»Ich verwahre mich gegen Ihre Vorhaltung, wir verletzten Verteidigerpflichten«, erklärte Dr. Heldmann, und während er zusammen mit den anderen Vertrauensanwälten den Gerichtssaal verließ, wandte er sich noch einmal an den Vorsitzenden: »Wir nehmen Verteidigerpflichten ernst, wo wir uns wehren, mit Angeklagten verhandeln zu lassen, die möglicherweise verhandlungsunfähig sind. Das ist unsere Verteidigerpflicht.« Der Senat möge ihn benachrichtigen, sobald ein ärztliches Gutachten vorläge.

Der Vorsitzende war verwirrt: »Herr Rechtsanwalt Heldmann verläßt den Saal. Die Angeklagten stehen. Was soll das bedeuten?«

»Daß sie uns ausschließen sollen«, rief der Angeklagte Raspe.

»Ganz richtig, ja, ja«, fügte Baader hinzu.

»Sie sollen sich setzen!« rief der Vorsitzende.

»Nein, wir werden nicht weiter an der Verhandlung teilnehmen. Lassen Sie uns ausschließen.«

»Wenn Sie hier weiter stehen bleiben in dieser Form und nicht bereit sind ...«

»Ja, was wollen Sie denn?« unterbrach ihn Andreas Baader. »Daß wir hier rumbrüllen oder was? Lassen Sie doch diese albernen ...«

»Sie sollen sich setzen und an der Verhandlung in Ruhe teilnehmen.«

»Wir werden an der Verhandlung nicht teilnehmen.«

»Herr Baader, Sie haben das erklärt. Sie weigern sich, sich zu setzen.«

»Wollen Sie erreichen, daß wir hier formal stören sollen, oder was soll das?« fragte Raspe.

»Schließen Sie uns aus«, forderten Gudrun Ensslin und Ulrike Meinhof.

»Ich muß Sie darauf hinweisen, daß das, was Sie jetzt machen, eine Störung der Hauptverhandlung ist. Wenn sie das fortsetzen, müssen Sie ausgeschlossen werden.«

»Ja, hoffentlich!« entgegnete Baader, »ja, mach schon, alter Affe.«

»Gilt das für alle Beteiligten?« fragte der Vorsitzende.

»Ja«, antwortete Gudrun Ensslin.

»Sie weigern sich also hierzubleiben?«

Im Saal entstand Unruhe. Eine Reihe von Zuhörern stand auf.

»Das Publikum soll sich entweder setzen oder den Saal verlassen. Hier gibt es kein Stehen. Wenn Sie sich nicht setzen, werden die Leute aus dem Saal entfernt werden müssen.«

Nach kurzer Besprechung mit seinen Richterkollegen stellte der Vorsitzende fest, die Angeklagten hätten gestört und würden nun von der Verhandlung ausgeschlossen. Ohne die Angeklagten und die Verteidiger ihres Vertrauens ging die Verhandlung weiter.

»Da wir aber jetzt zur Phase zur Vernehmung zur Person kommen, glauben wir, daß der Grundsatz des rechtlichen Gehörs ein so überragendes Interesse hat, daß wir dazu die Angeklagten wieder vorführen lassen, und zwar einzeln.« Der Vorsitzende forderte die Justizbeamten auf, zunächst den Angeklagten Raspe vorzuführen. »Notfalls mit Gewalt, das läßt sich nicht umgehen.«

Als im Saal Protestrufe der Zuschauer laut wurden, sagte Dr. Prinzing: »Ich bitte die Herren von den Ordnungskräften, den Zuschauerraum genau im Auge zu behalten, damit wir die Störer kennen und die entsprechenden Maßnahmen ergriffen werden können.«

16 Minuten nach seinem Ausschluß wurde Jan-Carl Raspe von zwei

Justizbeamten zurück in den Gerichtssaal geschleppt. »Bitte nehmen Sie Platz«, sagte der Vorsitzende.

»Ich nehme nicht Platz.«

»Dann darf ich Sie auf folgendes hinweisen. Wir beabsichtigen, jetzt zur Vernehmung zur Person zu kommen.«

»Das interessiert mich nicht.«

»Sie haben jetzt Gelegenheit, sich zu äußern, zu Ihrer Person. Wenn Sie das nicht tun, ist die Konsequenz, daß wir in der Verhandlung fortschreiten müssen.«

»Ich habe hier nur zu erklären, daß ich hier hochgeschleppt worden bin.«

»Würden Sie freundlicherweise ein Mikrophon benutzen.«

»Ich habe Ihnen im Augenblick nur zu erklären, daß ich gewaltsam hochgeschleppt worden bin. Unter diesen Bedingungen werde ich keine Erklärung zur Person abgeben.«

Raspe klopfte mehrmals auf die Anklagebank: »Ich gehe jetzt wieder runter, und Sie werden natürlich das Schauspiel noch mal durchziehen.«

»Sie haben die Pflicht hierzubleiben, als Angeklagter.«

»Wenn Sie mich nicht von sich aus ausschließen, dann werde ich hier eben irgendwie über die Brüstung steigen.«

Raspe versuchte, sich aus der Anklagebank zu drängen und wurde vom Wachpersonal daran gehindert, den Saal zu verlassen. Daraufhin beschloß das Gericht, Raspe erneut zu entfernen. Der Vorsitzende ordnete an, nun die Angeklagte Meinhof vorzuführen. Nach wenigen Minuten wurde sie von vier Beamten an Händen und Füßen in den Sitzungssaal getragen.

»Frau Meinhof, bitte nehmen Sie Platz.«

»Ich denke nicht daran.«

»Sie denken nicht daran«, wiederholte der Vorsitzende. »Würden Sie wenigstens das Mikrophon benutzen, damit wir verstehen, was Sie zu sagen haben?«

»Ich will das gar nicht hören. Ich bin nicht in der Lage, mich zu verteidigen und kann natürlich auch nicht verteidigt werden.«

»Wollen Sie sich zur Person äußern?«

»Unter diesen Umständen äußere ich mich nicht zur Person«, sagte Ulrike Meinhof, drängte sich aus der Anklagebank und wurde vom Wachpersonal festgehalten.

»Ich will gehen«, sagte sie.

»Sie haben die Pflicht, als Angeklagte hierzubleiben.«

»Ich laß mich doch nicht zwingen, du Arschloch!«

»Frau Meinhof, ich stelle fest, daß Sie mich eben mit Arschloch, mit ›du Arschloch‹ angesprochen haben.«

»Nimmst du das vielleicht mal zur Kenntnis …«

Nach geheimer Beratung mit seinen Kollegen erklärte Dr. Prinzing: »Die Angeklagte wird für den heutigen Verhandlungstag ausgeschlossen, weil sie den Vorsitzenden ›du Arschloch‹ genannt hat.«

Andreas Baader wurde hereingeführt. Er weigerte sich, Platz zu nehmen: »Jetzt schließen Sie mich doch gefälligst aus!«

»Herr Baader, das ist keine Frage Ihres Wunsches.«

»Dann legen Sie doch bitte mal einen Katalog von Störungen fest. Oder muß ich Sie erst mal beschimpfen? Das fällt mir sehr schwer. Sie wollen mich zwingen hierzubleiben?«

»Ich muß Sie zwingen, nicht ich will Sie zwingen.«

»Was erwarten Sie, wollen Sie Beschimpfungen provozieren, oder was?«

»Ich will gar nichts provozieren. Mir ist sympathischer, wenn Sie keine Beschimpfungen aussprechen.«

»Ich werde die Verhandlung stören. Das ist doch ein ganz dreckiges Manöver, was Sie hier machen.«

»Das ist kein dreckiges Manöver. Es legt mir die Prozeßordnung die Pflicht auf, mich so zu verhalten, wie ich es tue.«

»Ja, was wollen Sie? Wollen Sie unbedingt, daß es hier zu physischer Gewalt kommt, oder was?«

»Sie sollen sich setzen und geordnet teilnehmen.«

»Es ist eine dreckige Manipulation, daß Sie mich hier zwingen, verdammt noch mal, fünf Minuten lang darauf zu beharren, daß Sie mich endlich ausschließen. Ich will hier raus, sehr einfach.«

»Es ist keine Frage Ihres persönlichen Wunsches. Sie haben die Pflicht, als Angeklagter hierzubleiben.«

»Na schön, dann machen Sie eben diese lächerliche Prozedur. Ich werde stören, solange ich hier drin bin.«

»Bis jetzt stören Sie noch nicht«, stellte der Vorsitzende fest.

»Na ja, ich weise Sie darauf hin, Prinzing, daß Sie mich jetzt ausschließen werden, sonst sehe ich mich gezwungen, Sie zu beschimpfen.«

»Herr Baader«, rief der Vorsitzende beschwörend.

»Ja, wollen Sie es unbedingt hören? Also, Sie können das hören, Sie können das in verschiedener Form haben.«

»Ich will es nicht hören.«

»Na ja, Sie können auch von mir hören, daß Sie ein faschistisches Arschloch sind.«

Während Gudrun Ensslin von Justizbeamten in den Sitzungssaal geführt und vor der Anklagebank festgehalten wurde, sagte der Vorsitzende: »Aha, ein faschistisches Arschloch.«

»Schließen Sie mich jetzt aus?« fragte Baader.

»Und mich gleich mit, altes Schwein«, ergänzte Gudrun Ensslin.

Der Vorsitzende wollte etwas sagen, doch Baader unterbrach ihn: »Ich stelle noch mal ausdrücklich fest, Prinzing, Sie sind ein faschistisches altes Arschloch!«

Der Vorsitzende ordnete an, Baader das Mikrophon abzustellen.

»Wir sind nicht verteidigungsfähig, infolgedessen werden wir auch nicht teilnehmen, alte Sau«, sagte Gudrun Ensslin.

»Sie haben gestört. Ich habe vernommen, Sie haben mich eine ›alte Sau‹ genannt, habe ich das richtig gehört? Oder täusche ich mich? Ich möchte das festgestellt haben, trifft es zu? Und, Herr Baader, Sie haben mich ein ›faschistisches Arschloch‹ geheißen.«

Dann fragte der Vorsitzende Gudrun Ensslin, ob sie sich zur Person äußern wolle.

»Altes Schwein«, lautete die Antwort.

Die Angeklagten wurden wieder ausgeschlossen und in die Haftanstalt zurückgebracht. Der Vorsitzende fragte die Zwangsverteidiger, ob sie sich in irgendeiner Weise zu diesem Vorgang äußern wollten. Sie wollten nicht.

Nachdem die Anhörung zur Person auf diese Weise erledigt war, konnte der Vertreter der Bundesanwaltschaft die Anklage verlesen:

»Klage ich an:

Den berufslosen Andreas Bernd Baader, die Studentin Gudrun Ensslin, die Journalistin Ulrike Marie Meinhof, den Diplomsoziologen Jan-Carl Stefan Raspe, gemeinschaftlich durch neun selbständige Handlungen

a) heimtückisch und mit gemeingefährlichen Mitteln in zwei Fällen insgesamt vier Menschen getötet und in weiteren Fällen mindestens 54 Menschen zu töten versucht zu haben,

b) in Tateinheit hiermit

durch Sprengstoffe Explosionen herbeigeführt und dadurch Leib und Leben anderer sowie fremde Sachen von besonderem Wert gefährdet zu haben …

tateinheitlich eine Vereinigung gegründet zu haben, deren Zwecke darauf gerichtet sind, strafbare Handlungen zu begehen …

Auch nach der Verhaftung gaben die Angeschuldigten ihre Ziele nicht auf. Noch aus der Haft heraus versuchten sie, die Gruppenarbeit neu zu organisieren …«

Die Gefangenen hörten sich die Anklage nicht an.

Während des täglichen Umschlusses der vier Gefangenen saß jeweils ein Justizbeamter am entgegengesetzten Ende des Korridors auf einem Stuhl und beobachtete sie. Nach jeweils einer Stunde wurde der Beamte abgelöst. Anschließend mußte er einen schriftlichen Bericht über seine Beobachtungen und über das, was er gehört hatte, verfassen.

Bei Besuchen von Familienangehörigen wurde – zusätzlich zum Anstaltspersonal – eigens ein Kriminalbeamter dazugeholt, der ein Protokoll über die Gespräche anfertigen mußte.

Bei der Freistunde auf der vergitterten und überdachten Terrasse über dem siebten Stock führten jeweils zwei Beamte und eine Beamtin die Aufsicht. Meistens überzogen die Gefangenen ihre Zeit. Wenn die Beamten zum Aufbruch mahnten, kam es regelmäßig zu Beleidigungen von seiten der Gefangenen. Einmal sagte Andreas Baader: »Ich schick' Ihnen mal ein paar Leute. Für ein paar tausend Mark finde ich jeden Killer, der auch Ihre Frau umbringt.«

Nachts saß ein Beamter im Dienstzimmer am Eingang zum Zellentrakt. Auf einem Monitor konnte er den von Fernsehkameras überwachten Korridor und die Türen der Häftlingszellen beobachten.

Im Normalfall wurde die Hochsicherheitsabteilung in der Nacht nur einmal um 23.00 Uhr betreten. Die Vollzugsbeamten öffneten die Klappen an den Zellentüren und verlangten von den Häftlingen die Herausgabe der am Morgen ausgeteilten Neonröhren und Glühbirnen. Meistens gaben die Gefangenen die Leuchtkörper wortlos heraus. In die Zellen konnten die Beamten dabei nicht sehen, weil die Häftlinge an den Innenseiten der Türen Landkarten oder Vorhänge befestigt hatten.

14. Die Angeklagten sind verhandlungsunfähig
(39. Tag, 23. September 1975)

Über mehr als vier Monate schleppte sich der Prozeß hin. Es ging immer wieder um die Frage der Verhandlungsfähigkeit der Angeklagten.

Am 39. Prozeßtag lagen die Gutachten der drei vom Gericht bestellten medizinischen Sachverständigen vor. Sie kamen zum übereinstimmenden Ergebnis, daß die Angeklagten unter Schwächegefühl, geringem Leistungsvermögen, Wahrnehmungs- und Artikulationsstörungen, Untergewicht zwischen 14 und 23 Kilogramm, niedrigem Blutdruck sowie Konzentrationsstörungen, Ulrike Meinhof sogar unter Konzentrationsunfähigkeit litten. Bei Baader wurde zusätzlich eine außergewöhnlich niedrige Herzfrequenz festgestellt.

Die Gutachter konstatierten eine auf höchstens drei Stunden täglich begrenzte Verhandlungsfähigkeit und schlugen eine Lockerung der Haftbedingungen vor.

Einer der Gutachter, Professor Rasch, war der Meinung, zehn bis 15 Gefangene müßten zu einer »interaktionsfähigen Gruppe« zusammengelegt werden. Nur so könnten die Isolationsschäden verringert werden.

Was die Angeklagten und ihre Verteidiger immer wieder behauptet hatten, war nun gutachterlich bestätigt.

Der Vorsitzende Richter sagte: »Das Gericht muß sich nun über die rechtlichen Konsequenzen klarwerden.« Nach drei Minuten schloß er die Verhandlung und lud die Beteiligten zur Fortsetzung eine Woche später.

In der Vollzugsanstalt Stammheim schrieb einer der Justizbeamten seine »Meldung« für die Anstaltsakten:
»26. September 1975. »Die Zelle des Obengenannten (Baader) befindet sich in den letzten Tagen in einem unbeschreiblichen Zustand. Der

gesamte Fußboden ist mit Lebensmitteln und sonstigen Gegenständen belegt. Von den diensthabenden Beamten wird zunehmend festgestellt, daß die zum Teil schon verdorbenen Lebensmittel von Eintagsfliegen befallen sind. Vorhalte von den Aufsichtsbeamten werden nicht beachtet.«

Nicht zum ersten Mal war eine der Zellen im siebten Stock in heilloser Unordnung. Der Anstaltsleitung erschien dieses Problem unlösbar. Der stellvertretende Gefängnisdirektor Schreitmüller sagte später vor dem Untersuchungsausschuß des Stuttgarter Landtags, der die Zustände in Stammheim untersuchen sollte: »Man hätte natürlich die Gefangenen anweisen können, ihre Zellen aufzuräumen. Das hätten sie mit Sicherheit nicht getan. Ich hatte den Eindruck, das war ein Zeichen innerer Abneigung gegen jegliche Ordnung. Sie werden gleich fragen, ob man sie nicht hätte entsprechend disziplinieren können. Was hätte man tun können? Man kann einen Baader nicht in Arrest bringen. Da wäre der Arzt sofort eingeschritten. Man konnte ihm nicht den Fernseher wegnehmen, denn das war auch eine ärztliche Maßnahme. Man konnte ihm nicht den Umschluß sperren, denn das war auch eine ärztliche Maßnahme. Man konnte ihn nicht auf halbe Kost setzen, dann hätte auch der Arzt etwas gesagt.
Man konnte praktisch mit Ordnungsmaßnahmen nicht gegen die Leute vorgehen. Nun, man hätte natürlich die Beamten anweisen können, die Zellen aufzuräumen. Aber dann hätte es geheißen, die Beamten sind vollends die Diener und die Hausknechte von diesen Leuten. Das wäre wohl auch nicht das richtige gewesen.«

Der Gefängnisarzt Dr. Henck hielt die hygienischen Zustände im siebten Stock auch aus medizinischer Sicht für untragbar. »So hält sich kein Tier auf, das hält sich wenigstens sein Nest sauber«, sagte er dem persönlichen Referenten des baden-württembergischen Justizministers. »Das oben ist kein Strafvollzug, das ist ein Pi-pa-po-Laden, ein Saftladen.« Vor allem bei Baader lagen ständig Essensreste, Asche und Zigarettenstummel auf dem Fußboden zwischen Zeitungsausschnitten, Büchern und Akten. »Alles verdreckt und verkommen«, sagte der Arzt. »Und Raspe als der Hausbursche von Baader hat manchmal ihm seine Bude da saubergemacht.«

Dr. Henck versuchte es mit gutem Zureden. »Es hatte aber keinen Sinn, ich kann Herrn Baader nicht beeinflussen, er soll seine Zelle aufräumen, damit er hygienischer lebt.«

15. Ein neues Gesetz kommt zur Anwendung
(40. Tag, 30. September 1975)

Der Vorsitzende Richter Dr. Prinzing verkündete: »Die Hauptverhandlung wird in Abwesenheit der Angeklagten fortgesetzt. Die Begründung: Die Angeklagten sind …« Der Vorsitzende konnte nicht weitersprechen. Erregt sprangen einige der Verteidiger auf und unterbrachen den Vorsitzenden.

Dr. Prinzing rief dazwischen: »Ich will jetzt die Entscheidung begründen. Bitte, mich nicht zu unterbrechen. Die Angeklagten sind verhandlungs …«

Der Vorsitzende kam nicht weiter.

»Ich stellte den Antrag, mir das Wort zu erteilen«, sagte Rechtsanwalt von Plottnitz.

»Ich bitte, das Wort abzustellen. Hier hat niemand das Wort. Herr Rechtsanwalt, Sie haben, Sie haben jetzt nicht das Wort.«

»Wir haben jetzt rechtliches Gehör«, sagte Rechtsanwalt Dr. Heldmann.

»Sie haben kein rechtliches Gehör, denn Sie hatten es bereits, Sie hatten es bereits.«

»Ich hatte nicht einmal die Stellungnahme gehabt, du Schwein«, schrie Baader.

Der Vorsitzende verwarnte den Angeklagten und drohte mit Ausschluß.

»Verwarn mich doch, altes Arschloch«, brüllte Baader.

Dr. Prinzing versuchte mit der Begründung fortzufahren, aber die erregten Anwälte unterbrachen ihn erneut.

»Herr Vorsitzender, Sie wollen unsere Stellungnahmen unterdrücken, das ist der Tatbestand«, erklärte Heldmann. Die Verteidiger wurden zunehmend lauter.

Die Angeklagten redeten miteinander, und prompt drohte der Vorsitzende mit Ausschluß. Baader beantragte eine Pause, um einen Ablehnungsantrag gegen den Vorsitzenden zu stellen. Der Richter entzog ihm das Wort und schloß Baader unmittelbar darauf von der Verhandlung aus.

»Ja, du bist doch ein Idiot«, übertönte Gudrun Ensslin das allgemeine Geschrei. Baader stand auf und blieb vor der Anklagebank stehen: »Das ist doch einfach ganz klar, daß Sie hier jetzt mit äußerster Brutalität verhandeln müssen.« Seine weiteren Worte gingen im Tumult unter. Ein Vollzugsbeamter versuchte Baader abzuführen.

»Rühr mich nicht an hier«, wehrte sich der Angeklagte.

»Abführen!« befahl der Vorsitzende.

»Das ist ein unglaublicher Akt von Unterdrückung, Herr Dr. Prinzing«, bemerkte Rechtsanwalt Heldmann.

»Ich bitte jetzt, den Angeklagten, notfalls mit Gewalt, abzuführen.«

»Ich bitte um eine Pause, ich bitte um eine Pause«, rief Otto Schily.

»Es wird keine Pause … Bitte, den Baader abzuführen.«

Erregt und lautstark redeten Verteidiger und Angeklagte durcheinander. Der Beisitzende Richter, Dr. Foth, haute krachend mit der Faust auf den Tisch.

»Moment«, versuchte sich Verteidiger Schily bemerkbar zu machen. »Ich lehne namens und in Vollmacht der Angeklagten Ensslin den Beisitzenden Richter, Dr. Foth, wegen Besorgnis der Befangenheit ab.«

Rechtsanwalt Pfaff mischte sich schreiend ein:

»… Verhandlungsunfähigkeit hier auf den Tisch zu legen. Jetzt liegen die Gutachten vor, und jetzt wollen Sie die Angeklagten ausschließen, weil sie verhandlungsunfähig sind. Das ist einfach ungeheuerlich.«

Auch Rechtsanwalt Heldmann war aufgesprungen und rief dazwischen:

»Verhandlungsunfähig hat diese Justiz sie gemacht, durch diese Haftbedingungen.«

»In den Gutachten steht das ganz klar drin«, ergänzte Rechtsanwalt Pfaff.

»Herr Rechtsanwalt Pfaff, Herr Rechtsanwalt Pfaff«, stammelte der Vorsitzende, »Sie werden nicht verhindern können, daß wir die Entscheidung begründen, die ich im Tenor bereits bekanntgegeben habe. Sie werden nur beweisen können, daß Sie hier Manieren anwenden, die ein Verfahren, ein geordnetes Verfahren unmöglich machen.«

Seine folgenden Worte gingen im Geschrei unter.

»Was ist mit den Manieren von Herrn Dr. Foth«, schrie Otto Schily.

»Ich mache jetzt zur Beruhigung der Gemüter eine Pause.«

Aber auch nach zehn Minuten hatten sich die Gemüter nicht beruhigt. Rechtsanwalt von Plottnitz bat um das Wort, der Vorsitzende verweigerte es ihm. Die Angeklagten Meinhof und Ensslin beschimpften den Vorsitzenden: »Du Schwein ... Killer.«

Dr. Prinzing wollte den Ausschluß der Angeklagten verkünden, aber Gudrun Ensslin übertönte ihn: »Ich stelle fest, daß das ein Richter ist, dessen Beschäftigung es ist, die Reihen hier zu lichten.« Der Vorsitzende forderte die Justizbeamten auf, Gudrun Ensslin aus dem Saal zu bringen. Der Angeklagte Raspe rief dazwischen und wurde umgehend vom Vorsitzenden verwarnt: »Sonst blüht Ihnen dasselbe Schicksal.«

Auch Ulrike Meinhof war aufgesprungen: »Wir werden das nicht vergessen, was Sie hier abziehen. Und es wird Ihnen auch nicht gelingen, hier einen Prozeß durchzuziehen, mit falschen Zeugen, mit falschen Polizeikonstruktionen und mit dem ganzen Desaster. Und Sie werden auch nicht vermeiden, daß wir deswegen verhandlungsunfähig sind, weil wir seit dreieinhalb Jahren gefoltert werden. Das werden Sie nicht vom Tisch kriegen.«

Der Vorsitzende ließ auch Ulrike Meinhof ausschließen. Während die Justizbeamten sie abführten, schleuderte Ulrike Meinhof dem Richter an den Kopf: »Du imperialistisches Staatsschwein!«

Obwohl der Vorsitzende die Protokollführer aufforderte, Jan-Carl Raspe das Mikrophon abzuschalten, konnte er den Angeklagten nicht zum Schweigen bringen und schloß ihn ebenfalls von der Verhandlung aus.

Kurz bevor die Angeklagten aus dem Saal geführt wurden, drehte sich Gudrun Ensslin noch einmal um: »Du wirst nicht vergessen, Prinzing. Dafür hast du gesorgt, für deine Zeit, die nun kommt.«

Ulrike Meinhof war plötzlich wieder ganz ruhig: »Jetzt hast du deinen Schauprozeß prima durch.«

Nachdem die Anklagebank leer war, begann Dr. Prinzing, den Gerichtsbeschluß zu verlesen: »Die Angeklagten sind verhandlungsunfähig im Sinne von Paragraph 231 a StPO. Die Vorschrift will sicherstellen, daß ein Angeklagter die Durchführung des Verfahrens nicht durch wissentlich herbeigeführte Verhandlungsunfähigkeit verhindert.«

Der Paragraph 231 a der Strafprozeßordnung war für das Stammheimer Verfahren maßgeschneidert. Nach Einführung dieses neuen Gesetzes konnte auch in Abwesenheit der Angeklagten verhandelt werden, wenn diese ihre Verhandlungsunfähigkeit – zumindest nach Einschätzung des

Gerichts – selbst herbeigeführt hatten. Dadurch sollte eine zügige Durchführung der Hauptverhandlung gesichert werden. Für das Stammheimer Verfahren machte Dr. Prinzing folgende Rechnung auf: »Die Beweisaufnahme wird sich ungewöhnlich umfangreich gestalten; schon die Bundesanwaltschaft hat 997 Zeugen und 80 Sachverständige benannt.« Bei den von den medizinischen Gutachtern vorgeschlagenen höchstens neun Verhandlungsstunden pro Woche ließe sich das Verfahren nicht in angemessener Zeit abwickeln.

»Schämen Sie sich nicht«, unterbrach Rechtsanwalt Schily die Ausführungen des Vorsitzenden. Doch Dr. Prinzing ließ sich nicht beirren. Er zitierte die Aussage eines Gefängnisbeamten, der gehört haben wollte, wie Baader bei einem Treffen den anderen drei Angeklagten erklärt hatte: »Wir müssen krank sein, wir müssen gebrochen wirken.« Er endete mit den Worten: »Der Senat hält die weitere Anwesenheit der Angeklagten nach dem derzeitigen Erkenntnisstand nicht für unerläßlich. Sie werden zur Hauptverhandlung wieder zugezogen, sobald sie verhandlungsfähig sind.«

»Heil, Prinzing«, rief Rupert von Plottnitz.

Der Vorsitzende erkundigte sich: »Ist das zu Protokoll genommen, daß Herr von Plottnitz im Augenblick bemerkte ›Heil, Dr. Prinzing‹? Ich bitte, das zu protokollieren.«

»Das ist doch unglaublich, unglaublich«, empörte sich Schily, »da haben Sie den Rechtsstaat wirklich ruiniert.« Und in Richtung auf die Bundesanwaltschaft sagte er: »Herzlichen Glückwunsch, Herr Zeis, gratuliere, gratuliere.«

Meldung Stammheim, vom 30. September 1975:

»Gegen 13.00 Uhr öffnete ich die Zelle 711, um Herrn Raspe zum Anwalt zu holen.

Sofort kam Baader auf mich zu mit den Worten: ›Ihr miesen Schweine, wer von euch hat drüben erzählt, wir müßten krank erscheinen. Wir bekommen das Schwein raus, auch wo er wohnt.‹«

Meldung vom 1. Oktober 1975:

»Zusammenschluß Baader, Raspe, Meinhof und Ensslin. Baader: ›Miesterfeld (Vollzugsbeamter), Sie sind doch ein Schwein, Sie haben uns den Satz eingebrockt.‹«

Meldung vom 8. Oktober 1975:

»Zusammenschluß der Untersuchungsgefangenen.

Gedächtnisprotokoll:

13.30 bis 14.00 Uhr Baader schimpfte auf die Anwälte Plottnitz und Riedel, dann unterhalten sie sich über Prozeß und Haftbedingungen. Baader sagte: ›Warum ändert das Schwein dann nicht die Haftbedingungen.‹ Ansonsten wurden Fragen auf Zettel geschrieben oder so leise gesprochen, daß man es nicht verstehen kann.

14.00 bis 14.30 Uhr Gespräch wurde sehr leise geführt. Der Name Croissant ist öfter gefallen. Nichts Konkretes zu verstehen. Baader: ›Miesterfeld, paß auf du Schwein, ich mag keine Denunzianten ...‹

15.00 bis 15.30 Uhr Als ich Oberwachtmeister Koutny ablöste, sagte Baader zu Meinhof und Ensslin: ›Der da ist es, der hat eine besondere Aufgabe ...‹

Zwischenfrage von Ensslin: ›Wie heißt der denn?‹ Baader: ›Der ist bestimmt von Bonn eingesetzt.‹

Meinhof sagte etwas unverständliches. Baader: ›Diese Bullen, dieser kleinkarierte Miesterfeld, die vollgefressenen Knastsäcke.‹ Darauf die Meinhof: ›Ja, ja, die sind total verknastet.‹ Die sonstige Unterhaltung war kaum verständlich. Es fielen des öfteren Worte wie Kuba, CIA, Unterdrücker usw.«

Als die »Abteilung 3«, der Terroristentrakt, in Stammheim eingerichtet worden war, hatte die Pressestelle des Justizministeriums eine Erklärung abgegeben, daß dort »besonders zuverlässige und ausgewählte Beamte« Dienst verrichteten. Seitdem war das Verhältnis zwischen den Baader-Meinhof-Bewachern und ihren Kollegen aus den anderen Abteilungen der Anstalt getrübt.

Von den Kollegen scheel angesehen, von den Gefangenen nicht selten übel beschimpft, waren die Vollzugsbeamten im siebten Stock besonderen psychischen Belastungen ausgesetzt. Einer von ihnen erlitt einen Nervenzusammenbruch und mußte abgelöst werden. Andere schrieben gelegentlich Ersuche um Versetzung und konnten nur durch gutes Zureden der Anstaltsleitung dazu bewogen werden, weiter in der dritten Abteilung Dienst zu tun.

»Die Beamten mußten sämtliche Arbeiten dort oben verrichten«, sagte der Beamte Bubeck vor dem Stammheimer Untersuchungsausschuß,

»sie mußten also, wenn ich an den Hungerstreik denke, über Monate hinweg Tag für Tag die Gefangenen mit Gewalt aus der Zelle holen, sie auf die Trage legen, festschnallen. Nachher mußten sie sie dann genau wieder versorgen und betreuen. Im normalen Vollzug würden das andere Bedienstete machen.«

Besonders belastend empfand Bubeck die intellektuelle Überlegenheit der RAF-Gefangenen: »Sie waren uns natürlich in allen Bereichen geistig weit, weit überlegen. Wobei ich sagen muß, bewußt haben sie das nicht ausgespielt oder uns irgendwie merken lassen. Aber der einzelne hat es eben doch gespürt.«

16. Ulrike Meinhof über die Möglichkeit und Unmöglichkeit des Aussteigens
(41. Tag, 28. Oktober 1975)

Zu Beginn des 41. Verhandlungstages erläuterte der Vorsitzende, wie er sich nun, nachdem die Verhandlungsunfähigkeit der Angeklagten feststehe, den weiteren Ablauf des Prozesses vorstelle: »Den Angeklagten steht es frei, an der Verhandlung teilzunehmen, solange sie sich dazu imstande fühlen.« Die Verteidiger stellten einen neuen Befangenheitsantrag.

»In diesem Zusammenhang muß von einer Kriegserklärung der abgelehnten Richter den Gefangenen gegenüber gesprochen werden«, führte von Plottnitz aus. »Jedoch gäbe es für den Fall des Krieges immerhin die Genfer Konvention, deren Vorschriften die Gefangenen vor dem zu schützen hätten, was dem Beschluß der abgelehnten Richter zufolge rechtens sein soll: die vorsätzliche Zerstörung ihrer Gesundheit. Die von dem Gutachter genannte Gefahr, daß sich der gesundheitliche Zustand der Gefangenen bei Fortdauer ihrer Isolation verschlechtern werde, kümmert die Richter nicht, haben sie doch ihre eigene Verantwortung für die Zerstörung der Gesundheit der Gefangenen längst auf die Gefangenen selbst abgewälzt.«

Der Vorsitzende wies darauf hin, daß der Bundesgerichtshof alle Beschwerden gegen die Haftbedingungen der RAF-Gefangenen zurückgewiesen habe.

Auch die weitgehende Isolierung – allein oder in kleinen Gruppen –

hatte das höchste Gericht für zulässig erklärt. Die Gefangenen seien gefährlich, schon allein deswegen, weil sich jeder von ihnen rückhaltlos zu den Zielen der »Roten Armee Fraktion« bekenne.

»Das ist Gesinnungsjustiz«, meinte Ulrike Meinhof. »Es ist absurd zu behaupten, wir würden die Ordnung in der Haftanstalt stören. Wie, wann, wo? Wie sollten wir jemals die Ordnung in der Haftanstalt gestört haben, wo wir nie, exakt noch nie, in dreieinhalb Jahren mit anderen Gefangenen im Gefängnis gesprochen haben?«

Und dann wies Ulrike Meinhof auf ein Dilemma hin, das auch viele Beobachter von außen erkannt hatten. Niemand aber hatte erwartet, daß ein Gefangener aus dem »harten Kern« der Baader-Meinhof-Gruppe darüber sprechen würde.

»Wie kann ein isolierter Gefangener den Justizbehörden zu erkennen geben, angenommen, daß er es wollte, daß er sein Verhalten geändert hat? Wie? Wie kann er das in einer Situation, in der bereits jede, absolut jede Lebensäußerung unterbunden ist? Dem Gefangenen in der Isolation bleibt, um zu signalisieren, daß sich sein Verhalten geändert hat, überhaupt nur eine Möglichkeit, und das ist der Verrat. Eine andere Möglichkeit, sein Verhalten zu ändern, hat der isolierte Gefangene nicht. Das heißt, es gibt in der Isolation exakt zwei Möglichkeiten: Entweder …«

Der Vorsitzende unterbrach sie: »Frau Meinhof, es ist kein Zusammenhang mehr zum Ablehnungsantrag zu sehen.«

Ulrike Meinhof fuhr fort: »Entweder Sie bringen einen Gefangenen zum Schweigen …«

Wieder unterbrach sie der Richter.

»… das heißt, man stirbt daran, oder Sie bringen einen zum Reden. Und das ist das Geständnis und der Verrat. Das ist Folter, exakt Folter, durch Isolation, definiert an diesem Zweck, Geständnisse zu erpressen, den Gefangenen einzuschüchtern, um ihn zu bestrafen und um ihn zu verwirren.«

Dr. Prinzing entzog Ulrike Meinhof das Wort.

Offenbar hatte der Vorsitzende nicht bemerkt, wie weit sich Ulrike Meinhof damit von der Gruppe entfernt hatte. In der »Roten Armee Fraktion« waren Zweifel gleichbedeutend mit Verrat. Schon die Überlegung, auszusteigen, war soviel wie der Ausstieg selbst.

Am nächsten Tag wurde Rechtsanwalt von Plottnitz als Verteidiger von Jan-Carl Raspe entpflichtet. Um seinen Mandanten nicht gänzlich ohne Vertrauensverteidiger zu lassen, verteidigte von Plottnitz seinen Mandanten zunächst auf eigene Kosten weiter.

Am 9. November 1976 erhielten die Gefangenen die Erlaubnis, die Zellenbeleuchtung bis 23.00 Uhr anzulassen. Für Silvester erhielten sie »Lichtverlängerung« bis 0.30 Uhr.

Meldung Stammheim vom 16. Dezember 1975:
»Umschluß 10 Minuten überzogen. Baader beleidigt Kollegen: ›Ratte, habt bloß Scheiße im Kopf.‹ Sonst keine Vorkommnisse.«
Meldung vom 28. Dezember 1975:
»Viererumschluß statt Hofgang. 15 Minuten überzogen. Nach Beendigung des Umschlusses betitelte uns Baader als Weihnachtsmänner. Wörtlich sagte Baader zur Meinhof: ›Wenn die Weihnachtsmänner vor mir stehen, kann ich nicht denken.‹ Sonst keine Vorkommnisse.«
Der Umschluß auf dem Flur wurde von Justizbeamten überwacht. Diese beklagten sich von Zeit zu Zeit bei ihren Vorgesetzten. So schrieb Amtsinspektor Götz am 9. Februar 1976 an den Vorstand der Vollzugsanstalt:
»Die zur Zeit praktizierte optische Überwachungsmöglichkeit beim Umschluß der Baader-Meinhof-Gefangenen ist unmöglich und widerspricht in gröbster Weise der Sicherheit und Ordnung.
Die vier Gefangenen Baader, Meinhof, Ensslin und Raspe sitzen bzw. liegen auf Teppichen im kleinen abgeteilten Flur des kurzen Flügels der »Abteilung 3« im hinteren rechten Eck auf dem Boden.
Davor steht ein Tisch mit vier Stühlen, der mit an den Wänden aufgestellten Bücherregalen abschließt. Hinzu kommt, daß die Deckenleuchte darüber mit Packpapier abgedunkelt ist.
Aus der hier kurz geschilderten Sachlage ist es unmöglich, den Umschluß optimal zu überwachen. Um dies korrekt durchführen zu können, muß der oder die Überwachenden bis an den aufgestellten Tisch gehen, um die vier Gefangenen zu sehen. Bei dieser Gelegenheit werden dann von seiten der Gefangenen Beschimpfungen übelster Art ausgesprochen ...«

In einer Stellungnahme zum Antrag der Verteidigung im Stammheimer Prozeß, den Umschluß bis 22.00 Uhr auszudehnen, schrieb Regierungsdirektor Schreitmüller:

»Es ist einmalig im Vollzug der Untersuchungs- bzw. Strafhaft in der Bundesrepublik, daß täglich weibliche und männliche Gefangene mehrere Stunden zusammen in einem Raum verbringen. Nicht von ungefähr müssen ... weibliche Gefangene von männlichen Gefangenen streng getrennt gehalten werden. Grund dieser Regelungen ist, sexuelle Kontakte zwischen weiblichen und männlichen Gefangenen zu unterbinden.

Bei den obigen Gefangenen muß während der Zeit des Umschlusses die Gefahr eines solchen Kontaktes zwischen ihnen durch optische Überwachung ausgeschaltet werden. Da der Raum, in welchem die Gefangenen sich während des Umschlusses aufhalten, von ihnen noch künstlich verdunkelt wurde – angeblich ist das Licht für ihre durch den Hungerstreik geschwächten Augen nicht erträglich, weshalb die Neonröhren z. T. mit Papierstreifen abgedeckt wurden –, ist eine optische Überwachung für die Beamten sehr anstrengend ...«

Am 13. Januar 1976 verlasen die Angeklagten im Prozeß lange politische Erklärungen, in denen sie sich dazu bekannten, Mitglieder einer Stadtguerillagruppe zu sein. Sie übernahmen die »politische Verantwortung« für die ihnen zur Last gelegten Sprengstoffanschläge, wollten sich aber zum strafrechtlichen Teil nicht äußern.

Danach erst begann der eigentliche Prozeß:
Ende Januar trat der Metallbildner Dierk Hoff, aus dessen Werkstatt die RAF-Bomben stammten, als Zeuge auf und belastete die Angeklagten. Im Februar wurden die Bekennerbriefe zu den verschiedenen Anschlägen verlesen. Dann begann die Beweisaufnahme zu dem Anschlag auf die Heidelberger Kaserne der US-Armee.
Anfang März sagten Zeugen zum Bombenattentat auf die Augsburger Polizeidirektion aus, anschließend ging es um den Anschlag auf das Bayerische Landeskriminalamt in München.
Während dieser Prozeßphase waren die Angeklagten nur selten im Gerichtssaal.

17. »Eine Verteidigung in der Agonie«
(85. Tag, 9. März 1976)

Die Bank der Verteidiger war nur dürftig besetzt. Die meisten Vertrauensanwälte hatten Vertreter geschickt, nur die »Zwangsverteidiger« waren nahezu vollzählig erschienen.

Ulrike Meinhof meldete sich zu Wort. Während Andreas Baader den Sitzungssaal verließ, stellte sie einen Ablehnungsantrag gegen den Vorsitzenden: »Seit zwei Monaten ist es praktisch nur noch einer, gegen den das ganze Verfahren gedreht und gesteuert wird, nämlich gegen Andreas. Und ganz sicher mit dem Ziel, die Ermordung von Andreas propagandistisch vorzubereiten.«

Das Gericht entzog Ulrike Meinhof das Wort.

Gudrun Ensslin schloß sich dem Antrag an: »Der Grund hat seine Evidenz hier unmittelbar in den leeren Stühlen vor uns.« Gudrun Ensslin deutete auf die spärlich besetzte Verteidigerbank. »Prinzing ist es gelungen, die Verteidigung zu zerschlagen. Geschafft hat er das mit zwölf Ausschlüssen, mit Ehrengerichtsverfahren, Disziplinarverfahren, Entpflichtungen. Das weiß man alles. Und worum es sich hier jetzt noch handelt, ist eine Verteidigung in der Agonie.«

Der Vorsitzende unterbrach sie: »Sie haben jetzt nicht die Möglichkeit, Dinge aufzuwärmen, die dadurch nichts an Glaubwürdigkeit gewinnen, daß Sie sie bei jedem Anlaß hier ständig wiederholen.«

Gudrun Ensslin fuhr fort: »Sie werden hier abgelehnt in Ihrer Funktion als Staatsschutzrichter. Als solcher haben Sie es geschafft, die Verteidigung hier in die Agonie zu treiben. Worum es sich hier noch handelt, ist eine Verteidigung, die krank ist, die unvorbereitet ist, die physisch und psychisch ruiniert ist.«

Meldung Stammheim vom 6. April 1976:

»Bei der heutigen Mittagessen-Ausgabe im Mehrzweckgebäude an den Untersuchungsgefangenen Baader, nahm dieser den mit Reis, Soße und Schaschlik gefüllten Plastikteller von mir entgegen und warf diesen unmittelbar neben mich an die Zellenwand. Durch herumspritzende Essensreste wurden mein Diensthemd und Diensthose ziemlich stark beschmutzt.«

Ab 20. April 1976 sagten Zeugen zum Bombenanschlag auf das Hamburger Verlagsgebäude des Springer-Konzerns aus, bei dem Arbeiter und Angestellte zum Teil schwer verletzt worden waren.

Die Angeklagten blieben den Vernehmungen der Bombenopfer fern.

18. »… weil du kaputt sein willst«

Fast vier Jahre waren seit der Festnahme der Angeklagten vergangen. Vier Jahre Haft, davon drei Jahre in mehr oder weniger strenger Isolation. Dann zu viert zusammengesperrt im siebten Stock der Vollzugsanstalt Stammheim.

Die Auseinandersetzungen in der Gruppe verschärften sich, vor allem zwischen Ulrike Meinhof und den anderen. Gefängnisbeamte hatten manchmal beobachtet, wie Andreas Baader Texte Ulrike Meinhofs zerriß und sie ihr mit dem Wort »Scheiße« zurückgab.

Im März und April 1976 eskalierte der Konflikt mit Gudrun Ensslin. Aus einigen Zellen-Kassibern, die später von BKA-Beamten beschlagnahmt wurden, kann das Zerwürfnis zwischen den beiden Frauen in Bruchstücken rekonstruiert werden.

In einem der Briefe beschrieb Gudrun Ensslin, wie der Streit zwischen ihr und Ulrike Meinhof ständig ablief. Es ging um die Akten des Kronzeugen Karl-Heinz Ruhland, die Ulrike Meinhof von Rechtsanwalt Ströbele anfordern sollte. Das war im März 1976; Ruhland hatte gerade dem »Spiegel« ein Interview gegeben.

Gudrun Ensslin erhielt Ulrike Meinhofs Schreiben vor dem Abschicken zur Kontrolle: »Weil das Ding von Ulrike optisch einen verlotterten«, sie korrigierte sich, »kaputten Eindruck macht, tippe ich es bevor ich es rausgebe nochmal ab und lasse dabei eine Schlußfloskel weg, weil sie nicht mehr unser Verhältnis zu Ströbele ausdrücken konnte. Und streiche auch zwei oder drei dieser knieweichen, ihrer Funktion nach zeitraubenden, ihrem Charakter nach luxuriösen Füllwörter wie ›eben‹ weg. Die können auch Mittel sein: muß man nur beherrschen können, d.h., sie müssen eben Präzision vermitteln.« Ihr eigenes »eben« strich die ehemalige Germanistikstudentin wieder weg; schließlich hatte sie es eben bei Ulrike Meinhof kritisiert.

Ohne Ulrike Meinhof den neu getippten Brief zu zeigen, schickte Gudrun Ensslin ihn ab. Sie schrieb an Baader: »Hinterher zu Ulrike, daß ich es getippt und was weggelassen habe. Warum mache ich das? Der Zweck meines Erzählens (war), Ulrike zu quälen, indem ich ihr Quälerei zurückgebe. Auge um Auge.«

In einem weiteren Brief an Baader schrieb sie über Ulrike Meinhof: »Sie ist mißtrauisch und mehr als das: argwöhnisch. Sie bezweifelt, was ich sage bzw. antworte, weil es nicht nur gelogen sein könnte, sondern ihrer Meinung nach gelogen ist.«

Zu den Beziehungen in der Gruppe meinte sie: »Der Mechanismus des Ganzen ist, daß dem Druck aus den Fehlern, der unbegriffenen Scheiße, die ich in den Jahren laufen gelassen habe (…) ich nicht gewachsen sein kann, nicht gewachsen bin. Und das ist der Punkt: … weil objektiv (…) dem überhaupt nur ein altes Schwein gewachsen sein kann.« An den Rand kritzelte Gudrun Ensslin: »Ich habe genug.«

Die Beziehungen, vor allem zwischen Ulrike Meinhof und Gudrun Ensslin, waren in diesem Frühjahr 1976 offenbar auf dem Nullpunkt. Während die Gruppe im Prozeß nach außen hin Einheit demonstrierte, bekämpften sich die beiden Frauen in der Haftanstalt voll Erbitterung. Bei einem Besuch ihrer Schwester am 29. März hatte sich Ulrike Meinhof – nach Aufzeichnungen der für die Besuchsüberwachung zuständigen Kriminalbeamten – darüber beklagt, daß die übrigen Gruppenmitglieder ihr falsche Informationen gäben oder sie völlig davon abschnitten.

Vor allem die Kritik an ihrer Arbeit als »Stimme der RAF« und Gudrun Ensslins eigenmächtige Veränderung ihrer Briefe und Texte, die sie wohl eher als Zensur verstand, schürten den Konflikt.

»Angst ist reaktionär«, überschrieb Ulrike Meinhof einen ihrer Briefe an die anderen.

»Das einzige, was mich schon ziemlich lange hindert, vorzuschlagen, daß Jan statt Gudrun mein Zeug kontrolliert, ist Angst. Ich glaube nicht, daß sie sie besser aushält als ich. Ich blick da nicht durch oder will da nicht durchblicken. Es geht mich nichts an.

Aber ich halte es nicht aus.«

An Gudrun Ensslin schrieb sie: »Es geht nicht. Entweder Du würgst mir wenn ich mal Luft kriege, was rein, was tage- und wochenlang wirkt oder, so kommt es mir vor, Du erstickst. Das ist die Struktur, in der wir nach wie vor zappeln und in der ich dauernd am Rand bin, ihr Provokateur zu sein, was ich bin, wenn ich einknicke: ein Kretin ist ein Provokateur. Das ist objektiv. So geht es auch nicht um einen Vorwurf, eben nicht um Schuld. Aber das alles schreit nach Lösung.«

Gudrun Ensslin an die anderen:

»Ich sehe das so:

1. gibt es die Tatsache, daß ich zu oft nicht kritisieren kann,

2. gibt es die Tatsache, daß Ulrike von mir nicht kritisiert werden will und ob überhaupt von irgendeinem Menschen außer Andreas – mal sehen.«

Ulrike Meinhof antwortete ihr: »Ich weiß nicht, warum Du das machst, Dich auf Fehler von mir zu stürzen und davon immer wieder anfangen. Ich halte das nicht aus.«

Gudrun Ensslin dazu: »Ich bin keine Hexe. Aber ich bin inzwischen manchmal brutal.« Über Ulrike Meinhofs »Wühlen in der Scheiße« schrieb sie: »Was Du mit diesem Rattendreh vermitteln kannst, ist nur, daß Du dieses Transportmittel benutzt, weil Du kaputt sein willst.«

So sah es also Gudrun Ensslin: Ulrike Meinhof wollte kaputt sein. Vielleicht war »Kaputtsein«, war die Selbstzerstörung tatsächlich für Ulrike Meinhof der einzige Weg, aus der Kampfgemeinschaft »Rote Armee Fraktion« auszusteigen. Zweifel, »Wühlerei in der Scheiße« konnten bei Gudrun Ensslin, die Zweifel nicht hochkommen ließ, nur »Desinteresse und Kälte«, wie sie es formulierte, hervorrufen. Zweifel war persönliches Versagen, war Verrat. Oder, wie sie schon ein Jahr zuvor an Ulrike Meinhof geschrieben hatte: »Du machst den Bullen die Tür auf – das Messer im Rücken der RAF: bist Du, weil Du nicht lernst …«

Die weiteren schriftlichen Auseinandersetzungen im 7. Stock der Vollzugsanstalt Stammheim liefen nicht einmal mehr direkt zwischen den beiden Frauen ab. In einem Brief an Baader schrieb Gudrun Ensslin über einen Streit mit Ulrike Meinhof im Prozeßgebäude:

»Dann bin ich geplatzt und habe ihr erklärt, daß sie das lassen soll, mich anzufallen, elitär zu sein und mir gleichzeitig verbieten zu wollen, mich zu wehren.

Da stand sie kochend auf und ging zur Tür, und ich hatte wirklich gebrüllt vor Wut. Gesagt, ob sie denn nicht merken würde, daß sie will, daß ich kippe – mit dieser Methode: Hammer, um dann die Unschuld zu spielen.«

Ulrike Meinhof schrieb:

»Das ist nicht mystisch, wenn ich sage, ich halte das nicht mehr aus. Was ich nicht aushalte, ist, daß ich mich nicht wehren kann. Also, es laufen einfach ein Haufen Sachen durch, ich sage nichts, aber ich knalle an die Decke, über ihre Gemeinheit und Hinterhältigkeit.

Und es kommt mir so vor, als wäre das längst ein Deal, den ich aber nicht mitmache.

Gudrun weiß, daß ich nichts sage, wenn sie lügt. Es bleibt auch dabei, aber ich halte es nicht aus.

Wie soll ich je zu mir kommen, wenn ich gleichzeitig gezwungen bin, mit dem Schweinebild, das sie von mir im Kopf hat, zu koexistieren?«

Als Gudrun Ensslin diesen Brief gelesen hatte, schrieb sie an den Rand: »Projektion, Paranoia, Schwein.«

19. Ende der Gemeinsamkeit
(106. Tag, 4. Mai 1976)

Die Angeklagten traten zum ersten Mal seit langer Zeit wieder gemeinsam auf. Um 14.09 erschienen Baader, Raspe, Ensslin und Meinhof im Prozeßsaal. Für einen Monat, vom 10. März bis zum 10. April, war Ulrike Meinhof ausgeschlossen gewesen, danach war sie der Verhandlung freiwillig ferngeblieben.

Die Verteidiger hatten an diesem 4. Mai 1976 einen ganzen Stapel Beweisanträge mitgebracht, um, wie es die Angeklagten zuvor einmal formuliert hatten, »den Prozeß auf die politischen Füße zu bringen«.

Bevor Schily und seine Kollegen mit der Verlesung der Beweisanträge begannen, verließen Ensslin und Meinhof gemeinsam um 14.24 Uhr den Sitzungssaal. Nach einer halben Stunde kam Gudrun Ensslin zurück. Ulrike Meinhof betrat den Verhandlungssaal nie wieder.

Sie hörte nicht, wie ihre Verteidiger beantragten, als Zeugen zu vernehmen:

den früheren US-Präsidenten Richard M. Nixon,

den früheren Verteidigungsminister der US-Regierung, Melvin Laird, außerdem Willy Brandt,

Helmut Schmidt,
Ludwig Erhard,
Georg Kiesinger,
Walter Scheel …

Die beantragte Beweiserhebung solle ergeben, daß die Regierungen der USA durch ihr militärisches Eingreifen in Vietnam und Kambodscha Völkerrechtsverbrechen begangen, daß sie auch vom Boden der Bundesrepublik aus operiert hätten und daß demnach die Rechtsfrage entscheidungserheblich sein könne, ob seinerzeit »Gewaltanwendung gegen bestimmte militärische Einrichtungen der USA auf dem Territorium der Bundesrepublik, so Bombenangriffe auf US-Stützpunkte in Frankfurt und Heidelberg, gerechtfertigt waren«.

Die Anwälte blätterten zur Begründung ihrer Anträge das gesamte Grauen des Indochina-Krieges auf.

Als die Verteidiger ihre Anträge verlesen hatten, meldete sich Jan-Carl Raspe zu Wort:

»Wir akzeptieren diese Anträge, wir haben sie auch zum Teil konzipiert. Das heißt also formal, daß wir uns diesen Anträgen anschließen. Wir halten sie für korrekt. Aber natürlich fassen wir unsere Politik nicht in völkerrechtliche Kategorien … Was hier im absurden Versuch, revolutionäre Politik zu verurteilen, nur rauskommen kann, ist ein System von Lügen, falschen Aussagen …«

Der Vorsitzende entzog Raspe das Wort.

Dann war Andreas Baader an der Reihe: »Die Anträge sind möglich, weil sie zwei Zusammenhänge vermitteln. Sie fassen erstens, wenn das überhaupt juristisch möglich ist, die Widersprüche, aus denen diese Politik (der RAF) sich entwickelt hat … Die Anträge werden unmittelbar natürlich hilflos sein. Tatsächlich hat gegenüber der verdeckten Konzeption dieses Verfahrens ein faschistischer Militärgerichtsprozeß wenigstens die Würde der Eindeutigkeit einer Maßnahme, die sich zu ihren Mitteln bekennen kann.«

Nach Baader ergriff Gudrun Ensslin das Wort:

»Wenn uns an der Sache 72 etwas bedrückt, dann das Mißverhältnis zwischen unserem Kopf und unseren Händen.

Wir wären militärisch gern effizienter gewesen. Hier noch mal einfach:

Wir sind auch verantwortlich für die Angriffe auf das CIA-Hauptquartier und das Hauptquartier des 5. US-Corps in Frankfurt am Main und auf das US-Hauptquartier in Heidelberg.

Insofern wir in der RAF seit 70 organisiert waren, in ihr gekämpft haben und am Prozeß der Konzeption ihrer Politik und Struktur beteiligt waren.

Insofern sind wir sicher auch verantwortlich für Aktionen von Kommandos – z. B. gegen das Springer-Hochhaus, von denen wir nichts wußten, deren Konzeption wir nicht zustimmen und die wir in ihrem Ablauf abgelehnt haben.«

Fast auf den Tag genau vier Jahre zuvor waren bei dem Anschlag der RAF auf das Hamburger Druckhaus des Axel-Springer-Verlages 17 Arbeiter und Angestellte verletzt worden. Den Bekennerbrief hatte Ulrike Meinhof geschrieben.

Als Gudrun Ensslin sich von dem Attentat distanzierte, erschienen in der Bundesrepublik seit einer Woche keine Zeitungen. Die Drucker streikten zum ersten Mal in der Geschichte der Bundesrepublik.

Als einzige der vier Stammheimer Angeklagten gab Ulrike Meinhof an diesem zentralen Prozeßtag keine Erklärung ab. Sie hörte sich die vorbereiteten Bekenntnisse ihrer Mitkämpfer zu den Anschlägen der RAF auch nicht an. Ulrike Meinhof blieb in ihrer Zelle.

Wenn es stimmt, was Ermittlungen der Polizei ergaben, daß Ulrike Meinhof zumindest mitverantwortlich für den Anschlag auf das Hamburger Springer-Haus war, dann gibt es kaum Zweifel, *warum* sie nicht wieder im Prozeßsaal erschien. Die geplante Distanzierung Gudrun Ensslins vom Springer-Attentat mußte auf sie wie die öffentliche Aufkündigung der Solidarität wirken.

Vier Tage später war Ulrike Meinhof tot.

20. Der Tod der Ulrike Meinhof

Samstag, 8. Mai 1976, Jahrestag des Kriegsendes. Noch immer streikten die Drucker. Der folgende Sonntag war Muttertag. All diese Umstände wurden später zur Deutung dessen herangezogen, was in der Nacht vom

8. auf den 9. Mai im siebten Stock der Justizvollzugsanstalt Stuttgart-Stammheim geschah.

Am Sonntagmorgen um 7.34 Uhr öffneten zwei Beamte die Zelle 719. Am Gitter ihres linken Zellenfensters, das Gesicht der Tür zugewandt, hing Ulrike Meinhof. Sechs Minuten später war Gefängnisarzt Dr. Helmut Henck zur Stelle. Er konstatierte, daß »der Körper schon total ausgekühlt« war, auf den Armen der Toten sah er »zahlreiche Leichenflecke«. Erst um 10.30 Uhr wurde der Leichnam vom Fenstergitter abgenommen. Bis dahin drängten sich mehr als ein Dutzend Polizeibeamte in der Zelle, sammelten Spuren, fotografierten jeden Winkel.
Die Ermittlungsbeamten rekonstruierten, wie Ulrike Meinhof gestorben sein mußte:
Sie hatte eines der blau-weißen Anstaltshandtücher in Streifen gerissen, aneinandergeknotet und daraus einen Strick gedreht. Dann schob sie ihr Bett unter dem Fenster zur Seite, legte die Matratze vor das Fenster und stellte einen Schemel darauf. Sie band den Strick fest um ihren Hals, stieg auf den Schemel und schlang das Ende des Stricks durch das engmaschige Fenstergitter. Dann sprang sie.

Am Mittag wurde die amtliche Obduktion im Stuttgarter Bürgerhospital vorgenommen. Die Professoren Rauschke und Mallach entnahmen dem Schädel das Gehirn und dem Leib Organteile für die spätere feingewebliche Untersuchung. Um 17.00 Uhr stand für die Mediziner das Ergebnis fest: Suizid durch Strangulierung. Keine Fremdeinwirkung.
Am Dienstag nach Ulrike Meinhofs Tod wurde die Leiche auf Veranlassung ihrer Schwester und der Verteidiger nachobduziert. Professor Dr. Werner Janssen vom Institut für Gerichtliche Medizin und Kriminalistik der Universität Hamburg sezierte noch einmal und formulierte anschließend für das Protokoll:
»Nach den verwertbaren Befunden der Nachsektion handelt es sich bei Frau Meinhof um einen Tod durch Erhängen. Nach den bisher vorliegenden Untersuchungsbefunden besteht kein Anhalt für Fremdeinwirkung.«

Später versuchte eine »Internationale Untersuchungskommission« Zweifel an der Selbstmordversion zu wecken. Dazu wurden die amtlichen Ermittlungsergebnisse einer neuen kritischen Würdigung unterzogen. So habe die Stuttgarter Kriminalpolizei bei einer chemischen Untersuchung des Schlüpfers der Toten bei ihrer »Sperma-Vorprobe im Zwickelbereich« eine positive Reaktion nachgewiesen. Das wiederum wurde als Indiz für eine Vergewaltigung angesehen.

Ulrike Meinhof sexuell mißbraucht, anschließend erwürgt und dann in eine Schlinge gehängt, um Selbstmord vorzutäuschen?

Tatsächlich war die »Sperma-Probe« ein allgemein üblicher Phosphatase-Test, der dem Nachweis bestimmter Fermente dient. Von denen gibt es viele, nicht nur im Sperma, sondern in jedem Eiweiß und auch als Folge bakterieller Verunreinigung. Deshalb fällt ein solcher Test in der Mehrzahl der Fälle positiv aus. Nur wenn er negativ verläuft, erübrigen sich weitere Spezialuntersuchungen. Bei Ulrike Meinhof wurden weitere mikrochemische und mikroskopische Untersuchungen vorgenommen, die den eindeutigen Befund ergaben, daß die Eiweißspuren keine Samenfäden waren.

Weiteres wesentliches Verdachtsmoment der »Untersuchungskommission« waren Länge und Beschaffenheit des Handtuchstreifens. Er sei, so meinten die Gutachter, so dick gewesen, daß er nicht ohne Hilfsmittel durch die nur neun mal neun Millimeter große Maschendraht-Öffnung am Fenstergitter geschlungen werden konnte. Ein Hilfsinstrument, wie etwa eine Pinzette, sei aber nicht gefunden worden. Auch hätte ein schmaler Handtuchstreifen, das habe ein Experiment der anderen Stammheimer Gefangenen ergeben, nicht die Last des Körpers halten können.

Schließlich die Frage nach dem Motiv. Die »Untersuchungskommission« kam zum Ergebnis: »Das Fehlen eines Abschiedsbriefes ist ein entscheidender Faktor. Dieser spricht … entschieden gegen Selbstmord und steht auch im Gegensatz zu allem, was wir sonst über sie wissen. Sie hatte ihre Überzeugung nicht aufgegeben, wußte, daß sie noch Anhänger hatte, und es ist unvorstellbar, daß sie, ohne diesen ein erklärendes Wort zu hinterlassen, aus dem Leben geschieden wäre.«

Einen Abschiedsbrief hinterließ Ulrike in der Tat nicht, aber schon Monate zuvor hatte sie an den Rand eines Zellenzirkulars geschrieben: »Selbstmord ist der letzte Akt der Rebellion«.

Im engeren Kreis der RAF-Helfer außerhalb des Gefängnisses gab es trotz aller öffentlichen Erklärungen keinen Zweifel am Selbstmord Ulrike Meinhofs. So hatte Peter Jürgen Boock Zellenkassiber entschlüsseln müssen, aus denen das Zerwürfnis der Gefangenen unübersehbar deutlich wurde. In den Auseinandersetzungen zwischen Gudrun und Ulrike habe Baader den »Schiedsrichter« gespielt, sich aber fast immer auf Gudruns Seite gestellt und ihr dadurch in der Gruppe ihre »dominante Stellung« gesichert. Nach Ulrike Meinhofs Tod sei die Betroffenheit und Trauer gespielt gewesen. In den Kassibern seien die Stammheimer Gefangenen anders mit ihrem Tod umgegangen.

Boock konnte sich noch viele Jahre später an eine Stelle in einem der geheimen Zellenzirkulare erinnern, in der es sinngemäß geheißen hatte, Selbstmord sei »das Beste, was sie mit ihrem verkorksten Leben noch machen konnte«. Nach außen hin wurden den »Legalen« Informationen übermittelt, die eine Mordthese belegen sollten. So wurde von einem Gespräch zwischen Gudrun und Ulrike berichtet, bei dem Ulrike noch am Vorabend des Selbstmordes Zukunftspläne geschmiedet haben sollte. Boock später gegenüber der Bundesanwaltschaft: »Damit sollte gegenüber der Außenwelt der Eindruck erweckt werden, Ulrike Meinhof habe nicht aus dem Leben scheiden wollen.«

Boock selbst hatte ein zwiespältiges Verhältnis zum Selbstmord Ulrike Meinhofs. Einerseits waren Gudrun Ensslin und Andreas Baader für ihn »Heilige«. Er idealisierte sie und bewunderte, daß »sie so hart waren, den eigenen Tod oder den eines anderen in Kauf« zu nehmen. »Gleichwohl war ich seinerzeit schon im Zweifel, ob es bei der von mir bewunderten Härte von Andreas und Gudrun gerechtfertigt war, Ulrike Meinhof in den Tod zu treiben.«

21. »Kein Platz für Gedenkreden«
(109. Tag, 11. Mai 1976)

Am ersten Verhandlungstag nach dem Tod Ulrike Meinhofs herrschte wieder Gedränge vor dem mit Stacheldraht bewehrten Tor der Mehrzweckhalle. Im Schaukasten neben dem Eingang hing die Tagesordnung für diesen 109. Prozeßtag. Der Name der Angeklagten Ulrike Meinhof war säuberlich durchgestrichen.

»Wir setzen das Verfahren gegen die Angeklagten Baader, Ensslin und Raspe fort«, erklärte der Vorsitzende. »Das Verfahren gegen Frau Meinhof ist infolge ihres Todes beendet; die Verteidigeraufträge sind damit erledigt. Ich darf mich für Ihre Mitwirkung bedanken.«

Die »Zwangsverteidiger« König und Linke standen auf und verließen den Saal. Dr. Prinzing wandte sich an die Zuschauer: »Ich habe eben festgestellt, daß ein Teil der Zuhörer sich nicht erhoben hat. Ich möchte ausdrücklich darauf hinweisen, daß Provokationen, die hier im Saal heute stattfinden sollten, die Gefahr in sich bergen, daß Sie die Gelegenheit nicht mehr haben, dieser Sitzung weiter zu folgen.«

Dann verkündete der Vorsitzende, daß Ulrike Meinhofs Wahlverteidiger Oberwinder nunmehr als Verteidiger Baaders zugelassen werde. Unmittelbar darauf wollte Dr. Prinzing in der Zeugenvernehmung fortfahren – so, als sei nichts geschehen.

Rechtsanwalt Heldmann ergriff das Wort: »Ich stelle den Antrag auf Unterbrechung der Hauptverhandlung für zehn Tage.

Durch den Tod von Ulrike Meinhof ist auf der Angeklagtenbank und ist in diesem Prozeß eine völlig neue Situation entstanden. Der für jedermann unerwartete Tod Ulrike Meinhofs hat – man kann es so sagen – engste familiäre Bindungen zerrissen, nämlich die dieser vier Gefangenen hier. Ich denke dabei aber auch an Weiteres: Ulrike Meinhofs Todesursache ist unklar. Die Gefangenen selbst, die Verteidiger – und nicht nur wir – haben erhebliche Zweifel an der amtlichen Version, Ulrike Meinhof habe sich selbst getötet. Für keinen war auch nur der Anflug eines Signals dafür zu erkennen gewesen. Und das spricht wiederum gegen die amtliche Version der Selbsttötung. Es ist unser – der hier verbliebenen Verteidiger – dringendstes, stärkstes Interesse, Gefahren zu erkennen, die sich etwa aus diesem Ereignis auch für das Leben der noch verbliebenen drei Gefangenen abzeichnen könnten.«

Jan-Carl Raspe erschien im Gerichtssaal.

»Ich habe nicht viel zu sagen«, setzte Raspe an. »Wir glauben, daß Ulrike hingerichtet worden ist. Wir wissen nicht, wie, aber wir wissen, von wem. Und wir können das Kalkül der Methode bestimmen. Ich erinnere an Herolds Satz: ›Aktionen gegen die RAF müssen immer so abgewickelt werden, daß Sympathisantenpositionen abgedrängt werden.‹

Und Buback: ›Der Staatsschutz lebt davon, daß sich Leute für ihn engagieren. Leute wie Herold und ich finden immer einen Weg.‹

Es war eine kalt konzipierte Hinrichtung, wie Holger hingerichtet worden ist.«

Der Vorsitzende unterbrach ihn: »Herr Raspe, Sie kennen die Einstellung des Gerichts zu diesen Behauptungen. Das Gericht nimmt derart diffamierende Bemerkungen in keinem Falle hin.«

Raspe durfte fortfahren: »Hätte sich Ulrike entschlossen, zu sterben, weil sie das als letzte Möglichkeit sah, sich revolutionäre Identität gegen die langsame Zerstörung des Willens in der Agonie der Isolation zu behaupten, hätte sie es uns gesagt, auf jeden Fall Andreas. So war diese Beziehung.«

»Jetzt eine Gedenkrede zu halten, ist hier nicht der Platz«, fuhr ihn Dr. Prinzing an. »Sie haben hier nur die Möglichkeit, einen Antrag zu stellen.«

»Ich habe gesagt, daß ich nicht viel zu sagen habe.«

»Die Frage ist nur, was Sie mit diesen Aussagen bezwecken, Herr Raspe.«

»Ich wäre längst fertig, wenn Sie mich ausreden lassen würden.«

»Sie haben also keine Absicht, einen Antrag zu stellen …«

»Moment«, rief Raspe.

»… dann kann ich Ihnen das Wort auch nicht weiter belassen.«

»Ich schließe mich den Anträgen der Verteidiger an«, stellte der Angeklagte fest.

Der Vorsitzende war zufrieden: »Das hätte schon schnell und rasch gesagt werden können. Jetzt können Sie fortfahren.«

»Es war eine Beziehung, wie sie sich zwischen Geschwistern entwickeln kann, orientiert am politischen Ziel. Aus der Möglichkeit dieser Politik war diese Beziehung Funktion der Politik. Das heißt, darin war sie frei, wie Freiheit nur möglich ist im Kampf um Befreiung. Jetzt Spannungen, Entfremdung zwischen Ulrike und uns zu behaupten, um mit dieser primitiven und dunklen Infamie das Projekt der Hinrichtung Ulrikes der psychologischen Kriegführung verfügbar zu machen, das ist Buback, und das ist Bubacks Dummheit.«

Der Vorsitzende fiel ihm ins Wort: »Die letzte Verwarnung habe ich Ihnen gegeben. Herr Raspe, ich entziehe Ihnen wegen fortgesetzter Beleidigung des Generalbundesanwalts das Wort.«

»Na ja, Ihr Sadismus, Ihre Maßnahmen …« sagte Raspe, schob seine Unterlagen zusammen und verließ die Anklagebank.

Gudrun Ensslin bat um das Wort. »Sie sind, und das haben Sie ja eben demonstriert, ein Richter, in dessen Zuständigkeit zwei von fünf Gefangenen umgebracht worden sind …«
Der Vorsitzende unterbrach sie: »Erste und letzte Verwarnung.«
»… wenn jetzt einer der drei gegen diese Maschine anspricht, für die Sie hier sitzen und als die Sie in Ihrem Sadismus agieren, unterbrechen Sie ihn und entziehen ihm das Wort …«
»Sie haben kein Beanstandungsrecht einer Maßnahme, die Herrn Raspe betroffen hat.«
Gudrun Ensslin durfte weitersprechen. Sie verlas ein Protokoll, in dem sie den letzten Tag Ulrike Meinhofs schilderte:
Alle vier Gefangenen seien am Samstag, dem 8. Mai, vormittags eine und nachmittags eine halbe Stunde zusammen gewesen. Sie hätten über das Verhältnis von Identität und Bewußtsein am Beispiel von Gramsci und Lenin gesprochen. Die Stimmung sei gut gewesen, sie hätten auch gemeinsam gelacht. Ulrike hätte sich nach dem Einschluß am Nachmittag noch einmal umgezogen und sei nicht zum Hofgang auf das Dach der Anstalt gegangen. Es sei ihr zu heiß gewesen.
Am Abend, gegen 22.00 Uhr, hätten die beiden Frauen noch einmal miteinander am Fenster gesprochen. Spät in der Nacht sei sie noch einmal aufgewacht, weil Ulrike in ihrer Zelle Musik gehört habe.
Am nächsten Morgen, kurz nach dem Aufschluß ihrer Zelle, hätte ihr ein Beamter gesagt: »Frau Meinhof ist tot.« Dann sei der Gefängnisarzt gekommen und hätte vom Selbstmord als Kurzschlußhandlung gesprochen. »Die Gruppe ist zu klein«, hätte er gesagt, »in so einer Gruppe muß es notwendigerweise Spannungen geben.« Die Gefangenen hätten das zurückgewiesen. Für jeden sei deutlich gewesen, daß es Ulrike in der letzten Zeit deutlich besser gegangen sei. Daraufhin hätte der Arzt gesagt: »Das sind Leute, die zu größter Selbstdisziplin fähig sind. Das ist einmalig. So etwas habe ich noch nie gesehen.«
Die Gefangenen hätten dann das Gespräch abgebrochen und verlangt, Ulrike noch einmal zu sehen. Die Anstaltsleitung hätte das abgelehnt. Kurz vor 11.00 Uhr sei die Blechwanne mit der Leiche hastig aus dem Trakt geschoben worden.

Gudrun Ensslin stand auf und verließ den Gerichtssaal.

Otto Schily ergriff das Wort:
»In der Öffentlichkeit ist der Name Ulrike Meinhof, jenseits aller Diffamierung, mit einem hohen moralischen Anspruch, man kann auch sagen, mit einer hohen moralischen Rigorosität verbunden. Dieser Umstand könnte einen klaren Bezug zu den zurückliegenden Ereignissen haben.«
Es sei nachdenkenswert, daß der Tod Ulrike Meinhofs gerade zu einem Zeitpunkt erfolgt sei, als die Verteidigung den Versuch gemacht habe, politische Inhalte in das Verfahren einzuführen. Wenn in diesem Zusammenhang in der Öffentlichkeit behauptet werde, es bestehe eine Beziehung zwischen ihrem Tod und der Prozeßerklärung Gudrun Ensslins, in der die RAF die politische Verantwortung für die Anschläge auf militärische Einrichtungen in Frankfurt und Heidelberg übernahm, so sei das ein übler propagandistischer Trick.

Andreas Baader meldete sich: »Es fällt mir ziemlich schwer, hier überhaupt noch etwas zu sagen. Ich bin der Ansicht, daß man zu Ihnen, von Ihnen und über Sie nicht mehr reden sollte. Man muß handeln, um tatsächliche, den Antagonismus Staat–Maschine– Mensch, wie er sich ja tatsächlich ausdrückt ...«
»Zur Erklärung haben Sie das Wort nicht«, wies ihn der Vorsitzende zurecht.
»Sie wollen verhindern, daß ich hier spreche?«
»Wenn es kein Antrag ist, kann ich Ihnen auch nicht das Wort belassen ...«
»Das ist nicht mehr die Ebene«, sagte Baader. »Das ist nicht die Ebene vor diesem Gericht, vor diesem Rattenhaufen, hier Anträge zu stellen.«
»Ihnen ist das Wort jetzt entzogen, wegen Beleidigung des Gerichts, das Sie als Rattenhaufen bezeichnet haben«.
Baader verließ den Verhandlungssaal.

Als nächster erhielt der »Zwangsverteidiger« Künzel das Wort. Er schloß sich zum erstenmal einem Antrag der Wahlverteidiger an:
»Ein Mensch in größter Unfreiheit macht von der rätselhaftesten, tiefsten menschlichen Freiheit Gebrauch, sich das Leben zu nehmen. Das

sollte Anlaß sein, in diesem Rechtsverfahren Terminpläne zurückzustellen, auswärtige Zeugen heimzuschicken, um diesen Sachverhalt aufzuarbeiten. So etwas wie die Pietät im Strafprozeß sollte es unmöglich machen, daß verhandelt wird, so lange bis die sterblichen Überreste dieses Menschen ihre Ruhe gefunden haben.«

Die Bundsanwaltschaft trat den Anträgen auf Prozeßunterbrechung entgegen. »Weder aus rechtlichen noch aus sonstigen Gründen könnte dem stattgegeben werden«, erklärte Dr. Wunder. »Die Strafprozeßordnung bietet keine Handhabe, beim Tode eines Mitbeschuldigten die Hauptverhandlung förmlich zu unterbrechen.«

Wenn allerdings die Beisetzung Ulrike Meinhofs auf einen Prozeßtag fallen sollte, hätte die Bundesanwaltschaft nichts dagegen, mit der Verhandlung erst am Nachmittag zu beginnen.

Das Gericht zog sich kurz zur Beratung zurück und verkündete dann: »Den Anträgen auf Unterbrechung der Hauptverhandlung wird nicht stattgegeben.«

Einige Zuschauer im Saal protestierten mit Buh-Rufen. Der Vorsitzende ließ sich die Störer von den Wachbeamten zeigen und wies sie aus dem Saal. Sie gingen freiwillig, aber andere sprangen auf und riefen in Sprechchören: »Prinzing raus«, »Prinzing Mörder« und »Selbstmord ist Lüge«.

Anschließend verließen auch sie freiwillig den Verhandlungssaal.

Rechtsanwalt Schily schob seine Akten zusammen. »Die Verteidigung wird an der Verhandlung erst nach der Beerdigung von Ulrike Meinhof wieder teilnehmen.« Dann ging er, begleitet von den anderen Wahlverteidigern.

Nach der Mittagspause setzte der Vorsitzende den Prozeß mit der Vernehmung von Zeugen fort. Jan-Carl Raspe erschien noch einmal für eine Minute im Gerichtssaal.

»Herr Raspe?«, fragte Dr. Prinzing erstaunt.

»Ja, ich wollte nur noch sagen: Das Spezifische Ihrer Geste und Ihrer Funktion läßt keine andere Möglichkeit, sich zu Ihnen in Beziehung zu setzen, als in einer Ecke mit dem Gewehr wartend.«

»Wollen Sie einen Antrag stellen?« fragte der Vorsitzende. »Nein. Dann können wir in der Sache fortfahren.«

Meldung Stammheim, 13. Mai 1976:
»Bei der Schlafmittelausgabe um 22.00 Uhr weigerte sich Baader, nach Erhalt der Schlaftablette, diese sofort einzunehmen. Liebenswerterweise bezeichnete er mich als ›altes Arschloch‹.«

22. »Und am Schluß sie selbst«

Am 16. Mai wurde Ulrike Meinhof in Berlin zu Grabe getragen. Über 4000 Menschen folgten ihrem Sarg zum evangelischen Friedhof der Dreifaltigkeitsgemeinde im Westberliner Stadtteil Mariendorf. Viele hatten ihre Gesichter weiß geschminkt, manche hatten sich vermummt. Auf Transparenten stand: »Wir tragen Trauer und Wut, die wir nicht verlieren«, und »Ulrike Meinhof, wir werden dich rächen«.
Der Berliner Verleger Klaus Wagenbach sprach am Grab über Ulrike Meinhofs Engagement in der Anti-Atomtod-Kampagne, vom Protest gegen die Große Koalition, vom Vietnam-Krieg, der für eine ganze Generation zum Schlüsselerlebnis geworden war, über die später von ihr selbst als wirkungslos empfundene journalistische Arbeit, schließlich vom Schritt in den Untergrund, auch als Antwort auf die »deutschen Verhältnisse«, in denen alles bereits als extremistisch verurteilt werde, was auch nur Bestehendes in Frage stelle.

Der Theologe Helmut Gollwitzer warf die Frage auf, ob Ulrike Meinhof wohl einen anderen Weg gegangen wäre, wenn sich »mehr Menschen gefunden hätten, bereit mitzukämpfen für eine menschlichere Gesellschaft«. Er fuhr fort:
»Diesen Menschen mit einem schweren Leben, der sich das Leben dadurch schwergemacht hat, daß er das Elend anderer Menschen sich so nahegehen ließ, diesen Menschen mit seinen Hoffnungen und Kämpfen und Depressionen, sehe ich jetzt im Frieden der Liebe Gottes. Inmitten des massenweisen Tötens in unserer Welt und des massenweisen Getötetwerdens liegen auf dem Weg, zu dem sie sich entschlossen hat, Menschenleben und am Schluß sie selbst – «

23. Der Kälberstrick

Manchem Bürger war der Tod Ulrike Meinhofs offenbar nicht genug. Ein Kegelclub schickte zehn Mark an das Stammheimer Gericht, mit dem Stricke für die übrigen Gefangenen gekauft werden sollten. Der Richter ließ das Geld unter »ungeklärte Eingänge« in die Gerichtskasse einzahlen. Der Begleitbrief wurde den Gefangenen ausgehändigt. Und nicht nur anonyme Briefe fanden ihren Weg in die Zellen des Hochsicherheitstraktes.

Eineinhalb Jahre später, als ein Untersuchungsausschuß die Todesumstände von Baader, Ensslin und Raspe untersuchen sollte, fragte der Ausschußvorsitzende Rudolf Schieler den Justizbeamten Bubeck, wie das Verhältnis des Beamten zu den Gefangenen gewesen sei.

Insgesamt, so meinte Bubeck, sei das Verhältnis gar nicht so schlecht gewesen. Die Beamten hätten nur immer auszubaden gehabt, wenn draußen »etwas passiert« sei. Schieler fragte, was er damit meine.

»Also, wenn jetzt irgendwelche anonymen Briefschreiber Stricke oder sonstige Dinge geschickt haben, den Gefangenen, mit der Aufforderung, sie sollten sich aufhängen, und die wurden durch die Zensur durchgelassen«, antwortete Bubeck.

Irritiert erkundigte sich Dr. Schieler: »Was, die Stricke oder die Briefe?«

»Die Stricke und die Briefe«, antwortete Bubeck.

Auf den Gesichtern der Ausschußmitglieder breitete sich ungläubiges Staunen aus. »Auch die Stricke?« fragte einer der Politiker in die Stille hinein.

»Auch die Stricke«, bestätigte Bubeck.

»Die Stricke?« fragte der Vorsitzende noch einmal nach.

»Die Stricke, ja«, bestätigte Bubeck.

Die Ausschußmitglieder blickten einander entsetzt an. »Das kann ja wohl nicht wahr sein«, entfuhr es einem der Abgeordneten.

»Doch, das ist wahr«, sagte der Vollzugsbeamte Bubeck. Er schien kaum zu begreifen, was den Ausschußmitgliedern an seinen Erzählungen so sensationell erschien. »Das ging alles an uns runter … Der Meinhof-Tod wurde uns angelastet. Und so waren schon einige Dinge, die auf die Beamten losgingen.«

»Sagenhaft«, meinte ein Ausschußmitglied.

Der Vorsitzende Dr. Schieler suchte nach Worten:

»Herr Bubeck, Sie bereiten uns ja … Also, erst will ich sagen: Wir beneiden Sie nicht um das Geschäft, das Sie da zu übernehmen hatten, mit Ihren Kollegen. Auch das Geschäft eines Abgeordneten ist nicht immer leicht …«

Dr. Schielers Kollegen lachten.

Ein Abgeordneter der CDU warf ein: »Das ziehen wir da noch vor!«

Als das Gelächter verebbte, ergriff der Vorsitzende wieder das Wort: »Aber Sie bereiten uns jetzt eine ziemlich handfeste Überraschung, nämlich mit der Erklärung, daß durch die Brief- oder Postzensur solche Gegenstände wie Stricke mit der beigefügten schriftlichen Aufforderung, man möge sich damit aufhängen, daß das durchgegangen ist.«

Wieder kam Lachen im Saal auf.

»Das ist durchgegangen«, nickte Bubeck.

Der Vorsitzende fragte nach: »Wer ist in der Anstalt für die Briefzensur und für diesen Kram zuständig?«

»Das war nicht die Anstalt, das war der Senat.«

Die Abgeordneten wurden immer fassungsloser. Daß die Anstaltsleitung so etwas durchgehen lassen könnte, kleine Beamte vielleicht, das konnten sie mit Mühe nachvollziehen, daß aber der Gerichtsvorsitzende einen Strick passieren ließ, war außerhalb ihrer Vorstellungskraft.

»Das war der Senat«, stellte der Vorsitzende Dr. Schieler fest.

»Hat der auch die Stricke gesehen?« fragte einer der Abgeordneten.

»Ja«, sagte Bubeck.

»Der hat auch die Stricke gesehen und sie durchgelassen?« wiederholte ein anderer ungläubig.

»Ja.«

»Was waren denn das für Stricke?« erkundigte sich der Vorsitzende.

Der Vollzugsbeamte hob die Arme, deutete eine Länge von etwa achtzig Zentimetern an. »Das war ein Hanfstrick … so …«

»So in der normalen Aufhänge-Stärke«, sagte Dr. Schieler.

»Etwas schwächer«, korrigierte Bubeck, »so ein normaler Kälberstrick, aber …«

Dr. Schieler vervollständigte den Satz: … »hätte gereicht …«

»Hätte gereicht«, bestätigte der Gefängnisbeamte, »wobei ich aber jetzt hier trotzdem sagen muß, solche Gegenstände gab's natürlich trotzdem noch mehrere in der Anstalt, ohne daß sie zugeschickt wurden …«

Mehrere Abgeordnete sagten gleichzeitig, auf schwäbisch, wie sich die gesamte Befragung abspielte: »Das ischt was anderes …«

»Wer war denn der Adressat?« fragte ein Abgeordneter.

Bevor Bubeck antworten konnte, sagte der Vorsitzende »Nun muß ich aber noch mal dumm fragen: Wenn ein Brief durch die Briefzensur des Gerichts geht, können Sie dann nicht etwaige Gegenstände, die wiederum der Sicherheit der Anstalt widersprechen, die diesem Brief beigelegt sind, entnehmen, oder müssen Sie sie nicht entnehmen?«

Ein Ausschußmitglied rief dazwischen: »Wie wär's bei einer Waffe?«

Bubeck drehte sich um: »Wenn es hier grad die Bemerkung mit der Waffe war, bei der Waffe ist das natürlich selbstverständlich, aber bei dem Strick hatten wir keinen …«

Ein Abgeordneter meinte: »Vielleicht kamen auch die Pistolen mit der Post?«

Im Saal wurde gelacht.

24. Vietnamkrieg und Widerstandsrecht
(121. Tag, 28. Juni 1976)

Die Verteidigung hatte fünf Zeugen, Amerikaner, mitgebracht, die früher für amerikanische Militärdienststellen gearbeitet hatten, inzwischen aber aus dem Staatsdienst ausgeschieden waren. Das Gericht erklärte sich zunächst bereit, die Zeugen anzuhören.

»Darf ich jetzt um die Benennung der Beweisthemen bitten«, sagte der Vorsitzende. Rechtsanwalt Oberwinder erklärte: »Der Zeuge Winslow Peck wird insbesondere bekunden, daß das IG-Farbenhaus in Frankfurt am Main entscheidendes Zentrum für die US-Aktivitäten während des Indochina-Krieges war.«

Bundesanwalt Dr. Wunder beantragte, die Vernehmung des Zeugen nicht zu gestatten: »Die Angeklagten verfolgen mit der beabsichtigten Beweisaufnahme in Wirklichkeit, nichts zur Wahrheitsfindung beizutragen. Sie streben vielmehr an, den gegen sie geführten Strafprozeß in eine Bühne agitatorischer Selbstdarstellung umzuwandeln.«

Rechtsanwalt Dr. Heldmann widersprach der Bundesanwaltschaft: »Wo die Beweiserhebung, die hier beantragt ist, ergeben wird, daß Kriegsverbrechen begangen worden sind und im Zusammenhang damit das

Territorium der Bundesrepublik benutzt wurde, ist die Bundesrepublik selbst einbezogen in völkerrechtsverbrecherische Aggressionshandlungen. Das wird durchaus als Rechtsfrage für die Entscheidung in diesem Verfahren von Bedeutung: ob die Voraussetzungen vorlagen für den Gebrauch eines Nothilferechtes oder für die Anwendung eines völkerrechtlich begründeten Widerstandsrechts auf dem Boden der Bundesrepublik gegen Institutionen des Völkerrechts-Aggressors.«

Der Rechtsanwalt zitierte den ehemaligen Generalstaatsanwalt von Hessen, Fritz Bauer, der geschrieben hatte: »Das Widerstandsrecht erschöpft sich nicht im innerstaatlichen Bereich. Es überschreitet die nationalstaatlichen Grenzen. Es steht nicht nur jedermann zu, sondern kann auch zugunsten von jedermann ausgeübt werden.«

Otto Schily führte ein Beispiel an: »Stellen Sie sich einmal vor, es wäre auf eine Institution wie im Dritten Reich das Reichssicherheitshauptamt ein Bombenanschlag verübt worden. Stellen Sie sich vor, es wäre ein Prozeß geführt worden gegen einen Angeklagten, dem angelastet würde, diesen Bombenanschlag verübt zu haben. Würden Sie einem solchen Angeklagten verwehren, darüber Beweis erheben zu lassen, daß über das Reichssicherheitshauptamt die Vernichtungsaktionen, die Ausrottungspolitik gegenüber jüdischen Mitbürgern koordiniert und durchgeführt worden sind? Jedermann, der einmal Rechtskunde studiert hat, weiß, daß im Bereich eines Notwehr- oder eines Nothilferechtes ein solches Recht unter Umständen auch in Anspruch genommen werden kann, wenn die Nothilfe oder Notwehrhandlung dazu führt, daß jemand ums Leben kommt. Eine schwierige und ernste Frage.«

Rechtsanwalt Oberwinder charakterisierte den Zeugen: »Er hat als Agentenführer in Vietnam in einem Programm mitgewirkt, bei dem 20000 Zivilisten ums Leben gekommen sind. Nicht nur durch Bomben, sondern auch sehr langsam durch Folter. Wir werden hier hören, in welchem Bezug das IG-Farben-Hochhaus zum Beispiel zu dieser Mordaktion stand.«

Das Gericht legte eine dreistündige Pause ein. Danach erklärte Dr. Prinzing: »Die Befragung des Zeugen zu den genannten Beweisthemen ist nicht zulässig.«

Der Zeuge Winslow Peck konnte wieder nach Hause fahren.

Die Verteidigung versuchte, den zweiten Zeugen, Barton Osborne, in das Verfahren einzuführen. Rechtsanwalt Oberwinder sagte, der Zeuge würde unter anderem erklären, daß der Computer des Kommandos für Logistik in Heidelberg dazu benutzt worden sei, Berechnungen über Einsätze für das Flächenbombardement der zivilen Bereiche in Südvietnam und für das Bombardement der Deiche des Roten Flusses in Nordvietnam zu erstellen. Ziel sei es gewesen, eine möglichst große Effektivität, das hieß eine möglichst große Zahl von Toten unter der Zivilbevölkerung zu erreichen.

Bundesanwalt Dr. Wunder beantragte, auch diesen Zeugen abzulehnen. Dem Gericht dürfe keine unsinnige oder unverständliche Beweiserhebung aufgenötigt werden.

Im Gebiet unserer Rechtsordnung sei es auch unter Berufung auf vermeintliche Widerstands- und Notwehrrechte nicht gestattet, »nach Gutdünken Privatkriege in eigener Regie zu führen«.

Otto Schily ergriff noch einmal das Wort:

»Aus der Tatsache, daß die Gefangenen sich als Revolutionäre bezeichnen, zieht das Gericht die Schlußfolgerung, daß es sagt, wir brauchen uns hier über Rechtfertigungsgründe oder Entschuldigungsgründe überhaupt gar kein Kopfzerbrechen mehr zu machen. Weil ja die Gefangenen sich so bezeichnet haben, haben sie sich selbst außerhalb der Rechtsordnung gestellt, und nun sind sie eigentlich – und das ist der Kern des Beschlusses – vogelfrei. Sie sind mit diesem Beschluß vogelfrei.

Ich finde, es ist notwendig, noch einmal klar zu sagen, um was es geht: Daß mittels militärischer Einrichtungen hier auf dem Boden der Bundesrepublik Deutschland Völkermord vollzogen worden ist. Dieser Frage werden Sie nicht ausweichen können …

Vielleicht ist es notwendig, einmal an die Bilder zu erinnern, die hier über das Fernsehen gegangen sind, von den durch Napalm verbrannten Kindern, um auch sinnlich wahrnehmbar zu haben, um was es geht.

Das sind die gleichen Bilder: das jüdische Kind im Ghetto, das mit erhobenen Händen auf SS-Leute zugeht, und die vietnamesischen Kinder, die schreiend, napalmverbrannt dem Fotografen entgegenlaufen nach den Flächenbombardements. Und um diese Frage geht die Beweisaufnahme: Ob man solche Mordaktionen dulden oder verschweigen durfte oder ob es gerechtfertigt war, gegen die Mechanismen und gegen die Apparatur, mit der solche Mordaktionen durchgeführt wurden, vorzugehen. Darum geht es.«

Nach einer weiteren Unterbrechung erklärte das Gericht, auch der Zeuge Osborne würde nicht zugelassen. »Die benannten Beweisthemen sind unter keinem rechtlichen Gesichtspunkt, auch nicht zur Begründung eines Rechtfertigungsgrundes, von Belang. Der Vietnam-Krieg ist nicht Gegenstand dieses Verfahrens.«

25. Ein Anwalt und sein Mandant – Der Kronzeuge

Unmittelbar nach der Festnahme Gerhard Müllers zusammen mit Ulrike Meinhof 1972 in Hannover hatte der Berliner Anwalt Ströbele dessen Mandat übernommen. Damals war Müller noch voll auf RAF-Kurs. Er schrieb an Ströbele: »Mein Bedürfnis nach einem Besuch von Euch ist groß. Ihr seid doch gerade ein Zeichen dafür, daß Ihr bezüglich uns die einzige menschliche Instanz seid. Eure Besuche decken doch gerade die verlogene Propaganda der herrschenden Presse auf. Wenn es Euch nicht gäbe, die Isolation wäre perfekt, die Folter vollkommen.«
Ströbele besuchte Müller häufig und erhielt von ihm zahlreiche Briefe, in denen der Gefangene detailliert die Versuche der Ermittlungsbeamten schilderte, ihn weichzuklopfen. Die Beamten des Bundeskriminalamtes stellten ihm Vergünstigungen in Aussicht, fünfzigprozentigen Straferlaß und Geld, das durch Kontakte zur Presse beschafft werden sollte. Sollte er aber nicht aussagen, würde er für lange Jahre hinter Gittern verschwinden.
Eines Tages wurden Müllers Eltern mit seinen minderjährigen Geschwistern zur Sicherungsgruppe des BKA nach Bonn-Bad Godesberg zitiert. Dort brachte man sie mit ihm in einem Raum zusammen, und Beamte redeten in Müllers Beisein auf seine Mutter ein. Ihr Sohn halte Fakten zurück, die er kenne, und richte damit Schlimmes an. Sie ließen kein gutes Haar an Gerhard Müller und schilderten seine Zukunftsaussichten so düster, daß die Mutter in Tränen ausbrach. Sie kniete vor ihrem Sohn nieder und flehte ihn an, vor den Beamten der Sicherungsgruppe Aussagen zu machen.

Zwei BKA-Beamte wechselten sich bei der Bearbeitung Müllers ab. Den einen nannte er den »Vater-Bullen«, weil er bei den Vernehmungen die väterliche Tour herauskehrte, den anderen den »Heimat-Bullen«, weil er aus Müllers Nachbarort stammte. Später erschienen auch andere Ermittlungsbeamte bei Gerhard Müller, von denen einer aus Hannover kam und ihm vorhielt, bei seiner Verhaftung eine Pistole dabeigehabt zu haben. Aus dem Versuch, die Waffe zu ziehen, könne eine Anklage wegen versuchten Mordes gegen ihn gemacht werden. Dann müsse er mit einer lebenslänglichen Freiheitsstrafe rechnen. Wenn er aber den Ermittlungsbehörden helfe, könne man auch ihm helfen.

Nicht lange nach der Zusammenkunft mit seiner Familie bei der Sicherungsgruppe Bonn schrieb Müller an seinen Anwalt Ströbele: »Die Sonderkommission hat nichts unversucht gelassen, meine Aussageverweigerung umzukehren: Gehirnwäsche. Die Methode, mit der sie vorgehen, ist einfach und primitiv. Das hat mich doch etwas erstaunt. Sie wissen aber, daß ein Proletarier sowieso nie genügend Geld hat. Sie wissen vielleicht, daß ich jahrelang weniger als das Existenzminimum hatte, und sie wissen, daß ich meine Besucher um Geld angehauen habe. Ihr Köder ist deshalb einfach: hier kärgliches Sträflingsdasein, ein Nichts, verraten und verkauft, und da halbe Strafe und Geld.«

Wenig später schrieb Müller an Ströbele: »In Bonn hat das Bundeskriminalamt mit ›Zuckerbrot und Peitsche‹ versucht, mich zum Reden zu bringen. Die Peitsche, das waren – außer Haftschikanen – moralische Vorhaltungen, Erpressung durch Androhung von langjähriger Freiheitsstrafe und Schilderung der Strafhaft.«

Ein Beamter habe gesagt, er könne natürlich seine Geschichte an den »Spiegel« verkaufen, ein anderer ergänzte: »Dann machen Sie Geschichte.«

Ende März 1973 teilte Müller seinem Verteidiger mit: »Die Bullen-Scheiße geht anscheinend wieder los. Gegen mich würde ein Ermittlungsverfahren wegen versuchten Mordes in Hannover laufen. Sie waren ziemlich hartnäckig. Ich mußte sie anbrüllen, damit sie abhauen.«

Im Januar 1974, nach eineinhalb Jahren Haft, schrieb er: »Ich glaube, ich bin derzeit etwas kaputt. Ich brauche meine ganze Energie gegen die Front der Schweine.« Seine Widerstandskraft wurde schwächer: »Es ist bei mir fünf vor zwölf. Jedenfalls habe ich Momente, in denen es so scheint, und die Perioden dazwischen werden immer kürzer. Da anscheinend niemand begreift, was los ist, weder die Anwälte noch die gefangenen Genossen, muß ich das eben begreiflich machen.«

Über Wochen und Monate war Müller in seiner Zelle stündlich kontrolliert worden. Auch in der Nacht hatte man dazu jede Stunde das Licht angeschaltet und ihn regelmäßig aus dem Schlaf geholt. »Wenn Lichtfolter Folter ist«, schrieb er, »dann muß diese Folter jetzt Wirkung haben.«

Langsam gewöhnte sich Müller an die verschärften Haftbedingungen. Sein Gemützustand stabilisierte sich vorübergehend. Doch dann beklagte er sich bei seinem Anwalt immer wieder über zunehmende Schikanen der Gefängnisbeamten. Das Gitter an seinem Zellenfenster wurde mit feinmaschigem Fliegendraht zusätzlich gesichert, und Müller reagierte darauf mit wütenden Ausfällen gegen die Beamten. In seinen Briefen an Ströbele beschimpfte er Richter und Wachpersonal mit so rabiaten Ausdrücken, daß sich der Anwalt derart überzogene Formulierungen verbat.

Im März 1974 war das Verhältnis zwischen Anwalt und Mandant auf dem Tiefpunkt angelangt. Müller teilte Ströbele mit, er wolle ihn nicht mehr sehen, worauf der Anwalt vorschlug, das Mandat zu lösen. Doch zunächst kam es nicht dazu. Statt dessen legte Ströbele das Mandat auf Eis. Müller schrieb: »Lieber Ströbele, Du bist natürlich kein Bulle, sondern Du bist ein ganz bourgeoises Schwein. Deshalb nennen wir doch mal dieses Mandatsverhältnis nach dem, was es tatsächlich ist, eine Geschäftsbeziehung.« In einem anderen Brief meinte Müller: »Was Du bist, wissen wir doch. Du windest Dich, taktierst, kreist um den Punkt, um nur ja das zu bleiben, was Du bist, Advokat, Juso, Bourgeois, Marzipan in den toten Trakt und ein Klumpatsch von unpolitischer, dreckiger, verkümmerter, verwaschener sozialer Sensibilität.« Müller war damit durchaus auf RAF-Linie, denn auch vom Führungskader der Gruppe war Ströbele häufig scharf kritisiert worden. Seine Briefe seien zu allgemein, zeigten seinen liberalen, sozialdemokratischen Standpunkt und so weiter. Und das war noch die freundlichste Kritik.

Im Herbst 1974 brach Müller, der bis dahin immer ausdrücklich dafür eingetreten war, den Hungerstreik ab. Er teilte Ströbele mit, daß er sich von der RAF losgesagt habe, drückte dem Anwalt aber sein Vertrauen aus. Ströbele besuchte ihn auch weiterhin und beobachtete, daß sich Müller mehr und mehr in einen grenzenlosen Haß auf Andreas Baader steigerte.

Zu dieser Zeit vertrat der Anwalt auch Baader; das Verbot der Doppelverteidigung war noch nicht in Kraft. Ströbele erklärte Müller, es sei vollkommen unsinnig, sich auf diese Weise mit einem Menschen auseinanderzusetzen, zu dem man früher ganz andere Beziehungen und Kontakte gehabt habe. Dieser Haß gegen Andreas Baader trage krankhafte Züge, er solle versuchen, ein normales, möglicherweise kritisches Verhältnis zu Baader zu finden und hier keinen Kleinkrieg beginnen. Ströbele war überrascht, denn in den zwei Jahren zuvor hatte er mit Müller kaum jemals über Baader gesprochen. Jetzt brach Müller plötzlich in seiner Zelle regelrecht zusammen, wenn die Rede auf Baader kam. Vielleicht hat er früher eine besonders positive Bindung zu Baader gehabt, dachte der Anwalt.

Diese auffallende Veränderung in Müller war im November 1974 vor sich gegangen. Noch aber hatte er – zumindest soweit das sein Anwalt wußte – keine Aussagen gemacht. Im Dezember erklärte er Ströbele: »Ich werde die Rechtsanwälte belasten, die weiterhin für Baader sind, die ihre Mandate behalten oder in irgendeiner Weise in der Öffentlichkeit für Baader auftreten, auf Pressekonferenzen zum Beispiel. Dann werde ich diese Rechtsanwälte belasten. Mir wird man glauben.« Ströbele verstand das so: »Ich kann über die erzählen, was ich will. Man wird mir das alles glauben, weil man auf so einen Zeugen ja sicherlich gewartet hat.«

Am 6. März 1975 hatte Müller seine Kehrtwendung endgültig vollzogen. Er schrieb seinem Anwalt eine Postkarte mit der ungewohnten Anrede »Sehr geehrter Herr Ströbele« und wies ihn darauf hin, daß er hinfort kein Geld mehr brauche. Die Frau, die ihn bisher finanziell unterstützt hatte, solle ihr Geld woanders hinschicken.

Müller begann, zunächst vertraulich, vor der Polizei Aussagen zu machen.

Im Frühjahr erzählte Müller den Vernehmungsbeamten eine haarsträubende Geschichte, geeignet, der Gruppe und vor allem Andreas Baader jeden Rest an moralischer Substanz zu nehmen.

Baader, so berichtete Müller, habe ein Gruppenmitglied, das aussteigen wollte, ermordet.

Es ging um Ingeborg Barz.

Ihr Tod sei durch den »harten Kern« der Gruppe beschlossen worden, weil sie gegen das »Gesetz« verstoßen habe. Sie wollte »aussteigen«.

Die Liquidierung von Ingeborg Barz, so erzählte Müller den Beamten weiter, sei genau geplant worden. Auf Karten sei ein geeignetes Gelände ausgesucht worden. Es hätte auf dem Weg nach Frankreich gelegen, um Ingeborg Barz in Sicherheit zu wiegen. Ausgewählt worden sei ein Waldstück am linken Rheinufer, südlich von Germersheim. Müller und Raspe seien dorthin geschickt worden, um den genauen Ort für die Hinrichtung festzulegen. Später habe Raspe erzählt, er und Holger Meins seien noch einmal an die ausgesuchte Stelle gefahren und hätten dort eine etwa zwei Meter tiefe Grube ausgehoben. Die eigentliche »Hinrichtung« hätten dann im Frühjahr 1972 Holger Meins, Jan-Carl Raspe und Andreas Baader durchgeführt. Baader hätte den tödlichen Schuß abgegeben.

Die Ermittlungsbeamten nahmen Gerhard Müller mit an den Rhein.

Aus dem Hubschrauber erkannte er die Gegend wieder, hatte auch beim Abgehen des Geländes keine Zweifel, daß es sich um die Stelle handelte, an der er damals zusammen mit Meins das Grab für Ingeborg Barz ausgesucht hatte.

Hundertschaften der Polizei begannen an dem von Müller bezeichneten Gelände zu graben – gefunden wurde nichts.

Nachdem die Suche nach der Leiche Ingeborg Barz' erfolglos abgebrochen worden war, versuchten die Ermittlungsbehörden Müllers Aussagen zu diesem Vorgang geheimzuhalten.

Schließlich hätten die unbewiesenen Erzählungen Gerhard Müllers seine Glaubwürdigkeit als Zeuge der Anklage gefährdet.

Die Verteidiger im Stammheimer Prozeß versuchten, den Belastungszeugen Müller mit der unbewiesenen Genickschuß-Geschichte als unglaubwürdig hinzustellen.

Gruppenmitglieder, die in der Zwischenzeit ebenfalls verhaftet worden waren, traten auf und berichteten, sie hätten Ingeborg Barz auch noch nach dem von Müller genannten Hinrichtungstermin gesehen.

»Ich habe Ingeborg Barz zweimal getroffen«, sagte etwa Inga Hochstein aus.

»Der Treffpunkt war Aumühle bei Hamburg. Wir gingen dorthin spazieren. Ingeborg ist nach mir gekommen und vor mir wieder gegangen. Der Grund des Treffens war damals: Sie wollte von mir wissen, ob es eine Möglichkeit im Ausland gibt. Ich konnte ihr aber nicht helfen. Das zweite Treffen fand um den 20. Januar 1975 auch in Hamburg statt. Es war in einem Lokal in der Wandsbeker Landstraße, glaube ich. Sie wollte von mir ein bestimmtes Medikament haben. Sie war krank, brauchte Hilfe und wurde gesucht. Sie wollte die Adresse von einem Arzt haben, wo es möglich war, eine kontinuierliche Behandlung zu bekommen. Über das Medikament und die Art der Krankheit werde ich keine Aussage machen.«

26. Die natürliche Hackordnung
(124. Tag, 8. Juli 1976)

»Können Sie uns etwas über die Art, wie diese Gruppe untereinander Kontakte gewahrt hat, wie sie in ihren Planungen vorgegangen ist, einige Angaben machen?« erkundigte sich der Vorsitzende Dr. Prinzing beim Zeugen Gerhard Müller.

»Also in geographischer Hinsicht war es so, daß es in verschiedenen Städten, hauptsächlich Heidelberg, Mannheim, Karlsruhe, Frankfurt, Berlin und Hamburg feste Stützpunkte für die Gruppe gab. Mit der Zeit hat sich dabei herausgebildet, daß bestimmte Leute, wenn man es so nennen will, Statthalter in bestimmten Städten waren. Die betreuten dann die Logistik und die Sympathisanten. Sie sorgten dafür, daß die bestehenden Wohnungen zu benutzen waren, mußten dieses und jenes machen, bezahlen, und eben diese Kleinigkeiten, die laufend gemacht werden mußten.«

»Also eine Art Ortsbeauftragte«, sagte der Vorsitzende.

Müller stimmte zu: »Genau. Als Beispiel würde ich sagen, die Möller war das für Stuttgart, Grashof für Hamburg, in Frankfurt war das Raspe, in Berlin Mohnhaupt. Und die Mitglieder lebten nicht alle fest in einer bestimmten Stadt, sondern wechselten von Ort zu Ort. Je nach den Aktivitäten, die geplant waren und durchgeführt werden sollten. Es herrschte eine Fluktuation. Es gab ein paar Leute, die eine Vorliebe für eine Stadt hatten und auch zum Teil Anweisung hatten, dort zu sein.«

»Wechsel also je nach Bedarf. Ist das richtig verstanden?« fragte Dr.Prinzing.

»Ja. Was das Organisatorische angeht, ist es so, daß Baader den Anspruch erhob, daß dort, wo er ist, quasi die Front, die vorderste Front der RAF ist. Die ganze Geschichte der RAF war ja nicht statisch, sondern eine Entwicklung. Dabei gab es bestimmte Ziele, teils in politischer Hinsicht, teils in taktisch-technischer Hinsicht. Und im Rahmen dieser Ziele war es notwendig, das Niveau der Aktionen oder die Qualität, wie man's nennen will, zu verändern. Es gab eben einen Unterschied zwischen einem Autodiebstahl und einem Banküberfall. Baader verstand sich als derjenige, der da immer vorneweg ist.«

»Baader glaubte, immer dort sein zu sollen, wo es um die bedeutendsten Angelegenheiten gegangen ist, oder ist das jetzt falsch verstanden?« vergewisserte sich der Vorsitzende, »sozusagen an der Spitze der erfahrenen Leute?«

»Den Anspruch erhob er. Und natürlich wurde unter anderem daraus auch seine Autorität innerhalb der Gruppe abgeleitet.«

Der Vorsitzende wollte es ganz genau wissen:

»Gab es hier eine Art Rangordnung oder sonst irgend so was, was man im Tierreich als die natürliche Hackordnung bezeichnet, die sich zwangsläufig durch besondere Kenntnisse, größere Kräfte und dergleichen ergeben könnte? Gab es Kernmitglieder und Randmitglieder und so weiter und so weiter?«

»Ja, das gab es. Für mich ist Andreas Baader der führende Kopf. Dann gab es diese Kernmitglieder, also Ulrike Meinhof, Meins, Raspe, Ensslin. Dann gab es einfache Mitglieder, dann eben noch Randmitglieder. Im Prinzip war das Ganze ja so, daß jeder in dieser Hierarchie aufsteigen sollte. Jeder sollte nicht einfaches Mitglied bleiben, sondern er sollte möglicherweise Fähigkeiten und Funktionen bekommen, die dem eines führenden Mitglieds entsprechen. Das ist aber natürlich eine Sache der Leistungsfähigkeit. Zum Beispiel die Statthalter bestimmter Städte waren genauso gut informiert, und die wurden ja auch in gewisser Weise gepuscht, um aufzusteigen und Qualitäten der Kern- und führenden Mitglieder zu erreichen. Baaders Taktik zielte darauf, die Leute zu kriminalisieren, um sie in die Gruppe zu zwingen.«

Dr. Prinzing fragte: »Hat man sich in der Gruppe irgendwelche Überlegungen gemacht, wie man sich für den Fall drohender Festnahmen verhalten sollte?«

»Für Festnahmen gab es Anweisungen zu schießen«, antwortete Müller. »Das Tragen von Waffen wurde idealisiert. Es galt als einem Guerillero entsprechend. Wenn zum Beispiel irgendwo ein Schußwechsel stattgefunden hatte, wurde derjenige, der geschossen hatte, gerühmt oder gelobt. Wenn jemand verletzt oder getötet worden war, dann wurde er als Märtyrer hingestellt.«

Gerhard Müller behauptete auch, Ulrike Meinhof sei für den Anschlag auf das Hamburger Springer-Haus verantwortlich gewesen. Von Hamburg aus sei sie nach Frankfurt gekommen, wo Baader, Ensslin, Raspe, Meins und er selbst residierten.

Ulrike Meinhof habe den anderen die Idee für einen Anschlag auf das Springer-Haus vorgetragen.

Müller sagte: »Die übrigen Gruppenmitglieder waren mit einem Anschlag auf das Hamburger Springer-Haus im Prinzip einverstanden. Es wurden Rohrbomben hergerichtet, die Ulrike Meinhof mit nach Hamburg nehmen sollte. Baader zeigte Ulrike Meinhof, wie man die elektrischen Drähte verbindet und so die Bombe scharf macht. Sie lud die Sprengkörper ein und fuhr nach Hamburg.«

27. »Die Guerilla ist eine Hydra«
(129. Tag, 22. Juli 1976)

Auf Antrag der Verteidigung war das RAF-Mitglied Brigitte Mohnhaupt geladen. Sie sollte die Aussagen des Zeugen Gerhard Müller über die angeblich autoritäre Struktur innerhalb der RAF widerlegen. Brigitte Mohnhaupt war damals 26 Jahre alt und vom Berliner Landgericht wegen Mitgliedschaft in einer kriminellen Vereinigung zu viereinhalb Jahren Haft verurteilt worden. Nach ihrer Entlassung ging sie wieder zu den illegalen Gruppen und spielte bei der Schleyer-Entführung im Herbst 1977 eine wesentliche Rolle.

»Waren Sie Mitglied der RAF oder sind Sie es noch?« wollte der Vorsitzende Dr. Prinzing von Brigitte Mohnhaupt wissen.

»Ihnen und der Bundesanwaltschaft werde ich sowieso keine Fragen beantworten«, sagte die Zeugin. »Das wäre völlig absurd. Das Verhältnis zwischen uns, dem Gericht, der Justiz, der Bundesanwaltschaft ist der genaue Begriff ›Krieg‹. Ich werde nur die Fragen der Verteidigung beantworten.«

»Ich möchte jetzt in der Sitzung hier fortfahren, Frau Mohnhaupt, wie steht es mit den Aussagen?«

»Also, es gibt wirklich eine Sorte Dummheit, na ja, die grenzt schon fast an Obszönität.«

»Ich stelle keine weiteren Fragen mehr an Sie«, sagte der Vorsitzende und erteilte den Verteidigern das Wort.

Daraufhin begann Brigitte Mohnhaupt mit ihrer Aussage zur Struktur der Gruppe: »Also, warum überhaupt einer von uns nach Ulrikes Tod hier noch hergekommen ist, daß wir es für notwendig halten, die tatsächliche Struktur der Gruppe transparent zu machen. Also, wie sie real war, nicht dieses Destillat der psychologischen Kriegführung, was Müller da behauptet, es sei praktisch eine faschistische Struktur gewesen. Die strategische Konzeption, die die RAF 1972 entwickelt hat, richtete sich gegen die militärische US-Präsenz in der Bundesrepublik. Die einzelnen taktischen und operativen Schritte dazu, der Angriff auf das CIA-Headquarter, der Angriff auf das Headquarter der US-Armee in Heidelberg und die geplante Entführung der drei Stadtkommandanten in Berlin, dieses Konzept ist im kollektiven Diskussionsprozeß von allen entwickelt worden.

Die RAF war damals organisiert in acht Gruppen in sechs Städten. Davon zwei starke Gruppen in zwei Städten. Die einzelnen Einheiten waren in das Logistik-System integriert. Es gab einen Diskussionszusammenhang, aber die einzelnen Einheiten waren autonom in ihrer Entscheidung über operative Durchführung.«

Auch der Anschlag auf das Hamburger Springer-Haus sei die Aktion einer autonomen Gruppe gewesen. Die übrigen RAF-Mitglieder hätten nichts davon gewußt, ihn aber anderenfalls auch nicht verhindert.

»Die Behauptung, Ulrike hätte im Gegensatz zu Andreas oder Gudrun den Anschlag auf das Springer-Hochhaus gewollt und durchgeführt, also die Behauptung, es hätte eine Fraktionierung gegeben oder Kämpfe untereinander, Terror, was das Schwein da behauptet … Tatsache war, daß die Aktion in Hamburg durchgeführt wurde, daß Ulrike und wir auch davon nichts wußten. Aufgrund der ganzen Struktur gab es autonome Entscheidungen der Gruppen, autonome Durchführung von Aktionen. Nach der Aktion gegen Springer gab es eine starke Kritik in den einzelnen Gruppen, und daraufhin ist Ulrike nach Hamburg gefahren, um das zu ermitteln. Was Müller da behauptet, es hätte eine Fraktionierung gegeben, Ulrike hätte überhaupt die Absicht haben können, Aktionen gegen die anderen zu machen, ist also völlig irre. Das entspricht der Linie, die jetzt behauptet wird, daß es Spannungen gegeben hat. Das soll sowieso nur den Mord an ihr legitimieren.«

Rechtsanwalt Temming fragte die Zeugin nach der von Müller geschilderten hierarchischen Struktur der Gruppe: »Müller hat behauptet, Andreas Baader habe einen Führungsanspruch gehabt. Gab es so was in der Gruppe? Und wie ist das Verhältnis der Gruppe überhaupt zur Führung?«

»Wenn einer einen Führungsanspruch gehabt hätte, dann hätte er sich nur lächerlich gemacht.

Das Prinzip der Organisation ist ja sowieso Freiwilligkeit, das heißt, daß jeder das eben auch können muß. Wir haben das ›Kaderlinie‹ genannt. Es ist einfach eine Bedingung für Kontinuität. Wenn Leute verhaftet werden, daß nicht alles völlig orientierungslos dasitzt, sondern daß die Leute auch wirklich selber bestimmen können, damit es keinen Bruch gibt. Wir haben letztes Mal gesagt, Guerilla ist eine Hydra, das heißt, sie hat viele Köpfe.«

28. Reisen nach Nahost

Wie recht sie damit hatte, wußten damals weder Bundesanwaltschaft noch Bundeskriminalamt.

Die Gefangenen in Stammheim hatten den Rechtsanwalt Siegfried Haag dazu auserkoren, die Gruppe neu zu strukturieren. Es sollte Schluß sein mit den spontanistischen Aktionen, die neue Generation der RAF sollte eingebettet sein in einen internationalen Zusammenhang.

Um diesen Zusammenhang herzustellen, reiste Haag gemeinsam mit der aus dem Sozialistischen Patientenkollektiv Heidelberg stammenden

Elisabeth van Dyck in den Nahen Osten, um die Kooperation mit der PLO wieder aufzufrischen. Doch Jassir Arafat erklärte ihnen, daß er seine Politik inzwischen anders ausgerichtet habe. Die PLO setze jetzt nicht mehr auf »militärische Aktionen«, wie Terroranschläge umschrieben wurden, sondern auf Verhandlungen. Für die praktische Seite seien deshalb andere Gruppen zuständig. Haag möge sich an die PFLP des Dr. Georges Habash wenden. Von dort aus wurde Haag an die Abteilung »outside operations« der PFLP unter Führung von Wadi Haddat, Kampfname Abu Hani, weiterverwiesen.

Der deutsche Rechtsanwalt durfte nach Aden weiterreisen, wo die PFLP ihr Ausbildungscamp unterhielt. Dort traf Haag auf die bei der Lorenz-Entführung freigepreßten Genossen und durfte auch gleich einen militärischen Kurzlehrgang absolvieren.

Die PFLP war im Jahr 1967 entstanden, als der Arzt Georges Habash mehrere palästinensische Organisationen zusammengeschlossen hatte. Ziel der »Popular Front for the Liberation of Palestine« waren die Zerstörung Israels und der Kampf gegen den »amerikanischen Imperialismus«. 1974 ändert die PFLP ähnlich wie die PLO des Jassir Arafat die Taktik, duldete und unterstützte jedoch heimlich weiter terroristische Aktivitäten. Damals scharte Wadi Haddad aus den Reihen der PFLP Anhänger um sich, um am Prinzip des terroristischen Kampfes, vor allem am »Terror über den Wolken«, festzuhalten. Die Gruppe nannte sich jetzt PFLP-SC, das Kürzel am Schluß stand für »Special Command«. Phasenweise bestritt die PFLP-SC ihren revolutionären Etat aus der schlichten Erpressung westlicher Fluggesellschaften. Wer zahlte, blieb von Anschlägen und Entführungen verschont; das galt natürlich nicht für die israelische Fluggesellschaft.

Im Januar 1976 versuchten Angehörige des »Special Command« in Nairobi, eine El-Al-Maschine abzuschießen. Der Anschlag scheiterte. Drei Palästinenser und zunächst zwei, dann eine weitere Deutsche wurden festgenommen. Wenige Monate später entführte ein anderes Kommando unter Leitung zweier Deutscher, die den »Revolutionären Zellen« (RZ) angehörten, eine Maschine der Air France nach Uganda. Die Geiseln, darunter viele Juden, wurden von einem israelischen Spezialkommando befreit. Die Deutschen, Brigitte Kuhlmann und Wilfried Böse, wurden erschossen.

Doch das »Special Command« gab den bewaffneten Kampf nicht auf. Es unterhielt in Südjemen unter der Leitung des Haddad-Stellvertreters Zaki Helou mehrere Stützpunkte und ein Ausbildungscamp in der Nähe des Dorfes Yaal, etwa zwei Autostunden von Aden entfernt. Hier bildete die PFLP-SC nicht nur ihre eigenen Kämpfer aus, sondern auch Angehörige befreundeter Organisationen wie der RAF, der RZ, der »Bewegung 2. Juni« und irischer oder sogar holländischer Gruppen. Es war ein Geben und Nehmen. Die Europäer unterstützten bei Aktionen, wenn Araber bei deren Vorbereitung aufgefallen wären, und halfen mit logistischem und technischem Material aus, wie Funkgeräten aller Art, Abhörgeräten oder Fälschermaterialien. Die PFLP lieferte Waffen, Sprengstoff, Blanko-Pässe und vor allem Trainingsmöglichkeiten für den bewaffneten Kampf.

In Deutschland wollten sich die Genossen auf eine kollektive Reise zur Ausbildung nach Aden vorbereiten und trafen sich dazu in Sprendlingen. Jeweils ein Pärchen sollte sich auf unterschiedlichen Routen nach Südjemen begeben. Kaum hatten sie sich in einem Naturschutzgebiet, das von Spaziergängern und Joggern frequentiert wurde, gesammelt, tauchte ein Streifenwagen der Polizei auf. Einer aus der Gruppe trug einen Anorak, dessen Reißverschluß er bis oben zugezogen hatte. Darunter hatte er eine Pistole verborgen. Die Polizisten stiegen aus und gingen direkt auf ihn zu: »Was haben Sie da?« – »Was soll denn das jetzt? Wir machen hier gerade Mittag«, erwiderte einer aus der Gruppe. Die Beamten erklärten, sie seien auf der Suche nach einem Exhibitionisten, der hier sein Unwesen treiben solle. Auch wenn sie nicht den Eindruck machten, als würden sie sich vor kleinen Kindern zeigen, so solle der eine von ihnen doch bitte schön mal zeigen, was er unter der Jacke hätte.

»Ich mach' doch hier keinen Striptease«, erwiderte der Angesprochene. Doch die Polizisten beharrten darauf, daß er mit zum Streifenwagen kommen müsse. Dort wurden seine Personalien überprüft. Die waren in Ordnung. Aber die Beamten ließen nicht locker: »Jetzt möchten wir doch wissen, was Sie unter der Jacke haben.«

Daraufhin klappte der Mann seine Jacke auf, zog seine Pistole und sagte: »Hände hoch.«

Die Beamten stellten sich mit erhobenen Händen an den Wagen, doch in einer plötzlichen Drehung zog einer seine Waffe und feuerte. Es begann eine wilde Schießerei, in deren Verlauf einer der Polizisten in den Kopf getroffen wurde. Eine Kugel traf Rolf Clemens Wagner in den Hintern. Peter Jürgen Boock packte sich den Blutenden auf die Schulter und schleppte ihn auf einen Parkplatz am Rande des Naturschutzgebietes. Dort saß eine Frau am Steuer ihres Renault R 16. Boock hielt ihr die Pistole ins Gesicht: »Aussteigen!«

Die Frau kreischte und klammerte sich am Lenkrad fest. Ein Schuß fiel, die Windschutzscheibe zersplitterte. Boock sprang auf die Beifahrerseite und versuchte, die Frau mit den Füßen aus dem Wagen zu stoßen. Als sie endlich das Lenkrad losließ und zu Boden fiel, schrie Boock den verletzten Wagner an: »Los, einsteigen!« Dann raste er los. Die immer noch kreischende Besitzerin des Wagens klammerte sich ans Fenster und wurde mitgeschleift, bis sie sich nicht mehr halten konnte.

Als die Großfahndung einsetzte, versteckten sich Boock und Wagner in einem Waldstück unter Laub und Ästen. Sie wurden nicht entdeckt.

In einer ihrer konspirativen Wohnungen trafen sich alle wieder. Rolf Clemens Wagner wurde mit Hilfe eines mehr oder weniger freiwillig helfenden Arztes versorgt.

Boock gehörte zur letzten Gruppe, die einige Zeit später in Aden eintraf. Auf dem Dach des Flughafengebäudes wartete das Begrüßungskommando. Siegfried Haag hatte sich in der Zwischenzeit ein Toupet anfertigen lassen und trug einen Seeräuberbart. Verena Becker war dabei und der schon erwähnte Zaki Helou. Peter Jürgen Boock meinte sich später auch daran zu erinnern, daß Monika Haas aus Frankfurt in dieser Gruppe gestanden habe – jene Frau, die später in Verdacht geriet, die Waffen für die Entführung des Lufthansa-Flugzeugs »Landshut« nach Palma de Mallorca geschmuggelt zu haben.

Die wenigen Transitreisenden, die sich alle einer besonders peniblen Ankunftskontrolle unterziehen mußten, waren erstaunt, daß diese Truppe von jugendlichen Europäern empfangen wurden wie Staatsgäste. Allerdings mußten die Einreisenden ihre Pässe abliefern. Als Boock sich bei Siegfried Haag darüber beschweren wollte, erklärte ihm dieser, daß es dazu eine Vereinbarung zwischen den Palästinensern und der Regierung gebe. Solange die Gruppe im Land sei, hätten die PFLP-Vertreter die Kontrolle über Ein- und Ausreise.

Erst später erfuhr Boock, wer noch genau über die Bewegungen der Deutschen Bescheid wußte: Die Vertreter des Ministeriums für Staatssicherheit der DDR, die den jemenitischen Geheimdienst ausbildeten und den Flughafen Aden unter Kontrolle hatten. Dort wurde sogar sächsisch gesprochen.

Am nächsten Tag ging es weiter zum Camp. Es gab zur Begrüßung Tee und dann Gespräche bis zum frühen Morgen. Siegfried Haag erklärte, daß er mit dem militärischen Training auf sie gewartet habe. Bisher hatte es nur Körperertüchtigung durch Dauerlauf gegeben.

29. Operation Nairobi

Es gab einiges zu erzählen. Zwei Gruppenmitglieder hatten bereits an einer Aktion teilgenommen. Die war aber offenbar schiefgegangen. Im Januar 1976 war ein aus drei Palästinensern und den beiden Deutschen Brigitte Schulz und Thomas Reuter bestehendes Kommando in die kenianische Hauptstadt Nairobi gereist. Das Ziel – zumindest der Palästinenser – war es, ein Flugzeug der israelischen Fluggesellschaft El Al mit einer sowjetischen SAM-7-Boden-Luft-Rakete abzuschießen. Doch die kenianischen Behörden, und mit ihnen der israelische Geheimdienst Mossad, hatten rechtzeitig von dem geplanten Anschlag erfahren. Das »Norfolk-Hotel« nämlich, in dem das Kommando abgestiegen war, strotzte vor Abhöreinrichtungen der Israelis, und die Terroristen hatten die Details ihrer Aktion ausführlich untereinander besprochen.

Die Palästinenser, darunter auch die rechte Hand des Terroristenchefs Wadi Haddad, Abu Hannafeh, wurden in der Nähe des Flughafens festgenommen und genauso wie die beiden Deutschen heimlich nach Israel ausgeflogen. Dort verurteilte man sie in einem Geheimprozeß zu langjährigen Freiheitsstrafen. Sie verschwanden – ohne daß dies in der Öffentlichkeit bekannt wurde – in israelischen Militärgefängnissen.

Und noch eine dritte Deutsche war von Aden aus auf Umwegen nach Kenia gereist: Monika Haas. Genau wie die übrigen fünf hatte sie bei der Einreise einen zypriotischen Paß vorgelegt und war prompt verhaftet worden. Über den folgenden Tagen oder Wochen liegt bis heute der Schleier eines Geheimnisses. Monika Haas selbst schildert die Ereignisse so:

Sie sei im Camp Ende 1975/Anfang 1976 gefragt worden, ob sie einen Brief nach Kenia bringen könnte. »Unbefangen« und »unbedarft« habe sie sich zu diesem Kurierdienst bereitgefunden und sei im Januar nach Nairobi geflogen, wo sie unmittelbar nach ihrer Ankunft am Flughafen festgenommen worden sei. »Ich befand mich während dieser Zeit«, so erklärte sie später vor Gericht, »ununterbrochen in Todesangst. Mit Nachdruck vermittelten mir die Kenianer, daß sie mich ohne weiteres im Urwald verscharren könnten, da ich offiziell nie in ihr Land eingereist sei. Als Ausweg boten sie mir an, eine weitere Person, die ebenfalls verdächtigt wurde, mit dem geplanten Anschlag etwas zu tun gehabt zu haben, unter einem Vorwand dazu zu bringen, nach Nairobi zu fliegen.« Dort habe diese Frau, eine Araberin, dann festgenommen werden sollen. Mit israelischen Agenten habe sie nie zu tun gehabt, allerdings sei bei den Verhören ein weißer Mann im Hintergrund dabeigewesen. Sie habe sich zuerst geweigert, den Auftrag anzunehmen: »Dabei dachte ich zuerst an einen Trick, um behaupten zu können, ich sei auf der Flucht erschossen worden. Allerdings hatte ich keine Alternative, von daher stimmte ich nach kurzem Widerstand zu. Wider Erwarten war der Plan ernst gemeint, und ich wurde losgeschickt, um die andere Frau dazu zu bringen, nach Kenia zu fliegen. Für den Fall, daß ich nicht mitspielte, drohte man mir, daß dies mein sicherer Tod sei. Über Umwegen bin ich daraufhin nach Aden zurückgekehrt.«

So einfach also konnte die tüchtige junge Frau aus Deutschland den Dilettanten vom Mossad entwischen und nach Aden zurückkehren, dorthin, wo ihr späterer Ehemann Zaki Helou die Guerillas für den Kampf gegen Israel ausbildete. Kein Wunder, daß ihr später kaum jemand abnahm, sie hätte sich ihre Freiheit nicht irgendwie erkauft.

Eine andere Version besagt, daß Monika Haas ebenso wie Brigitte Schulz und Thomas Reuter nach Israel ausgeflogen wurde und dort verschärften Verhören unterzogen worden sei. So habe Brigitte Schulz sie im Gefängnis über einen Zeitraum von 14 Tagen mehrmals laut rufen und schreien gehört. Dann habe man sie – vermutlich mit speziellen Aufträgen – wieder entlassen. Monika Haas bestreitet das. Aber ihr Ausflug nach Nairobi oder anderswo erregte über Jahre in der Terroristen- und Geheimdienstszene den Argwohn, sie sei möglicherweise vom Mossad »umgedreht« worden.

Als Peter Jürgen Boock in Aden eintraf, war Monika Haas offenbar wieder von ihrem Ausflug zurück. Die gescheiterte Aktion diktierte zunächst die Ausbildung. Die Palästinenser gingen davon aus, daß die Israelis aus den festgenommenen Kommandomitgliedern die Lage des Camps herausgefoltert hätten und möglicherweise einen Luftangriff unternehmen könnten. So wurden die Neuankömmlinge zunächst an schweren Maschinengewehren und anderen Flugabwehrgeschützen ausgebildet. Tag und Nacht mußte Wache geschoben werden.

Im Camp wurde nicht nur hinter vorgehaltener Hand darüber spekuliert, ob Monika Haas zur Verräterin geworden war. So schrieb später Hans Joachim Klein, der mit der Carlos-Truppe 1975 die OPEC-Konferenz in Wien überfallen hatte: »Das Mitglied der RAF wurde aus unerfindlichen Gründen freigelassen – sogar mit einem Brief von Abu Hannafeh an dessen Frau versehen – und kam zu Abu Hani (Wadi Haddad) zurück, um Report zu erstatten. Allen war klar, doch keiner sprach es aus, daß dieses Mitglied wohl umgedreht sein mußte. Auch Abu Hani, doch er ließ es an der langen Leine... Nachdem die Israelis die Karten nun ein wenig geöffnet haben, wo das Kommando steckt und was sie mit ihnen gemacht haben – unter anderem nämlich gefoltert, um Infos zu kriegen, dürfte dieses deutsche Mitglied wohl tot sein. Hingerichtet, sagt man in diesen Kreisen.«

Doch Aussteiger Klein irrte. Monika Haas stand unter dem persönlichen Schutz des einflußreichen Leiters des Ausbildungscamps und Stellvertreters von Abu Hani. Im Sommer 1976 heirateten die beiden. Den Verdacht, Mossad-Agentin zu sein, wurde sie nie wieder los. Vor allem Mitarbeiter der Terrorismusabteilung des DDR-Geheimdienstes stellten später umfangreiche Ermittlungen an, um die vermutete Beziehung von Monika Haas zum Mossad nachzuweisen.

Bei glühender Hitze und mehr als 90 Prozent Luftfeuchtigkeit trainierte ein Großteil jener Gruppe den Guerillakrieg, die später an der Schleyer-Entführung oder anderen Aktionen beteiligt war: Neben Peter Jürgen Boock und Siegfried Haag waren das Rolf Heißler, Verena Becker, Sieglinde Hofmann, Stefan Wisniewski und Rolf Clemens Wagner. Auch der legendäre Auftragsterrorist Carlos und sein deutscher Gehilfe Johannes Weinrich waren vor Ort – wenn auch nicht alle gleichzeitig.

Die Palästinenser hatten darauf bestanden, daß einer in der Gruppe für sie der Ansprechpartner war. Rechtsanwalt Siegfried Haag übernahm die Rolle und begann auch sofort, den deutschen Kampfgenossen gegenüber den Chef zu spielen. Das führte zu einigen Konflikten, vor allem mit Verena Becker, aber auch mit Peter Jürgen Boock. »Heimkindermentalität« wurde ihm dann von den anderen vorgehalten und daß er gesagt hatte, er würde nur mitmachen, weil er jene Leute befreien wollte, die ihm nahestanden.

Das war zwar auch das Ziel der anderen, nur wurde es von ihnen wesentlich politischer formuliert.

Früh am Morgen begann das Training mit Dauerlauf, Nahkampfübungen und Gymnastik. Nach dem Essen eine Pause bis 13 Uhr. Dann Waffenkunde, Guerillatheorie, Häuserkampftheorie. Nach dem Abendessen, wenn es etwas kühler wurde, Schießtraining. Am Abend wurden Pläne für die Rückkehr nach Deutschland geschmiedet. Ganz oben auf der Liste stand die Befreiung der Gefangenen, vor allem in Stammheim. Es entstanden die Begriffe »Big Money« und »Big Raushole«. Siegfried Haag legte dazu verschlüsselte Papiere an, die später bei ihm gefunden wurden.

30. Saulus und Paulus
(126. Tag, 14. Juli 1976)

Der Hauptbelastungszeuge Gerhard Müller mußte sich den Fragen der Verteidigung stellen.

»Wie hat sich die Isolation auf Sie ausgewirkt, Herr Müller«, fragte Rechtsanwalt Schily.

»Das können Sie ja sehen.«

»Das kann ich heute sehen?«

»Ja.«

»Würden Sie sagen, daß Sie in der Haft immer mit rechtsstaatlichen Mitteln behandelt worden sind?«

»Ja, ich möchte unterscheiden, zwischen der Haft als RAF-Gefangener und der Haft nach meiner Trennung von der RAF. Ich kann auch überhaupt nicht leugnen, daß die Maßnahmen staatlicherseits während meiner RAF-Mitgliedschaft und meiner Gefangenschaft berechtigt waren.«

»… berechtigt waren?« fragte Schily.

»Ja, ich habe mich ja auch entsprechend verhalten.«

»Sagen Sie: Waren Sie mal in psychiatrischer oder nervenärztlicher Behandlung?«

»Muß ich so was beantworten?« erkundigte sich Müller beim Vorsitzenden.

»Die Dinge, die hier zur Debatte stehen, rechtfertigen eine solche Frage«, meinte Dr. Prinzing.

»Ja, ich war im Anschluß an einen Selbstmordversuch in Heidelberg ungefähr fünf bis sechs Wochen in der geschlossenen Abteilung der Nervenklinik.«

»Und danach oder davor?« fragte Schily.

»Davor nicht, danach ja. 1970 war ich dann im ›Sozialistischen Patientenkollektiv‹. Ich hab' da 'ne Einzeltherapie gehabt. Und dann gleichzeitig auch noch Gruppentherapien. Daraus wurden dann später Agitationen.«

»Und was war da die Diagnose für diese Therapie?«

»Ja, das System muß kaputtgemacht werden.«

Schily geriet an einen heiklen Punkt: »Sagen Sie, Herr Müller, haben sie sich mal für Geld verkauft?«

Der Vorsitzende griff ein: »Herr Rechtsanwalt Schily, ich bitte Sie, diese Frage möglichst nicht auszuführen.«

»Ich bestehe auf der Frage«, sagte Schily. »Der Zusammenhang ist in diesem Verfahren ja nun sehr deutlich: inwieweit ist der Zeuge bereit, gegen bestimmte finanzielle Leistungen, sich zu einem bestimmten Verhalten herzugeben. In den Akten gibt es da einen bestimmten Anhaltspunkt, so daß diese Tatsache hier eingeführt werden muß, so leid es mir tut.«

Der Vorsitzende wandte sich an den Zeugen: »Das Gesetz sagt folgendes, daß Fragen, die einem Zeugen zur Unehre gereichen könnten, nur dann zu stellen seien, wenn sie unerläßlich sind. Herr Rechtsanwalt Schily hat daraufhin hingewiesen, daß es darum geht zu klären, ob Sie gegen Geldzuwendungen zu bestimmtem Verhalten bereit wären. Das ist ein Zusammenhang, der nicht völlig aus der Luft gegriffen ist. Also, Frage: Wären Sie bereit, von sich aus so eine Frage zu beantworten?«

»In keiner Weise«, sagte Müller.

Die Bundesanwaltschaft meldete sich zu Wort:

»Die Frage zielt eindeutig darauf hin, den Zeugen bloßzustellen, auf nichts anderes.«

Die Verhandlung wurde kurz unterbrochen, dann verkündete das Gericht: »Die gestellte Frage wird als ungeeignet zurückgewiesen.«

Noch einmal bemühten sich die Anwälte herauszufinden, auf welche Weise Müller aussagebereit gemacht worden war.

»Hat man Ihnen anläßlich Ihrer Vernehmung durch Beamte der Sicherungsgruppe Bonn verschiedentlich bedeutet, daß man auch anders könne, wenn Sie nicht aussagten?« fragte Dr. Heldmann.

»Ja, daß ich damit zu rechnen hätte, eben wie jeder andere ein Verfahren zu kriegen und dann verurteilt zu werden.«

»Und das hat Sie so erschreckt, daß Sie ›wie jeder andere‹ behandelt werden sollten?« sagte der Anwalt.

»Ja, das sollten Sie auch wieder nicht so sehr auf die Goldwaage legen.«

»Haben Sie einen Haß auf Herrn Baader?« wollte Heldmann wissen.

»In keiner Weise.«

»Spüren Sie Feindschaft gegenüber Baader?« – »Nein.«

Dr. Heldmann zog einen Brief hervor, den Müller im Januar 1975 an einen Bekannten in Heidelberg geschrieben hatte. Er zitierte: »Schließlich ist es so, daß mein Haß auf die RAF und bestimmte Leute sehr viel stärker ist als zum Beispiel auf die Leute, die gegenwärtig für meine Haftbedingungen verantwortlich zeichnen.«

Müller räumte ein, diesen Brief geschrieben zu haben, und erklärte seine damalige Lage: »Die Trennung von der RAF hat ja einen unheimlich starken emotionalen Aspekt gehabt. Ich habe die erste Phase dieser Trennung nur hinter mich gebracht – lebendig –, indem ich mir da einen Gegner aufgebaut hatte. Also in diesem Sinne Haß auf die RAF.«

Im Anschluß an die Vernehmung des Zeugen Gerhard Müller gab Bundesanwalt Dr. Wunder in einer Erklärung seine Einschätzung des Zeugen ab: »Ich verwahre mich mit Nachdruck gegen den Vorwurf, Müller sei von Angehörigen des Bundeskriminalamtes gekauft, umgedreht oder einer sogenannten Gehirnwäsche unterzogen worden. Obwohl Müller zweifellos schuldbeladen ist, halte ich ihn für glaubwürdig. Es ist nicht das erste Mal, wenn sich ein Saulus zu einem Paulus bekehrt. Und in einem Rechtsstaat, der sich der Resozialisierung verschrieben hat, sollte derartiges nicht als ungewöhnlich angeprangert werden. Schon grundsätzlich verdient jemand, der sich aus den Klauen einer kriminellen Vereinigung befreit, ein gewisses Verständnis, wenn nicht sogar Respekt.«

31. Ein Sprung über den Richtertisch
(131. Tag, 28. Juli 1976)

Auch der in Kaiserslautern Angeklagte Klaus Jünschke war von der Verteidigung als Zeuge geladen worden, um Müllers Behauptungen über die Struktur der Gruppe zu widerlegen. »Haben Sie in Kaiserslautern einen Verteidiger?« fragte Rechtsanwalt Dr. Heldmann.

»Nein.«

»Sind Sie belehrt worden, daß Sie hier einen Rechtsbeistand mitbringen dürfen?«

»Nein. Ich sagte doch, daß wir uns seit Monaten bemühen, Anwälte zu finden. Aber diese Bemühungen sind durch die Hetze gegen die Anwälte sabotiert worden. Die Schwierigkeiten liegen bei diesen Figuren hier.«

Der Vorsitzende erkundigte sich, ob Jünschke die Formulierung »Figuren« abträglich gemeint habe und drohte eine Ordnungsstrafe an.

»Na mach doch, du Faschist«, sagte der Zeuge und erhielt eine Woche Ordnungshaft.

»Vielleicht ist das nicht klargeworden«, erklärte Jünschke. »Wir haben Interesse, hier auszusagen. Aber Müller wird in Kaiserslautern erscheinen, und wir haben bis jetzt noch nicht seine Vernehmungsakten. Das ist der Grund, weswegen wir heute nichts sagen können. Ich würde vorschlagen, daß wir in vierzehn Tagen wieder geladen werden und bis dahin die Protokolle durchgelesen haben. Und zu diesem Vorschlag …«

Der Vorsitzende schnitt ihm das Wort ab:

»Sie haben hier nicht mit Vorschlägen zu kommen, sondern Fragen zu beantworten.«

»Ja, dann machen wir Schluß, würde ich sagen.«

Einen Moment später stand Klaus Jünschke von seinem Stuhl auf, rannte um den Zeugentisch herum und rief: »Wart, ich komm!« Mit drei schnellen Schritten sprang er auf den Richtertisch und stürzte sich auf den Vorsitzenden. Er umklammerte Dr. Prinzing und fiel mit ihm zusammen zu Boden. Mehrere Richter, Vollzugs- und Polizeibeamte überwältigten Jünschke. Er wurde am Boden festgehalten und schrie: »Für Ulrike, du Schwein!«

Die Vollzugsbeamten fesselten ihn an Händen und Füßen und schleppten ihn aus dem Saal.

»Ich bitte Platz zu nehmen«, sagte der Vorsitzende, nachdem er seinen

Stuhl wieder eingenommen und die Robe geordnet hatte. »Wir setzen die Sitzung fort. Sind weitere Fragen an den Zeugen? Ich sehe nicht. Die Vernehmung des Zeugen ist abgeschlossen.«

Jünschkes Sprung über den Richtertisch wurde 1977 in dem Urteil gegen ihn als Beweis für die »von fanatischem Haß geprägte Einstellung gegen den Staat und seine Institutionen« ausgelegt.

Das Landgericht Kaiserslautern verurteilte ihn 1977 wegen »gemeinschaftlichen Mordes in Tateinheit mit gemeinschaftlichem schweren Raub« zu einer lebenslangen Freiheitsstrafe. Das Gericht ging davon aus, daß Jünschke an dem Banküberfall in Kaiserslautern am 22. Dezember 1971 teilgenommen hatte. Dabei war der Polizeibeamte Herbert Schoner erschossen worden. Zeugen behaupteten, Jünschke Tage vor dem Überfall in der Nähe der »Hypotheken- und Wechselbank« gesehen zu haben. Außerdem waren seine Fingerabdrücke in einer konspirativen Wohnung in Kaiserslautern gefunden worden. Daraus zog das Gericht den Schluß, Jünschke sei auch bei dem Banküberfall dabeigewesen. Daß er selbst geschossen habe, wurde auch in dem Urteil nicht behauptet. Der Revolver, aus dem in der Bank die Schüsse auf den Polizisten abgegeben worden waren, wurde auf dem Gartengrundstück in Frankfurt gefunden, wo Jan-Carl Raspe 1972 festgenommen worden war. Welche RAF-Mitglieder außer Jünschke an dem Banküberfall noch teilgenommen haben sollten, ließ das Gericht offen. Jünschke wurde als einziger wegen »gemeinschaftlichen Mordes« verurteilt. Der Richterspruch gegen Klaus Jünschke gehört zu den fragwürdigsten Urteilen gegen RAF-Mitglieder überhaupt. Erst nach mehr als zehn Jahren Haft beschloß Jünschke, einen Wiederaufnahmeantrag zu stellen. Inzwischen hatte er sich von der »Roten Armee Fraktion« gelöst.

Strafanzeige gegen die Untersuchungsgefangenen Baader und Raspe: »Am 3. August 1976 wurde Raspe wegen fortgesetzten Störens von der Hauptverhandlung ausgeschlossen, wobei er die Aufforderungen, den Saal zu verlassen, nicht achtete. Er wurde in den Abführgriff genommen und gewaltsam aus dem Saal geführt. Raspe ließ sich widerstandslos in die Vorführ-Zelle führen, drohte jedoch dem Bediensteten Wagner mit den Worten: ›Dich kriegen wir schon, laß dich ja nicht sehen heute mittag, ich hau dir die Suppe in die Fresse‹. Raspe unterrichtete offenbar den Gefangenen Baader von dem Vorfall. Dieser forderte kurze Zeit später aus der offenen Tür der Zelle den Hauptsekretär Münzing mit den Worten ›komm her‹ auf, zu ihm zu kommen. Auf dessen Frage, was er von ihm wolle, ging Baader auf ihn zu und sagte: ›Damit ich dir wegen vorher ein paar in die Fresse hauen kann.‹ Dabei holte er aus, um dem Bediensteten einen Schlag zu versetzen. Assistent Wagner sagte daraufhin zu Baader, daß nicht Münzing, sondern er den Gefangenen Raspe aus dem Saal geführt hätte. Ohne weitere Worte ging nun Baader auf Wagner zu. Dieser konnte zunächst den Schlägen ausweichen. Baader erhielt jedoch Hilfe durch die Gefangenen Raspe und Ensslin. Während sich die Gefangene Ensslin darauf beschränkte, in der Zellentüre zu stehen und die Beamten zu beschimpfen, griff Raspe ebenfalls die Beamten an. Während Baader und Raspe um sich schlugen, riefen sie den Bediensteten die Worte zu: ›Dich kriegen wir schon noch da oben, du Schwein.‹ Erst mit Hilfe der Polizei, die durch die ebenfalls anwesende Vollzugsbeamtin Frede herbeigeholt worden war, gelang es, die Gefangenen wieder in ihre Zelle zurückzubringen. Abschließend bedrohte der Gefangene Baader die Beamten noch mit den Worten: ›Das nächste Mal geht die Sache anders aus‹.«

32. Geige und Beton
(134. Tag, 4. August 1976)

Verteidiger Otto Schily stellte den 61. Ablehnungsantrag gegen das Gericht. Anlaß war eine vom Vorsitzenden angeordnete Verschärfung der Haftbedingungen. Der gemeinsame Umschluß der Gefangenen im 7. Stock der Haftanstalt sei bis auf weiteres ausgesetzt.

Grund: »Die Angeklagten Baader und Raspe haben heute gemeinschaftlich die Vollzugsbeamten Münzing und Wagner angegriffen und verletzt. Sie haben weitere massive Tätlichkeiten angedroht.«

Die Verschärfung der Haftbedingungen widerspreche den von den medizinischen Gutachtern geforderten minimalen Haftbedingungen, sagte Schily.

Oberstaatsanwalt Zeis schoß zurück: »Der Angeklagte Baader fürchtet offensichtlich um seine Stellung als Boß der Baader-Meinhof-Bande. Wie anders wäre zu erklären, daß ein Untersuchungsgefangener, der sich bisher mit Tätlichkeiten gegen Vollzugsbeamte immer zurückgehalten hat, nun plötzlich, ein paar Tage, nachdem dieser fanatisierte Klaus Jünschke einen tätlichen Angriff auf Sie, Herr Vorsitzender, unternommen hat, plötzlich dort unten gegen Vollzugsbeamte tätlich geworden ist. Offensichtlich meint die Angeklagte Ensslin, daß die Vollzugsbeamten dort unten Freiwild sind. Zur gesundheitlichen Situation der Gefangenen, Herr Rechtsanwalt Schily, kann ich nur sagen: si tacuisses ... Wir haben's ja erlebt, wie ein angeblich Isolationsgefolterter hier gewirkt hat und zu welchen Leistungen er noch in der Lage war.«

Bundesanwalt Zeis spielte auf Klaus Jünschkes Angriff gegen Richter Prinzing an. Als Beispiel für die Großzügigkeit der Haftbedingungen erwähnte Zeis, daß Gudrun Ensslin gestattet worden war, in ihrer Zelle Geige zu spielen.

Otto Schily erwiderte: »Ja nun – die Geige. Ich selber muß sagen: Hausmusik ist eine sehr gute Sache, und ich habe das in meinem Leben auch öfters gemacht. Aber in einer Situation, in der sich Frau Ensslin befindet, Herr Zeis, das bißchen, was mit ein wenig Geigenspiel verbunden ist, als großzügige Haftbedingung zu beschreiben, also den Zynismus hätte ich selbst Ihnen nicht zugetraut. Einer Frau, die sich nun seit Jahren in Haft befindet, die nie mehr irgendwo mit einem Stück Natur, sondern immer nur mit Beton zu tun hat, die sich in einer Gruppenisolation befindet, die Amnesty International ausdrücklich im Katalog der Foltermaßnahmen aufführt ... Tagelang ohne Fenster, nur mit einer Klimaanlage, die ständig summt, Neonlicht ... Aber vielleicht verfügen Sie über die Sensibilität nicht ...«

Der Befangenheitsantrag gegen das Gericht wurde als unzulässig verworfen.

33. Die RAF, die Atombombe und das Schlachten kleiner Kinder
(153. Tag, 14. Oktober 1976)

Generalbundesanwalt Siegfried Buback, oberster Ankläger der Bundesrepublik, schob sich hinter den Zeugentisch.

»Wir sind Ihnen zu Dank verpflichtet, daß Sie sich so rasch freigemacht haben für diese Anhörung«, begrüßte ihn der Vorsitzende.

»Sie sollen darüber aussagen, ob die mit den Ermittlungen befaßten Beamten den Zeugen Ruhland, Hoff oder Gerhard Müller irgendwelche Vorteile versprochen haben für die Aussagen, die gemacht werden.«

Buback antwortete: »Der Herr Generalbundesanwalt als Behörde hat ja bereits zu diesen Fragen Stellung genommen. Ich erkläre hier als Zeuge, daß keinem der drei Genannten in irgendeiner Form Vorteile versprochen oder Nachteile angedroht worden sind oder in anderer Weise Einfluß auf den Inhalt ihrer Aussage genommen worden ist.«

Die Vernehmung des Generalbundesanwalts zog sich über den ganzen Tag hin, und so lang sie auch war, so ergebnislos blieb sie.

Zu Details konnte Buback keine Aussagen machen. Schließlich sei er als Behördenchef nicht selbst in die Einzelheiten eingeweiht. Und ansonsten hätte er nur eine beschränkte Aussagegenehmigung.

Andreas Baader nahm das Mikrophon: »Ich habe hier eine Studie vom Londoner Institut für Konfliktforschung. Sie befaßt sich mit der Bekämpfung von Subversion ...«

»Herr Baader, Sie unterliegen offenbar dem Irrtum, als wären die Ziele der Bekämpfung der Subversion Gegenstand der Sachaufklärung in diesem Verfahren. Wir haben es mit Mordvorwürfen gegen Sie zu tun«, unterbrach ihn der Vorsitzende.

»Mir geht es jetzt darum, diesen Hintergrund zu entwickeln. Auch die ganzen Besonderheiten des Verfahrens, wie die Eliminierung der Verteidigung, die Liquidierung von zwei Gefangenen von fünf ...«

»Die ›Liquidierung von zwei Gefangenen‹ würde allein schon reichen, Ihnen das Wort zu entziehen. Ich will es nicht tun«, sagte Dr. Prinzing.

»Ein Sondergericht, ein Sonderrichter, ein besonderes Prozeßgebäude ...« fuhr Baader fort.

»Hören Sie zu, Herr Baader. Sie stehen auf dem falschen Standpunkt, daß Sie hier Dinge zu entwickeln hätten, als Angeklagter gegenüber dem Zeugen. Hier wird gefragt und nichts anderes.«

»Na gut, ich frage jetzt, ob er diese Richtlinien kennt. Das eine ist: terroristische Organisationen zu infiltrieren. Zweitens: den Terrorismus zu verhindern, indem die terroristischen Aktionszentren aufgespürt und isoliert werden. Drittens: die Führer auszuschalten ...«

Der Vorsitzende unterbrach ihn: »Es ist nicht erkennbar, was das mit der Aufklärung der Mordvorwürfe gegen Sie zu tun haben könnte.«

Nach einigem Hin und Her antwortete der Generalbundesanwalt:

»Herr Baader, da muß ich Sie enttäuschen. Maßnahmen dieser Art gehen nicht von der Bundesanwaltschaft aus. Die Bundesanwaltschaft ist eine Strafverfolgungsbehörde. Die Frage der Gefahrenabwehr ist nicht Aufgabe der Bundesanwaltschaft.«

Verteidiger Schily fragte den Zeugen Buback: »Ist Ihnen bekannt, daß von Ermittlungsbehörden in der Öffentlichkeit Behauptungen aufgestellt worden sind, daß sich in den Händen der Roten Armee Fraktion atomare Sprengkörper befinden?«

»Ich habe etwas derartiges gelesen«, erinnerte sich der Generalbundesanwalt.

»War das ein Anlaß für Sie, dieser Meldung nachzugehen, ob an dieser Meldung etwas dran ist oder nicht?«

»Es mag sein, daß wir darüber gesprochen haben.«

»Darf ich Sie fragen, mit wem Sie darüber gesprochen haben?«

»Das weiß ich heute nicht mehr.«

»Darf ich fragen, wann diese Gespräche stattgefunden haben?«

»Das weiß ich auch nicht mehr.«

»Ist das nicht ein Vorgang so ungewöhnlicher Art, daß vielleicht Ihr Gedächtnis da besser sein könnte, Herr Zeuge?«

»Nein, das glaube ich nicht«, sagte der Generalbundesanwalt.

Schily war erstaunt: »Wie? Kommt das häufiger vor, daß Ermittlungsbehörden zu der Erkenntnis gelangen, daß bestimmte Gruppierungen atomare Sprengkörper besitzen?«

»Sie überschätzen einfach die Funktion der Bundesanwaltschaft. Ich darf Ihnen das noch mal sagen. Die Bundesanwaltschaft befaßt sich mit Strafverfolgung.«

»Ja, ja, aber zur Strafverfolgung gehört ja bekanntlich auch die Ermittlung, nicht?«

»Ja, natürlich, natürlich«, pflichtete ihm Buback bei.

Der Vorsitzende schaltete sich ein: »Wo ist der Vorwurf erhoben worden gegen die Angeklagten, sie seien im Besitz von atomaren Sprengkörpern?«

»Nein, das nicht«, wehrte der Verteidiger ab.

»Eben«, erklärte Dr. Prinzing. »Und das ist der Maßstab.«

»Nein, das ist nicht der Maßstab.«

»Das ist kein Anklagevorwurf. Man kann unter dem Paragraphen 129 – kriminelle Vereinigung – durch Fragen nicht alles unterbringen. Ich meine, bitte, das ist ein überzogenes Beispiel, wenn Sie heute fragen würden: ›Ist Ihnen bekannt, daß der RAF vorgeworfen wird, kleine Kinder geschlachtet zu haben‹, müßte ich nach Ihrer Theorie die Frage auch zulassen.«

»Solche Bilder fallen Ihnen ein, Herr Vorsitzender!« sagte Otto Schily.

34. Ein Fotoapparat und andere Gerätschaften

Am 30. November 1976 wurde Siegfried Haag, der ehemalige Sozius des Stuttgarter Anwalts Klaus Croissant, in der Nähe von Butzbach festgenommen. Kurz vor Beginn des Stammheimer Prozesses hatte sich Haag in den Untergrund abgesetzt, um die RAF neu zu strukturieren. Unmittelbar nach seiner Verhaftung durchsuchten Polizeibeamte die Wohnung Elisabeth von Dycks, die mit Volker Speitel und anderen als Hilfskraft im Croissant-Büro arbeitete. Die Beamten fanden Fotos, aufgenommen im Hochsicherheitstrakt Stammheim. Auf einigen der mit einer Minox gemachten Aufnahmen waren die engmaschigen Fenstergitter zu sehen, auf anderen die Gefangenen selbst. Sie hatten sich gegenseitig fotografiert. Wo Fotos waren, so kombinierten die Kriminalbeamten richtig, mußte es auch eine Kamera geben.

Am Tag darauf durchsuchten Beamte des Landeskriminalamts Baden-Württemberg die Zellen der im siebten Stock einsitzenden Gefangenen Baader, Ensslin, Raspe, Schubert und Mohnhaupt. Sie fanden zwei Heizplatten, hergestellt aus Toaster-Spiralen, und »drei Stück olivgrüne pflanzliche Substanz, kugelförmig«, Haschisch. Eine Minox entdeckten sie nicht. Auf die Fotos angesprochen, erklärte Ingrid Schubert, sie habe die Kamera bei ihrer Verlegung aus einer anderen Haftanstalt mitgebracht: »Nachher habe ich Kamera und Filme rausgegeben. Die Möglichkeiten, die dazu zur Verfügung standen, sind der Anstaltsleitung bekannt: Privat- und Anwaltsbesuche.«

Am nächsten Prozeßtag, eine Woche später, wurden die Verteidiger bei der Kontrolle aufgefordert, ihre Schuhe auszuziehen und die Hose zu öffnen. Die Anwälte waren empört. Dr. Heldmann sagte: »Ich fordere den Senat auf, das Ausmaß von Belästigungen der Verteidiger wenigstens auf den Standard von Unzumutbarkeiten zurückführen zu lassen, der in den vergangenen eineinhalb Jahren hier zur schlechten Übung geworden ist.«

Otto Schily bemerkte, die rektale Untersuchung eines Verteidigers sei dann wohl der nächste Schritt. Das Gericht machte eine kurze Pause.

Dr. Heldmann wollte währenddessen seinen Mandanten Baader aufsuchen. Atemlos kam er zurück und erklärte dem Gericht, der Vollzugsbeamte Götz habe ihn nur zu Baader lassen wollen, wenn er bereit sei, seine Schuhe auszuziehen und die Hose zu öffnen. »Zur Sache stelle ich fest: An dem Unrechtszustand der abgenötigten Verteidigerentblößung hat sich nichts geändert.«

Richter und Bundesanwälte lachten, und Heldmann sagte: »Ich finde das nun so lustig wirklich nicht.«

»Ich kann natürlich nur unter bestimmten Voraussetzungen hier verteidigen«, sagte Otto Schily. »Es gibt irgendwo den bekannten Tropfen, bei dem das Faß zum Überlaufen kommt.«

Rechtsanwalt Heldmann ging und ließ eine Notiz zurück: »Vielleicht besinnt sich der Vorsitzende doch noch auf einen gewissen Zivilisationsstand, den unsere Rechtsordnung einmal erreicht hatte. Für diesen Fall bin ich in meinem Büro zu erreichen.«

»Also ich nehme das zur Kenntnis«, sagte Dr. Prinzing. »Diese Maßnahmen rühren offenbar an die heiligsten Güter …«

»Ach, lassen Sie doch diese Witzchen, Herr Vorsitzender«, fuhr Schily ihn an.

Dr. Prinzing zitierte Ingrid Schuberts Eingeständnis, sie habe Fotos und Fotoapparat über Besucher nach außen geschmuggelt.

Da Privatbesuche bei den Gefangenen strikt überwacht würden, sei es verständlich, daß die Anstaltsleitung nunmehr die Verteidiger strenger kontrollieren müsse. »Wenn ein Fotoapparat herausgeschmuggelt worden ist, können auch andere Gegenstände raus- oder reinkommen. Wenn sie rauskommen können, dann können sie auch reinkommen.«

Dr. Prinzings »Hosenladen-Erlaß« blieb für die restliche Dauer des Prozesses bestehen. Unter regelmäßig geäußertem Protest öffneten die Wahlverteidiger hinfort ihre Hosen.

Besonders sorgfältig wurde der Rechtsanwalt Arndt Müller kontrolliert. Als Mitarbeiter im Büro Croissant erregte er ohnehin den Argwohn der am Eingang des Prozeßgebäudes für die Durchsuchungen verantwortlichen Polizeibeamten. Hinzu kam, daß Müller im Prozeß keinerlei Funktion ausübte, obwohl er als Verteidiger Gudrun Ensslins firmierte. Trotzdem besuchte er seine Mandantin überaus häufig.

Vor dem Untersuchungsausschuß, der Ende 1977 die Todesfälle in Stammheim aufklären sollte, sagte der Leiter der Polizeigruppe, die für die Leibesvisitation von Besuchern und Rechtsanwälten in der »Mehrzweckhalle« zuständig war:

»Der Herr Rechtsanwalt Müller ist Verteidiger, ich weiß jetzt nicht von wem, also Ensslin oder von wem. Er hat Rechtsanwaltfunktion gehabt. Nur hat er sie nicht in dem Sinn, wie man es von einem Rechtsanwalt erwartet, in der Verhandlung ausgeübt. Er war in meinen Augen – ich bitte um Entschuldigung, wenn ich vom Rechtsanwalt das sagen muß – nicht mehr und nicht weniger als ein Laufbursche.«

Müller sei seines Wissens nie als Verteidiger im Prozeß aufgetreten. »Er war aber fast täglich im Mehrzweckgebäude oder zumindest in der Vollzugsanstalt.« Das Prozeßgebäude habe er über den Eingang für Verfahrensbeteiligte betreten und habe es auch auf diesem Wege wieder verlassen. »Sie dürfen mir glauben«, sagte der Polizeioffizier Berger, »daß ich den Herrn Müller besonders durch seine Tätigkeit, dadurch daß er bloß Laufbursche war, besonders im Auge gehabt habe.«

Tatsächlich hatte Rechtsanwalt Arndt Müller seine Mandantin Gudrun Ensslin insgesamt 232mal in der Vollzugsanstalt besucht. Nach einhelligen Ermittlungsergebnissen des Untersuchungsausschusses und der Staatsanwaltschaft war es aber auf diesem Wege nicht möglich, irgend etwas in die Anstalt hinein- oder aus der Anstalt herauszuschmuggeln. Dafür waren die Kontrollen zu scharf.

Lücken in der Überwachung habe es allenfalls beim Betreten des Verhandlungssaales gegeben – auch wenn die dafür eingesetzten Beamten dies bestritten. Die »Mehrzweckhalle« aber betrat Arndt Müller insgesamt nur 49mal. Mit Gudrun Ensslin traf er dann im Besprechungszimmer hinter dem Verhandlungssaal zusammen. Nur bei diesen Besuchen wäre es theoretisch überhaupt möglich gewesen, ausgehöhlte Aktenordner zu übergeben, in denen entweder die »Minox« oder andere Geräte hätten verborgen sein können.

35. Sprengstoff, zwei Pistolen und ein Revolver

Was Ende 1976 im Stammheimer Prozeß zum erstenmal angesprochen wurde, daß nämlich »Gegenstände« in die Haftanstalt transportiert werden konnten, wurde im Herbst 1977, zur Gewißheit: Sprengstoff und Pistolen waren in den siebten Stock gelangt.

Einem Zeugen kam bei der »Aufdeckung der Transportwege« in den Hochsicherheitstrakt besondere Bedeutung zu: Volker Speitel.

Nach dem Tod der Häftlinge im 7. Stock sagte Speitel, der seit 1976 wieder im Büro Croissant für die Gefangenenbetreuung zuständig gewesen war, Rechtsanwalt Arndt Müller habe verschiedene Gegenstände in die »Mehrzweckhalle« transportiert.

In seiner Aussage vor dem Ermittlungsrichter des Bundesgerichtshofes am 4. Januar 1978 – zweieinhalb Monate nach den Todesfällen im Hochsicherheitstrakt – erklärte Volker Speitel:

»Die Gefangenen haben eines Tages Müller dazu gebracht, einen Brief herauszuschmuggeln, der verschlossen war und den er mir geben sollte. In dem Brief teilten mir die Gefangenen ihre Einschätzung von Müller mit, daß er in seiner stoischen Ruhe dafür prädestiniert wäre, regelmäßig ›Sachen‹ raus- und reinzutransportieren, ich sollte das mal andrehen. Ende August/Anfang September 1976 diskutierten die Gefangenen mit mir zum ersten Mal das Problem, wie man andere Sachen reinbringen könnte, und zwar wollten sie eine Minox oder so was ähnliches.

Daß das Ganze damals mehr oder weniger ein Probelauf für andere Sachen sein sollte, ahnte ich zwar, aber mitgeteilt wurde zu diesem Zeitpunkt noch nichts darüber.« Die »Diskussionen« mit den Gefangenen fanden, so Speitel, per Kassiber statt.

Speitel behauptete, die Gefangenen hätten gewußt, daß die Anwälte beim Betreten des Verhandlungsgebäudes nur oberflächlich durchsucht wurden. Da die Verteidiger ihre Aktentaschen abgeben mußten, seien als Transportmöglichkeit für verbotene Gegenstände nur die Akten geblieben. Im Verhandlungssaal oder der dahinterliegenden Aufenthaltszelle hätten so präparierte Aktenordner dann ausgetauscht werden können. Die Angeklagten seien auf dem Rückweg vom Verhandlungssaal zum Hochsicherheitstrakt nicht mehr durchsucht worden, hätten also die »Akten-Container« mit in die Zelle nehmen können.

Die Schnellhefter, die von den Verteidigern mit in den Verhandlungssaal genommen wurden, seien von den Polizeibeamten an der Eingangstür nie selbst in die Hand genommen und durchsucht worden. Diese »Handakten« hätten die Anwälte nur vor den Augen der Polizeibeamten durchgeblättert. Dadurch sei nicht aufgefallen, wenn in den Ordnern Gegenstände verborgen waren.

Nachdem er dies alles in Erfahrung gebracht hatte, so behauptete Speitel später, habe er die »Handakten« des Rechtsanwalts Arndt Müller entsprechend präpariert. Er habe Hohlräume in die Akten geschnitten, Gegenstände darin versteckt, und die Höhlungen mit Buchbinderleim verklebt. So konnte man, laut Speitel, den gesamten Papierstapel am Rande durchblättern, ohne daß die Aushöhlung und der darin versteckte Gegenstand sichtbar wurden.

Einziges Problem sei das veränderte Gewicht der Akte gewesen. Müller habe es dadurch unterlaufen, daß er die Akten nie aus der Hand gegeben hätte. Wenn den Durchsuchungsbeamten das nicht genügte, hätte er immer noch die Möglichkeit gehabt, das Gerichtsgebäude wieder zu verlassen. »Nach endlosen Bemühungen«, so sagte Speitel später, »und unter dem angedeuteten, aber nie so ausgesprochenen Druck, daß er ein Schwein ist und rausfliegt, wenn er nichts ›bringt‹ – ging dann die Kamera auf dem beschriebenen Weg in den Knast.«

Müller wurde angeblich in dem Glauben gelassen, der Transport der Kamera sei eine einmalige Aktion gewesen. Währenddessen überlegten sich aber die Gefangenen, wie man eine Pistole in den Trakt schmuggeln könnte, ohne daß Müller wußte, was er in der Akte mitschleppe. Um Müller zu täuschen, erklärten die Gefangenen, sie bräuchten unbedingt einen kleinen Kocher in der Zelle. »Kurzum, Müller schleppte dann im Glauben, daß er eine Kochplatte transportierte, die erste Pistole nach Stammheim«, behauptete Volker Speitel. Er habe auch für die Pistole einen Hohlraum in die Handakte geschnitten und die Waffe mit Tempotaschentüchern gepolstert, damit man ihre Umrisse nicht fühlen könne. Von da an seien die Bestellungen nicht mehr abgerissen: »Insgesamt gingen auf dem oben beschriebenen Weg drei Pistolen und, soweit ich mich erinnere, fünf Stangen Sprengstoff in den Knast. Dazu kam eine Unmenge von Kleinkram wie Kopfhörer, Kabel, Radios, Bügeleisen, Kochplatte. Bei den Waffen war jeweils auch Munition dabei und zwar jeweils eine volle Füllung.« Bei seiner Vernehmung sagte Speitel, es seien auch Glühbirnen auf diese Weise in die Anstalt gelangt.

Bei den Waffen handelte es sich um einen Revolver mit vernickeltem Lauf, Kaliber 38, eine Pistole vom Typ Heckler und Koch, Kaliber 9 Millimeter und eine ungarische Pistole FEK, Kaliber 7,65. Bei beiden Pistolen waren die Griffschalen abmontiert. Die Schalen der FEK wurden weggeworfen, die der Heckler und Koch in einem Erddepot vergraben. Sie sollten später nachgeliefert werden.

Wenn Volker Speitels Aussage stimmt, hätte der Rechtsanwalt Arndt Müller wegen der Menge transportierter Materialien praktisch bei jedem vierten oder fünften von insgesamt 49 Besuchen in der »Mehrzweckhalle«, solcherart präparierte Akten dabei haben müssen, ohne daß es den kontrollierenden Polizeibeamten aufgefallen wäre. Nicht einmal bei einer in der dünnen Akte versteckten Glühbirne soll den Beamten ein Licht aufgegangen sein.

Für die Durchsuchung eines Anwalts waren jeweils drei Beamte eingeteilt. Zwei begleiteten ihn in die Durchsuchungskabine, einer blieb davor stehen. Während einer der Beamten den Anwalt durchsuchte, schaute der andere zu.

Die Kontrollbeamten einer solchen Dreiergruppe wechselten sich in ihren Funktionen ab. Die Gruppe wurde alle vierzehn Tage abgelöst. Keiner der Beamten hatte während der in Frage kommenden Zeit mehr als für eine Periode Dienst in der Durchsuchungskabine.

Alle bestätigten sowohl bei ihrer dienstlichen Befragung als auch 1979 im Prozeß gegen Rechtsanwalt Arndt Müller, sie hätten die Akten immer selbst in die Hand genommen. Wie in ihrer Dienstanweisung festgelegt, hätten sie die Ordner auf den Kopf gestellt, um nicht vom Inhalt Kenntnis nehmen zu können, und die Seiten eigenhändig durchgeblättert.

Insgesamt waren es fast 40 Beamte, die – mit geringfügigen Abweichungen – bekundeten, die Verteidigerakten immer selbst in die Hand genommen zu haben.

Daß derart viele und große Gegenstände wie Pistolen, Radios, Kabel, Glühbirnen etc. auf dem von Speitel beschriebenen Weg in die Anstalt gelangt sein sollen, erscheint nahezu ausgeschlossen.

Volker Speitel war der einzige, der den Ermittlungsbehörden Hinweise darauf geben konnte, wie die Schußwaffen in die Anstalt gelangt sein sollten. Offenbar sah man dabei über einige Ungereimtheiten hinweg.

Als Beweis der Glaubwürdigkeit Volker Speitels wurde gewertet, daß er den Ermittlern mehrere Erddepots in der Nähe von Stuttgart zeigen konnte, in denen er neben Sprengstoff auch die Griffschalen der einen in Stammheim gefundenen Pistole versteckt hatte. Sie paßten auf die Heckler und Koch, Raspes Todeswaffe.

Außerdem sagte Speitel den Ermittlungsbeamten, er habe auch einen Revolver in die Anstalt schmuggeln lassen. Erst nach dieser Aussage waren die Zwischenwände im Hochsicherheitstrakt abgebrochen worden. In einer Wand der Zelle 723, in der von Juli bis August 1977 Helmut Pohl gesessen hatte, fand sich neben Sprengstoff ein Revolver Colt Detective Special mit vernickeltem Lauf.

Die drei Schußwaffen will Volker Speitel Ende 1976, Anfang 1977 von den »Illegalen« erhalten haben, mit dem Auftrag, sie in die Anstalt zu schleusen. In seinen Aussagen behauptete er, auf Vorschlag Jan-Carl Raspes die Seriennummern an den Waffen entfernt zu haben. Er habe mit Schlagzahlen die Nummern überschlagen, sie anschließend ausgefräst, neu überschlagen und wieder ausgefräst. Dadurch sollte es unmöglich gemacht werden, die Nummern mit speziellen Untersuchungsmethoden auch nach dem Ausfräsen wieder kenntlich zu machen. Auch die Schlagzahlen wurden in einem der Erddepots gefunden. Ob sie allerdings mit den bei der Bearbeitung der Stammheimer Waffen benutzten Schlagzahlen übereinstimmten, wurde nicht geprüft.

Speitel hatte bei dem Versuch, die Waffennummern zu entfernen, nur halbe Arbeit geleistet. So vergaß er, daß auf der Innenseite einer knapp Fünf-Mark-Stück großen Abdeckplatte des Colts ebenfalls die Nummer eingraviert war: F 41 530.

Die neben Raspe aufgefundene Heckler und Koch trug am Lauf die Nummer 106 085 und am Griff das Beschußzeichen des Beschußamtes Ulm aus dem Jahre 1972. Die Seriennummer der Waffe war abgeschliffen worden.

Die Heckler und Koch konnte wahlweise mit Läufen verschiedenen Kalibers ausgerüstet werden; Lauf und Griff mußten nicht unbedingt zusammengehören.

Die neben der Leiche Baaders gefundene Selbstladepistole war bei der

Firma Fegyver in Ungarn hergestellt worden. Diese Waffe trug keine Nummer. Deshalb gelang es den Ermittlern später nie festzustellen, woher sie stammte.

Bei den beiden anderen war das teilweise möglich.

Eine Heckler und Koch, wie die bei Raspe gefundene, hatte RAF-Mitglied Christian Klar am 27. Oktober 1976 in Aosta/Italien gekauft. Allerdings ohne den – auswechselbaren – 9-Millimeter-Lauf. Dieser wurde am 10. November 1976 bei der Waffenhandlung Mayer in Basel erworben, unter Vorlage eines gefälschten Bundespersonalausweises. Zusammen mit einem US-Karabiner, der bei der Festnahme Siegfried Haags am 30. November 1976 in dessen Auto gefunden wurde.

Ein vernickelter Colt Detective Special war im August oder September 1975 vom RAF-Mitglied Rolf Clemens Wagner bei dem Schweizer Waffensammler Philipp Müller in Rheinach gekauft worden, der offenbar einen regen Handel mit Waffen betrieb. Nachweisbar war auch, daß der Schweizer Philipp Müller den in Stammheim gefundenen Colt in seinem Besitz gehabt hatte. Ob es tatsächlich die Waffe war, die er an Rolf Clemens Wagner verkaufte, konnte nicht eindeutig bewiesen werden. Alles in allem aber ist die Wahrscheinlichkeit sehr groß, daß die Stammheimer Waffen tatsächlich von RAF-Mitgliedern gekauft worden waren.

Sehr wahrscheinlich ist auch, daß Volker Speitel die drei Stammheimer Waffen zur Bearbeitung und Weitergabe in seinem Besitz hatte. Ob er sie jedoch in den Handakten des Rechtsanwalts Müller versteckte und der sie über das Prozeßgebäude in die Anstalt schmuggelte, ist eher zweifelhaft.

Es gab noch andere Wege. Doch dazu später.

Den Sprengstoff will Speitel ebenfalls von den »Illegalen« erhalten haben. Zunächst vergrub er die explosiven Stangen in einem Depot und holte nach und nach so viele wieder ab, wie gerade in die Anstalt geschmuggelt werden sollten. Im Croissant-Büro machte er daraus kleine Portionen, die er in Cellophan einschweißte. Anschließend präparierte er damit die Aktenordner oder, nachdem die Kontrollen verstärkt worden waren, gab er sie Müller, damit der sie, so Speitel, in der Unterhose versteckte.

Zumindest theoretisch wäre das möglich gewesen, denn die Durchsuchungsbeamten sondeten Anwälte und Besucher zwar mit Metallsuchgeräten ab, aber diese schlugen bei Sprengstoff nicht an. Ein Abtasten der Anwälte im Genitalbereich unterblieb.

Bei seinen späteren Vernehmungen sagte der Vollzugsbedienstete Götz: »Bei den Personenkontrollen von Herrn Rechtsanwalt Arndt Müller ist mir mehrmals aufgefallen, daß seine Hose im Genitalbereich besonders abstand, und ich dachte mir, daß er ein besonders großes Geschlechtsteil haben müßte bzw. einen besonders engen Slip tragen würde, der die Genitalien stark abzeichnet.«

Nach der Festnahme Siegfried Haags am 30. November, nachdem bei Elisabeth von Dyck die Minox-Fotos gefunden worden waren, nachdem den Behörden klar geworden war, daß Gegenstände in die Haftanstalt hineinkommen konnten, wurden die Abhöranlagen im siebten Stock wieder in Betrieb gesetzt.
Offizielle Version:
Zwischen dem 6. Dezember 1976 und dem 21. Januar 1977 seien an insgesamt zwölf Tagen Gespräche zwischen Verteidigern und Mandanten im Hochsicherheitstrakt Stammheim abgehört worden. Die Polizei hatte bei Haag Papiere gefunden, aus denen die operativen Planungen der RAF für die nächste Zeit hervorgingen. Es war von einem bevorstehenden Kommando-Unternehmen mit dem Decknamen »Margarine« die Rede, von einer Aktion »Big Money« und von der »Big Raushole«. Dazu hieß es »H. M. auschecken«.
Die Ermittler des BKA machten sich daran, die Kürzel zu entziffern.

36. Ein Richter und seine Freunde
(171. Tag, 10. Januar 1977)

Im Stammheimer Prozeß kam Richter Dr. Prinzing in ernsthafte Schwierigkeiten. Verteidiger Otto Schily hatte brisante Informationen zugespielt bekommen. Danach pflegte der Vorsitzende auf höchst merkwürdige Weise Kontakt zum Bundesrichter Albrecht Mayer, der dem dritten Strafsenat des Bundesgerichtshofes angehörte – jener Instanz, die für Beschwerden über den Senat in Stuttgart-Stammheim zuständig war und außerdem über eine mögliche Revision im Baader-Meinhof-Verfahren zu entscheiden haben würde.

Dr. Prinzing besprach sich gelegentlich telefonisch mit Bundesrichter Mayer, und nicht nur das. Er hatte Mayer Ablichtungen von Prozeßunterlagen zukommen lassen; auf dem »Kleinen Dienstweg«.

Doch damit nicht genug. Bundesrichter Albrecht Mayer hatte die ihm von Dr. Prinzing überlassenen Unterlagen selbst weitergereicht: an die Presse.

Schily konnte das mit der Kopie eines Briefes belegen, den Bundesrichter Mayer an den Chefredakteur der Tageszeitung »Die Welt«, Herbert Kremp, geschrieben hatte.

Mayer und Kremp waren Mitglieder derselben Verbindung.

»Lieber Cartellbruder Kremp!« schrieb der Bundesrichter und erinnerte den »Welt«-Chef an ein Telefongespräch, das die beiden im Frühjahr 1973 geführt hatten und in dem er der »Welt« Vorschläge für eine Veröffentlichung zum Baader-Meinhof-Komplex gemacht hatte. »In derselben Sache wende ich mich heute wiederum an Dich. Vorige Woche ist in Stgt.-Stammheim das frühere Bandenmitglied Gerhard Müller als Zeuge vernommen worden. Ich übersende Dir als Anlagen:

1. auszugsweise Ablichtungen der kriminalpolizeilichen Vernehmung Müllers,

2. Auszug aus dem Wortprotokoll vom 13. Juli 76.«

Der Richter machte keinen Hehl daraus, was Kremp mit den Unterlagen anfangen solle: »Möchte sich die ›Welt‹ nicht unter dem Aspekt dieser neuen Erkenntnisse noch einmal mit dem Aufsatz im ›Spiegel‹ vom 4. 9. 72 befassen? Nicht um meinetwillen, sondern um einmal wieder die Haltung und die Praktiken dieses Blattes deutlich werden zu lassen ... Vielleicht könnte diese Aufgabe gar einen Chefredakteur reizen?«

Albrecht Mayer bezog sich auf den angeblichen Kassiber-Schmuggel des Verteidigers Otto Schily; in den Kremp übersandten Akten ging es vor allem um dieses Thema. Auf eines der Wortprotokolle hatte Dr. Prinzing mit der Hand geschrieben, daß Schily im Prozeß immer dann gefehlt habe, wenn es um den »Ensslin-Kassiber« ging.

Für Rückfragen gab der Bundesrichter seinem Cartellbruder noch die Durchwahlnummer beim Bundesgerichtshof und verzichtete, »falls die angeregte Betrachtung erscheinen sollte«, auf ein Belegexemplar: »Ich habe die ›Welt‹ abonniert.«

Schily stellte einen Ablehnungsantrag gegen den Vorsitzenden Dr. Prinzing. Der Antrag wurde zurückgewiesen. Einer der »Zwangsverteidiger« aber, Rechtsanwalt Künzel, stellte einen neuen Befangenheitsantrag:
»Die Gründe in (Schilys) Ablehnungsantrag gehören bereinigt, gehören offen diskutiert. Sonst hat dieses Verfahren einen Makel, von dem es nicht mehr befreit werden kann.«
Auch dieser Befangenheitsantrag wurde vom Gericht abgelehnt. Doch Künzel hatte mit seinem Antrag den Vorsitzenden ins Mark getroffen, und dieser reagierte mit allen Anzeichen von Panik.

Am Abend des 13. Januar 1977 rief Dr. Prinzing Rechtsanwalt Künzel an, der Jahre zuvor bei ihm Gerichtsreferendar gewesen war. Er erklärte dem verdutzten Verteidiger, daß er den Eindruck gehabt hätte, Künzel sei der Ablehnungsantrag sehr schwer gefallen. Dann machte der Richter dem Verteidiger Vorhaltungen. Der Antrag sei für ihn das Schlimmste in den bisher zwei Jahren des Prozesses. Schließlich mache es für ihn einen Unterschied, von welcher Seite der Verteidiger ein Ablehnungsantrag käme. Jetzt werde die Presse wieder über ihn herfallen.
Künzel erwiderte, ihm sei Dr. Prinzings Stellungnahme zu Schilys Ablehnungsantrag unverständlich gewesen. Indem er auf den Vorwurf, er habe Kontakt zu Richtern übergeordneter Instanzen, lediglich erklärt habe, er sage über private Gespräche nichts aus, habe er der Vermutung Nahrung gegeben, solche Kontakte bestünden tatsächlich.
»Versetzen Sie sich doch einmal in die Lage von Frau Ensslin«, sagte der von den Angeklagten oftmals beschimpfte »Zwangsverteidiger«, »die muß sich doch nun sagen, daß eine künftige Revision sinnlos ist, weil ja ein Austausch zwischen den beteiligten Senaten stattgefunden hat, mit dem Ziel, ein revisionssicheres Urteil zu erstellen.«
Prinzing antwortete: »Das ist doch der Frau Ensslin egal. Das kommt doch alles von Rechtsanwalt Schily.«
»Ich kann mir das nicht vorstellen, wenn ich mir die Lage von Frau Ensslin vergegenwärtige.«
»Das sehen Sie abstrakt«, meinte Dr. Prinzing. »Ich weiß konkret, daß

es Frau Ensslin egal ist.« Der Richter erzählte, er habe von den Anstaltsbediensteten erfahren, die Angeklagten seien über die sogenannte Ak-
ten-Affäre ungerührt und hätten kaum Interesse gezeigt. Einer von ihnen habe lediglich gesagt: »Was ist denn das wieder für eine Kiste von
den Anwälten.«
Dann klagte Dr. Prinzing darüber, welcher Belastung das Gericht und
speziell er selbst durch diese Sache ausgesetzt seien: »Ich bin nahezu
am Ende. Wenn ich das nicht durchhalte, Herr Künzel …«

Dr. Theodor Prinzing hielt es nicht durch. Als Verteidiger Dr. Heldmann
das nächtliche Telefonat, von dem Künzel ihn unterrichtet hatte, zum
Anlaß eines neuen Befangenheitsantrags nahm, konnten auch Prinzings
Richterkollegen ihren Vorsitzenden nicht mehr retten. Sie erklärten:
»Darauf, ob Dr. Prinzing befangen ist oder sich befangen fühlt, kommt
es entscheidend nicht an. Maßgebend ist, ob aus der Sicht der Angeklagten vernünftigerweise Mißtrauen in die Unparteilichkeit des Richters
gesetzt werden kann. Diese Befürchtung ist nicht von der Hand zu weisen.«
Damit war der 85. Befangenheitsantrag gegen den Vorsitzenden erfolgreich. Er wurde abgelöst und durch den Beisitzenden Richter Dr. Foth
ersetzt.

Am 27. Januar 1977 wurde Brigitte Mohnhaupt aus der Haft entlassen.
Kurz darauf traf sie Peter Jürgen Boock in einer konspirativen Wohnung
am Baden-Powell-Weg in Amsterdam. Es war eines der Appartements,
die später auch bei der Schleyer-Entführung genutzt wurden. Die beiden
zogen sich ins Schlafzimmer zurück, lagen Arm in Arm im Ehebett, und
Brigitte begann, von den Stammheimer Gefangenen zu erzählen. Es
würde ihnen psychisch ziemlich dreckig gehen, vor allem hätten sie
Angst, umgebracht zu werden, das sei keine Einbildung, sondern eine
sehr konkrete Gefahr. Zwar ging keiner der Gefangenen davon aus, daß
Ulrike Meinhof ermordet worden wäre, obwohl dies nach außen immer
so dargestellt worden war. Aber für sich selbst befürchteten sie das
Schlimmste. Die Gefangenen hätten einfach keine Lust mehr auf einen
weiteren gescheiterten Befreiungsversuch, berichtete Brigitte Mohnhaupt nach den Erinnerungen Peter Jürgen Boocks. Jetzt wollten sie
alles auf eine Karte setzen und hätten die Idee, Generalbundesanwalt

Siegfried Buback während einer Verhandlung im Stammheimer Prozeßgebäude als Geisel zu nehmen. Dazu würden sie Waffen brauchen. Sollte ein weiterer Befreiungsversuch scheitern, würden sie sich selbst das Leben nehmen. Sie könnten nicht mehr länger warten, und solange sie sich noch intakt und kräftig genug fühlten, wollten sie ihr Ende wenigstens selbst bestimmen wollen. Das dürfe auch kein Thema für die Gruppe insgesamt sein, da ließen die Stammheimer sich von draußen keine Vorschriften machen. »Du darfst nicht mit den anderen darüber sprechen«, habe ihn Brigitte angewiesen. »Was auch immer passiert. Die Geschichte ist, es war Mord.« Peter Jürgen Boock bekam den Auftrag, drei Waffen, Sprengstoff und Zündkapseln zu besorgen und in die Zellen des Hochsicherheitstraktes zu schmuggeln.

Es war eine Szene wie im Film, erinnerte sich Boock später: »Wir haben dann miteinander geschlafen. Es war wunderschön und zugleich tieftraurig. Und damit war das auch zwischen uns besiegelt.«
Es war ihnen beiden klar, daß Brigitte bald wieder abtauchen mußte. Die Behörden würden nur darauf warten, sie wieder einzusperren. Die ganze Situation in Stuttgart im Umfeld des Croissant-Büros spitzte sich immer weiter zu. Dann besprachen Boock und Brigitte Mohnhaupt, daß es vielleicht sinnvoll sei, einen Sprengstoffanschlag auf das Büro des RAF-Anwaltes zu verüben und ihn den Neonazis in die Schuhe zu schieben. Tatsächlich gab es nicht lange danach einen solchen Anschlag auf das Büro. Boock: »Der war von uns.« Es sei die Taktik gewesen, Täter zu Opfern zu machen. »Das haben wir da besprochen, und es sollte niemand sonst erfahren, außer denen, die es machen, und uns beiden.«
In den folgenden Wochen besorgte Peter Jürgen Boock aus verschiedenen Depots die verlangten Waffen und den Sprengstoff. Die Patronen wurden zwischen zwei Streifen Tesafilm geklebt, damit sie beim Transport nicht klapperten. Die Gerätschaften sollten von Anwaltsgehilfen in ausgehöhlten Aktenordnern verstaut und dann von Anwälten in den Gerichtssaal geschleppt werden, so wie ein erster Probelauf mit einer Minox-Kamera schon zuvor gelungen war. Dann folgten die Waffen und allerhand sonstige Dinge, nach denen die Gefangenen im »sichersten Gefängnis der Welt« verlangt hatten.

Bereits im Laufe des Jahres 1976 war das Büro des Rechtsanwalts Croissant in Stuttgart ganz wesentlich zur Unterstützung jener neuen Gruppe genutzt worden, die von Polizei und Bundesanwaltschaft als »Haag-Meyer-Bande« bezeichnet wurde. Doch der Informationsfluß zwischen drinnen und draußen hatte nicht so gut funktioniert, wie es sich Baader und Ensslin vorgestellt hatten. Vor allem Siegfried Haag war darauf bedacht, seine Gruppe vor Einflüssen von außen zu schützen. Dazu gehörten auch die permanenten Ratschläge aus dem Hochsicherheitstrakt. Ensslin und Baader wiederum mißtrauten jedem, der nicht vollständig unter ihrem Befehl stand und entsprechend parierte. Croissant wurde von ihnen als »unbrauchbares bourgeoises Schwein« bezeichnet, sie trauten den im Büro beschäftigten, für die »Illegalen« tätigen Unterstützern nicht, die von Haag geführte Truppe war für sie »ein von Bullen durchsetzter Verein«, zu Aktionen unfähig, weil Haag »sich auf die Gruppe draufgesetzt habe«.

Da paßte die Haftentlassung Brigitte Mohnhaupts gut ins strategische Konzept. Sie sollte die Kanzlei »säubern«. Bereits am ersten Tag hatte sie die Entscheidung verkündet, Rechtsanwalt Croissant aus seiner eigenen Praxis rauszuschmeißen. Als nächstes wurden die ehemaligen Kontaktpersonen zu den »Illegalen« ihrer Funktion enthoben und durch die bisherigen Hilfskräfte Volker Speitel und Elisabeth von Dyck ersetzt. Knapp drei Wochen nach ihrer Entlassung hatte Brigitte Mohnhaupt alle Bereiche des Rechtsanwaltsbüros Dr. Croissant, Müller, Newerla auf die Zuarbeit für die »Illegalen« neu ausgerichtet. »Das Büro war«, wie es die Bundesanwälte von Volker Speitel erfahren hatten, »Bindeglied zwischen den inhaftierten und den in Freiheit befindlichen Terroristen, Anlaufstelle für die Unterstützer und Sympathisanten, Mitgliederreservoir für die Illegalen und Agitationszentrale.«

Wie ein neuer Chef in einem Unternehmen hatte Brigitte Mohnhaupt gründlich aufgeräumt. Jetzt hörte alles auf ihr Kommando, denn sie war die Generalbevollmächtigte der inhaftierten RAF-Kader.

Meldung Stammheim vom 3. Februar 1977:
»Beim Umschluß ging der Gefangene Baader in die Zelle 713 zu Ensslin hinein. Nachdem ich einige Schritte in Richtung Zelle kam, kam Baader wieder heraus und schrie: ›Was wollen Sie hier. Sie Arschloch, bleiben Sie draußen an Ihrem Arbeitsplatz sitzen.‹ (Stuhl)«

440

Meldung vom 11. Februar 1977:

»Gegen 14.15 Uhr wurde beobachtet, wie sich Frau Schubert auf die Zelle 711 begab, in der sich Herr Raspe aufhielt. Bei der sofortigen Kontrolle sprang Herr Baader auf mich zu, nahm drohende Haltung ein, beschimpfte mich mit ›du Arsch, du bekommst gleich eins in die Fresse, wenn du hier schnüffelst‹. Von Frau Ensslin wurden anschließend mehrmals dieselben Worte gebraucht, ›wenn die Schnüffelei nicht aufhört, gibt's welche in die Fresse‹.«

37. »Wanzen« – Lauschangriff auf Bürger Traube

Auch außerhalb der Haftanstalten war inzwischen der Gebrauch von »Wanzen« in Mode gekommen. So hatte der Präsident des Bundesamtes für Verfassungsschutz, Richard Meier, am 30. Dezember 1975 den Einsatz von Lauschmitteln gegen den Atom-Manager Klaus Traube genehmigt. Die Operation erhielt den Code-Namen »Müll«.

In der Nacht vom 1. auf den 2. Januar 1976 brachen Verfassungsschützer in das Landhaus des Geschäftsführers der »Interatom-GmbH« ein, fotografierten die Wohnung und alle frei zugänglichen Gegenstände, wie etwa Traubes Notizbuch, und legten eine »Wanze«.

Im amtlichen Vermerk über den Lauschangriff hieß es später:

»Da die Wände lediglich getüncht waren und die Farbe über Steckdosen und Fußleisten gestrichen war, schied die Möglichkeit aus, den Sender drahtgebunden zu installieren oder ihn durch das Stromnetz zu speisen. Aus diesem Grunde wurde auf die dritte Alternative zurückgegriffen, einen batteriebetriebenen Sender im Wohnraum zu installieren, der nach Auskunft der ›Technik‹ eine Betriebsdauer von 1200 Stunden reiner Sendezeit hat … Die Einbaumöglichkeit bot sich an der Rückseite des Schreibtisches, der wegen des Bücherregals nur ein kurzes Stück von der Wand abgerückt werden konnte …«

Um 3.30 Uhr war die Operation beendet. Die Einbruchspuren wurden beseitigt. Ein Techniker des Bundesnachrichtendienstes hatte den Verfassungsschützern technische Hilfe geleistet.

Dr. Klaus Traube war den Terroristenjägern des Verfassungsschutzes aufgefallen, weil er Umgang mit verdächtigen Personen der Anarcho-Szene pflegte und einen, der sich später als Terrorist einen Namen machte, kennengelernt hatte: Hans-Joachim Klein, Chauffeur beim Sartre-Besuch in Stammheim 1974 und ein Jahr später an der Geiselnahme auf der Opec-Konferenz in Wien beteiligt.

Traube hatte Klein allerdings zu einer Zeit getroffen, als er für die Sicherheitsbehörden noch ein kleiner Fisch war, einer von Tausenden, die sich in der Sympathisantenszene bewegten.

Höchst brisant wurde der Fall für die Nachrichtendienstler, weil Dr. Klaus Traube einer der wichtigsten Männer der deutschen Atomindustrie war. Topmanager der »Interatom«, einer Tochterfirma der Siemens-eigenen »Kraftwerk Union AG«, die Entwicklung und Bauvorbereitung des »Schnellen Brüters« in Kalkar am Niederrhein betrieb. Traube verlor seinen Job, obwohl er nach einer Auskunft des Siemens-Konzerns an den Verfassungsschutz zu den »weltweit nur drei Personen« gehörte, »deren fachliche Kenntnisse und Qualifikationen für diese Aufgabe ausreichen«.

Die Ermittlungen der Geheimdienstler führten zu nichts, was Traube tatsächlich als Sicherheitsrisiko erscheinen ließ. Nach zwei Monaten wurde die »Wanze« in seinem Haus wieder ausgebaut. Seine Stellung erhielt der Atommanager nicht wieder. Ein Jahr später, im Frühjahr 1977, wurde der »Lauschangriff auf Bürger Traube« vom »Spiegel« aufgedeckt.

Die Affäre Traube zeigte, wie weit die Bundesrepublik schon auf dem Weg in den Überwachungsstaat war.

Der Lauschangriff und seine Aufdeckung hatten Auswirkungen – auf Stammheim.

38. Ein haltloser Antrag des Rechtsanwalts Schily
(184. Tag, 15. März 1977)

Verteidiger Otto Schily meldete sich zu Wort: »Ich beantrage, die Hauptverhandlung zu unterbrechen und Herrn Bundesinnenminister Maihofer zu vernehmen: zur Klärung der Frage, ob Gespräche zwischen den Angeklagten dieses Verfahrens einerseits und Gespräche zwischen den Angeklagten und ihren Verteidigern andererseits unzulässigerweise heimlich abgehört, auf Tonband aufgezeichnet und

Staatsschutzbehörden oder anderen Dienststellen zur Auswertung überlassen worden sind.«

Sachlich fragte der neue Vorsitzende, Dr. Foth: »Sind Sie möglicherweise bereit, Herr Rechtsanwalt, Anhaltspunkte zu nennen?«

Otto Schily erwähnte die Abhöraffäre gegen den Atom-Manager Klaus Traube, die gerade Schlagzeilen gemacht hatte, und zitierte eine Erklärung des SPD-Fraktionsvorsitzenden im Bundestag: »Herbert Wehner hat die Forderung aufgestellt, daß in Zukunft Abhörmaßnahmen, wie etwa im Fall Traube, auch in Haftanstalten unterbleiben sollen. Die besondere Vorhebung Wehners, daß auch solche Maßnahmen in Haftanstalten unterbleiben sollen, hat sicherlich eine solide Grundlage in Informationen, die Herrn Wehner vorliegen.« Weitere Anhaltspunkte werde die Verteidigung möglicherweise zur gegebenen Zeit vorlegen.

Die Bundesanwaltschaft trat Schilys Antrag entgegen. Oberstaatsanwalt Zeis erklärte: »Es konnte ja wohl nicht erwartet werden, daß der Herr Rechtsanwalt Schily aus dem Fall Traube nicht versuchen würde, auch Kapital zu schlagen. In seinem Bestreben, öffentlichkeitswirksame Anträge hier in diesem Gerichtssaal zu stellen, geht er jetzt schon so weit, daß er Beweisantrag und Beweisermittlungsantrag durcheinander bringt. Die Bundesanwaltschaft ist der Überzeugung, daß auch die Sachaufklärung, zumal bei einem solch haltlosen Antrag, nicht gebietet, den Zeugen darüber zu vernehmen.«

Dr. Foth ermahnte den Bundesanwalt: »Auch Sie darf ich bitten, möglichst jegliche Schärfe und abwertende Äußerungen zu vermeiden.«

»Herr Vorsitzender, ich bin gerne bereit, Ihrer Bitte zu entsprechen«, entgegnete Zeis. »Ich meine aber, wenn hier unterstellt wird, daß mittels irgendwelcher Lauschmittel Gespräche zwischen Angeklagten einerseits und Angeklagten und Verteidigern andererseits überwacht werden würden, dann meine ich doch, von seiten der Bundesanwaltschaft hier auch mal ein solches Wort sagen zu dürfen.«

Unmittelbar nach der Veröffentlichung der Traube-Affäre im »Spiegel« hatte der SPD-Fraktionsvorsitzende Herbert Wehner »bohrende Fragen« an Innenminister Maihofer über weitere Fälle angekündigt. Der Minister erklärte daraufhin vor dem Bundestag, er habe »bisher keinen Grund, zu sagen«, daß es »in meinem Verantwortungsbereich einen einzigen anderen Fall gibt«. Er blieb vage: »Ich kann aber über meinen

Verantwortungsbereich hinaus – das kann sich meinem Wissen entziehen – hier selbstverständlich nichts Verbindliches sagen.«

Am 8. März zweifelte Wehner die Versicherung des Innenministers, »daß keine einzige Wanze in einer Wohnung oder in einer Strafvollzugsanstalt angebracht ist«, noch deutlicher an:

»Aber ich müßte dennoch sagen, ob denn, bei allem Vertrauen in die Integrität Herrn Maihofers, man sicher sein könne, daß nicht um ihn herum oder, um es einmal etwas vulgär zu sagen, hinter seinem Rücken befunden wird über das, was man Observation nennt und mehr als Observation nennt, auch über sogenannte nachrichtendienstliche Mittel gegenüber Menschen, ohne daß er es weiß.«

Aufgeschreckt machte sich der Innenminister an Recherchen in seinem Amtsbereich. Schon bevor Rechtsanwalt Schily seinen Beweisantrag in Stammheim eingebracht hatte, erfuhr er vom Verfassungsschutz und vom Chef des Kanzleramts, Dr. Manfred Schüler, daß es in Stammheim »etwas gab«.

39. »In vergleichbaren Situationen in gleicher Weise entscheiden«

Zwei Tage nachdem Otto Schily seinen »haltlosen Antrag« gestellt hatte, traten in Stuttgart Innenminister Karl Schiess und Justizminister Traugott Bender vor die Presse. Sie teilten den Journalisten mit, daß Gespräche zwischen Angeklagten und Verteidigern in Stuttgart-Stammheim in zwei Fällen über einen kürzeren Zeitraum hinweg abgehört worden waren. Die Minister beriefen sich in beiden Fällen auf den »rechtfertigenden Notstand« im Sinne des Paragraphen 34 des Strafgesetzbuches.

Anlaß für die Abhöraktionen sei der »dringende Verdacht« gewesen, daß bestimmte Geiselnahmen, Brandanschläge und auch Tötungsdelikte vom »harten Kern« der in Stammheim inhaftierten Gruppenmitglieder geplant und über den Besucherverkehr in die Tat umgesetzt worden seien.

In beiden Fällen habe man befürchten müssen, daß eine Geiselnahme unmittelbar bevorstehe. Das erste Mal habe man nach dem Attentat auf die Deutsche Botschaft in Stockholm im April 1975 Gespräche abgehört und dabei am 29. April Hinweise auf einen Kinderspielplatz und eine dort möglicherweise geplante Geiselnahme erlangt.

Die zweite Lauschaktion sei nach der Haag-Verhaftung eingeleitet worden.

Die Minister sagten nicht, daß die Abhörgeräte schon in den ersten drei Märztagen 1975 installiert worden waren – mehr als sechs Wochen vor dem Anschlag auf die Deutsche Botschaft in Stockholm.

Sie sagten auch nicht, in wie viele Zellen die Mikrophone eingebaut worden waren.

Für die Gespräche der Stammheimer Häftlinge mit ihren Verteidigern standen vier Zellen zur Verfügung. »Verwanzt« wurden in der ersten Operation, durchgeführt von Technikern des Bundesamtes für Verfassungsschutz, fünf Zellen. Bei der zweiten Operation, durchgeführt von Technikern des Bundesnachrichtendienstes, wurden noch einmal zwei Zellen mit Abhörmikrophonen versehen. So liegt der Verdacht nahe, daß nicht »nur« Anwaltsgespräche abgehört wurden.

Schon damals äußerte die »Süddeutsche Zeitung« Bedenken, ob die Minister tatsächlich die volle Wahrheit gesagt hatten:

»Sodann wirkt es wenig glaubwürdig, daß eine im Frühjahr 1975 installierte ›Wanze‹ bis jetzt ausschließlich zweimal in Betrieb gewesen sein sollte, und dies ausgerechnet an Tagen nach einer unmittelbaren terroristischen Gefährdung. Wenn es denn wirklich eine Rechtfertigung gegeben haben sollte, unter der man mit ›Wanzen‹ einer Gefangenenbefreiung hätte vorbeugen dürfen, dann hätte es schon die Natur der Sache verlangt, die Anlage ständig in Betrieb zu halten. Und dies sollten die zuständigen Behörden nicht gewußt haben? Vorderhand sieht es so aus, als seien die beiden gravierenden Daten genannt worden, um den Rechtfertigungsgrund des Notstandes als plausibel erscheinen zu lassen.«

In ihrer Presseerklärung hatten die Minister Bender und Schiess geschrieben, sie stünden zu ihren Entscheidungen und würden sie »in vergleichbaren Situationen in gleicher Weise treffen«.

40. Die »Zwangsverteidiger« werden Verteidiger
(185. Tag, 17. März 1977)

»Die Bundesanwaltschaft hat hier die Stirn gehabt, von einem Propaganda-Antrag zu sprechen«, sagte Verteidiger Schily. »Die Terminologie, die sie gern anwendet, um Fakten unter den Teppich zu kehren. Und die Verteidigung hat nicht einmal erwartet, daß die verantwortlichen Herren so schnell der Wahrheit die Ehre geben.

Was hier in diesem Verfahren stattfindet, kann man nicht anders benennen als die systematische Zerstörung aller rechtsstaatlichen Garantien. Insofern hat das Verfahren für den Zustand dieser Republik seine exemplarische Bedeutung. Die Verteidigung kann es unter keinen Umständen verantworten, hier auch nur eine Minute länger in dem Verfahren mitzuwirken, um hier noch vielleicht als eine Art Alibi aufzutreten.«

Schily stellte den Antrag, den Prozeß bis zur restlosen Klärung der Abhöraktion auszusetzen.

Auch die »Zwangsverteidiger« schlossen sich sämtlich dem Aussetzungsantrag an. Rechtsanwalt Künzel meinte: »Ich schließe mich dem Antrag bis zur Aufklärung dieses ungeheuerlichen Sachverhalts an.«

Oberstaatsanwalt Zeis meldete sich, weniger forsch als am vergangenen Prozeßtag, zu Wort: »Für die Bundesanwaltschaft erkläre ich: Keiner der Sitzungsvertreter der Bundesanwaltschaft hat von den betreffenden Vorgängen Kenntnis gehabt. Eine weitere Erklärung wird abgegeben werden, sobald sich die Bundesanwaltschaft sachkundig gemacht hat. Danke.«

»Danke sehr«, sagte der Vorsitzende und wollte mit der Befragung eines Zeugen fortfahren. Schily meldete Protest an, aber der Vorsitzende fiel ihm ins Wort: »Nein, ich will das jetzt nicht durchgehen lassen . . .«

Der Rechtsanwalt stand auf, schob seine Unterlagen zusammen und sagte: »Ja, Herr Vorsitzender, dann verlasse ich unter Protest den Gerichtssaal.«

»Ich kann Sie nicht halten«, meinte Dr. Foth. »Ich meine, Sie sollten hierbleiben.«

Schily blieb nicht.

Auch Rechtsanwalt Künzel plädierte dafür, den Zeugen nicht weiter zu vernehmen: »Es könnte sich ja herausstellen, daß eine rechtsstaatliche

Verteidigung von dem Zeitpunkt an, wo die erste Wanze eingebaut wurde, eigentlich nicht mehr möglich ist.«

Daraufhin schloß der Vorsitzende die Verhandlung und bemühte sich um weitere Aufklärung der Affäre.

41. Eine vertrauliche Sitzung des Innenausschusses

Im Innenausschuß des Deutschen Bundestages bemühte man sich, die Stammheimer Abhöraffäre – hinter verschlossenen Türen – aufzuklären. Am 22. März 1977 eröffnete der Vorsitzende Dr. Axel Wernitz (SPD) die Sitzung, nannte das Thema und wies auf besondere Vertraulichkeit hin. Der CDU/CSU-Abgeordnete Vogel regte an, zu überprüfen, ob sich tatsächlich nur Ausschußmitglieder oder deren Stellvertreter im Saal befänden.

Dr. Wernitz gab zu bedenken, ob nicht bei Fragen, »die einen so brisanten Charakter haben, daß sie im Rahmen der Vertraulichkeit nicht behandelt werden können, ein interfraktionelles Gespräch angehängt« werden solle.

»Wer überprüft denn bei den Beamten, die im Raum bleiben, deren Berechtigung?« wollte der SPD-Abgeordnete Konrad wissen. Der CDU/CSU-Abgeordnete Spranger stimmte ihm zu. Am besten sei eine personelle Feststellung im Einzelfall.

Der Ausschußvorsitzende wies daraufhin einen Herrn aus dem Sekretariat an, die Anwesenden der Reihe nach zu überprüfen.

Dann begann Bundesinnenminister Maihofer mit seinem Bericht über »Angelegenheiten der inneren Sicherheit«.

Beim Einsatz von Lauschmitteln, erklärte der FDP-Professor umständlich, gehe es um Gefahrenabwehr. Dabei sei auch eine »Anscheinsgefahr« für eine Entscheidung ausreichend. Je folgenschwerer der möglicherweise eintretende Schaden sei, um so geringere Anforderungen seien für eine Entscheidung notwendig. »Bei einer Friedensgefährdung oder beim Hochverrat«, meinte Maihofer, »wo unabsehbarer Schaden droht, genügen schon geringere Wahrscheinlichkeiten des Schadenseintritts als in anderen Fällen. Deshalb richtete sich das, was man einen Gefahrenerforschungseingriff nennt, etwa durch Observation (Kollision mit Artikel 2 des Grundgesetzes) oder durch technische Observation (Kollision mit Artikel 10 des Grundgesetzes), auf Anscheinsgefährdungen, wie der Terminus technicus heißt.«

Es gehe nicht um objektive Gefahr, sondern eben um die Anscheinsgefahr. An einer Reihe von Beispielen aus den vergangenen zehn Jahren machte der Innenminister klar, was er damit meinte. Seine Ausführungen wurden vom Ausschuß als »geheim« eingestuft und deshalb auch nicht in das der geringeren Geheimhaltungsstufe »VS-vertraulich« unterliegende Protokoll aufgenommen.

Maihofer schilderte elf Fälle: In den Jahren 1966 bis 1968 wurde ein in Nordrhein-Westfalen lebender Funktionär der verbotenen KPD in seiner Wohnung abgehört. Die »Wanze« arbeitete zwei Jahre.

Ende Januar 1973 wurde im Frühstücksraum eines Hotels in Rheinland-Pfalz ein Abhörmikrophon installiert. Im Hotel wohnten Mitglieder der sozialdemokratischen griechischen Widerstandsorganisation PAK. Begründet wurde die Lauschoperation mit der Sorge, die Widerstandsgruppe könnte in der Bundesrepublik »terroristische Aktionen« gegen das Obristenregime in Athen planen. Der damalige Innenminister Genscher war von der Operation unterrichtet.

Ohne Wissen Maihofers verlief im Sommer 1975 eine Aktion gegen einen Verlag in Köln. Verfassungsschutzbeamte waren mit Wissen des Hauseigentümers in die Geschäftsräume des »Heinzelpress-Verlages« eingedrungen. Dort fotografierten sie Schriftstücke, bauten aber – angeblich – keine »Wanze« ein.

Im Februar 1972 mieteten sich Beamte des Bundeskriminalamts in einem Haus in Augsburg über der Wohnung des RAF-Mitglieds Thomas Weisbecker ein. Über die Fernsehzuleitung hörten sie am 2. März 1972 ein Gespräch in der Wohnung ab. Kurz darauf verließ Weisbecker das Haus. Draußen kam es zu einer Schießerei, Weisbecker wurde getötet.

Auf Anordnung des BKA-Präsidenten Herold und mit Amtshilfe des Bundesnachrichtendienstes wurde am 8. Juni 1972 der Besucherraum in der Vollzugsanstalt Essen verwanzt. Als die Behörden erfuhren, daß Rechtsanwalt Otto Schily kommen wollte, um seine Mandantin Gudrun Ensslin zu besuchen, wurde Bundesinnenminister Genscher informiert. Genscher entschied, die »Wanze« müsse sofort ausgebaut werden. Eine Verteidigerüberwachung komme nicht in Frage. Am 9. Juni wurde die Abhöranlage wieder ausgebaut.

Schließlich berichtete Maihofer auch, daß während der Lorenz-Entführung die Gespräche zwischen den zum Abflug nach Aden in Frankfurt zusammengeführten Gefangenen abgehört worden seien.

Daß auch die Gespräche mit Pfarrer Albertz dabei belauscht wurden, sagte Maihofer nicht.

Als der Bundesinnenminister seinen brisanten Vortrag beendet hatte, sagte der Ausschußvorsitzende Dr. Wernitz (SPD):

»Soweit zu den einzelnen Fällen, die hier vorgetragen worden sind, mitgeschrieben wurde, bitte ich, diese Notizen hier zur Verfügung zu stellen, damit wir sie dem Reißwolf überantworten können. Ein Mitarbeiter des Sekretariats wird bei jedem einzelnen vorbeigehen und die einschlägigen Notizen einsammeln, damit sich dies hier auch formal korrekt und einwandfrei abgesichert darstellt.«

Die Abgeordneten lieferten ihre Zettel ab.

Über die Einzelheiten der Stammheimer Lauschaffäre, so kam der Innenausschuß überein, wolle man am nächsten Tag sprechen, wenn die baden-württembergischen Minister Schiess und Bender dem Ausschuß Bericht erstatten würden.

Maihofer beteuerte, nur über die »technische Hilfe« des ihm unterstellten Verfassungsschutzes in die Angelegenheit verwickelt zu sein. Verantwortung trage nicht er, sondern die Stuttgarter Minister. So leicht wollte der CDU/CSU-Abgeordnete Vogel den Liberalen denn doch nicht davonkommen lassen:

»Sicherlich besteht eine Verpflichtung dessen, der um technische Hilfe ersucht wird, sich Gedanken über die Rechtmäßigkeit zu machen.«

42. Der letzte Auftritt der Angeklagten
(187. Tag, 29. März 1977)

Dr. Foth konnte mit einem ergänzenden Schreiben des baden-württembergischen Justizministers Bender aufwarten.

»Ich versichere vorweg«, schrieb der Minister, »daß ich volles Verständnis für die Haltung des Senats und der Verteidigung habe.« Die beiden Abhörmaßnahmen seien aber als »Mittel der vorbeugenden Verbrechensverhütung rein präventiver Natur« gewesen und hätten somit keinen Bezug zum Stammheimer Prozeß.

Andreas Baader war im Gerichtssaal erschienen, hatte auf der Anklage-bank Platz genommen und sich zu Wort gemeldet.

»Wollen Sie etwas erklären, Herr Baader, zu den Dingen, die wir hier jetzt verhandelt haben?« erkundigte sich der Vorsitzende.

»Ich weiß nicht, was Sie verhandelt haben«, sagte Baader.

»Jetzt unmittelbar haben wir verhandelt über die Abhörungen, die in der Vollzugsanstalt Stuttgart-Stammheim stattgefunden haben. Also, wenn Sie was erklären wollen, dann haben Sie die Gelegenheit dazu.«

»Na gut, dann habe …«

»Ich bin ganz Ohr«, sagte Dr. Foth.

»… dann habe ich vor, einen Antrag zu stellen.«

»Bitte.«

»Und zwar – zum ersten Mal übrigens – Brandt und Schmidt als Regie-rungschefs zu laden zum Beweis …«

»Also die Herren Brandt und Schmidt«, wiederholte der Vorsitzende.

Baader legte einen langen Katalog von Themen vor, zu denen die beiden sozialdemokratischen Kanzler vernommen werden sollten. Die Regie-rungschefs würden bestätigen, daß die »RAF seit 1972 nach einer grundgesetzwidrigen und grundgesetzfeindlichen Konzeption der anti-subversiven Kriegführung« verfolgt worden sei.

Zusätzlich beantragte Baader, die baden-württembergischen Minister Bender und Schiess als Zeugen zur Abhöraffäre zu laden. Unter ande-rem könnten sie darüber aussagen, daß die Meldung einer angeblich in Stuttgart geplanten Geiselnahme auf einem Kinderspielplatz eine ge-zielte Falschinformation sei.

Andreas Baader verließ den Sitzungssaal. Es war sein letzter Auftritt vor Gericht.

Jan-Carl Raspe erschien. Auch er wollte einen Antrag stellen.

»Ja, also dann schießen Sie mal los«, sagte der Vorsitzende.

»Wir beantragen, Maihofer zu laden. Zur Klärung der Frage, ob auch die Zellen der Gefangenen abgehört wurden. Wir beantragen weiter, Kanzleramtschef Schüler als Koordinator der westdeutschen Geheim-dienste und den BND-Präsidenten Wessel zu laden, zum Beweis, daß beide darüber informiert waren, daß die Abhöranlagen im siebten Stock kontinuierlich vom Bundesnachrichtendienst gewartet wurden – bis in jüngste Zeit. Weiterhin, daß der BND unkontrollierten und kontinuierlichen Zugang zum siebten Stock in Stammheim hatte.«

Auch der ehemalige Gerichtsvorsitzende Dr. Prinzing, so meinte Raspe, sei über die abgehörten Zellen-Gespräche unterrichtet gewesen. Mehrfach hätte der Richter nämlich wörtliche Zitate von Baader und Gudrun Ensslin wiedergegeben, die sie nur im internen Kreis geäußert hätten. Zudem seien die Zitate zuweilen den falschen Personen zugeordnet worden.

»Zum Beispiel«, so Raspe, »das Zitat, was eine Fälschung darstellt, einer von uns habe gesagt: ›Wir müssen krank wirken und geschwächt aussehen.‹ Auch das, was Prinzing in dem Gespräch mit Künzel gesagt hat, Andreas hätte zu dem Ablehnungsantrag gemeint, ›Was ist denn das wieder für eine Kiste?‹ ist ein eindeutiger Beweis.«

Raspe fuhr fort: »Es wäre natürlich absurd anzunehmen, die Bundesanwaltschaft hätte vom Abhören nichts gewußt, nachdem für jeden klar ist, daß die ganze Dramaturgie der Fahndung, der Haftbedingungen, der Liquidierung von Gefangenen und der Prozeß in den Händen der Bundesanwaltschaft liegt. Sie war es, die nach dem Mord an Ulrike durch die Behauptung …«

Dr. Foth unterbrach ihn: »Die Unschuldsvermutung gilt auch für die Bundesanwaltschaft; also, wenn Sie von Mord und dergleichen reden, dann müßten Sie sich vielleicht darüber im klaren sein, Unschuldsvermutungen gelten für alle Bürger …«

»Tja«, sagte Raspe, »die Unschuldsvermutung für eine Behörde dieser Art … Ich hab' das im übrigen nicht personell konkretisiert …«

»Sie sprachen von Mord. Und hinter einem Mord steht eigentlich häufig ein Mörder, nicht? Wen Sie auch immer meinen damit. Denn sonst ist es ein Todesfall.«

»Wir sind sicher, daß es so ist. Auf jeden Fall war es die Bundesanwaltschaft, die nach Ulrikes Tod durch die Behauptung intimer Kenntnisse unter den Gefangenen das Gerücht von Meinungsverschiedenheiten und Spannungen öffentlich verbreitet hat.«

Jan-Carl Raspe verließ den Sitzungssaal. Auch für ihn war dies der letzte Auftritt im Stammheimer Gerichtsverfahren. Als er gegangen war, er-

griff Bundesanwalt Dr. Wunder das Wort: »So sauber, so sauber wie unser Nichtwissen um diese Abhördinge ist, um die es jetzt geht, so sauber kann etwas anderes überhaupt nicht sein.« Er wandte sich an die Verteidiger und ergänzte: »Das können Sie bitte Herrn Raspe ausrichten.«
Das Publikum im Prozeßsaal brach in schallendes Gelächter aus.

Kurz darauf erschien Gudrun Ensslin. Sie setzte sich in die Anklagebank und sagte: »Ich will hier kurz die Forderungen des Hungerstreiks mitteilen, in dem wir seit heute sind.«
»Also, vom Hungerstreik reden wir im Augenblick nicht«, fiel ihr der Vorsitzende ins Wort.
»Wir sind ab heute in einem Hungerstreik.«
»Sie sind was?«
»In einem Hungerstreik.«
»Dazu kann ich Ihnen das Wort nicht überlassen. Über Haftbedingungen sprechen wir in der Hauptverhandlung nicht. Und dabei bleibt es auch.«
»Also, es ist klar, daß hier nicht der Ort mehr ist zu irgendwelchen politischen Erklärungen. Die sind hier überflüssig geworden.«
Gudrun Ensslin schob sich aus der Anklagebank, stand auf und verließ den Verhandlungssaal. Auch sie betrat ihn nicht wieder.

Einer der »Zwangsverteidiger«, Rechtsanwalt Schwarz, erhielt das Wort: »Sowohl der Herr Justizminister als auch der Herr Innenminister haben die Erklärung abgegeben, sie würden in einer vergleichbaren Situation wieder in der gleichen Weise handeln.«
Das Gericht sei eine Erklärung schuldig, wie es weitere Abhörmaßnahmen verhindern wolle. Bis dahin müsse das Verfahren ausgesetzt werden. »Zwangsverteidiger« Schnabel beantragte ebenfalls, das Verfahren auszusetzen. Dann kam sein Kollege Künzel an die Reihe:
»Wo die Totalität des Staates, die den Gefangenen im Gefängnis umgibt, bis in das Gespräch zwischen Verteidiger und Angeklagten hineinreicht, ist das Maß an Freiheit nicht mehr vorhanden, ohne das der Angeklagte nicht mehr um seine Freiheit kämpfen kann. Wo der Gesprächsraum, den der Staat zum Verteidigergespräch zur Verfügung stellt, mit Wanzen besetzt ist, kann ein Verteidiger diesen Raum nicht mehr betreten.«

Künzel verließ in der Pause den Stammheimer Gerichtssaal und kam, als der Senat sämtliche Beweis- und Aussetzungsanträge im Zusammenhang mit der Abhöraffäre ablehnte, nicht mehr zurück. Er schickte ein Telegramm an das Oberlandesgericht, zweiter Strafsenat, Stuttgart-Stammheim:

»Ich sehe mich nach der Entscheidung des Herrn Vorsitzenden aus den in meinem Antrag angeführten Gründen außerstande, an der Hauptverhandlung teilzunehmen und bitte, dies als Grund für mein Fernbleiben zu respektieren.«

43. Die Ermordung des Generalbundesanwalts

Am 7. April 1977, gegen 8.30 Uhr, hielt ein blauer Dienst-Mercedes vor dem Einfamilienhaus des Generalbundesanwalts Siegfried Buback im Fichtenweg, Karlsruhe, um ihn abzuholen. Der Fahrer Wolfgang Göbel, 30, hatte zuvor die Nummernschilder ausgewechselt. Siegfried Buback gehörte zu den am meisten gefährdeten Personen der Bundesrepublik. Auf der Fahrt zum Bundesgerichtshof hielt der Wagen an einer roten Ampel. Siegfried Buback saß auf dem Beifahrersitz, im Fond des Wagens Georg Wurster, 33, Chef der Fahrbereitschaft der Bundesanwaltschaft. Der Fahrer Göbel hatte sich auf die Geradeausspur eingeordnet. Es war 9.15 Uhr.

Plötzlich schob sich auf der rechten Abbiegespur ein schweres Motorrad der Marke Suzuki an den Mercedes heran. Fahrer und Beifahrer trugen Motorradanzüge und Helme, die ihre Gesichter verdeckten. Als Bubacks Wagen anfuhr, feuerte der Beifahrer auf dem Motorrad mit einer automatischen Waffe in das Fenster und die Seitentür des blauen Mercedes. Die Kugeln durchschlugen Glas und Blech. Der Dienstwagen des Generalbundesanwalts rollte weiter und kam an einem Begrenzungspfahl zum Stillstand. Der Fahrer Wolfgang Göbel war tödlich getroffen worden. Generalbundesanwalt Buback starb auf dem Rasen am Straßenrand. Der schwer verletzte Georg Wurster wurde ins Krankenhaus gebracht. Dort starb auch er.

Sofort wurde eine Ringfahndung ausgelöst. Sie blieb erfolglos. Am Nachmittag trat der »Kleine Krisenstab« in Bonn zusammen. Die Bundesanwaltschaft übernahm die Ermittlungen und veranlaßte verschärfte Haftbedingungen für die Stammheimer Häftlinge.

Wenige Tage später wurde bei der Deutschen Presseagentur in Frankfurt ein Bekennerbrief in den Briefkasten geworfen: »Für Akteure des Systems wie Buback findet die Geschichte immer einen Weg. Am 7.4.77 hat das Kommando Ulrike Meinhof Generalbundesanwalt Siegfried Buback hingerichtet …«
Rechtsanwalt Schily und andere Anwälte gaben eine Erklärung ab, in der sie »mit tiefer Empörung und Abscheu den sinnlosen und brutalen Mord verurteilten«. Die »hinterhältige Ermordung« sei »ein schweres Verbrechen am Rechtsstaat«.

Kurz zuvor waren Boock und Brigitte Mohnhaupt gemeinsam nach Bagdad gereist, um dort den »Old Man« zu treffen, Wadi Haddad, der Pate aller europäischen Terroristen. Es wurde eine fast romantische Reise. Sie wachten morgens in einem kleinen Haus auf. Die Sonne schien. Boock öffnete das Fenster und pflückte eine Orange von einem Baum, der direkt davor stand. Er schälte sie im Bett: »Es war tierisch, eigentlich unwirklich, unglaublich und unwirklich.«

Dann trafen sie Wadi Haddad, Deckname Abu Hani, der seine ganze Truppe mitgebracht hatte, und die beiden wurden wie Staatsgäste begrüßt. Es gab ein opulentes Mahl, und dann ging es zur Sache. Die Befreiungsaktion rücke jetzt in greifbare Nähe. Es ginge nun darum, Länder zu finden, die bereit seien, die Gefangenen aufzunehmen. »Kein großes Problem«, sagte Abu Hani. »Das läßt sich ziemlich schnell regeln. Nordkorea käme in Frage, Jemen, Irak, vielleicht auch Algerien. Das aber nur im Notfall.« Als Landestation könne auch noch Somalia in Betracht kommen, aber nicht, um dort zu bleiben. Allerdings sei auch der Irak problematisch, schließlich befände sich dort die gesamte palästinensische Struktur. Die solle man besser nicht gefährden, indem man den Irakern Trouble ins Land hole. Also blieb eigentlich nur der Jemen übrig. Über Malta, Paris und Brüssel kehrten die beiden nach Amsterdam zurück. Am Nachmittag erhielten sie einen Anruf aus Deutschland: »Er ist tot. Die Sache ist gelaufen.« Gemeint war der Mordanschlag auf Generalbundesanwalt Siegfried Buback.

Sofort machte sich Brigitte Mohnhaupt daran, ein Bekennerschreiben zu verfassen. Sie hockte sich an die Schreibmaschine, die Haare fielen ihr ins Gesicht, und dann nahm sie wie immer in solchen Situationen eine Haarsträhne quer in den Mund und tippte weiter. Um jeden Satz wurde gestritten. Boock war der Ansicht, daß man von dieser unmöglichen Sprache wegmüsse. »Aber Brigitte hat mich immer auf den Topf gesetzt und gesagt: Was du machst, ist purer Populismus. Und die Leute, die das verstehen wollen, die haben sowieso ein bißchen politische Voraussetzung. Wer sich wirklich dafür interessiert, der wird auch verstehen, worum es geht.«

44. Am Ende ein Geisterprozeß
(191. Tag, 21. April 1977)

Der vorletzte Prozeßtag. Weder die Angeklagten noch einer ihrer Vertrauensverteidiger waren im Gerichtssaal erschienen.

Dr. Foth gab den »Zwangsverteidigern« das Wort zu ihren Schlußvorträgen.

Rechtsanwalt Schwarz plädierte 45 Minuten lang und beantragte die Einstellung des Verfahrens.

Dann plädierte der zweite »Zwangsverteidiger« des Angeklagten Andreas Baader. Rechtsanwalt Schnabel sprach 30 Minuten und bat das Gericht, eine gerechte Entscheidung zu fällen.

Rechtsanwalt Grigat, als Verteidiger von Jan-Carl Raspe, plädierte ebenfalls 30 Minuten und stellte den Antrag auf Einstellung des Verfahrens.

Raspes zweiter »Zwangsverteidiger«, Rechtsanwalt Schlägel, sprach ebenfalls eine halbe Stunde lang und beantragte, den Prozeß wegen Verfahrensmängeln einzustellen.

Da Rechtsanwalt Künzel als Verteidiger von Gudrun Ensslin nicht erschienen war, plädierte Rechtsanwalt Dr. Augst als einziger »Zwangsverteidiger« für die Angeklagte. Auch er beantragte, das Verfahren einzustellen.

Dann ging alles ganz schnell. Um den Vorschriften der Strafprozeßordnung gerecht zu werden, schickte der Vorsitzende Richter einen Justizbeamten zu den Angeklagten, um sie zu fragen, ob sie die Gelegenheit für das letzte Wort in der Hauptverhandlung wahrnehmen wollten.

Die Gefangenen erklärten vor vier Zeugen, daß sie auf das Schlußwort verzichteten.

»Im Hinblick auf diese Erklärung schließe ich für heute die Verhandlung«, sagte Dr. Foth. »Fortsetzung wird sein am Donnerstag, den 28. April 1977. Die Fortsetzung kann in der Verkündung des Urteils bestehen.«

45. Das Urteil
(192. Tag, 28. April 1977)

Der Vorsitzende Richter Dr. Foth verkündete das Urteil:

»Im Namen des Volkes!

Die Angeklagten Andreas Baader, Gudrun Ensslin und Jan-Carl Raspe sind schuldig, folgende Taten jeweils gemeinschaftlich begangen zu haben:

a) drei tateinheitliche Morde in Tateinheit mit sechs versuchten Morden,

b) einen weiteren Mord in Tateinheit mit einem versuchten Mord.«

Zusätzlich hielt das Gericht die drei Angeklagten weiterer 27 versuchter Morde für schuldig, in Tateinheit mit Sprengstoff-Anschlägen.

Baader und Raspe wurden jeweils zweier zusätzlicher Mordversuche schuldig gesprochen, Gudrun Ensslin eines zusätzlichen Mordversuches.

»Die Angeklagten sind schuldig, eine kriminelle Vereinigung gebildet zu haben.«

»Jeder der drei Angeklagten wird zu einer lebenslänglichen Freiheitsstrafe verurteilt.«

46. Das sicherste Gefängnis der Welt

Zwei Tage nach der Urteilsverkündung besuchte der Leiter der Vollzugsanstalt Stammheim Dr. Nusser den Gefangenen Baader in seiner Zelle. »Das Justizministerium hat sich entschlossen, eine gewisse Konzentration von Gefangenen vorzunehmen«, sagte der Anstaltsleiter. »Es ist an Gefangene, die in Baden-Württemberg einsitzen, und auch an solche, um deren Übernahme andere Länder uns bitten, gedacht.« Es sollte also tatsächlich eine größere Gruppe von Häftlingen aus dem Umfeld der RAF geschaffen werden, dafür hungerten die Gefangenen im Augenblick gerade zum vierten Mal. Der Hungerstreik wurde sofort abgebrochen.

Um mehr Gefangene im sogenannten »kurzen Trakt« unterbringen zu können, begannen im Mai größere Umbauarbeiten. Es sollte eine in sich abgeschlossene Sicherheitsabteilung geschaffen werden, die die Zellen 715 bis 726 umfaßte.

Am Eingang zum Hochsicherheitstrakt wurde eine besonders gesicherte Aufsichtskabine und daneben eine Sicherheitsschleuse eingerichtet. Das im April 1976 eingebaute »Telemat«-Alarmgerät wurde versetzt und durch eine zweite Anlage ergänzt, so daß der Korridor zwischen den beiden Zellenreihen lückenlos überwacht werden konnte. Die Beleuchtung auf dem 80 Quadratmeter großen Flur wurde so verändert, daß sie die Funktion der Video-Überwachungsanlage nicht beeinträchtigte. Der von Siemens gebaute »Telemat« übertrug die Bilder vom Zellenflur auf zwei Monitoranlagen, von denen die eine in der Wachtmeisterkabine vor dem Sicherheitstrakt und die andere in der Torwache der Anstalt installiert war.

Bei einer Bewegung im Korridor vor den Zellen gab die Anlage automatisch Alarm; an beiden Monitoren erfolgte ein Klingelzeichen, gleichzeitig leuchtete eine Lampe auf. Allerdings funktionierte die »Telemat«-Anlage nicht einwandfrei, das stellte sich später bei der Untersuchung nach den Todesfällen im Trakt heraus. So wurde der Alarm z. B. nicht ausgelöst, wenn sich eine Person mit einer Geschwindigkeit von weniger als zehn Metern pro Minute, also gleichsam im Zeitlupentempo, über den Flur bewegte. Außerdem konnte man sich, dicht an die Wand des Korridors geschmiegt, bewegen, ohne daß die Alarmanlage anschlug. Diese Effekte konnten theoretisch noch dadurch verstärkt werden, daß man die Phasen des Video-Bildvergleiches, mit dem die Anlage arbeitete, verlangsamte, den »Telemat« also gleichsam »entschärfte«, ohne ihn abzustellen. Das aber, wie gesagt, war nur eine theoretische Möglichkeit.

Die Umbauarbeiten im siebten Stock begannen im Mai 1977 und zogen sich etwa sechs Wochen hin. Ausgeführt wurden sie von den anstaltseigenen Betrieben, der Anstaltsschreinerei, dem Malerbetrieb, der Schlosserei, der Elektrowerkstatt und dem Baukommando. Alle diese Betriebe arbeiteten mit Gefangenen aus verschiedenen Abteilungen der Vollzugsanstalt. So waren während der Umbauarbeiten zeitweise fünf Häftlinge für den Bautrupp, zwei für die Schreinerei, fünf für die Schlosserei und bis zu sechs für die Malerwerkstatt im Hochsicherheitstrakt tätig.

Daß Gefangene, die ansonsten von den RAF-Gefangenen strikt getrennt gehalten wurden, nun plötzlich im Terroristentrakt ein- und ausgingen, war im Stuttgarter Justizministerium nicht bekannt.

Mitte Juni 1977 wurde nach Beendigung der übrigen Arbeiten die hölzerne Trennwand auf dem Flur abmontiert, mit der bisher der Korridor zwischen den Frauen- und den Männerzellen geteilt war. Die Einzelteile blieben auf dem Korridor so lange liegen, bis alles, was davon wiederverwendet werden konnte, verarbeitet war. »Es sah aus wie im Wilden Westen«, sagte später der Anstaltselektriker Halouska.

Während dieser Zeit fand der tägliche vierstündige Umschluß der Gefangenen auf dieser Baustelle statt. Arbeitende Häftlinge, die Leiter der Anstaltswerkstätten, die BM-Gefangenen und deren Aufseher hielten sich oft gleichzeitig dort auf.

Es entspannen sich Gespräche zwischen den inhaftierten RAF-Kadern und den für die Umbauarbeiten eingesetzten Häftlingen. Ein in der Malerwerkstatt beschäftigter Gefangener erzählte seinem Werkstattleiter nach Abschluß der Arbeiten, die BM-Gefangenen hätten ihn während seiner Tätigkeit »zur Ausbesserung ihrer Zellen um Farbe, Füllmaterial und Spachtel« gebeten.

Auch die Zellen der RAF-Gefangenen wurden in dieser Zeit frisch gestrichen. Die im Umschlußflur herumstehenden Gefangenen Baader, Ensslin und Raspe redeten beim Mischen der Farbe mit und legten den Malern Farbmuster vor.

Auf dem Flur lagen Baumaterialien wie Gips, Farbe, Holz und Werkzeuge frei herum. Einmal nahm Jan-Carl Raspe einen Hammer und zwei Schraubenzieher an sich. Der Leiter der Schlosserei merkte das, ging in Raspes Zelle und fand dort den vermißten Hammer. Einen der Schraubenzieher gab Raspe erst heraus, als der stellvertretende Anstaltsleiter Schreitmüller und Amtsinspektor Bubeck ihm mit einer Zellenkontrolle durch das Landeskriminalamt drohten. Nach einigem Nachdenken kramte er am Nachmittag noch den zweiten verschwundenen Schraubenzieher hervor.

Fast alle Baumaterialien, die im siebten Stock Verwendung fanden, so z. B. Gips in Säcken, wurden von außen bezogen und von einem Baustoffhändler angeliefert. Die Säcke wurden weder an der Gefängnispforte durchsucht noch vor dem Transport in den siebten Stock einer Kontrolle unterzogen.

Einige der beim Umbau eingesetzten Gefangenen arbeiteten auch außerhalb der Anstalt. Zumindest theoretisch wäre es möglich gewesen, durch den Einsatz von etwas Geld und guten Worten über sie und über die Materiallieferung noch ganz andere Dinge in die »sicherste Haftanstalt der Welt« zu bringen als nur Gips.

Die Anstaltsleitung war während der »wilden 14 Tage« der Bauarbeiten von den dortigen Zuständen voll unterrichtet; sowohl der Anstaltsleiter als auch sein Stellvertreter überzeugten sich wiederholt persönlich vom Fortgang des Umbaus.

Als Amtsinspektor Bubeck dazu später im Untersuchungsausschuß befragt wurde, sagte er: »Selbstverständlich war mir die Problematik klar, die dadurch entsteht, daß die Gefangenen mit den arbeitenden Gefangenen Kontakt aufnehmen können, auch für einen späteren Zeitpunkt. Es wurde auch sehr häufig darüber diskutiert, wie diese Tatsachen umgangen werden konnten. Es kam eben zu keinem Ergebnis.«

Auch das Justizministerium, so Bubeck, sei über die Schwierigkeiten informiert gewesen. Vor dem Untersuchungsausschuß aber wollte später der damals Verantwortliche, Ministerialdirektor Dr. Kurt Rebmann, inzwischen Generalbundesanwalt, von nichts gewußt haben:

»Daß sie dazu Gefangene einsetzten, habe ich auch jetzt erst erfahren. Das hätte ich nicht für möglich gehalten. Aber sie haben sie eingesetzt. Nun: ein Kontakt hat gleichwohl nicht stattgefunden, denn sie waren ja in den Zellen. Also sagen wir einmal: ich gehe doch nicht davon aus, daß die Terroristen im Umschluß sitzen, und nun kommen Aufsichtsbeamte, kommen andere Gefangene und hauen da den Gips von den Wänden.«

»So war es!« riefen einige Abgeordnete ihm zu.

»Das haben Sie jedenfalls nicht angenommen, daß dieses möglich sei«, meinte der Ausschußvorsitzende.

»Meine Vorstellungskraft hätte das überschritten.«

Die Abgeordneten des Untersuchungsausschusses lachten.

Ende Juni 1977 war der Stammheimer Terroristentrakt auf diese Weise so sicher gemacht worden, daß der Belegung durch eine größere Gruppe nichts mehr im Wege stand.

Ingrid Schubert war schon am 3. Juni des Vorjahres in den Hochsicherheitstrakt nach Stammheim verlegt worden. Brigitte Mohnhaupt war zur gleichen Zeit dort eingezogen, aber bereits am 27. Januar 1977 entlassen worden. Irmgard Möller kam am 1. Januar 1977 dazu. Nach der Erweiterung des Traktes verstärkten drei Gefangene aus Hamburg die Stammheimer Gruppe. Es waren also acht Gefangene im siebten Stock untergebracht.

Wie sich erst später, nach dem Tod Baaders, Ensslins und Raspes herausstellte, waren Werkzeug, Baumaterial und vermutlich auch Farbe von den Häftlingen beiseite geschafft worden. Zu dieser Zeit müssen sie die Verstecke in ihren Zellen angelegt haben, in denen später Pistolen, Munition und Sprengstoff verborgen wurden.

47. Drei manierliche junge Leute

Am Dienstag nach Pfingsten 1977, wenige Wochen nach dem Stammheimer Urteil, besuchte die Hamburger Rechtsanwalts-Tochter Susanne Albrecht die Familie des Bankiers Jürgen Ponto in Oberursel im Taunus. Ponto war Patenonkel einer ihrer Schwestern, sie selbst hatte nur losen Kontakt zu dem Chef der Dresdner Bank, hatte aber ein paar Jahre zuvor schon einmal dort übernachtet.

Am 1. Juli kam Susanne erneut, diesmal unangemeldet, zu Besuch. Sie unterhielt sich längere Zeit mit Pontos Tochter Corinna und erkundigte sich beiläufig nach Alarmanlagen, dem Hauspersonal und der Anzahl der Hunde. Knapp einen Monat später rief sie bei Pontos an und sagte, sie würde gern mit »Onkel Jürgen« sprechen. Ponto war nicht zu Hause, und seine Frau sagte, Susanne möge bitte abends gegen halb neun zurückrufen. Als sie sich erst um halb elf meldete und fragte, ob sie auch zu dieser späten Zeit vorbeikommen dürfe, antwortete Frau Ponto: »Susanne, mein Schätzchen, du wolltest doch um halb neun anrufen, jetzt gehen wir zu Bett.« Am nächsten Tag könne sie um 16.30 Uhr zu einer Tasse Tee kommen.

Susanne Albrecht hatte eigentlich nicht mitmachen wollen. »Sie hat geheult«, erinnerte sich später Peter Jürgen Boock, »aber sie war in einer Art und Weise dazu gebracht worden, dann doch mitzumachen, die fast an Gehirnwäsche erinnert.« Fast zwei Tage lang war sie von der Gruppe bearkt worden, bis sie endlich ja sagte. Dann hatte sie ihre verschiedenen Besuche unternommen und dabei versucht herauszubekommen, wie die Sicherheitsvorkehrungen im Hause Ponto waren. Nach ihrem letzten Besuch hatte sie der Gruppe mitgeteilt, daß Ponto die Absicht habe, nach Südamerika zu fahren. Damit stand fest, daß die Aktion sofort laufen mußte.

Die Eheleute Ponto saßen am späten Nachmittag des 30. Juli 1977 auf der Terrasse ihres Hauses, als es klingelte. Am Gartentor stand Susanne Albrecht, zusammen mit zwei gut gekleideten Begleitern, einer Frau und einem Mann. Pontos Chauffeur fragte durch die Sprechanlage: »Wer ist da?«
»Hier ist Susanne.«
Ponto telefonierte gerade, er gab den Hörer an seine Frau weiter und sagte dem Chauffeur: »Susanne soll sich in die Halle setzen.«
Der Chauffeur drückte den Summer und wandte sich an Frau Ponto: »Sie ist mit noch zwei jungen Leuten gekommen.«
»Wie sehen die denn aus?« fragte Frau Ponto.
»Sehr manierlich.«
Der junge Mann trug einen Feincordanzug, ein weißes Hemd mit Krawatte und kurz geschnittene Haare. Die Frau hatte einen gelb-beigen Hosenrock und eine gleichfarbene Jacke an, dazu ein Kopftuch. Ponto

ging in sein Arbeitszimmer und gab ihnen die Hand. Dann führte er sie nach draußen auf die Terrasse. Frau Ponto telefonierte noch und begrüßte die Gäste mit einem Händedruck über den Teewagen hinweg. »Ich muß das Gespräch noch beenden«, sagte sie und zog sich ins Haus zurück.

Die drei manierlichen jungen Leute hatten einen Blumenstrauß mitgebracht. »Ach, da wollen wir mal eine Vase holen«, sagte Jürgen Ponto. Der junge Mann folgte ihm ins Haus. Im Speisezimmer zog er plötzlich eine Pistole und richtete sie auf den Bankier. »Sie sind wohl wahnsinnig«, sagte Ponto, packte den Arm des Mannes und drückte ihn so weg, daß der Lauf der Waffe in Richtung des Fensters zeigte. Plötzlich löste sich ein Schuß, der durch den Vorhang in die Terrassentür schlug.

Auf dieses Signal hin stürmte Susannes Begleiterin – die Ermittlungen ergaben später, daß es Brigitte Mohnhaupt war – ins Eßzimmer und feuerte fünf Schüsse auf Ponto ab. Ein Geschoß traf den Bankier aus nächster Nähe in die Schläfe, ein anderes drang von oben durch die Schädeldecke ins Gehirn und trat hinter dem rechten Ohr wieder aus. Die nächste Kugel streifte den Kopf, zwei weitere durchschlugen seine rechte Brustseite und seine Hand. Jürgen Ponto brach zusammen.

Die drei Besucher flohen aus dem Haus und rasten in einem Ford Granada davon.

Um 18.30 Uhr starb Jürgen Ponto in der Neuro-Chirurgischen Klinik in Frankfurt am Main.

Susanne Albrecht war vollkommen aufgelöst. »Nein, das habe ich nicht gewollt«, schluchzte sie, »wie soll ich das je meinen Eltern erklären?« Boock, der im Fluchtwagen draußen gewartet hatte und nicht mit im Haus gewesen war, versuchte sie zu beruhigen. Er legte seinen Arm eng um ihre Schultern und redete beruhigend auf sie ein. Doch weder ihr Tränenfluß noch ihre Selbstanklagen waren zu stoppen. Ponto, so stammelte sie, habe die ganze Sache anfangs nicht ernst genommen: »›Was wollt ihr denn, ihr habt sie wohl nicht alle, die Waffen weg, ihr spinnt ja wohl…‹ Dann die Rangelei mit Brigitte, und dann kommt der Klar, dieses Arschloch, mit der Waffe und schießt, und dabei war doch fest verabredet worden, keine Waffen und nur einen auf die Nuß, wenn er sich wehrt…« Ihre Worte wurden von Tränen erstickt.

Hinterher gab es in der Gruppe vehemente Kritik an Christian Klar. Der verteidigte sich nicht, sondern klagte sich selbst an, und zwar so vehement, daß Boock meinte: »Hör mal, so ganz haut das ja nicht hin. Du bist nicht am ganzen Elend der Welt schuld.«

In den folgenden Zeit mußte die Gruppe rund um die Uhr auf Susanne Albrecht aufpassen, die in immer tiefere Verzweiflung versank. Boock brachte sie im Zug nach Köln. Auf der Fahrt brach sie immer wieder in Weinkrämpfe aus. In einer konspirativen Wohnung in Köln setzte Brigitte Mohnhaupt das Bekennerschreiben auf. Susanne Albrecht sollte es unterschreiben. »Nein, das mach' ich nicht«, wehrte sie ab, immer wieder von Weinkrämpfen erschüttert. »Das mach' ich nicht, nein, ganz entschieden nein.«

Da fielen die anderen wieder über sie her: »Was willst du denn überhaupt hier? Hattest du etwas mit dem bewaffneten Kampf zu tun? Oder wolltest du nur ein bißchen den weiblichen Robin Hood raushängen lassen und dir nur nicht die Finger schmutzig machen?« Nach bewährter Methode wurde ihre gesamte Identität, ihr Dasein in der Gruppe in Frage gestellt, bis sie reif war und sagte: »Ich unterschreibe.«

Zwei Wochen später gingen bei verschiedenen Zeitungen Eilbriefe ein: »Wir haben in der Situation, in der Bundesanwaltschaft und Staatsschutz zum Massaker an den Gefangenen ausgeholt haben, nichts für lange Erklärungen übrig. Zu Ponto und den Schüssen, die ihn jetzt in Oberursel trafen, sagen wir, daß uns nicht klar genug war, daß diese Typen, die in der Dritten Welt Kriege auslösen und Völker ausrotten, vor der Gewalt, wenn sie ihnen im eigenen Haus gegenübertritt, fassungslos stehen.«

Unterzeichnet war die Erklärung: »Susanne Albrecht aus einem Kommando der RAF«.

Nachdem sie in Köln noch einiges zur Vorbereitung der nächsten, der größten, der finalen Befreiungsaktion für die Stammheimer Gefangenen vorbereitet hatten, reisten Peter Jürgen Boock und Brigitte Mohnhaupt ein zweites Mal nach Bagdad. Sie wollten mit Abu Hani die weiteren Einzelheiten für die »Big Raushole« erörtern. Es mußte geklärt werden, wieviel Geld sie zusätzlich zu den Gefangenen verlangen sollten – und wieviel davon die PFLP abbekommen sollte. Es mußten Flugrouten abgesprochen werden und welcher Schlüsselsatz den Gefange-

nen mitgeteilt werden sollte, den sie im Falle der Befreiung sagen mußten, um zu signalisieren: Hier an Bord ist alles in Ordnung, es sind keine
Bewaffneten hier, ihr könnt die Geisel freilassen.

Abu Hani legte Wert darauf, daß sich die Gefangenen selbst nach ihrer
Befreiung strikten Regeln unterwarfen: »Sie dürfen sich nicht wundern,
daß sie selbst erst einmal wie Gefangene behandelt werden. Man kann
ja nicht sicher sein, daß da keine anderen Leute eingeschleust werden.
Sie dürfen sich dem nicht widersetzen, sie dürfen nicht meckern, bis sie
eindeutig als die Gefangenen identifiziert worden sind. Bis dahin werden sie irgendwo hingebracht und wie Gefangene behandelt.«
Damit war klar, daß die befreiten RAF-Mitglieder nur in ein Land gebracht werden konnten, in dem die PFLP eine starke Basis hatte. Das
war vor allem Aden, aber auch in der somalischen Hauptstadt Mogadischu unterhielt die PFLP eine Basis mit etwa 60 Leuten.
Als alle Einzelheiten für die Aktion, die in etwa vier bis sechs Wochen
laufen sollte, abgesprochen worden waren, kehrten Boock und Mohnhaupt nach Paris zurück. Dort gab es bereits eine Wohnung, die als
Kommunikationszentrale dienen sollte.

Eigentlich bestand noch aus der Zeit, als Haag Chef der Gruppe gewesen war, eine Maxime, nach der Leute, die für »strategische Aufgaben«
wichtig waren, nicht an Aktionen beteiligt sein durften. Falls der Betreffende bei der Operation zu Tode oder in Gefangenschaft käme, ginge so
kein unwiederbringliches Wissen verloren. Damit wäre Boock ausgeschieden: »Wir waren aber sehr schnell darauf gekommen, daß wir bei
der gegenwärtigen Struktur zu wenige wären, um eine komplizierte
Aktion durchzuziehen. Vor allem, wenn es nicht nur eine, sondern eine
Reihe von Aktionen ist, angefangen bei Buback, dann Ponto, dann
Schleyer. Also das war schon mal über den Haufen geworfen.«

48. Bambule in Stammheim

Am Freitag, dem 5. August 1977 besuchte Rechtsanwalt Arndt Müller
seine Mandantin Gudrun Ensslin in Stammheim. Er kam um 14.50 Uhr
und ging um 16.06 Uhr. Während dieser Zeit hatten die übrigen Gefan-

genen Umschluß auf dem Korridor vor ihren Zellen. Irmgard Möller wollte die Nacht gemeinsam mit Gudrun Ensslin in deren Zelle zubringen und packte ein paar Sachen zusammen. Dann holte sie einen Arm voll Obst aus der »Freßzelle«.

Als sie die gut 20 Quadratmeter große Eckzelle 720 betrat, stand Andreas Baader vor dem Bücherregal und suchte Papiere heraus.

Die Tür stand weit offen, und unmittelbar davor zogen mehrere Wachbeamte die Jalousien herunter und öffneten die Klappen der elektronischen Kamera, mit der während der Nacht der Korridor überwacht wurde.

Kurz nach 16.00 Uhr kam Gudrun Ensslin von ihrem Anwaltsgespräch zurück in den Trakt. Sie ging in ihre Zelle, in der immer noch Andreas Baader zusammen mit Irmgard Möller stand.

Ein Justizbeamter schloß die Tür hinter ihr ab. Die drei waren erstaunt, denn erlaubt war nur der gemeinsame Aufenthalt von Frauen mit Frauen und Männern mit Männern in einer Zelle während der Nacht.

Um die Situation zu klären, drückte Irmgard Möller auf den Rufknopf. Ein Licht leuchtete auf, und wenige Augenblicke später öffnete der Beamte Münzing die Tür. Irmgard Möller verließ die Zelle wieder und ging über den Flur in ihre eigene Zelle, um noch ein paar Mappen zu holen. Währenddessen kontrollierte Münzing das Gitter in Zelle 720; wie er später zu Protokoll gab, eine »Routinekontrolle«. Dabei merkte er offenbar nicht, daß Andreas Baader immer noch in der Zelle war, vielleicht wollte er das auch nicht bemerken.

Als Irmgard Möller zurückkam, begegnete sie Münzing, der die Eckzelle gerade verließ. Sie betrat die Zelle, die Tür wurde hinter ihr verschlossen. Andreas Baader hockte immer noch vor dem Bücherregal.

Die drei fanden die Situation eher komisch und wollten sie auch nicht verändern. Baader, Ensslin und Möller überlegten, was das bedeuten könne. Schließlich war Baader unter den Augen von sechs Vollzugsbeamten in Gudrun Ensslins Zelle gegangen, auch Münzing konnte Baaders Anwesenheit nicht verborgen geblieben sein.

Inzwischen wurden die anderen Zellentüren abgesperrt, auch Baaders Zelle, Nummer 719, ebenfalls eine Eckzelle. Offenbar fiel dem Schließer nicht auf, daß Baaders Zelle leer war.

Erst nach einer Stunde wurde die Abendruhe im Trakt abrupt gestört. Acht Beamte durchquerten den Flur.

Die Tür der Zelle 720 wurde wieder geöffnet. Gudrun Ensslin, so berichtete Irmgard Möller später, stand mitten im Raum, während Andreas Baader auf dem Bett lag. Irmgard Möller warf schnell eine Decke über Baader und verließ wortlos die Zelle.

Der Bericht der Vollzugsbeamten: »Baader wurde in bekleidetem Zustand neben Frau Ensslin liegend, mit einer Decke zugedeckt, gefunden. Frau Ensslin war ebenfalls bekleidet.«

Erst in der Darstellung des weiteren Ablaufs waren sich die Beteiligten später einig: Andreas Baader stand auf und ging in seine Zelle.

Den Gefangenen war das Verhalten der Beamten merkwürdig vorgekommen, denn normalerweise wurden ihre Bewegungen während des jeweils zweistündigen Umschlusses am Vor- und am Nachmittag sorgfältig überwacht. Ein Justizbeamter im Glaskasten am Kopfende des Korridors beobachtete normalerweise genau, ob einer der Gefangenen in eine Zelle ging. Dann machte der Beamte einen Strich auf einer Liste und schickte drei Kollegen, die gewissermaßen als Eingreifreserve hinter einem Vorhang saßen, in den Trakt. Sekunden später standen sie dann in der Zellentür vor dem aus ihrem Blickfeld entschwundenen Gefangenen. Nur an diesem Freitag war das anders gewesen.

Am nächsten Morgen wurden die Zellen gegen 9.30 Uhr wieder aufgeschlossen. Die Gefangenen durften zum Umschluß auf den Flur. Aber, anders als üblich, wurden die Türen der Zellen 719 und 720 sofort wieder verschlossen. »Was soll denn das?« fragte einer der Gefangenen, und ein Beamter antwortete: »Das wird hier jetzt anders.«

Baader ging auf den Obersekretär zu und sagte: »Grossmann, es ist besser für Sie, wenn Sie sich ganz schnell versetzen lassen.« Er wandte sich zum Justizbeamten Hofer und ergänzte: »Das gilt auch für dich, du Arschloch.«

Am Nachmittag, um 14.55 Uhr, kurz vor dem Abrücken zum gemeinsamen »Hofgang« auf dem Dach des Zellentrakts, sprach Ingrid Schubert den Vollzugsbeamten Grossmann an: »Machen Sie die Tür auf, ich will in die Freßzelle.«

Der Beamte sagte: »Mit uns kann man reden.« Baader trat hinzu: »Reden, du Ratte? Halt deine Gosch, sonst bekommst du ein Pfund.«

Den ganzen Tag über blieb die Atmosphäre gespannt, weil die Gefangenen es nicht hinnehmen wollten, daß die Zellen 719 und 720 während des Umschlusses von nun an ständig geschlossen bleiben sollten. Die Spannung stieg, als sich die Gefangenen am nächsten Morgen nach dem Aufschluß weigerten, ihre Zellen zu verlassen. Daraufhin wurden vor jeder Zellentür mehrere Beamte postiert. »Haut ab!« schrien die Gefangenen sie an. Aber die Beamten rührten sich nicht. Baader versuchte es mit einem ruhigen Gespräch. »Vergessen Sie die Sache von Freitag«, sagte er, »wir waren zu dritt und haben nicht gefickt.« Die Bediensteten hätten die Sache ganz bewußt dahin gelenkt, um den Gefangenen Schwierigkeiten zu machen. »Wenn die einschneidenden Maßnahmen nicht unverzüglich aufgehoben werden, gibt es Krieg.«

Am Montag war es soweit. Um 9.30 Uhr wurden die Zellen aufgeschlossen. Aber diesmal kamen nicht wie sonst zwei oder drei »Grüne«, sondern sechs. Sie bauten sich vor der Tür der Zelle 719 auf, in der Baader und Raspe gemeinsam übernachtet hatten. »Hauen Sie ab«, sagte Jan-Carl Raspe. »Wir werden geschlossene Türen nicht hinnehmen. Wenn Sie Ärger wollen, können Sie ihn haben.« Baader trat auf den Flur und sagte zum Vollzugsbeamten Grossmann: »Du kleine Ratte, du hast mir unterstellt, ich wäre nur zum Ficken da rein. Du bist an allem schuld.« Er drehte sich zu Münzing um: »Du hast das wissentlich provoziert. Das tut euch noch leid.«

Die übrigen Gefangenen holten Schreibmaterial, Bücher und Akten aus ihren Zellen und bereiteten sich auf die gemeinsame Arbeit des Tages vor. Nur Gudrun Ensslin schlief noch. Irmgard Möller forderte Münzing auf, die Tür ihrer Zelle aufzuschließen. Münzing tat das, versuchte aber, die Tür gleich wieder zuzudrücken. Es entstand eine Rangelei; in deren Verlauf stellte sich einer der Gefangenen in die Türöffnung.

Münzing verließ den Trakt, um sich Anweisungen von seinen Vorgesetzten zu holen. Währenddessen zogen sich die übrigen Beamten einige Meter zurück. Die Gefangenen versammelten sich um einen Tisch herum, sprachen leise miteinander und wühlten in ihren Unterlagen. Nach kurzer Zeit kam Münzing zurück. Raspe ging ihm entgegen und forderte ihn auf, zusammen mit seinen Kollegen den Korridor zu verlassen. Dabei konnte Raspe durch einen Vorhang hindurch sehen, daß sich im Aufenthaltsraum der Beamten die Anstaltsleitung und 20 bis 30 Uniformierte versammelt hatten.

Von nun an ging alles sehr schnell. Das Rollkommando stürmte auf den Umschlußflur. Wolfgang Beer, einer der drei neu in den Trakt verlegten Häftlinge, der jetzt auf der Schwelle zu Nummer 719 stand, wurde weggedrückt, damit die Tür geschlossen werden konnte. Raspe versuchte, einen heftig nach Bier riechenden Beamten daran zu hindern. Er schlug mit den Fäusten um sich. Die Gefangenen begannen zu schreien.

»Nun haben Sie den Krieg, den Sie gewollt haben!« brüllte Baader und schleuderte eine gefüllte Kaffeetasse durch den Raum.

»Die Türen zu!« befahl Regierungsdirektor Schreitmüller.

Das war das Signal für eine allgemeine Prügelei. Vier oder fünf Beamte warfen sich auf Jan-Carl Raspe und rissen ihn zu Boden. Einer drückte sein Knie auf Ober- und Unterkiefer, dann auf Hals und Brustkorb. Anschließend wurde Raspe in eine der hinteren Zellen geschleift: Prellungen, zwei gelockerte Vorderzähne, Blutergüsse, Hautabschürfungen. Wolfgang Beer bekam einen Ellenbogen ins Gesicht. Seine Brille zerbrach, die Glassplitter zerschnitten sein Gesicht. Er wurde in die Zelle geschleppt.

Ein Vollzugsbeamter griff sich Gudrun Ensslin, preßte ihr Gesicht auf den Boden, würgte sie. Sie rang nach Luft, schrie.

Mehrere Beamte stürzten sich auf Irmgard Möller und Ingrid Schubert, rissen deren Köpfe zurück, schlugen ihnen die Beine weg. Irmgard Möller wurde erst auf Gudrun Ensslin geschleudert, dann von vier Männern in eine Zelle geschleift. Es war Andreas Baaders Zelle. Auch Gudrun Ensslin wurde in diese Zelle geworfen, blieb einen Moment wie bewußtlos liegen, mit krebsrotem Hals, einem angelaufenen Gesicht, sie bekam kaum noch Luft. Die Tür fiel krachend ins Schloß. Es wurde abgesperrt.

Draußen ging die Schlacht weiter. Gefangene und Beamte beschimpften sich gegenseitig: »Ihr Schweine, ihr Arschlöcher!« Helmut Pohl erhielt einen Schlag ins Gesicht, ein Schneidezahn brach ab. Von drei Beamten wurden ihm die Arme auf den Rücken gedreht. Zwei packten seine Füße; er trat um sich. Keiner der Gefangenen war der Übermacht gewachsen. Nachdem alle in irgendeine der Zellen geschleppt worden waren, kehrte Ruhe ein.

Aber nicht für lange. Die Beamten stellten fest, daß die Häftlinge nun bunt verstreut in fremden Zellen lagen. Daraufhin starteten sie eine Sortieraktion.

Jeweils vier bis sechs von ihnen holten die Gefangenen heraus, wo sie nicht hingehörten und beförderten sie mit Schlägen und Tritten in die ihnen zugedachten Zellen.

Die Beamten machten sich daran, Protokolle über das Geschehene anzufertigen. Auch die Gefangenen schrieben Protokolle – und traten in einen neuen Hungerstreik.

Die nach der Vergrößerung des Hochsicherheitstraktes im Frühsommer 1977 nach Stammheim verlegten Gefangenen Wolfgang Beer, Werner Hoppe und Helmut Pohl wurden zurück nach Hamburg gebracht.

Nachtdienstmeldung Stammheim 16./17. August 1977:
»Bei der Glühlampenabnahme um 23.12 Uhr mußten wir feststellen, daß es im kurzen Flügel nach ausgelassenem Speck und Bratkartoffeln roch.«

49. Die Stalin-Orgel

In diesem Sommer 1977 bestand die Nachfolgegruppe der in Stammheim inhaftierten Gründergeneration der RAF-Kader im wesentlichen aus Brigitte Mohnhaupt, Sieglinde Hofmann, Elisabeth von Dyck, Christian Klar, Willy Peter Stoll, Peter Jürgen Boock und Susanne Albrecht, Adelheid Schulz, Rolf Clemens Wagner und Stefan Wisniewski.

In den Wochen nach der gescheiterten Entführung Jürgen Pontos, die mit Mord geendet hatte, entwickelte die Gruppe einen neuen Plan: die Bundesanwaltschaft selbst sollte angegriffen werden. In einer zur Werkstatt ausgebauten konspirativen Wohnung in Hannover baute Peter Jürgen Boock eine Raketenwerfer-Anlage, ähnlich einer Stalin-Orgel. Das Gerät bestand aus 42 verzinkten Stahlröhren von etwa 60 Zentimetern Länge, die auf sandwichartig übereinandermontierte Spanplatten geschraubt waren. In die Rohre wurden selbstkonstruierte raketenähnliche Geschosse mit 15 Zentimeter langem, vierflügeligem Leitwerk eingesetzt, gefüllt mit hochexplosivem Sprengstoff und Aufschlagzünder. Der gesamte Raketenwerfer war mit Teppichbodenbelag umklebt und wog rund 150 Kilogramm.

Er war im wesentlichen aus Teilen zusammengebaut worden, die in jedem Klempnerladen zu kaufen waren. Boock hatte den verschiedenen durchreisenden Gruppenmitgliedern jeweils Aufträge zur Beschaffung von Einzelteilen gegeben: »Man konnte ja schlecht in ein Geschäft für Sanitärbedarf gehen und sagen: Ich möchte 45 Wasserhahnverlängerungen à 50 oder 80 Zentimeter. Das hätte für ein ganzes Hochhaus gereicht. Wir haben in Hannover fast alle Geschäfte in kurzer Zeit leergekauft.«

Von der Idee bis zur Ausführung hatte Boock fast drei Monate gebraucht. Dann war die Waffe in einer Kiesgrube in der Nähe von Göttingen ausprobiert worden. Die erste Rakete flog weit über den Rand der Grube hinaus. Boock hatte Flugbahn und Höhe total unterschätzt. Das Geschoß war so stark, daß es einen ganzen Baum umhaute.

Am 25. August meldete sich bei dem Kunstmaler Theodor Sand und seiner Frau in der Blumenstraße 9 in Karlsruhe ein Ehepaar »Ellwanger« zu einem Besuch an. Sie wollten für ihren neuen Bungalow in Bergzabern ein Bild des Malers erstehen.

Pünktlich um zehn Uhr am nächsten Morgen kam das Ehepaar »Ellwanger« zur – genau gegenüber dem Gebäude der Bundesanwaltschaft liegenden – Künstlerwohnung. Die 74jährige Frau Sand öffnete und ließ den dunkelhaarigen jungen Mann und seine mit Rock und blauer Kostümjacke bekleidete »Ehefrau« ein. Sie besichtigten die Bilder des 68jährigen Malers und unterhielten sich angeregt und sachverständig über Kunst.

Gegen Mittag bat Herr »Ellwanger«, die Toilette benutzen zu dürfen. Als Theodor Sand sich umwandte, um seinem Gast die Tür zu zeigen, fielen die Besucher plötzlich über die beiden alten Leute her. Theodor Sand glaubte, Geisteskranke vor sich zu haben, wehrte sich, schrie und stürzte mit den Angreifern zu Boden.

Frau »Ellwanger« und ihr angeblicher Ehemann zogen Pistolen und richteten sie auf das Künstlerpaar. »Dieses ist eine Aktion der ›Roten Armee Fraktion‹, die nicht gegen Sie gerichtet ist, sondern gegen das Gebäude der Bundesanwälte.«

»Da sind doch auch Stenotypistinnen und andere Angestellte beschäftigt«, meinte Frau Sand.

»Da haben Sie recht, die sind aber in den unteren Etagen.«

Das »Ehepaar Ellwanger« dirigierte die beiden Alten ins Wohnzimmer in zwei Sessel. Dann fesselten sie mit Bändern und Klebestreifen Arme und Beine, rückten die Sessel mit den Rückenlehnen zusammen und banden sie aneinander fest.

Kurze Zeit darauf hielt ein Renault R 4 mit der Aufschrift »A. Krieg – Sofort-Kundendienst« vor dem Haus gegenüber der Bundesanwaltschaft. Eine Gruppe junger Leute trug in Taschen und in einem Pappkarton »12 × 30 Pampers Tag Normal« verpackte Metallgegenstände in die Wohnung des Künstlerpaars.

Der Konstrukteur des Raketenwerfers, Peter Jürgen Boock, begann mit dem Aufbau, während die übrigen, die Pistole in der Hand, warteten und versuchten, sich den alten Leuten zu erklären: Dies sei eine »hohe Aufgabe«, die sie als »Signal für die gefangenen Genossen in Stammheim« erfüllten. Es wäre ihnen lieber gewesen, ein jüngeres Ehepaar vorzufinden. Für ihr Vorhaben sei aber ihre Wohnung genau richtig. Eine der Bewacherinnen nahm fünf Hundertmarkscheine aus der Tasche und wollte sie den beiden Alten geben. Es könnte vielleicht in der Wohnung etwas beschädigt werden. Das Ehepaar Sand lehnte ab, weigerte sich auch, aus der angebotenen Cognacflasche zu trinken.

Peter Jürgen Boock brauchte mehrere Stunden für den Aufbau des Raketenwerfers. Schon während er die Anlage konstruiert hatte, so sagte er später in seinem Prozeß, waren ihm Bedenken gekommen. Er hätte zunächst nicht gewußt, gegen welches Ziel die Stalin-Orgel eingesetzt werden sollte. Man habe ihm gesagt, ein anderer werde den Schußapparat in Stellung bringen. Damit sei er nicht einverstanden gewesen. Er habe die mörderische Anlage unter Kontrolle behalten wollen, um ihren Einsatz sabotieren zu können. Nur mit Mühe sei es ihm gelungen, an der Kommandoaktion beteiligt zu werden; wegen seines erheblichen Drogenkonsums galt er – trotz seiner anerkannten technischen Fähigkeiten – als Unsicherheitsfaktor.

Während er den Raketenwerfer in der Wohnung aufbaute, kamen ihm, so sagte er später, immer größere Bedenken. Hinter den Fenstern der Bundesanwaltschaft sah er Sekretärinnen, Justizbedienstete, jüngere und ältere Menschen, vielleicht Angestellte, vielleicht Besucher. Er dachte an die Folgen eines Beschusses und spürte einen wachsenden Eisklumpen in sich. Boock konnte einfach keinen Zusammenhang mehr sehen zwischen seiner früheren Motivation für den Anschluß an die RAF, die Gefangenen aus ihrer Situation zu befreien, und dem, was zu tun er im Begriff war. Es würde Tote geben. Die Aktion könnte ihn zum mehrfachen Mörder machen. Als er die Rohre auf die gegenüberliegenden Fenster ausrichtete, beschloß er, die Zündung zu verhindern. Er zögerte den Aufbau bewußt hinaus. Als die Anlage schon fast fertig war, zog er den Wecker für die Zündung nicht auf, um den Abschuß zu verhindern.

Die Raketen-Abschußanlage funktionierte tatsächlich nicht. Im späteren Urteil gegen Peter Jürgen Boock wurde seine Erklärung als Schutzbehauptung abgetan. Die Tatsache, daß der Wecker wirklich nicht aufgezogen worden war, beurteilten die Richter als reines Versehen.

In der RAF-Erklärung über das mißglückte Attentat hieß es: »Es ging nicht um irgendein Blutbad … es ging ganz einfach um eine Warnung in der Situation, in der über 40 politische Gefangene im Hungerstreik waren … Sollten Andreas, Gudrun und Jan getötet werden, werden die Apologeten der harten Haltung spüren …, daß wir genug Liebe – also Haß und Phantasie haben, um unsere und ihre Waffen so gegen sie einzusetzen, daß ihr Schmerz unserem entsprechen wird …«

Die Stammheimer Gefangenen waren zunehmend unzufrieden mit den Aktivitäten der Gruppe draußen. Sie kritisierten die Ponto-Aktion als reinen Dilettantismus und verlangten immer drängender und ultimativ eine erfolgreiche Befreiungsaktion. »Wenn ihr es nicht schafft, uns herauszuholen, dann nehmen wir unser Schicksal selbst in die Hand«, hieß es immer wieder in Kassibern, die nach draußen geschmuggelt wurden. »Die anderen«, so Boock, »haben sich sicher etwas anderes darunter vorgestellt als Brigitte und ich. Wir wußten genau, worauf sich das bezog. Wir nehmen unser Schicksal selbst in die Hand heißt, wir machen Schluß, machen die Geiselnahme, machen Selbstmord, machen eine Suicide-Aktion.«

Boock und Brigitte Mohnhaupt wußten, daß in den Zellen Waffen und Sprengstoff verborgen waren. Brigitte hatte Boock auch erzählt, wie die Gefangenen die Verstecke vorbereitet hatten. So waren die Waschbecken in den Zellen innen hohl. Man mußte die Becken also nur abmontieren und eines der Lüftungslöcher vergrößern, um einen jederzeit benutzbaren Hohlraum zu haben. Dann wurden die Bodenleisten abmontiert. Dahinter war unverputzter grauer Beton, in den Löcher gekratzt werden konnten. Der feine Abrieb wurde mit Zahnpasta vermengt und als Mörtel verwendet.

Inzwischen hatte Jan-Carl Raspe die Kommunikationsanlage perfektioniert. Lautsprecher wurden zu Mikrophonen umgelötet, die anstaltseigenen Kabelverbindungen zwischen den fest installierten Lautsprechern des Anstaltsrundfunks wurden umfunktioniert, die Verstärker der Plattenspieler lieferten die Energie für eine sehr gute Kommunikation von Zelle zu Zelle. Die Plattenspieler wurden, wie Brigitte nach ihrer Entlassung Boock geschildert hatte, sogar zum Kochen und Backen benutzt: »Die Wachtmeister haben sich zuzeiten gewundert, wieso das so reichlich nach gebackener Pizza roch, haben aber nie mitgekriegt, wie das eigentlich läuft. Die Plattenspieler hatten einen gußeisernen Teller. Wenn man die Gummimatte abnahm, vertrug der ganz ordentliche Hitze. Da wurde eine Heizspirale draufgelegt, und fertig war der Ofen.«

Immerhin waren die Gefangenen – allen voran Raspe – technisch begabt und erfahren. Vor allem aber hatten sie viel Zeit.

Der Druck auf die Gruppe draußen wuchs. Ein paar Wochen vor dem Start der »Big Raushole« schickten die Gefangenen einen Kassiber, in dem es hieß, sie überlegten sich, ob sich die Gruppe noch RAF nennen dürfe. Sie würden ihnen das absprechen, wenn nicht bald etwas passiere. In der Zwickmühle, von den RAF-Gründern verstoßen zu werden oder gar für deren Selbstmord verantwortlich zu sein, entschied sich die Gruppe für rasches Handeln.

50. »Kein Kapitalist ohne Terrorist im Verwandtenkreis«

Am 1. September 1977 berichtete BKA-Präsident Herold vor dem Innenausschuß des Bundestages über die Ermittlungsergebnisse zum

Mordfall Ponto und das gescheiterte Attentat auf die Bundesanwaltschaft in Karlsruhe.

Schon bei der Festnahme des untergetauchten Rechtsanwalts Siegfried Haag am 30. November des Vorjahres, so sagte Herold, habe es Hinweise auf neue Anschläge gegeben: »Damit war zum ersten Mal das Herannahen eines Kapitalverbrechens von großem Ausmaße signalisiert. Dieser Eindruck verfestigte sich auch auf Grund der bei Haag vorgefundenen detaillierten Papiere, die Ablaufpläne für eine Ermordung erkennen ließen. Es wurde von uns angenommen, daß es sich um die seit langem befürchtete Hinrichtung handeln würde. Aber zugleich ergab sich auch der Hinweis auf eine andere nachfolgende Aktion, die sich ›big money‹ nannte. Die Bedeutungen reichten vom Banküberfall bis zu einer Entführung. Ein Papier ergab dagegen einen Hinweis, wonach eine Entführung nicht auszuschließen war: ›H. M. aus-checken‹, ›big money‹ diskutieren; wo den Typ ›bunkern‹?

Wenn man alles rastert und fragt: Wer heißt H. M. oder M. H., wer hat solche Initialen – ›Who ist Who?‹ haben wir gründlich durchgewälzt –, und wenn man fragt: wer von diesen Leuten kann mit ›big money‹ zu tun haben, dann kam man auf eine bestimmte Person, deren Namen ich hier jetzt nicht nennen will.«

Eine Woche zuvor hatte der neue Generalbundesanwalt Rebmann in einer Sitzung des Rechtsausschusses den Namen mit den Initialen H. M. genannt: Hanns Martin Schleyer, Präsident des Arbeitgeberverbandes.

Einer der Abgeordneten fragte Herold, in welchem Zusammenhang der Name Susanne Albrecht zum ersten Mal aufgetaucht sei: »Trifft es zu, daß im Juni 1977 die Frau Albrecht vom Staatsschutz als untergetaucht gemeldet wurde? War den zuständigen Stellen eigentlich die Verbindung der Frau Albrecht mit der Familie Ponto bekannt? Hat man aus dieser Bekanntschaft die mögliche Folgerung gezogen, die Familie Ponto von dem Leben der Susanne Albrecht zu unterrichten?«

Dr. Herold antwortete: »Es ist ja nicht so, daß Susanne Albrecht eine von wenigen verdächtigen oder gefährlichen Personen in der Bundesrepublik wäre, sondern wir haben es mit einem Massenproblem zu tun. Ich habe hier schon vorgetragen, daß die Zahl der hochgefährlichen

474

Leute, die gewissermaßen unserer Computerfahndung dauernd unterliegen, bei 1200 liegt. Susanne Albrecht gehörte zu den 1200.« Um diesen Personenkreis herum, der jederzeit aktiv und gefährlich werden könne und es in den letzten Jahren auch geworden sei, so erklärte Herold, gäbe es noch ein Umfeld von etwa 6000 Sympathisanten:

»Es handelt sich also nicht um ein Problem einzelner Personen, sondern leider um ein Massenproblem. 1200 Personen von größter Gefahr kann niemand in der Bundesrepublik observieren, und niemand kann durch vorbeugende Maßnahmen die Gefahr ausschalten. Jedermann weiß, daß die vollständige Abdeckung durch Observation pro Person rund 20 Beamte notwendig macht. 1200 mal 20 – so viel Personal hat die ganze deutsche Kriminalpolizei nicht. Das zeigt die besondere und herausragende Bedeutung einer permanenten, routinehaften, schleppnetzartigen Beobachtung dieses Personenkreises in Form einer computerisierten Beobachtung.«

Susanne Albrecht sei in den geheimen Lagemeldungen des BKA in den vergangenen Jahren 45mal erwähnt worden. Die Kollegen vom Hamburger Verfassungsschutz hätten Ende Juni mitgeteilt, Susanne Albrecht sei untergetaucht. Daß die Familie Albrecht mit Ponto bekannt war, habe man allerdings nicht gewußt. »Ich muß aber hinzufügen: Selbst wenn wir es gewußt hätten, was hätten wir denn machen sollen? Sollten wir die Bekannten jener 1200 Leute, die zum Teil hochragende persönliche Beziehungen zu Leuten in diesem Lande haben, darauf hinweisen, mit wem sie umgehen?«

»Aber sicher!« rief ein Abgeordneter der CDU/CSU-Fraktion.

»Nein, das ist nicht möglich, und ich hätte die Vorwürfe nicht hören mögen, wenn wir es getan hätten!«

Bundesinnenminister Maihofer sekundierte seinem BKA-Chef: »Hinterher sind wir natürlich klüger, nachdem geschossen worden ist. Ich sage nur mal, was ich neulich einigen Herren auch gesagt habe. Es gibt keinen – erschrecken Sie jetzt nicht – Kapitalisten, der nicht seinen Terroristen im nächsten Verwandtschafts- oder Bekanntenkreis hat. Das meine ich. Es gibt keine höheren Kreise in unserer Gesellschaft – das ist das erschreckende –, die nicht in näherer oder weiterer Umgebung solche Personen wie die Albrecht haben.«

Einer der Abgeordneten wollte wissen, wie viele Haftbefehle es denn gegen Leute aus diesem Personenkreis gäbe.

»Fünfunddreißig«, rief ein anderes Ausschußmitglied.

»Nur fünfunddreißig Haftbefehle?«

»Ja, gegen 35 gesuchte Leute, die im Untergrund sind«, sagte Herold.

»Darüber hinaus sitzen etwa 123.«

»Gegen 240 laufen Ermittlungsverfahren«, ergänzte Innenminister Maihofer, »wegen Ausweisüberlassung, Wohnungsgestellung, Kraftfahrzeugbeschaffung usw.«

Ein CDU/CSU-Abgeordneter fragte, ob denn eine Fernsehmeldung richtig sei, daß nach dem Ponto-Mord weder der Präsident noch der Vizepräsident des BKA erreichbar gewesen seien.

Herold war empört: »Ich darf mir die Bemerkung erlauben, daß es mich sehr getroffen hat zu hören, ich sei nicht erreichbar gewesen. Das hat es in 30, wie ich meine, ehrenvoll verbrachten Dienstjahren bei mir noch nie gegeben. Ich bin wohl der einzige Polizist, der im Dienstgebäude wohnt, um dort ununterbrochen, buchstäblich Tag und Nacht, zur Verfügung zu stehen. Es motiviert ungeheuer, wenn solche Behauptungen aufgestellt werden!«

Dann kam der BKA-Präsident auf das Ausmaß der weltweiten terroristischen Verbindungen zu sprechen: »Wir müssen wissen, daß diese Gruppierungen unter dem Begriff ›Rote Armee Fraktion‹ angetreten sind. ›Fraktion‹ heißt ›Teil‹. Damit ist genügend klar zum Ausdruck gebracht, daß sich diese revolutionäre Gruppierung als Teil einer weltumspannenden Roten Armee, als Teil einer Weltbürgerkriegs-Armee versteht.«

Gewisse Indizien sprächen dafür, daß die »Rote Armee Fraktion« »bereits in die Phase des Scharmützels treten kann, das heißt des plural geführten, gleichzeitig befohlenen Angriffs auf die Nervenknoten dieses Staates, um die staatliche Abwehr zu zersplittern, zu desorientieren, sie nutzlos zu binden und dann eben in dem Gesamtkonzept der Demoralisierung, der Ermunterung Gleichgesinnter, der Hoffnung auf baldige Veränderung voranzuschreiten.

Dafür ist die logistische Basis in einem Umfang aufbereitet, der nicht unterschätzt werden sollte«.

Die »ausgefeilte Technik der Konspiration und der Logistik« sei kaum verwundbar. »Dem steht eine Unterdimensionierung der für die Terrorbekämpfung vorgesehenen Kräfte bei Polizei und Verfassungsschutz gegenüber.«

Dann kam Herold auf Details zu sprechen. Das Stuttgarter Büro des – inzwischen flüchtigen – Rechtsanwaltes Klaus Croissant habe »seit 1974 eine Reihe von Gewaltverbrechern produziert«. Dort seien damals auch schon Sprengstoff-Anleitungen gefunden worden.

»Daraus kann man eine ganze Reihe von Schlüssen ziehen, leider nicht solche, daß man Croissant nun direkt des Mordes beschuldigen könnte. Diesen Schritt hat der Herr Generalbundesanwalt auch noch nicht gewagt. Aber ich bin ganz sicher, daß in der weiteren Aufhellung auch diese Anschuldigung noch belegt werden kann.«

Das konnte nie belegt werden, und es entbehrte auch jeglicher Grundlage. Tatsächlich spielte Klaus Croissant seit geraumer Zeit in seinem Büro überhaupt keine Rolle mehr. Das Kommando hatten dort andere, wie etwa Volker Speitel, übernommen, die sich als Kuriere zwischen den im Untergrund operierenden RAF-Mitgliedern und den Stammheimer Gefangenen betätigten.

Doch langsam wurde für die Mitarbeiter des Croissant-Büros die Luft dicker. Einige von ihnen brannten darauf, in den Untergrund abzutauchen. So trafen sich am Abend des 4. September im »Wienerwald« in Wuppertal-Elberfeld Volker Speitel, Christof Wackernagel und zwei andere aus der »Zweiten Ebene« mit den »Illegalen« Peter Jürgen Boock und Stefan Wisniewski. Sie wollten über ihre allmähliche Eingliederung in die illegale Struktur beraten. Boock deutete an, daß eine weitere Aktion unmittelbar bevorstehe: »Viel härter als das, was bisher gelaufen ist.« In einer solchen Situation sei es unmöglich, neue Leute aus der »Etappe« an die »Front« zu versetzen. »Was meint ihr, wie uns zumute ist, wenn wir an morgen denken«, fügte Boock hinzu, »da geht mir der Arsch auf Grundeis.«

Tatsächlich war der Kern der Gruppe viel kleiner, als BKA und Öffentlichkeit vermuteten. Es waren Brigitte Mohnhaupt als die Vertrauensperson der Stammheimer, Peter Jürgen Boock, Stefan Wisniewski, Sieglinde Hofmann, Rolf Heißler, Rolf Clemens Wagner und Christian Klar. Diese durften »vor Ort« den übrigen Gruppenmitgliedern wie Friederike Krabbe, Sigrid Sternebeck und anderen direkte Befehle geben. Boock: »Wer auch immer von denen wo auch immer vor Ort war, hatte automatisch das Sagen.«

51. Wannseekonferenz

Alles war vorbereitet für den großen Schlag. In einer Wohnung in Junkersdorf kam die Kerntruppe zur letzten Einsatzbesprechung zusammen. Das Appartement war nur gemietet worden, weil das Hochhaus über eine Tiefgarage verfügte, in der das Entführungsopfer umgeladen werden sollte; schließlich konnte man nicht direkt vom Tatort zum Versteck fahren. Die Wohnung war leer, bis auf eine Nachttischlampe und ein Radio.

Das Kommando hockte sich in einen Kreis auf den Fußboden. In der Mitte lag ein alter Eimerdeckel, der als Aschenbecher diente. Die armselige Lampe erleuchtete nur den Fußboden, die Gesichter blieben im Dunkeln und verschwammen schließlich im Nebel des Zigarettenrauches. Die Worte hallten in der leeren Wohnung, und so senkten alle die Stimmen. Zunächst wurde der letzte Kassiber aus Stammheim debattiert. Die ultimative Aufforderung der RAF-Gründer, jetzt endlich etwas zu tun, sonst würde man selbst unwiederbringliche Fakten setzen, ließ nur eine Antwort zu. Boock: »Es war eigentlich ziemlich schnell der Punkt erreicht, wo wir uns gesagt haben, weiter zu warten, ob es noch eine bessere Möglichkeit gibt, würde nichts ändern. Gut, dann müssen wir es hart durchziehen. Hart bedeutet, wir müssen die Begleiter erschießen, um an Schleyer ranzukommen.«

Einer der Anwesenden bekam Skrupel: »Nein, unter solchen Druck möchte ich mich nicht setzen lassen. Es muß auch anders gehen. So kann ich da nicht mitziehen.«

»Na gut, dann gehst du jetzt nach nebenan, und wir besprechen weiter«, antwortete einer aus der Führungsriege. »Das geht dich dann ja auch nichts mehr an.« Der Betreffende stand auf und verließ das Zimmer. Daraufhin rückte Peter Jürgen Boock in die Position des Fahrers auf: »Jemand, der unter so einem Druck und Streß noch relativ ruhig fahren konnte, davon hatten wir nicht so viele.« Dadurch sei er in diese Rolle hineingerutscht. »Aber ich hätte zu der Zeit auch in jeder anderen Funktion mitgemacht.«

Aus dem Hauptquartier im Uni-Center hatten sie große Papierbögen und Filzstifte mitgebracht. Darauf skizzierten sie den geplanten Entführungsort und den vermuteten Ablauf: »Wer macht was, wer steht wo, wie verständigt man sich untereinander, was muß im Auge behalten werden.« Die gesamte Aktion wurde wieder und wieder durchgespielt. »Wobei das, was nachher real passierte, nicht dabei war.«

»Es war eine vollkommen emotionslose Debatte«, erinnerte sich Boock später. »Ich habe hinterher in Bagdad mal einem anderen Mitglied der RAF gesagt: ›Das war unsere Wannseekonferenz.‹« So wie die Funktionäre der Nazis ihren Plan zu »Endlösung« debattiert hätten, so kalt sei über die Ermordung von Schleyers Begleitern gesprochen worden. »Eine Art und Weise von nüchterner Sachlichkeit, obwohl uns die Ungeheuerlichkeit dessen, was wir besprachen, bewußt war.« Doch das, so glaubte Boock später, war wohl die einzige Möglichkeit, mit dem Geplanten umzugehen. »Wenn wir uns dieser Dimension der Ungeheuerlichkeit verbal genähert hätten, wäre es schon fast nicht mehr möglich gewesen.«

Der Fahrer wurde als bewaffneter Bodygard angesehen. Damit war das Thema vom Tisch. »Unter anderen Umständen hätte ich sicherlich gefragt, wieso sollen wir den Fahrer eigentlich erschießen, was soll das, wir können den Mann doch laufenlassen. Dem gibt man einen Tritt in den Arsch, und das war's.« Aber selbst für derart reduzierte moralische Überlegungen war kein Raum mehr. »Eine so emotionslose, eiskalte Diskussion«, so Boock später, »habe ich in der Weise nie zuvor erlebt und auch nie später.«

Danach ging es zurück ins Uni-Center. Boock präparierte die Waffen und begann, sie in einen Kinderwagen zu packen, in dem auch die Langwaffen unauffällig zum Überfallort gebracht werden sollten.

Stefan Wisniewski sollte vor Ort den Anführer spielen. So war das bei Kommandoaktionen üblich. »Das ist ganz klar«, erinnerte sich Boock, »du hast keine Zeit zu diskutieren.«

Brigitte Mohnhaupt sollte an der Aktion nicht teilnehmen. Auch das entsprach der RAF-Linie. »Es war klar, daß Brigitte nicht teilnimmt, der alten Maßgabe folgend, daß immer eine Leader-Person übrig sein muß, um die Gruppe rekonstruieren zu können, wenn etwas schiefgeht. Sie ist verdonnert worden, nicht dabeizusein. Sie wollte, aber der Mehrheitsbeschluß lautete: Nein.«

5. Kapitel
Vierundvierzig Tage im Herbst

1. Die Entführung
(Montag, 5. September 1977)

Warnungen hatte es genug gegeben.

Nach der Ermordung des Vorstandsvorsitzenden der Dresdner Bank, Jürgen Ponto, am 30. Juli 1977 hatten die Ermittler herausgefunden, daß drei Wochen zuvor, am 6. Juli, ein junger Mann im Hamburger »Weltwirtschaftsinstitut« Unterlagen über Ponto und Schleyer eingesehen hatte. »Ich schreibe eine Doktorarbeit über führende Personen der Wirtschaft«, hatte der Mann gesagt und ordnungsgemäß den Besucherschein ausgefüllt. Erst als Jürgen Ponto tot war, hatten BKA-Beamte festgestellt, daß der angebliche Doktorand ehemaliger Gehilfe der Stuttgarter Kanzlei Croissant war, Willy Peter Stoll hieß und seit einiger Zeit im Untergrund verschwunden war.

Hanns Martin Schleyer, Präsident der Bundesvereinigung der Deutschen Arbeitgeberverbände und des Bundesverbandes der Deutschen Industrie und Vorstandsmitglied von Daimler-Benz, erhielt die »Sicherheitsstufe 1«. Fortan begleiteten ihn Beamte des Landeskriminalamts Baden-Württemberg. Sein Arbeitsplatz in Köln, seine Wohnung in Köln und sein Haus in Stuttgart wurden überwacht. Ein Kriminalbeamter riet Schleyer: »Schließen Sie die Tür zum Balkon, wenn Sie ins Bett gehen.« Als weitere Sicherungsmaßnahme solle er in seiner Kölner Zweitwohnung einen Weitwinkelspion in die Tür einbauen, das Schloß verstärken und einen Polizeinotruf mit drei Auslöseknöpfen installieren lassen.

Die Fahrtroute von Schleyers Büro im Wirtschaftsinstitut der Deutschen Industrie am Oberländer Ufer zu seiner Kölner Wohnung führte durch die Straße Am Raderthalgürtel. Am Nachmittag des 1. September fiel einem Anwohner auf, daß zwei junge Frauen dort über eineinhalb Stunden lang in einem geparkten blauen Alfa Romeo saßen. Am nächsten Tag sah er die beiden Frauen wieder an derselben Stelle. Sie machten sich an dem Wagen zu schaffen. Dem Mann kam das Verhalten der beiden verdächtig vor, er rief die Polizei und gab das Kennzeichen durch. Kurze Zeit später erschienen zwei Streifenbeamte und ließen sich die Papiere der beiden Frauen geben. Wegen eines Defekts am Polizeicomputer verzichteten sie auf eine weitere Überprüfung der Personalien. Auch das Autokennzeichen ließen sie nicht überprüfen, weil sie davon ausgingen, daß ihre Kollegen in der Einsatzzentrale das bereits nach dem Telefonanruf erledigt hätten. Dort aber hatte man sich offenbar auf die Beamten im Außendienst verlassen.

Erst nach Schleyers Tod stellten die Ermittler fest, daß der blaue Alfa von einer der Schleyer-Entführerinnen, Adelheid Schulz, benutzt worden war. Das Kennzeichen war eine Doublette nach RAF-Methode.

Der 5. September 1977 war ein Montag. Frühmorgens um fünf Uhr stand Hanns Martin Schleyer in seinem zweistöckigen Einfamilienhaus am Ginsterweg 17 in Stuttgart auf. Seine Familie schlief noch, als er eine Stunde später von seinem Fahrer im Mercedes-Dienstwagen abgeholt wurde.

Um 6.30 Uhr startete er im zweistrahligen Daimler Firmenjet »Falcon« nach Köln. Dort holte ihn sein Kölner Fahrer Heinz Marcisz ab und brachte ihn zum Büro am Oberländer Ufer. Eine Tasse Kaffee, die Post, danach das »Morgengebet«, die wöchentliche Lagebesprechung mit den Fachreferenten. Um 14.00 Uhr Präsidiumssitzung des Arbeitgeberverbandes mit den Unternehmern von Gesamtmetall, auf der die nächste Tarifrunde besprochen wurde.

Das Stichwort hieß »Mendocino«. Die Idee stammte von Willy Peter Stoll, der den damals populären Song gern gemeinsam mit Stefan Wisniewski geträllert hatte. Am Vormittag hatte die Gruppe die Waffen präpariert, den Kinderwagen vorbereitet, die Wohnung gereinigt, letzte Sachen verschickt, abgeklärt, wie die Kommandoerklärungen verbreitet werden sollten, Telefonate nach Paris geführt. Die Infrastruktur für die »Big Raushole« stand. Gut 25 Mitglieder war die Organisation stark. Dazu kam ein Umfeld von Sympathisanten, die von Fall zu Fall herangezogen werden konnten.

Eine Person wurde in der Nähe des Gebäudes des Bundesverbands Deutscher Arbeitgeber postiert, um einem zweiten, der entlang der Strecke stand, mitzuteilen: Er fährt ab. Die zweite Person sollte das Kommando in einem Café anrufen und das Kennwort durchgeben, sobald der Wagen mit dem Arbeitgeberpräsidenten vorbeifuhr: »Mendocino«, das Signal für den Überfall.

Jedem Mitglied der Kommandogruppe war selbst überlassen worden, ob er eine schußsichere Weste tragen wollte. Boock zog sie erst an, legte sie dann im Café aber wieder ab. »Es war zu nervig. Ich war damals auch in so einer Stimmung, daß mir so was scheißegal war.« Stefan Wisniewski behielt die kugelsichere Weste an.

Eine surrealistische Szene, wie die vier im Café saßen, die Waffen gepackt, und Kaffee und Kuchen bestellten. Es war früher Nachmittag, und einige Hausfrauen und ältere Damen saßen mit ihnen an den Tischchen. Keiner war maskiert, und so sollte es auch bleiben. »Es sollte ja niemand überleben, außer Schleyer«, sagte Boock später. Einige hatten Beruhigungsmittel genommen, einer ein Aufputschmittel, einige waren müde, andere total aufgedreht. Nur ein eisernes Prinzip galt für alle: »Man ißt nichts, man geht immer mit nüchternem Magen in Aktion.« Das hatten sie irgendwo bei Che Guevara gelesen: Wenn du etwas gegessen hast und einen Bauchschuß bekommst, bist du tot. Boock: »Erstens, saubere Unterwäsche, zweitens, nüchterner Magen.«

Boock bestellte einen Krapfen, biß ihn kurz an der Ecke an und ließ ihn dann liegen. Er trank Kakao, um den Magen zu beruhigen. Dann klingelte das Telefon. Der Wirt hob ab und fragte in den Raum, ob ein Herr Müller da sei. Stefan Wisniewski nahm den Hörer. »Mendocino«, hieß es vom anderen Ende der Leitung. »Mendocino«, sagte Wisniewski, »es geht los.«

Sie wußten, daß sie noch zehn Minuten Zeit hatten. Einer zahlte. Dann stiegen Willy Peter Stoll und Stefan Wisniewski in den gelben Mercedes. Sieglinde Hofmann und Boock fuhren im VW-Bus hinterher. Sie bogen in die Vincenzstraße ein und postierten den gelben Mercedes. Er sollte als Rammwagen dienen und den Konvoi mit Schleyer zum Stehen bringen. Boock stellte den VW-Bus, mit dem Schleyer abtransportiert werden sollte, am Alleenring ab und half seiner Begleiterin Sieglinde Hofmann, den Kinderwagen auszuladen. Dann gingen sie nach vorn zur Straßenecke. Von dort aus konnten sie das Rammfahrzeug gut sehen. Sie stellten sich lässig in Position, so, als hätten sich gerade zwei Bekannte getroffen: »Hallo, grüß Gott, und das Baby ist auch dabei ...«

Am späten Nachmittag verließ Schleyer das Büro, um sich zu seiner Wohnung in Köln-Braunsfeld, Raschdorffstraße 10 bringen zu lassen. Am Steuer des 450er mit dem Kennzeichen K – VN 345 saß wieder sein Fahrer Marcisz. In einem zivilen Polizeiwagen folgten die zu Schleyers

Schutz eingeteilten Beamten Reinhold Brändle, 41, Roland Pieler, 20, und Helmut Ulmer, 24.

Gegen 17.25 Uhr durchfuhr die Kolonne in westlicher Richtung die Friedrich-Schmidt-Straße, in die von rechts die Raschdorffstraße einmündet. Die Straße, in der Schleyer wohnte, war eine Einbahnstraße. Die beiden Wagen mußten einen Bogen fahren, um zu Schleyers Wohnung zu gelangen.

»Da sind sie«, sagte Sieglinde Hofmann. Boock nahm seine Waffe aus dem Kinderwagen und steckte sie unter seine Jacke. Sieglinde Hofmann schob den Kinderwagen ein Stück weiter. Die Falle war geöffnet.

Unmittelbar vor dem Einbiegen in die Vincenzstraße, die parallel zur Raschdorffstraße verläuft, mußte Schleyers Fahrer plötzlich hart in die Bremsen steigen. Vor ihm auf der Straße stand ein blauer Kinderwagen, daneben, halb auf dem Gehweg, ein gelber Mercedes mit Kölner Kennzeichen. Der Wagen mit den drei Polizeibeamten fuhr auf Schleyers Wagen auf.

Als die Wagen aufeinanderprallten, begann die Schießerei. Das Kommando feuerte aus allen Rohren. Später konnte Boock kaum noch erinnern, wer auf was geschossen hatte: »Es war fast wie ein einziger Knall, es war irre laut. Das lag daran, daß wir zwei HK-43-Sturmgewehre benutzt hatten, ohne Mündungsdämpfer.« In wenigen Sekunden war allein aus dieser Waffe ein ganzes Magazin mit 30 Schuß abgefeuert worden. Ein Moment völliger Ruhe trat ein. Dann begannen Schleyers Begleiter zurückzuschießen. Boock sah, wie Sieglinde Hofmann in die Knie ging. Er konnte nicht sehen, ob sie getroffen war oder nicht. »Ich bin dazugerannt. Ich kann nicht sagen, ob ich schon im Rennen geschossen habe oder erst, als ich auf der Höhe der Fahrzeuge war. Im gleichen Moment kam Willy Peter Stoll, sprang auf die Motorhaube des Begleitfahrzeugs und schoß das gesamte Magazin in das Fahrzeug hinein.« Er war mitten in Boocks Feuerlinie gelaufen und beinahe von dessen Kugeln getroffen worden. Dann war wieder Stille.

Stoll stand noch auf der Motorhaube, den Verschluß des großkalibrigen Repetiergewehres offen. Das Magazin war leer, aber Boock hörte es noch klicken. In die Stille hinein sagte einer aus dem Kommando: »Das ist schiefgegangen, die sind alle tot.« Auch Boock dachte, daß niemand diese Schießerei überlebt haben könnte, und lief zurück, um den Wagen zu holen. Als er den VW-Bus zurücksetzte, sprang die nur angelehnte

Schiebetür auf, und Boock konnte sehen, wie Willy Peter Stoll und ein anderes Gruppenmitglied Schleyer auf das Fahrzeug zuschleppten. Auch die anderen sprangen in den Bus und drückten den Arbeitgeberpräsidenten auf den Boden. Stoll hatte sich neben Boock auf den Beifahrersitz geworfen:»Los jetzt, fahren!« Als Boock Gas gab, sah er, daß die Ampel an der nächsten Kreuzung auf Rot gesprungen war und sich davor eine Kolonne Wagen gestaut hatte. Er jagte über den Fußgängerweg und schleuste sich zwischen Lichtmast und Ampel auf die Kreuzung. Bei Gegenverkehr aus beiden Richtungen raste er über die Straße. Kurz vor ihnen versuchte ein Lastwagen, rückwärts auf die Straße zu setzen. Boock fuhr beinahe den Mann mit dem Signalfähnchen um und setzte seine wilde Fahrt fort.

Sieglinde Hofmann hatte eine Spritze mit einer Kurzzeitnarkose aufgezogen und sie Schleyer injiziert. Der Arbeitgeberpräsident lallte halb betäubt:»Das tut ja nicht nötig.« Boock herrschte ihn an:»Was hier nötig ist, bestimmen wir.«

Um 17.33 Uhr rief ein Zeuge des Überfalls die Notrufnummer 110 an:»Hier schießen mehrere Leute mit Maschinenpistolen. Mehrere Tote und Verletzte.« Zwei Minuten später waren zwei Streifenwagen am Tatort. Sie bestellten einen Notarztwagen und den Rettungshubschrauber. Doch Schleyers Fahrer Heinz Marcicz und die Polizeibeamten Brändle, Pieler und Ulmer waren bereits tot.

Die Bundesregierung und das Bundeskriminalamt wurden informiert, eine Ringfahndung ausgelöst. Um 18.30 Uhr fuhren Bundesjustizminister Vogel und Staatsminister Wischnewski zum Tatort. 19 Minuten später verbreitete der WDR die erste Nachricht über die Entführung des Arbeitgeberpräsidenten Hanns Martin Schleyer und den Tod seiner vier Begleiter. Kurz darauf wiederholten auch die übrigen Rundfunkanstalten die Meldung.

Der Präsident des Bundeskriminalamtes hatte sich bis zum 7. September vom Dienst abgemeldet. Er wollte ein paar Tage mit seinem Kollegen vom Bundesamt für Verfassungsschutz verbringen. Auf ausgedehnten Wandertouren im schönen bayerischen Bergland wollten die beiden mal wieder über den Terrorismus philosophieren und Bekämpfungskonzepte erörtern. Als die Nachricht von der Entführung Schleyers eintraf, packte Herold in aller Eile seine Sachen zusammen und verließ sein Hotelzimmer. Aus dem Dienstwagen rief er seinen »Abteilungsleiter Terrorismus« Gerhard Boeden an und ließ sich die Einzelheiten des Anschlags durchgeben. Dann nahm er einen Stadtplan von Köln auf die Knie und gab strategische Anweisungen. Er war sicher, daß die Täter den Rhein nicht überqueren würden. Sie mußten noch in der Nähe sein, innerhalb des sofort angelegten Fahndungsringes. »Die Täter«, sagte Herold seinem Kollegen und später auch dem Innenminister Maihofer, »sind uns alle bekannt. Über kurz oder lang werden sie sich in dem von uns angelegten Informationsgestrüpp verfangen. Sie werden in die ausgelegten Fallen tappen oder dem über sie hereinbrechenden engmaschigen Schleppnetz zum Opfer fallen.«

Höchste Priorität habe die Suche nach dem Versteck Schleyers. Jetzt sollten die »Fahndungsraster nach konspirativen Wohnungen« eingesetzt werden, die Herold in den vergangenen Monaten und Jahren erarbeitet hatte. Terroristen-Schlupfwinkel besaßen immer einige Gemeinsamkeiten, die zur Wahrung der Konspiration unbedingt notwendig waren. Strom und Miete wurden zumeist in bar gezahlt, Kautionen waren anstandslos, ebenfalls in bar, hinterlegt worden. Es waren Appartements in Hochhäusern mit Tiefgarage, immer in unmittelbarer Nachbarschaft zu einer Autobahnauffahrt. Herold konnte die Wohnung, in der Schleyer gefangengehalten wurde, förmlich vor seinem geistigen Auge sehen. Er kannte sogar die Bewacher aus den genauen Steckbriefen, die in Computerdateien festgehalten wurden. Sie mußten nur gefunden werden. Das war alles. Eigentlich ein Kinderspiel.

Als Herold in seinem Wiesbadener Amt eintraf, fiel seinem Adjutanten, Kriminaldirektor Wolfgang Steinke, auf, wie gramvoll und übernächtigt er aussah. Nachdem er sich kurz über die getroffenen Maßnahmen unterrichtet hatte, zog er, so Steinke, »die übliche Leier« ab. Er sei im wesentlichen von Vollidioten umgeben, die Stunden nach der Faktenkenntnis noch immer mit leeren Händen dastünden. Er überflog ein paar Fernschreiben und regte sich dann darüber auf, daß Innenminister Maihofer einen von kriminalistischer Arbeit eher unbefleckten jungen Beamten zum Leiter der Sonderkommission ernannt hatte. Langsam erholte sich Herold und holte dann »zum großen Schlag aus«, wie Steinke sich erinnert: »Für viele, die immer wieder die Ideologie der RAF eingehämmert bekamen, war dies nicht das erste Semester Anarchismus/Terrorismus. Einige allerdings lauschten gespannt, denn so etwas hatten sie noch nie vernommen. Da waren sie wieder alle, die Theorien aus den Schriften der großen Anarchisten und der ersten Generation der RAF. Die Nutzung der Massenhysterie, die Nutzung der Perspektivlosigkeit der intellektuellen Jugend, in deren Hirnen sich die sichere Annahme des Unrechtsstaates Bundesrepublik Deutschland verfestigt hatte.« Herold war in seinem Element. Er dozierte über die Planungstreue und die blindwütige Durchsetzung der RAF-Konzepte mit brutalsten, weil eindrucksvollsten Mitteln. Wieder einmal habe die RAF gezeigt, daß ein Kommandounternehmen selbst dann erfolgreich sein könne, wenn die Zielperson höchsten Schutz genieße. »Ihr könnt tun, was ihr wollt«, zitierte Herold die RAF, »wen wir uns holen wollen, den holen wir uns.« Herold steigerte sich in seiner Wut auf den Gegner: »Ich habe im Fall Lorenz die Bundesregierung händeringend bekniet, gewarnt, beschworen, hart zu bleiben. Anderenfalls wird uns eine zweite, viel gewalttätigere Entführungsaktion nicht erspart bleiben. Sie, Steinke, waren immer dabei, Sie sind mein Zeuge!«

In all seinem Zorn lag auch ein gewisser Stolz. Er hatte recht gehabt. Aber seine Warnungen waren in den Wind geschlagen worden. Man hätte, und darin waren mit ihm viele Polizisten einig, Lorenz opfern müssen, um die Unnachgiebigkeit des Staates zu manifestieren. Auch Ponto sei als Entführungsopfer gedacht gewesen. Dadurch, daß er sich so vehement gewehrt habe, sei ihm viel erspart geblieben. »Keiner hat auf mich gehört«, schimpfte Herold, »und nun haben wir den Salat.«

Die hinteren Fenster des VW-Busses waren mit Gardinen verhängt, aber in der Eile der Flucht hatten sie vergessen, die Vorhänge zuzuziehen. In rasender Fahrt ging es weiter zur Tiefgarage des Hochhauses am Wiener Weg, in dem der Mercedes für die Weiterfahrt wartete. Der Parkplatz nebenan war besetzt, und so mußten sie mit dem Bully ein Stück weiter entfernt parken und den halb betäubten Arbeitgeberpräsidenten zum Mercedes schleppen. Zwischen hinterer Sitzbank und Kofferraum hatten sie ein Luftloch in die Trennwand geschnitten. Sie verstauten Schleyer im Kofferraum, und Stefan Wisniewski legte sich zu ihm, die Pistole im Anschlag. Boock setzte sich ans Steuer, Sieglinde Hofmann rutschte auf den Beifahrersitz, und Willy Peter Stoll legte sich auf die Rückbank. Es sollte so aussehen, als befänden sich nur zwei Leute in dem Fahrzeug.

Sie waren schon fast aus der Tiefgarage herausgefahren, da fiel Sieglinde ein, daß sie vergessen hatten, den Zettel mit der vorbereiteten RAF-Erklärung im VW-Bus abzulegen. Sie setzten zurück und deponierten das Papier im Wagen. Schleyer, so hieß es darin, sei von einem Kommando der RAF entführt worden, weitere Erklärungen und Forderungen würden folgen. Dann rasten sie davon, Richtung Erftstadt-Liblar. Als sie in die Tiefgarage des Hochhauses Zum Renngraben Nr. 8 fuhren, fragte einer nach hinten: »Alles okay? Ist die Luft in Ordnung?« Stoll gab die Frage in den Kofferraum weiter. Dort sollten Schleyer und sein Bewacher noch zwei Stunden verharren, bis sie zu späterer Stunde ins »Volksgefängnis« gebracht wurden. Als Schleyer sich regte, wollte Wisniewski ihm eine zweite Betäubungsspritze setzen. Doch der Entführte sagte, er wolle keine weitere Spritze, er würde auch so absolut still sein. Wisniewski war einverstanden, warnte ihn jedoch: »Ich liege mit geladener Knarre hinter dir. Bilde dir nicht ein, du könntest hier lebend rauskommen. Wenn du Krach machst, gehen wir beide drauf.«

Boock, Sieglinde Hofmann und Stoll fuhren im Aufzug in den dritten Stock. Dort, in dem sorgsam für die Entführung vorbereiteten Appartement Nr. 104, wartete Brigitte Mohnhaupt auf das Kommando und sein Opfer. In der Dreizimmerwohnung war ein Raum als bürgerliches Wohnzimmer eingerichtet, der andere als Schlafzimmer. Hier sollte Schleyer untergebracht werden. Im Kinderzimmer hatten sie ein paar Luftmatratzen zwischen leeren Kartons und Gerümpel ausgebreitet.

Boock mußte dringend auf die Toilette und sagte im Vorbeigehen zu Willy Peter Stoll: »Mein Gott, so was machst du aber nicht noch mal.« Er meinte damit den Sprung in seine Schußbahn. Plötzlich merkte er, wie seine Hände flatterten. Er blickte nach unten und wunderte sich, wie schnell sie zitterten. Er fror, seine Finger waren eiskalt, obwohl es in der Wohnung stickig warm war.

Später legte er sich auf eine der Luftmatratzen und regte sich für eine Stunde nicht. Noch verstörter als er war Willy Peter Stoll. Boock schien es, als stünde er völlig unter Schock. Vielleicht weil er selbst von seinem Genossen fast erschossen worden war, vielleicht aber auch, weil er mit seiner Flinte Schleyers Begleiter zusammengeschossen hatte. Er erholte sich nie wieder davon, und Boock hatte später manchmal den Eindruck, als hätte Stoll über dieser Aktion den Verstand verloren. Willy Peter Stoll wurde später bei einem Festnahmeversuch in Düsseldorf von Polizisten erschossen.

Eine gute Stunde nach Mitternacht holten sie Schleyer aus dem Kofferraum und brachten ihn nach oben. Die Betäubung war abgeklungen, und der entführte Arbeitgeberpräsident, bleich und zittrig, konnte selbst gehen. Gehorsam folgte er allen Befehlen. Sie plazierten eine zusätzliche Matratze neben das Ehebett im Schlafzimmer auf den Fußboden und wiesen Schleyer an, sich darauf zu legen. Unter den Betten hatten sie Mikrophone versteckt und durch Leitungen mit einem Tonbandgerät in der Küche verbunden. Es sollte die gesamte Zeit mitlaufen und jede Äußerung Schleyers aufzeichnen. Wie im »Volksgefängnis« üblich, wollten sie ihr Opfer später auch noch vernehmen. Der Fernseher war permanent angeschaltet. Um 21.30 Uhr sahen sie Bundeskanzler Schmidt in der ARD: »Während ich hier spreche, hören irgendwo sicher auch die schuldigen Täter zu. Sie mögen in diesem Augenblick ein triumphierendes Machtgefühl empfinden. Aber sie sollten sich nicht täuschen. Der Terrorismus hat auf Dauer keine Chancen, denn gegen den Terrorismus steht nicht nur der Wille der staatlichen Organe, gegen den Terrorismus steht der Wille des gesamten Volkes.«

Die Wohnung hatte eine Fläche von 77,66 Quadratmetern. Eine Frau Lottmann-Bücklers hatte sie am 18. Juli 1977 aufgrund einer Zeitungsanzeige gemietet. An Ort und Stelle füllte sie eine sogenannte Selbstauskunft aus. Sie sei am 13. Oktober 1956 geboren und von Beruf Modeschneiderin. Die Daten wurden nicht überprüft.

»Frau Lottmann-Bücklers« hatte auch die Wohnung eingerichtet. Die Schrankwand kostete 998 Mark, die Schlafzimmereinrichtung 1969 Mark, wovon sie 1469 Mark in bar anzahlte. Bei Hertie kaufte sie einen Kühlschrank und einen Elektroherd für zusammen 583 Mark und zahlte ebenfalls in bar. Dazu einen Fernseher der Marke »Samurai« und eine Reihe Kleinigkeiten, darunter eine Fußmatte mit Hirsch-Motiv. Solche waidmännisch gestalteten Fußmatten entdeckten Fahnder später in einer ganzen Reihe konspirativer Wohnungen und schlossen auf eine Anspielung auf den damaligen Innenminister von Nordrhein-Westfalen, Burkhard Hirsch.

Die Entführer hatten im Einbauschrank (160 Zentimeter breit, 71 Zentimeter tief, 250 Zentimeter hoch) des Flures ein mit Schaumstoff ausgeschlagenes Verlies konstruiert, darin ein Stuhl und eine Kette. Boock zeigte Schleyer die dunkle Kiste und sagte: »Da hört dich niemand. Wenn du dich nicht normal verhältst, setzen wir dich da rein. Dann ist Ruhe im Salon.«

Peter Jürgen Boock betonte später, Schleyer sei nie in den Schrank gesperrt worden. Doch die Auswertung der an den Schaumstoffteilen gesicherten Haare ergab, daß 108 der 190 Haarspuren mit den Vergleichskopfhaaren Schleyers übereinstimmten. Die Erbauer dieses Verlieses waren dieselben, die immer die »Isolationsfolter« in den Gefängnissen angeprangert hatten.

In dieser Wohnung brachte Schleyer die erste Zeit seiner Entführung zu, wahrscheinlich zehn Tage, denn, wie die Polizei später feststellte, war vom 16. September an kein Strom in der Wohnung Nr. 104 mehr verbraucht worden. Das Hochhaus war etwa 30 Autominuten vom Entführungsort in Köln entfernt.

2. Eine gründliche Durchsuchung

Die Nachricht von Schleyers Entführung konnten die Gefangenen in Stammheim mit ihren Rundfunkgeräten empfangen. Auch die ZDF-Sendung »heute«, die um 19.23 Uhr über die Entführung berichtete, verfolgten die RAF-Gefangenen auf ihren Fernsehern in den Zellen.

Erst als um 20.00 Uhr die Tagesschau lief, schlossen Vollzugsbeamte die Zellen auf und nahmen den Häftlingen Radios und Fernseher ab. Eine Stunde später wurden Baader, Ensslin und Raspe in andere Zellen im siebten Stock verlegt. Eine Gruppe von Beamten des Landeskriminalamts Stuttgart hatte den Auftrag erhalten, die Stammheimer BM-Zellen zu durchsuchen. Bundesanwalt Widera leitete den Einsatz.

Zwei LKA-Beamte begannen in Jan-Carl Raspes Zelle. Zunächst hatten sie Schwierigkeiten, denn die Beleuchtung in der Zelle funktionierte nicht. Sie ließen sich eine Tischlampe bringen. Die Zelle war unordentlich. In Uhrzeigerrichtung überprüften die Polizeibeamten den chaotisch herumliegenden Zelleninhalt. Außer einer Glühbirne, die zwischen den Büchern in einem Regal lag, entdeckten sie nichts, was

– so das Protokoll – »auf sonstige strafbare Handlungen hingedeutet hätte«.

Die Glühbirne wurde einem Anstaltsbediensteten übergeben. Kurz bevor die beiden Beamten mit der Aktion fertig waren, wurde einer von ihnen abgezogen, weil es in Stuttgart noch mehr zu tun gab: eine Razzia im Rechtsanwaltsbüro Croissant.

Drei Beamte hatten in dieser Nacht die Zelle Andreas Baaders zu durchsuchen. Auch hier schummriges Licht, das nicht einmal zum Lesen gereicht hätte. Schließlich brachten Vollzugsbeamte eine Stehlampe. Damit konnten die Polizisten lesen, was sie in den Lichtkegel hielten. Die Zelle blieb dunkel. Die Beamten setzten eine Neonröhre in die Fassung an der Decke. Sie brannte nicht.

Einer der Beamten durchsuchte die Toilette, das Waschbecken und den Bereich, in dem Lebensmittel herumstanden. Ein anderer nahm das Bett vollständig auseinander. Darunter fand er Werkzeuge aller Art, einen Schraubenzieher sowie eine Menge Stecker und Kabel. Ein Radio und einen Plattenspieler aus Baaders Zelle übergaben die LKA-Beamten der Anstaltsleitung mit der Bitte um genaue Prüfung.

Wie der Hauptkommissar Josef Ring später zu Protokoll gab, wurde eine »gründliche Durchsuchung« vorgenommen. »Ich ordnete ausdrücklich an: die Durchsuchung sämtlicher Bücher, sämtlicher im Raum befindlicher Gegenstände, die Durchsuchung des gesamten Mobiliars. Das Absuchen der Wände ordnete ich nicht ausdrücklich an. Dies gehört aber selbstverständlich zu einer gründlichen Durchsuchung. Dies wußten meine Kollegen.«

Persönlich überprüfte der Einsatzleiter in Andreas Baaders Zelle den Inhalt von etwa 50 Gewürzbehältern.

Lediglich die bewohnten Zellen wurden einer Kontrolle unterzogen, nicht aber die anderen leerstehenden Zellen im Hochsicherheitstrakt. Wie »gründlich« die Zellen untersucht worden waren, zeigte sich sechs Wochen später.

Außer einer Lampe, die sich Andreas Baader aus einer Thermoskanne gebaut hatte, wurde in dieser Nacht nichts beschlagnahmt.

Baader hatte in seinen vier Regalen 974 Bücher und 75 Langspielplatten. Eine Mundharmonika, eine Schreibmaschine »Olivetti«, einen Kasten Wasserfarben »Pelikan«, zwei Sonnenbrillen, Haarspray, Lidschatten, zwei Pelzmäntel, einen Elektrowecker mit Batterien, einen Platten-spieler mit Verstärker und Lautsprecherboxen, zahlreiche Medikamen-tenröhrchen, Gewürze, Bestecke, Teller …

Jan-Carl Raspe besaß ebenfalls einen Plattenspieler, dazu Kabel und Elektrozubehör, über dessen Bedeutung sich die Zellendurchsucher kei-ne Gedanken machten. Auch ein Mikrophon war dabei. Hustensaft, Ge-würze, Essig, Backpulver, Soluvetan-Magentee, Elektrokocher … Dazu 550 Bücher, fast ausschließlich politische und historische Werke.

In Gudrun Ensslins Zelle fanden die Beamten Lebensmittel wie Kakao, Haferflocken, Rosinen, Senf, Waschmittel, Tabak »Samson« zum Selbstdrehen, Zwieback, einen Mum-Deo-Roller, Rasierapparat »Schick«, Augenbrauenstift, Elektrokocher, Schreibmaschine, Tee-Ei, Parfumfläschchen, Plattenspieler, blaue Zahnbürste, eine Geige mit No-tenständer …
Gudrun Ensslin hatte etwa 450 Bücher in ihrer Zelle, darunter zahlrei-che Werke von Lenin und Marx, aber auch Willy Brandts »Begegnun-gen und Einsichten«, Heinrich Hannovers »Der Mord an Rosa Luxem-burg und Karl Liebknecht«, Thomas Szasz' »Geisteskrankheit, ein mo-derner Mythos?«, Hans Magnus Enzensbergers »Der kurze Sommer der Anarchie« und Bertolt Brechts Lehrstücke, darin enthalten »Die Maß-nahme«, die neben »Moby Dick« zur Standardlektüre der RAF-Gefan-genen gehörte.
Die Zellendurchsuchungen wurden um 2.45 Uhr beendet.

3. Die harte Linie
(Dienstag, 6. September 1977)

In der »heute«-Sendung des ZDF war bekanntgegeben worden, die Po-lizei fahnde nach einem weißen VW-Bus mit dem Kennzeichen K – C 3849. Um 19.45 Uhr meldete sich der Hausmeister eines Wohnblocks am Wiener Weg 1 b in Köln. In der Tiefgarage stehe der gesuchte Wa-gen. Ein Polizeikommando öffnete den Bus mit Hilfe einer Seilwinde, befürchtend, der VW könnte vermint sein. Im Innern des Wagens fan-den die Beamten die Kopie eines Schreibens an die Bundesregierung, in dem sie aufgefordert wurde, unverzüglich alle Fahndungsmaßnahmen zu unterlassen – »oder wir erschießen schleyer sofort, ohne daß es zu verhandlungen über seine freilassung kommt«.

Die Polizei durchkämmte das Hochhaus auf der Suche nach einer konspirativen Wohnung. Eines der Appartements war von einer »Lisa Riess« gemietet worden, ihr gehörte auch der Tiefgaragenplatz 127, auf dem der VW-Bus stand. Gegen Mitternacht wurde ein aus Nordirland importierter Minipanzer mit Scheinwerfer, Videokamera und Schnellfeuergewehr vor der Wohnung in Stellung gebracht.

Polizeibeamte sprengten die Tür auf und steuerten den Panzer über Funk durch die Wohnung. Das Appartement war leer bis auf eine Luftmatratze, ein Funksprechgerät, einen Stuhl und eine Nachttischlampe.

Die Entführer hatten kreislaufstabilisierende Mittel bereitgelegt, um den robusten, aber immerhin schon 62jährigen, korpulenten Arbeitgeberpräsidenten im Notfall versorgen zu können. Auch ein Arzt stand auf Abruf bereit. Nahrungsmittelvorräte waren angelegt worden, so daß sie die Wohnung über Tage nicht verlassen mußten. Für Schleyer hatten sie Babynahrung besorgt, der ganze Kühlschrank stand davon bis oben voll. »Bevorzugt Alete-Kinderkost«, erklärte Boock später, »weil die jeder verträgt, auch wenn er einen kaputten Magen hat oder vor Aufregung nur so kotzt.«

Die Gruppe hatte vorher einen genauen Plan festgelegt, wer Schleyer wann bewachen sollte. Nach den Erfahrungen langer Geiselhaft, so hatten sie aus der Literatur erfahren, könnte eine übergroße Nähe und Vertrautheit zwischen Bewachern und dem Bewachten entstehen. Deshalb sollten die Wächter ständig wechseln. Sie hatten damit gerechnet, daß Schleyer sehr widerspenstig auf ihre Anweisungen reagieren würde, und waren verblüfft, wie kooperativ er war. »Er hat in wohlverstandenem Eigeninteresse mitgedacht und uns auch auf Fehler aufmerksam gemacht«, sagte Boock. »Gleichwohl hat er von Anfang an gesagt, er würde uns keine Informationen geben, die geeignet wären, die Sicherheit der Bundesrepublik in irgendeiner Weise zu tangieren. Er würde sich auch nicht dazu hergeben, sozusagen Teil der Erpressung der Bundesregierung zu werden.«

Der erste aus dem Entführerkommando, der abgelöst werden sollte, war Willy Peter Stoll. Am Morgen erschien Adelheid Schulz im Versteck Zum Renngraben.

»Wo ist er denn?« fragte sie Brigitte Mohnhaupt. Die zeigte auf das Schlafzimmer: »Da.«

Adelheid Schulz öffnete die Tür und sagte im breitesten Schwäbisch: »Des hattste net gedacht, daß de disch ma im Volksgefängnis wieder-findest.«

Schleyer blickte sie wie eine Geisteserscheinung an, und Peter Jürgen Boock konnte sich vor Lachen kaum noch halten.

In Schleyers Zimmer hatten sie eine Tonaufnahme-Anlage installiert. Schon am ersten oder zweiten Tag begannen sie mit ihren »Vernehmun-gen«. Sie hatten eine bestimmte Dramaturgie vorbereitet, nach der sich belanglose, aber überprüfbare Themen mit harten Fragen abwechseln sollten. So wollten sie herausfinden, ob Schleyer ihnen die Wahrheit sagte oder ob er versuchte, sie aufs Glatteis zu führen. Was sie aber eigentlich erfahren wollten, wußten sie selber nicht. Schleyer hielt ih-nen deshalb so etwas wie Volkshochschulkurse über Management und Wirtschaft. Bei manchen Fragen schüttelte er nur den Kopf: »Also Leu-te, die Vorstellungen, die ihr da habt, die sind ja nun sehr geprägt von eurer Einstellung.«

Die Verhöre wurden prinzipiell zu zweit gemacht. Einer fragte, und der andere überwachte das Gespräch aus dem Hintergrund und mischte sich nur gelegentlich ein. Den ursprünglich geplanten harten Kurs in den Verhören hielten sie nur am ersten Tag durch. »Der Typ«, so Boock, »entsprach in keiner Weise unseren Klischees und unseren Vorstellun-gen über ihn.« Schleyer war jovial, machte Witze, erzählte von seiner Kriegsgefangenschaft und daß er ja nicht das erste Mal gefangen sei. Nur wenn die Rede auf seine Nazi-Vergangenheit kam, wirkte er, zu-mindest in den Augen Boocks, wirklich betroffen.

Zur Verrichtung der Notdurft hatten sie ursprünglich ein Chemieklosett für ihn vorgesehen. Doch dann ließen sie ihn auf die normale Woh-nungstoilette: »Aber versuch nicht, zur Tür rauszukommen. Erstens schaffst du das sowieso nicht, und zweitens ist immer jemand mit der Knarre da. Wenn du auch nur Piep sagst, dann war's das. Und wenn wir alle dabei draufgehen. Du hast gesehen und erlebt, was wir für ein Ri-siko eingegangen sind, dich zu kriegen. Mach dir keine Illusionen.«

Auch Schleyer duzte seine Entführer bald. Er erkannte Christian Klar und ein oder zwei andere aus dem Kommando. Boock war ihm unbekannt, und er fragte ihn ein paarmal nach seinem Namen, doch der gab ihn nicht preis. Anfangs hatten die Entführer ihre Gesichter hinter Kapuzen verborgen, das wurde ihnen jedoch schnell zu unbequem, und sie traten Schleyer unmaskiert gegenüber.

Die Gruppenmitglieder fühlten sich sicher, denn sie hatten nichts zu verlieren. Entweder die Sache lief, oder sie waren tot. Dazwischen gab es nur noch die Verhaftung. Aber auch das Gefängnis war für sie gleichbedeutend mit dem Tod.

In der Nacht wurden die Erklärungen für die Bundesregierung und Presse verfaßt. Das war vor allem Sache der Frauen. Über Monate hatten sie für die Aktion der Aktionen einen genauen Kommunikationsplan ausgeklügelt. Leute, auf die man sich verlassen konnte, gab es genug. Die feste Basis bestand aus etwa 25 Hilfskräften, die zu allem bereit waren und nur darauf warteten, in den engeren Kreis aufgenommen zu werden.

Niemand durfte alles wissen, Arbeitsteilung außerhalb des »inner circle« war alles. Wurde der Hydra ein Kopf abgeschlagen, wuchs ein anderer nach.

Es war das Jahr sieben nach der Baader-Befreiung. Sieben Jahre Zeit hatte die RAF gehabt, um ihren Mitgliedern das Know-how des Untergrundkampfes beizubringen: schießen, Banken überfallen, Papiere fälschen, konspirative Wohnungen mieten, Kommunikation aufrechterhalten … In sieben Jahren kann man eine Menge lernen.

Das Entführerkommando hatte eine Stadtrandsiedlung ausgeguckt, in der es besonders viele Telefonzellen gab. Man konnte die verschiedenen Anrufe von immer wieder anderen Zellen aus machen. Schaltstelle war eine Kneipe in Düsseldorf. Es wurde ein Wort übermittelt, das dann an eine andere Person weitergegeben wurde. Diese durfte Kontakt zum engeren Kreis aufnehmen und wurde in die Nähe von Erftstadt-Liblar bestellt, um eine Nachricht entgegenzunehmen.

Den Boten schickten sie zu einem Pfarrer nach Wiesbaden, um dort einen Brief abzulegen. Wiesbaden, die Stadt, in der das BKA residierte, war mit Bedacht ausgewählt worden: »Wir wollten ihnen zeigen«, so Boock, »daß wir keine Angst und keinen Respekt vor ihrer Fahndung haben. Deshalb gleich Wiesbaden zur Eröffnung. Wir fahren direkt vor ihre Haustür und werfen es da ein. Wir können uns bewegen, wie wir wollen.« Auch der Pastor war mit Absicht ausgesucht worden: »Die sind für so was bestens geeignet und machen das relativ zuverlässig.«

Drei oder vier Personen waren für die Nachrichtenübermittlung abgestellt worden. Sie erfuhren immer nur kurz vorher, daß sie etwas transportieren sollten, aber nie, was. Es waren auch immer unterschiedliche Personen, die eine Nachricht vom Kommando abholten und die eine Nachricht irgendwo ablieferten. Selbst wenn der Kurier bei der Sendungsabgabe verhaftet worden wäre, hätte er nie sagen können, von wo die Sendung abgeschickt worden war.

Horst Herold ließ sich in Höchstgeschwindigkeit aus Bayern nach Bonn chauffieren. Dort traf er noch in der Nacht Bundeskanzler Schmidt. Dann ging es zur BKA-Zentrale nach Wiesbaden. Von dort kehrte er völlig übermüdet, aber ausgerüstet mit umfangreichen Fahndungsvorschlägen, deren Einzelheiten er aus seinem BKA-Computer abgerufen hatte, nach Bonn zurück.

»Ich war eigentlich nur erfüllt von dem Gedanken, die Sache zu einem vernünftigen Ende zu bringen, eiskalt, eiskalt«, erinnerte sich Herold später, »während die anderen aufgelöst waren, auch der Schmidt war eigentlich fix und fertig, und der Maihofer und der Vogel und alle. Aber ich überhaupt nicht.«

Ein Nachgeben, darin waren sich die beiden ehemaligen Wehrmachtsoffiziere Helmut Schmidt und Horst Herold einig, kam nicht in Frage. Herold spielte auf Zeitgewinn, er wollte die Entführer hinhalten, sie dadurch zwingen, ihm Informationen zu liefern, mit denen er seinen Computer füttern konnte, um mosaikartig ein Bild der Entführer zusammenzusetzen und schließlich Hinweise auf das Versteck des Entführten zu erhalten.

»Von Stunde zu Stunde«, sagte Herold später, »wurde das Bild der Attentäter klarer. Es war ja alles so vollkommen klar. Man wußte alles, man mußte sie nur kriegen, das ist der einzige Punkt. Früher war es ja so, daß, wenn man einen Mörder suchte, die Schwierigkeit darin bestand, nicht zu wissen, wer es war. Wenn man mal wußte, wer es war, dann hatte man ihn gleich. Aber hier war es ganz umgekehrt. Das war die neuartige Erfahrung sozusagen.«

Herold schlug vor, den im Tatfahrzeug gefundenen Brief nicht zu veröffentlichen, um so die Entführer zu einer neuen Mitteilung zu zwingen.

Am Nachmittag des 6. September fand die Tochter eines evangelischen Dekans in Wiesbaden im Briefkasten einen Umschlag »an die Bundesregierung«. Sie legte ihn ungeöffnet auf den Schreibtisch ihres Vaters. Zwanzig Minuten später kam der Dekan nach Hause und öffnete den Brief. Er warf einen Blick darauf. Das Telefon klingelte, und ein Unbekannter meldete sich: »In Ihrem Briefkasten liegt ein Brief an die Bundesregierung. Leiten Sie ihn weiter.« Dann hängte der Anrufer ein. Der Dekan rief die Polizei in Wiesbaden und das Bundeskriminalamt an, das den Brief sofort abholen ließ. In dem Umschlag steckten zwei Fotos von Schleyer, eins zeigte ihn vor dem Zeichen der »RAF« mit dem Schild »Gefangener der RAF«. Das zweite war ein Privatfoto, das der Entführte offenbar bei sich getragen hatte.

In dem Brief stand: »am montag, den 5.9.77 hat das kommando siegfried hausner den präsidenten des arbeitgeberverbandes und des bundesverbandes der deutschen industrie, hanns martin schleyer, gefangengenommen.«

Die Entführer verlangten: »sofortige einstellung aller fahndungsmaßnahmen – oder schleyer wird sofort erschossen.« Als Bedingung für die Freilassung forderten sie:

»1. die gefangenen aus der raf, andreas baader, gudrun ensslin, jan-carl raspe, verena becker, werner hoppe, karl-heinz dellwo, hanna krabbe, bernd rösner, ingrid schubert, irmgard möller werden im austausch freigelassen und reisen in ein land ihrer wahl. günter sonnenberg, der seit seiner festnahme wegen seiner schußverletzung haftunfähig ist, wird sofort freigelassen. sein haftbefehl wird aufgehoben …

2. die gefangenen sind bis mittwoch, 8 uhr früh, auf dem flughafen in frankfurt zusammenzubringen … um 10 uhr vormittags wird einer der gefangenen das kommando in direktübertragung durch das deutsche fernsehen über den korrekten ablauf ihres fluges informieren …«

Als »garantie für das leben der gefangenen« während des Transports schlugen die Entführer vor, »payot, den generalsekretär der internationalen föderation für menschenrechte bei der uno«, sowie Pfarrer Niemöller mit auf die Reise zu schicken. Jedem Gefangenen sollten 100 000 Mark mitgegeben werden.

»wir gehen davon aus«, hieß es im Schlußsatz des Schreibens, »daß schmidt, nachdem er in stockholm demonstriert hat, wie schnell er seine entscheidungen fällt, sich bemühen wird, sein verhältnis zu diesem fetten magnaten der internationalen wirtschaftscreme ebenso schnell zu klären.«

Beigelegt war noch ein handschriftlicher Brief Schleyers: »Mir wird erklärt, daß die Fortführung der Fahndung mein Leben gefährde. Das gleiche gelte, wenn die Forderungen nicht erfüllt und die Ultimaten nicht eingehalten würden. Mir geht es soweit gut, ich bin unverletzt und glaube, daß ich freigelassen werde, wenn die Forderungen erfüllt werden. Das ist jedoch nicht meine Entscheidung. Hanns Martin Schleyer.«

Den Text hatten ihm die Entführer diktiert. Bei einigen Formulierungen hatte er gezögert und gesagt: »Das klingt aber nicht so, als wenn ich das gemacht habe.«

»Wie hättest du es denn gesagt?«

Schleyer machte einen Vorschlag.

»Na, wunderbar, dann schreib es auch so.«

Vor allem versuchte der entführte Arbeitgeberpräsident den Eindruck zu vermeiden, er wolle die Bundesregierung auffordern, der Erpressung nachzugeben. Nur zu indirekten Formulierungen war er bereit. Die Entführer waren damit einverstanden.

Kurz nach 19.00 Uhr stürmte Bundeskanzler Schmidt in das Büro des Oppositionsführers im Bonner Bundeshaus: »Herr Kohl, ich muß Sie mal unter vier Augen sprechen.« Kohls Mitarbeiter verließen wortlos den Raum. Schmidt schilderte in knappen Worten den Inhalt des Entführerschreibens und stimmte seine Taktik mit dem CDU-Chef ab:

Zunächst alles auf Zeitgewinn setzen; ein Austausch sollte um jeden Preis vermieden werden. Kohl war mit der harten Linie einverstanden. Was das bedeutete, umriß der SPD-Abgeordnete Peter Corterier noch am selben Abend in einem Interview mit der britischen Rundfunkgesellschaft BBC:

»Glauben Sie, daß Herr Schmidt sich einem Erpressungsversuch der Terroristen beugen wird?« fragte der Reporter.

»Es wird für ihn eine sehr schwere Entscheidung sein«, antwortete der Abgeordnete. »Ich bin wie die meisten von uns der Meinung, daß er sich auf keinerlei Erpressung einlassen kann.«

»Selbst wenn das bedeutet, daß Herr Schleyer getötet wird?«

»Ja, ich glaube, ein Nachgeben ist unmöglich.«

Für 23.30 Uhr hatte der Bundeskanzler den »Großen Krisenstab« einberufen. Schmidt wollte seine Entscheidungen durch die Zustimmung der Oppositionspolitiker in Bund und Ländern absichern; auch wenn ihm in dieser Runde eigentlich »viel zuviel gequasselt« wurde.

Im »Großen Krisenstab« waren die Vorsitzenden der im Bundestag vertretenen Parteien, Brandt, Kohl und Strauß, die Fraktionsvorsitzenden Wehner und Mischnick, Genscher als Parteivorsitzender und Mitglied der Bundesregierung. Zimmermann als Vorsitzender der CSU-Landesgruppe im Bundestag. Außerdem die Regierungschefs der vier Bundesländer, in denen RAF-Häftlinge einsaßen, deren Freilassung erpreßt werden sollte: Ministerpräsident Filbinger, Baden-Württemberg, Goppel, Bayern, Kühn, Nordrhein-Westfalen, und der Erste Bürgermeister der Hansestadt Hamburg, Klose. Dazu die Mitglieder der »Kleinen Lage«, des engsten Beraterstabes des Bundeskanzlers, Justizminister Vogel, Staatsminister Wischnewski, Staatssekretär Schüler, Regierungssprecher Bölling. Schließlich noch BKA-Präsident Herold und Generalbundesanwalt Rebmann.

Schmidt erklärte die Lage nach der Schleyer-Entführung. Er skizzierte, was bisher veranlaßt worden war, so etwa, in der vorangegangenen Tagesschau melden zu lassen, der Entführerbrief sei so spät eingegangen, daß der Termin für die Veröffentlichung nicht eingehalten werden konnte. Zum Schluß faßte der Bundeskanzler die von ihm angestrebte Strategie zusammen: »Die Geisel Hanns Martin Schleyer lebend zu befreien, die Entführer zu ergreifen und vor Gericht zu stellen, die Handlungsfähigkeit des Staates und das Vertrauen in ihn nicht zu gefährden; das bedeutet auch: die Gefangenen, deren Freilassung erpreßt werden soll, nicht freizugeben.«

Die überparteiliche Runde stimmte dem Kanzler zu. Als erster Schritt sollten alle RAF-Gefangenen in den Haftanstalten untereinander und nach außen hin vollkommen isoliert werden. Für eine solche »Kontaktsperre« gab es zwar keine Rechtsgrundlage. Zur Abwehr einer »gegenwärtigen Lebensgefahr« sei sie aber geboten und nach dem »Rechtsgedanken des rechtfertigenden Notstandes erlaubt«.

Von diesem Zeitpunkt an waren alle RAF-Gefangenen vollständig isoliert; sie durften auch keinen Verteidigerbesuch empfangen.

In Stammheim war am Vormittag ein Sachverständiger des Landeskriminalamts, ein Ingenieur, eingetroffen. Ihm wurden Lautsprecher, Verstärker und Plattenspieler gezeigt, die den Gefangenen am Vorabend abgenommen worden waren. Der Ingenieur Nabroth untersuchte die Geräte, entdeckte aber – angeblich – nichts Verdächtiges. Dabei konnte, wie sich nach dem Tod der Häftlinge herausstellte, schon ein Laie erkennen, daß die Verstärker erheblich manipuliert waren.

So etwa kam der Untersuchungsausschuß in Stuttgart später zu dem Ergebnis:

»In geöffnetem Zustand war besonderer Sachverstand nicht erforderlich, um zu erkennen, daß die Geräte abgeändert worden waren.«

Es waren mehr oder weniger primitive Lötstellen in den Geräten, aus denen klar ersichtlich war, daß die Anlagen nicht nur zum Musik-Empfang benutzt wurden, sondern auch für die Kommunikation der Gefangenen untereinander.

Der sachverständige LKA-Ingenieur gab die Geräte frei.

Sie wurden den Gefangenen wieder in die Zellen gebracht.

Daß der Ingenieur von den Veränderungen in den Geräten nichts bemerkt haben wollte, ist rätselhaft. Radiogeräte der Häftlinge wurden zum Beispiel vor der Aushändigung technisch immer so verändert, daß kein UKW-Empfang damit möglich war. Ein UKW-Teil im Radio ist durch kleine Veränderungen verhältnismäßig leicht in einen Sender umzubauen. Um so erstaunlicher ist, daß sich ein Ingenieur der Polizei die Verstärker nicht auf solche Manipulationen hin angesehen haben will oder diese nicht bemerkte. Nichts anderes, als das zu untersuchen, wäre seine Aufgabe gewesen.

Wenn aber stimmt, was der Sachverständige später selbst sagte, daß er nämlich nur e i n e n Verstärker und zwei Lautsprecher ergebnislos untersucht habe, dann bleibt die Frage, warum er eigens anreiste, um nur eines von mehreren Geräten zu prüfen.

Einen Sinn erhält dieser mysteriöse Vorgang, wenn unterstellt wird, daß die Kommunikationsanlage im siebten Stock spätestens an diesem Tag entdeckt wurde, man die Gefangenen aber weiter miteinander sprechen lassen wollte, um zu erfahren, was gesprochen wurde.

Im Eiltempo war Herolds gesamter Stab von Wiesbaden nach Bad Godesberg umgezogen. Ein gutes halbes Dutzend engster Mitarbeiter, darunter Kriminaldirektor Steinke, richtete sich im dortigen BKA-Quartier ein. Gerhard Boedens Dienstzimmer wurde für Herold hergerichtet. Dort sollten alle Fäden zusammenlaufen, von dort sollten die Landeskriminalämter informiert und ihre Arbeit koordiniert werden. Die ansonsten eifersüchtig gehütete Eigenständigkeit der Länderpolizeien sollte im Fall Schleyer zumindest de facto der Oberhoheit des Bundeskriminalamtes weichen. Es rollte die größte konzertierte Fahndungsaktion in der Geschichte der Bundesrepublik an. Jeder Stein sollte umgedreht werden, um den entführten Arbeitgeberpräsidenten zu finden. Und alle Informationen sollten in Herolds Computer eingegeben werden.

Die Zentrale Einsatzleitung, ZEL 1, unterstand Horst Herold. Er war zuständig für die Lagevorträge in den Beratungsgremien, die Kommunikation mit den Entführern sowie die Zusammenarbeit mit den Landeskriminalämtern und den Bundesdienststellen. Darunter rangierte die ZEL 2, geführt vom Terrorismus-Abteilungsleiter Boeden, zuständig für Tataufklärung, Fahndung und Verbindung zu den Sicherheitsdiensten des In- und Auslands. Diese Organisationseinheit hatte eine solche Fülle von Aufgaben, daß sie bereits überfordert war, bevor sie mit ihrer Arbeit begonnen hatte.

ZEL 2 sollte die Bundes-Alarmfahndung führen, sollte die Alibis aller verdächtigen Personen überprüfen lassen, sollte Zellendurchsuchungen bei allen Häftlingen aus dem BM-Komplex veranlassen und steuern, sollte Observationen Verdächtiger organisieren, Überprüfungsprogramme für Makler, Ärzte, Einwohnermeldeämter, Strom- und Gaskunden, Gewerbeabmeldungen, Tankstellen, Hotels, Campingplätze durchführen. Beispielsweise sollten alle Bunker im Großraum Köln durchsucht werden, schließlich konnte Schleyer in einem solchen dunklen Verlies gefangengehalten werden. Gerhard Boeden standen dafür rund 300 Kriminalbeamte des Bundes zur Verfügung.

ZEL 3 unterstand dem Inspekteur der Bereitschaftspolizeien der Länder und war zuständig für die Gesamtkontrolle der Straßen, der Bahn, der Flughäfen, der Großwohnanlagen und des Fernmeldewesens.

Hinzu kamen die gesamten Länderpolizeien, die teilweise in Zusammenarbeit mit dem BKA, teilweise auf eigene Faust ermittelten.

Es war die intensivste Suche nach einer Stecknadel im Heuhaufen, die es in Deutschland je gegeben hatte.

Praktisch über Nacht waren die Befehlsstrukturen der Polizei verändert worden. Nicht mehr die eingespielten Länderpolizeien entschieden jetzt an Ort und Stelle, was getan werden mußte. Alles lief über das BKA und den Generalbundesanwalt. Das Chaos hatte sich schon am ersten Tag angebahnt.

Tatzeit war 17.28 Uhr. Knapp eine Stunde später versuchte der Leiter des 14. Kommissariats im Polizeipräsidium Köln, den Generalbundesanwalt zu erreichen, vergeblich. Auch sechs Minuten später meldete sich in Karlsruhe nicht einmal die Vermittlung. Erst um 18.35 Uhr bekam er den Bundesanwalt Fischer in dessen Privatwohnung ans Telefon. Um 19.23 Uhr, zwei Stunden nach der Tatzeit, hatte der Generalbundesanwalt endlich das Verfahren übernommen. Gegen 22.00 Uhr versuchte Generalbundesanwalt Dr. Kurt Rebmann eine vom nordrhein-westfälischen Innenminister Burkhard Hirsch angesetzte Pressekonferenz zu verbieten. Der weigert sich und muß bei dem weltweit aufsehenerregenden Ereignis auf die Anwesenheit des Generalbundesanwalts als »Herr des Verfahrens« verzichten. Auch eine Unterrichtung vor Ort hält der GBA offenbar für überflüssig, dafür zeigt er bei Interviews und Presseerklärungen später auffällige Wissenslücken. Obwohl mit der Übernahme des Verfahrens durch Karlsruhe auch das BKA förmlich für die Ermittlungen zuständig ist, kümmerte sich der Leiter der Sonderkommission des BKA nicht um die Einrichtung einer Einsatzleitung im Polizeipräsidium Köln. Stundenlang bemühte sich die Kripo in Köln vergeblich, einen verantwortlichen Gesprächspartner des BKA zu erreichen. Erst um 22.45 Uhr konnte der inzwischen von Bundesinnenminister Maihofer eingesetzte Soko-Leiter Trittin aufgestöbert werden. Der Direktor des Landeskriminalamts Nordrhein-Westfalen, Hamacher, »ersucht den Soko-Leiter BKA dringend, sich endlich zum Polizeipräsidium Köln zu begeben, um dort eine Einsatzleitung BKA aufzubauen«. So heißt es später in einem internen Papier aus der Polizei NRW, das die Mängel der Zusammenarbeit mit BKA und Bundesanwaltschaft auflistet. Gegen Mitternacht war das BKA mit seinen dürftigen Kräften im Kölner Polizeipräsidium immer noch nicht in der Lage, die eintreffenden Hinweise zu bearbeiten. Es wurde deshalb eine Trennung nach örtlichen und überörtlichen Hinweisen vorgenommen, die einen wurden von den lokalen Polizeidienststellen abgeklärt, die anderen an die Abteilung Terrorismus (TE) des BKA weitergeleitet.

Erst acht Stunden nach der Tat stand die Einsatzleitung des BKA in Köln. Sie war mit zunächst nur drei bis vier Beamten viel zu schwach besetzt. Zwischen zwei und drei Uhr morgens wurden alle bis dahin eingegangenen Spuren, Hinweise, Berichte, Fernschreiben und sonstigen Unterlagen an den Soko-Leiter BKA, Kriminaldirektor Trittin, übergeben. Der gab den Einsatzkräften einen Sachstandsbericht, der laut Kölner Kripo-Papier »jede Klarheit« vermissen ließ. Diese »bedauerliche Desinformation« setzte sich fort bei der durch das Fernsehen übertragenen Pressekonferenz des Generalbundesanwaltes. Bei den Einsatzkräften herrschte »helle Empörung«.

Entsprechend dem organisatorischen Durcheinander verlief die Spurenerfassung. Am Morgen warteten 300 Einsatzkräfte der Polizei darauf, inzwischen eingegangene Spuren zu prüfen, aber das BKA war mit dem »Verkarten« der Spuren, das heißt der computergerechten Aufarbeitung, noch nicht fertig. Dadurch konnten Hinweise nicht miteinander verglichen werden, und es kam zu zahlreichen Mehrfachüberprüfungen. In dem Polizeipapier heißt es: »Es sind aufgrund dieser Situation in Einzelfällen Hinweisgeber bis zu sechsmal befragt worden.«

Manche verdächtigen Objekte wurden mehrfach überprüft. Eine Eingabe in den PIOS-Computer war durch die schleppende Verkartung der Hinweise so gut wie unmöglich. Es dauerte viele Tage, bis die BKA- und LKA-Beamten in Köln die Datenerfassung einigermaßen im Griff hatten – aber da war es bereits zu spät, wie sich herausstellen sollte.

Selbst am Tage nach der Schleyer-Entführung waren die Kölner Einsatzkräfte nur unzureichend über den Sachstand informiert. »Informationsfluß vom BKA zu ihnen fehlt«, heißt es in dem internen Papier, »Unmut der Einsatzkräfte wächst.« Die Beamten seien über die entscheidenden Entwicklungen nur aus den Massenmedien unterrichtet worden, die trotz der von der Bundesregierung verhängten Nachrichtensperre offenbar immer noch mehr erfuhren als weite Teile der Polizei. Auch die technischen Voraussetzungen bei der Soko BKA in Köln seien völlig unzureichend gewesen. Es habe für Abfragen beim BKA lediglich zwei Telefon-Standleitungen und nur eine Richtfunkleitung für das PIOS-System mit zwei Terminals und eine Fernschreibleitung zum BKA/TE nach Bad Godesberg gegeben. Bei 250 bis 600 Polizeibeamten, die ihre Ermittlungsergebnisse abgeklärt haben wollten, kam es »an diesem Nadelöhr zu einem unvertretbaren Rückstau mit Informationsverzögerungen«.

Trotz der mangelnden Infrastruktur erfanden die Kreativen beim BKA fast täglich neue Maßnahmen, mit denen sie die Einsatzkräfte überforderten. So erschien plötzlich ein Beamter des Bundesgrenzschutzes und bot 100 Funkgeräte für die Operation »Alaska 1« an, von der noch niemand gehört hatte. Erst nach langwierigen Telefonaten stellte sich heraus, daß in den Fernmeldeämtern Polizeibeamte postiert werden sollten, um festzustellen, von welchen Telefonzellen aus Gespräche in die Schweiz geführt wurden. Mit Hilfe der Funkgeräte sollten Polizeibeamte zu den Zellen geschickt werden. Als die Kölner Kripo der Soko-Leitung mitteilte, daß sie nicht genügend Leute für diesen Einsatz zur Verfügung hatte, wurden Beamte des Bundesgrenzschutzes von Wahn nach Köln transportiert. Als sie dort eintrafen, meldeten sich plötzlich 100 Beamte der Schule für Technik und Verkehr in Essen für die Aktion »Alaska«. In dem internen Polizeipapier heißt es dazu lakonisch: »Wer diese Beamten eingesetzt und nach Köln beordert hatte, ist bis heute unbekannt.«

»Alaska 1« war genauso ein Flop wie »Alaska 2«. Ziel der Aktion war, alle Kölner Telefonzellen unter Dauerobservation zu halten. Dazu hätten mehrere tausend Beamte eingesetzt werden müssen – der Plan wurde wegen Undurchführbarkeit aufgegeben. Man beschränkte sich statt dessen auf die Beobachtung der Telefonzellen in der Umgebung des Kölner Hauptbahnhofes, wofür etwa 600 völlig unvorbereitete Beamte des Landes nach Köln geholt wurden.

Zwischendurch hatte auch der Generalbundesanwalt mal einen Einfall. Im Polizeipapier heißt es: »Die Spitze allen Ideenreichtums war eine Wunschvorstellung des GBA Rebmann, ganz Köln Haus für Haus nach Dr. Schleyer zu durchsuchen. Dieser praxisfremde Plan wurde wegen Undurchführbarkeit verworfen.«

»Das Chaos der ersten Tage«, so die Polizeikritiker aus den eigenen Reihen, »wurde noch dadurch vergrößert, weil Spitzenpolitiker des Bundes und auch der GBA sich von der ersten Stunde an dazu berufen fühlten, auf die taktischen Maßnahmen der Polizei direkt oder indirekt Einfluß zu nehmen.« So habe etwa Bundesinnenminister Maihofer den Leiter der Anti-Terrortruppe des Grenzschutzes, GSG 9, mit seinen Männern nach Köln befohlen. Dort aber wußte man nichts mit ihnen anzufangen und schickte sie wieder nach Hause. In einem anderen Fall habe Maihofer sich berechtigt geglaubt, der Kripo unmittelbar Einsatzanweisungen geben zu können. Umgekehrt sei später ein wichtiger Einsatz um Stunden hinausgezögert worden, weil sich BKA-Abteilungschef Boeden nicht befugt fühlte, ohne ausdrückliche Zustimmung des Großen Krisenstabes die erforderlichen Maßnahmen einzuleiten. »Nach dem Eindruck der Kölner Polizei«, so heißt es in dem Papier weiter, »war die Soko BKA gegenüber der polizeilichen Führung derart verunsichert, daß sie selbst bei notwendigen Sofortmaßnahmen sich der politischen Rückendeckung versichern mußte.«

Am fatalsten aber seien die undurchsichtigen Führungsverhältnisse gewesen: »Der Polizeiführer war nicht klar erkennbar.« Weisungen trafen von den unterschiedlichen Bundes- und Landesbehörden ein, die offenkundig nicht koordiniert waren. Formal war die Soko BKA zuständig, doch die war hoffnungslos überfordert. »Nach hiesigen Erkenntnissen hat die Soko BKA in Köln einschließlich Kraftfahrer und Hilfskräfte zu keinem Zeitpunkt mehr als 26 Bedienstete, die sich in drei Schichten teilten, betragen.« Das waren pro Schicht gerade mal zehn Beamte, die sich ausschließlich mit Büroarbeiten beschäftigten.

Kernpunkt des Problems, so die Beamten in ihrer geheimen Studie, sei die Übernahme des gesamten Komplexes »Schleyer-Entführung« durch den Generalbundesanwalt gewesen: »Hier liegt der Fehler im System.« Der GBA habe das BKA mit den Ermittlungen beauftragt, und dadurch sei ein »Ermittlungsloch« entstanden. Die örtliche Polizei habe von diesem Augenblick an keine rechtliche Zuständigkeit mehr gehabt, wohl aber alle Pflichten. Wie tief das Ermittlungsloch war, stellte sich erst später heraus.

Eine eingespielte Großstadtpolizei mit ihren vielen Beamten und deren Ortskenntnis, so wird in dem Papier argumentiert, sei sehr viel eher in der Lage, einen solchen Fall wie die Schleyer-Entführung zu bearbeiten. Die BKA-Beamten mit ihrem speziellen Hintergrundwissen sollten in die örtliche Kommission als Berater integriert werden. Aber »eine Übernahme des Verfahrens durch das BKA ist nicht zu rechtfertigen«. Jede Sonderkommission habe mit Anlaufschwierigkeiten zu kämpfen, »diese steigern sich ins Unermeßliche, wenn die Beamten aus allen Himmelsrichtungen kommen und sich zum ersten Mal sehen«.

Genau so aber war es bei der größten Fahndungsaktion der deutschen Nachkriegsgeschichte. Die Katastrophe war programmiert. Statt großer und kleiner Krisenstäbe, statt Kontaktsperren und Nachrichtensperren, statt einer Zentralisierung der polizeilichen Arbeit in der Schaltstelle Kanzleramt hätte die normale, schlichte Polizeiarbeit in den eingeübten Führungsstrukturen und vor Ort vermutlich effektiver gearbeitet.

Nachtdienstmeldung Stammheim, 6. September 1977:
»Keine Vorkommnisse! Sehr ruhig.«

4. »Spindy«
(Mittwoch, 7. September 1977)

Morgens, pünktlich um 9 Uhr, hielt der Leiter der Schutzpolizei beim Oberkreisdirektor Bergheim eine Einsatzbesprechung mit seinen Dienststellenleitern in Hürth ab.

Schutzpolizeidirektor Biemann ordnete an, sofort nach möglichen Verstecken zu suchen. Bereits um 10 Uhr setzten die Dienststellenleiter dafür alle im Bezirk verfügbaren Beamten ein. Auch der Chef der Kripo mobilisierte alle seine Leute. Gegen 13 Uhr traf auch die entsprechende Anweisung aus Köln ein; zu diesem Zeitpunkt war die örtliche Polizei aber schon unterwegs.

Die Aufgabe war für die Beamten normale Routinearbeit. Es sollte nach verdächtigen Objekten und Personen gefahndet werden. Das Suchmuster war klar: Vor allem in Hochhauskomplexen, die eine Tiefgarage hatten und in der Nähe der Autobahn lagen, sollte nach verdächtigen Mietern gesucht werden.

Im Bereich Erftstadt-Liblar machte sich der zuständige Polizeibeamte

Hauptmeister Schmitt auf den Weg zur Straße Zum Renngraben 8. Dort klingelte er beim Hausmeister Korn im ersten Stock. Der Mann konnte ihm aber nichts Verdächtiges berichten. Daraufhin rief der Beamte vom Telefon des Hausmeisters aus die Wohnungsgesellschaft VVG an und ließ sich mit dem für das Haus zuständigen Sachbearbeiter, einem Herrn Lemke, verbinden. Tatsächlich paßte eine der Wohnungen auf das vom Polizeibeamten geschilderte Suchprofil. Das Appartement 104 war von einer alleinstehenden Frau gemietet worden, die Anmietung war relativ kurz vor der Tat, nämlich am 21. Juli 1977, erfolgt. Die Frau hatte die Anmietung sehr dringlich gemacht und die Kaution sofort in bar an Ort und Stelle gezahlt. Beim Quittieren hatte Herr Lemke dann auch noch ein fast 10 Zentimeter dickes Bündel Geldscheine in ihrer Handtasche gesehen.

Polizeihauptmeister Schmitt war wie elektrisiert: Hier paßte alles. Die Mieterin mit dem Namen Lottmann-Bücklers war offenkundig eine ganz heiße Spur. Noch nicht einmal 48 Stunden nach der Entführung Hanns Martin Schleyers hatte die örtliche Polizei eine Wohnung aufgespürt, auf die alle Kriterien zutrafen und bei deren Anmietung einiges suspekt war.

Um 15 Uhr setzte die Polizei Erftstadt ein Fernschreiben an die Leitung der Schutzpolizei des Oberkreisdirektors Bergheim ab, in dem auf das Appartement 104 im Hochhaus Zum Renngraben Nr. 8 hingewiesen wurde. Es dürfte also knapp zwei Stunden gedauert haben, bis diese erkennbar heiße Spur an die vorgesetzte Dienststelle weitergegeben wurde. Beim Oberkreisdirektor Bergheim wanderte das Fernschreiben zunächst zur Abteilung »K« (Kripo), wo es weiterbearbeitet werden sollte. Es wurde dann jedoch weder der Name Annerose Lottmann-Bücklers überprüft noch festgestellt, ob die Daten, die sie bei dem Vermieter angegeben hatte, stimmten.

Hätte man das getan, wäre sofort herausgekommen, daß die von der Frau angegebene Adresse in Wuppertal, Bismarckstraße 8, schon deshalb nicht stimmen konnte, weil dort die Hausnummern erst mit der Nummer 11 beginnen. Auch war sie unter dieser Adresse nicht gemeldet. Dafür hatte eine in Hamburg gemeldete Annerose Lottmann-Bücklers schon viermal einen Personalausweis beantragt, zweimal hatte sie ihn nach eigener Aussage verloren, einmal war er ihr angeblich gestohlen worden. Wenn zudem Herolds PIOS-Computer befragt worden wäre, hätten sich noch mehr Hinweise ergeben, daß mit diesem Namen etwas nicht stimmte. Insgesamt fast ein halbes Dutzend Verknüpfungspunkte mit der RAF-Szene hätte Herolds Superhirn liefern können. Doch wenn der Computer nicht befragt wird, kann er auch nicht antworten.

Nun prasselten zwar von allen Seiten Hinweise auf die Polizei ein, aber in diesem Fall hatten ja nicht irgendwelche Bürger vage Hinweise gegeben. Hier hatte ein Polizeibeamter selbst ermittelt – und etwas offenkundig Brisantes entdeckt.

Um 10 Uhr morgens ließ BKA-Präsident Herold eine neue Nachricht an die Entführer über die Rundfunkanstalten verbreiten: »Das Bundeskriminalamt ist beauftragt zu prüfen, ob Herr Schleyer noch lebt ...« Dazu müßten untrügliche Lebenszeichen nachgewiesen werden. In den Nachmittagssendungen des Hörfunks werde die Polizei entsprechende Fragen stellen.

Gegen 14.00 Uhr schaltete sich das BKA wieder in die Rundfunksendungen ein und verlangte von den Entführern ein Tonband, auf dem Schleyer persönliche Antworten geben solle, die nur er selbst wissen konnte: »Wie lautete der Kosename von Edgar Obrecht? Wie heißt die Euler-Enkelin, und wo lebt sie?«

Horst Herold hatte sich auf die konspirativen Verhaltensweisen der Entführer eingestellt. Fragen wie diese und die entsprechenden Antworten darauf wurden im Verlauf der nächsten sieben Wochen immer wieder an die Entführer und ihre Geisel gestellt; nicht nur um ein Lebenszeichen des Entführten zu erhalten, sondern auch als »Identifikation« der Entführer.

Unmittelbar nachdem das BKA im Rundfunk die Entführer aufgefordert hatte, ein Lebenszeichen ihrer Geisel zu übermitteln, sagte einer der Entführer – das Gericht ging später in seinem Urteil davon aus, daß es Peter Jürgen Boock gewesen sei – zu Schleyer: »Die wollen nachher – das ist wohl Teil der Verzögerungstaktik – Fragen stellen, die du beantworten sollst, damit's eindeutig ist, daß du noch existent bist.«

»Ist das durchgegeben worden?« fragte Schleyer.

»Ja, ja, durchs Radio. Ja, das haben sie bei Lorenz genauso gemacht, das

war dasselbe Spiel ... Und die Frage ist, ob wir uns darauf so rum einlassen sollen oder mit ihnen andersrum diesen eindeutigen Beweis ...«
Der Entführer fuhr fort: »... zum Beispiel über den Südwestfunk-Reiseruf an irgendeinen Herrn Sowieso einlassen sollen. Das wäre die eine Sache, oder ob wir's so ändern.«

Das Gespräch wurde von den Entführern auf Tonband aufgezeichnet, das Gerät stand aber so weit entfernt, daß nur Teile des Dialoges verständlich aufgezeichnet wurden. Das Band fand die Polizei 1982 in einem Erddepot bei Heusenstamm, beschriftet: »Spindy-Gespräch«. Schleyers zeitweiliger Aufenthalt im »Spind« hatte die Entführer offenbar dazu angeregt, ihrem Opfer den Namen »Spindy« zu geben.

Am späten Nachmittag fand ein evangelischer Pfarrer in Mainz in seinem Briefkasten ein Couvert mit zwei Briefen Schleyers, einem Video-Band und einem Schreiben der Entführer an die Bundesregierung. Mit müder Stimme verlas Schleyer auf dem Band einen der Briefe. Er bezog sich auf die Ankündigung der Fragen im Hörfunk: »Vielleicht genügt es, wenn ich zur Vereinfachung des Verfahrens mitteile, im Anschluß an diese Nachrichten einen Reiseruf gehört zu haben, wonach sich ein Herr Vijot aus Belgien, der in einem weißen Volvo auf dem Weg von Brüssel nach Karlsruhe ist, zu Hause melden soll.
Meine Frau wird sich an unsere Unterhaltung vom Sonntagvormittag beim Frühstück erinnern, bei der sie sehr für den Einbau von Sicherheitsmaßnahmen in unserem Stuttgarter Haus plädierte.«
In dem Brief schrieb Schleyer: »Ich bin über den bisherigen Verlauf in groben Umrissen unterrichtet und bedanke mich bei allen, die mir in meiner schwierigen Lage helfen. Ich bin überzeugt, daß sich meine Entführer an ihre Zusagen halten werden, wenngleich Verzögerungen schaden werden. Mir geht es den Umständen entsprechend gut; ich grüße vor allem meine Familie, bei der ich zuversichtlich hoffe bald wieder zu sein.«
Die Entführer verlangten in ihrem Schreiben noch einmal, die Fahndung sofort einzustellen, den Austausch der Gefangenen vorzubereiten und einen von ihnen am Abend im Fernsehen auftreten zu lassen, um den Vollzug der Vorbereitungsmaßnahmen bekanntzugeben. Außerdem solle das Video-Band mit Schleyer in allen Nachrichtensendungen des Fernsehens abgespielt werden.

Auf dieses Spiel mit den Massenmedien wollte sich die Bundesregierung auf keinen Fall einlassen. Schon am Vortag war eine strikte Nachrichtensperre verhängt worden. Der Kanzler und seine engsten Berater wollten unbedingt verhindern, daß die Entführer vor aller Öffentlichkeit mit der staatlichen Autorität auf gleicher Ebene kommunizierten – so, wie es bei der Lorenz-Entführung geschehen war.

Die auf Hochtouren laufenden Fahndungsmaßnahmen wurden so verdeckt wie möglich geführt, gleichzeitig versuchte der BKA-Präsident Herold, die Entführer hinzuhalten, um Zeit für ihre Einkreisung zu gewinnen.

Um 20.44 Uhr fand ein Mainzer Weihbischof in seinem Briefkasten das vom BKA verlangte Tonband mit Schleyers Stimme. Eine viertel Stunde später ließ das BKA im Zweiten Deutschen Fernsehen melden: »Das Bundeskriminalamt hat die Nachricht erst vor wenigen Minuten erhalten. Eine weitere Erklärung folgt.«
Schleyer beantwortete die Fragen des BKA auf dem Band und fügte hinzu: »Dieses Lebenszeichen wird nach Auffassung meiner Bewacher das letzte vor meiner Freilassung sein; die Bewacher drängen darauf, daß jetzt eine Entscheidung der Bundesregierung fällt.«

Wieder spielte das BKA auf Zeitgewinn. Um 23.15 Uhr ließ es im ZDF erklären, eine Abspielung des Video-Bandes sei wegen der verspäteten Übermittlung derzeit noch nicht möglich. Kurz vor Mitternacht wandte sich das Bundeskriminalamt noch einmal über das Fernsehen an die Entführer und schlug die Einschaltung einer Kontaktperson vor, um »Unklarheiten durch parallel eingehende Desinformationen und hinderliche Zeitverluste zu vermeiden«.

Nachtdienstmeldung Stammheim, 7. September 1977:
»Keine Vorkommnisse!«

5. Exotische Gedanken
(Donnerstag, 8. September 1977)

Am Morgen erfüllte das Bundeskriminalamt zum ersten Mal eine der Forderungen der Entführer. Es veröffentlichte ihr zweites Schreiben, allerdings mit einer Verzögerung von 38 Stunden.

Um 10.15 Uhr trat der »Große Krisenstab« erneut zusammen und stimmte dem Vorschlag des Regierungssprechers Klaus Bölling zu, an Presse, Rundfunk und Fernsehen die Bitte zu richten, nichts über den Inhalt des Video- und des Tonbandes zu veröffentlichen, deren Kopien die Entführer an verschiedene Medien geschickt hatten.

Auch der Deutsche Presserat appellierte am Nachmittag an die Medien, bei der Berichterstattung über die Schleyer-Entführung Zurückhaltung zu üben. Fast alle Zeitungen und Zeitschriften hielten sich in den folgenden Wochen an diese »freiwillige Selbstzensur«.

Am Mittag wandte sich das BKA noch einmal über Rundfunk an die Entführer und wiederholte den Vorschlag, eine Kontaktperson einzuschalten, da »die bisherige Kommunikation über Rundfunk und Fernsehen sich als unzweckmäßig« erwiesen habe.

Gegen 17.00 Uhr trat der »Kleine Krisenstab« wieder zusammen und tagte, mit einer kurzen Unterbrechung, bis 22.00 Uhr. Der BKA-Chef erklärte dem Kanzler, welche Vorteile die Einschaltung eines Mittelsmannes habe: »Erstens: Geheimhaltung des Kontakts, um die Öffentlichkeit herauszuhalten. Zweitens: Erschwerung der Kommunikation für den Gegner. Für uns ist es doch leicht, einem Vermittler Nachrichten zu überbringen. Für die Entführer ist es aber wesentlich schwerer. Drittens: Damit wachsen die Chancen, den Gegner zu erkennen. Viertens: Wir gewinnen noch mehr Zeit als bisher, um den Verwahrort von Schleyer zu finden.«
Herold erinnerte an den Namen Payot, den die Entführer in ihrem ersten Schreiben genannt hatten. Payot war nicht, wie die Entführer offenbar angenommen hatten, ein UNO-Offizieller, sondern Präsident der »Schweizerischen Liga für Menschenrechte«, Rechtsanwalt in Genf

und Unterzeichner verschiedener Erklärungen zur »Isolationsfolter« der RAF-Gefangenen. Herold bekam grünes Licht, Denis Payot als Vermittler einzuschalten.

Zu vorgerückter Stunde forderte der Bundeskanzler die Runde auf: »Ich bitte die Herren, doch jetzt auch einmal exotische Gedanken auszusprechen, was wir machen sollen.«

Herold hatte eine Idee: »Ich würde mich anheischig machen, daß wir die Gefangenen ausfliegen lassen, auf einen Wüstenflughafen. Da steht ›Jemen‹ dran. Wir lassen sie aussteigen und sie ihre Botschaft nach Hause schicken. Und anschließend nehmen wir sie fest.« Der BKA-Präsident hatte auch schon überlegt, wo man ein solches Täuschungsmanöver am besten abziehen könnte: in Israel. Der Geheimdienst Mossad würde da sicher mitmachen.

Am Rande des »Großen Krisenstabes«, der in den Tagen und Wochen der Schleyer-Entführung immer wieder zusammentrat, wurden noch ganz andere Vorschläge gemacht.

Verkleidet in die Form der Wiedergabe von Volkes Meinung warf Franz Josef Strauß, der zu einer der Sitzungen betrunken erschienen war, z. B. den Vorschlag in die Diskussion, Standgerichte zu schaffen und für jede erschossene Geisel einen RAF-Häftling zu erschießen.

In deutschen Geheimdienstkreisen dachte man zu jener Zeit ebenfalls über »exotische Lösungen« nach. Eine davon wurde 1982 in einem Untersuchungsausschuß des Bayerischen Landtags bekannt. Der Ausschuß untersuchte die Aktivitäten des ehemaligen Beamten des Bundesnachrichtendienstes, Dr. Hans Langemann, der im Innenministerium des Freistaates für den Verfassungsschutz zuständig war.

Dem Untersuchungsausschuß wurden Akten vorgelegt, die der Staatsanwalt in dessen Wohnung gefunden hatte. Darunter war eine Aktennotiz Langemanns vom 11. November 1977, drei Wochen nach dem Tod der Stammheimer Häftlinge, mit der Überschrift: »Operative Hinweise zum internationalen Terrorismus«. Die Aktennotiz trug den Stempel »geheim«.

Langemann schilderte darin, daß eine seiner Quellen, »Info S.«, von einer »hier initiierten Parisreise folgende Informationen« mitgebracht habe:

»Sein langjähriger Gewährsmann, der früher als Spitzenverbindung im BND tätige ›Petrus‹, habe ihm mitgeteilt, daß er Kontakte bis in die Führungsgruppe der PFLP des Dr. Habash habe.«

Zur Bekämpfung des internationalen Terrorismus, an dem nach wie vor Deutsche mitwirkten, schlage jener »Petrus« eine verdeckte Operation vor. Sie solle in drei Phasen ablaufen.

»a) Erfassung der Planungen

»b) Eliminierung des europäischen Führungskaders

»c) Eindringen in den Kern der zuerst genannten Aktionseinheit und deren Liquidierung.«

Im Schlußabschnitt seines Vermerkes schrieb Langemann: »Dem Herrn Staatsminister ist diese Vormerkung vorgetragen worden. Er hat in einer Kontaktierung des Petrus durch IF in Wien zugestimmt. Er behält sich danach vor, gegebenenfalls den Herrn Landesvorsitzenden zur weiteren Entschlußfassung zu informieren.«

»IF« war das innerbehördliche Kürzel für Dr. Hans Langemann selbst. Staatsminister des Innern war damals Dr. Alfred Seidl, Landesvorsitzender Franz Josef Strauß.

Den ganzen Tag lang liefen die Beamten der Schutzpolizei sich im Großraum Köln die Hacken ab, um weitere mögliche Verstecke zu finden. Währenddessen klärten die Kollegen von der Kripo die ihnen übermittelten sowie die ihnen selbst bekannten Objekte ab. In vier Ordnern wurden die Hinweise gesammelt und »verdeckt durchermittelt«. Die besondere Qualität des Hinweises »Erftstadt-Liblar« führte offenbar nicht zu einer bevorzugten Behandlung.

Am späten Nachmittag des 8. September wurden die Leiter der Schutzpolizeien des Regierungsbezirks Köln zu einer Besprechung in das Amt des Regierungspräsidenten beordert. Auch Schutzpolizeidirektor Biemann nahm an der Konferenz, die bis 20 Uhr dauerte, teil. Es wurde entschieden, daß die Suche nach verdächtigen Personen und Objekten auch über das Wochenende weitergehen sollte. Eine Liste mit den Ergebnissen sei nach der Auswertung durch den Chef der Kripo an die Schleyer-Sonderkommission des Bundeskriminalamtes »Soko 77« zu übersenden. Gleichzeitig wurde die Vorbereitung eines sogenannten »Exekutivschlages« angeordnet. Auf dieses Stichwort hin sollten die in den Listen erfaßten Personen und Objekte in einem blitzartigen Einsatz überprüft werden.

Nachtdienstmeldung Stammheim, 8. September:
»Keine Vorkommnisse!«

6. »Der Mensch möchte überleben ...«
(Freitag, 9. September 1977)

Am Morgen des 9. September gab es um 8.30 Uhr eine weitere Besprechung, auf der die Einzelheiten des »Exekutivschlages« besprochen wurden. Anschließend, gegen 10 Uhr, setzten sich der Leiter der Schutzpolizei, Biemann, und der Kripo-Chef, Kriminaloberrat Breuer, mit einigen Kollegen zusammen, um die eingegangenen Listen über Personen und Objekte abschließend durchzusehen und zu bewerten. Die endgültige Liste mit den verdächtigen Objekten war am Spätnachmittag des 9. September endlich fertig. Damit waren mehr als 48 Stunden vergangen, seit der Polizeibeamte Schmitt den Hinweis auf das Appartement 104 im Hochhaus Zum Renngraben Nr. 8 in Erftstadt-Liblar erhalten hatte.

Um 17.30 Uhr wurde das Fernschreiben unter der Nummer 827 an den Koordinierungsstab beim Polizeipräsidium Köln abgesandt. Entgegen der vorherigen Planung sollte nicht mehr das Amt des Regierungspräsidenten die Meldungen sammeln, sondern der Koordinierungsstab.
Das Fernschreiben war ganze drei Seiten lang und enthielt eine Auflistung von vier Kommunen, mehreren Personen aus dem linken Spektrum und einigen »Anarcho-Wohnungen«. Unter dem Stichwort »Einschlägig verdächtige Objekte« wurden acht Häuser aufgeführt. An vierter Stelle stand: »erftstadt-liblar, zum renngraben, 3. Etage, wohnung 104, angeblich hat eine frau annerose lottmann-bueckler am 21. 07. 77 die wohnung bezogen. Wohnungsgesellschaft vvg als dringend beantragt. Eine kaution von 800,– dm wurde sofort bar bezahlt. Frau l.-b. nahm das geld aus ihrer handtasche, in der sich angeblich noch ein ganzes buendel von geldscheinen befand.«

Am selben Nachmittag erarbeitete Schutzpolizeichef Biemann mit seinen Mitarbeitern die Einsatzkonzeption für den »Exekutivschlag«, berechnete die notwendigen Polizeikräfte und Führungsmittel. Vorsichtshalber wurden schon einmal alle Maschinenpistolen und Handfunksprechgeräte aus allen Polizeistationen in Hürth zusammengetragen. Im Fernschreiben Nr. 840 vom 9. September meldete der Schutzpolizeichef die Einsatzkonzeption, Kräfteanforderung und die benötigten Führungs- und Einsatzmittel. Es war geplant, jedes der verdächtigen Objekte von einem Einsatztrupp zu »überholen«, der aus »einem ortskundigen Beamten des gehobenen Dienstes als Führer, neun Schutzpolizeibeamten und vier Kriminalbeamten mit entsprechenden Fahrzeugen, Führungs- und Einsatzmitteln« bestand. Das Stichwort für den Einsatz »Exekutivschlag« sollte jetzt »Vollkontrolle« heißen. Dann sollten die Überprüfungen der verdächtigen Objekte schlagartig erfolgen.

Auch das Objekt Zum Renngraben 8 war eigens vom Leiter der Polizeistation Erftstadt in Zivil an Ort und Stelle zur Vorbereitung des »Exekutivschlages« erkundet worden. Er sollte den Einsatztrupp entsprechend der Konzeption leiten.

Die Eilzustellung der Bundespost lieferte am Morgen im Bonner Büro der französischen Nachrichtenagentur AFP einen neuen Brief der Entführer ab. Beigefügt war ein weiteres Polaroidfoto Schleyers. Gefordert wurde eine Entscheidung der Bundesregierung bis abends, 20.00 Uhr. Bis zum Mittag des folgenden Tages sollte »der abflug aller gefangenen in einem vollgetankten langstreckenflugzeug der lufthansa gelaufen« sein, im Fernsehen live übertragen.
Zur Identifikation fügten die Entführer einen Satz Hanns Martin Schleyers hinzu: »welch glück, daß der spiegel, der in unserer offenbacher wohnung in das kinderbett von arndt fiel, ihn nicht erschlagen hat.« Wieder spielten Bundesregierung und BKA auf Zeitgewinn. AFP wurde aufgefordert, den Brief nicht zu veröffentlichen, ebenso die »Frankfurter Rundschau«, die eine Kopie erhalten hatte.

Die Verzögerungstaktik war weder den Entführern noch ihrer Geisel verborgen geblieben. Jede Stunde, die Horst Herold mit seinem Verwirrspiel gewann, steigerte die Gefahr für die Entführer, entdeckt zu werden. So ließen sie Hanns Martin Schleyer Briefe an alte, einflußreiche Freunde schreiben, in denen er versuchte, seinerseits auf eine schnelle Entscheidung zu drängen.

Am Nachmittag wurde beim Pförtner der Friedrich Flick AG in Düsseldorf ein Brief an den geschäftsführenden Gesellschafter Eberhard von Brauchitsch hinterlegt.

»Es gibt mich also noch«, schrieb Hanns Martin Schleyer, »aber ich wüßte gern mehr über die Entscheidung der Bundesregierung, die ja wohl allein die Fäden in der Hand hält, aber Nachrichtensperre verhängt hat. Die Forderung nach einem Vermittler ist barer Unsinn, weil sich meine Entführer nicht decouvrieren und unseren ›Urlaubsort‹ auch gegenüber einem ›Vermittler‹ nicht preisgeben werden, so daß ein Dreiecks-Kontakt unmöglich ist. Die Ungewißheit ist in meiner Lage natürlich scheußlich. Wenn Bonn ablehnt, dann sollen sie es bald tun, obwohl der Mensch, ›wie es auch im Kriege war‹, gerne überleben möchte …«

Auch im Büro von Schleyers Sohn ging an diesem Tag ein Brief ein, den Eberhard Schleyer aber erst am folgenden Montag auf seinem Schreibtisch vorfand.

»Das Ziel der Entführer wird sie bei Ablehnung der Forderungen und nach meiner Liquidierung nur veranlassen, das nächste Opfer zu holen«, schrieb Schleyer an seinen Sohn. »Es gibt, wie man gesehen hat, keinen absoluten Schutz, wenn man so sorgfältig und konsequent arbeitet wie die RAF … Man muß also nüchtern Bilanz ziehen und in die Abwägung alle kommenden Entführungsfälle mit dann tödlichem Ausgang (bei heute und später unveränderten Forderungen) einbeziehen. Das sollte Helmut Schmidt ebenso wissen wie Helmut Kohl und H.D. Genscher. Mein Fall ist nur eine Phase dieser Auseinandersetzung, als deren Gewinner ich nach meinem jetzigen Wissensstand nicht das BKA sehe, weil die Personen, deren Freilassung gefordert wird, die Entführer in ungeahntem Maß zu weiteren Handlungen motivieren. Die Verantwortlichen in unserem Land können aber nicht nur im Panzerwagen reisen und werden daher immer Blößen zeigen …«

Sein Sohn möge diese Überlegungen in Bonn vortragen. Die Entführer würden seinen Brief zwar kennen, er entstamme aber seinen eigenen

Überlegungen der vergangenen Nacht. »Man kann dieses Spiel um Zeitgewinn nicht weitertreiben, weil es auch für meine Entführer Zwänge gibt, deren erstes Opfer ich bin. Ruhe an der Front wird es nicht so schnell geben, aber man kann eine Eskalation verhindern, wenn man das Hauptziel nicht erst nach dem zehnten Anschlag erfüllt.«

Nachtdienstmeldung Stammheim, 9. September:
»22.00 Uhr Nachtdienstkontrolle durch A. J. Walter. 23.05 Uhr bei der Ausgabe der Medikamente wollte Baader eine »Schüssel Brei« an Ensslin geben – abgelehnt, da immer noch Einzelhaft.
Sonst keine Vorkommnisse.«

7. Der Vermittler
(Samstag, 10. September 1977)

Inzwischen hatte das Bundeskriminalamt Kontakt zu dem Genfer Anwalt Denis Payot aufgenommen und ihn gebeten, als Vermittler tätig zu werden. Payot war einverstanden und gab spätabends eine Pressekonferenz, in der er sich vorstellte: »Ich habe kein Mandat von der deutschen Polizei übernommen. Das Mandat ist unterzeichnet und erteilt worden von der Bundesregierung selbst unter dem Vorsitz des Bundeskanzlers der Bundesrepublik Deutschland, Herrn Schmidt.«
Denis Payot war damals 35 Jahre alt, trug eine dicke Brille, hatte dunkelblonde Haare und betrieb eine kleine, nicht sonderlich gut gehende Kanzlei im Genfer Uhrmacherviertel. Später, nach den sechs dramatischen Wochen der Schleyer-Entführung bekam er von der Bundesregierung ein Honorar von knapp 500000 Franken.

Eine halbe Stunde vor Mitternacht meldeten sich die Entführer zum ersten Mal bei dem Schweizer Anwalt. Eine Frauenstimme sagte am Telefon: »Ich bin Mitglied der RAF.« Als »Legitimation« gab sie eine Erklärung Schleyers durch, die nur von ihm stammen konnte: »Im Juni habe ich Herrn Karl-Werner Sanne und den Vertreter der Vereinigten Staaten bei der Internationalen Arbeitsorganisation getroffen.«
Die Anruferin forderte: »Bis Sonntagabend, 18.00 Uhr, hat einer der Gefangenen im Deutschen Fernsehen aufzutreten und zu erklären, daß

die Vorbereitungen für den Abflug im Gange sind ...« Danach würden die Entführer ein Lebenszeichen von Schleyer geben. Anschließend gäben sie noch sechs Stunden Zeit bis zum Abflug. Bei der Ankunft am Zielort werde Andreas Baader einen Satz sagen, der ein Wort enthielte, aus dem die Entführer schließen konnten, daß die Gefangenen gut angekommen seien. Dann werde Schleyer freigelassen. »Jeder Kompromiß ist ausgeschlossen.«

Am vierten oder fünften Tag der Entführung hatte sich eine Situation ergeben, in der Peter Jürgen Boock mit Schleyer allein in der Wohnung war. Es war ein Moment absoluter Ruhe. Es gab nichts zu tun, keine Verhöre, keine Erklärungen. Die beiden unterhielten sich leise. Plötzlich klingelte es deutlich vernehmbar an einer der benachbarten Wohnungstüren. Dann an der nächsten, dann an der übernächsten. Das Klingeln kam näher. Schließlich läutete es auch an der Tür des Appartements 104. Fieberhaft überlegte Boock, was er tun sollte: »Wenn das jetzt die Bullen sind ...« Er griff zur Maschinenpistole und spannte sie, um Schleyer deutlich zu machen, daß er sich völlig still zu verhalten habe. Der Entführte begriff den Ernst der Lage und rührte sich nicht. Die Schritte draußen entfernten sich wieder.

»Okay«, sagte Boock und legte die Waffe wieder beiseite, »ich halte die Situation für bereinigt. Wir können wieder reden.« – »Hättest du mich erschossen?« fragte Schleyer. Boock zögerte und dachte im selben Moment, daß er bei dieser Frage eigentlich nicht zögern dürfe. Er würde bei Schleyer nur Hoffnungen wecken, die ihn dazu verleiten könnten, irgend etwas falsch zu machen. Deshalb sagte Boock besonders entschieden: »Ja.« Aber er glaubte nicht, daß Schleyer ihm das abnahm.

»Solltest du mal auf die Idee kommen, mich laufenzulassen«, erwiderte Schleyer leise, »ich versichere dir, daß ich mich für dich verwenden werde.« Boock antwortete: »Solltest du auf die Idee kommen zu fliehen, dann sei sicher, daß ich schieße.«

Inzwischen war Wochenende. Der entführte Arbeitgeberpräsident saß seit Montag nacht in eben jener Wohnung des Hauses Zum Renngraben 8. Die Polizei forschte in »vorsichtigen Befragungen der ihnen bekannten Bevölkerungsteile« noch immer nach dem Versteck, obwohl dies bereits seit nunmehr fast fünf Tagen aktenkundig war. Gleichzeitig wurden Einsatzanweisungen an jeden einzelnen Polizeitrupp ausgehändigt: »Observation, Absperrung, Überprüfung, freiwillige, gegebenenfalls zwangsweise Durchsuchung des Objektes Nr. … im Hinblick auf mögliche Unterbringung der Geisel Schleyer. Feststellung und Überprüfung angetroffener Personen. Nachschau nach verdächtigen Gegenständen, ggf. deren Sicherstellung oder Beschlagnahme gegen Quittung. Gegebenenfalls Anfertigung fotografischer Aufnahmen des Objektes von innen und außen …«

Nachtdienstmeldung Stammheim, 10. September:
»20.05 Uhr Baader ein Fortral ausgehändigt. 23.05 Uhr Baader vom Sanitäter Dolviran ausgehändigt. Keine Vorkommnisse! Sehr ruhig.«

8. Das BKA spielt auf Zeit
(Sonntag, 11. September 1977)

Noch in der Nacht gab Payot das neue, inzwischen dritte Ultimatum an Bonn weiter.
Umgehend wurde der Deutsche Botschafter in Genf, Dr. Sanne, angerufen und darüber befragt, ob er, wie die Entführer behaupteten, Hanns Martin Schleyer im Juni getroffen habe. Sanne sah in seinem Tageskalender nach und stellte fest, daß der Termin am 14. Juli gewesen war, es habe auch ein US-Vertreter daran teilgenommen.
Die Diskrepanz zwischen Juni und Juli nahm das BKA am nächsten Tag zum Anlaß, den Entführern über Rechtsanwalt Payot mitzuteilen: »Die Mitteilung … stellt keinen gegenwärtigen Lebensbeweis dar. Das Bundeskriminalamt fordert deshalb zusammen mit der nächsten Mitteilung der Entführer einen prüfbaren Beweis dafür, daß Hanns Martin Schleyer zum Zeitpunkt der Absendung dieses Beweises lebt.«
Im übrigen seien die in der Botschaft enthaltenen Modalitäten für den Austausch nicht präzise genug: »Ohne Kenntnis von Flugziel und Flugweg und der tatsächlichen Gewährung von Überflug- und Landerechten wäre eine Besatzung – aufgrund der fliegerischen Erfahrungen im Entführungsfall Lorenz – für die womöglich lebensgefährliche Aufgabe nicht zu finden.«

Die schlagartige Überprüfung und Durchsuchung der in der Bergheimer Liste erfaßten Objekte wurde vom Regierungspräsidium Köln mit dem Einsatzbefehl Nr. 2 vom 11. September 1977 um 18.30 Uhr angeordnet. Auslöser sollte das Stichwort »Vollkontrolle« sein.

In der Polizeistation Erftstadt war man felsenfest überzeugt, daß Schleyer im Hochhaus-Appartement 104 an der Straße Zum Renngraben 8 gefangengehalten wurde. »Der Raster stimmte eindeutig«, sagt Rolf Breithaupt, damals Chef der Polizei Erftstadt. Wenn er mit seiner Frau am Hochhaus vorbeifuhr, wies der Hauptkommissar kurz nach oben: »Dort sitzt er.«

Zweimal war der Wachleiter, mit knapp 1,90 Meter und über zwei Zentnern ein Bulle von Kerl, vor Ort im Objekt, um es auszukundschaften und danach einen Kräfteplan für die Erstürmung aufzustellen. Er trug natürlich Zivil und im Halfter eine Dienstpistole. Im dritten Stock schritt er langsam von Wohnung zu Wohnung, gesichert von seinem Kollegen Kanzinger. Auch vor der Tür der Wohnung 104 blieb er stehen. »Ich war«, zeigt Breithaupt mit den Händen an, »so 'n Stück von Schleyer entfernt.«

Hauptmeister Ferdinand Schmitt, ein beliebter Bezirksbeamter, der die entscheidende Recherche erledigt hatte, wollte am liebsten den Fall auf eigene Faust beenden. »Ich marschier' da jetzt rein«, sagte er zu seinen Kollegen, aber sein Chef Breithaupt erinnerte ihn an die Weisungen aus Köln und Bonn – kein eigenmächtiges Handeln, kein Risiko. Breithaupt: »Wir sind immer davon ausgegangen, daß die Wohnung vom BKA oder der GSG 9 durchsucht wird.«

Daß dies nicht nur Gerede war, hatte Breithaupt selbst erlebt. Für ein anderes verdächtiges Objekt, das in unmittelbarer Nähe seines Wohnhauses lag, erließ das Amtsgericht Lechenich später auf seinen Antrag hin sofort einen Durchsuchungsbeschluß. Die Bundesanwaltschaft in Karlsruhe war erst gar nicht gefragt worden.

Nachtdienstmeldung Stammheim, 11. September:
»19.30 Uhr Baader bekam Spritze vom Sani. 23.02 Uhr Medikamentenausgabe durch Sani. 23.45 Uhr Baader verlangt eine Dolviran – ausgegeben. 2.20 Uhr Baader verlangt eine Dolviran – ausgegeben. Sonst keine Vorkommnisse!«

9. »Ich bin nicht bereit, lautlos aus diesem Leben abzutreten ...«

(Montag, 12. September 1977)

Am Morgen hinterlegte ein etwa 25jähriger Mann im Düsseldorfer Hotel »Breidenbacher Hof« ein Couvert mit der Aufschrift »Herrn von Brauchitsch, Flick KG«. Der Umschlag enthielt ein Tonband und einen Brief an die Bundesregierung, der mit einem Lebensbeweis Schleyers begann: »heute wäre der geburtstag meiner cousine anni mueller, sie ist 1904 in würzburg geboren«.

Die Entführer verlängerten ihr Ultimatum auf 24.00 Uhr. »Die möglichen zielländer können der bundesregierung nur von den gefangenen selbst genannt werden.« Auf weitere Mitteilungen des BKA an den Genfer Anwalt würden die Entführer nur reagieren, wenn konkrete Schritte zu einem Austausch unternommen worden seien.

Auf dem Tonband war die Stimme Schleyers zu hören:

»Jetzt, etwa um Mitternacht vom 11. auf den 12. September 1977, wird mir von den neuen Forderungen, die über Monsieur Payot übermittelt wurden, berichtet. Ich bin etwas verwundert, daß man wiederum einseitige Forderungen stellt, unter anderem nach einem Lebenszeichen, obgleich ich dieses erst am Samstagnacht eindeutig durchgeben ließ. Auf der anderen Seite wird die Hauptforderung, die für meine Existenz entscheidend ist, nämlich wie der Beschluß der Bundesregierung lautet, nicht bekanntgegeben ...«

Knapp eine Stunde nachdem Kriminalbeamte den an von Brauchitsch adressierten Umschlag abgeholt hatten, meldete sich ein Anrufer im Sekretariat des Flick-Managers. Er nannte sich »Leiermann« und hatte einen schwäbischen Akzent. In Wirklichkeit war es einer der Schleyer-Entführer, Stefan Wisniewski.

»Herr Leiermann, Sie sind mir gar kein Begriff«, sagte die Sekretärin, als der Anrufer nach von Brauchitsch verlangte.

»Er erwartet mich aber schon.«

»In welcher Angelegenheit denn?«

»Schleyer.«

»In der Angelegenheit Schleyer?«

»Ja.«

»Das kann an sich gar nicht möglich sein«, sagte die Sekretärin.

»Doch, verbinden Sie mich bitte.«

»Das kann ich nicht.«

»Warum?«

»Er ist in einer Sitzung.«

Der Anrufer ließ sich nicht abweisen: »Im Parkhotel in Düsseldorf, kennen Sie das? Da ist eine Kassette für ihn abgegeben worden, und zwar von den Entführern von Herrn Schleyer, und die müßten Sie sofort abholen.«

»Warum müssen wir die sofort abholen?«

»Warum?« wiederholte der Anrufer.

»Ja, sie müssen mir irgend etwas sagen, ich kann ihn nicht ohne weiteres in der Sitzung stören.«

Der Anrufer wurde ungeduldig: »Ich kann Ihnen nur sagen, Herr von Brauchitsch wird stinksauer auf Sie sein, wenn Sie es nicht machen, also überlegen Sie sich's. Das ist eine Information, die hat ein Ultimatum, die hat alles mögliche drin. Herr von Brauchitsch braucht das sofort.«

Schließlich sagte der Anrufer: »Gut, ich leg' jetzt auf, richten Sie das aus. Fertig aus. Er wird stinksauer sein, wenn Sie's nicht machen.«

»Ja, aber Sie können doch jetzt noch nicht auflegen, es geht doch um ganz wichtige Dinge.«

»Gut, machen Sie das, was ich Ihnen gesagt hab. Fertig. Tschüs dann.«

Die Sekretärin hatte versucht, das Gespräch in die Länge zu ziehen. Neben ihr standen Beamte des Landeskriminalamts und sousfflierten, was sie sagen sollte. Der Anruf wurde auf Tonband mitgeschnitten.

Unmittelbar darauf wurde der Umschlag im Parkhotel abgeholt. Er enthielt einen Brief Schleyers an Eberhard von Brauchitsch:

»Lieber Eberhard, da ich aus technischen Gründen den Adressaten nicht wechseln kann, schicke ich eine Bandbesprechung für Helmut Kohl. Höre es bitte ab und gib es weiter ... Ich bin ungebrochen und, wie Du siehst, aktiv. Herzlichen Dank für alles und herzliche Grüße an alle, vor allem an die Familie.«

Eine Woche war seit der Entführung vergangen, als Schleyer das Tonband an Helmut Kohl besprach:

»Die Situation, in der ich mich befinde, ist auch politisch nicht mehr verständlich. Dies veranlaßt mich, an meine politischen Freunde einen Appell zu richten ...« Er schilderte die für ihn angeordneten Sicherheitsmaßnahmen, welche die Entführung dennoch nicht verhindern konnten. »Wie stümperhaft das Ganze gemacht wurde, beweist der Ablauf des 5. September. Und die Kenntnisse, die ich heute über die ungestörten, obwohl leicht erkennbaren Vorbereitungen besitze, zeigen mir, wie wenig die Verantwortlichen in Wirklichkeit über den Terrorismus wissen. Man kann sich nicht nur auf den Computer verlassen, man muß den Computer durch menschliche Gehirne speisen, wenn man von ihm richtige Erkenntnisse erwartet. Ich habe nie um mein Leben gewinselt. Ich habe immer die Entscheidung der Bundesregierung, wie ich ausdrücklich schriftlich mitgeteilt habe, anerkannt. Was sich aber seit Tagen abspielt, ist Menschenquälerei ohne Sinn. Es sei denn, man versucht, mit naiven Tricks meine Entführer zu fangen. Das wäre zugleich mein sicherer Tod, und ich kann mir nicht vorstellen, daß man zwar die offizielle Ablehnung der Forderungen scheut, aber Vorbereitungen trifft, um mich still um die Ecke zu bringen, was man dann vielleicht als technische Panne ausgeben könnte ...

Ich bin nicht bereit, lautlos aus diesem Leben abzutreten, um die Fehler der Regierung, der sie tragenden Parteien und die Unzulänglichkeiten des von ihnen hochgejubelten BKA-Chefs zu decken ...«

Als dieses Band im »Kleinen Krisenstab« vorgespielt wurde, geriet BKA-Präsident Herold zum ersten Mal seit der Schleyer-Entführung aus der Fassung. »Das hat mich geschmissen«, sagte er später. »Ich bin aufgestanden und rausgegangen. Schmidt: ›Bleiben Sie hier, das sagt der Mann doch nicht freiwillig.‹ Dann haben wir's noch mal abgehört, und da hatte der Schleyer ja auch tatsächlich Signale eingebaut. Er las also nicht ›der hochgejubelte‹, sondern ›hoch ...‹ und dann hörte man Geblätter, Geblätter, ›... gejubelte Chef des BKA‹«.

Nach stundenlangen Sitzungen des »Kleinen« und des »Großen Krisenstabs« wurde eine neue Nachricht an die Entführer formuliert, die dem Genfer Anwalt am späten Abend übermittelt wurde: »Das Bundeskriminalamt wird Vorbereitungen einleiten. Hierzu werden Befragungen der Gefangenen erfolgen.« Jedem einzelnen Gefangenen werde in der Haftanstalt ein Fragebogen vorgelegt, ob er bereit sei, sich ausfliegen zu lassen und, wenn ja, wohin. Um 24.00 Uhr verstrich das vierte Ultimatum der Entführer.

Nachtdienstmeldung Stammheim, 12. September:
»Gegen 18.00 Uhr an Baader Medikamente ausgegeben. Essenübergabe an Frau Ensslin von Baader wurde von mir verweigert (Einzelhaft).
21.15 Uhr verlangte Baader, Dr. Nusser zu sprechen.
Raspe bekam 22.30 Uhr Brosorbin.
Baader wurde gegen 22.25 Uhr durch H. Walter gespritzt, Zelle geöffnet.
Bis 22.30 Uhr Kontrollgänge durchgeführt. 23.25 Uhr Medikamente an Raspe ausgegeben.
23.30 Uhr Baader bekam nochmals eine Spritze.
Dann keine Vorkommnisse mehr, außer daß gegen 2.15 Uhr Baader verlangte, daß man ihn um 8.00 Uhr wecken soll.«

10. »Wir werden nicht zurückkehren ...«
(Dienstag, 13. September 1977)

Der BKA-Beamte Alfred Klaus erhielt den Auftrag, die Stammheimer Gefangenen aufzusuchen und ihnen die Fragebögen vorzulegen.
Als er am Morgen in den siebten Stock geführt wurde, traf er den Bundesanwalt Löchner. Kurz nach 9.00 Uhr wurde Andreas Baader zu dem wartenden BKA-Beamten und dem Bundesanwalt in die Besucherzelle am Eingang des Hochsicherheitstrakts gebracht.
Zunächst versuchte er, Informationen aus dem Polizisten herauszubekommen. Klaus gab sich wortkarg. Dann sagte Baader, er wolle zwei Fragen erörtern.
»Wenn ein Austausch erfolgt, dann kann die Bundesregierung damit rechnen, daß die Freigelassenen nicht in die Bundesrepublik zurückkehren. Eine Wiederauffüllung des Potentials ist nicht beabsichtigt. Ich kann insoweit aber nur für diejenigen sprechen, die in Stammheim sind oder hier waren. Diese Versicherung gilt aber nicht für den Fall, daß das Urteil aufgehoben wird oder eine signifikante politische Veränderung eintritt.
Die Bundesregierung hat nur die Wahl, die Gefangenen umzubringen

oder sie irgendwann zu entlassen. Das Ausfliegen würde eine Entspannung für gewisse Zeit bedeuten.«

Dann kam Baader auf den zweiten Punkt: »Es liegt im Interesse der Bundesregierung, eine weitere Eskalation zu vermeiden. Sie sollte sich daher um ein Aufnahmeland für diejenigen Gefangenen bemühen, deren Freilassung gefordert wird.«

Der BKA-Beamte, der sich Baaders Vorschläge wortlos angehört hatte, legte ihm den Fragebogen vor. Baader schob ihn zurück: »Ich will hier keine Informationen liefern.« Klaus redete auf Baader ein und brachte ihn dazu, seine Forderungen wenigstens schriftlich zu fixieren. Er hatte den Eindruck, daß Baader sehr nervös und durch den Mangel an Informationen verunsichert war.

Auch hatte er das Gefühl, die Schleyer-Entführung und die daran geknüpften Bedingungen seien mit den Gefangenen nicht im Detail abgestimmt worden.

Auf die im hektographierten Fragebogen gestellte Frage: »Sind Sie bereit, sich ausfliegen zu lassen?« schrieb Baader: »Ja.«

Als mögliche Flugziele nannte er: »Algerien/Vietnam« und ergänzte: »Wir meinen, daß die Bundesregierung die Länder, die in Frage kommen, um die Aufnahme ersuchen muß.«

Auch Gudrun Ensslin wurde an diesem Tag in die Besucherzelle geführt. Auf die Frage, ob sie ein Flugziel nennen könnte, antwortete sie: »Ja – nach einer gemeinsamen Besprechung aller Gefangenen, deren Auslieferung bzw. Austausch das Kommando fordert.«

Die übrigen Gefangenen im siebten Stock suchte Klaus in ihren Zellen auf. Er wunderte sich über das große Durcheinander bei Verena Becker, Irmgard Möller und Jan-Carl Raspe. Zahlreiche Bücher lagen herum, die Gefangenen schliefen offenbar auf am Boden liegenden Matratzen. Auch Raspe machte die Beantwortung der Frage nach dem Flugziel von einem gemeinsamen Gespräch der Gefangenen abhängig, Irmgard Möller ebenfalls. Verena Becker schrieb unter die Frage: »Sind Sie bereit, sich ausfliegen zu lassen?« »Ja« und unter die Frage: »Können Sie dieses Flugziel nennen?« »Nein«.

Nachdem Klaus den übrigen Gefangenen ebenfalls die Fragebögen vorgelegt hatte, ließ Baader den BKA-Beamten noch einmal zu sich bitten und ergänzte die möglichen Aufnahmeländer durch Libyen, die Volksrepublik Jemen, Irak.

An diesem Vormittag trafen beim Bundesverfassungsgericht in Karlsruhe die Beschwerden mehrerer Anwälte gegen die Kontaktsperre ihrer Mandanten ein.

Etwa zur gleichen Zeit riefen die Entführer im Büro des Genfer Anwalts an:

»Wir bitten Monsieur Payot, die Rolle, die die Bundesregierung ihm zugedacht hat und deren Funktion einzig und allein zeitliche Verzögerungen und Hinausschieben einer Entscheidung ist, um Handlungsspielraum für die militärische Lösung zu gewinnen, abzulehnen.«

Das Taktieren in sogenannten Geheimverhandlungen sei absurd, wenn man das Ziel der Aktion, die Freilassung der Gefangenen, bedenke. »Es hat von seiten der Bundesregierung in diesen neun Tagen keinen einzigen konkreten Schritt gegeben, der die Bereitschaft signalisiert hätte, Schleyer tatsächlich auszutauschen. Die Ankündigung des BKA, die Fahndung würde gestoppt, war ein Witz. In jeder Zeitung sind Fotos von Autobahnkontrollen und Meldungen über gestürmte Wohnungen«, sagte der Anrufer. »Wir geben der Bundesregierung eine letzte Frist bis heute abend, 24.00 Uhr, unsere Forderungen zu erfüllen.«

Daraufhin kündigte das Bundeskriminalamt an, es werde Payot die von den Häftlingen ausgefüllten Fragebögen durch Kurier überbringen lassen. Der Kleine Krisenstab beschloß, als ein »für die Entführer positives Zeichen«, Sondierungsgespräche mit den Regierungen der von Andreas Baader genannten Zielländer Algerien und Libyen einzuleiten. Auch das solle Payot den Entführern mitteilen.

Der Auslöser »Vollkontrolle« für die Durchsuchung der möglichen Schleyer-Verstecke, darunter das in Erftstadt, kam nicht. Statt dessen wurde am 13. September um 18.32 Uhr die Ziffer 1 des Einsatzbefehls dahingehend abgeändert, daß »Durchsuchungen von Objekten nur bei Vorliegen einer Durchsuchungsanordnung im Sinne von § 105 Abs. I StPO erfolgen dürfen«.

Durchsuchungsbeschlüsse aber trafen weder in Erftstadt noch bei der aufsichtsführenden Dienststelle beim Oberkreisdirektor in Bergheim ein. Es hatte auch niemand einen Durchsuchungsbeschluß beantragt. Als der Skandal Monate nach dem Tode Schleyers aufflog, schrieb der für Durchsuchungsbeschlüsse dort zuständige Richter Dr. Kurt Conzen an die Polizeistation Erftstadt-Lechenich:

»Bei dieser Sachlage (z. B. junge Frau als Mieterin, Kaution in bar bezahlt, ebenso später Bareinzahlungen der Miete bei verschiedenen Banken, Mieterin angeblich Modellschneiderin, trotzdem ständig die Vorhänge zugezogen) frage ich mich, warum nicht bei hiesigem Gericht ein Durchsuchungsbeschluß beantragt worden ist … War Ihnen etwa durch Verfügung des LKA oder BKA untersagt, einen solchen Durchsuchungsbeschluß hier zu beantragen …?«

Am 13. September sandte die Polizei Bergheim ein weiteres Fernschreiben unter der Nr. 1091 an den Koordinierungsstab und listete 14 weitere verdächtige Objekte auf. Auch dieses Fernschreiben wurde an die Schleyer-Sonderkommission weitergeleitet. Es wurde darin ausdrücklich erwähnt, daß es sich dabei um eine Ergänzung des Fernschreibens Nr. 827 vom 9. September handelte. Doch nicht einem in der Soko fiel auf, daß es eine Verbindung zu dem Ursprungsfernschreiben Nr. 827 geben müßte. Niemand fragte nach. Niemand gab die Daten von Annerose Lottmann-Bücklers in den PIOS-Computer ein. Es war inzwischen Schleyers 8. Tag im Appartement 104, das bereits vor sechs Tagen geortet worden war.

Zaghafte Versuche des Leiters der Kripo beim Oberkreisdirektor Bergheim, bei der Soko festzustellen, was aus den Objektlisten geworden sei, wurden schnell abgebügelt. Leitende Beamte der Soko baten Kriminaloberrat Breuer dringend, »von weiteren Fragen abzusehen, weil sie zeitlich und organisatorisch nicht zu bewältigen« seien. Zudem teilte das Regierungspräsidium Köln am 13. September mit, daß die mit dem Fernschreiben Nr. 827 listenmäßig überprüften Objekte durch die Soko ausgewertet und dem Generalbundesanwalt zur »Prüfung hinsichtlich strafprozessualer Maßnahmen (Durchsuchung) vorgelegt worden« seien. Das war zwar offenkundig nicht geschehen, aber die örtlichen Polizeibeamten in Erftstadt, die fest davon überzeugt waren, daß Schleyer im Appartement 104 gefangengehalten wurde, konnten zumindest die vage Hoffnung haben, daß sich etwas tat. In ihrem Polizeibezirk ermittelte die Soko nämlich fortlaufend auf eigene Faust, ohne es den örtlichen Dienststellen mitzuteilen. Insofern bestand zumindest theoretisch die Möglichkeit, daß BKA oder GSG 9, die Einsatztruppe des Bundesgrenzschutzes, heimlich etwas vorbereiteten.

Doch das war nicht der Fall. Das Fernschreiben mit den Hinweisen auf Schleyers Versteck war irgendwo versiebt worden. Die örtliche Polizei, der die Kräfte und Einsatzmittel im Zuge der Operation »Exekutivschlag« bereits zugewiesen worden waren, wartete vergebens auf den Befehl »Vollkontrolle«.

All diese Einzelheiten stellten sich erst im Zuge späterer Ermittlungen heraus. Am 8. November 1977, knapp drei Wochen nach der Ermordung Hanns Martin Schleyers, ging ein weiteres Fernschreiben der Polizeistation Erftstadt bei der Sonderkommission in Köln ein. Es enthielt einen Hinweis auf eine »verdächtige Wohnung in einem Hochhaus in Erftstadt-Liblar, Zum Renngraben 8«, die von einer »Annerose Bueckler geb. Lottmann« zum 1. 8. 1977 angemietet worden war, »vermutlich aber trotz pünktlicher Zahlungen der Monatsmieten nicht mehr genutzt wurde«. Auch jetzt reagierte die Soko nicht. Im Schlußvermerk des BKA über die Wohnung in Erftstadt hieß es später:

»Nachdem auch in der Folgezeit die Mietzahlungen bis einschließlich Januar 1978 pünktlich erfolgt waren, ging Anfang Februar 1978 ein Kündigungsschreiben ein. Daraufhin wurde die Wohnung durchsucht.« Das Ergebnis ist bekannt.

Nicht bekannt wurde genau 20 Jahre lang, welches Ausmaß die »Fahndungspanne« von Erftstadt tatsächlich hatte und wie der Skandal systematisch vertuscht wurde. Hohe Polizeioffiziere des Landes Nordrhein-Westfalen und des Bundes beteiligten sich an einer regelrechten Verschwörung, um die Wahrheit über Erftstadt-Liblar nie ans Tageslicht kommen zu lassen.

Am 13. April 1978 verfaßte der Chef der Terrorismus-Abteilung des Bundeskriminalamtes einen Vermerk und klassifizierte ihn mit Großbuchstaben als »STRENG VERTRAULICH«. Er schrieb darin, daß er von einem höheren Beamten des Landes Nordrhein-Westfalen, der ihm seit Jahren bekannt und absolut zuverlässig sei, im Zusammenhang mit dem Fernschreiben Nr. 827 »folgenden Sachverhalt erfahren« habe. Am Tattag, dem 5. September 1977, sei ein Kriminaloberrat Dornieden vom Landeskriminalamt Nordrhein-Westfalen nach Köln geschickt worden. Dort habe er sich zunächst dem Leiter des 14. Kommissariats, Kriminaloberrat Seyler, angeschlossen, dann, am 9. September, dem Kriminaldirektor Heuchert, dem Leiter des Koordinierungsstabes in Köln. Gleichzeitig habe er Kontakt zur Soko gehalten.

Am 10. September habe Dornieden in Bergheim bei der Oberkreisdirektion angerufen und um »nochmalige Steuerung des FS Nr. 827 gebeten«. Das heißt, daß das Fernschreiben mit dem Hinweis auf das Schleyer-Versteck tatsächlich beim Koordinierungsstab angekommen war, aber irgendwie verlorengegangen sein mußte. Der Oberkreisdirektor Bergheim – oder jemand aus dessen Amt – wurde daraufhin sofort aktiv. BKA-Mann Boeden in seinem Geheimvermerk: »Der OKA Bergheim hat einen Kradfahrer der Schutzpolizei mit einer Ausfertigung des Fernschreibens nach Köln geschickt. Dies war entweder noch am 10. 09. oder am Sonntag, dem 11. 09. 1977. Der Kradfahrer, dessen Name feststeht, hat das Fernschreiben dem Leiter des 14. K., Herrn Seyler, übergeben. Dieser hat es an Herrn Dornieden übergeben.« Damit waren die Informationen über die acht Objekte, darunter das tatsächliche Schleyer-Versteck, in Köln gelandet. Nach dem Vermerk des BKA-Terrorismus-Abteilungschefs und späteren Präsidenten des Bundesamtes für Verfassungsschutz Gerhard Boeden habe nun der Kriminaloberrat Dornieden das Fernschreiben an den Beamten Beisemann vom 14. Kommissariat der Kripo Köln weitergegeben und diesen gebeten, es in Einzelinformationen »aufzuschneiden« und zu jedem Objekt Spurenblätter anzulegen. Herr Beisemann aber erklärte sich für nicht zuständig und delegierte die Arbeit an die Kriminalkommissarin Schröder vom 14. Kommissariat, die sie auch erledigte. Dann aber verloren sich nach Kenntnis des Boeden-Informanten die Spuren des für Schleyer möglicherweise lebensrettenden Fernschreibens. Dafür wußte Boedens Informant aber noch einiges über die späteren Ermittlungen zum Verbleib des Fernschreibens. Kriminaldirektor Nacken vom Landeskriminalamt Nordrhein-Westfalen, der im amtlichen Auftrag des LKA die Nachforschungen zum Fernschreiben Nr. 827 betrieben habe, sei über die Sachlage vollständig im Bilde. Er habe, so Boeden, »den vorstehenden Sachverhalt festgestellt, den Kradfahrer, der das Fernschreiben nach Köln transportiert hat, namentlich ermittelt und die Ergebnisse seiner Feststellungen in seinen Akten niedergelegt«.

Dieses alles berichtet Boeden in seinem streng vertraulichen Vermerk und gibt damit – wenn auch geheim – zu Protokoll, daß er von dem brisanten Sachverhalt erfahren hat. Dann aber hält er fest, daß er sogar über die nachfolgenden Vertuschungsmanöver informiert wurde: »Nach Kenntnis meines Informanten sind alle mit diesem Sachverhalt vertrauten Beamten des Landes NW verpflichtet worden, über diesen Sachverhalt Stillschweigen zu bewahren. Dies auch gegenüber dem von der Bundesregierung und Landesregierung NW eingesetzten Untersuchungsführer.«

Das heißt: Hohe Polizeioffiziere des Landes Nordrhein-Westfalen haben sich abgesprochen und ihre Untergebenen dazu verpflichtet, der von der Bundesregierung später eingesetzten Kommission unter Leitung des ehemaligen Bundesinnenministers Höcherl die Wahrheit zu verschweigen. Und der für Terrorismus zuständige Mann beim BKA, der spätere Verfassungsschutzpräsident Boeden, hat das gewußt und geheimgehalten. Er wußte sogar, daß am 14. April 1978 Kriminaloberrat Dornieden »auf Ersuchen von Direktor Hamacher« auch den Leiter des 14. Kommissariats Köln, Herrn Seyler, »auf diese Linie verpflichten« werde. Das war einen Tag, nachdem Boeden seinen Vermerk schrieb. Er war also sogar Mitwisser eines geplanten Komplotts zur Vertuschung eines grotesken Versagens der Polizei. Die Begründung für sein Schweigen lieferte Boeden gleich mit: »Für meinen Informanten besteht aus meiner Sicht größte Gefahr für seine weitere berufliche Entwicklung, wenn bekannt wird, daß er mich über diesen Sachverhalt unterrichtet hat.«

Boeden beendete sein Geheimpapier mit der Benennung der Mitwisser: »Kenntnis von diesem Sachverhalt sollen haben: Direktor Hamacher, KD Nacken, KD Heuchert, KOR Dornieden, KOR Seyler.«

Seinen eigenen Namen führte Boeden nicht auf. Der Vermerk ist handschriftlich von ihm selbst abgezeichnet. Seine Unterschrift findet sich oben auf der ersten Seite, in der er bestätigt, das Papier »vorgelegt« zu haben. Wer sein Mitwisser war, ist aus der krakeligen Handschrift nicht zu erkennen.

Nachtdienstmeldung Stammheim, 13. September:
»Vorkommnisse siehe Meldung.«
In dieser Meldung berichtete der Vollzugsbeamte Wolf auf fast drei Seiten über Gespräche zwischen den Gefangenen.
Schon häufiger hatten die Beamten gemerkt, daß die Kontaktsperre – und damit auch die Verhinderung der Kommunikationsmöglichkeiten

untereinander – von den Häftlingen im siebten Stock gebrochen wurde, indem sie sich in der Zelle auf einen Schemel stellten, den Mund dicht an die Luftschlitze in der Tür hielten und sich gegenseitig etwas zuriefen. Das war nicht im Sinne der Beamten. Um ihrer vorgesetzten Dienststelle zu beweisen, daß die Gefangenen Informationen austauschten, setzte sich in dieser Nacht der Beamte Wolf in eine Dienstzelle jenseits des Gitters zum Hochsicherheitstrakt. Von hier aus konnte er hören, was sich die Gefangenen zuriefen. Er schrieb mit:

»He, Jan, gibt es diese Krisenstäbe noch? Heute abend findet das lang geplante Gespräch mit Schmidt statt! Wer ist das alles? Haben sich immer noch nicht entschieden, würde ich sagen! Europakommisson erklärt sich mit der BRD solidarisch! Schmidt am Donnerstag Regierungserklärung! Der Typ unter mir hört immer den Kommentar, Kommentare waren dagegen!«

Amtsinspektor Bubeck wurde telefonisch von den Gesprächen unterrichtet. Er verfügte, die Zellentüren provisorisch mit Matratzen zuzustellen. Am nächsten Tag werde man sich etwas anderes ausdenken.

An diesem 13. September 1977 war Andreas Baader aus Zelle 719 in Zelle 715 verlegt worden.

Nach dem Tod der Stammheimer Häftlinge fand sich in dieser Zelle ein leeres Versteck in der Fensterwand, in das eine Waffe gepaßt hätte. Baader, der am 4. Oktober wieder in seine alte Zelle 719 zurückverlegt wurde, hätte also eine Möglichkeit gehabt, an eine Waffe zu kommen. Vorausgesetzt, die ungarische Pistole FEK hätte seit dem Frühjahr 1977 dort gelegen.

In seiner eigenen Zelle gab es kein Versteck, außer einer aus Büroklammern gebogenen Haltevorrichtung in seinem Plattenspieler. Den aber hatte man ihm zu Beginn der Kontaktsperre abgenommen und durchsucht. Zurück bekam er ihn am 23. September, als er sich immer noch in Zelle 715 aufhielt. Er hätte also eine Pistole aus Zelle 715 im Plattenspieler mit nach 719 transportieren können.

Als Baader schon in der Zelle 715 saß, rief er noch einmal die Vollzugsbeamten. Man möge ihm bitte seinen Kaffee nachbringen. Ein Beamter stöberte in Zelle 719 herum – und fand im Karton für Kaffeefilter eine schwarze Minox-Kamera mit der dazugehörigen Filmkassette. Der Film war nicht belichtet.

Als der Stellvertretende Anstaltsleiter Schreitmüller später im Untersuchungsausschuß befragt wurde, was er gedacht habe, als er von dem Minox-Fund erfuhr, sagte er: »Auf alle Fälle habe ich mir folgendes gedacht, daß der vergessen hat, das Ding wegzuräumen.«

Anstaltsleiter Nusser wurde gefragt, ob man nicht zu der Ansicht gekommen sei, die Zellen müßten besser durchsucht werden. Er antwortete:

»Nein, das war eigentlich nicht der Fall … Wir haben zur Kenntnis genommen, daß hier ein Kleingerät übersehen worden ist.«

11. Eine Reise, ein Hilferuf, eine Kommunikationsanlage und ein Hellseher
(Mittwoch, 14. September 1977)

Um 24 Uhr war das fünfte Ultimatum verstrichen.

Kurz nach Mitternacht klingelte in der Stuttgarter Wohnung des Schleyer-Sohnes Eberhard das Telefon. Seine Frau nahm den Hörer ab.

»Ja, guten Tag, Frau Schleyer, ich möchte Ihnen also die Erklärung des Kommandos vorlesen. Möchten Sie sie …«

Frau Schleyer hatte am Tag zuvor schon einmal die Entführer am Apparat gehabt: »Sie sind doch der gleiche Mensch wie gestern, wenn ich mich recht erinnere, oder?«

»So ist es, ja. Möchten Sie die Erklärung mitschreiben?«

»Eine witzige Frage«, sagte Frau Schleyer, »was gibt's denn?«

»Ich möchte Ihnen gerne diese Erklärung vorlesen, wenn Sie daran interessiert sind allerdings nur.«

»Etwas merkwürdig die Frage, finden Sie nicht«, antwortete Frau Schleyer.

Sie nahm sich einen Stift und notierte, was ihr der Anrufer durchgab.

»Die Taktiererei der sogenannten geheimen Verhandlungen …«

»Die was?« fragte Frau Schleyer nach.

»Taktiererei der sogenannten geheimen Verhandlungen …«, wiederholte der Anrufer.

»Hm, ja.«

»… ist absurd bei dem Ziel der Aktion«, diktierte er weiter.

»Ist das Ziel nicht auch absurd?« fragte Frau Schleyer.

»... ist absurd bei dem Ziel der Aktion: der Freilassung der Gefangenen. Wir haben das infame Kalkül der Bundesregierung ...«

»Das wie?« fragte Frau Schleyer.

»... das infame Kalkül der Bundesregierung ...«

»Gar nicht möglich, daß Sie das wagen, von infam zu sprechen ...«, meinte Frau Schleyer und notierte den Rest der Erklärung.

Um 8.00 Uhr morgens startete Staatsminister Wischnewski zu einem Flug nach Algerien und Libyen, um den Entführern zu signalisieren, die Bundesregierung würde sich tatsächlich um ein Aufnahmeland für die RAF-Gefangenen bemühen.

Gegen Mittag meldeten sich die Entführer wieder bei Rechtsanwalt Payot in Genf. Sie schlugen vor, den Abflug der Gefangenen noch in derselben Nacht, zwei Stunden nach Sendeschluß in beiden Programmen des Deutschen Fernsehens zu übertragen.

Am Nachmittag ging bei der Nachrichtenagentur »Agence France Presse« in Bonn ein Umschlag mit einem Videoband ein; darauf Schleyer vor einem Plakat mit dem RAF-Symbol sitzend. Schleyers Stimme:

»Ich wende mich an die Öffentlichkeit und hoffe, daß es noch genügend freie Journalisten gibt, die bereit sind, diese Überlegungen zu publizieren. Schon die Umstände, die zu meiner Festnahme am 5. September führten, lassen klar erkennen, daß die Vorkehrungen des Bundeskriminalamtes mangelhaft waren, daß die Observierung völlig ungenügend war und daß viele Umstände dazu kamen, die diesen Überfall den Entführern sehr leicht gemacht haben. Trotzdem habe ich wiederholt erklärt, daß ich mich den Entscheidungen der Bundesregierung – wie auch immer sie ausfallen mögen – voll unterwerfe. Nachdem aber die Bundesregierung und die politischen Parteien in Verhandlungen eingetreten sind und meiner Familie und auch mir gegenüber und auch der Öffentlichkeit gegenüber immer wieder bekundet haben, daß sie letztlich meine Befreiung, meine lebende Befreiung wünschten, ist natürlich auch in mir der Wunsch weiterzuleben immer stärker geworden, und immer mehr verfolge ich die Maßnahmen des Bundeskriminalamtes, die nach meiner Beurteilung in Tricks bestehen, die es ihnen ermöglichen sollen, Zeit zu gewinnen, um meine Entführer zu finden.

Die Aufspürung meiner Entführer würde allerdings mein Ende sein. Denn die Entführer werden gezwungen sein, dieses herbeizuführen ... Ich bin in großer Sorge, daß man durch ein solches Vorgehen erreichen will, daß die Fehler, die begangen wurden, durch mein stilles Ende abgedeckt werden müssen. Die Fehler waren in den letzten Tagen umfangreich.«

Schon die Einschaltung eines Vermittlers, die wiederholten Fragen nach neuen Lebenszeichen, die angeblichen Transportschwierigkeiten beim Austausch bestärkten seinen Verdacht. Zu seinem eigenen Schutz wolle er dieses der Öffentlichkeit mitteilen.

»Im übrigen teile ich meiner Familie mit, daß es mir den Umständen entsprechend gut geht, daß ich gesund bin und daß ich voll im Besitz meiner geistigen Kräfte bin und auch nicht unter Drogen stehe ...«

Würde man die Gefangenen gegen ihn austauschen, so könne er gesund zu seiner Familie zurückkehren.

An diesem Tag wurden in der Vollzugsanstalt Stuttgart-Stammheim »Kontaktsperre-Polster« gebaut, Spanplatten mit Schaumstoff-Auflage, die abends vor die Türen der Zellen im siebten Stock gewuchtet wurden, um Rufkontakte zu unterbinden.

Ob die Beamten tatsächlich glaubten, damit jegliche Kommunikation abzustellen, ist zweifelhaft.

Über die Jahre gemeinsamen Aufenthaltes im siebten Stock hatten sich Gefangene und Wärter einigermaßen kennengelernt. Horst Bubeck etwa wußte, daß Jan-Carl Raspe, dem Gudrun Ensslin den Namen »Zimmermann« gegeben hatte, über ungewöhnliches handwerkliches Geschick verfügte. Einmal hatte er aus einer Tablette eine Plombe nachgemacht, mit der sein Radio versiegelt war und mit der man verhindern wollte, daß Raspe den UKW-Teil zum Sender umbaue. Raspe hatte nicht gewußt, daß vorher Teile entnommen worden waren, und versuchte es trotzdem. Die Plomben-Attrappe fiel über Monate keinem der Durchsuchungsbeamten als Fälschung auf. »Vom Aussehen her hundertprozentig«, sagte Bubeck später anerkennend.

Die Vollzugsbediensteten und Beamten des Landeskriminalamtes, die oftmals die Zellen durchsucht hatten, wußten auch, daß vor allem Raspe eine Menge Elektrobauteile, Kabel, Stecker usw. besaß. Sogar ein Mikrophon war bei ihm entdeckt worden. Er durfte es behalten. Die Beamten hatten angeblich keine Ahnung, was die Gefangenen mit diesen Dingen anstellten.

Erst nach dem Tod der Häftlinge im siebten Stock rekonstruierten Kriminalbeamte und ein Ingenieur der Bundespost, wozu die Gefangenen all das verwendet hatten.

Dabei hätte man in der Vollzugsanstalt gewarnt sein müssen. Denn schon drei Jahre zuvor hatten findige Häftlinge in Stammheim ein Kommunikationssystem von Zelle zu Zelle entwickelt. Dazu hatten sie das Leitungssystem, über das in der Anstalt bis 22.00 Uhr Rundfunkprogramme in die Zellen übertragen wurden, nachts angezapft und ein eigenes Programm von einem Radio und einem Kassettenrecorder eingespeist:

»Heute, liebe Hörer, einige Tips für Sie. Hängt Ihnen das eintönige Essen zum Hals heraus, können Sie zuwenig Sport treiben oder haben Sie andere Nöte, beschweren und schreiben Sie unaufhörlich. Je mehr, je besser ... Für heute sagt Ihnen tschüs, Ihr Stammheim III.«

Als die Vollzugsbeamten den Standort und die Arbeitsweise der Stammheimer Rundfunkpiraten entdeckt hatten, wurde das Leitungssystem nachts kurzgeschlossen. Damit war es nicht mehr zum Schwarz-Funk geeignet.

Ein Beamter, der Werkmeister Halouska, war 1974 daran beteiligt, den inhaftierten Programmachern das Handwerk zu legen.

Drei Jahre später, im Sommer 1977, klemmte er auf Wunsch der Gefangenen Irmgard Möller und mit Wissen der Anstaltsleitung die Rundfunkdrähte in ihrer Zelle vom Haussystem ab. Damit wurde die nächtliche Erdung wirkungslos, und die Leitungen im siebten Stock konnten heimlich benutzt werden.

Die Drähte verliefen von Irmgard Möllers Zelle bis zum hinteren Ende des Traktes, wo Gudrun Ensslin in Nummer 720 saß, von dort aus weiter über den Flur bis zu Andreas Baaders Zelle 719, die gegenüber lag. Raspe war von Baader durch das Treppenhaus getrennt, konnte also über das Lautsprecherkabel, das dort unterbrochen war, nicht erreicht werden.

Allerdings gab es ein zweites Leitungsnetz durch den Hochsicherheitstrakt, die Wechselstromleitung für den sanitären Bereich, die parallel zur normalen Stromversorgung der Zellen verlief. Diese Leitung war für Trockenrasierer gedacht und führte nur zu bestimmten Zeiten Strom. Bei abgeschalteter Elektrizität konnten auch die Rasierleitungen für Kommunikation benutzt werden. Diese Leitungen auf beiden Seiten des Traktes waren nicht miteinander verbunden. Erst die Koppelung der Rundfunkdrähte mit dem Rasierstromnetz ermöglichte eine Kommunikation durch den ganzen Trakt. Es mußte lediglich eine »Brücke« zwischen beiden Systemen geschlagen werden. Möglich war das in Baaders Zelle. Ein dafür passendes Verbindungskabel wurde dort nach seinem Tod gefunden.

Alle Häftlingszellen im Hochsicherheitstrakt waren so miteinander verkabelt. Für eine funktionierende Gegensprechanlage mußten nur noch Sender und Empfänger angeschlossen werden.

Diese gab es in jeder Zelle: die Verstärker und Lautsprecher der Stereoanlagen, die sowohl mit Netzanschluß als auch mit Batterien betrieben werden konnten. Die Gefangenen hatten die Geräte auch während der Kontaktsperre behalten dürfen.

Jeden Lautsprecher und Kopfhörer kann man als Mikrophon benutzen, wenn man ihn entsprechend anschließt. Energie liefert ein dazwischengeschalteter Verstärker.

Nach dem Tod der Häftlinge fanden Ingenieure entsprechend manipulierte Geräte in den Zellen. Sie stellten fest, daß es bei einiger Übung innerhalb von zehn bis sechzig Sekunden möglich war, mit den in den Zellen vorhandenen Materialien eine perfekte Gegensprechanlage aufzubauen. Einen anderen Schluß ließen die an Lautsprechern, Verstärkern und Leitungen vorgenommenen Veränderungen nicht zu. Der Post-Ingenieur Bohner, der die Anlage nach dem Tod der Gefangenen begutachtete, wunderte sich, daß die Manipulationen nicht vorher bemerkt worden waren, obwohl Beamte des Landeskriminalamts, darunter ein Ingenieur, die Plattenspieler, Lautsprecher und Verstärker mehr als einmal untersucht hatten.

Auch der Untersuchungsausschuß des Stuttgarter Landtags kam zu dem Ergebnis: »In geöffnetem Zustand war besonderer Sachverstand nicht erforderlich, um zu erkennen, daß die Geräte abgeändert worden waren. Ein gewisser Sachverstand reichte vielmehr aus, weil die Gefangenen nicht in der Lage gewesen waren, kunstgerecht zu löten.«

Provisorisch, aber wirksam gelötet hatten sie mit ihren Elektrokochern, die man überhitzen konnte, um dann Lötzinn zu schmelzen. Reste von Lötzinn wurden gefunden.

Die lautstarken Unterhaltungen der Gefangenen durch die Türschlitze dürften nur den Zweck gehabt haben, das Aufsichtspersonal von der eigentlichen Kommunikationsanlage abzulenken. Nach Installation der Dämmvorrichtungen konnten sie vollkommen ungestört nachts miteinander sprechen.

Allerdings scheint der Umkehrschluß auch nicht ganz abwegig, daß die Dämmplatten möglicherweise genau deshalb angebracht worden waren.

Um die nächtlichen Gespräche von Zelle zu Zelle ohne störende Nebengeräusche abzuhören, mußte man sich lediglich an das Kommunikationssystem der Gefangenen anhängen.

Nach dem Tod der Gefangenen wurde der Anstaltselektriker Halouska von der Staatsanwaltschaft befragt:

»Haben Sie die Möglichkeit als Fachmann nicht erkannt, daß das Leitungsnetz in diesem Zustand als Nachrichtenübermittler von den BM-Häftlingen benutzt werden könnte?«

»Nein«, sagte der Elektriker.

»Müßten Sie als Inhaber des Meisterbriefes auf dem Sektor Elektrotechnik diesen Zustand nicht erkannt haben? Oder besser: Sie hätten von dieser Möglichkeit wissen müssen!«

»Es ist mir nicht bekannt, ob ich aufgrund meines Meisterbriefes davon Kenntnis haben mußte.«

Nachtdienstmeldung Stammheim, 14. September:

»0.25 Uhr Baader eine Dolviran ausgehändigt. Keine Vorkommnisse.«

In dieser Nacht ließ das Bundeskriminalamt drei VW-Transporter mit Peilantennen einen bestimmten Randbezirk von Köln absuchen, ob dort Fernsehgeräte nach Sendeschluß liefen. Den Stadtbezirk hatte der holländische Hellseher Gerard Croiset einem Abgesandten des BKA als mögliches Versteck Schleyers genannt. Seine Unfähigkeit, genauere Angaben zu liefern, hatte der Hellseher so erklärt: »Mein Kontakt ist gestört.« Durch die Berichterstattung in der Presse sei er so ausführlich informiert, daß sich das negativ auf seine Arbeit ausgewirkt habe.

12. Rückblende: Innenausschuß des Deutschen Bundestages – sechs Monate zuvor

Nach der – teilweisen – Aufdeckung der Lauschaktion gegen Verteidiger und Mandanten in Stammheim hatte Innenminister Karl Schiess im Landtag von Baden-Württemberg am 24. März 1977 erklärt, die Abhörmaßnahmen seien wegen der Lorenz-Entführung und des Anschlags auf die Deutsche Botschaft in Stockholm notwendig gewesen: »Die Gefahrenlage war extrem und einmalig. Die Entscheidungen, die mein Kollege (Justizminister Bender) und ich getroffen haben, waren daher geboten. Ich stehe zu ihnen und würde in vergleichbarer Situation wieder in gleicher Weise handeln müssen.«

Eine »vergleichbare Situation« war die Schleyer-Entführung. Die Vermutung liegt nahe, daß auch jetzt in Stammheim abgehört wurde.

Zur Erläuterung ein Blick zurück in den Innenausschuß des Deutschen Bundestags.

Am 23. März 1977 um 9.39 Uhr trat der Innenausschuß zusammen. Die baden-württembergischen Innen- und Justizminister Schiess und Bender waren eingeladen worden, um über die Stammheimer Abhöraffäre Auskunft zu geben.
Neben den Ausschußmitgliedern und ihren Stellvertretern waren an diesem Tag auch Staatssekretär Dr. Manfred Schüler aus dem Kanzleramt, Bundesinnenminister Prof. Dr. Maihofer und sein Staatssekretär Dr. Fröhlich anwesend, dazu Verfassungsschutzpräsident Richard Meier und der Präsident des Bundeskriminalamtes, Horst Herold.
Der Ausschußvorsitzende Dr. Axel Wernitz (SPD) kam auf die Sitzung des vergangenen Tages zurück:
»Wir hatten gestern zu einem speziellen Punkt in besonders intensivem Maße Vertraulichkeit der Sitzung vereinbart. Wie Sie alle oder ein großer Teil von Ihnen sicher festgestellt haben, ist diese Vertraulichkeit nicht eingehalten worden. Ich stelle dies hier fest und kritisiere dies sehr scharf. Aber ich weiß jetzt nicht, woran dies liegt …
Wir haben gestern in dieser Sitzung die Mikrophone laufen gehabt. Dies führt zu einer selbstverständlichen akustischen Verstärkung mit der

Möglichkeit, daß Menschen mit sensiblen Ohren vor der Tür hieraus bestimmte Schlüsse ziehen können.«

Von seiten der CDU/CSU-Fraktion rief ein Abgeordneter: »Dann muß man draußen Platz machen!«

Dr. Wernitz fuhr fort: »Ich bitte um zweierlei. Erstens, daß wir für die heutige Sitzung die Mikrophone abschalten. Zweitens, daß vor der Tür darauf geachtet wird, daß man nicht allzu dicht an die Tür herankommen kann.«

Der CDU/CSU-Abgeordnete Vogel ergänzte: »Ich meine, wir sollten noch einmal den dringenden Wunsch an alle richten, die Vertraulichkeit, die beschlossen wird, voll zu wahren und dafür zu sorgen, daß die Vertraulichkeit technisch so abgesichert ist, daß nicht durch die Wände irgend etwas nach draußen dringen kann.«

Der Vorsitzende bedankte sich für die Unterstützung und gab zu bedenken, ob man für die Vorträge der aus Stuttgart angereisten Minister nicht eine höhere Stufe der Geheimhaltung erwägen solle.

»Wir beide sind der Meinung, daß die Vertraulichkeit ausreichen sollte«, meinte der baden-württembergische Innenminister. »Es wird sich vielleicht an einzelnen Fragen dann ergeben, daß wir sagen: Hier geht es nicht mehr.«

»Das gleiche gilt für meine Seite«, sagte Maihofer.

»Das gleiche gilt auch für mich«, sagte Staatssekretär Dr. Schüler.

Der Vorsitzende des Innenausschusses ließ die Türen absichern. Dann schaltete er die Mikrophon-Anlage aus.

Als erster berichtete Innenminister Schiess über die Abhöraffäre Stammheim: »In Baden-Württemberg wurden in zwei Fällen rechtfertigenden Notstands in der Vollzugsanstalt Stuttgart-Stammheim Gespräche zwischen den führenden Mitgliedern der Baader-Meinhof-Bande und ihren Vertrauensanwälten abgehört.«

Nach wenigen weiteren Sätzen reichte die vereinbarte Vertraulichkeit nicht mehr aus. Schiess erklärte die Einzelheiten des Lauschangriffs »außerhalb des Protokolls«.

Seine juristische Rechtfertigung, die Berufung auf den Notstandsparagraphen 34, durfte wieder von den Stenographen aufgenommen werden.

Zum Schluß sagte Schiess: »Wenn dieselbe Situation auf uns zukäme, könnten wir nicht anders handeln, müßten wir wieder so handeln. Ob in derselben Form, ist eine andere Frage. Aber wir müßten wieder einschreiten.«

Als nächster war Bundesinnenminister Maihofer an der Reihe. Er schilderte die Beteiligung des Bundesamtes für Verfassungsschutz an der Operation. Zwei Techniker des BfV hätten am 1., 2. und 3. März 1975 »in fünf leerstehenden Räumen Mikrophone installiert«. Eine »zweite Reihe dieser Hilfetätigkeit« sei am 1. Mai 1975 geleistet worden. Danach habe das Bundesamt für Verfassungsschutz nichts mehr mit der Abhöroperation in Stuttgart-Stammheim zu tun gehabt.

»Meine Darstellung schließt zeitlich etwas später an«, sagte der Staatssekretär im Kanzleramt, Manfred Schüler. Auf Wunsch des Landeskriminalamtes in Stuttgart habe sich ein Techniker des Bundesnachrichtendienstes in Stammheim umgesehen. »Am ersten Tag war es kein Einbau. Unser Mann sagte, das war eine technische Beratung. Baden-Württemberg wollte beraten werden, ob das verbesserungsfähig ist. Sie können das auch ›technische Hilfe‹ nennen. Das macht hier keinen Unterschied. Der zweite Wunsch also nach Einrichtung einer Anlage.«

Nach einigem Hin und Her seien dann noch einmal BND-Spezialisten nach Stammheim gefahren, um diese Anlage zu installieren: »Und zwar handelte es sich dabei um den Einbau von Anlagen in zwei nicht belegten Zellen. Ich glaube, das ist der Kern des Sachverhalts. Ich sollte mich vielleicht im Augenblick darauf beschränken.«

Der SPD-Abgeordnete Schäfer wandte sich an die baden-württembergischen Minister: »Mich würde interessieren, warum Sie technische Hilfe angefordert haben. Haben Sie nicht entsprechende Techniker in Baden-Württemberg, entweder beim Landesamt für Verfassungsschutz oder im Landeskriminalamt?

Es fällt auf, daß Anfang März das Landesamt für Verfassungsschutz das Bundesamt um technische Hilfe angegangen ist und im Mai das Landeskriminalamt den Bundesnachrichtendienst. Weshalb diese Unterscheidung?«

Der Abgeordnete wandte sich an den Kanzleramts-Chef: »Ist das Ersuchen an den BND, das dann auch zu Ihnen gelangt ist, um technische Hilfe zum Zwecke der Installierung von Lauschmitteln in Zellen oder in Vernehmungszimmern ergangen?«

Innenminister Schiess beantwortete die erste Frage: »Warum später, im Mai, auf den BND übergegangen wurde, möchte ich lapidar mit einem

Satz beantworten – hoffentlich sind mir die Herren hier nicht böse. Weil die Zahl der Techniker, die von diesem Geschäft etwas verstehen, im öffentlichen Dienst relativ gering ist.«

»Ich meine, das fällt unter ›geheim‹«, warf der Abgeordnete Vogel (CDU/CSU) ein.

Der Vorsitzende nahm den Faden auf: »Wenn jemand von denen, die vortragen und die unterrichten, die Meinung vertritt, daß das unter die Rubrik ›geheim‹ gehört, muß dies gesagt werden. Ich kann hier niemanden bevormunden. Das müssen Sie selber sagen …«

»Es sind jedenfalls keine grundsätzlichen Fragen«, sagte Schiess.

»Also nicht geheim?« fragte Dr. Wernitz nach.

»Aber jedes weitere Wort in dieser Richtung wäre natürlich geheim«, antwortete der baden-württembergische Innenminister, »vor allem, wenn Sie dem Auslegungen geben. Ihre Spekulation würde in den Geheimhaltungsraum hineingehen.«

Offenkundig meinte Schiess die Frage des Abgeordneten, ob es sich bei den verwanzten Räumen um Zellen oder Vernehmungszimmer gehandelt habe.

Auch Staatssekretär Schüler äußerte Bedenken: »Wenn hier über diese Frage vertieft mit Bezug auf bestimmte Einrichtungen des Bundes gesprochen werden sollte – was ich eigentlich für nicht geboten halte –, dann müßte diese Veranstaltung einen anderen Charakter bekommen.«

Innenminister Schiess kam noch einmal auf die Frage zurück, warum er und sein Kollege Bender von sich aus die Abhöraffäre offenbart hätten: »In der Morgenausgabe der Ihnen sicherlich bekannten Zeitung ›Bild‹ von Donnerstag, dem 17. März, stand auf der ersten Seite: ›Wanzen auch in Stammheim?‹ Der Erfolg einer solchen Erscheinung in ›Bild‹ ist der, daß die Mitglieder der Landespressekonferenz unentwegt angerufen und gefragt haben: ›Was ist denn los?‹ Das kann man ein paar Stunden zurückhalten, aber dann nicht. Das schlechteste ist, wenn man auf dem Gerüchteweg langsam, aber sicher ausgezogen wird.

Wir haben uns deshalb an demselben Morgen entschieden und beide erklärt: Jetzt gehen wir offensiv in die Verteidigung, und wir legen alles auf den Tisch, was wir wissen und was wir sagen dürfen …«

Schon am Tag zuvor sei durchgesickert, daß der »Spiegel« am Wochenende etwas über die Stuttgarter Lauschaffäre bringen würde. »Das haben Freunde, die man Gott sei Dank auch hier hat, einem mitgeteilt. Daß ich nicht sage, was das für Freunde waren, ist ja auch klar. Wir haben uns den Kopf zerbrochen, wie wir reagieren wollten.«

Daraufhin hätten sich Vertreter beider Ministerien zusammengesetzt: »Wir machen jetzt einmal alles fertig und stimmen es miteinander ab, damit wir es ab Donnerstag früh griffbereit haben und damit auf den Markt gehen können, wenn wir es nicht mehr anders halten können. So ist das geschehen.«

»Und dann kam ›Bild‹?« rief ein Abgeordneter dazwischen.

»Dann kam ›Bild‹ am Donnerstag früh«, bestätigte der Minister. »Und dann haben wir gesagt: ›Jetzt ist es aus. Jetzt raus!‹ Wir haben dann um halb zwei die Pressekonferenz gemacht.

Die Frage: Zelle oder Vernehmungszimmer? Im Vernehmungszimmer. Es ist nie in den Wohnzellen – das heißt Verkehr der Gefangenen untereinander – gewesen, sondern es war nur in den Besucherzellen, in Nicht-Wohnzellen, in den Besucherzellen, und nur, was zwischen den Häftlingen und den Vertrauensanwälten gesprochen wurde«, sagte Innenminister Schiess. Dann wandte er sich zu seinem Kollegen, dem Justizminister Traugott Bender um: »Stimmt es so?«

Justizminister Bender: »Ich kann nur sagen: in Nicht-Wohnzellen. Eine weitere Auskunft würde ich jetzt nicht geben. Aber Sie können davon ausgehen, daß es in Nicht-Wohnzellen war. Sonst können wir gleich die ganze Technik hier offenlegen. Ich weiß nicht, ob das eine gute Sache wäre. Das ist absolut gesichert. Davon können Sie ausgehen.«

»Dagegen würde ich mich wehren«, sagte der Vorsitzende des Innenausschusses. »Dafür ist dies nicht der richtige Ausschuß, nicht das zuständige Gremium.«

Der CDU/CSU-Abgeordnete Vogel meldete sich: »Ich möchte die Anregung geben, daß im Protokoll nur der Begriff ›Nicht-Wohnzellen‹ erscheint.«

Dr. Wernitz beruhigte ihn: »Das wird nur in der Geheimschutzstelle zugänglich sein. Das Protokoll wird ja nicht herausgegeben.«

Vogel, zum Kanzleramts-Chef Schüler gewandt: »Nun haben Sie vorhin etwas gesagt, was ich in diesem Zusammenhang als wichtig empfunden habe. Daß Ihr zuständiger Verbindungsreferent (des BND) in Stuttgart reagiert hat: ›Wenn ich da helfen soll, will ich mir angucken, was da passieren soll.‹ Ich nehme also an, er hat sich angeguckt, was passieren sollte, und ist dabei sicher auch zu der Erkenntnis gekommen, daß hier in Nicht-Wohnzellen – wenn ich mich diesem Sprachgebrauch anschließen soll – installiert werden sollte. Die Frage, die sich dann stellt, ist doch die, mit welchem Erkenntnisstand dann technische Hilfe geleistet wurde. ›In Nicht-Wohnzellen‹ kann doch im Grunde nur bedeuten, daß Besucherverkehr im weiteren Sinne Gegenstand der Abhörmaßnahmen sein mußte, und da es, außer bei Anwälten, andere rechtlich zugelassene Möglichkeiten der Kontrolle des Besucherverkehrs gibt, ist für mich fast zwingend, Herr Schüler, daß hier nur das Abhören von Gesprächen mit Anwälten in Frage kommen konnte.«

Schüler widersprach. Um das Abhören von Anwaltsgesprächen sei es bei der Einrichtung der Wanzen im Frühjahr 1975 nicht gegangen:

»Dies war nach der Lorenz-Entführung und nach Stockholm. Und in der Zwischenzeit war es auch nicht völlig ruhig gewesen. Wir hatten ernst zu nehmende Mitteilungen, daß im Zusammenhang mit der Eröffnung des Prozesses (in Stammheim), aber auch unabhängig davon, ein Befreiungsversuch größeren Ausmaßes bevorstand ... Dies waren keine Phantastereien, sondern das war durchaus ernst zu nehmen. Diese Situation, die in Zusammenhang mit erpresserischer Freisetzung von Geiseln entstehen konnte, war das, was ich in erster Linie im Kopf hatte. Da hatten wir ja einschlägige Erfahrungen aus den Zusammenhängen mit Lorenz in Berlin.

Ich wußte, daß es sich um leerstehende Zellen handelte, in die diese Anlage eingebaut werden sollte. Da sind eine große Zahl von Modellen, so will ich mal sagen, denkbar, ohne daß da ein Verteidiger involviert ist. Herr Abgeordneter Vogel, dies kann sich in der Weise abwickeln – und das ist sozusagen ein Beispiel aus dem praktischen Leben –, daß im Zuge der Befreiungsaktion Häftlinge zusammengeführt werden, vielleicht erst einer, zwei oder drei – das haben wir doch alles erlebt – und daß man in diesem Moment Informationen über die weiteren Absichten erhält.

Dies könnte es unter gewissen Umständen erlauben, die Situation wieder in den Griff zu bekommen. Es sind eine ganze Reihe von Modellen denkbar – ich will das kurz machen –, die unterhalb der Verteidiger-Abhörung liegen. An die haben wir damals wirklich nicht gedacht.«

Daß nicht primär an die Überwachung von Verteidigergesprächen gedacht worden war, läßt sich indessen schon an der Zahl der mit Abhöranlagen ausgestatteten Zellen erkennen. Von Technikern des Bundesamtes für Verfassungsschutz waren *fünf* »leerstehende Räume« verwanzt worden. Bei der zweiten »Hilfeleistung« durch Fachleute des Bundesnachrichtendienstes ging es um *zwei* Zellen. Insgesamt waren also *sieben* Zellen mit Mikrophonen bestückt. Für Anwaltsgespräche gab es nur vier Zellen: 709, 710, 711 und 712.

In keiner der Sitzungen des Innenausschusses wurde gesagt, daß die Abhöranlagen inzwischen wieder ausgebaut worden waren oder man sie wieder ausbauen wolle. Im Gegenteil: die Minister Schiess und Bender betonten immer wieder, daß sie in vergleichbaren Situationen wieder abhören würden.

Eine vergleichbare Situation ergab sich durch die Entführung des Arbeitgeber-Präsidenten Hanns Martin Schleyer – gerade sechs Monate, nachdem die Stammheimer Lauschaffäre – teilweise – bekannt geworden war.

Nach den vorliegenden Informationen wäre es nur folgerichtig gewesen, die Gefangenen in Stammheim auch während der Schleyer-Entführung zu belauschen.

13. Draußen und drinnen
(Donnerstag, 15. September 1977)

Eine Stunde vor Mitternacht meldeten sich die Entführer Schleyers wieder bei Rechtsanwalt Payot in Genf und schlugen die Flugroute über Italien, Jugoslawien, Libyen, Ägypten oder die Golfstaaten vor. »Wir möchten auf jeden Fall ausschließen eine Flugroute über Israel, Marokko oder Äthiopien«, sagte der Anrufer. Im übrigen solle die Bundesregierung die von den Gefangenen genannten Zielländer um eine Aufnahme bitten.

Dem Kommando war unterdessen klargeworden, daß die Wohnung in Erftstadt nicht mehr sicher war. Offenbar waren Polizeitrupps dabei, von Haus zu Haus zu gehen und Appartements zu überprüfen, auf die Herolds Kriterien für konspirative Wohnungen zutrafen. Die Gruppe hatte bereits ein neues Versteck in Holland vorbereitet, aber der Mietvertrag für die Wohnung in Den Haag war noch nicht unterschrieben. So reiste Brigitte Mohnhaupt in die Niederlande, um den Umzug zu beschleunigen.

Als Boock das Gefühl bekam, die Luft würde immer dicker, reiste er hinterher: »Achtundvierzig Stunden allerhöchstens. Dann müssen wir weg sein.« Er fuhr mit dem Zug bis zur Grenze, überschritt dann zu Fuß die grüne Grenze und nahm auf der anderen Seite wieder die Bahn. So hatten sie es immer gemacht, und es war immer glattgegangen. Überall im Fernsehen und in den Zeitungen hatte gestanden, die Grenzen seien abgeriegelt. Aber Boock konnte keinen Posten und keinen Grenzschützer entdecken. Lediglich die Hauptbahnhöfe mußte man meiden, denn nur die wurden überwacht. Kleinere Bahnhöfe blieben vollkommen unbeobachtet.

So schnell, wie es möglich war, unterschrieb Angelika Speitel den Mietvertrag. Boock rannte durch Kaufhäuser und kaufte die Einrichtung zusammen. Auch das war Routine: bestellen und anliefern lassen, Möbelwagen fährt vor, neueste Couch-Garnituren, damit die Nachbarn etwas zu sehen hatten.

Nur das Opfer sollte möglichst unauffällig umziehen. Dafür wurde ein überdimensionaler Koffer oder eine Art Korb gesucht. Jeder aus dem Kommando hatte so ein Ding schon einmal irgendwo gesehen. Doch niemand wußte, wo es so etwas zu kaufen gab. Sie probierten vom Blechkoffer bis zum tragbaren Schrank alles aus, bis sie am Ende einen riesigen Weidenkorb auftrieben.

Schleyer mußte in den Korb klettern und wurde dann mit dem Fahrstuhl in die Tiefgarage gefahren. Dort verluden sie den Korb in einen Kombiwagen, der ihn an die grüne Grenze nach Holland brachte. Von der anderen Seite fuhr ebenfalls ein Kombi an die Grenze. Korb und Inhalt wurden umgeladen. Dann ging es auf die Autobahn nach Den Haag.

Die Wohnung war noch nicht ganz fertig, so daß der Transport auf einer Raststätte für mehrere Stunden unterbrochen werden mußte. Zwischendurch durfte Schleyer den Korb kurzzeitig verlassen, um seine Notdurft zu verrichten. Boock fand, daß Schleyer sich logisch und vernünftig verhielt. Er wußte, daß die Entführer ihn auch anders hätten behandeln können: »Handfesseln unten, Knebel ins Maul und so weiter. Und da wir halbwegs human mit ihm umgegangen sind, hat er alles getan, um diesen Status zu erhalten. Er hat sich wohl keine Illusionen darüber gemacht, was passiert, wenn er sich einmal danebenbenimmt.«

Der Transport muß spätestens am 16. September erfolgt sein, denn von diesem Tag an wurde in der Wohnung in Erftstadt kein Strom mehr verbraucht, wie sich später anhand des Zählers rekonstruieren ließ.

In ihren Planungen war die Gruppe davon ausgegangen, daß die ganze Operation nicht mehr als eine Woche oder höchstens zehn Tage dauern würde. Doch inzwischen hatte das Kommando erkannt, daß BKA und Bundesregierung auf Zeit spielten. Die Gruppe war zu groß, die Infrastruktur zu anfällig. Einzelne Kommandomitglieder waren inzwischen zu vertraut mit ihrem Opfer. Das war gefährlich. So hatte in der Wohnung in Erftstadt eine der Frauen stundenlang mit Schleyer »Monopoly« gespielt – und ihn dabei besiegt. Der Arbeitgeberpräsident hatte es urkomisch gefunden, daß die Kommunistin den Kapitalisten ausgerechnet bei diesem Raffkespiel besiegt hatte. Sie kamen ins Plaudern, über ihre Kindheit, über Kunst. Den übrigen Bewachern vor Ort wurde das zu eng, und die Frau wurde abgelöst und mußte die Wohnung verlassen.

Nachtdienstmeldung Stammheim, 15. September:

»Um 19.30 Uhr verlangte Baader Hustensaft.

Um 23.05 Uhr bei Baader und Raspe Medikamente durch Sani ausgehändigt.

Um 0.30 Uhr fiel die Schallmauer bei Zelle 718 (Raspe) um. Baader nahm sofort Rufkontakt auf.

Wortlaut: ›He, Jan, verstehst du mich, da kommen sie und stellen das Ding wieder auf.‹

Trotz Schallmauer war Baader deutlich zu hören.

1.40 Uhr Baader eine Dolviran ausgehändigt.«

14. »Man soll das Radio leiser machen«
(Freitag, 16. September 1977)

Die Entführer meldeten sich erneut bei Payot. Sie beklagten sich, daß die von den Gefangenen genannten Zielländer sich nur wegen der mangelnden Anstrengung der Bundesregierung noch nicht bereit gefunden hätten, diese aufzunehmen. »Wir möchten genau wissen, auf welcher Ebene und mit wem diese Kontakte laufen.« Eine Verzögerung liege kaum im Interesse des Herrn Schleyer.

Das Bundeskriminalamt antwortete knapp: »Kontakte auf Ministerebene.« Dann fragte das BKA nach einem neuen Lebenszeichen Schleyers. Noch in derselben Nacht antworteten die Entführer, gaben das gewünschte Lebenszeichen und schlugen Modalitäten für die Freilassung Schleyers vor. Sobald die Maschine mit den Gefangenen sicher gelandet und die Mitreisenden, Payot und Pfarrer Niemöller, zurück seien, werde Schleyer innerhalb von 48 Stunden freigelassen. Er werde die Möglichkeit erhalten, sich unmittelbar nach der Freilassung telefonisch bei seiner Familie zu melden.

Der größte Teil der Entführergruppe sollte zurückgezogen werden und nach Bagdad reisen. In aller Eile wurden Flüge gebucht, Tickets gekauft, Reisepässe präpariert. Auch Boock sollte nach Bagdad. Er hatte inzwischen gesundheitliche Probleme.

Schon seit Ende 1975 litt Peter Jürgen Boock an irgendeiner undefinierbaren Darmerkrankung. Schmierblutungen deuteten auf einen Entzündungsherd hin, aber das Leben in der Illegalität machte eine gründliche Untersuchung unmöglich. So behalf er sich mit starken schmerzstillenden Präparaten. Zur Zeit der Schleyer-Entführung hatte er es auf sieben bis acht Ampullen Dolantin pro Tag gebracht. Später nahm er auch andere Morphine – aber immer »sauberen medizinischen Kram«. Dennoch rutschte er langsam in die Sucht ab: »Ab Frühjahr 1977 gab es keine Relation mehr zwischen Schmerzen und Drogennehmen.« Den Verdacht auf Krebs schob er beiseite. Erst viel später, als die Schmerzen und der gesamte körperliche Verfall immer unerträglicher wurden, ließ er sich von einem Spezialisten untersuchen. Der konnte keine Krebserkrankung feststellen, und langsam besserte sich sein Gesundheitszustand wieder.

Zu den Reisevorbereitungen gehörte auch, daß die Gruppenmitglieder die Bänder mit vielen Stunden Schleyer-Verhören einpackten, um sie mit nach Bagdad und später nach Algier zu nehmen. Boock war nie ganz klar gewesen, was eigentlich mit den Tonbandaufzeichnungen geschehen sollte. Brigitte Mohnhaupt hatte ihm nicht alles gesagt. Boock war nur aufgefallen, daß es vorformulierte Fragen gegeben hatte. Er wußte nicht, woher die stammten. Aber, so äußerte er später, er habe den Verdacht auf »Fremdinteressen« gehabt. Abu Hani, dem die Bänder ausgehändigt werden sollten, spielte nach Boocks Eindruck noch auf einem anderen Klavier.

Stefan Wisniewski, als »Leader«, als operativer Leiter des Kommandos, sollte gemeinsam mit einigen wenigen Gruppenmitgliedern in Europa bleiben und Schleyer bewachen. Noch von Den Haag aus wurde ein neues Quartier vorbereitet, diesmal in Brüssel. Von dort aus flog Peter Jürgen Boock über Kairo nach Bagdad. Es war für ihn wie eine Erlösung: »Wir haben die ganze Zeit wie unter Speed gestanden. Erst die Vorbereitungen, dann die Aktion. Und dann bist du durch, nervlich durch, kräftemäßig durch.« Er hatte Brigitte Mohnhaupt gefragt, ob sie das auch so empfände, und sie hatte geantwortet, daß es bei ihr haargenau so sei.

Friederike Krabbe war gemeinsam mit Monika Helbing, die als Frau Lottmann-Bücklers die Wohnung in Erftstadt gemietet hatte, als Quartiermacher nach Bagdad vorausgeflogen. Als Boock und Mohnhaupt eintrafen, standen der RAF dort zwei Häuser zur Verfügung. Zunächst wohnten sie in dem kleinen, dann zogen sie in das größere um, das mitten im Diplomatenviertel von Bagdad lag.

Brigitte Mohnhaupt hatte unmittelbar nach der Ankunft ein kurzes Treffen mit Abu Hani, bei dem die nächsten Schritte erörtert wurden: Modalitäten der Aufnahme von Gruppenmitgliedern, finanzielle Fragen. Boock litt mehr und mehr unter seiner Darmerkrankung und hatte eigentlich genug von der ganzen Angelegenheit. »Ich war da so weit, zu sagen, wenn es da irgendeine Suizidaktion gibt, irgendein Selbstmordkommando, dann merkt mich schon mal vor.«

Als Abu Hani davon erfuhr, begab er sich selbst ins Hauptquartier der Gruppe und verlangte ein Gespräch unter vier Augen mit Boock. Er sprach ihn auf seine Krankheit an und sagte, auch er sei krank, wenn auch vielleicht nicht so schlimm wie Boock. Das solle er aber möglichst schnell wieder vergessen. Pathetisch sagte er, er würde Boock als seinen Bruder ansehen und nicht im Traum daran denken, ihn für eine Selbstmordaktion einzusetzen. Er solle jetzt einmal gesund werden.

Für die geschäftliche Seite war Brigitte Mohnhaupt zuständig. Sie war es ja auch, die vor der Schleyer-Entführung die finanziellen Forderungen mit Abu Hani erörtert hatte. Eigentlich hatte die Gruppe vorgehabt, von der Bundesregierung für jeden ausgelieferten Gefangenen 100 000 Mark zu verlangen – bei zehn Gefangenen, die auf der Liste standen, insgesamt 1 Million. Doch Abu Hani hatte gesagt: »Wenn die das zahlen, dann zahlen sie auch 10 Millionen. Wenn die den Austausch wollen, dann kommt es darauf nicht mehr an.« Brigitte hatte sich später bei Boock darüber beklagt: »Dieser alte Materialist …« Es ging doch um die politische Dimension und nicht um einen Banküberfall. Am Ende wurden doch, wie von Abu Hani vorgeschlagen, 1 Million Mark für jeden Gefangenen gefordert.

Nachtdienstmeldung Stammheim, 16. September:
»21.50 Uhr Baader verlangte eine Dolviran, und man soll das Radio leiser machen.
23.00 Uhr mit Sani Baader Medikamente ausgegeben. Keine Vorkommnisse. Sehr ruhig.«

Offenkundig konnten die Gefangenen aus den darunterliegenden Zellen die Radioprogramme verfolgen – und die Justizbeamten wußten davon.

15. Ein ruhiges Wochenende
(Samstag/Sonntag, 17./18. September 1977)

Gegen Mittag meldeten sich die Entführer wieder bei Payot und forderten das BKA auf, genauer mitzuteilen, mit welchen Zielländern Verhandlungen geführt würden. Die Frage des BKA nach den Austauschmodalitäten sei ihrer Ansicht nach bereits beantwortet.
Das Bundeskriminalamt bat Payot, den Entführern mitzuteilen: »Unbeschadet der Tatsache, daß die Frage nach zumutbaren – wir wiederholen: ›zumutbaren‹ – Modalitäten der Freilassung nach wie vor unbeantwortet ist, wird bestätigt, daß Kontakte mit dem ersten und dem dritten der von Baader genannten Zielländer stattgefunden haben.«
Am späten Nachmittag flog Staatsminister Wischnewski nach Bagdad und Aden.

Nachtdienstmeldung Stammheim, 17. September:
»18.00, 18.34, 21.05 Uhr Hauptsicherung eingeschaltet.
20.55 Uhr Optipyrin mit Innenwache ausgehändigt an Baader.
22.55 Uhr mit Sani und Innenwache Medikamente an Baader ausgehändigt.
Sonst keine Vorkommnisse.«

Nachtdienstmeldung Stammheim, 18. September:
»Um 23.00 Uhr an Baader Medikamente durch Sani ausgehändigt. Keine Vorkommnisse! Sehr ruhig!«

16. Alltag einer Entführung
(Montag, 19. September 1977)

Fragen und Antworten nach Lebenszeichen Schleyers gingen hin und her, ohne daß irgendwelche Entscheidungen getroffen wurden.
Rechtsanwalt Payot teilte dem BKA mit, er sei nicht bereit, zusammen mit den Gefangenen auf die Reise zu gehen. Er werde gegebenenfalls getrennt von ihnen in das Zielland fliegen, um die Mitteilung Baaders an die Entführer zu übermitteln.
Die Entführer wurden ungeduldig. Sie ließen dem BKA ausrichten:
»Wir haben nur mitzuteilen, daß wir nicht noch weitere 14 Tage verhandeln werden. Das nur zur Information …«

Nachtdienstmeldung Stammheim, 19. September:
»Um 23.05 Uhr an Baader und Raspe Medikamente durch den Sani ausgehändigt. Keine Vorkommnisse.«

17. Ein Sondergesetz
(Dienstag, 20. September 1977)

Staatsminister Wischnewski kehrte aus Aden zurück.

Noch am Vormittag trafen sich in Bonn die Justizminister der Länder, um Erfahrungen mit der Kontaktsperre auszutauschen. Einige Gerichte hatten verfügt, daß Anwälte ihre Mandanten trotz der verfügten Sperre besuchen durften. Dennoch hatte man sie nicht in die Haftanstalten gelassen. Das war ein klarer Rechtsbruch: die Exekutive setzte sich über Entscheidungen der Gerichte hinweg. Die Kontaktsperre, für die es keine Rechtsgrundlage gab, war unter Berufung auf Paragraph 34 des Strafgesetzbuches, der rechtswidrige Notwehrhandlungen legitimiert, verfügt worden. Der sogenannte »rechtfertigende Notstand« erlaubt Gesetzesübertretungen, wenn dadurch höhere Rechtsgüter geschützt werden. Die meisten Juristen waren einig in der Meinung, daß nur der Bürger, nicht aber der Staat sich auf den rechtfertigenden Notstand berufen könne.

Das war den Justizministern durchaus klar. Zudem war beim Bundesverfassungsgericht der Antrag mehrerer BM-Anwälte auf Erlaß einer einstweiligen Anordnung eingegangen. Das höchste Gericht solle entscheiden, ob im Falle der Kontaktsperre die Berufung auf den rechtfertigenden Notstand überhaupt mit dem Grundgesetz zu vereinbaren sei. Das brachte die Bundesregierung und die Justizminister der Länder in eine äußerst schwierige Situation. Wenn die Verfassungsrichter entschieden, daß die Anwendung des Paragraphen 34 in diesem Falle und generell durch den Staat rechtens sei, hätte das erhebliche verfassungsrechtliche Konsequenzen gehabt: der »rechtfertigende Notstand« wäre damit gleichsam als »Ermächtigungsgesetz« für Ausnahmesituationen abgesegnet worden. Das jedoch wollte eigentlich niemand.

Bei einer anderslautenden Entscheidung der Karlsruher Richter hingegen hätte die Regierung in höchst angespannter Lage eine schallende Ohrfeige erhalten, und das wollte man auch nicht.

In dieser Zwickmühle entschieden sich die Justizminister der Länder, zusammen mit Bundesjustizminister Vogel, einen dritten Weg zu gehen, der freilich kaum weniger problematisch war. Schnell sollte ein Gesetz geschaffen werden, das der Kontaktsperre, von deren Notwendigkeit alle bis auf den Vertreter Berlins überzeugt waren, eine rechtliche Grundlage geben würde.

Gesetzgebungsverfahren im Bundestag sind kompliziert und langwierig. Zwischen der Einbringung und Verabschiedung eines Gesetzes vergehen zumeist Monate, wenn nicht Jahre. Beim Kontaktsperre-Gesetz war das anders. Die Vorlage nahm in beispielloser Schnelligkeit alle parlamentarischen Hürden. Innerhalb einer Woche lag ein Gesetz fertig auf dem Tisch, das den Justizministern das Recht gab, den Kontakt von Gefangenen untereinander und ihre Verbindungen mit der Außenwelt vollkommen zu unterbinden. Die Anwendung des Gesetzes setzte voraus, daß für Leib und Leben oder Freiheit einer Person Gefahr bestehe und der begründete Verdacht vorliege, eine solche Gefahr gehe von einer terroristischen Vereinigung aus. Die Kontaktsperre dürfe höchstens dreißig Tage dauern und müsse nach zwei Wochen von einem Gericht bestätigt werden. Allerdings könne die Isolation erneut verhängt werden, wenn ein Richter befände, die entsprechenden Voraussetzungen beständen weiter.

Nachtdienstmeldung Stammheim, 20. September:
»Um 23.07 Uhr an Baader Medikamente durch den Sani ausgehändigt. Sehr ruhig.«

18. Ein »Welt«-Artikel und seine Folgen
(Mittwoch, 21. September 1977)

An diesem Tag machte »Die Welt« mit einer dreispaltigen Überschrift auf:
»Mini-Kamera in Baaders Zelle geschmuggelt – War es ein Anwalt?«
Eine Woche zuvor sei eine Minox-Kamera in der Zelle Andreas Baaders gefunden worden. Vermutlich habe sie ein Anwalt in die Haftanstalt geschmuggelt. Eine Zwischenüberschrift der »Welt«: »Kassiber liegen zwischen zusammengeklebten Akten.«
Und weiter: »Die neuwertige, schwarze Minox-Kamera und die dazugehörige Filmkassette mit 36 Aufnahmen waren in einem kartonierten Kaffeefilter-Behälter versteckt. Der Verdacht geht dahin, daß ein Rechtsanwalt die Kamera in die Zelle geschmuggelt hat ...«
Schon vorher habe man in Stammheim nach dem Besuch eines im Büro Croissant arbeitenden Rechtsanwalts bei einer Zellendurchsuchung in Verteidigerakten versteckte Kassiber gefunden. Der Anwalt habe zudem mehrere Platten aus Glimmer mit Heizfadenanschlüssen in Papiertaschen versteckt, die aus zusammengeklebten Zeitungsausschnitten bestanden.

Das Bundesjustizministerium, damit beschäftigt, das Kontaktsperre-Gesetz durchzubringen, schickte ein Fernschreiben nach Stuttgart:
»… bitte ich um geeignete Maßnahmen besorgt zu sein, die verhindern, daß solche oder ähnliche Gegenstände unbemerkt in die Zellen der Gefangenen gelangen können.«
Der Adressat des Fernschreibens, der baden-württembergische Justizminister Dr. Bender, wurde aktiv.
Im Untersuchungsausschuß sagte er später: »Meine Reaktion war: Es muß jetzt gründlicher kontrolliert werden, denn offensichtlich ist hier der Kontrolle etwas entgangen.« Er gab die Anweisung zu einer gründlicheren Kontrolle an seinen Ministerialdirigenten Reuschenbach weiter, der wiederum den Anstaltsleiter Nusser telefonisch aufforderte, das Notwendige zu veranlassen. Nusser schrieb daraufhin einen Aktenvermerk: »Herr Amtsinspektor Bubeck wurde beauftragt, die Frage zu klären.«

Nachtdienstmeldung Stammheim, 21. September:
»Um 23.05 Uhr an Baader und Raspe Medikamente ausgehändigt. Keine Vorkommnisse! Sehr ruhig!«

19. Eine Schießerei
(Donnerstag, 22. September 1977)

Am Nachmittag meldeten sich die Entführer wieder bei Rechtsanwalt Payot: welche Ergebnisse Staatsminister Wischnewski aus Algerien, Libyen, dem Irak, der Volksrepublik Jemen und etwaigen anderen Ländern mitgebracht habe?
Das BKA antwortete: »Ergebnisse der Befragungen der vier Zielländer werden in Kürze erwartet.«

Kurz nach 17.00 Uhr ging beim BKA die Meldung ein, der mutmaßliche Terrorist Knut Folkerts sei in Utrecht nach einer Schießerei festgenommen worden. Ein niederländischer Polizeibeamter war dabei getötet, zwei weitere schwer verletzt worden.

Nachtdienstmeldung Stammheim, 22. September:
»20.20 Uhr Baader verlangt Optipyrin.
23.05 Uhr Baader und Raspe erhalten vom Sani Medikamente.«

20. Ruhe
(Freitag, 23. September 1977)

Der Bundesgerichtshof wies die Beschwerde von sieben Häftlingen gegen die Kontaktsperre zurück.
Die Entführer meldeten sich nicht.

Nachtdienstmeldung Stammheim, 23. September:
»Medikamente ausgegeben an Raspe, Baader gegen 23.25 Uhr.
Eine Dolviran an Baader ausgegeben um 2.15 Uhr.
Sonst keine Vorkommnisse.«

21. Fahndungsmaßnahmen
(Samstag, 24. September 1977)

Gegen Mittag rief einer der Entführer in der Kanzlei Payots an: »Wir fragen uns nur, wie lange Rechtsanwalt Payot das Spiel mitspielen will, und wir haben langsam keine Zeit und keine Lust mehr, das mitzuspielen. Ende.«
Das Bundeskriminalamt wartete auf Anrufe bei Payot. Die Kanzlei wurde nämlich abgehört.
Zusätzlich hatte das BKA Fangschaltungen eingerichtet, um festzustellen, von wo man ihn anrief. Zwischen dem 6. und dem 17. September, während Schleyer in der Wohnung Zum Renngraben 8 in Erftstadt gefangengehalten wurde, hatte die Polizei 36 Anrufe der Entführer registriert. 14 davon gingen allein bei Payot ein.
Weil aus Rücksicht auf das Leben Schleyers öffentliche Fahndungsmaßnahmen weitgehend unterblieben, versuchten die Fahnder in das Kommunikationssystem der Entführer einzudringen. Dazu schalteten sie das Bundesamt für Verfassungsschutz ein, das über mehr Erfahrungen in solchen Dingen verfügte als das BKA.
Im Fernmeldehochhaus Frankfurt werden über den sogenannten

»Stern« täglich 600 000 bis 800 000 Auslandsgespräche in 102 Länder vermittelt, davon allein 15 000 bis 16 000 in die Schweiz. Fast alle diese Verbindungen werden automatisch geschaltet.

Das Bundeskriminalamt ging davon aus, die Entführer und ihr Opfer seien immer noch im Raum Köln, und ließ alle von dort ausgehenden Auslandsgespräche über den Stern Frankfurt schalten. Dort hatte man – mit Hilfe des Bundesnachrichtendienstes – die Nummer des Anwalts Payot einprogrammiert. So wurde automatisch registriert, von welchem Anschluß aus Payot angerufen wurde.

Fast 100 Fernmeldetechniker wurden dafür im Schichtdienst in das Fernmeldehochhaus Frankfurt abkommandiert, um die Apparate abzulesen.

Die aufwendige Operation ergab, daß alle Anrufe bei Payot aus öffentlichen Telefonzellen erfolgt waren, die meisten davon standen im Kölner Bahnhofsviertel. Wenn die Polizei – unauffällig – an den entsprechenden Telefonzellen auftauchte, war der Anrufer verschwunden.

Auch vom Pariser Bahnhof Gare du Nord war mehrmals bei Payot angerufen worden. Das hatte das BKA offenbar von französischen Behörden erfahren. Außerdem waren von den über hundert Briefen der Entführer während der sechswöchigen Gefangenschaft Schleyers mindestens 14 aus Paris abgeschickt worden. Die Briefmarken darauf, so stellten die Ermittler fest, waren immer aus demselben Automaten am Gare du Nord gezogen worden. Der Speichel, mit dem die Marken angefeuchtet worden waren, stammte immer von derselben Person.

Um der Person vom Gare du Nord auf die Spur zu kommen, wurden alle Reisenden zwischen 20 und 35 Jahren, die in den zahlreich, täglich zwischen Köln und Paris verkehrenden Zügen saßen, besonders überprüft.

Inzwischen kannte die Polizei den Empfängerkreis der Entführerbriefe, hauptsächlich Zeitungsredaktionen, Rundfunkanstalten, Nachrichtenagenturen sowie bestimmte Privatleute, wie Eberhard von Brauchitsch. Alle Briefe trugen den Vermerk: »Eilt – sofort auf den Tisch!«

Die Großpostämter in der Bundesrepublik wurden beauftragt, solche Briefe auszusortieren und der Polizei zu geben. Am 13. September wurden die Postbeamten in Dortmund fündig. Sie fischten fünf Entführerbriefe aus 500 000 Postsendungen heraus. Drei ebenfalls in Dortmund aufgegebene Briefe entgingen ihnen. Nur diese drei Sendungen erreichten ihre Adressaten ohne Umweg über das BKA.

In Rasterprogrammen versuchten die Computer-Spezialisten des BKA verdächtigen Wohnungen und Fahrzeugdoubletten auf die Spur zu kommen.

Weil das BKA vermutete, daß eine Arztpraxis bei der Entführung eine Rolle gespielt habe, wurde ein entsprechendes Programm in die Computer gefüttert. 30 bis 40 verdächtige Ärzte, auf die bestimmte Kriterien zutrafen, wurden so herausgefiltert und überprüft.

Eine Abhöraktion von bis dahin nicht gekanntem Ausmaß wurde inszeniert. Obwohl die davon Betroffenen nach dem G-10-Gesetz (so benannt nach Artikel 10 des Grundgesetzes, das die Telefonüberwachung nur in bestimmten Ausnahmefällen zuläßt) nach Abschluß der Maßnahme davon hätten unterrichtet werden müssen, ist das nie geschehen.

Nachtdienstmeldung Stammheim, 24. September:
»22.30 Uhr Medikamente ausgegeben an Raspe und Baader.«

22. Weltreisen
(Sonntag, 25. September 1977)

Das BKA ließ den Entführern ausrichten: »Von den bisher auf Ministerebene befragten Ländern haben Libyen und Süd-Jemen abgelehnt, zwei sich noch nicht endgültig geäußert. Bei dieser Sachlage wurde vorsorglich auch die Befragung des von Baader letztgenannten Landes Vietnam eingeleitet. Über den Fortgang werden wir Nachrichten übermitteln.« Am späten Abend flog Staatsminister Wischnewski nach Vietnam. Während dieser Zeit war die Kerntruppe der RAF in Bagdad.

Wenige Tage nach ihrer Ankunft tauchte plötzlich ein alter Bekannter auf. Johannes Weinrich hatte früher einmal zu den »Revolutionären Zellen« gehört, sich dann aber Carlos und seiner Gruppe angeschlossen. Die Kerntruppe der RAF hatte ein sehr distanziertes Verhältnis zu ihm. Auch diesmal wurde er nicht sehr freundlich begrüßt. Schon vom Erscheinungsbild her lag Weinrich Boock und den anderen nicht. Er wirkte wie ein erfolgreicher Jungmanager, in seinem tadellosen Outfit mit Täschchen am Handgelenk. Weinrich kam schnell zur Sache: »Abu Hani wundert sich, wieso ihr ihn nicht darum bittet, euch mit einer Aktion zur Seite zu stehen.« Dieser Gedanke war den Schleyer-Entführern bis dahin noch gar nicht gekommen. Sie hatten eigentlich vor, zu warten, bis Helmut Schmidt endlich einlenkte. Wenn sich die Situation nicht in absehbarer Zeit lösen lasse, dann würde er wohl zurücktreten. So glaubten sie, nur auf Zeit spielen zu müssen.

»Na gut, fein, daß du mir das jetzt gesagt hast«, antwortete Brigitte Mohnhaupt abweisend, »ich nehm' das hier mal zur Kenntnis. Bei dem nächsten Routinegespräch mit Abu Hani werde ich das auch ansprechen.« Sie bedeutete Weinrich, daß er jetzt gehen könne. Boock wunderte sich, daß Abu Hani nicht einen von seinen Leuten geschickt hatte, sondern ausgerechnet den deutschen Assistenten des legendären Carlos.

Beim nächsten Zusammentreffen mit Abu Hani sprachen sie ihn auf eine Hilfsaktion an. Und zu ihrer großen Überraschung zauberte er zwei Aktionen aus dem Hut. »Beide«, so sagte er ihnen, »sind fertig vorbereitet, ihr könnt euch aussuchen, welche.« Die eine Aktion war eine Geiselnahme in der deutschen Botschaft in Kuweit, die andere die Entführung eines Urlauberflugzeugs auf dem Weg von Palma de Mallorca nach Frankfurt.

Der Plan zur Botschaftsbesetzung in Kuweit wurde sofort abgelehnt, die Erfahrungen von Stockholm waren noch zu frisch. Auch die Flugzeugentführung war in dieser Form eigentlich nicht nach ihrem Geschmack. Mehr als einmal hatten die Gefangenen in Stammheim durchblicken lassen, daß sie nur ungern durch die Entführung eines Flugzeuges mit zivilen Fluggästen oder gar Urlaubern freigepreßt würden. Dennoch willigte die Gruppe ein und beorderte umgehend ein Mitglied zurück nach Europa, um das Schleyer-Kommando über die neue Entwicklung zu unterrichten.

Ein paar Tage später tauchte Abu Hani wieder bei Boock auf. »Wir haben mal was probiert«, sagte er. »Wenn man Waffen durch elektronische Kontrollen bringen will, müßte man einen Koffer oder eine Kosmetiktasche innen mit Bleifolie verkleiden. Dann sieht man zwar nicht mehr, was innen ist, aber im Durchleuchtungsgerät erscheint das wie ein schwarzes Loch.« Ob Boock nicht eine bessere Idee hätte.

»Waffen?« fragte Boock. »Waffen können alles mögliche sein. Sollen die eine reale Bedeutung haben oder nur zur Bedrohung da sein?«

Abu Hani überlegte einen Augenblick: »Eigentlich müßten sie nur dazu dasein, die Sache unter Kontrolle zu bringen, zu drohen. Wenn die real eingesetzt werden müssen, dann ist das Ding ohnehin den Bach runter.« Boock war klar, daß es um Handgranaten ging, und dachte nach: »Ja, dann würde ich sie aus Plastik oder aus Glas machen.«

Ein paar Tage später tauchte Abu Hani wieder auf und präsentierte Boock stolz eine Handgranate russischer Bauart. Sie war aus Glas, olivgrün angestrichen und nicht von einer mit stählerner Hülle zu unterscheiden. Dafür hatte sie aber auch nur eine Explosivkraft wie ein Silvesterböller. Die verherrende Wirkung eines zersplitternden Stahlmantels blieb aus. Später wurde festgestellt, daß die Handgranaten, die das Entführerkommando an Bord der »Landshut« geschmuggelt hatten, aus Plastik bestanden. Als eine davon bei der Befreiungsaktion in Mogadischu explodierte, war ihre Wirkung tatsächlich gering.

Einige Zeit später erhielt Boock Nachricht, daß Abu Hani ihn in Algier zu treffen wünsche. Gemeinsam mit Brigitte Mohnhaupt, die für die Koordinierung zwischen dem Flugzeug-Entführungskommando und den Schleyer-Bewachern verantwortlich sein sollte, flog er über Kairo und Tripolis in die algerische Hauptstadt. Sie wohnten dort, fünf bis sechs Kilometer außerhalb Algiers, in einem Haus, das dem algerischen Geheimdienst gehörte.

Brigitte Mohnhaupt führte die Verhandlungen mit Abu Hani, wobei es im wesentlichen um die Aufteilung der erhöhten Lösegeldsumme ging, die zusätzlich zu den Gefangenen gezahlt werden sollte. Dann durfte sie über ein speziell gesichertes, angeblich abhörfestes Telefon des algerischen Geheimdienstes mit einem der Schleyer-Bewacher in Paris telefonieren. Boock sollte unterdessen in einem algerischen Krankenhaus behandelt werden. Kurz vor Beginn der geplanten Aktion kehrte Boock wieder nach Bagdad zurück. Unterdessen waren die Waffen für die Entführung eines Lufthansa-Flugzeugs auf dem Weg nach Palma de Mallorca. Getrennt davon reiste das Kommando auf die spanische Urlauberinsel.

Schon damals war Boock einiges an der Kooperation mit Abu Hani merkwürdig vorgekommen. Da war erst einmal dessen gänzlich unrevolutionäre Neugier. Es war nicht üblich, sich nach den Einzelheiten einer Operation der Partnergruppe zu erkundigen. Abu Hani aber hatte mehrmals nachgefragt: »Wir hätten doch sicherlich Vertrauen zu ihm. Wenn wir ihm denn schon nicht sagen wollten, wo Schleyer stecke, sei er denn ganz sicher dort, wo er aufbewahrt würde …? Ob man ihn nicht vielleicht in ein Ostblockland bringen wolle …? Auch die Tatsache, daß *zwei* mögliche Hilfsoperationen fertig ausgecheckt worden waren, gab Boock zu denken. Sein Mißtrauen wuchs aber noch weiter, als er später erfuhr, daß Abu Hani alias Wadi Haddad enge Kontakte zur Hauptverwaltung Aufklärung des Ministeriums für Staatssicherheit der DDR unterhalten hatte. Hatte die ganze Operation vielleicht einen geheimdienstlichen »Ast«, den die Akteure der RAF selbst nicht kannten? War nicht der jemenitische Geheimdienst, der auch das Ausbildungslager kontrollierte, voll in der Hand des DDR-Geheimdienstes? Wurde nicht der krebskranke Abu Hani an der Berliner Charité behandelt? War er nicht später, 1978, in Ost-Berlin gestorben? Sollte die »Landshut«-Entführung nicht ursprünglich in Aden ihren Abschluß finden, wo die Entführer gegen ein anderes Kommando ausgetauscht werden sollten? Woher stammten die auf deutsch formulierten Fragenkataloge für Schleyer? Warum mußten die Tonbänder nach Bagdad mitgenommen werden? Wo sind sie geblieben? Wieso verbreitete – nachgewiesenermaßen – die Abteilung Desinformation der HVA gefälschte Schleyer-Verhöre?

Schon bei den ersten Kontakten mit den Palästinensern in Bagdad hatte Boock sich gewundert, über welche Dokumente die PFLP verfügte. So seien ihnen immer wieder Fahndungsunterlagen von BKA und Interpol über die RAF vorgelegt worden. Die Gruppe durfte die Materialien sogar fotokopieren und mit nach Deutschland nehmen. Besonders interessierten die Dossiers des Bundeskriminalamtes über wichtige persönliche Kennzeichen der Gruppenmitglieder. »Einige«, so Boock später gegenüber der Bundesanwaltschaft, »ließen sich daraufhin Warzen und Leberflecke wegoperieren.« Bei den Papieren, die Boock und den anderen gezeigt wurden, hatte man die Briefköpfe abgedeckt, »aber für uns war doch ersichtlich, daß diese Unterlagen aus libyschen oder algerischen Quellen stammen mußten.« Auf einer dieser Papiere aber hatten die Palästinenser die Herkunftsbezeichnung nicht ganz abgedeckt. Lesbar waren die Worte »für Staatssicherheit«. Damit war Boock klar, daß die PFLP vom DDR-Geheimdienst mit Unterlagen aus dem westdeutschen Sicherheitsapparat beliefert wurde.

So schwankte Boock immer wieder zwischen verschiedenen Erklärungsmustern, in denen mal die Stasi, mal westliche Geheimdienste hinter den Kulissen agierten.

Die meisten Gespräche mit Abu Hani hatte Brigitte Mohnhaupt allein geführt. Dann traf Rolf Clemens Wagner aus Paris ein, um die weitere Vorgehensweise in Sachen Schleyer mit der geplanten Flugzeugentführung abzustimmen, und brachte dringend gebrauchte Medikamente für Boock mit. Die gemeinsame Kommandoerklärung wurde mit Abu Hani abgestimmt, die Übergabemodalitäten besprochen, die Aufteilung der verlangten 15 Millionen vorgenommen. Dann reiste Wagner wieder ab. Kurz danach kam auch Rolf Heißler aus Brüssel, erhielt letzte Orders und kehrte zum Bewachungskommando des entführten Arbeitgeberpräsidenten zurück.

Brigitte Mohnhaupt flog gemeinsam mit Boock von Algier zurück nach Bagdad. Dort rief sie im großen Haus die Gruppe zusammen und erklärte, welche Art von Operation in den nächsten Tagen laufen würde. »Und da gab es fast auf der Stelle Zoff«, berichtet Boock, »weil es ein paar Leute gab, die so viel Mut hatten zu sagen: Also hört mal, irgendwie widerspricht das ja nun unserer eigenen Erklärung.« Aber da sei Brigitte Mohnhaupt sehr heftig geworden und wieder mit dem alten Totschlageargument gekommen: »Ja, was wollt ihr denn? Wollt ihr, daß sie rauskommen, oder wollt ihr, daß sie verrecken? Was sollten wir eurer Meinung nach tun? Zeigt mal eine Alternative auf!« Die versammelte Runde schwieg. Damit war das Thema beendet.

Die Entscheidung für die Flugzeugentführung, so schrieb Gruppenmitglied Rolf Heißler später in einem internen Papier, »haben wir uns nicht leichtgemacht. Nach langen Diskussionen haben wir unsere Zustimmung für die Operation ›Kofre Kaddum‹ des Kommandos ›Martyr Halimeh‹ gegeben …«

Die PFLP legte sofort los. In einer Fälscherwerkstatt in Bagdad wurden falsche iranische Pässe für die als Attentäter vorgesehenen PFLP-Mitglieder hergestellt. Souhaila Sayeh hieß nun »Soraya Ansari«, Zohair

Akache bekam einen Paß auf den Namen »Ali Hyderi«, Nabil Harb hieß »Riza Abbasi« und Nadia Shehadah »Shahnaz Gholam«.

Souhaila Sami Andrawes Sayeh war am 28. März 1953 in Hadath im Libanon geboren worden. Ihre palästinensische Familie stammte aus Haifa, das sie nach der Gründung des Staates Israel verlassen mußte. Die Eltern ließen sich in Ost-Beirut nieder und brachten es zu einigem Wohlstand. Souhaila wurde im christlichen Glauben erzogen und besuchte eine der besten Schulen Libanons, eine von französischen Nonnen geleitete Mädchenschule in Beirut. 1965 zogen die Eltern nach Kuweit. Souhaila mußte auf eine moslemische Schule, die sie aber nach kurzer Zeit verließ, um Nonne zu werden. Dazu hätte sie in den arabischen Teil Jerusalems umziehen müssen, doch unmittelbar vor der Abreise brach der Sechstagekrieg aus. Souhaila blieb in Kuweit und verließ die Schule mit einem der drei besten Abschlußzeugnisse unter 10 000 Studienbewerbern ihres Jahrganges. Dennoch erhielt sie keinen Studienplatz, weil sie weder kuweitische Staatsbürgerin war noch über genügend gute Beziehungen verfügte. Sie kehrte in den Libanon zurück und studierte dort englische Sprache und Literatur.

Über Verwandte, die von der alten Heimat in Palästina erzählten, wurde sie langsam politisiert. Irgendwann im Jahre 1969 traf sie die berühmte Flugzeugentführerin Leila Khaled und entschied sich, ihr nachzueifern. Über Geldsammlungen, Blutspendeaktionen und ähnliche Aktivitäten wuchs sie langsam in den palästinensischen Widerstand hinein und nahm an humanitären Einsätzen und verschiedenen Hilfsaktionen in palästinensischen Flüchtlingslagern teil. Als der Libanonkrieg begann, kehrte sie auf Anweisung ihrer Eltern nach Kuweit zurück. Ihre Mutter, eine angesehene Schriftstellerin, ermunterte Souhaila, zu schreiben, um auf diese Weise politisch aktiv zu werden. Sie wurde Journalistin und machte sich in palästinensischen Kreisen bald einen Namen. Über einen Kollegen bei der Zeitung bekam sie Ende 1976 Kontakt zur PFLP, wurde Mitglied, erhielt einen Decknamen und tauchte bald in die Anonymität ab.

Schon Anfang 1977 reiste Souhaila auf Anweisung der PFLP nach Aden und wurde dort militärisch ausgebildet. Zweimal wurde sie vom Führer des PFLP-Camps Zaki Helou nach Hause eingeladen und traf dort auch dessen deutsche Frau Amal – Monika Haas. Sie kehrte zurück nach

Kuweit, wurde aber schon im Oktober wieder nach Bagdad befohlen. Dort traf sie auf die PFLP-Mitglieder Zohair Akache, Nabil Harb und Nadia Shehadah, von denen sie nur Nadia früher schon einmal an der Universität Beirut getroffen hatte. Auch Wadi Haddad persönlich tauchte auf und hielt ihr einen Vortrag über die politische Lage und die geplante Operation. Die Flugzeugentführung solle den Namen »operation kofr kaddum« tragen, die Entführer selbst sollten sich als das »kommando martyr halimeh« bezeichnen. »Kofr kaddum« sei ein palästinensisches Dorf gewesen, das von israelischen Soldaten dem Erdboden gleichgemacht worden sei. Der Name des Kommandos sollte an die in Entebbe gescheiterte Entführung eines französischen Flugzeugs erinnern. Mitglieder des von den Israelis erschossenen Kommandos seien zwei Deutsche gewesen, Wilfried Böse, Deckname »Mahmud«, und Brigitte Kuhlmann, Deckname »Halimeh«. So nannte sich das neue Entführerkommando »Martyr Halimeh«, und dessen Chef, Zohair Akache, sollte als »Captain Mahmoud« auftreten.

Die Pässe waren Totalfälschungen, die Namen reine Fiktion. Einzeln und mit kleinem Gepäck reisten die vier von Bagdad aus nach Mallorca. Warum gerade diese Urlaubsinsel ausgesucht worden war, erklärte sich Boock später aus den Urlaubserfahrungen mancher Palästinenser: »Ich weiß, daß die spanischen Inseln zu ihren bevorzugten Domänen gehörten. Und ich weiß, daß sie immer alle gern Lufthansa geflogen sind. Irgendeiner hat wohl über Frankfurt mal einen Urlaubsflug angetreten und sich hinterher erinnert, daß das ganz easy war.«
Waffen hatten die vier nicht dabei; sie sollten auf einem anderen Weg nach Mallorca gebracht werden. Erst 18 Jahre später erhob die Bundesanwaltschaft Anklage gegen jene, die sie für die Waffen- und Sprengstoffkuriere hielt. Nach den Ermittlungen der Karlsruher Fahnder hatte sich das so abgespielt: Die Aufgabe, diese Waffen nach Mallorca zu schmuggeln, habe die PFLP Monika Haas und einem Tatgenossen mit Decknamen »Kamal Sarvati« übertragen, der später als ein gewisser Said Slim identifiziert wurde. Monika Haas habe damit das ihr aus den Reihen der RAF und der PFLP entgegengeschlagene Mißtrauen wegen ihrer »Nairobi-Geschichte« entkräften wollen. Außerdem sei es eine gute Tarnung gewesen, gemeinsam mit ihrer damals knapp drei Monate alten Tochter Hanna zu reisen.

Deshalb sei Monika Haas Ende September/Anfang Oktober 1977 von Aden aus nach Bagdad gereist. Von dort aus sei sie weiter nach Algier geflogen. Am 7. Oktober startete Monika Haas, den Ermittlungen der Bundesanwaltschaft zufolge, um 18.45 Uhr mit einer Maschine der Air Algerie in Begleitung ihrer Tochter und des Mannes mit dem Decknamen »Kamal Sarvati« nach Mallorca, wo sie gegen 20 Uhr gelandet sei. Die Waffen, so die Anklage, habe sie unter dem Gepäck und der Kleidung ihres Säuglings sowie in Bonbondosen versteckt. Sie sei mit einem holländischen Paß auf den Namen Cornelia Christina Alida Vermaesen, geborene Trubendorffer, gereist. Schon am nächsten Morgen um 9.55 Uhr habe sie gemeinsam mit ihrer Tochter und »Kamal Sarvati« die Insel wieder verlassen – noch bevor das letzte Mitglied des vierköpfigen Entführerkommandos in Mallorca gelandet war. Monika Haas bestritt die Anklage vehement. Sie sei nie auf Mallorca gewesen, und die Waffen für die »Landshut«-Entführung habe sie auch nicht geliefert.

Doch die Bundesanwaltschaft hatte nach aufwendigen Nachforschungen eine ganze Reihe von Belegen herangeschafft. So hatte die einzige überlebende Entführerin Souhaila Sayeh nach einigem Zögern ausgesagt, am Abend nach ihrer Ankunft auf Mallorca habe sie Monika Haas, die von den Palästinensern »Amal« genannt wurde, sehr wohl vor der Entführung der »Landshut« getroffen. Das hatte sich nach Souhaila Sayehs spätem Geständnis so zugetragen:

Etwa drei Tage vor der Entführung flog sie gemeinsam mit Nabil Harb ohne Waffen nach Palma de Mallorca. Zohair Akache, der vorausgeflogen war, holte sie vom Flughafen ab und brachte sie ins gemeinsame Hotel. Am Abend kam Monika Haas, die sie ja schon in Aden kennengelernt hatte, ins Hotel. Amal hatte einen großen Kinderwagen mit einem etwa drei Monate alten Kind dabei, aus dem sie runde und viereckige Bonbondosen aus Metall sowie ein Radio hervorkramte. Während Amal sich auf englisch mit dem Chef des Entführungskommandos unterhielt, spielte Souhaila mit dem Kind. Dann verließ Amal das Hotelzimmer, und Zohair Akache sagte: »Jetzt haben wir die Waffen. Sie sind in den Dosen. Im Radio ist ein Zündmechanismus versteckt.« Amal habe die Waffen und den Sprengstoff im Kinderwagen versteckt gehabt. Souhaila offenbarte den deutschen Fahndern auch, daß sie sich darüber gewundert hätte, daß ausgerechnet die als Mossad-Agentin verdächtigte Frau Zaki Helous für eine so brisante Kuriertätigkeit ausgewählt worden war: »Wie konnten sie Amal benutzen, wenn sie glaubten, sie sei eine Verräterin?«

Als Indiz dafür, daß ihre Geschichte mit den Bonbondosen den Tatsachen entsprach, bewertete die Bundesanwaltschaft Aussagen des Hotelpersonals. Angestellte hatten berichtet, daß eine der Entführerinnen beim Auszug eine Tüte mit rund drei Kilogramm Bonbons verschenkt hatte. Das Einwickelpapier habe die Markenaufdrucke »Super Glacial«, »Made in Algeria« und »Le Lion« getragen. Zumindest ein Bonbon der Marke »Super Glacial« wurde später im Reisegepäck einer der Entführerinnen gefunden. Monika Haas dagegen führte die Bonbons als Entlastungsindiz an: Wenn sie die Waffen wirklich in den Bonbondosen transportiert hätte, dann hätte sie die Bonbons ganz sicher nicht in einer separaten Tüte mit nach Mallorca gebracht. Auch erklärte sie, daß ihre Tochter im Sommer 1977 schwer erkrankt und im Oktober keinesfalls reisefähig gewesen sei. Das wiederum zweifelten die Bundesanwälte an.

Auch das Bundeskriminalamt und der Verfassungsschutz hatten Hinweise, daß eine gewisse Frau Vermaesen gemeinsam mit einem Kind und einem Begleiter namens Kamal von Algier aus nach Mallorca geflogen sei – Hinweise, die man eineinhalb Jahrzehnte geheimhielt, angeblich, um die Quellen nicht zu gefährden. Das wiederum erregte bei manchem den Verdacht, daß eine solche Geheimhaltung einen anderen Grund gehabt haben könnte. Vielleicht war Monika Haas' Kontakt zum israelischen Geheimdienst doch etwas intensiver gewesen, als sie nach ihrem Nairobi-Abenteuer zugegeben hatte.

Das Ministerium für Staatssicherheit etwa legte eine umfangreiche Akte an, um herauszufinden, ob Monika Haas tatsächlich, wie es einige Palästinenser vermuteten, für einen westlichen Geheimdienst gearbeitet hatte.

Die Stasi-Offiziere befragten alle ihre Quellen, die mit Monika Haas jemals direkt oder indirekt zu tun gehabt hatten. Es waren viele, denn nach den Ereignissen im »Deutschen Herbst« ging ein Teil der RAF in die DDR, um dort im real existierenden Sozialismus ein Leben ohne Terroranschläge zu führen. Ein anderer Teil hatte auch während des fortgesetzten Untergrundkampfes Kontakt zum MfS. Jeder hatte ein anderes Indiz gegen Monika Haas vorzubringen, manche fundiert, manche weniger.

Ohne ein Ergebnis, das über Verdachtsmomente hinausging, schlossen die Mitarbeiter der Stasi-Hauptabteilung XXII die Akte mit dem Decknamen »OV Wolf« wieder.

Eine geheimdienstliche Querverbindung ausgerechnet zu den Israelis aufzudecken – daran war auch die Bundesanwaltschaft nicht sonderlich interessiert. Sie wollte nur wissen, ob Monika Haas tatsächlich die Waffen für die »Landshut«-Entführung transportiert hatte. Eineinhalb Jahrzehnte später stöberten die Karlsruher Bundesanwälte im Zuge der Haas-Ermittlungen zunächst die einzige überlebende Entführerin Souhaila Sayeh in Norwegen auf und konnten sie zunächst zu Aussagen bewegen, die sie später teilweise widerrief. Nach ihrer Verurteilung zu zwölf Jahren Haft fanden die Bundesanwälte auch noch den angeblichen Reisebegleiter von Monika Haas nach Mallorca. Der Mann mit dem Decknamen »Kamal Sarvati« hieß in Wirklichkeit Said Slim und saß in einem Gefängnis im Libanon.

Said Slim hatte in der Nähe der Palästinenserlager Sabra und Shatila gelebt und war dort in Kontakt zur PFLP gekommen. Nachdem er eine Zeitlang Wachdienst im Lager geschoben hatte, rief ihn die Führung der Front 1976 nach Bagdad. Dort traf er Sousou, die Tochter der Schwester Wadi Haddads. Zwei Wochen vor der Entführung der »Landshut«, so erfuhren die in den Libanon gereisten BKA-Beamten Wolf und Simons nach zwei vergeblichen Vernehmungsversuchen, habe Abu Hani selbst ihn angesprochen. Er solle »mit einer Frau namens Amal, die Westdeutsche ist, nach Algerien fahren«. Sein Auftrag, so gestand er den deutschen Vernehmungsbeamten am 6. März 1997 im Gefängnis Roumieh, sei es gewesen, »Kriegswaffen, die später bei der Flugzeugentführung verwendet werden sollten, zu transportieren«. Nach Saids Geständnis, neunzehneinhalb Jahre nach der Tat, sei er in Begleitung Amals von Bagdad aus nach Algier gereist. Die Frau, die er später anhand eines Fotos als Monika Haas identifizierte, habe ihren Säugling, eine Tochter, mit auf die Reise genommen. In Algier seien die beiden von einer Palästinenserin namens Saaida empfangen und in ein Haus der PFLP gebracht worden. Am nächsten Tag sei Amal von Saaida ein Radiogerät übergeben worden, in dem Waffen versteckt waren. Am Tag nach der

Ankunft, so Slim, nahmen sie eine Maschine der Air Algerie und flogen nach Mallorca. Dort wurden sie von einem Palästinenser namens Jamal am Flughafen abgeholt und mit dem Auto zu einem Hotel in der Nähe des Strandes gebracht. Dort habe Amal dem Palästinenser das Radio mit den Waffen und ein paar Bonbondosen übergeben, in denen sich unter einer Schicht Bonbons ebenfalls Waffen oder Sprengstoff befunden hätten. Am nächsten Tag seien er, Amal und das Baby wieder abgereist und über Paris nach Bagdad zurückgekehrt. Er selbst habe nur das Radio und die Bonbondosen gesehen, nicht aber die darin versteckten Waffen und den Sprengstoff. Das habe er erst nach seiner Rückkehr in Bagdad von einem Mitglied der PFLP erfahren. Er habe lediglich den Auftrag bekommen, die deutsche Frau nach Algier und Palma de Mallorca zu begleiten: »Dies habe ich ausgeführt, und ich weiß nicht, ob meine Rolle der Deckung oder Kontrolle dienen sollte.«

War der Waffentransport also eine Bewährungsprobe für Amal, die der Zusammenarbeit mit dem israelischen Geheimdienst verdächtigt wurde?

Wenn es denn so war, hatte Wadi Haddad sich gerade den richtigen ausgesucht. Als die BKA-Beamten Said Slim im Gefängnis besuchten und von libanesischen Kollegen vernehmen ließen, hatte der gerade die Hälfte seiner vierjährigen Haftstrafe abgesessen. Sein Delikt: Spionage für den israelischen Geheimdienst. Seit wann er für die Israelis gearbeitet hatte, ließ sich nicht genau feststellen.

Schon rein statistisch gesehen ein merkwürdiger Zufall: Zwei Personen, denen beiden nicht ganz ohne Grund Kontakte zum israelischen Geheimdienst nachgesagt wurden, waren nach den Ermittlungen der Bundesanwaltschaft die Waffenlieferanten für die Entführung der Lufthansa-Maschine »Landshut« von Palma de Mallorca nach Mogadischu.

Nachtdienstmeldung Stammheim, 25. September:
»23.00 Uhr Medikamente an Raspe und Baader ausgegeben.«

568

23. Die Banken werden gesichert
(Montag, 26. September 1977)

Im »Großen Krisenstab« wurde auf Vorschlag Bundeskanzler Schmidts Einvernehmen darüber erzielt, daß die Bemühungen um die Sicherung der Banken vor Raubüberfällen weiter verstärkt werden müßten.

Nachtdienstmeldung Stammheim, 26. September:
»23.10 Uhr Medikamente an Baader und Raspe ausgegeben.«

24. Jan-Carl Raspe und das Wort »wir«
(Dienstag, 27. September 1977)

Die Entführer schickten an diesem Tag Briefe an verschiedene Zeitungen, Nachrichtenagenturen, an Payot und Eberhard von Brauchitsch: »Lebenszeichen von Schleyer wird es nur noch im Zusammenhang mit konkreten Hinweisen auf den Austausch geben.« Auch wenn die Bundesregierung den Entführern das Ergebnis der Verhandlungen Staatsminister Wischnewskis vorenthalten wolle, so wüßten sie sicher, daß es Länder gäbe, die zur Aufnahme der elf Gefangenen bereit seien.

Am selben Tag rief der Stammheimer Justizbeamte Bubeck bei der Sicherungsgruppe Bonn an.
»Raspe hat vor einer halben Stunde um den Besuch des Bundesanwalts Löchner und von Ihnen gebeten«, sagte er dem BKA-Beamten Klaus. »Er will eine Mitteilung machen und ein Schriftstück übergeben.«
Auf Anweisung seines Präsidenten Herold flog Alfred Klaus mit dem Hubschrauber nach Stammheim. Er kam dort um 18.30 Uhr an. Bundesanwalt Löchner war nicht da, er sagte Klaus am Telefon: »Ich komme nur dann, wenn es unumgänglich ist.«
Eine Viertelstunde später wurde Raspe in das Besucherzimmer geführt.
»Ich habe noch eine Ergänzung zu den Fragebögen«, sagte er. »Ich kann die Liste der Aufnahmeländer um einige erweitern.« Dann übergab er dem BKA-Beamten einen Bogen mit der vorbereiteten maschinenschriftlichen Erklärung:
»Für den Fall daß die Bundesregierung wirklich den Austausch ver-

sucht und vorausgesetzt, die bereits genannten Länder – Algerien, Libyen, Vietnam, Irak, Südjemen – lehnen die Aufnahme ab, nennen wir noch eine Reihe weiterer Länder: Angola, Moçambique, Guinea-Bissau, Äthiopien. 27.9. 77 Raspe.«

Alfred Klaus nahm die Liste, sah Raspe an und sagte: »Das Wort ›wir‹ und die Aufzählung der schon von Baader genannten fünf Aufnahmeländer bedeutet wohl, daß Sie sich untereinander verständigt haben.« Raspe wurde verlegen, sagte aber nichts. Er unterzeichnete das Original und die Kopie des Schreibens und bat Klaus, sie an den Krisenstab weiterzureichen.

»Haben Sie noch etwas zu sagen?« fragte der BKA-Beamte.

Jan-Carl Raspe antwortete: »Die lange Dauer der ganzen Sache läßt auf die Absicht einer polizeilichen Lösung schließen. Damit wäre eine politische Katastrophe programmiert, nämlich tote Gefangene.«

Im übrigen sei die Isolation nach außen zur Zeit total. Es sei nicht einzusehen, warum man nicht wenigstens die Gefangenen innerhalb der Anstalt miteinander kommunizieren lasse, zumal die Isolation offenbar gesetzlich legitimiert und damit auf eine andere Ebene gehoben werden solle. »Wenn keine Entscheidung getroffen wird, kann dieser Zustand möglicherweise noch drei Monate dauern.« »Meine persönliche Auffassung ist«, meinte Alfred Klaus, »daß dem durch eine Botschaft der Gefangenen, die Entführungsaktion zu beenden, abgeholfen werden könnte.«

Am Ende des Gesprächs sagte Raspe: »Die Aufnahme in einem der genannten Länder hängt von der Intensität ab, mit der sich die Bundesregierung darum bemüht.«

Als Raspe wieder in seine Zelle geführt worden war, sprach Alfred Klaus den Vollzugsbeamten Bubeck, der bei dem Gespräch dabeigewesen war, darauf an, daß sich die Gefangenen offenbar verständigen konnten. Daraufhin führte Bubeck den BKA-Beamten in den Korridor vor den Zellen und zeigte ihm die Dämmplatten, mit denen nächtliche Sprechkontakte von Zelle zu Zelle unmöglich gemacht werden sollten.

Klaus rief den Chef der Sonderkommission beim Stuttgarter Landeskriminalamt, Textor, den Abteilungsleiter im BKA, Boeden, und Bundesanwalt Löchner an und berichtete über seinen Besuch bei Raspe.

Nachtdienstmeldung Stammheim, 27. September:
»18.20 Uhr Raspe Zellentür geöffnet.
18.30 Uhr – 18.40 Uhr Gespräch zwischen einem Herrn vom BKA und Raspe auf 707.
23.00 Uhr Medikamente an Baader und Raspe ausgehändigt.«

25. Eine Flugzeugentführung in Japan
(Mittwoch, 28. September 1977)

In den frühen Morgenstunden wurde eine Maschine der Japan Airlines von japanischen Terroristen entführt. Sie forderten, neun gefangene japanische Anarchisten im Austausch gegen die Flugzeuginsassen freizulassen.

Im Bundestag gab es die zweite Lesung des Kontaktsperre-Gesetzes. Der SPD-Abgeordnete Manfred Coppik erklärte:
»Man kann sehr daran zweifeln, ob die Isolation von Gefangenen wirklich hilft, das Leben einer Geisel zu retten, die schließlich nicht in der Gewalt von Gefangenen, sondern von in Freiheit befindlichen Terroristen ist ... Die Aufgabe rechtsstaatlicher Grundprinzipien rettet kein Menschenleben, schafft aber Lebensverhältnisse, in denen die friedliche demokratische Entwicklung in einem Rechtsstaat gefährdet wird und damit weitere Menschenleben in Gefahr geraten ... Der Kampf gegen den Terrorismus wird nicht durch Sondergesetze gewonnen ...«

Nachtdienstmeldung Stammheim, 28. September:
»18.50 Uhr Baader verlangt nach einer Optipyrin – ausgehändigt.
23.00 Uhr Medikamentenausgabe durch Sanitäter.
23.55 Uhr Baader verlangt nach einer Optipyrin – ausgehändigt.«

26. Keine Zeit für Kompromisse
(Donnerstag, 29. September 1977)

Die japanische Regierung erklärte sich bereit, den Forderungen der Flugzeugentführer nachzukommen und neun Gefangene im Austausch freizulassen.

Gegen 3 Uhr morgens kehrte Staatsminister Wischnewski aus Vietnam zurück.

Währenddessen arbeitete Alfred Klaus an einem Alternativ-Vorschlag zur Lösung der Geisel-Affäre. Er wollte die Stammheimer Gefangenen an den Verhandlungen beteiligen. »Die Rote Armee Fraktion«, so Klaus später, »hatte ja immer den Anspruch erhoben, politisch zu wirken und eine politische Dimension zu haben.« Er wollte sie beim Wort nehmen: sie sollten die Schleyer-Entführer in einer öffentlichen Erklärung zur Freilassung ihrer Geisel bewegen. »Sie hätten auf diese Weise in der Welt-öffentlichkeit einen Sympathieerfolg erzielen können«, meinte Klaus. »Ich war überhaupt der Meinung, man hätte gegebenenfalls den Rechts-anwalt Schily als Vermittler einschalten können, der ja nun ein Vertrauter Gudrun Ensslins war, wie ich weiß. Wenn das alles nicht geholfen hätte, dann hätte man zusätzlich Geldangebote machen können oder Hafter-leichterungen oder Einstellung von Verfahren gegen Rechtsanwälte. Das alles schwebte mir vor, und ich hatte das seinerzeit auch schriftlich fixiert. Ich war der Meinung, hier wäre eine Möglichkeit gewesen, den Gefange-nen einen goldene Brücke zu bauen und gewissermaßen sich zu distan-zieren und eben das Kommando im Untergrund, das Schleyer in Gewahr-sam hatte, dazu zu bewegen, ihn freizulassen.«

Der BKA-Beamte entwarf eine fingierte Kommandoerklärung der Schleyer-Entführer; so, als sei der Kompromißvorschlag von ihnen aus-gegangen: »Unsere Geduld ist erschöpft. Die Bundesregierung will uns durch ihre infame Hinhaltetaktik darüber hinwegtäuschen, daß sie einen Austausch der Gefangenen nie ernsthaft erwogen hat. Die Verhandlun-gen Wischnewskis mit den in Betracht kommenden Ländern sind ein Manöver zur Irreführung der Öffentlichkeit. Er soll seine Lustreisen beenden, die doch nur den Zweck haben, die Regierungen von ihrer Bereitschaft zur Aufnahme der Gefangenen abzubringen. Der Bundes-regierung ist die Vernichtung der Gefangenen aus der RAF offenbar wichtiger als das Leben Schleyers, dieses fetten Repräsentanten des Großkapitals in der BRD.
Wir lassen uns nicht zu seiner Hinrichtung provozieren und als brutale Killer diffamieren. Dieser Staat kann seine beliebig auswechselbare Charaktermaske unter folgenden Bedingungen wiederhaben.

1. Überweisung von 20 Millionen D-Mark auf ein Schweizer Bankkonto, das von Klaus Croissant treuhänderisch mit der Garantie der jederzeitigen Verfügbarkeit verwaltet wird.

2. Einstellung der Verfahren gegen Croissant und alle anderen Vertrauensanwälte der Gefangenen aus der RAF.

3. Wiederherstellung der Haftbedingungen für die Gefangenen, wie sie am 5.8.1977 in Stammheim gegolten haben.

4. Zustimmung der Gefangenen, deren Freilassung von uns gefordert wird.

5. Einstellung der Fahndung für die Dauer der Verhandlung.

30.9.1977 Kommando Siegfried Hausner, RAF.«

Der Vorschlag des BKA-Beamten wurde von seiner Behörde abgelehnt. Es war nicht die Zeit für Kompromisse.

Nachtdienstmeldung Stammheim, 29.September:
»20.00 Uhr. Baader verlangt eine Optipyrin (ausgehändigt).
23.00 Uhr Medikamentenausgabe durch Sani an Baader und Raspe.
2.15 Uhr Dolviran an Baader ausgegeben.«

27. Eine »Doublette« wird observiert
(Freitag, 30.September 1977)

Um 9.00 Uhr morgens übermittelte das BKA seine 21. Mitteilung an die Entführer: »Die Regierung der Volksrepublik Vietnam lehnt die Aufnahme der Gefangenen ab. Auch Algerien hat nunmehr erklärt, daß es nicht zum Aufnahmeland für Terroristen werden wolle.«

Das Kontaktsperre-Gesetz wurde vom Deutschen Bundestag verabschiedet.
Nur die SPD-Abgeordneten Manfred Coppik, Karl-Heinz Hansen, Dieter Lattmann und Klaus Thüsing stimmten dagegen.
Der Stimme enthielten sich 17 Parlamentarier.
Zwei Stunden später unterzeichnete der Bundespräsident das Gesetz.

Am späten Nachmittag wurde Rechtsanwalt Klaus Croissant in Paris festgenommen.

Inzwischen hatte die Polizei ermittelt, daß alle Kennzeichen der bei der Schleyer-Entführung benutzten Wagen bei einer bestimmten Firma am Hansaring in Köln geprägt worden waren. Derselbe Kunde hatte noch mehr Kennzeichen bestellt: vier Paare.

Die Fahnder machten sich auf die Suche nach den dazu passenden Autos.

Die vier »Doubletten«-Nummern wurden fernschriftlich an alle Polizeidienststellen durchgegeben. In Köln und Umgebung bekam jeder Polizeibeamte ein Fahndungsblatt mit den Autonummern. Alle Motorradstreifen der Kölner Schutzpolizei schwärmten aus, um in Parkhäusern und Tiefgaragen nach den Wagen zu suchen.

Am frühen Abend entdeckte ein Polizeimeister in der Garage der Großwohnanlage »Am Kölnberg« in Meschenich einen Mercedes, der eines der gesuchten Kennzeichen trug. Der Wagen wurde daraufhin ununterbrochen observiert.

Den Wohnkomplex mit über tausend Appartements durchsuchte die Polizei zunächst noch nicht. Es wurden auch nicht die Vermietungsunterlagen geprüft. Aus diesen wäre hervorgegangen, daß eine Cornelia B. die Wohnung Nr. 1010 angemietet hatte. Erst später wurde ermittelt, daß wahrscheinlich Angelika Speitel unter diesem Namen aufgetreten war; die Ehefrau von Volker Speitel.

Nachtdienstmeldung Stammheim, 30. September:
»18.10 Uhr. Baader verlangt eine Optipyrin (ausgehändigt).
20.25–20.39 Uhr wurde Baader von H. Listner in der Zelle gespritzt (Zelle wurde geöffnet).
S. Meldung!
23.00 Uhr Medikamente an Baader ausgegeben.«

28. Arndt Müller wird verhaftet
(Samstag, 1. Oktober 1977)

Gegen Mittag meldete sich das »Kommando Siegfried Hausner« bei dem Genfer Rechtsanwalt. Der Anrufer sagte: »Das Kommando stellt fest, daß das BKA die Forderungen, die Gefangenen zusammenzulegen, nicht erfüllt hat.« In einem Punkt wisse man genau, daß die Regierung lüge: »Mindestens ein Land hat sich bereit erklärt, die Gefangenen aufzunehmen.«

Um 17.35 Uhr wurde der Sozius des in Frankreich verhafteten Anwalts Klaus Croissant, der 37jährige Rechtsanwalt Arndt Müller, in Stuttgart festgenommen.
Müller hatte sich in den Wochen zuvor auf Pressekonferenzen erheblich exponiert, hatte von »gezielten Lügen des Staatsschutzes« gesprochen und von einem »Krieg gegen die Verteidigerbüros«. Auch nachdem der zweite Croissant-Sozius Armin Newerla verhaftet worden war, hatte sich Müller immer noch frei und offen gezeigt, so als hätte er nichts von den Behörden zu befürchten. Seine Festnahme kam überraschend. Die »Süddeutsche Zeitung« damals: »Schlüssig zu erklären wäre die Verhaftung Müllers gerade am letzten Freitag, wenn die Ermittler kurz zuvor zusätzliches belastendes Material in die Hand bekommen hätten.«

Nachtdienstmeldung Stammheim, 1. Oktober:
»23.10 Uhr Medikamente an Raspe und Baader ausgegeben.
2.25 Uhr Dolviran an Baader ausgegeben.«

29. Volker Speitel wird verhaftet
(Sonntag, 2. Oktober 1977)

Um Mitternacht trat das Kontaktsperre-Gesetz in Kraft. Zwei Minuten später stellte der Bundesjustizminister Kontaktsperre für 72 Häftlinge fest und übermittelte dies fernschriftlich an die Justizverwaltungen der Länder. Damit war legalisiert, was bereits drei Wochen andauerte.
Das BKA wandte sich wieder an die Entführer, verlangte ein neues Lebenszeichen von Schleyer und stellte fest: »Eine Zusammenlegung

der Gefangenen kommt beim gegenwärtigen Verhandlungsstand nicht in Betracht.«

Die Entführer würden offenbar völlig falsche Erwartungen über die Bereitschaft der Zielländer zur Aufnahme der Gefangenen hegen. Die Bundesregierung sei dennoch zu weiteren Bemühungen bereit.

Einige Tage zuvor war Volker Speitel, der »Kurier« zwischen den Stammheimer Gefangenen und den »Illegalen«, zusammen mit anderen aus dem Sympathisanten-Umfeld nach Dänemark gereist, um dort eine Veranstaltung gegen die Kontaktsperre vorzubereiten. Nach der Veranstaltung, so sagte später eine seiner Begleiterinnen, wollten sie nach Griechenland weiterfahren, um dort eine ähnliche Aktion zu organisieren. Schon am 30. September hatte Speitel im Stuttgarter Croissant-Büro angerufen und erfahren, daß nach ihm gefahndet werde.

Trotzdem setzte sich Volker Speitel am 2. Oktober 1977 in den Zug und fuhr in die Bundesrepublik zurück. Kurz nach Passieren der Grenze wurde er festgenommen.

Nachtdienstmeldung Stammheim, 2. Oktober:
»19.30 Uhr Baader verlangt Optipyrin.
19.45 Uhr Sicherung von 715 (Baader) fliegt zweimal heraus.
21.00 Uhr Baader verlangt Optipyrin (wurde ausgehändigt).
22.50 Uhr Baader verlangt eine Dolantinspritze, die ihm gegen 23.20 Uhr verabreicht wurde. S. Meldung.«

30. Die Medikamente
(Montag, 3. Oktober 1977)

Nachtdienstmeldung Stammheim:
»23.10 Uhr Medikamente an Baader und Raspe ausgegeben.
1.25 Uhr Baader verlangt Optipyrin. 1.30 Uhr ausgehändigt.«

Seit Beginn der Kontaktsperre am 5. September hatten die Gefangenen im siebten Stock, allen voran Baader und Raspe, anscheinend Medikamente nach Belieben erhalten.

Fortral-Zäpfchen, Optypyrin-Zäpfchen, Dolviran-Tabletten, Tradon-Dragees, Xitix-Tabletten, Paracodin-Hustensaft, Adalin-Tabletten, Dolantin-Spritzen, Novadral-Dragees, Depot-Impletol-Spritzen …

Vor allem Adalin, Dolviran, Optipyrin und Paracodin werden, so der Untersuchungsausschuß später, »auch zur Erzeugung eines Zustandes wohliger Stimmung genommen«.

Es war die klassische Mischung von »uppern« und »downern«, aufputschenden starken Schmerzmitteln und Schlafmitteln.

Schon Anfang der sechziger Jahre hatte Andreas Baader in Berlin gern eine Spezialmischung aus Dolviran-Tabletten, Barbituraten und Coca-Cola zu sich genommen. In Stammheim bekam er die Drogen von den Justizbeamten allabendlich serviert. Bei der Obduktion seiner Leiche fanden die Gerichtsmediziner später in seinem Harn Arzneimittelrückstände aller Art: Phenobarbital, Secobarbital, Salicylsäure, Salicylursäure, Pyrarolon-Derivate, Paracetamol, p-Aminophenol, Carbromal und bromhaltige Metybolite, Codein, Marphin, Pantazocin, Dihydrocodein, Nicotin und Coffein.

Eine Bewußtseinstrübung des Gefangenen sei daraus allerdings nicht abzuleiten, erklärten die Mediziner.

31. Ein Hochhaus und eine Anwaltskanzlei werden durchsucht
(Dienstag, 4. Oktober 1977)

Gegen 2.00 Uhr nachts erließ der Ermittlungsrichter des Bundesgerichtshofes Haftbefehl gegen Volker Speitel und die mit ihm festgenommene Begleiterin im Schnellzug aus Dänemark.

Am selben Tag begannen Polizeibeamte, das Hochhaus »Am Kölnberg« in Meschenich zu durchsuchen. Nach zwei Tagen stießen sie auf das Appartement 1010, das eine Cornelia B. am 1. Juni angemietet hatte. Am 23. September hatte sie schriftlich zum 30. September gekündigt und als neue Adresse die »Park Lane« in London angegeben. Aus Schriftgutachten und der Vorlage von Fotos bei Angestellten der Vermietungsgesellschaft zogen die Fahnder den Schluß, daß Angelika Speitel die Mieterin gewesen war.

Sie war die Frau Volker Speitels. Der gab angeblich erst Monate später zu Protokoll, daß er das Appartement »Am Kölnberg« als konspirative Wohnung der Schleyer-Entführer gekannt habe.

Aber schon bei der Durchsuchung zwischen dem 4. und 6. Oktober legten Kriminalbeamte den Nachbarn des Appartements Fotos von Angelika Speitel vor.

Das seit vier Tagen erfolglos observierte Auto in der Tiefgarage wurde ebenfalls an diesem Tag geöffnet – mit Hilfe einer Seilwinde, um niemanden durch eventuell im Wagen versteckte Sprengkörper zu gefährden. Im Kofferraum fanden die Fahnder einen Manschettenknopf Hanns Martin Schleyers. Die Beamten kamen zu dem Schluß, der Arbeitgeberpräsident sei nach dem Überfall im Kofferraum dieses Wagens in das erste Versteck gebracht worden.

An diesem 4. Oktober wurde wieder einmal die Anwaltskanzlei Croissant in Stuttgart durchsucht. Die vorherige Durchsuchung lag eine knappe Woche zurück; anschließend war die Kanzlei versiegelt worden. Für die zweite Durchsuchung gibt es keine offizielle Erklärung. Auffällig aber ist, daß Volker Speitel in seinen Aussagen – mit denen er angeblich erst sehr viel später begann – auf besondere Verstecke im Aktenraum der Kanzlei hingewiesen hatte. Auch andere Einzelheiten seiner Vernehmung lassen darauf schließen, daß Volker Speitel bereits am 4. Oktober mit seinen Aussagen begann.

Er selbst, sein Anwalt und auch die Bundesanwaltschaft haben das immer bestritten. Ein früherer Aussagebeginn hätte den Verdacht erregt, Speitel könnte schon vor dem Tod der Gefangenen den Behörden mitgeteilt haben, in Stammheim befänden sich Waffen. Speitels Vernehmungsprotokolle wurden nie vollständig offengelegt.

In Stammheim wurden die »Kontaktsperrepolster« nur nachts an den Türen befestigt. Am Tage, so die offizielle Erklärung, hätten sie die Luftzufuhr zu den Zellen übermäßig beeinträchtigt.

Aus Protest gegen die Kontaktsperre waren die Gefangenen kurzzeitig in Hungerstreik getreten. Niemand außerhalb der Anstalt erfuhr davon, weder Rechtsanwälte noch Angehörige. Es herrschte Kontaktsperre.

An diesem Tag rief Andreas Baader den anderen zu: »Ab sofort wird wieder gefressen!«

Am späten Abend trat in Bonn der »Große Krisenstab« zusammen. In der Dokumentation der Bundesregierung hieß es darüber später: »In einer grundsätzlichen Aussprache werden die weiteren Verhaltensmöglichkeiten gegeneinander abgewogen. Über das konkrete Vorgehen gegenüber den Entführern besteht Einigkeit.«

Nachtdienstmeldung Stammheim, 4. Oktober:
»19.00 Uhr. Baader verlangt Optipyrin und Brandsalbe (ihm sei kochendes Wasser über den Fuß gelaufen), ausgehändigt.
23.05 Uhr Medikamente an Baader und Raspe ausgehändigt.«

32. Vier gleichlautende Anträge
(Mittwoch, 5. Oktober 1977)

Der Stammheimer Anstaltsleiter Nusser rief beim Amtsgericht Stuttgart-Bad Cannstatt an und teilte dem Richter Bertsch mit, Raspe wolle einen Antrag auf Aufhebung der Kontaktsperre stellen. Noch am selben Tag wurde der Amtsrichter in den siebten Stock geführt. Jan-Carl Raspe erschien und gab seinen Antrag zu Protokoll.
Anschließend wurde Baader dem Amtsrichter vorgeführt. Er stellte den gleichen Antrag.
Am Nachmittag desselben Tages fuhr auch der Richter Werner Heinz in die Haftanstalt Stammheim. Gegen 15.00 Uhr traf er Gudrun Ensslin. Nach einem kurzen Gespräch nahm der Richter den von ihr handschriftlich formulierten und am Vortag, dem 4. Oktober, datierten Antrag entgegen.
Am Tag darauf erfuhr der Richter, daß auch Irmgard Möller die Aufhebung der Kontaktsperre beantragen wollte. Wieder fuhr er nach Stammheim.

Nachtdienstmeldung Stammheim, 5. Oktober:
»Dr. Bertsch, Richter beim AG Stuttgart-Bad Cannstatt war bis 19.30 Uhr bei Raspe und Baader.
23.00 Uhr Medikamente an Baader und Raspe ausgehändigt.«

33. Überwachung nicht zumutbar
(Donnerstag, 6. Oktober 1977)

Der Gefängnisarzt Dr. Henck, der zu den Gefangenen inzwischen ein leidlich gutes Verhältnis aufgebaut hatte, besuchte Jan-Carl Raspe in dessen Zelle. Er traf einen Gefangenen, der einen vollkommen deprimierten Eindruck machte, über Schlafstörungen klagte und dem das Sprechen schwerfiel. Raspe hatte Tränen in den Augen und sprach von Gedanken an Selbstmord.

Dr. Henck erschrak. Zwar hatte er unterschwellig schon seit längerer Zeit die Befürchtung gehabt, die Gefangenen könnten Selbstmord begehen. Jetzt aber schien die Gefahr akut. Er kannte die Gefangenen als abweisend, kühl und vor allem beherrscht. Daß Raspe ihm jetzt etwas von seinen Schlafstörungen sagte, war für den Arzt etwas völlig Neues. Die Gefangenen im siebten Stock hatten ihre Zellen abgedunkelt. Das erschien dem Psychiater als ein Zeichen für »Introvertiertheit, Regressivität, des Sich-Zurückziehens«.

Er konnte nachvollziehen, wie sich die Kontaktsperre auf die Häftlinge auswirkte. Schon vor der offiziellen Verhängung waren die Vollzugsbedingungen im Hochsicherheitstrakt über mehrere Wochen sehr streng gewesen. Nach der Schlägerei am 8. August war die Verschärfung als »Hausstrafe« angeordnet worden. »Das könnte man ja ad absurdum weiterführen«, hatte Baader ihm gesagt. Dr. Henck meinte später, die in Stammheim untergebrachten Gefangenen hätten die Kontaktsperre gleichsam als Fortsetzung der Hausstrafe empfunden und deshalb schwerer darunter gelitten als Gefangene in anderen Anstalten.

Nach seinem Besuch bei Raspe schrieb der Arzt einen Vermerk für die Anstaltsleitung: »Nach dem Gesamteindruck muß davon ausgegangen werden, daß bei dem Gefangenen eine echte suizidale Handlungsbereitschaft vorliegt. Ich bitte um Kenntnisnahme und Mitteilung, auf welche Art und Weise ein eventueller Selbstmord verhindert werden kann.«

Am Nachmittag ließ der stellvertretende Anstaltsleiter, Regierungsdirektor Schreitmüller, den Arzt und den Amtsinspektor Bubeck zu sich kommen. Er wollte wissen, welche Maßnahmen man trotz Kontaktsperre ergreifen könne. »Ist es vertretbar, Raspe in eine Beruhigungszelle zu verlegen oder ihn bei angeschaltetem Licht nachts laufend zu überwachen?«

Beide Möglichkeiten hielt Dr. Henck für nicht durchführbar: »Dadurch wird der Druck auf Raspe noch mehr verschärft.«

Man entschied zunächst, Dr. Henck solle Raspe einmal täglich aufsuchen.

Noch wenige Monate zuvor war man in Stammheim nicht so rücksichtsvoll gewesen, wenn es galt, die Häftlinge nachts zu kontrollieren; das geht aus Nachtdienstmeldungen hervor.

Am 16. August 1977 wurde vermerkt: »Die Zellen 719/Baader, 720/Ensslin/Möller, 721/Schubert mußten geöffnet werden, da die Gefangenen auf Anruf nicht reagierten. 23.08–23.45 Uhr.«

Am 18. August:

»Die BM-Gefangenen wurden um 11.00 Uhr, 2.00 Uhr und 5.00 Uhr durch Öffnen der Zellentüren kontrolliert.«

Am 19. August:

»2.04–2.11 Uhr Kontrolle durchgeführt.

5.08–5.12 Uhr Kontrolle durchgeführt.«

Am 20. August:

»1.51–2.05 Uhr Kontrolle durchgeführt. Zellen 767 und 720 wurden geöffnet, da die Gefangenen auf Anrufe nicht reagierten. 4.58–5.05 Uhr Kontrolle durchgeführt. Die Gefangene Möller gibt kein Lebenszeichen: 5.05 Uhr Arzt wurde vom Revier geholt.«

Am 21. August:

»Die Zelle 720/Ensslin/Möller wurde geöffnet, da die Gefangenen auf Anrufe keine Antwort gaben. 2.04 bis 2.07 Uhr Kontrollen durchgeführt. Die Gefangene Ensslin gibt kein Lebenszeichen: 2.07 Uhr Arzt wird geholt …

5.03 bis 5.09 Uhr Kontrollen durchgeführt.«

In der Nacht vom 21. auf den 22. August 1977 wurden die Gefangenen noch häufiger kontrolliert:

19.10 Uhr Verena Becker, 19.13 Uhr Gudrun Ensslin, 21.26 Uhr Becker, 21.28 Uhr Ensslin, 23.05 Uhr Becker, 23.08 Uhr Raspe, 23.10 Uhr Baader, 23.15 Uhr Ensslin, 23.17 Uhr Irmgard Möller, 0.45 Uhr Becker, 0.58 Uhr Ensslin, 2.10 Uhr Becker, 2.12 Uhr Raspe, 2.13 Uhr Baader, 2.15 Uhr Ensslin, 2.17 Uhr Möller, 4.04 Uhr Becker, 4.06 Uhr Ensslin, 5.25 Uhr Becker, 5.27 Uhr Raspe, 5.29 Uhr Baader, 5.31 Uhr Ensslin, 5.32 Uhr Möller (»gibt kein Lebenszeichen, 5.37 Uhr Arzt trifft ein«).

So ging das fast jede Nacht, bis zur Kontaktsperre. Als der Gefängnisarzt Dr. Henck Selbstmordgefahr bei Jan-Carl Raspe diagnostizierte, wurden die Nachtdienstkontrollen mit »Rücksicht auf die Gefangenen« nicht wiederaufgenommen.

Oder gab es inzwischen andere Möglichkeiten, die Gefangenen zu überwachen?

In Palma de Mallorca kam am Abend des 6. Oktober gegen 23.00 Uhr ein schwarzhaariger junger Mann in die Lounge des Hotels »Saratoga« und verlangte ein Einzelzimmer. Das Hotel war fast ausgebucht, und der Mann, der einen iranischen Paß auf den Namen Ali Hyderi vorlegte, mußte mit einem teuren Vierbettzimmer vorlieb nehmen. Am nächsten Morgen erkundigte er sich erneut, ob ein Einzelzimmer freigeworden wäre. Der Portier konnte ihm nur ein Doppelzimmer anbieten.

»Ist sonst noch etwas frei?« fragte der Gast. »Ich erwarte heute gegen Mitternacht noch jemanden.«

Wieder schüttelte der Portier den Kopf: »Sie haben doch ein Doppelzimmer, vielleicht kann die Person eine Nacht bei Ihnen schlafen?«

»Es handelt sich um eine Dame«, sagte Hyderi.

»Das müssen Sie wissen.«

Gegen Mitternacht kam die Besucherin und legte ebenfalls einen iranischen Paß vor, der auf den Namen Soraya Ansari ausgestellt war.

Nachtdienstmeldung Stammheim, 6. Oktober:

»21.05 Uhr Baader verlangt sein Schlafmittel.

21.25 Uhr Baader wurde sein Schlafmittel und eine Dolviran vom Sani ausgehändigt.«

34. »Keiner hat die Absicht, sich umzubringen.«
(Freitag, 7. Oktober 1977)

Kurz nach Mittag übergab ein Justizbeamter Baader eine schriftliche Verfügung der Anstaltsleitung, die privaten Obsteinkauf der Gefangenen verbot. Baader warf ihm das Schriftstück vor die Füße und sagte: »Das sind die Dinge, für die Sie noch büßen müssen. Ich gebe Ihnen noch wenige Tage.«

»Lesen Sie doch die Unterschrift auf der Verfügung«, sagte der Beamte. »Sie sind das unterste Glied in der Mord-Maschinerie, und an Sie halte ich mich.«

Kurze Zeit später besuchte der Anstaltsarzt Dr. Henck die Gefangenen im siebten Stock. »Noch ein paar Tage, dann gibt es Tote«, sagte ihm Baader. Und Gudrun Ensslin meinte: »Jetzt platzt der Sadismus aus allen Nähten.«

Noch am selben Tag schrieb Andreas Baader an das Oberlandesgericht: »Aus dem Zusammenhang aller Maßnahmen seit sechs Wochen und ein paar Bemerkungen der Beamten läßt sich der Schluß ziehen, daß die Administration oder der Staatsschutz, der – wie ein Beamter sagt – jetzt permanent im siebten Stock ist, die Hoffnung haben, hier einen oder mehrere Selbstmorde zu provozieren, sie jedenfalls plausibel erscheinen zu lassen.

Ich stelle dazu fest: keiner von uns – das war in den paar Worten, die wir vor zwei Wochen an der Tür wechseln konnten und der Diskussion seit Jahren klar – hat die Absicht, sich umzubringen. Sollten wir – wieder ein Beamter – hier ›tot aufgefunden werden‹, sind wir in der guten Tradition justizieller und politischer Maßnahmen dieses Verfahrens getötet worden.

Andreas Baader, 7. 10., 19 Uhr.«

Nachtdienstmeldung, 7. Oktober:
»23.00 Uhr Baader Schlafmittel ausgegeben sowie Dolviran. Raspe Fortral ausgehändigt. Ansonsten keine Vorkommnisse.«

35. Selbstmorddrohungen und Vertrauen in das Verantwortungsbewußtsein der Politiker
(Samstag, 8. Oktober 1977)

In der Genfer Anwaltskanzlei ging am Morgen ein handgeschriebener Brief Schleyers ein, dem eine Polaroid-Aufnahme beigefügt war. Der Entführte hielt auf dem Foto ein Schild mit der Aufschrift: »Seit 31 Tagen Gefangener«.

Hanns Martin Schleyer schrieb: »Ich habe die Gelegenheit bekommen, meiner Frau für den mich beruhigenden Brief in ›Bild am Sonntag‹ vom

21.9. 1977 zu danken. Ich kann meiner Frau versichern, daß es mir physisch und psychisch gutgeht, soweit dies unter den gegebenen Umständen möglich ist. Die Ungewißheit ist die größte Belastung. Ich habe in der ersten Erklärung nach der Entführung zum Ausdruck gebracht, daß die Entscheidung über mein Leben in der Hand der Bundesregierung liegt, und ich habe damit diese Entscheidung akzeptiert. Aber ich sprach von Entscheidung und dachte nicht an ein jetzt über einen Monat dauerndes Dahinvegetieren in ständiger Ungewißheit.«

Das Vorgehen der Japaner nach der Entführung des JAL-Flugzeuges zeige, daß es Länder gäbe, die aufnahmebereit seien. (Algerien hatte die neun freigepreßten Japaner aufgenommen.) Die Vermittlertätigkeit Payots sei nicht mehr hilfreich, solange sie keine wirklichen Ergebnisse bringen könne.

»Meine Familie und meine Freunde wissen, daß ich nicht so leicht umzuwerfen bin und über eine robuste Gesundheit verfüge. Dieser Zustand eines nicht mehr verständlichen Hinhaltens ist aber gerade nach der Entscheidung der japanischen Regierung und ihrer konsequenten Haltung, nach der sie sich als mitverantwortlich für die Entführung bezeichnete und Maßnahmen erst nach der unblutigen Abwicklung dieses Vorgangs ergreifen wird, auch von mir nicht mehr lange zu verkraften. Man muß schließlich die Umstände berücksichtigen, unter denen ich lebe. Deshalb ist eine Entscheidung der Bundesregierung – wie ich sie am ersten Tag gefordert habe – dringend geboten.

Dies um so mehr, als meine Entführer nach meiner festen Überzeugung so nicht mehr lange weitermachen werden. Ihre Entschlossenheit kann nach der Ermordung Bubacks und Pontos nicht in Zweifel gezogen werden.

Mit meiner Frau vertraue ich auf das hohe Verantwortungsbewußtsein der politisch Verantwortlichen und hoffe nach wie vor, bald wieder bei ihr sein zu können.«

Gegen 14.00 Uhr erhielt der BKA-Beamte Klaus einen Anruf aus Stammheim. Der Vollzugsbeamte Bubeck war am Telefon: »Baader hat um Ihren Besuch gebeten. Bis 16.00 Uhr sollen Sie hier sein.«

Klaus wurde mit einem Hubschrauber nach Stammheim gebracht. Um 17.45 Uhr kam Baader ins Besucherzimmer der Anstalt. Er wirkte nervös und fragte: »Haben Sie mir etwas zu sagen?« Klaus antwortete: »Ich denke, ich bin gekommen, um von Ihnen etwas zu hören.«

Hektisch und unzusammenhängend sagte Baader: »Wenn das jämmerliche Spiel und die Potenzierung der Isolation seit sechs Wochen nicht bald ein Ende findet, werden die Gefangenen entscheiden. Das polizeiliche Kalkül wird nicht aufgehen. Dann werden die Sicherheitsorgane mit einer Dialektik der politischen Entwicklung konfrontiert, die sie zu betrogenen Betrügern macht. Die Gefangenen haben nicht die Absicht, die gegenwärtige Situation länger hinzunehmen. Die Bundesregierung wird in Zukunft nicht mehr über die Gefangenen verfügen können.«

»In welcher Welt leben Sie eigentlich?« fragte der BKA-Beamte. »Finden Sie nicht auch, daß das irreale Vorstellungen sind?«

»Das ist eine Drohung«, sagte Baader. »Es wird sich um eine irreversible Entscheidung der Gefangenen in Stunden oder Tagen handeln.«

Klaus hatte das Gefühl, Baader sei infolge der Isolation und der Ungewißheit mit den Nerven am Ende. Nach sieben Minuten stand Baader auf und verließ das Besucherzimmer. Auf dem Flur blieb er noch einmal stehen und wandte sich um: »Falls die Bundesregierung die Gefangenen auszutauschen beabsichtigt, dann wollen wir nicht irgendwohin gebracht werden, sondern an den Verhandlungen über Zielort und Modalitäten beteiligt werden.«

Dann ließ er sich wieder in seine Zelle einschließen.

Alfred Klaus flog zurück nach Bonn und schrieb einen Vermerk über das Gespräch mit Baader: »Mit der von ihm genannten Entscheidung der Gefangenen kann nach Sachlage nur ihre Selbsttötung gemeint sein. Ob dies ernst gemeint ist und ob die Gefangenen sich darüber haben verständigen können, ist nicht sicher.«

Klaus teilte dem Anstaltsleiter und dem BKA-Präsidenten Herold mit, daß er befürchte, die Gefangenen könnten Selbstmord begehen.

In Palma de Mallorca war inzwischen ein zweites, angeblich aus dem Iran stammendes Paar eingetroffen. Die beiden legten Pässe auf die Namen Riza Abbasi und Shanaz Holoun vor und bezogen ein Doppelzimmer im Hotel »Costa del Azul«, nicht weit entfernt vom »Saratoga«, in dem ihre Landsleute abgestiegen waren.

Abbasi besuchte fast jeden Tag Reisebüros. Er wollte unbedingt mit der

Lufthansa nach Frankfurt fliegen. Schließlich buchte er zwei First Class Tickets für den Flug Lufthansa 181 am Donnerstag, 13. Oktober 1977. Gleichzeitig kaufte auch Ali Hyderi zwei Tickets, Economy, für den Flug nach Frankfurt.

Die angeblichen Perser waren im Libanon und in Israel geboren. »Shanaz Holoun« hieß Hind Alameh, 22 Jahre alt, libanesische Christin.
»Riza Abbasi«, 23, war in Beirut geboren und hieß in Wirklichkeit Wabil Harb. Er war Sohn wohlhabender Libanesen.
»Soraya Ansari«, geboren 1955 in Israel, war mit ihren christlich-orthodoxen Eltern nach Kuweit emigriert. Sie hatte in Bagdad englische Literatur studiert.
»Ali Hyderi« wurde 1954 im palästinensischen Flüchtlingslager Burj el-Brajneh am Rande Beiruts geboren. Sein Name war Zohair Youssif Akache. Seine Eltern waren 1948 aus Israel geflohen.

Nachtdienstmeldung Stammheim, 8. Oktober:
»23.00 Uhr Medikamente an Baader und Raspe ausgegeben.
2.50 Uhr eine Optipyrin an Baader ausgegeben.«

36. »Besser ein gefangener Hund als ein toter Löwe«
(Sonntag, 9. Oktober 1977)

Gudrun Ensslin hatte am Morgen den Justizbeamten mitgeteilt, sie wünsche den BKA-Beamten Klaus zu sehen. Umgehend machte der sich wieder auf den Weg nach Stammheim. Am Nachmittag traf er die Gefangene, wiederum in der Besucherzelle des siebten Stockes. Gudrun Ensslin hatte Notizen mitgebracht und verlangte, daß der ebenfalls anwesende Vollzugsbeamte Bubeck mitschriebe, was sie zu sagen habe:
»Wenn diese Bestialität hier, die ja auch mit Schleyers Tod nicht beendet sein wird, andauert und die Repressalien im sechsten Jahr der Untersuchungshaft und Isolation – und da geht es um Stunden, Tage, daß heißt nicht mal eine Woche –, dann werden wir, die Gefangenen in Stammheim, Schmidt die Entscheidung aus der Hand nehmen, indem

wir entscheiden, und zwar wie es jetzt noch möglich ist, die Entscheidung über uns.«

Gudrun Ensslin hatte so schnell diktiert, daß Horst Bubeck Mühe hatte mitzuschreiben. Schon nach dem ersten Absatz war für den BKA-Mann Klaus unmißverständlich klar, daß Gudrun Ensslin mit Selbstmord drohte, wenn die Bundesregierung nicht auf die Forderungen einginge. Er erinnerte sich an Gudrun Ensslins Kassiber an ihre Mitgefangenen drei Jahre zuvor, während des großen Hungerstreiks: »Hab' den Einfall … wie wir den Hungerstreik anders machen können … jede Woche (oder egal 2–4) wird sich einer von uns töten …«

Gudrun Ensslin diktierte hastig weiter:

»Das ist eine Tatsache, die die Regierung angeht, weil sie verantwortlich ist für die Tatsache, die sie begründen – die fünfeinhalb Jahre Folter und Mord, den Schauprozeß, die totale elektronische Überwachung, die Tortur durch Drogen und Isolation –, dieses ganze jämmerliche Ritual, um unseren Willen und Bewußtsein zu brechen, verantwortlich auch für den Exzeß dieser unmenschlichen Konzeption seit sechs Wochen: die perfekte soziale und Geräuschisolation und die Masse der Schikanen und Quälereien, die uns fertigmachen sollen. Es kann keine Drohung sein – sie wäre paradox, aber ich denke, die Konsequenz bedeutet zwangsläufig Eskalation und damit das Wofür in der Bundesrepublik Deutschland, wenn man den Begriff perfekt verwendet, von dem bisher nicht die Rede sein konnte – Terrorismus. Es bedeutet auch, das heißt, das ist die Prämisse der Entscheidung – das, was immer die Regierung entscheiden kann, für uns gar nicht mehr die Bedeutung hat, von der sie ausgeht.«

Dann skizzierte Gudrun Ensslin die Alternative, offenkundig bemüht, in der festgefahrenen Frontstellung zwischen Bundesregierung und Schleyer-Entführern selbst die Initiative zu ergreifen. Wenn die Gefangenen ausgetauscht würden und die Sicherheit hätten, daß die Bundesregierung nicht versuchte, sie vom Zielland wieder ausliefern zu lassen, würde Hanns Martin Schleyer auf freien Fuß gesetzt.

Das hätte für die Regierung noch einen weiteren Vorteil: »Die Regierung kann davon ausgehen, daß wir, das heißt die Gruppe, um deren Befreiung es geht, nicht in die Bundesrepublik zurückkommen – weder legal noch illegal.«

Damit nahm Gudrun Ensslin den Vorschlag wieder auf, den Andreas Baader dem BKA-Beamten Klaus schon am 13. September gemacht hatte.

»Der sicherste Weg für ›Leib und Leben‹ Schleyers«, diktierte sie weiter, sei es, die Haftbefehle aufzuheben und eine Aufenthaltsgenehmigung im Zielland zu beschaffen. Über die Frage, ob die Gefangenen von der Bundesregierung Geld annehmen würden, wie es die Schleyer-Entführer verlangt hatten, würden die elf Gefangenen gemeinsam entscheiden.

Als Gudrun Ensslin mit ihrem Text fertig war, fragte der BKA-Beamte sie: »Welcher Art ist die Entscheidung, die Sie dem Kanzler abnehmen wollen?«

»Das geht ja wohl aus der Erklärung unmißverständlich hervor«, antwortete Gudrun Ensslin. Klaus erkundigte sich, ob sie von dem gestrigen Gespräch mit Baader erfahren habe.

»Ja«, sagte Gudrun Ensslin. Sie wirkte ruhig und gefaßt.

Nach dem Gespräch erfuhr Alfred Klaus vom Gefängnispersonal, daß die Isolierung der Gefangenen im siebten Stock keineswegs vollständig war. Sie könnten etwa aus den unter ihnen liegenden Zellen Radiosendungen durch die geöffneten Fenster mithören. Tagsüber sei es möglich, durch die Zellentüren hindurch miteinander zu sprechen, weil die Schaumstoff-Dämmplatten nur während der Nacht vor die Türen gestellt wurden.

Auch Jan-Carl Raspe wollte an diesem Nachmittag mit dem BKA-Beamten sprechen. Um 15.15 Uhr wurde er in die Besucherzelle geführt, wo Klaus auf ihn wartete.

»Ich will an meine Warnung vom 27. September erinnern«, sagte Raspe. »Die politische Katastrophe sind die toten Gefangenen und nicht die befreiten. Das geht die Bundesregierung insofern an, als sie für die jetzigen Haftbedingungen verantwortlich ist, die darauf abzielen, die Gefangenen als verschiebbare Figuren zu behandeln. Die Gefangenen werden der Bundesregierung, wenn dort keine fällt, die Entscheidung abnehmen.«

»Wollen Sie sich selbst töten, so wie es Ulrike Meinhof getan hat?« fragte Alfred Klaus.

»Ich weiß nicht«, sagte Raspe. Er dachte einen Augenblick nach: »Es gibt ja auch das Mittel des Hungerstreiks und des Durststreiks. Nach sieben Tagen Durststreik ist der Tod unausweichlich. Da nützen auch keine medizinischen Mätzchen mehr.«

Klaus meinte: »Ein lebendiger Hund ist immer noch besser als ein toter Löwe. Ein Wort aus dem Buch ›Prediger Salomon‹.«

Jan-Carl Raspe erwähnte noch einmal die Haftbedingungen im siebten Stock. Damit war das offizielle Gespräch beendet.

»Jetzt rede ich als reiner Privatmann zu Ihnen«, sagte Klaus, als Raspe sich erhob. »Es ist sicher eine historische Tat, wenn die Gefangenen sich dazu durchringen, Leben zu erhalten und nicht zu zerstören.« Raspe antwortete etwas Unverständliches und verließ abrupt den Raum.

Wenige Minuten später wurde Irmgard Möller ins Besuchszimmer geführt.

»Ich stelle nur fest, daß wir entschlossen sind, die Barbarei dieser Maßnahmen gegen uns, von denen gesagt wird, sie gingen bis hin zu der erbärmlichen schallschluckenden Isolation, mit der unsere Zellen abgedichtet sind, auf die Initiative des Krisenstabes zurück, nicht länger zu ertragen.« Wie Gudrun Ensslin hatte auch Irmgard Möller ihre Erklärung schriftlich vorbereitet. Sie schilderte die Isolation der letzten fünf Jahre, davon drei Jahre allein und zwei Jahre in einer Kleingruppe. »Seit sechs Wochen durch ein perfektes soziales und akustisches Vakuum, in dem Menschen nicht überleben können.«

Zum Schluß sagte sie: »Gleichzeitig ist die Kalorien-Zufuhr auf die Hälfte herabgesetzt worden. Die Essenausgabe wird so arrangiert, daß wir nur die Wahl haben, entweder zu hungern oder das Anstaltsessen, dem mit absoluter Sicherheit nach den Feststellungen der Gefangenen im siebten Stock Drogen zugesetzt werden, anzunehmen.«

Zum geforderten Austausch der Gefangenen gegen Schleyer sagte Irmgard Möller nichts.

Alfred Klaus rief nach den Gesprächen sofort seinen Präsidenten Horst Herold an und unterrichtete ihn von den Selbstmorddrohungen der Gefangenen. In seinem Aktenvermerk schrieb er am Abend: »Nach den Umständen ist anzunehmen, daß die Selbsttötung gemeint ist ... Hinsichtlich ihrer eigenen Person (Ensslin) ist die Ernsthaftigkeit dieser Ankündigung nicht auszuschließen. Bei den Mitgefangenen ist die Realisierung weniger wahrscheinlich – zumal als Alternative zur Freilassung.«

Auch der Anstaltsleiter Nusser, von seinem Beamten Bubeck informiert, nahm die Selbstmorddrohungen der Gefangenen durchaus ernst. An das Justizministerium in Stuttgart ließ er am nächsten Tag ein Schreiben überbringen: »Eilt sehr, durch Sonderboten, sofort vorlegen.«

Er schrieb: »Die Erklärungen der Gefangenen können als Androhung von Hunger- und Durststreik, aber auch als Selbstmord-Drohung ausgelegt werden. Für den letzteren Fall ist darauf hinzuweisen, daß eine wirksame Selbstmord-Verhinderung der völlig isolierten Gefangenen nicht möglich ist. Nächtliche Kontrollen wären allenfalls wirkungsvoll, wenn sie lückenlos wären, was ständiges Öffnen mindestens der Essensklappen und damit einerseits das Ermöglichen ungehinderter Kontaktaufnahmen sowie ständige Beleuchtung der Zellen und Beobachtung der Gefangenen, damit praktisch die Verhinderung jeden Schlafs und somit andererseits eine unerträgliche Verschärfung der Situation voraussetzen würde.«

Getan wurde nichts.

Nachtdienstmeldung Stammheim, 9. Oktober:
»10.30 Uhr Nachtdienstkontrolle durch H. Spitzer.
Um 10.00 Uhr Hustensaft, Optipyrin und Dolviran durch Sani an Baader ausgegeben.
11.00 Uhr Raspe erhält seine Medikamente (Hustensaft, Schlaftabletten).«

37. »Malen Sie nicht den Teufel an die Wand!«
(Montag, 10. Oktober/Dienstag, 11. Oktober 1977)

Andreas Baader sprach bei einer Visite des Gefängnisarztes von einem »kollektiven Selbstmord«. Gudrun Ensslin äußerte sich ganz ähnlich, meinte dann aber: »Selbstmord ist hier ja wohl nicht drin.« Dr. Henck wunderte sich, daß beide trotz Kontaktsperre »mit fotografischer Wiedergabe« die gleichen Worte benutzt hatten.

Er wurde seine »unterschwelligen Befürchtungen« nicht mehr los. Auch das Wachpersonal merkte, daß die Gefangenen immer nervöser und aggressiver wurden. Am 13. Oktober informierte der Anstaltsarzt den Gefangenenbeirat über die Lage im siebten Stock. Zufällig traf er dort Anstaltsleiter Nusser, der entsetzt ausrief: »Malen Sie den Teufel nicht an die Wand!«

Nach der Untersuchungshaftvollzugsordnung sind »besondere Sicherheitsmaßnahmen« zulässig, wenn der seelische Zustand von Gefangenen die Gefahr eines Selbstmords andeutet. Zusammenlegen durfte man die Gefangenen im siebten Stock nicht – das war durch die Kontaktsperre verboten. Die Verlegung in eine Beruhigungszelle wiederum hielt der Anstaltsarzt für eine den psychischen Druck noch verschlimmernde Maßnahme. Dr. Henck schlug vor, Baader nach Bruchsal, Ensslin nach München und Raspe nach Freiburg umzuquartieren. Doch das erschien zu aufwendig.
Der Anstaltsleiter schrieb einen Brief an das Justizministerium und schilderte die Vor- und Nachteile jeder Möglichkeit. Er selbst wisse »nichts Vertretbares« anzuwenden. Daraufhin ließ der baden-württembergische Justizminister Bender ausrichten, er möge doch »alles Vertretbare tun«, um Selbstmorde zu verhindern. Das wiederum fand der Anstaltsleiter »nicht übermäßig hilfreich«.

Nachtdienstmeldung Stammheim, 10. Oktober:
»22.00 Uhr Baader und Raspe bekommen Medikamente durch Sani ausgehändigt. Sonst keine Vorkommnisse.«
Nachtdienstmeldung, 11. Oktober:
»20.10 Uhr Baader verlangt seine Medikamente. Vom Sani ausgehändigt. 23.00 Uhr bekam Raspe ebenfalls seine Medikamente vom Sani. 3.25 Uhr Baader verlangt ein Optipyrin – ausgehändigt.«

38. Gudrun Ensslin will einen Politiker sprechen
(Mittwoch, 12. Oktober 1977)

Morgens gegen 10.00 Uhr sagte Gudrun Ensslin einem Vollzugsbeamten, sie wünsche den Staatssekretär Manfred Schüler zu sprechen: »Ich nehme an, daß er bei den Entscheidungsabläufen eine maßgebliche Rolle spielt.«

Schüler war Chef des Bundeskanzleramtes und verantwortlich für die Koordination der Geheimdienste. Gegen Mittag sagte sie: »Wenn der Staatssekretär verhindert ist, kann ich auch ein Gespräch mit Staatsminister Wischnewski führen.«

Am Nachmittag erklärte ihr Amtsinspektor Horst Bubeck, der BKA-Beamte Klaus würde demnächst wieder nach Stammheim kommen. »Ich will keinen Polizisten, sondern einen Politiker sprechen«, sagte Gudrun Ensslin.

Gegen 19.00 Uhr erhielt Alfred Klaus vom BKA-Präsidenten Herold den Auftrag, nach Stammheim zu fahren und mit der Gefangenen zu sprechen. Im Dienstwagen machte sich Klaus auf den Weg.

Nachtdienstmeldung, 12. Oktober:
»23.05 Uhr Baader bekam Medikamente durch Sani ausgehändigt. Keine Vorkommnisse.«

39. Ein Lufthansa-Flugzeug wird entführt
(Donnerstag, 13. Oktober 1977)

Um 9.00 Uhr morgens wurde Gudrun Ensslin ins Besucherzimmer geführt, wo ihr Alfred Klaus eine Erklärung vorlas:

»Es wird gebeten, der Gefangenen Ensslin mitzuteilen, daß Staatssekretär Schüler es nicht grundsätzlich ablehnt, mit ihr zu sprechen. Ein solches Gespräch wäre jedoch nur sinnvoll, wenn die Gefangene vorher den Gesprächsgegenstand mitteilt und dieser über den Inhalt des mit Herrn Klaus geführten Gesprächs vom 9. Oktober hinaus geht.«

Schweigend hatte Gudrun Ensslin den Text mitgeschrieben. Sie dachte einen Moment nach und sagte dann: »Das heißt doch nichts anderes, als daß Schüler mich gar nicht sprechen will.«

Sie blickte den BKA-Beamten an: »Ihr Chef hat, wie ich sehe, in Bonn ja nun wohl die Entscheidungsgewalt in der Hand.«

»Wie kommen Sie zu diesem Schluß?« fragte Klaus.

»Es gibt gar keinen anderen Gesprächsgegenstand.«

»Ich könnte mir durchaus Alternativen vorstellen«, sagte der BKA-Beamte. »Ich bin allerdings nicht ermächtigt, diese mit Ihnen zu erörtern.«

»Die zwei Möglichkeiten, die es gibt, sind in der Erklärung vom 9. Oktober, soweit überhaupt etwas gesagt werden kann, vollständig erfaßt«, entgegnete die Gefangene.

»Sie sollten mir eine unmißverständliche Antwort auf die Mitteilung des Staatssekretärs geben«, beharrte Klaus.

Wieder dachte Gudrun Ensslin eine Weile nach, dann forderte sie ihn auf, wörtlich mitzuschreiben:

»Die Mitteilung geht, so ich das richtig verstehe, von einem absurden Kalkül aus, dem nämlich, es könnte Widersprüche zwischen den Gefangenen und dem Kommando geben. Das ist natürlich Quatsch.«

Alfred Klaus nahm an, Gudrun Ensslin glaubte, man wolle versuchen, die Gefangenen und die Entführer zu spalten und gegeneinander auszuspielen. Er sagte: »Wollen Sie nun Herrn Staatssekretär Schüler noch sprechen oder nicht?«

»Unter diesen Umständen, nein«, antwortete die Gefangene, zögerte und bat, mit den anderen sprechen zu dürfen. »Die können sich dann gleich äußern, und ich muß nicht – so wie am Wochenende – wieder nach Ihnen telefonieren lassen.«

Auf dem Rückweg zur Zelle versuchte Gudrun Ensslin Baader etwas zuzurufen. Er reagierte nicht, weil er noch schlief.

Alfred Klaus rief den BKA-Präsidenten an. »Die anderen Gefangenen werden nicht informiert. Kommen Sie zurück«, befahl Horst Herold.

Gegen 13.00 Uhr deutscher Zeit startete in Palma de Mallorca die Lufthansa-Maschine »Landshut« mit der Flugnummer LH 181 zum Flug nach Frankfurt. An Bord der Boeing 737 waren 86 Passagiere, im Frachtraum zwei Leichen in Zinksärgen.

Die Besatzung bestand aus Kapitän Jürgen Schumann, dem Copiloten Jürgen Vietor und den Stewardessen Hannelore Piegler, Gaby Dillmann und Anna-Maria Staringer.

Gleich nach dem Abheben der Maschine servierten die Stewardessen einen kleinen Imbiß.

Hannelore Piegler bediente als »Purserette«, Chef-Stewardeß, die Passagiere der ersten Klasse. Sie hielt das dunkelhaarige Paar auf den Firstclass-Sitzen für Spanier. Ihre Kolleginnen Gaby und Anna-Maria servierten in der fast voll besetzten Economy-Klasse.

Plötzlich hörte Hannelore Piegler lautes Stimmengewirr aus der Hauptkabine, das von heiserem Gebrüll übertönt wurde. Sie zog den Vorhang zur Economy auf, um nach hinten zu gehen. In diesem Moment erhielt sie einen Faustschlag, der sie gegen die Kabinentür schleuderte. Zwei Männer rannten an ihr vorbei zum Cockpit. Sie rissen den Copiloten von seinem Sitz und schleppten ihn nach hinten in den Gang. Dort standen die beiden dunkelhaarigen Frauen mit Handgranaten in den erhobenen Händen.

Der Copilot, die Stewardessen und die Passagiere der ersten Klasse wurden im Heck des Flugzeugs zusammengetrieben und von dem einen schwarzhaarigen Mann mit einer Pistole bedroht. Der andere war in der Flugzeugkanzel geblieben und schrie über den Bordlautsprecher: »Hands up. Follow the instructions ...«

Die Flugzeugentführer wiesen dem Bordpersonal Plätze in der Economy-Klasse zu und setzten die Passagiere um. Junge Männer wurden einzeln auf die Fensterplätze gesetzt.

Kurz darauf stürmte der vierte Entführer durch die Kabine und schrie, er habe das Kommando übernommen und sei jetzt der Kapitän, Captain Martyr Mahmud, so heiße er.

Um 14.38 Uhr meldete die Flugsicherung Aix-en-Provence in Südfrankreich eine Routenabweichung der Lufthansa-Boeing »Landshut«. Zwei Stunden später setzte die Maschine auf dem römischen Flughafen Fiumicino auf.

Der BKA-Beamte Alfred Klaus war zu dieser Zeit gerade von Stammheim nach Bonn zurückgekehrt. Um 16.20 Uhr erhielt er einen Anruf des Stammheimer Anstaltsleiters Nusser: »Frau Ensslin will mit Ihnen sprechen.«

Nusser reichte den Hörer weiter an die Gefangene. »Na gut«, sagte Gudrun Ensslin, »wenn wir sagen, wir wollen mit Ihnen oder Wischnewski reden, dann ist das – vielleicht gegen alle Erfahrung – erstens die Frage nach einer Differenz zwischen Politik und Polizei, in der andere Möglichkeiten enthalten sind als die der Eskalation – der Rationalität aller Politiker, die dazu verurteilt sind, Polizisten zu werden, und einer Polizei, die so frei ist, die Politik zu machen.«

Es gehe darum, dem Staatssekretär zu erklären, was es bedeute, die elf Gefangenen freizulassen.

»Daß keiner von uns auf die Idee käme, mit einem Polizisten darüber zu reden – zu dem mir nichts einfällt als die tödlichen Arrangements der Transporte schwerverletzter Gefangener, schließlich die Schlinge am Fenster –, wissen Sie seit sechs Jahren.« Er könnte es nicht verstehen und also auch nicht verständlich kolportieren.

Zum Schluß sagte Gudrun Ensslin: »Wenn also geredet werden soll und ganz im Gegensatz zu der Unart, die über Sie bekannt geworden ist: Mit Ihnen – ist es sinnvoll, in den sauren Apfel zu beißen, nur mit Andreas zu reden.«

Am späten Nachmittag besuchten der evangelische und der katholische Anstaltspfarrer Andreas Baader in seiner Zelle.

»Herr Baader«, sagte der evangelische Pfarrer Kurmann, »wir sind nicht beauftragt worden, sondern möchten aus eigener Initiative Ihnen die Möglichkeit von Gesprächskontakten anbieten.«

»Was soll das? Was versprechen Sie sich davon? Das hat doch keine Folgen, die unsere Haftsituation positiv verändern.«

»Da mögen Sie recht haben«, erwiderte der katholische Geistliche, Pfarrer Dr. Rieder, »aber ein persönliches Gespräch mit uns, zumal in der jetzigen Situation, kann doch auch eine entlastende Funktion haben und sich so, psychologisch gesehen, positiv auswirken.«

»Ja, wenn Sie etwas tun wollen, dann unterrichten Sie doch Ihre Institution über unsere unmöglichen Haftbedingungen der totalen Isolation, mit denen wir systematisch kaputtgemacht werden.«

Es sei ja der Sinn des Besuches, meinten die Pfarrer, sich über die Haftsituation zu informieren. Solche Gespräche könnten aber nur in Gegenwart beider Geistlichen geführt werden.

»Ach, so ist das. Sie müssen sich gegenseitig kontrollieren«, sagte Baader.

Inzwischen waren Vollzugsbeamte mit dem Essenwagen vorgefahren, und die Pfarrer verabschiedeten sich. »Herr Baader, Sie wissen um unsere Gesprächsbereitschaft, und wenn Sie diese in Anspruch nehmen wollen, dann lassen Sie es uns bitte wissen.«

Auf dem römischen Flughafen war der »Landshut« ein rund 1000 Meter vom Flughafengebäude entfernter Halteplatz zugewiesen worden. Gepanzerte Fahrzeuge umringten die Maschine. Der Chef der Entführer ließ über das Mikrophon in der Kanzel lange Tiraden auf Englisch ab, von denen die Italiener im Tower des Flughafens die Sätze notierten: »Hier spricht Hauptmann Mohammed. Das Flugzeug der deutschen Gesellschaft ist unter Kontrolle. Die Gruppe, die ich vertrete, fordert die Freilassung unserer Genossen, die in den deutschen Gefängnissen in Haft sind. Wir kämpfen gegen die imperialistischen Organisationen der Welt.«

In Bonn wurde Bundesinnenminister Maihofer informiert. Er ließ sich mit seinem italienischen Amtskollegen Cossiga verbinden und sagte ihm, die Luftpiraten würden vermutlich gemeinsame Sache mit den Schleyer-Entführern machen. Der Weiterflug der »Landshut« müsse auf jeden Fall verhindert werden. »Lassen Sie die Reifen durchschießen.«

Der Christdemokrat zögerte. Eine solche Frage müsse er erst mit anderen Politikern beraten. Cossiga rief den Chef der italienischen Kommunisten Enrico Berlinguer an, dessen Partei damals die christdemokratische Minderheitsregierung duldete. Berlinguer, ein entfernter Verwandter Cossigas, war entsetzt von der Vorstellung eines Blutbades auf italienischem Boden. Christdemokrat und Kommunist kamen überein, daß die Maschine so schnell wie möglich weiterfliegen müsse.

Die »Landshut« wurde aufgetankt. Flugkapitän Schumann erbat vom Tower die Wettermeldung für Zypern und eine Landeerlaubnis in Larnaka.

Um 17.42 Uhr startete die Boeing wieder.

In Bonn tagte der »Kleine Krisenstab« und beschloß, auch nach der Flugzeugentführung bei der harten Linie zu bleiben.

Um 19.55 Uhr wurde auf dem Frankfurter Flughafen eine Lufthansa-Maschine startklar gemacht. An Bord waren Beamte des Bundesinnenministeriums und vom BKA Gerhard Boeden. Bei einer Zwischenlandung in Köln/Bonn stieg gegen 22.00 Uhr eine Gruppe durchtrainierter junger Männer in Turnschuhen, Jeans und Pullovern zu. Es waren dreißig Mann, ausgerüstet mit Waffen, Handgranaten, Leitern und Sprengstoff. Die Truppe gehörte zur GSG 9, einer Spezialeinheit des Bundesgrenzschutzes zur Terroristenbekämpfung. Fünf Jahre lang waren die Männer der GSG 9 für den Ernstfall ausgebildet worden. Sie hatten gelernt, Flugzeuge innerhalb von Sekunden zu stürmen, waren im Nahkampf geübt, hatten sich von fliegenden Hubschraubern abgeseilt.

Als der Anruf aus dem Bundesinnenministerium kam, die Männer sollten sich für einen Einsatz fertigmachen, hatte kaum einer von ihnen geglaubt, daß es wirklich etwas zu tun geben würde. Zu oft hatten die Länderinnenminister abgelehnt, die GSG 9 einzusetzen. Als die Spezialeinheit im November 1974 erstmals bei der Terroristenfahndung helfen sollte, wurde dem GSG 9-Chef Ulrich Wegener hinterbracht, was einer der Länderinnenminister zur Begründung seines Vetos gesagt haben sollte: »Wenn die Truppe eingesetzt wird, gibt es eine Furche verbrannter Erde von den Alpen bis zur Nordsee.« Damit hatte der Minister wohl eher an die psychologische Wirkung gedacht.

Kurz vor dem Abflug erklärte Wegener seinen Leuten, worum es ging. Die entführte »Landshut« sollte gekapert und die Geiseln befreit werden. Es sei ein Himmelfahrtskommando. Er nehme es keinem übel, wenn er nicht mitwolle.

Die Männer grinsten. Auf so einen Einsatz hatten sie lange gewartet.

Gegen 20.30 Uhr landete die »Landshut« auf dem zyprischen Flughafen Larnaka. Die Entführer forderten, die Maschine aufzutanken. Um 22.50 Uhr startete sie wieder.

23 Minuten später landete in Larnaka die Maschine mit der GSG 9. Die »Landshut« flog in die Dämmerung hinein nach Osten, nahm Richtung auf den Persischen Golf.

Nachtdienstmeldung Stammheim, 13. Oktober:
»20.40 Uhr Baader verlangt Spritze.
21.05 Uhr Spritze vom Sani erhalten (Zelle geöffnet).
22.15 Uhr Baader und Raspe verlangen ihre Medikamente.
22.50 Uhr Medikamente durch Sani ausgehändigt.«

40. Eine staatspolitische Entscheidung
(Freitag, 14. Oktober 1977)

Eine Stunde nach Mitternacht erhielt Rechtsanwalt Payot in Genf einen Anruf der Entführer Hanns Martin Schleyers. Er möge sich bereithalten, gegen 2.00 Uhr eine längere Erklärung entgegenzunehmen. Payot informierte das Bundeskriminalamt und machte ein bereitgestelltes Tonbandgerät aufnahmebereit.

Die Schleyer-Entführer legitimierten sich, indem sie die Antworten auf bereits zehn Tage zuvor gestellte Fragen des BKA gaben:

»Was wollte Sohn Eberhard mit 8 Jahren werden?«

Die korrekte Antwort lautete: »Papst.«

»Welche Dame wollte ihm in Prag vorsingen?«

»Margot Hielscher.«

Zusätzlich sollten sie das zehnte Wort aus ihrem Brief an »Agence France Presse« vom 26. September nennen: »Schleyer.«

Der erste Teil der Erklärung wurde auf englisch vorgelesen:

»Hiermit teilen wir Ihnen mit, daß die Passagiere und Besatzung der Lufthansa-Maschine 737, Flugnummer LH 181, von Palma nach Frankfurt (M.) unter unserer vollständigen Kontrolle und Verantwortung stehen. Das Leben der Passagiere und der Besatzung und das Leben von Dr. Hanns Martin Schleyer hängen davon ab, daß Sie die folgenden Forderungen erfüllen.«

Neben der vom »Kommando Siegfried Hausner« verlangten Freilassung der RAF-Gefangenen sollten nun auch zwei in der Türkei inhaftierte Palästinenser ausgeflogen werden. Zusätzlich verlangten die Entführer 15 Millionen Dollar Lösegeld.

Der zweite Teil der Erklärung wurde in deutscher Sprache übermittelt:

»Das Ultimatum der Operation ›Kofre Kaddum‹ des Kommandos ›Martyr Halimeh‹ und das Ultimatum des Kommandos Siegfried Hausner der RAF sind identisch. Nach 40 Tagen Gefangenschaft von Schleyer wird es eine Verlängerung des Ultimatums nicht mehr geben. Ebenso keine weiteren Kontaktaufnahmen. Jegliche Verzögerung bedeutet den Tod Schleyers ...«

Der Sprecher gab durch, in welchen Banknoten die fünfzehn Millionen Dollar bereitgestellt werden sollten: sieben Millionen in 100-Dollar-Scheinen, drei Millionen in 1000-DM-Noten, drei Millionen in Schweizer Franken, zwei Millionen in Holländischen Gulden.

Das Lösegeld sollte in drei schwarze Samsonite-Koffer verpackt und von Schleyers Sohn Eberhard übergeben werden. Er solle am nächsten Tag, dem 15. Oktober, mittags um 12.00 Uhr im Frankfurter Intercontinental-Hotel sein, einen beigen Anzug tragen, mit einer Sonnenbrille in der obersten Jackentasche. In der linken Hand habe er die neueste Ausgabe des »Spiegel« zu tragen. Er solle seinen Paß mitbringen. Im Hotel werde sich ein Kontaktmann melden und mit den Worten »Laßt uns Ihren Vater retten« ausweisen. Darauf solle er antworten: »Wir werden meinen Vater retten.«

Danach habe er den Anweisungen des Vertreters der Entführer zu folgen.

Dann übermittelte der Anrufer dem Genfer Anwaltsbüro noch eine längere Erklärung der Operation »Kofre Kaddum«, in der eine Verbindung zwischen den »alten Nazis« in der Bundesrepublik und den »neuen Nazis« in Israel festgestellt wurde.

Bis um fünf Uhr morgens erörterte Bundeskanzler Helmut Schmidt zusammen mit Innenminister Maihofer, Staatsminister Wischnewski, BKA-Präsident Herold und mehreren Staatssekretären die Lage.

Währenddessen landete die entführte »Landshut« in Bahrein am Persischen Golf.

Die Verfolger der »Landshut«, die Männer der GSG 9, erhielten die Anweisung, nach Köln zurückzukehren, die kurz darauf geändert wurde: Sie sollten zunächst in Ankara in der Türkei landen.

In Bahrein war Flugkapitän Schumann inzwischen mit der »Landshut« wieder gestartet und steuerte das Scheichtum Dubai an. Dort war die Landebahn gesperrt worden. Schumann zog eine Warteschleife. »Irgendwann ist der Sprit alle«, sagte er. »Irgendwo müssen wir mal runter. Vielleicht haben wir ja Dusel.« Plötzlich setzte ihm »Kapitän Mahmud« eine Pistole in den Nacken und brüllte:

»Ihr landet jetzt, ihr landet jetzt …«

Copilot Jürgen Vietor hatte den Steuerknüppel übernommen. »Dagegen gibt es keine Argumente«, sagte er und ließ die Maschine sinken. Jürgen Schumann wandte sich an den Tower: »Wir müssen jetzt kommen. Wir landen.«

In letzter Minute ließ der Flughafenkommandant von Dubai eigenmächtig die Rollbahn von den dort als Blockade aufgefahrenen Feuerwehrwagen räumen. Die Maschine landete.

Scheich Mohammed bin Raschid, 29, Verteidigungsminister und dritter

Sohn des Herrschers von Dubai, ließ sich mit 200 Stundenkilometern zum Flughafen fahren und übernahm den Funkkontakt zur »Landshut«. Er bat die Hijacker, Frauen, Kinder und Kranke freizugeben, sprach die Entführer mit »arabische Brüder« an und versuchte es auch im Befehlston. »Kapitän Mahmud« lehnte jeden Kompromiß ab.

Langsam wurde es heiß in der Kabine. Den zusammengepferchten Passagieren und Besatzungsmitgliedern klebten die Kleider am Körper. Die Stewardessen verteilten die wenigen übriggebliebenen Getränke in Plastikbechern an die Passagiere. Plötzlich fiel der Purserette Hannelore Piegler ein, daß ihre norwegische Kollegin Anna-Maria Staringer Geburtstag hatte. »Daß du auch ausgerechnet heute Geburtstag haben mußt«, sagte sie leise. »Ich möchte dir nicht gratulieren, aber wenn wir jemals lebend hier rauskommen, holen wir alles nach.« Martyr Mahmud hatte mitgehört. Er gratulierte: »I wish you all the best for your birthday next year!« Er ging zum Cockpit und bestellte über Funk vom Tower eine Geburtstagstorte, Kaffee und Champagner.

Nach kurzer Zeit brachte das Catering des Flughafens Dubai eine Geburtstagstorte in Pastellfarben, darauf mit Zuckerguß die Schrift: »Happy Birthday Anna-Maria.« Jeder Passagier bekam ein kleines Stück Torte, dazu Kaffee und Champagner. Kapitän Mahmud war glänzender Laune. Er nahm das Mikrophon und kündigte an, der Sprengstoff werde von den Flugzeugwänden abmontiert. Die Passagiere klatschten erleichtert Beifall. Mahmud nahm den Applaus mit großer Geste entgegen. Dann ging er wieder ans Mikrophon: »Wir nehmen den Sprengstoff ab, aber natürlich nur für fünf Minuten. Dann wird er wieder montiert.« Das Lächeln auf den Gesichtern erstarb.

Der Besatzung kam die Idee, dem Bundeskanzler ein Telegramm zu schicken. »Wir legen unser Leben in Ihre Hände und bitten Sie inniglich, uns zu retten«, sollte es in dem Funkspruch heißen. Für das Konzept hatten die Stewardessen eine der Lufthansa-Ansichtskarten verwendet. Plötzlich stellten sie fest, daß auf dem Foto die »Landshut« abgebildet war. Die Stewardeß Gaby Dillmann wollte sich ein Autogramm des Chefs der Entführer auf die Karte geben lassen. Mahmud lächelte müde und hatte selbst einen Einfall. Er befahl, auf die Rückseiten der Karten zu schreiben »With compliments of the SAWIO, ›Struggle Against World Imperialism‹«. Die Karten sollten an die Passagiere verteilt werden.

Inzwischen durchsuchten zwei der Entführer das in der ersten Klasse gestapelte Handgepäck der Passagiere. Plötzlich lief einer von ihnen durch den Gang, in der Hand einen Reisepaß. Eine Frau wurde nach vorn geholt. Heiser schrie Mahmud sie an. Es folgten Tritte und Schläge. Tränenüberströmt kam die Frau aus der First-class-Kabine zurück und ging wankend an ihren Platz zurück.

Mahmud folgte ihr, in der Hand einen zerbrochenen Kugelschreiber. »Ich habe Juden hier an Bord entdeckt. Wißt ihr, was das ist?« Er hielt die Reste des Montblanc-Kugelschreibers hoch und deutete auf den kleinen weißen Stern auf der Kappe: »Das ist ein Judenstern, der Davidstern. Morgen werde ich diese Juden erschießen, sie werden sich am Morgen freiwillig bei mir melden. Ich stelle sie in die offene Flugzeugtür und schieße ihnen von hinten eine Kugel in den Kopf. Sie fallen automatisch aus dem Flugzeug.«

In den Verhandlungen mit Mahmud hatte der Verteidigungsminister von Dubai erreicht, daß Medikamente, Eis und Getränke an Bord gebracht werden durften. Die Stewardessen verteilten Eisbeutel an die Passagiere, damit sie ihre vom langen Sitzen angeschwollenen Beine kühlen konnten. Immer wieder bekam Mahmud Wutausbrüche, wollte willkürlich Passagiere erschießen. Dann wiederum wurde er ganz ruhig, hielt langatmige Referate über die gerechte palästinensische Sache und darüber, wie das Dorf Kofre Kaddum zerstört und seine Bewohner von den Zionisten niedergemetzelt worden seien.

Noch während die Maschine auf dem Flughafen Dubai stand, wurden in der Bundesrepublik Briefe der Entführer an Presseorgane und an den Sohn Hanns Martin Schleyers verschickt. In den Umschlägen steckten die gemeinsamen Erklärungen des Kommandos »Siegfried Hausner« und der palästinensischen Flugzeugentführer, die schon am Tag zuvor dem Genfer Rechtsanwalt telefonisch übermittelt worden waren. Die Briefe – so stellten die Ermittler des Bundeskriminalamts fest – waren auf derselben Maschine geschrieben worden.

Am Morgen hatten die beiden Anstaltsgeistlichen in Stammheim auch die Gefangenen Irmgard Möller, Gudrun Ensslin, Jan-Carl Raspe und Verena Becker – die im »langen Flügel« des Gefängnistrakts saß – aufgesucht, um ihnen Gesprächsangebote zu machen. Die Unterhaltungen beschränkten sich auf wenige Worte. Jan-Carl Raspe stand in gebeugter Haltung im Türrahmen. Pfarrer Kurmann fiel auf, daß Raspes Gesicht nervös zuckte. Verena Becker wirkte stark verunsichert und gehemmt. Auf das Gesprächsangebot hin nickte sie leicht den Kopf und sagte zögernd: »Ja.«

Gudrun Ensslin machte von allen Gefangenen den ruhigsten Eindruck.

Noch am selben Tag gingen Anstaltsleiter Nusser und der Vollzugsbeamte Bubeck zu Baader. Sie wollten ihn fragen, welchen Zweck das Gespräch mit Kanzleramtschef Schüler haben sollte. Baader gab keine Auskunft. Dann lachte er und sagte: »Wenn Schüler nicht bald kommt, muß er unter Umständen sehr weit reisen, um mit mir zu sprechen.« Und: »Es muß auf jeden Fall ein Politiker und nicht ein Polizist sein, der zu mir kommt.«

Am Vormittag war in Bonn das Bundeskabinett zu einer Sondersitzung zusammengetreten. Justizminister Vogel trug rechtliche Erwägungen zur Frage eines Gefangenenaustausches vor. Auf der einen Seite stehe die unmittelbare und konkrete Lebensgefahr für die 87 Geiseln im Flugzeug und für Hanns Martin Schleyer, auf der anderen Seite die Gefahren für eine unbestimmte Anzahl von Menschen, wenn die Gefangenen freigegeben würden. Ein Eingehen auf die Forderungen der Entführer sei rechtlich – gemäß Paragraph 34, dem »rechtfertigenden Notstand« – weder unzulässig noch geboten. Es sei eine staatspolitische Entscheidung.

In der Dokumentation der Bundesregierung zu den Ereignissen um die Entführung Schleyers und der »Landshut« wurde die Strategie später so beschrieben: »Aufgrund umfassender Überlegungen zu allen relevanten Gesichtspunkten beschließt das Kabinett, daß alles Mögliche unternommen werden soll, um – ohne eine Freilassung der Gefangenen – die Geiseln zu retten, einschließlich der Ausschöpfung aller Verhandlungsmöglichkeiten sowie einer polizeilichen Befreiungsaktion.«

Um 15.50 Uhr startete Hans-Jürgen Wischnewski in einer Boeing 707 der Lufthansa nach Dubai. Auf dem Copilotensitz saß Rüdiger von Lutzau, der Freund der »Landshut«-Stewardeß Gaby Dillmann. Er hatte sich freiwillig für den Einsatz gemeldet. An Bord war auch der Psychologe Wolfgang Salewski, der die Regierung in den Wochen zuvor beim Umgang mit den Schleyer-Entführern beraten hatte.

Unbemerkt von den Insassen der »Landshut« landete die 707 eine halbe Stunde vor Mitternacht auf einer abgelegenen Rollbahn des Flughafens Dubai.

Rechtsanwalt Payot in Genf erhielt an diesem Abend eine Eilsendung der Schleyer-Entführer: ein Video-Band mit einer Erklärung des Arbeitgeberpräsidenten: »Ich frage mich in meiner jetzigen Situation wirklich, muß denn nun etwas geschehen, damit Bonn endlich zu einer Entscheidung kommt?

Schließlich bin ich nun fünfeinhalb Wochen in der Haft der Terroristen, und das alles nur, weil ich mich jahrelang für diesen Staat und seine freiheitlich-demokratische Ordnung eingesetzt und exponiert habe. Manchmal kommt mir ein Ausspruch – auch von politischen Stellen – wie eine Verhöhnung dieser Tätigkeit vor.«

Etwa zur gleichen Zeit empfing der Bundesjustizminister in Bonn Schleyers Sohn Eberhard. Vogel sagte ihm, es sei seine eigene Entscheidung, ob er, wie verlangt, am nächsten Mittag mit den geforderten 15 Millionen Dollar im Frankfurter »Intercontinental« auf einen Abgesandten der Entführer warten wolle. »Die Geldmenge«, meinte Vogel, »steht zur Verfügung. Es sind rund 130 Kilo.«

Eberhard Schleyer würde sich allerdings in eine konkrete und unmittelbare Lebensgefahr begeben. Darüber, ob der Geldbetrag tatsächlich freigegeben werde, müsse der »Große Krisenstab« am nächsten Vormittag entscheiden.

»Ich sehe keine andere Alternative«, sagte Eberhard Schleyer. Er werde sich unter der Bedingung bereit halten, daß die Bundesregierung auch die weiteren Forderungen nach Freilassung der Inhaftierten erfülle und während der Dauer seiner Abwesenheit keine gewaltsame Aktion gegen die Flugzeugentführer unternommen werde.

Auch darüber, antwortete Justizminister Vogel, müsse der Krisenstab am nächsten Morgen entscheiden.

Eberhard Schleyer wurde zur Godesberger Dependence des BKA gebracht und sprach dort mit Horst Herold, der ihn erneut auf die Gefährlichkeit des Auftrags hinwies. Das Geld sei jedoch bei der Bundesbank bereitgestellt. Die Polizei in Frankfurt habe alle nötigen Maßnahmen veranlaßt. Anschließend fuhr Schleyer mit Wolfgang Steinke in ein Hotel nach Bonn und übernachtete dort.

Nachtdienstmeldung, 14. Oktober:
»23.00 Uhr Arzneimittelausgabe durch Sani an Baader und Raspe. Baader wollte auf Grund der angespannten Lage Lichtverlängerung!!!!!«

BKA-Präsident Horst Herold hatte, noch während die »Landshut« in der Luft war, über spanische Polizeikollegen alle 20000 Hotel-Meldezettel der letzten Tage von Palma de Mallorca per Flugzeug nach Deutschland schaffen lassen. In Wiesbaden saßen Programmierer rund um die Uhr, um die Personalien in den BKA-Computer einzuspeisen. Dann ließ Herold ein Datenband gegenlaufen, auf dem Alias-Namen gespeichert waren. Tatsächlich waren die angeblich iranischen Pässe registriert und über die ebenfalls eingespeicherten Daten der Inhaber dieser falschen Pässe konnten die BKA-Fahnder die Klarnamen der Entführer ermitteln.

»Kapitän Mahmud«, der den persischen Paß auf den Namen »Ali Hyderi« trug und in Wirklichkeit Zohair Youssif Akache hieß, war polizeibekannt. Er hatte sich 1973 als Student des Londoner Chelsea College of Aeronautical and Automobil Engineering eingeschrieben und dort Flugzeugtechnik studiert. Nach zwei Jahren erhielt er sein Diplom als Flugzeugingenieur.

Im Dezember 1974 war Scotland Yard zum ersten Mal auf ihn aufmerksam geworden, als er bei einer friedlichen pro-palästinensischen Demonstration auf dem Trafalgar Square urplötzlich auf Polizeibeamte einschlug. Er wurde als Mitglied der »Volksfront für die Befreiung Palästinas« (PFLP) erkannt und sollte zunächst ausgewiesen werden. Schließlich durfte er aber weiterstudieren. Ein Jahr später schlug sich Akache erneut während einer Palästina-Demonstration mit Bobbies. Diesmal wurde er festgenommen und kam ins Pentonville-Gefängnis. Nach einem Hungerstreik wurde er nach Beirut abgeschoben.

Anfang 1977 war er wieder in London. Unter falschem Namen bezog er ein Hotel gegenüber dem »Royal Lancaster«, in dem der ehemalige Ministerpräsident des Nord-Jemen wohnte. Am 10. April stieg der Ex-

Ministerpräsident zusammen mit seiner Frau und einem Angehörigen der jemenitischen Botschaft vor dem Hotel in einen Mercedes. Akache hatte hinter dem Wagen gewartet. Er ging um das Fahrzeug herum, öffnete die rechte Fronttür und schoß aus einer Pistole mit Schalldämpfer auf die drei Insassen. Sie waren sofort tot. Noch am selben Tag konnte Akache mit dem Flugzeug London verlassen. Scotland Yard hatte ihn zwar vor dem Attentat beobachtet, seine Personalien und Beschreibung aber nicht zum Flughafen Heathrow durchgegeben.

In der Nähe von Bagdad wurde er von der Abteilung »Sonderoperationen« der PFLP unter Wadi Haddad für neue Einsätze trainiert. Hier wurden auch die übrigen Mitglieder der Operation »Kofre Kaddum« ausgebildet.

41. Das 15-Millionen-Dollar-Spiel mit Schleyers Sohn
(Samstag, 15. Oktober 1977)

Um 7.50 Uhr setzte Flugkapitän Schumann über Funk ein Telegramm an den Bundeskanzler ab: »Das Leben von 91 Männern, Frauen, Kindern an Bord des Flugzeuges hängt von Ihrer Entscheidung ab. Sie sind unsere letzte und einzige Hoffnung. Im Namen der Besatzung und der Passagiere. Schumann.«

Kurz nach 8.00 Uhr trat der »Kleine Krisenstab« in Bonn zusammen. In der Dokumentation der Bundesregierung heißt es später dazu: »Da Treffpunkt und Treffzeit bekannt geworden sind, hält man es nicht für vertretbar, Hanns Eberhard Schleyer den in der Deutschen Bundesbank bereitliegenden Geldbetrag auszuhändigen ... Der anschließend zusammengetretene große Politische Beraterkreis macht sich diese Auffassung zu eigen.«

In der Tat hatte bereits am Vorabend die Zentrale der Deutschen Presseagentur in Hamburg von ihrem Stuttgarter Büro eine Meldung mit den Details der geplanten Geldübergabe erhalten, diese Nachricht aber nicht verbreitet.

Noch am Morgen gegen 9.00 Uhr hatte Hanns Eberhard Schleyer mit Justizminister Vogel telefoniert und ihn noch einmal auf die Bedingungen seiner Mitwirkung bei der Geldübergabe hingewiesen. Vogel sagte, der »Große Krisenstab« habe noch nicht darüber entschieden, ob die Gefangenen freigelassen würden.

Um 9.40 Uhr meldete dpa: »Schleyer-Sohn Eberhard soll 15 Millionen Dollar übergeben. Die Behörden wollen mit der Auszahlung von 15 Millionen amerikanischen Dollar an die Entführer am Samstagmittag eine der genannten Forderungen der Terroristen erfüllen. Aus diplomatischen Kreisen in Bonn wurde am Samstag bekannt, daß ein Sohn des entführten Arbeitgeberpräsidenten Hanns Martin Schleyer, Eberhard Schleyer, das geforderte Geld um 12.00 Uhr im Hotel »Intercontinental« Frankfurt übergeben soll.«

Die Bundesregierung hatte auf Anraten des BKA-Präsidenten Horst Herold die Nachricht von der geplanten Geldübergabe selbst verbreiten lassen. Herold später: »Ich rechne mir das heute noch als Verdienst an, daß ich durch einen Trick diese Lieferung verhindert habe. Die Bundesregierung hätte die 15 Millionen auch noch rausgeschmissen.«

Um 12.00 Uhr wimmelte es im Foyer des Hotels, in der Tiefgarage und in der näheren Umgebung des »Intercontinental« von über 100 Journalisten; zwei Aufnahmeteams des Fernsehens waren da.

Schleyer wurde im Hubschrauber nach Frankfurt geflogen, wo er im Gebäude der Deutschen Bundesbank untergebracht wurde. Dort traf er mit einem Experten zusammen, der mit ihm über die Markierung der als Lösegeld bereitgestellten 15 Millionen Dollar sprechen sollte.

Nach der Rundfunkmeldung wurde von der Fahrt ins »Intercontinental« abgesehen. Gegen 13.00 Uhr telefonierte Schleyer noch einmal mit Vogel. Der Bundesjustizminister sagte ihm, der Große Krisenstab habe immer noch keine Entscheidung gefällt.

In Wirklichkeit hatte der »Große Politische Beraterkreis« schon auf seiner Morgensitzung, die bis 11.35 Uhr dauerte, die Marschrichtung festgelegt. In der Dokumentation der Bundesregierung heißt es dazu: »Es soll auf eine – notfalls gewaltsame – Befreiung der Geiseln in der entführten Lufthansa-Maschine hingearbeitet werden.«

Um 12.04 landete ein sechssitziger Jet vom Typ Hawker Siddely in Dubai. An Bord waren der Chef der in Ankara wartenden GSG 9, Ulrich Wegener, und andere Sicherheitsexperten. Der Verteidigungsminister von Dubai lehnte eine Befreiungsaktion durch das deutsche Anti-Terror-Kommando ab, begann aber, eine Aktion durch Streitkräfte der Vereinigten Arabischen Emirate vorzubereiten.

Währenddessen beschloß Rechtsanwalt Hanns Eberhard Schleyer als letzte Möglichkeit zur Rettung seines Vaters, das Bundesverfassungsgericht anzurufen. Der Schriftsatz war von Kollegen in seiner Stuttgarter Anwaltskanzlei vorbereitet worden.

Im Namen seines Vaters beantragte Eberhard Schleyer den Erlaß einer einstweiligen Anordnung mit dem Ziel, die Bundesregierung und die beteiligten Länderregierungen zu zwingen, jene Gefangenen, deren Freilassung verlangt wurde, freizugeben, um das Leben Hanns Martin Schleyers zu retten.

Um 15.00 Uhr wurde Eberhard Schleyer mit dem Hubschrauber von Frankfurt nach Stuttgart gebracht. Kurz vor der Landung erhielt er über Funk die Nachricht, daß sich die Entführer seines Vaters im Hotel »Intercontinental« gemeldet hatten. Der Hubschrauber wendete und flog nach Frankfurt zurück. Schleyer wurde in ein vom BKA gemietetes Hotelzimmer gebracht.

Der erste Anruf der Entführer war um 15.15 Uhr im Hotel »Intercontinental« eingegangen und von einem BKA-Beamten entgegengenommen und auf Band aufgezeichnet worden.

»Hallo«, hatte der Kriminalbeamte gesagt.

»Hallo, mit wem spreche ich bitte?« sagte der Abgesandte der Schleyer-Entführer.

»Sie sprechen mit dem BKA.«

»Aha ja, guten Tag. Ich hätte gern mit Herrn Eberhard Schleyer gesprochen.«

»Ja, folgendes«, sagte der BKA-Beamte, »der Herr Schleyer ist im Moment nicht da.«

»Das ist aber sehr schlecht«, sagte der Entführer. »Wir haben aber gefordert, daß er da sein solle.«

Der Kripobeamte erkundigte sich, ob der Anrufer denn überhaupt zum Kommando gehöre. Er solle sich bitte legitimieren. Der Mann am anderen Ende der Leitung nannte die zwischen BKA und Entführern vereinbarten Codeworte, und der BKA-Beamte war zufrieden.

»Ja, folgendes, der Herr Schleyer ist im Moment also wie gesagt nicht da, weil hier zuviel Hektik war, wie Ihnen bekannt ist. Herr Schleyer hat sich im Moment zurückgezogen. Es dauert eine gewisse Zeit, bis wir Herrn Schleyer wieder erreichen.«

Der Anrufer erklärte sich bereit, um halb fünf noch einmal anzurufen.

»Darf ich dann erfahren, Ihren Namen, damit ich gleich mit Ihnen …«

»Ja, Schmittlechner ist mein Name«, sagte der BKA-Mann.

»Schmittlechner, ist in Ordnung, dann wende ich mich an Sie.«

»Jawohl, Sie können mich hier im Hotel erreichen.«

»Okay, ich bedanke mich.«

»Jawohl, Wiederhören«, sagte der Beamte des Bundeskriminalamts.

Noch zweimal riefen die Entführer im »Intercontinental« an, bis sie Hanns Eberhard Schleyer am Apparat hatten.

Beim ersten Anruf war Eberhard Schleyer noch nicht eingetroffen, beim zweiten Anruf wußte die Telefonzentrale im »Intercontinental« von nichts; ein Herr Schleyer sei nicht als Gast registriert.

Um 17.58 Uhr nahm Hanns Eberhard Schleyer den Hörer selbst ab.

»Sie sprechen mit dem Kommando Siegfried Hausner«, sagte der Anrufer.

»Ja.«

»Ich möchte gerne, um sicherzugehen, daß ich auch wirklich mit Ihnen persönlich spreche, Ihnen eine Frage stellen.«

Schleyer beantwortete die Frage nach dem Vornamen eines Anwalts, den er zusammen mit seinem Vater in New York besucht hatte.

Die Verbindung war schlecht, und der Entführer schlug vor, er werde in fünf Minuten noch einmal anrufen.

Beim nächsten Anruf war das vom BKA angeschlossene Tonbandgerät nicht richtig geschaltet, so daß nur die Stimme Schleyers, nicht aber die des Entführers aufgezeichnet wurde.

Schleyer wurde mitgeteilt, es sei am Frankfurter Flughafen ein Ticket auf den Namen »Schlier« für ihn hinterlegt. Die Maschine starte um 20.55 Uhr nach Paris. Von dort aus habe er eine weite Reise anzutreten. Auf einer der Teilstrecken werde er von einem Abgesandten der Entführer angesprochen, der ihm die Übergabemodalitäten für das Geld nennen werde. Schleyer sagte, er wisse nicht genau, wie weit die Vorbereitungen der Geldübergabe von seiten des BKA gediehen seien. Der Entführer möge sich bitte in einer halben Stunde noch einmal melden.

Beim nächsten Anruf war das Tonbandgerät des BKA wieder intakt.

»Ja, guten Abend Herr Schleyer, noch mal Kommando Siegfried Hausner.«

»Ja, ich habe gerade mit Bonn telefoniert, mit der Bundesregierung«, sagte Eberhard Schleyer. »Ich möchte Ihnen folgendes mit aller Ernsthaftigkeit und Deutlichkeit sagen. Die Bundesregierung ist bereit, die 15 Millionen Dollar zu bezahlen. Die Bundesregierung hat es aber abgelehnt, daß ich heute abend den von Ihnen angegebenen Flug benutze. Ich sage Ihnen auch warum. Die Bundesregierung hat durch die Veröffentlichung dieser Meldung heute, sieht die ganz große Gefahr, daß es mir nicht gelingen wird, diese 15 Millionen Dollar an den richtigen Adressaten zu bringen. Ich habe versucht, dagegen anzugehen, die Bundesregierung ist stur geblieben.«

Er werde weiterhin im »Intercontinental« erreichbar sein. Die Entführer mögen sich bitte neue Modalitäten überlegen, um eine konkrete Gefährdung seiner Person auszuschließen.

»Ich habe nun wirklich versucht, im Interesse meines Vaters diese Haltung zu verändern. Die Bundesregierung ist hart geblieben ... Ich kann Ihnen nur noch mal versichern, ich habe alles versucht, Sie kennen meine Bemühungen. Sie wissen auch, und das hat letztlich im Zweifel auch zur positiven Entscheidung der Bundesregierung beigetragen, daß wir das Verfassungsgericht ...«

»Herr Schleyer, wenn ich Sie mal unterbrechen darf. Es gibt für uns keine andere Möglichkeit. Ich wiederhole: keine.«

»Ja.«

»Wir sind absolut fixiert auf diesen Weg.«

»Ja.«

»Die Bundesregierung meint, die Gefährdung für Sie sei in diesem Punkt zu groß?«

»Ja«, bestätigte Schleyer.

»Das kann ich nur ganz entschieden zurückweisen ... Ich betrachte diesen Marsch der Bundesregierung als erneuten Versuch irgendeiner Verzögerungstaktik. Wir werden uns darauf nicht einlassen.«

»Ich glaube nicht, daß Sie da im Recht sind«, sagte Schleyer.

»Herr Schleyer, hören Sie mir bitte zu!«

»Ja.«

»Daß die Lieferung des Lösegeldes ein fester Bestandteil des Ultimatums ist. Weisen Sie die Bundesregierung nochmals darauf hin, daß sie die Konsequenzen bei Nichterfüllung voll und ganz zu tragen hat.«

»Ja, das habe ich bereits getan«, sagte Schleyer. Die Bundesregierung habe sich positiv bereit erklärt, das Geld bereitzustellen. Sie habe nur ein entschiedenes Veto gegen den Flug am heutigen Abend eingelegt. Die Frage sei, ob der Flug nicht auch am nächsten Tag stattfinden könne.

»Das ist völlig ausgeschlossen«, sagte der Entführer.

»Ich kann nur noch mit aller Dringlichkeit an Sie appellieren, daß Sie die Dinge noch mal überdenken«, beschwor Schleyer den Anrufer.

»Ich muß sagen, daß wir keine Möglichkeit haben, hier irgend etwas zu überdenken. Da ist uns, auch wenn wir wollten, völlig die Entscheidung aus der Hand genommen. Wir haben hier keine Möglichkeit der Änderung.«

»Ich kann mir das nicht vorstellen. Ich kann es mir beim besten Willen nicht vorstellen ...«

»Es ist in diesem Fall völlig unerheblich, was Sie sich vorstellen können. Sie müssen das so nehmen, wie es ist. Und was ich mir nicht vorstellen kann ist, daß die Bundesregierung diese Geschichte am Geld scheitern lassen wird.«

»Nein«, widersprach Schleyer.

»Das ist völlig ausgeschlossen.«

»Nein, nicht nur am Geld, sondern an der konkreten Gefährdung meiner Person.«

»Herr Schleyer, wir werden keine Änderung vornehmen, und das ist auch mein letztes Wort. Das werden Sie bitte auch der Bundesregierung genauso mitteilen. Ich darf mich von Ihnen verabschieden.«

»Sie haben, sind krimineller ...« sagte Schleyer noch. Dann klickte es in der Leitung. Das Gespräch war zu Ende.

Gegen 21.00 Uhr flog Schleyer zurück nach Stuttgart. Eine Stunde vor Mitternacht erhielt er dort einen Anruf der Entführer.

»Wir sind damit einverstanden, wenn den Gefangenen das Lösegeld mitgegeben wird.«

»Ja«, sagte Schleyer.

»Sind Sie in der Lage, der Bundesregierung das mitzuteilen?«

»Ich werde es sofort an die Bundesregierung weiterleiten.«

»Darf ich mir dann vielleicht etwas später von Ihnen die Bestätigung darüber abholen?«

»Das dürfen Sie.«

»Danke sehr, Wiederhören«, sagte der Entführer.

Schleyer rief einen der Vizepräsidenten des BKA an, der Rücksprache mit der Bundesregierung hielt. Hanns Eberhard Schleyer durfte den Entführern mitteilen, die Regierung sei mit diesem Weg der Geldübergabe einverstanden.

Noch in derselben Nacht lehnte das Bundesverfassungsgericht den Erlaß einer einstweiligen Anordnung auf Freilassung der inhaftierten Terroristen ab: »Wie die staatlichen Organe ihre Verpflichtung zu einem effektiven Schutz des Lebens erfüllen, ist von ihnen grundsätzlich in eigener Verantwortung zu entscheiden ... Angesichts der verfassungsrechtlichen Lage kann das Bundesverfassungsgericht den zuständigen staatlichen Organen keine bestimmte Entschließung vorschreiben.«

Die Bundesregierung hatte die Richter des Bundesverfassungsgerichtes davon unterrichtet, daß eine Befreiungsaktion der Flugzeuggeiseln vorbereitet werde. »Das hatte zum Beispiel die Konsequenz, daß unsere Entscheidung erst am frühen Morgen verkündet wurde, obwohl wir etwa sechs Stunden vorher bereits fertig waren«, sagte der Präsident des Bundesverfassungsgerichts in Karlsruhe Ernst Benda später in einem Gespräch mit dem Frankfurter Rechtsanwalt und Publizisten Sebastian Cobler.

Die Richter hätten sich auch mit der Frage beschäftigt, wie die Schleyer-Entführer auf die Gerichtsentscheidung reagieren würden. »Wir haben uns überlegt, daß es in jedem Fall und erst recht in Verbindung mit der Lufthansa-Entführung gut sei, die Entscheidung so lange, wie es irgend ging, hinauszuzögern, weil wir uns vorstellten, daß Schleyer sicher war, solange die Entscheidung noch nicht gefallen beziehungsweise noch nicht bekanntgegeben war. Und natürlich wußten wir, daß möglicherweise die Entscheidung, die den Antrag der Familie Schleyer zurückwies, den Effekt haben würde: jetzt bringen wir den um. Mit dieser Möglichkeit haben wir gerechnet; die war uns bewußt.«

Es sei eine Abwägungsentscheidung gewesen. Das konkret bedrohte

Leben einer bestimmten Person gegen das Leben einer unbekannten Zahl potentieller Opfer.

»Es ist für mich keine Erleichterung«, sagte Benda, »aber ich will es immerhin notieren, daß wohl feststeht, daß Schleyer nicht als Reaktion auf unsere Entscheidung umgebracht wurde, sondern auf die Vorgänge dann in Stammheim.«

Am frühen Nachmittag des 15. Oktober, kurz nachdem Hanns Eberhard Schleyer das Bundesverfassungsgericht angerufen hatte, war vom BKA eine neue Nachricht für die Entführer an Rechtsanwalt Payot übermittelt worden. Die von den Flugzeugentführern angegebenen Zielländer Vietnam und Südjemen hätten es strikt abgelehnt, Terroristen aufzunehmen. »Das vom gleichen Kommando auch genannte Somalia ist bisher von den Gefangenen nicht genannt worden.«

Da Baader erklärt habe, sie wollten nicht in irgendein Land ausgeflogen, sondern an der Festlegung des Ziellandes beteiligt werden, müßten die Gefangenen erneut befragt werden. Das sei eingeleitet worden.

Es war die 25. Mitteilung des BKA an die Schleyer-Entführer.

Wieder erhielt der BKA-Beamte Klaus den Auftrag, mit dem Hubschrauber nach Stammheim zu fliegen. Gegen 18.15 Uhr legte er den Gefangenen nacheinander einen neuen Fragebogen vor:

»Die Entführer haben durch das Kommando »Martyr Halimeh« vom 13.10. Vietnam, Südjemen und Somalia als Zielländer genannt. Vietnam und Südjemen haben die Aufnahme von Terroristen bereits strikt abgelehnt. Somalia wird im Augenblick befragt. Sind Sie bereit, sich ausfliegen zu lassen?«

Gudrun Ensslin unterzeichnete den Fragebogen und antwortete mit »Ja«.

Jan-Carl Raspe schrieb: »Die endgültige Entscheidung mache ich von einer gemeinsamen Besprechung aller Gefangenen, die freigelassen werden sollen, abhängig und bin unter diesem Vorbehalt bereit.«

Irmgard Möller schrieb: »Ja, unter der Voraussetzung, daß die BRD-Regierung unsere Auslieferung von dort nicht betreibt.«

Andreas Baader zögerte mit einer Antwort, er sagte: »Mir ist die Aufnahmebereitschaft der Volksrepublik Vietnam bekannt. Ich ziehe es vor, dorthin ausgeflogen zu werden. Jetzt kann ich es ja sagen. Einer unserer Anwälte hat auf dem diplomatischen Kanal die Zusicherung der Vietnamesen für die Aufnahme erhalten.« Er machte eine kleine Pause: »Allerdings nicht im Zusammenhang mit einer Geiselnahmeaktion.« Baader wirkte nervös und unsicher.

Er schrieb auf den Fragebogen: »Nur, wenn das Kommando tatsächlich Somalia genannt hat.« Dann meinte er: »Wenn die Gefangenen in Somalia zurückgekauft werden sollen, dann können wir ja gleich hierbleiben.«

Andreas Baader kam noch einmal auf das geforderte Gespräch mit Staatssekretär Schüler zurück: »Ich lege größten Wert darauf, um mit ihm die politische Dimension des Gefangenenaustausches zu erörtern.«

Als er den Besucherraum schon verlassen hatte, kehrte er noch einmal zurück: »Bitte geben Sie diesen Gesprächswunsch unter allen Umständen weiter.«

Keiner der Gefangenen hatte die Frage gestellt, was es mit dem Kommando »Martyr Halimeh« überhaupt auf sich habe.

Niemand wunderte sich darüber, daß die Gefangenen trotz Kontaktsperre offenkundig miteinander sprechen und Informationen von außen erhalten konnten.

Nachtdienstmeldung, 15. Oktober:

»Herr Klaus vom BKA war von 18.10 bis 18.45 Uhr bei den Gefangenen Baader, Raspe, Ensslin, Möller und Becker. Auch Herr Amtsinspektor Götz war anwesend.

23.00 Uhr Medikamente an Baader und Raspe ausgehändigt.«

42. Vorbereitungen zum Sturm und ein toter Pilot
(Sonntag, 16. Oktober 1977)

Schon bei der Landung der zweistrahligen Hawker Siddely in Dubai am Mittag des Vortages hatte GSG-9-Chef Ulrich Wegener Ausschau gehalten, ob es eine Möglichkeit zum Sturm auf die »Landshut« gab. Hinter der Maschine waren Sanddünen, in deren Schutz seine Leute – sollten sie vom Verteidigungsminister Dubais die Erlaubnis zum Angriff erhalten – Deckung suchen konnten. Als er Staatsminister Wischnewski im Tower des Flughafens traf, sagte Wegener: »Hier ist etwas zu machen.«

Auf dem Flughafen hatte Wegener zwei Bekannte getroffen, Major Alistair Morrison und Sergeant Barrie Davis von der SAS, einer Spezial-einheit der britischen Luftwaffe zur Terroristenbekämpfung. Vor weni-gen Wochen hatten die beiden Wegener und seine GSG9 in ihrem Standort Hangelar bei Bonn besucht. Sie hatten damals ihre neuen »Blendgranaten« vorgeführt, die durch grellen Blitz und laute Deto-nation Gegner für mindestens sechs Sekunden kampfunfähig machen. In ihrem Reisegepäck hatten die Engländer eine Sammlung solcher Granaten mit nach Dubai gebracht.

Inzwischen hatte Wischnewski mit dem Verteidigungsminister von Du-bai über einen möglichen Einsatz der GSG9 verhandelt. Er kam auf Wegener zu: »Die Entscheidung ist endgültig gefallen. Die wollen es selbst machen. Für uns läuft hier nichts. Der Scheich will seine von den Briten ausgebildeten Fallschirmjäger einsetzen.« Einer der Engländer hatte sich gerade mit Wegener über die Chancen eines Sturmes der Maschine unterhalten. »Das geht doch gar nicht«, sagte er, »die haben so etwas noch nie geübt.«

»Dann müssen wir eben sofort mit dem Üben anfangen«, meinte Wege-ner.

Um 5.30 Uhr meldete sich der Chef der »Landshut«-Entführer beim Tower. Er war heiser und wirkte erschöpft. Die Maschine solle bis 6.00 Uhr aufgetankt werden, sonst müsse er den Flugkapitän erschießen.

In der Nacht zuvor war der Strom in der »Landshut« ausgefallen und damit auch die Klimaanlage an Bord. Kapitän Schumann hatte den Ent-führern klargemacht, daß die Maschine tagsüber in der prallen Sonne ohne Air-condition zum Massengrab werde. Mahmud hatte eingewil-ligt, vom Tower ein Aggregat zu erbitten. Lufthansa-Angestellte hatten daraufhin ein »Groundpower«-Gerät unter die Maschine geschoben. Langsam klärte sich die zum Schneiden dicke Luft in der »Landshut«. Aber Mahmud hatte erkannt, daß Deutsche den Generator gebracht hat-ten.

Am Morgen blieb er plötzlich vor dem Flugkapitän stehen und forderte ihn auf, in den Gang zu treten. »Put your hands up«, schrie er ihn an. Schumann stand auf und verschränkte die Arme im Nacken. »Auf die Knie«, befahl Mahmud und richtete seine Pistole auf Schumanns Kopf.

»Ich werde euch jetzt sagen, wer schuld hat, daß der Strom ausging und wer verantwortlich ist für die schlechten Bedingungen der letzten Stunden. Hier kniet der einzige Schuldige, euer Kapitän. Er hätte euch das alles ersparen können. Er ist ein Verräter. Er hat Nachrichten nach draußen gegeben. Stimmt's? Gib es zu!«

»Ja«, bekannte der Flugkapitän.

»Ihr habt alle gehört, daß er seine Schuld zugibt!« brüllte Mahmud. »Du wirst jetzt auch vor all deinen Passagieren sagen, daß du beim Militär ausgebildet worden bist.«

»Ja«, sagte Schumann.

»Die Leute, die kamen, um uns die Groundpower zu bringen, waren deine Freunde vom Militär, nicht wahr? Gib es zu!«

»Nein, nein, wirklich nicht. Das waren Leute von unserer Firma!«

»Nun wollen wir mal sehen, was du beim Militär gelernt hast. Steh auf!« schrie Mahmud. »Steh gerade! Und jetzt Kehrtwendung! Los! Marschieren! Eins, zwei, eins, zwei, eins, zwei!«

Jürgen Schumann marschierte den Gang auf und ab.

»Du hast Informationen schon während des Fluges und in Dubai über Funk hinausgegeben? Das muß doch auch der Copilot bestätigen können?«

»Der Copilot weiß nichts davon, ich hab' es allein getan«, wehrte Schumann ab.

Tatsächlich hatte er während des Funkverkehrs durch eingestreute deutsche Worte signalisiert, wie viele Flugzeugentführer die Maschine in ihrer Gewalt hatten und wie sie bewaffnet waren. Außerdem hatte er in die Müllcontainer, die vom Bodenpersonal abgeholt wurden, vier unangerauchte Zigaretten geworfen. Draußen hatte man das Zeichen richtig interpretiert.

Am Morgen gab der Verteidigungsminister Dubais ein Rundfunkinterview, in dem er lobend erwähnte, daß der deutsche Flugkapitän verdeckte Informationen über die Zahl der Entführer gegeben hatte.

Mahmud hatte das Interview mitgehört. Er nahm das Bordmikrophon und verlangte vom Tower noch einmal, die Maschine aufzutanken. Sonst werde er den Flugkapitän sowie alle fünf Minuten einen Passagier erschießen. Die »Landshut« wurde mit Sprit versorgt.

Währenddessen begann Ulrich Wegener das Training auf einem Luftwaffen-Flugplatz, drei Kilometer vom Tower entfernt. Dort stand eine Boeing 737 der Gulf Air. 20 Beduinen-Soldaten mit ihren englischen

Ausbildern ließen sich vom GSG-Chef im Kapern eines Flugzeuges ausbilden. Stundenlang übten sie unter Wegeners Kommando. Es klappte überraschend gut. »Das ist zwar noch kein perfektes Team«, sagte Wegener den britischen Offizieren, »aber es könnte gehen.«

Kurz vor Mittag deutscher Zeit meldete sich Mahmud wieder über Funk im Tower. Die Maschine werde jetzt starten. Wenn nicht sofort alle Vorbereitungen für einen Abflug getroffen würden, sehe er sich gezwungen, alle fünf Minuten einen Passagier zu erschießen. Das Stromaggregat wurde abgekoppelt. Um 15.19 Uhr Ortszeit war die »Landshut« wieder in der Luft.

Die Maschine nahm Kurs auf die zum Sultanat Oman gehörende Insel Massira, die aber für eine Landung gesperrt wurde. Dann flog die Boeing Aden an.

Nach einer dreiviertel Stunde Flugzeit gab Mahmud über das Bordmikrophon durch: »Wir erwarten bei unserer Landung eine Schießerei. Es werden Soldaten dasein. Wir werden Sie jetzt fesseln. Beachten Sie bitte, daß es nur zu Ihrer eigenen Sicherheit ist.«

Die Frauen im Flugzeug hatten ihre Strumpfhosen ausziehen müssen. Nacheinander mußten die Männer auf den Gang treten. Eine der Entführerinnen bedrohte sie mit entsicherter Pistole. Die andere fesselte ihnen mit den zerschnittenen Strumpfhosen die Handgelenke auf dem Rücken und verknotete sie so fest, daß die Hände anschwollen und blauschwarz wurden. Einer der Männer fragte »Martyr Mahmud«, ob die Fesselung nicht gelockert werden könnte. Mahmud willigte ein und befahl den beiden Frauen, die Fesseln wieder zu lösen. Wortlos machten sie sich an die Arbeit.

Mahmud ging ins Cockpit zurück. Der zweite Mann, »der Hübsche«, wie ihn die Stewardessen in ihren Gesprächen untereinander nannten, hatte an den Kabinenwänden vor der ersten Economy-Reihe Plastik-Sprengstoff befestigt, Zünder in die Masse gedrückt und die Zündkabel in die erste Klasse gezogen.

Flugkapitän Schumann nahm Kontakt zum Flughafen Aden auf. »Sie können nicht landen. Der Flughafen ist gesperrt«, teilte ihm der Fluglotse im Tower mit.

»Dies ist ein Notfall. Wir haben keinen Sprit mehr. Wir müssen sofort runter, wenn wir den Flugplatz erreichen. Bitte holen Sie jemanden Offizielles. Wir haben 91 Menschen an Bord. Wir stürzen ab, wenn wir nicht sofort Landeerlaubnis erhalten.« Schumann versuchte es mit Betteln, im Befehlston, er schrie.

Nach ein paar Minuten meldete sich eine andere Stimme vom Tower: »Tut uns leid, die Landebahn ist blockiert. Es gibt für Sie keine Möglichkeit, hier runterzugehen.«

Die »Landshut« hatte noch für 25 Minuten Sprit in den Tanks, Aden war 60 Kilometer entfernt. Der nächste Flugplatz – Dschibuti – unerreichbar weit.

Unter sich sahen die Piloten zwei sich kreuzende Pisten im Wüstensand, auf der Karte als »Scheich-Othman-Flugfeld« registriert. Bodeneinrichtungen konnten sie nicht entdecken, konnten auch nicht feststellen, was für eine Piste es dort gab. Sie beschlossen, trotz Landeverbots Aden anzufliegen.

Die Stewardessen gaben den Passagieren Anweisungen für das Verhalten bei einer Notlandung. Uhren, Broschen und Gebisse, alle spitzen Gegenstände wurden in einer Plastiktüte eingesammelt. Copilot Vietor hatte den Steuerknüppel übernommen. Er flog eine Schleife. Unter sich konnte er sehen, daß alle Betonwege auf dem Flughafen mit Panzerfahrzeugen blockiert waren. Der Tower Aden meldete sich nicht mehr.

Jürgen Vietor schaffte es, die »Landshut« auf einer Sandpiste neben der mit Panzern gespickten Rollbahn aufzusetzen. Einige hundert Soldaten liefen auf das Flugzeug zu und stellten sich mit erhobenen Waffen im Kreis auf. Es war dunkel geworden. Schumann verlangte nach dem Megaphon und versuchte, den Jemeniten die Lage zu erklären.

Mahmud nahm ihm das Megaphon ab und redete arabisch auf die Soldaten ein. Dann wandte er sich an den Piloten: »Es hilft nichts, wir müssen wieder los.«

»Das ist heller Wahnsinn. Nach so einer Notlandung kann man unmöglich wieder starten …«

Mahmud gab Kapitän Schumann die Erlaubnis, aus der Maschine zu steigen, um das Fahrwerk zu kontrollieren. Vietor hatte das Gefühl, als verginge eine Stunde, ohne daß der Flugkapitän wiederauftauchte. Mahmud wurde unruhig, dann brüllte er die immer noch mit dem Gewehr im Anschlag um die Maschine herumstehenden Soldaten auf arabisch an. Er drehte sich um und erklärte den Geiseln auf englisch:

»Wenn der Pilot nicht wiederkommt, jage ich das Flugzeug in die Luft. Wenn er wiederkommt, werde ich ihn exekutieren.«

Plötzlich tauchte Schumann aus der Dunkelheit auf. Mahmud befahl, die hintere Treppe herunterzulassen. Schumann ging die Treppe hinauf und durch den Gang in die erste Klasse auf Mahmud zu.

»Runter, auf die Knie!« schrie der Chef der Entführer.

Schumann gehorchte. Er hatte die Hände über dem Kopf gefaltet. Mahmud setzte einen Fuß auf einen leeren Sitz: »Dies ist ein Revolutionstribunal. Du hast alle hier der Gefahr ausgesetzt, in die Luft gesprengt zu werden. Du hast mich bereits einmal verraten. Dieses zweite Mal verzeihe ich dir nicht. Bist du schuldig oder nicht schuldig?«

Jürgen Schumann antwortete mit leiser, ruhiger Stimme: »Captain, es gab Schwierigkeiten, zum Flugzeug zurückzukommen.«

Mahmud schlug ihm mit der linken Hand ins Gesicht. »Schuldig oder nicht schuldig?« schrie er.

»Sir, lassen Sie mich erklären, ich konnte nicht zur Maschine zurück.«

Mahmud schlug so hart zu, daß der Kopf des Piloten zur Seite flog. Dann drückte er ab. Schumann fiel zu Boden. Er war tot.

Um 16.21 Uhr deutscher Zeit startete in Dubai das Flugzeug mit Staatsminister Wischnewski an Bord. Der südjemenitische Luftraum war gesperrt. Die Boeing 707 landete im saudiarabischen Djidda.

Am späten Abend versuchte Hanns Eberhard Schleyer über Payot in Genf unmittelbaren Kontakt zu den Entführern seines Vaters aufzunehmen. »Mir war durch das Verhalten der Bundesregierung deren ablehnende Haltung klargeworden«, sagte er in seiner späteren Vernehmung durch Beamte des BKA.

Die Kontaktaufnahme gelang ihm nicht.

Nachtdienstmeldung Stammheim, 16. Oktober:
»Baader bekam gegen 21.30 Uhr eine Spritze.
Zelle 714 mußte geöffnet werden.
23.00 Uhr Medikamente an Baader und Raspe ausgehändigt.«

43. Feuerzauber
(Montag, 17. Oktober 1977)

Kurz nach Tagesanbruch war die »Landshut« in Aden aufgetankt worden. Um 2.02 Uhr deutscher Zeit startete die Maschine. Die Leiche des erschossenen Flugkapitäns Jürgen Schumann war von den Entführern aufrecht stehend im hinteren Garderobenschrank des Flugzeugs verstaut worden. Mit Lavex-Tüchern wischten sie das Blut ab. Auf einer Kehrschaufel hatten sie Gehirnmasse, die auf dem Teppich im Gang lag, zusammengekratzt und vor dem Start aus dem geöffneten Cockpit-Fenster geworfen.

Jürgen Vietor saß am Ruder. Die »Landshut« nahm Kurs auf Mogadischu.

Zweieinhalb Stunden später, um 4.34 Uhr deutscher Zeit, landete sie in der somalischen Hauptstadt.

Die in Bagdad weilende Hauptgruppe der RAF hatte die Nachrichten von der Entführung und dem darauf folgenden Irrflug der »Landshut« über die Deutsche Welle verfolgt. Man war nach den Wochen des quälenden und erfolglosen Wartens auf ein Einlenken der Bundesregierung wieder voller Hoffnung auf ein Gelingen der Aktion. »Wir haben alle gedacht, jetzt ist es gelaufen«, erinnerte sich Peter Jürgen Boock später, »wir haben gemeint, jetzt kann Helmut Schmidt nicht mit irgendeiner polizeilichen oder militärischen Lösung kommen. Da ist erst mal Schleyer, jetzt die Urlauber. Jetzt läuft der Austausch.«

Doch die Euphorie erlosch, nachdem die Lufthansa-Maschine in Aden wieder starten mußte. Alle hatten nämlich gewußt, daß die Entführung dort enden sollte: »Als es dann hieß, die Maschine durfte dort nicht bleiben, sondern mußte unter Androhung von militärischer Gewalt wieder weg, da war schlagartig klar, es läuft ganz fürchterlich schief.«

Um 7.09 Uhr startete in Djidda die Boeing 707 mit Staatsminister Wischnewski an Bord. Viereinhalb Stunden später landete die Maschine ebenfalls in Mogadischu. Die Entführer hatten die Ankunft des zweiten Flugzeugs bemerkt. Mahmud fragte den Tower: »Was sind das für Leute?«

»Ein Vertreter der deutschen Bundesregierung ist eben gelandet.«

Heiser, aber ganz ruhig sagte Mahmud: »Sagen Sie dem deutschen Vertreter, daß es zwischen uns nichts zu verhandeln gibt. Ich will ihn nur
sprechen, wenn er mir mitteilen kann, daß die Gefangenen in Deutschland freigelassen worden sind.«
Der Tower erkundigte sich, ob man Mittagessen an Bord bringen solle.
»Wir brauchen nichts mehr zu essen. In drei Stunden läuft unser Ultimatum ab. Dann sind alle in der Maschine entweder tot oder frei.«
Über die Notrutsche wurde der Leichnam des erschossenen Piloten aus
dem Flugzeug gelassen.

Am Vorabend gegen 20.10 Uhr war im »Kleinen Krisenstab« entschieden worden, den Ministerialdirigenten Dr. Hegelau als Vertreter Staatssekretär Schülers zu dem von Baader und Ensslin geforderten Gespräch
nach Stammheim zu schicken. Der BKA-Beamte Klaus sollte ihn begleiten.
Es regnete und stürmte am nächsten Tag, und so konnten die beiden
Beamten nicht wie geplant den Hubschrauber nehmen, sondern mußten
mit dem Auto fahren. Hegelau hatte Baader nie zuvor gesehen, kannte
auch die Einzelheiten des Stammheimer Prozesses und der RAF-An-
schläge kaum. Der BKA-Mann klärte ihn während der Fahrt notdürftig
auf, schilderte Stationen aus Baaders Leben und sagte zum Schluß: »Er
ist zur Zeit etwas nervös und konfus.«

Kurz vor 14.00 Uhr trafen die beiden Unterhändler in Stammheim ein.
Sie wurden sofort zum Anstaltsleiter Nusser gebracht und anschließend
von Amtsinspektor Bubeck abgeholt. Im Aufzug fuhren sie in den sieb-
ten Stock. Bubeck ließ die Tür der Zelle 719 aufschließen und sagte
Baader, es sei Besuch für ihn da. »Ich komme in fünf Minuten«, sagte
Baader. »Ich habe noch zu tun.« Er ließ sich wieder einschließen. Wäh-
rend Amtsinspektor Bubeck auf das Lichtsignal über der Zellentür zum
Zeichen dafür wartete, daß Baader kommen würde, leuchtete das Licht-
signal über der Tür der gegenüberliegenden Zelle auf. Ein Vollzugsbeamter öffnete. Gudrun Ensslin trat auf den Flur und wandte sich an
Bubeck:
»Ich will die beiden Anstaltsgeistlichen sprechen.«
Ein solches Gespräch hatten die Pfarrer vier Tage zuvor angeboten, um
den unter der Kontaktsperre leidenden Gefangenen seelische Entla-

stung zu geben. Bubeck versprach, ihren Wunsch weiterzumelden. Gudrun Ensslin wurde wieder eingeschlossen.

Währenddessen leuchtete das Signal über Baaders Tür auf. Er wurde aus der Zelle gelassen und über den Flur zum Besucherzimmer geführt. Alfred Klaus begrüßte ihn kurz.

»Ich habe Ihre Bitte um ein Gespräch weitergeleitet. Herr Ministerialdirigent Dr. Hegelau ist in Vertretung von Herrn Staatssekretär Schüler zu Ihnen gekommen.«

»Eigentlich habe ich Schüler selbst sprechen wollen«, sagte Baader hastig und undeutlich. Zögernd setzte er sich. »Es ist eigentlich zu spät für dieses Gespräch«, sagte er. »Die Möglichkeit der Einflußnahme ist inzwischen versäumt worden.« Er kam auf die Entführung der »Landshut« zu sprechen: »Die RAF hat diese Form des Terrorismus bis jetzt abgelehnt.« Sie, die Häftlinge, hätten Aktionen gegen unbeteiligte Zivilisten nie gebilligt und billigten sie auch jetzt nicht. Die Bundesregierung müsse sich klar darüber sein, daß die zweite oder dritte Generation die Brutalität weiter verschärfen werde.

»Es gibt zwei Linien im Kampf gegen den Staat«, sagte Baader. »Die Bundesregierung hat durch ihre Haltung dieser extremen Form zum Durchbruch verholfen.«

»Wo fängt denn Ihrer Meinung nach der Terrorismus an?« erkundigte sich Dr. Hegelau.

»Bei dieser Form terroristischer Gewalt gegen Zivilisten«, antwortete Baader. »Das ist nicht Sache der RAF, die langfristig eine gewisse Form politischer Organisation angestrebt hat. Das kann man in den Schriften nachlesen. Demgegenüber, was jetzt läuft, hat die RAF eine gemäßigte Politik verfolgt.«

»Meinen Sie das ernst – nach den acht Toten der letzten Monate?« fragte der BKA-Beamte.

»Die Brutalität ist vom Staat provoziert worden«, antwortete Baader und erwähnte die Schußanlage, die gegenüber der Bundesanwaltschaft aufgebaut worden war. »Die Maschine ist von Leuten der zweiten, dritten oder vierten Generation installiert worden. Auch die Schleyer-Entführer und andere, nach denen gefahndet wird, sind uns persönlich gar nicht mehr bekannt. Wenn das BKA behauptet, die Aktionen würden aus dem Gefängnis gesteuert, dann trifft das allenfalls im ideologischen Bereich zu. Der bewaffnete Kampf hat sich internationalisiert. Jetzt bestimmen möglicherweise die Japaner oder die Palästinenser das Geschehen. Ich weiß jetzt zuwenig darüber. Ich kann nur wiederholen, daß die Gefangenen im Falle einer Freilassung nicht in die Bundesrepublik zurückkehren werden. Sie werden allerdings ihren Kampf gegen diesen Staat im Kontext aller internationalen Befreiungsbewegungen fortsetzen, und zwar mit Kampagnen. Es ist absurd anzunehmen, wir würden als internationale Terroristen weiterkämpfen. Der internationale Terrorismus ist keine Perspektive für die RAF.«

Dr. Hegelau fragte: »Welchen Einfluß haben Sie, etwa als Symbolfigur, noch?«

»Ich sehe zwei Möglichkeiten«, sagte Baader, »einmal die weitere Brutalisierung und zum anderen einen geregelten Kampf, im Gegensatz zum totalen Krieg. Ich weiß ein paar Dinge, bei deren Kenntnis der Bundesregierung die Haare zu Berge stehen würden. Aber ich bin der Überzeugung, daß noch eine Einflußmöglichkeit, zumindest auf die Gruppen in der Bundesrepublik, besteht.

Man kann noch versuchen, eine Entwicklung zum Terrorismus hier zu verhindern, obwohl es Strömungen anderer Art gibt. Das ist letztlich der Grund für den Gesprächswunsch gewesen. Der Terrorismus ist nicht die Politik der RAF. Die Freilassung der zehn Gefangenen jedenfalls bedeutet keine Eskalation der Formen bewaffneter Gewalt. Insofern wird das Volk belogen.«

»Warum reden Sie von zehn und nicht von elf freizulassenden Gefangenen?« erkundigte sich der BKA-Beamte.

»Günter Sonnenberg ist durch seine Hirnverletzung kretinisiert, darum rechne ich ihn nicht mehr dazu.« Sonnenberg hatte bei seiner Festnahme einen Kopfschuß erlitten.

Baader kam auf die ursprüngliche Motivation der Gruppe zu sprechen. Anlaß sei vor allem der Vietnamkrieg gewesen. Das sehe er auch heute noch rückblickend als zwingenden Grund für die RAF-Aktionen an. Allerdings habe die Gruppe auch Fehler gemacht. Er warf die Frage auf, wem die in seinen Augen vom Staat verschuldete Eskalation des Terrors und der Brutalität nütze, vielleicht werde sie von manchen sogar gewünscht. Sie werde jedenfalls eine breite illegale Bewegung hervorrufen. Zum Schluß sagte Baader: »Zwischen dem Staat und den Gefangenen gibt es zur Zeit einen minimalen Berührungspunkt des Interesses. Gudrun hat dazu schon alles gesagt. Freigelassene Häftlinge sind im Verhältnis zu toten Gefangenen auch für die Bundesregierung das kleinere Übel.« Sterben müßten die Gefangenen so oder so.

Das Gespräch dauerte über eine Stunde. Nachdem Andreas Baader wieder in seine Zelle zurückgebracht worden war, telefonierte der Ministerialdirigent mit dem Bundeskanzleramt.

Am Nachmittag wurde der evangelische Anstaltspfarrer auf einem Konvent in Leonberg von seinem katholischen Kollegen Dr. Rieder angerufen. Gudrun Ensslin wünsche ein Gespräch mit den beiden Geistlichen.

Gegen 15.40 Uhr brachte ein Beamter die Pfarrer in das Besuchszimmer im siebten Stock. Kurz darauf wurde Gudrun Ensslin hereingeführt. Sie nahmen an einem Tisch Platz.

»Ich habe ein Anliegen, das ich Ihnen mitteilen möchte«, sagte die Gefangene. »Ich gehe davon aus, daß Sie mir dabei helfen können. Auf meiner Zelle in einer Mappe mit der Aufschrift ›Anwalt‹ befinden sich drei lose eingelegte beschriebene Blätter, die dem Chef des Bundeskanzleramtes zugestellt werden sollen, wenn ich vernichtet oder hingerichtet sein werde. Sorgen Sie bitte dafür, daß diese Schriftstücke dorthin gelangen. Ich habe die Befürchtung, daß sonst die Bundesanwaltschaft die Schriftstücke unterschlägt oder gar vernichtet.«

Der evangelische Geistliche fragte: »Aber Frau Ensslin, sind Sie denn wirklich der Meinung, daß jemand sie vernichten oder hinrichten will?«

»Nicht irgendwie von hier aus dem Haus. Die Aktion kommt von außerhalb. Wenn wir hier nicht rauskommen, dann geschehen schreckliche Dinge.«

Dr. Rieder warf ein: »Meinen Sie damit, dann ist der Teufel los?«

»Ja, das kann man so sagen.«

Gudrun Ensslin war ganz ruhig, sie sprach ohne Erregung und Nervosität.

»Wen wollen Sie eigentlich befreien?« erkundigte sich der katholische Pfarrer.

Daraufhin erzählte Gudrun Ensslin von dem unmenschlichen, fast 30 Jahre geführten Dschungelkrieg in Vietnam, der unsägliches Leid über Millionen Menschen gebracht habe und dessen Nachwirkungen noch nicht abzusehen seien.

In anderen Ländern hätte es Befreiungsbewegungen und Revolutionen gegeben. Nur über Gewaltanwendung seien gesellschaftliche Veränderungen, die zur Befreiung von Unterdrückten geführt hätten, durchzusetzen gewesen. So etwas sei in Deutschland, wenn überhaupt, nur mit halbem Herzen gemacht worden. Die bestehenden militärischen und wirtschaftlichen Machtverbindungen zwischen der Bundesrepublik und den USA bewirkten eine starke Abhängigkeit und Unterdrückung der Massen und würden unweigerlich zu einem neuen, schrecklichen Atomkrieg führen. »Das gilt es mit allen Mitteln, notfalls mit Gewalt, zu verhindern und zu ändern.«

Das Gespräch dauerte eine Stunde. Am Schluß bat Gudrun Ensslin die Geistlichen noch einmal, dafür Sorge zu tragen, daß die drei Schriftstücke ihren Adressaten auf jeden Fall erreichten.

»Wer soll denn davon auf alle Fälle unterrichtet werden?« fragte der evangelische Pfarrer.

»Mein Anwalt und meine Eltern.«

Gudrun Ensslin gab den Geistlichen beim Abschied die Hand.

»Ich hoffe, wir können das Gespräch fortsetzen«, sagte Pfarrer Kurmann.

»Theologen hoffen.« Gudrun Ensslin drehte sich lächelnd um und ging zurück in ihre Zelle.

Der Vollzugsbeamte Bubeck begleitete die beiden Geistlichen im Aufzug nach unten und dann zum Anstaltsleiter Nusser. Die Pfarrer berichteten über das Gespräch und die drei Schriftstücke, die nach Gudrun Ensslins Worten »im Falle einer Hinrichtung« an das Bundeskanzleramt geschickt werden sollten.

»Was haben Sie auf diese Äußerung ›Hinrichtung‹ erwidert?« schaltete sich Bubeck in das Gespräch ein. »Haben Sie nicht geantwortet, daß so etwas absurd ist und es so etwas bei uns nicht gibt?«

»Das habe ich getan«, antwortete Dr. Rieder.

Der Anstaltsleiter fragte, ob das Wort Hinrichtung auch als Selbstmorddrohung gewertet werden könnte.

»Nein«, sagten die beiden Geistlichen.

Die drei Schriftstücke, von denen Gudrun Ensslin gesprochen hatte, wurden nie gefunden.

In den Tagen zuvor waren die Anwälte der Stammheimer Gefangenen selbst aktiv geworden, um das Geiseldrama zu beenden.

Baaders Verteidiger Hans Heinz Heldmann:

»Die Anwälte haben verschiedenes gemacht. Sie haben verschiedenes versucht. Sie haben unter anderem, das einmal ins Gespräch zu bringen, halte ich für wichtig, gefordert, einen Kontakt mit unseren Mandanten zu finden. Nach dem 5. September 1977 gab es keinerlei Außenkontakte der Gefangenen mehr, auch keinerlei Möglichkeiten mehr, irgendeine Verbindung oder eine Kommunikation zu ihren Verteidigern zu finden. Mandanten und Verteidiger waren völlig voneinander abgeschlossen. In dieser Situation der Geiselnahme haben wir einerseits von der Justiz, dem Vorsitzenden des Oberlandesgerichts in Stuttgart, Dr. Foth, gefordert, mit unseren Mandanten in Verbindung treten zu können, um die Frage positiv zu klären, daß unsere Mandanten auf Befreiung durch Geiselnahme ein für allemal verzichten. Gleichzeitig mit der Erklärung an die Justiz, daß wir nicht weiter verteidigen würden, wenn nicht die Mandanten diese Erklärung abgäben.«

Die Sekretärin der Geschäftsstelle des Stuttgarter Senats richtete dem Anwalt aus, der Wunsch nach Kontaktaufnahme zu den Mandanten sei rundweg und ohne Einschränkung abgelehnt.

Als letzte Möglichkeit versuchte Heldmann, Amnesty International einzuschalten. Am Nachmittag des 17. Oktober rief er den Vertreter der internationalen Gefangenen-Hilfsorganisation, Bischof Helmut Frenz, an und bat ihn, im Kanzleramt oder im Justizministerium vorzusprechen. Er bäte dringend um einen Gesprächstermin mit dem Bundeskanzler oder dem Justizminister. Frenz fuhr zum Justizministerium und erklärte sein Anliegen. Man bedeutete ihm, zu warten. Stundenlang harrte der Amnesty-Vertreter in einem Vorzimmer aus.

Nach ihrer Landung in Mogadischu hatten die Entführer der »Landshut« ihr Ultimatum für den Austausch der Gefangenen auf 15.00 Uhr mitteleuropäischer Zeit verlängert; 17.00 Uhr Ortszeit.

Staatsminister Wischnewski verhandelte fieberhaft mit der somalischen Regierung, um die Erlaubnis zum Einsatz der GSG 9 zu erhalten. Im Cockpit von Wischnewskis 707 saß Rüdiger von Lutzau, der Freund der »Landshut«-Stewardeß Gaby Dillmann. Er hatte die Aufgabe, den

Funkverkehr zwischen der »Landshut« und dem Tower mitzuhören und aufzuschreiben.

General Abdullahi, der somalische Polizeichef, sprach mit »Martyr Mahmud«: »Die deutsche Regierung wird Ihre Bedingungen nicht annehmen … Die somalische Regierung ersucht Sie, die Passagiere und Besatzung freizulassen. Wir versprechen Ihnen sicheres Geleit …«

Der Entführer antwortete: »Ich habe Ihre Nachricht verstanden, General, daß die deutsche Regierung unsere Forderungen ablehnt. Das ändert nichts. Wir werden das Flugzeug genau bei Ablauf des Ultimatums in die Luft sprengen, das heißt genau in einer Stunde und 34 Minuten … Wenn Sie dann zufällig im Tower sind, werden Sie das Flugzeug in tausend Stücke fliegen sehen …«

Mahmud sagte den Passagieren, daß ihre Regierung sie sterben lassen wolle. Die Stewardeß Gaby Dillmann bat ihn, noch einmal mit dem deutschen Botschafter sprechen zu dürfen. Mahmud übergab ihr das Mikrophon.

Am Funkgerät in der Boeing 707 hörte Rüdiger von Lutzau mit. Die Worte kamen aber so verzerrt bei ihm an, daß er nicht merkte, wer dort sprach.

»Wir wissen jetzt, daß dies das Ende ist. Wir wissen, daß wir sterben müssen. Es wird sehr schwer für uns sein, aber wir werden so tapfer wie möglich sterben. Wir sind alle zu jung zum Sterben, auch die Alten unter uns sind zu jung dazu. Wir hoffen nur eins, daß es schnell geht, daß wir nicht zu große Schmerzen haben werden. Aber vielleicht ist es besser zu sterben, als in einer Welt zu leben, in der Menschenleben so wenig zählen. In einer Welt, wo so etwas möglich ist. In der es wichtiger ist, neun Menschen im Gefängnis zu halten, als 91 Menschen das Leben zu retten. Bitte sagen Sie meiner Familie, daß es gar nicht so schlimm war. Und bitte, sagen Sie meinem Freund, sein Name ist Rüdiger von Lutzau, daß ich ihn sehr geliebt habe.«

Gaby Dillmann stockte, dann drückte sie noch einmal die Sprechtaste: »Ich habe nicht gewußt, daß es Menschen wie in der deutschen Regierung gibt, die mitverantwortlich für unseren Tod sind. Ich hoffe, sie können mit dieser Schuld auf ihrem Gewissen leben.«

Rüdiger von Lutzau schrieb bis zuletzt mit.

Die vier Palästinenser hatten wieder den Sprengstoff an den Kabinenwänden befestigt. Sie befahlen den Männern an Bord, einzeln in den

Gang zu treten, und fesselten ihnen die Hände auf dem Rücken. Dann knoteten sie auch den Frauen die Hände mit zerschnittenen Strumpfhosen zusammen. Sie sammelten alle Flaschen mit alkoholischen Getränken, schlugen die Hälse an den Sitzlehnen ab und gossen den Inhalt über Teppiche und über die Passagiere.

Vom Tower meldete sich der somalische Informationsminister: »Unsere Regierung versucht laufend, mit der deutschen Regierung zu sprechen. Wir haben Ihnen bereits deren Position mitgeteilt, aber wir versuchen es immer weiter. Jetzt und in dieser Lage möchte meine Regierung Sie bitten, das Ultimatum um mindestens 24 Stunden zu verlängern ...«

»Wir wollen kein Blut vergießen«, antwortete Martyr Mahmud aus der »Landshut«, »aber das imperialistische, faschistische westdeutsche Regime lehnt unsere Forderungen ab. Deshalb bleibt uns keine Wahl. Sie kümmern sich nicht um ihre Menschen, deshalb müssen wir das Flugzeug mit allen Menschen an Bord in die Luft sprengen ... Es gibt keine Alternative, außer daß das Flugzeug in genau 23 Minuten gesprengt wird.«

Der somalische Informationsminister fragte, ob das Ultimatum nicht wenigstens um eine halbe Stunde verlängert werden könne, um das Gebiet um die »Landshut« zu räumen. Mahmud sagte zu, die Frage mit seinen Genossen zu besprechen.

Wenige Minuten später verlangte der Tower erneut nach dem Entführer-Chef. Der deutsche Geschäftsträger in Mogadischu habe eine wichtige Nachricht.

»Ich höre, Herr Vertreter des faschistischen, imperialistischen Westdeutschland. Sprechen Sie und lesen Sie ihre Botschaft vor«, sagte Mahmud.

»Wie Sie wissen, haben wir eine hohe Delegation meiner Regierung hier. Diese Delegation wird von einem Staatsminister geführt, der sich mit Präsident Siad Barre eingehend über die gegenwärtige Situation unterhalten hat. Aufgrund dieser Unterhaltung ist es notwendig geworden, ein Telefongespräch mit dem Bundeskanzler der Bundesrepublik Deutschland zu führen.« Aus technischen Gründen habe das Gespräch bisher nicht stattfinden können. Anschließend werde er eine neue, sehr wichtige Nachricht durchzugeben haben.

»Ich habe verstanden«, sagte Mahmud. »Aber Sie hatten für all das fast

96 Stunden Zeit. Sie geben in den letzten zehn Minuten nach – wie soll ich das von dem Vertreter des faschistischen, imperialistischen westdeutschen Regimes akzeptieren?«

Michael Libal, der deutsche Chargé d'Affaires, beendete das Gespräch: »Das ist alles, was ich Ihnen derzeit sagen kann. Bitte warten Sie.«

Die Entführer verlängerten das Ultimatum um eine halbe Stunde, damit die Somalis die Umgebung des Flugzeugs räumen könnten. Die Somalis ließen sich Zeit. Zwölf Minuten nach Ablauf des neuen Ultimatums fragte Mahmud beim Tower nach: »Haben Sie alle Rollbahnen geschlossen?«

»Nein, noch nicht. Wir werden räumen. Warten Sie, Sir.«

»Versuchen Sie es bitte so schnell wie möglich.«

»Ja Sir, wir danken Ihnen sehr für Ihre Kooperation.«

Kurz darauf meldete sich wieder der deutsche Geschäftsträger: »Hören Sie mich, Herr Martyr Mahmud?« Neben ihm stand der vom Bundeskriminalamt mit Wischnewski auf die Reise geschickte Psychologe Wolfgang Salewski. Jede Äußerung gegenüber den Flugzeugentführern war mit ihm vorher abgesprochen worden.

»Ich höre Sie sehr deutlich, denn mein Gehör ist sehr gut, Vertreter des westdeutschen faschistischen Regimes«, antwortete der Entführer.

»Wir haben gerade die Nachricht bekommen, daß die Häftlinge in den deutschen Gefängnissen, die Sie freigelassen haben möchten, hier nach Mogadischu geflogen werden sollen.« Wegen der großen Entfernung könne die Maschine aber erst am Morgen in Mogadischu sein.

»Sie wagen, mich um eine Verlängerung des Ultimatums bis zum Morgen zu fragen – stimmt das, Herr Vertreter des deutschen Regimes?«

»Im Prinzip stimmt das«, sagte Libal.

»Wie groß ist die Entfernung zwischen der Bundesrepublik und Mogadischu, Herr Vertreter des westdeutschen Regimes?«

»Mehrere tausend Meilen.«

Mahmud wollte es genau wissen, und der deutsche Geschäftsträger versprach, das zu prüfen.

»Okay, noch vier Minuten bis zum Ende des Ultimatums«, sagte Mahmud. »Wenn Sie uns täuschen wollen oder Spiele mit uns spielen … ich ziehe es vor, mit Sprengstoff zu spielen. Aber wenn Sie es ernst meinen und sich um die Menschen an Bord dieses Flugzeuges sorgen, sind wir bereit zu verhandeln.«

»Wie Sie aus meiner Nachricht erfahren haben, sind wir nun bereit, die Häftlinge hier nach Mogadischu zu fliegen.«

»Okay, Sie sorgen sich, aber nicht Ihre Regierung. Und Sie sorgen sich jetzt, weil Sie glauben, daß wir etwas zu tun versprochen haben und es auch tun werden. Und wenn Ihre Regierung des westdeutschen Regimes glaubt, es werde hier ein zweites Entebbe geben, dann träumen Sie.«

Vom Tower kam die Nachricht, daß zwischen Frankfurt und Mogadischu 3200 nautische Meilen lägen, sieben Flugstunden. Der Entführer erklärte sich bereit, das Ultimatum bis 3.30 Uhr somalischer Zeit, 1.30 Uhr deutscher Zeit, zu verlängern.

Mahmud ging aus dem Cockpit in die Kabine. Zögernd sagte er: »Wir nehmen jetzt die Fesseln ab. Es ist eine Möglichkeit eingetreten, die unser aller Rettung sein könnte. Aber es ist noch nicht Zeit, sich zu freuen.« Die Frauen machten sich daran, den Passagieren die Fesseln abzunehmen. Vor Freude und auch vor Schmerz schrien die Geiseln auf. Die festgeknoteten Strumpfhosen hatten tief ins Fleisch geschnitten und das Blut in den Handgelenken aufgestaut. Mahmud sagte: »In the last ten minutes, they promised me everything that I am asking for now for five days.«

Die Lufthansa-Maschine mit dem ersten Kommando der GSG9 war am Tag zuvor aus der Türkei nach Köln/Bonn zurückgekehrt. Am Sonntag hatte es einen neuen Einsatzbefehl aus Bonn für zwei andere Einheiten der Gruppe gegeben. Am Montag war die Maschine mit zunächst unbekanntem Flugziel gestartet, hatte auf Kreta getankt und kreiste nun über Dschibuti. Nachdem Bundeskanzler Helmut Schmidt in einem Telefonat mit dem somalischen Ministerpräsidenten Barre die Genehmigung zum Einsatz der Truppe bekommen hatte, steuerte das Flugzeug Mogadischu an.

Nach Einbruch der Dunkelheit, um 19.30 Uhr Ortszeit, 17.30 Uhr deutscher Zeit, landete die Boeing 707 auf dem Flughafen der somalischen Hauptstadt, zweitausend Meter entfernt von der »Landshut«, in einem entlegenen Teil des Rollfelds. Alle Lichter waren ausgeschaltet. Niemand an Bord der entführten Maschine hatte die Ankunft des Flugzeugs bemerkt.

Zwei Stunden dauerte es, bis die Männer der GSG 9 ihr Gerät und ihre Waffen entladen hatten.

Ulrich Wegener erkundete in der Zwischenzeit das Gelände um die »Landshut«. Im Schutz einiger Sanddünen robbte er bis auf wenige Meter an sein Einsatzziel heran.

Der deutsche Geschäftsträger und Wolfgang Salewski sprachen fast pausenlos mit den Entführern an Bord der »Landshut«, um sie abzulenken, aber auch, um Mahmud im Cockpit zu halten.

Eine Gruppe der GSG 9 schlich sich von hinten an das Flugzeug heran. Die Männer hatten Leitern, Waffen und hochempfindliche Horchgeräte dabei. Ein Teil des Trupps postierte sich unter der Maschine und befestigte die Horchgeräte, um jede Bewegung im Flugzeug festzustellen.

Die Entführer hatten der Chefstewardeß Briefbögen gegeben, auf denen sie schriftlich die Passagiere in elf Gruppen zu je sieben Leuten einteilen sollte. Jede Gruppe sollte gegen einen der freigepreßten Häftlinge ausgetauscht werden.

Vom Tower aus meldete sich der deutsche Vertreter:

»Nach unseren Informationen ist die Lufthansa-Maschine um 19.20 Uhr GMT in Deutschland gestartet. Die Maschine soll nach unseren Berechnungen um 4.08 Uhr GMT in Mogadischu landen. Wir erwarten nun von Ihnen konkrete Vorschläge über den Austausch der Geiseln. Ende.«

»Das ist nach Ablauf des Ultimatums«, sagte Mahmud. Der deutsche Vertreter erklärte ihm, daß es Schwierigkeiten bei der Zusammenführung der Häftlinge gegeben habe.

Mahmud vergewisserte sich beim somalischen Polizeichef, ob die Angaben des Deutschen zuträfen. Dann gab er die Modalitäten für den Austausch durch:

»Erstens: Wir wollen keine Presse oder Fernsehkameras beim Austausch. Zweitens: Was ist mit den Genossen, die aus Deutschland kommen? Drittens: Wir wünschen, daß der Vertreter Somalias das Flugzeug, das jetzt auf dem Rollfeld in Mogadischu steht, untersucht und sicherstellt, daß dort niemand an Bord ist.«

»Verstanden, verstanden.«

»Niemand darf der von der Halimeh-Einheit befehligten Lufthansa-Maschine nahe kommen – es sei denn mit vorheriger Erlaubnis.«

»Verstanden.«

»Wenn die Deutschen landen, um unsere Genossen zu bringen, müssen Sie uns darüber vorher informieren.«

»Ja, verstanden.«

»Also los«, sagte Mahmud, »sie sollen einzeln auf das Flugzeug zugehen, sie sollen vom somalischen Vertreter durchsucht werden.«

»Verstanden.«

»Weiterhin soll das Flugzeug, das die Genossen bringt, den Flugplatz sofort nach unserer Aufforderung verlassen, hier abhauen… Der Befehlshaber der Einheit Martyr Halimeh wird einen der Genossen auffordern, an unser Flugzeug zu kommen zur Identifizierung, um damit der anderen Genossen sicher zu sein.«

»Verstanden.«

»Nach dieser Untersuchung wird der Genosse zu den somalischen Stellen zurückgehen auf den Flughafen.«

»Verstanden.«

»Wir werden weitere Vorkehrungen treffen mit den Genossen, die aus der Türkei kommen.«

»Wiederholen Sie das«, wurde Mahmud vom Tower her aufgefordert. Mahmud wiederholte seinen Satz.

»Verstanden«, kam die Antwort vom Tower, »wenn die kommen …«

In diesem Moment stürmte das GSG-9-Kommando die entführte »Landshut.« Es war 0.05 Uhr mitteleuropäischer Zeit.

Die Blendgranaten detonierten vor den Cockpit-Fenstern und machten »Martyr Mahmud« für einen Moment handlungsunfähig. Die GSG-9-Leute hatten sich kurz die Hände vor die Augen gehalten. Wegener öffnete in Sekunden die vordere Tür. Über die Tragflächen stürzten zwei andere Trupps zusammen mit den Notausgangstüren in die Maschine. Vom Heck her drang eine weitere Gruppe von Männern mit geschwärzten Gesichtern in die Kabine ein. Sie schossen mit Platzpatronen und schrien: »Köpfe runter! Wo sind die Schweine?« Dann schossen sie scharf. Die »Kleine« war sofort tot. Die »Dicke« wollte sich in der Toilette verschanzen, schoß durch die Tür. Die Grenzschützer durchsiebten die Tür. Mahmud wurde im Cockpit erschossen. Der jüngste, »der Hübsche«, schoß aus seiner Pistole, bis er getroffen zusammenbrach. Der Plastiksprengstoff explodierte, ohne größeren Schaden anzurichten. Nur die Stewardeß Gaby Dillmann wurde am Bein verletzt.

Über die Tragflächen zerrten die Grenzschützer die Passagiere aus der Maschine. Nach wenigen Minuten war die Aktion mit dem Kennwort »Feuerzauber« beendet. Drei der Flugzeugentführer, die zwei Männer und eine Frau, waren tot, die andere Frau war schwer verletzt. Um 0.12 Uhr deutscher Zeit meldete Staatsminister Wischnewski nach Bonn: »Die Arbeit ist erledigt.«

In Bonn saß der Vertreter von Amnesty International immer noch im Justizministerium und wartete darauf, den Gesprächswunsch des Baader-Verteidigers Dr. Heldmann weitergeben zu können, der die Gefangenen zum Verzicht auf Befreiung durch Geiselnahme veranlassen wollte. Kurz nach Mitternacht kam ein höherer Beamter auf ihn zu. Er wirkte sichtlich erleichtert.
Bischof Helmut Frenz wußte nicht, warum. Er trug sein Anliegen vor. Der Beamte sagte, wenn es noch notwendig sei, könne man am nächsten Tag darüber reden.
Frenz fuhr nach Hause und versuchte, Dr. Heldmann telefonisch zu erreichen. Ohne Erfolg. Erst am nächsten Morgen hatte er ihn am Telefon. Im Rundfunk war gerade gemeldet worden, daß die Stammheimer Gefangenen Baader, Ensslin und Raspe in ihren Zellen tot aufgefunden worden waren.

44. Die Nacht von Stammheim
(17./18. Oktober 1977)

Kurz vor 22.00 Uhr hatte sich Jan-Carl Raspe über die in allen Zellen installierte Rufanlage in der Wachtmeisterkabine gemeldet und um Toilettenpapier gebeten. Der diensthabende Justizassistent Rudolf Springer versprach ihm, die Rolle bei der Medikamentenausgabe mitbringen zu lassen. Raspe war einverstanden.
Um 23.00 Uhr kamen die Vollzugsbeamten Zecha und Andersson, die im Zellenbau I Nachtdienst hatten, zusammen mit dem Sanitäter Kölz in das siebte Obergeschoß. Als Springer ihnen die Gittertür zum Hochsicherheitstrakt aufschloß, wurde unten in der Torwache automatisch Alarm ausgelöst. Der Beamte hatte die Wache zuvor davon verständigt, daß die Medikamentenausgabe bevorstand.

Auf einem Monitor, der mit der Video-Alarmanlage im siebten Stock gekoppelt war, konnte der Wachhabende unten sehen, daß die Beamtengruppe, zu der auch noch die weibliche Bedienstete Frede gestoßen war, den Flur vor den Zellen betrat. Währenddessen blinkte in der Torwache das Alarmsignal weiter, ertönte der Alarmgong in regelmäßigen Abständen.

Der Wachhabende konnte den Gong abstellen, etwa wenn er telefonierte. War die Bewegung im Trakt vorüber, wurde die Alarmanlage automatisch wieder scharf und schlug an, wenn sich in dem von den Videokameras beobachteten Raum erneut etwas bewegte.

Springer hatte indessen die schallschluckenden Spanplatten von den Zellentüren gewuchtet, dann öffnete er an Raspes Tür die Essensklappe, die nach außen hin wie ein Tablett waagrecht stehenblieb. Der Gefangene hatte die Tür von innen mit einem rotbraunen Tuch verhängt. Raspe nahm den Kleiderbügel mit dem Stoff von der Türöffnung und hängte ihn an die daneben stehende Stellwand. Die meisten Gefangenen im siebten Stock hatten eine solche »spanische Wand« in der Anstaltswerkstatt anfertigen lassen, um durch die Essensklappe nicht ständig beobachtet werden zu können.

Rudolf Springer legte die Klosettpapierrolle auf die Essensklappe. Raspe trat heran und verlangte seine Medikamente, Paracodin-Hustensaft und ein Schmerzmittel, Dolviran-Tabletten oder Optipyrin-Zäpfchen.

Der Sanitäter gab ihm die gewünschten Medikamente.

Jan-Carl Raspe sagte: »Danke schön.« So freundlich und höflich hatten die Beamten Raspe selten erlebt, obwohl er sich – im Gegensatz zu Baader – mit Beschimpfungen immer zurückgehalten hatte.

Die Essensklappe wurde wieder geschlossen.

Baader hatte seine Tür nicht verhängt. Nachdem sie die Klappe geöffnet hatten, sahen die Beamten ihn auf dem Zellenboden vor einem Teller sitzen, auf dem vier halbe Eierschalen lagen. Kauend stand Baader auf, wischte sich den Mund ab und trat vor die Türöffnung. Er verlangte eine Tablette Dolviran oder ein Optipyrin-Zäpfchen, ging in die Zelle, ließ einen Becher voll Wasser laufen und kam wieder an die Tür. Der Sanitäter legte ihm eine Adalin-Tablette in die Hand. Baader schluckte sie und trank Wasser nach.

Er kam den Beamten ausgeglichen wie selten vor.

Die Essensklappe wurde wieder geschlossen und die Dämmplatten wurden vor die Türen gestellt. Dann verließen die fünf Beamten den Trakt. Justizassistent Springer schloß die Gittertür ab und ging zurück in die Waschkabine außerhalb des Hochsicherheitstraktes. Von dort aus konnte er über Monitore den Flur und die Zellentüren überwachen.

Die übrigen Beamten nahmen wieder ihren Dienst im Zellenbau I auf. Nur die Beamtin Frede blieb im siebten Stock. Sie ging in ihr Dienstzimmer und legte sich dort gegen 0.30 Uhr schlafen.

Rudolf Springer hatte in seiner Glaskabine ein Radio. Um 0.38 Uhr meldete der Deutschlandfunk und kurz darauf alle Sender des gemeinsamen Nachtprogramms der ARD:

»Die von Terroristen in einer Lufthansa-Boeing entführten 86 Geiseln sind alle glücklich befreit worden …«

Rudolf Springer stellte sich an die Gittertür des Terroristentraktes und lauschte. Alles war still.

In seine Nachtdienstmeldung schrieb Springer:

»23.00 Uhr Medikamentenausgabe an Baader und Raspe.

Sonst keine Vorkommnisse!«

Was sich in den knapp neun Stunden zwischen 23.00 Uhr und 7.41 Uhr im Hochsicherheitstrakt zutrug, wird wohl für immer ungeklärt bleiben – Material für Mutmaßungen, Spekulationen, Mythen.

Für die Ermittler vor Ort – Kriminalbeamte, medizinische Gutachter, Staatsanwälte – sprachen die Indizien eine einfache und eindeutige Sprache:

Jan-Carl Raspe hatte in seiner Zelle ein kleines Transistorradio. Nachdem er im Süddeutschen Rundfunk die Nachricht von der Befreiung der Geiseln in Mogadischu gehört hatte, informierte er über die Wochen zuvor eingerichtete Kommunikationsanlage seine Mitgefangenen. In den Stunden darauf verständigten sich Andreas Baader, Gudrun Ensslin, Jan-Carl Raspe und Irmgard Möller über einen gemeinsamen Selbstmord.

Baader war vom 13. September bis zum 4. Oktober in der Zelle 715 untergebracht gewesen. Dort hatte er die Pistole vom Typ FEG, Kaliber 7.65, aus einem Versteck in der Fensterwand geholt und bei der Rückverlegung in die Zelle 719 mitgenommen. Die Waffe verstaute er in seinem Plattenspieler, der ihm inzwischen wieder zurückgegeben worden war. Aus Büroklammern hatte er sich eine Aufhängevorrichtung für die FEG zurechtgebogen.

Nach der Verabredung zum kollektiven Selbstmord holte er die Pistole aus dem Plattenspieler und feuerte im Stehen – um einen Kampf vorzutäuschen – zwei Schüsse ab, einen in seine Matratze, einen in die Zellenmauer neben dem Fenster.

Dann suchte er die von der Pistole ausgeworfenen Patronenhülsen zusammen und legte sie neben sich. Er lud die Pistole nach, hockte sich auf den Zellenboden und setzte den Lauf der Waffe in seinen Nacken. Mit der einen Hand hielt er den Griff, mit der anderen den Lauf und drückte mit dem Daumen ab. Die Kugel trat im Nacken ein und an der Stirn, kurz über dem Haaransatz, aus.

Jan-Carl Raspe holte die 9-Millimeter-Pistole vom Typ Heckler und Koch aus einem Versteck hinter der Fußleiste in seiner Zelle 716 und setzte sich aufs Bett. Dann drückte er den Lauf der Waffe an die rechte Schläfe und feuerte. Das großkalibrige Geschoß durchschlug seinen Schädel, streifte ein Holzregal und prallte gegen die Wand.

Gudrun Ensslin in Zelle 720 schnitt mit ihrer Schere ein Stück vom Lautsprecherkabel ab, rückte einen Stuhl vor das Zellenfenster, knüpfte den zweiadrigen isolierten Draht durch das feinmaschige Gitter, legte eine Schlinge um ihren Hals und stieß mit den Füßen den Stuhl zur Seite.

In Zelle 725 nahm Irmgard Möller ein Besteckmesser aus Anstaltsbeständen, schob ihren Pullover hoch und stach sich viermal in die Brust. Die Stiche trafen den Herzbeutel, verletzten ihn aber nicht.

Irmgard Möller überlebte als einzige.

Sie hatte eine andere Geschichte zu erzählen:

»In der Nacht habe ich lange wachgelegen und gelesen, mit einer Kerze aus Fett in einer Dose. Um 4.00 Uhr schrie ich zu Jan rüber: ›Bist du noch wach?‹ Er antwortete. Sein Tonfall war sehr wach, nicht bedrückt, nah, unheimlich lebendig. Die Kerze war ausgegangen, die zweite habe ich gegen 4.30 Uhr selber ausgemacht ...

Ich lag auf der Matratze und habe gedämmert, mit dem Kopf zur Fensterseite. Wir waren nachts selten ausgezogen, und so verwunderte es nicht, daß ich auch in dieser Nacht angezogen geblieben war. Wir dachten ja wohl auch, daß wir noch wegkämen.

Etwa um 5.00 Uhr hörte ich es knallen und quietschen.

Diese Geräusche waren sehr leise und dumpf geblieben, wie wenn etwas herunterfällt oder ein Schrank verschoben wird. Ich habe die Knallgeräusche nicht sofort als Schüsse identifiziert. Sie haben keine Beunruhigung für mich dargestellt. Ich hatte keine Assoziationen mit einem Attentat. Das Quietschen kam nicht von meiner Tür oder der Zellenseite, es hätte von unten oder von der gegenüberliegenden Traktseite kommen können.

Ich bin danach auch wieder eingeschlafen. Plötzlich sackte ich weg und verlor das Bewußtsein, es ist alles sehr schnell gegangen.

Mein letzter sinnlicher Eindruck, an den ich mich erinnere, war ein sehr starkes Rauschen im Kopf. Ich hatte keine Person gesehen und keine Zellenöffnung bemerkt.

Ich bin dann erst auf dem Flur auf einer Bahre aufgewacht, als zusammengekrümmtes, wimmerndes Häufchen, furchtbar frierend, voll von Blut, und habe Stimmen – befriedigt, gehässig – gehört: Baader und Ensslin sind kalt.«

Dem Staatsanwalt erklärte Irmgard Möller: »Ich habe weder einen Selbstmordversuch begangen noch intendiert, noch war eine Absprache dagewesen.«

In der Eckzelle 619, ein Stockwerk unter Baader, lagen in jener Nacht fünf Häftlinge. Keiner hatte einen Schuß gehört.

In der staatsanwaltschaftlichen Vernehmung sagte einer von ihnen: »Ich habe in dieser Nacht keine Schüsse gehört. Ich bin um 23.00 Uhr eingeschlafen. Dann habe ich fest bis zum anderen Morgen um 6.30 Uhr durchgeschlafen.«

Werner W. sagte: »Zwischen 2.00 Uhr und 2.30 Uhr hörte ich deutlich, daß Baader in seiner Zelle in unregelmäßigen Zeitabständen zwei- bis dreimal die Wasserspülung betätigte. Davor habe ich noch ab und zu Schritte wahrgenommen. Bis zum Morgen ist mir dann nichts mehr aufgefallen … Deshalb bin ich davon überzeugt, daß in der Zelle von Baader kein Schuß gefallen ist. Wenn aus einer Zelle Schritte, das Rücken eines Stuhles und das Rauschen der Wasserspülung auszumachen sind, müßte meiner festen Überzeugung nach auch ein Schuß zu hören sein.«

Keiner von den 128 vernommenen Stammheimer Häftlingen hatte in dieser Nacht ein Geräusch gehört, das mit den Todesfällen im siebten Stock in Verbindung zu bringen war.

Und doch fielen in dieser Nacht im siebten Stock der Vollzugsanstalt Stuttgart-Stammheim vier Schüsse.

45. Leichenschau
(Dienstag, 18. Oktober 1977)

Bei der Frühstücksausgabe kurz vor 8.00 Uhr waren die Stammheimer Gefangenen gefunden worden: Jan-Carl Raspe lebte noch. Er starb im Krankenhaus. Andreas Baader und Gudrun Ensslin waren tot. Irmgard Möller wurde ins Krankenhaus gebracht und operiert.

Um 8.18 Uhr traf die Mordkommission in Stuttgart-Stammheim ein. Eine halbe Stunde später folgten Beamte des Landeskriminalamts. Um 9.00 Uhr ließ Kriminalrat Müller die Zellen öffnen, um sich einen ersten Überblick zu verschaffen. Er ordnete an, daß bis zum Abschluß der gerichtsmedizinischen Untersuchungen niemand die Zellen betreten dürfte. Lediglich von den Türen aus wurden einige Polaroidfotos gemacht.

Über die Deutsche Welle hatte die Hauptgruppe der RAF, die sich immer noch in Bagdad aufhielt, die Nachricht vom Sturm auf die »Landshut« und der Befreiung der Geiseln in Mogadischu und dem Tod der Stammheimer Gefangenen erfahren. Sie waren in dem von den Palästinensern zur Verfügung gestellten Haus zusammengetroffen. »Die Leute saßen da wie betäubt«, erinnerte sich Peter Jürgen Boock, »einige haben geweint. Die anderen gaben dem Staat die Schuld … nun haben die Schweine das wahr gemacht und sie umgebracht …« Doch dann ergriff Brigitte Mohnhaupt das Wort, außer Boock die einzige, die wußte, wie die Waffen nach Stammheim gekommen und wofür sie gedacht gewesen waren. Boock hatte den Eindruck, Brigitte könne das Lamentieren nicht mehr ertragen. Energisch und aggressiv habe sie gesagt: »Ihr könnt euch wohl nur vorstellen, daß die Opfer gewesen sind. Ihr habt die Leute nie gekannt. Sie sind keine Opfer, und sie sind es nie gewesen. Zum Opfer wird man nicht gemacht, sondern zum Opfer muß man sich selber machen. Sie haben ihre Situation bis zum letzten Augenblick selbst bestimmt. Ja, was heißt denn das? Ja, das heißt, daß sie das gemacht haben, und nicht, daß es mit ihnen gemacht worden ist.«

Eisiges Schweigen. Alle waren wie vor den Kopf geschlagen, niemand wollte glauben, was Brigitte da eben gesagt hatte. Einige meldeten sich zu Wort. Aber Brigitte Mohnhaupt wehrte ab: »Da gibt es jetzt keine Debatten drüber. Darüber rede ich nicht mit euch. Das geht euch nichts an. Ich kann euch nur sagen, daß es so war. Hört auf, sie so zu sehen, wie sie nicht waren.«

Damit war das Thema erledigt. Und die Legende vom Mord in Stammheim geboren; außerhalb der Gruppe, nicht in ihrem inneren Kreis. Später gaben mehrere RAF-Mitglieder zu Protokoll, daß sie an diesem Tag von Brigitte Mohnhaupt erfahren hatten, daß die Gefangenen in Stammheim Selbstmord begangen hatten. So erklärte Monika Helbing der Bundesanwaltschaft: »Kurz nach den Meldungen über die Todesfälle in Stammheim und dem Tod Dr. Schleyers hatten wir, Elisabeth von Dyck, Friederike Krabbe und ich, die erste Begegnung mit Brigitte Mohnhaupt in unserem großen Haus in Bagdad. Sie machte sich Vorwürfe, daß es nicht gelungen war, die Gefangenen zu befreien. Sie erklärte bei diesem Gespräch, daß die Gefangenen in Stammheim keinen anderen Weg sahen, als sich selbst umzubringen, und zwar nicht aus Verzweiflung, sondern um die Politik der RAF voranzutreiben. Der Tod der Gefangenen wurde von Brigitte Mohnhaupt als eine »Suicide Action« interpretiert, mit der diese Gefangenen die Ziele der RAF durch ihren eigenen Tod vorantreiben wollten.« Aufgrund dieses Gespräches habe in ihrer Dreiergruppe nie mehr der Eindruck bestanden, die Gefangenen könnten getötet worden sein.

Auch Susanne Albrecht hatte zu Protokoll gegeben, was ihr Brigitte Mohnhaupt noch vor dem Tod in Stammheim verraten hatte: »Aus den Gesprächen der Mohnhaupt habe ich entnommen, daß die Stammheimer Gefangenen vorhatten, Selbstmord zu begehen, wenn die Freipressungsaktion nicht klappt. Es sollte dann aber so aussehen, als habe der Staat die Gefangenen ermordet.«

Noch lebte Schleyer. In der Gruppe war klar, daß diejenigen über sein weiteres Schicksal zu entscheiden hatten, die vor Ort für seine Bewachung zuständig waren.

Schockiert vom Tod der Stammheimer Gefangenen, entsetzt über Brigitte Mohnhaupts Enthüllungen, entlud sich die Spannung der vergangenen Wochen. Schon bei der Entführung der Landshut hatten einige Skrupel bekommen. Bedenken, die sie bei der Aktion gegen den Arbeitgeberpräsidenten nicht gehabt hatten. Etwa die Hälfte der in Bagdad versammelten Truppe war mit dem gesamten Vorgehen nicht mehr einverstanden, und ein noch größerer Teil war dagegen, daß Schleyer erschossen werden sollte. Einige waren der Auffassung, daß man ihn noch länger gefangenhalten sollte. Nach Abklingen des Jubels über die gelungene Befreiung der Geiseln in Mogadischu, so meinten sie, könnte Schmidt sich nicht länger an der Macht halten, wenn es der Gruppe gelänge, Schleyer noch weiter in ihrer Gewalt zu behalten. Andere waren der Ansicht, man solle Schleyer jetzt einfach gehen lassen, damit er selbst »mit seinen Gegnern aufräumt«. Er selbst hatte seinen Bewachern nämlich gesagt, daß er ihnen zwar keine Informationen geben würde, nach seiner Freilassung aber einiges tun werde.

In der momentanen Situation hatten es die Hardliner in der Gruppe schwerer als sonst. Früher hatten sie jeden Zweifel mit der Frage erstickt: »Willst du die Befreiung der Gefangenen, oder willst du sie nicht?«

Damit konnten sie nun nicht mehr kommen, und so regte sich auch Widerstand gegen die Führung der Gruppe. Es sei in erster Linie die Schuld von Brigitte Mohnhaupt und Peter Jürgen Boock, daß die Gefangenen jetzt tot seien. Schließlich hätten die beiden ihnen die Waffen in die Anstalt schmuggeln lassen. Außerdem hätten die Stammheimer deutlich genug und früh genug klargestellt, daß sie nicht durch eine Flugzeugentführung befreit werden wollten.

Aggressiv ging es hin und her, ohne zu einem Ergebnis zu kommen. Die Hardliner hatten den Kritikern nicht viel entgegenzusetzen. »Ich denke«, so Boock, »daß ihnen selbst nicht klar war, wie es nun weitergehen könnte.« So blieb ihnen nur die Standardfrage: »Seid ihr noch RAF oder seid ihr es nicht?« Es war immer dasselbe: »Schwein oder nicht Schwein, Problem oder Lösung, Bulle oder Kämpfer.« Die tödliche Alternative, die einem Denk- und Diskussionsverbot gleichkam.

»Auch dann, wenn wir Fehler gemacht haben«, sagte einer aus der Hardliner-Fraktion, »jetzt ist nicht die Phase, wo man an die Substanz der Gruppe gehen kann. Jetzt geht es darum, gerade integrativ die Durststrecke zu überstehen, und wenn ihr jetzt so kommt, dann stellt ihr damit den gesamten Zusammenhalt der Gruppe in Frage. Und dann seid ihr nicht mehr RAF.«

So wurden die Abweichler aus der Gruppe »herausgeredet«, wie Peter Jürgen Boock es später formulierte. Doch selbst ein Ausscheiden aus der RAF konnte nur zu den Bedingungen der linientreuen Hardliner erfolgen: »Das ist klipp und klar gesagt worden, und den meisten, die dort versammelt waren, war klar, daß sie aus Bagdad nicht wegkommen würden, solange sie sich dem nicht unterordneten.«

Da half es auch nicht, daß etwa Monika Helbing, die unter dem Namen Lottmann-Bücklers das erste Schleyer-Versteck gemietet hatte, in Tränen ausbrach. Sie hatte den Vergleich mit faschistoiden Verhaltensweisen gewagt: »Wir sind durch die Kette der 77er Aktionen auf einen Stand gekommen, den wir vorher vorgegeben haben, zu bekämpfen.« Daraufhin fielen die anderen über sie her. Bis sie sich nicht mehr wehren konnte und wollte. »Dann schmeißt mich doch raus«, schluchzte sie. »Dann ist mir das auch recht. Mit einer Gruppe, die so vorgeht, will ich auch nichts mehr zu tun haben.« Das wiederum bestätigte die Hardliner in ihrem Urteil: »Wir haben ja gleich gesagt, die ist nicht auf Linie. Die will eigentlich gar nicht richtig.« Damit war das Thema erledigt.

Monika Helbing war vor allem darüber erschüttert, wie die Gruppe mit dem Selbstmord der Stammheimer umging. »Ich war damals sehr erschrocken über diese Art der Politik, die von Mitgliedern der RAF betrieben wurde und bei der bewußt mit Unwahrheiten gearbeitet wurde, um damit politische Ideen durchzusetzen«, sagte sie später den Vernehmungsbeamten. »Ich meine, daß diesbezüglich der Ausdruck Lüge zutreffender ist als der Ausdruck Unwahrheit. In diesem Zusammenhang fällt mir nämlich der Ausdruck ›politische Lüge‹ ein, den ich im Jahre 1989 in einem engen Zusammenhang mit dem Thema Stalinismus erlebt habe.« Monika Helbing wußte, wovon sie redete, gehörte sie doch zu denjenigen, die sich nach ihrem Ausscheiden aus der RAF in die DDR abgesetzt hatten. »Aus meiner Sicht«, so erklärte sie weiter, »war diese Lüge über die angeblichen Morde in Stammheim allein durch den Selbstzweck begründet, die Politik der RAF fortsetzen zu können und in der Öffentlichkeit glaubwürdig zu machen.« Dadurch habe die Gruppe geglaubt, ihre weiteren Aktionen legitimieren zu können. »Insbesondere wollte man mit der Behauptung der Morde den Eindruck der Reaktion eines faschistischen Staates erwecken. Die Behauptung, bei der

BRD handele es sich um einen faschistischen Staat, wurde von der Gruppe ja von Anfang an aufgestellt. Diese Behauptung war also letztlich die oder eine Legitimation für die Aktivitäten der Gruppe. Mit dieser Behauptung wurden auch immer neue Leute rekrutiert, die für die Gruppe oder innerhalb der Gruppe tätig wurden.«

Das ganze Konstrukt des »faschistischen Staates« sei immer wieder an den Haftbedingungen der »politischen Gefangenen« festgemacht worden. Die Selbstmordaktion in Stammheim habe ihr erhebliche Probleme gemacht. Als dann die Gruppenmitglieder Willy Peter Stoll und Michael Knoll ums Leben kamen, trennte sie sich ganz von der RAF. Den Tod Schleyers hatte sie noch akzeptiert: »Ich habe damals keinen Widerspruch zu meiner Einstellung hinsichtlich der gesamten Aktion gesehen. Ich habe damals nicht gedacht, die hätten ihn auch freilassen können. Natürlich hätte ich auch respektiert, wenn Dr. Schleyer freigelassen worden wäre.« Dies habe aber nicht in ihrer Macht gestanden, sondern sei von denjenigen zu entscheiden gewesen, die in der Gruppe das Sagen gehabt hätten: Brigitte Mohnhaupt, Sieglinde Hofmann, Stefan Wisniewski, Peter Jürgen Boock und – mit Abstrichen – Rolf Clemens Wagner.

Peter Jürgen Boock konnte sich an eine andere Szene erinnern, in der Susanne Albrecht niedergemacht worden war. Anschließend hatte sie Nachtwache und war so durcheinander, daß sie vergaß, bei ihrer Kalaschnikow den Sicherheitshebel zu betätigen. Aus Versehen drückte sie ab und schoß ein Loch durch die Decke. Boock, an dem der Schuß knapp vorbeigegangen war, konnte durch das Loch nach unten sehen. »Ich dachte, es wäre ein Überfall, und rannte mit gespannter Waffe nach unten. Sie hatten eine Parole vereinbart, aber Susanne war so verwirrt, daß sie das Codewort nicht mehr wußte.« In Combat-Haltung schlich Boock sich an und erkannte in der Dunkelheit erst im letzten Moment, daß er Susanne Albrecht im Visier hatte.

Für Boock selbst war nach dem Tod der Gefangenen jeder Sinn für den Untergrundkampf verlorengegangen: »Im Grund genommen war für mich die Gruppe mit der Radiomeldung, daß die Stammheimer tot sind, gestorben. Ich hatte keine Vorstellung, wie ich mich da abseilen konnte. Ich hatte auch noch nicht klar im Kopf, jetzt gehe ich. Aber mir war schlagartig klar, daß für mich die Motivation entfallen war, in der Art, wie ich mich vorher eingebracht hatte, weiterzumachen. Außerdem ging ich davon aus, daß ich eh bald krepieren würde. Mir war es eigentlich fast egal.«

Um 9.06 Uhr hatte Bundeskanzler Helmut Schmidt die Nachricht vom Tod der Häftlinge in Stammheim erfahren. Seine Reaktion:
»Ich war wie von einer Keule getroffen, empört, entsetzt. Jetzt hatten wir gerade einen großen Erfolg errungen, und nun dieser Tritt in den Unterleib. Wir waren völlig von den Socken. Nach Mitternacht war ja kein großer Jubel gewesen, mehr ein tiefes Durchatmen. Die Spannung hatte sich auf verschiedenste Weise entladen, bei so manchen mit ein paar Tränen – und sieben Stunden später nun das.«
Dem Kanzler war klar, daß die Ereignisse in der Justizfestung Stammheim vor allem im Ausland zu Verdächtigungen führen müßten. Bundesjustizminister Vogel schlug vor, internationale Gutachter zur Obduktion der toten Häftlinge einzuladen. Das Stuttgarter Justizministerium stimmte zu. Es dauerte jedoch mehr als einen halben Tag, bis die Gerichtsmediziner aus dem Ausland eingetroffen waren: Professor Wilhelm Holczabek von der Universität Wien, Professor Hans-Peter Hartmann von der Universität Zürich und Professor Armand André von der Universität Lüttich. So konnte mit der Leichenschau erst am Nachmittag begonnen werden – zu spät, um einen exakten Todeszeitpunkt zu ermitteln. Die deutschen Gutachter, Professor Joachim Rauschke und Professor Hans-Joachim Mallach, standen seit 9.30 Uhr vor den Zellen und führten teilweise erregte Auseinandersetzungen mit Polizei- und Justizbeamten – ohne Erfolg. Sie durften nicht zu den Toten.
Gegen 16.00 Uhr waren alle versammelt; neben den Gerichtsmedizinern und zwei Staatsanwälten auch die ehemaligen Verteidiger der Toten, Otto Schily, Dr. Hans Heinz Heldmann und Karl-Heinz Weidenhammer. Nacheinander wurden die Zellen besichtigt, zuerst die von Irmgard Möller und Jan-Carl Raspe, dann die von Andreas Baader und Gudrun Ensslin.
Die deutschen Gerichtsmediziner diktierten für das Protokoll: »Die Leiche von Andreas Baader liegt fast in der Raummitte, etwa in der Mitte zwischen Liege und Bücherregalen …
In den Kopfhaaren der Mittelliniengegend zeigen sich zwei Lochdefekte der Kopfschwarte, einer im unteren Hinterhauptbereich und der andere hinter der Stirn-Haar-Grenze …«

In Gudrun Ensslins Zelle gaben die Gutachter zu Protokoll: »Die Leiche hängt gradlinig nach unten. Beide Arme hängen schlaff neben den Hüften und Oberschenkeln. Der Kopf ist nach vorne geneigt und leicht nach links verkantet. Am Hals besteht eine tiefe Einschnürung …«
Gegen 20.15 Uhr war die Leichenschau beendet.

Die Toten wurden zum Bergfriedhof nach Tübingen gebracht und dort obduziert. Wieder waren die ausländischen Gutachter und die Rechtsanwälte dabei.
Professor Mallach und seine Assistenten sezierten die Leichen, während sein Stuttgarter Kollege Rauschke die Ergebnisse auf Band diktierte. Die ausländischen Mediziner sahen zu, gaben Ratschläge und diskutierten den Befund. Nur selten stellten die Verteidiger eine Frage. Sie konnten kaum verstehen, was Rauschke ins Mikrophon murmelte, und folgten der französischen Übersetzung für den Belgier André.
Das vorläufige Sektionsprotokoll wurde von den verantwortlichen Gutachtern Rauschke und Mallach unterzeichnet. Ihre ausländischen Kollegen erhielten später eine Kopie, die sie nicht unterschreiben mußten. Alle fünf Gutachter hatten sich aber schon in Tübingen geeinigt, was sie der Presse mitteilen wollten: »Die bisherigen Feststellungen bei allen drei Toten sprechen nicht gegen Selbstmord, sondern lassen sich alle durch Selbstmord erklären.«

46. Das Ende einer Entführung

Über die letzten Tage Hanns Martin Schleyers gibt es bisher nur eine Aussage, 15 Jahre danach und nur aus zweiter Hand. Im April 1992 schilderte Peter Jürgen Boock den Bundesanwälten eine Begegnung in Bagdad Ende November/Anfang Dezember 1977. Zwei Gruppenmitglieder waren aus Europa gekommen, um ihm mitzuteilen, daß sie einen Arzt gefunden hätten, der Boocks Darmerkrankung, die er für Krebs hielt, zu untersuchen. Einer der beiden habe ihm – unter dem Siegel der Verschwiegenheit – vom Ende Schleyers berichtet. Boock nannte auch bei seinem endgültigen Geständnis, seiner »Lebensbeichte«, nicht die Namen derjenigen, die Schleyer zu seiner Hinrichtungsstätte gebracht hatten und von denen einer der Mörder war. Er kennzeichnete sie, wie alle an der Schleyer-Entführung Beteiligten, mit Buchstaben und überließ es den Bundesanwälten, die Identität der Beteiligten herauszufinden.

An der Schleyer-Entführung waren insgesamt 20 RAF-Mitglieder beteiligt gewesen:
Susanne Albrecht,
Peter Jürgen Boock,
Elisabeth von Dyck,
Knut Folkerts,
Rolf Heißler,
Monika Helbing,
Sieglinde Hofmann,
Christian Klar,
Friederike Krabbe,
Christine Kuby,
Silke Maier-Witt,
Brigitte Mohnhaupt,
Gerd Schneider,
Adelheid Schulz,
Angelika Speitel,
Sigrid Sternebeck,
Willy Peter Stoll,
Christof Wackernagel,
Rolf Clemens Wagner und
Stefan Wisniewski.
Die vier Mitglieder des Kommandos, das Schleyer entführte und seine Begleiter erschoß, benannte Boock mit A, B, C und D. Er selbst war A, Willy Peter Stoll, der zur Zeit von Boocks Aussage bereits tot war, nannte er C. Dem Inhalt seines Geständnisses entnahmen die Bundesanwälte, daß B eine Frau war, nach ihren weiteren Erkenntnissen Sieglinde Hofmann. D war nach Boocks Aussage derjenige, der sich zu Schleyer in den Kofferraum gelegt hatte – Stefan Wisniewski.
An der Entführung waren also beteiligt: Peter Jürgen Boock (»A«), Sieglinde Hofmann (»B«), Willy Peter Stoll (»C«) und Stefan Wisniewski (»D«).
Die beiden Männer, die an der Ermordung Schleyers beteiligt waren, nannte Boock »D« und »G«. Einer der beiden (»D«) habe schon dem

Entführungskommando angehört, also Stefan Wisniewski. Der andere, »G«, habe ihm in Bagdad erzählt, wie Schleyer ermordet worden war: »Danach legten er und die Person ›D‹ Dr. Schleyer in den Kofferraum, fuhren über die belgisch/französische Grenze. In einem Wald kurz hinter der Grenze zerrten sie ihn aus dem Kofferraum, er kam im Gras zum Liegen und wurde sofort mit einem Genickschuß getötet. Ursprünglich sollte der tote Dr. Schleyer nach Bonn gefahren und dort in der Nähe des Bundeskanzleramtes abgestellt werden. Aber die zwei verließ wohl der Mut, und sie fuhren, in Frankreich bleibend, nach Mühlhausen. Der Entschluß zur Erschießung Dr. Schleyers fiel in Brüssel nach relativ kurzer Diskussion, und zwar einstimmig. Dr. Schleyer wurde davon nicht unterrichtet; er wurde im Glauben an seine unmittelbare Freilassung gelassen. Soweit ich informiert wurde, wurde er zum Transport nach Frankreich nicht betäubt, ich meine aber, es sei die Rede davon gewesen, daß er gefesselt gewesen sei. Mir wurde es so geschildert, daß Diskussion, Entschlußfassung und Ausführung frühmorgens rasch hintereinander folgten. Es wurde mir zwar nicht erzählt, aber ich gehe davon aus, daß fest abgesprochen war, wer von den beiden Dr. Schleyer erschießen sollte. Mir wurde gesagt, daß eine Person auf Dr. Schleyer geschossen habe. Die Person, die mir vom Ende erzählte, sagte mir, daß sie selbst Dr. Schleyer erschossen hatte.«

Boock konnte sich nicht mehr erinnern, ob der Täter ihm gesagt habe, wie viele Schüsse er auf Schleyer abgegeben habe. »Mein Eindruck war, daß die Person jemand brauchte, mit dem sie über das Geschehen sprechen konnte. Die Person hatte wohl Schwierigkeiten, das Ganze zu verarbeiten. Er schilderte mir diese letzten Geschehnisse seltsam distanziert, wie wenn er über eine dritte Person erzählte, obwohl er ja selbst Dr. Schleyer erschossen hatte.«

Wer »G«, der Mörder Schleyers war, wollte Boock nicht sagen. Die Bundesanwälte machten sich also wieder ans Buchstaben-Entschlüsseln. Dazu dienten ihnen die Aussagen der »DDR-Aussteiger«, jener RAF-Mitglieder, die unter dem Schutz des MfS gelebt hatten, bis die Wiedervereinigung ihrer Flucht ein Ende machte. Nicht in Frage kamen Boock selbst, der zum Zeitpunkt der Ermordung in Bagdad war, Knut Folkerts, weil er zuvor in den Niederlanden festgenommen worden war, Wisniewski nicht, weil er den Täter zum Tatort gefahren hatte, Christian Klar nicht, weil Boock erklärt hatte, daß nicht er, sondern »G« sein

Nachfolger für die Bewachung Schleyers in Erfstadt gewesen sei, nicht Gerd Schneider und Christof Wackernagel, weil beide zum Zeitpunkt der Schleyer-Ermordung in Bagdad waren, Willy Peter Stoll nicht, weil der inzwischen tot war und Boock gesagt hatte, »G« sei noch am Leben, Rolf Heißler nicht, weil Boock gesagt hatte: »Mit Sicherheit waren Stefan Wisniewski und Rolf Heißler während meiner Zeit in Bagdad nicht dort.« So kam die Bundesanwaltschaft am Ende zu folgendem Ergebnis: »Nach diesem ›Subtraktionsverfahren‹ bleibt als einziges männliches RAF-Mitglied Rolf Clemens Wagner übrig, der jene Person ›G‹ sein muß, die Peter Jürgen Boock gegenüber erklärt hat, sie habe Dr. Schleyer erschossen.«

Doch die Bundesanwaltschaft hat sich verrechnet, aber das macht letztendlich keinen Unterschied, weder strafrechtlich noch moralisch.

Am Nachmittag des 19. Oktober 1977 ging bei der französischen Tageszeitung »Libération« ein Kommuniqué der Schleyer-Entführer ein: »Wir haben nach 43 Tagen Hanns Martin Schleyers klägliche und korrupte Existenz beendet.

Herr Schmidt, der in seinem Machtkalkül von Anfang an mit Schleyers Tod spekulierte, kann ihn in der Rue Charles Peguy in Mülhausen in einem grünen Audi 100 mit Bad Homburger Kennzeichen abholen. Für unseren Schmerz und unsere Wut über die Massaker von Mogadischu und Stammheim ist sein Tod bedeutungslos. Andreas, Gudrun, Jan, Irmgard und uns überrascht die faschistische Dramaturgie der Imperialisten zur Vernichtung der Befreiungsbewegung nicht.

Wir werden Schmidt und den ihn unterstützenden Imperialisten nie das vergossene Blut vergessen. Der Kampf hat erst begonnen. Freiheit durch bewaffneten antiimperialistischen Kampf.«

Die Polizei fand Schleyers Leiche im Kofferraum des grünen Audi. Sein Gesicht war entstellt, die grauen Haare kurzgeschoren. Er trug dieselbe Kleidung wie bei seiner Entführung sechs Wochen zuvor. Schleyer war durch drei Schüsse in den Kopf getötet worden. Im Mund des Toten fanden die Ärzte Grasreste. An den Kleidungsstücken der Leiche hingen Tannennadeln. Die Ermittler kamen zu dem Ergebnis, daß Schleyer im Freien ermordet worden war. Er mußte niederknien und fiel nach den tödlichen Schüssen vornüber.

Am 25. Oktober 1977 wurde Hanns Martin Schleyer in Stuttgart zu Grabe getragen. Auf der Trauerfeier in der Stiftskirche sagte Bundespräsident Walter Scheel:

»Im Namen aller deutschen Bürger bitte ich Sie, die Angehörigen von Hanns Martin Schleyer, um Vergebung.«

Am 27. Oktober wurden Andreas Baader, Gudrun Ensslin und Jan-Carl Raspe in einem Gemeinschaftsgrab auf dem Stuttgarter Waldfriedhof beigesetzt. Bürger protestierten dagegen, daß die drei Terroristen auf einem Friedhof die letzte Ruhe finden sollten. Manche verlangten, die Leichen sollten in die städtische Müllkippe geworfen werden. Aber Manfred Rommel, Stuttgarts Bürgermeister, sagte: »Ich weigere mich zu akzeptieren, daß es Friedhöfe erster und zweiter Klasse geben soll. Alle Feindschaft sollte nach dem Tode ruhen.«

Mehr als 1000 Polizisten mit Maschinenpistolen umringten den Friedhof. Demonstranten, viele von ihnen maskiert, entrollten Plakate mit der Aufschrift »Gudrun, Andreas und Jan wurden in Stammheim gefoltert und ermordet« und »Der Kampf geht weiter«.

Als Demonstranten und Trauergäste abzogen, gingen sie mit erhobenen Händen durch ein Spalier schwerbewaffneter Polizisten.

Wegen ihrer Beteiligung an der Entführung Hanns Martin Schleyers wurden später zu mehrfach lebenslangen Freiheitsstrafen verurteilt: Peter Jürgen Boock (dessen Urteil im Strafmaß vom Bundesgerichtshof wiederaufgehoben wurde), Christian Klar, Brigitte Mohnhaupt, Adelheid Schulz, Rolf Clemens Wagner und Stefan Wisniewski.

47. Zeit der Mythen

»Stadtgucrilla zielt darauf, den staatlichen Herrschaftsapparat an einzelnen Punkten zu destruieren, stellenweise außer Kraft zu setzen, den Mythos von der Allgegenwart des Systems und seiner Unverletzlichkeit zu zerstören.«

Das hatte die RAF in ihrem »Konzept Stadtguerilla« geschrieben.

Sieben Jahre nach ihrem Sprung in den Untergrund war die »Allgegenwart des Systems« kein Mythos mehr, sondern täglich erfahrbare Realität: Rasterfahndung, Beobachtende Fahndung, die Computersysteme PIOS, Nadis, Inpol; mehr Geld, mehr Planstellen, bessere Ausrüstung für Polizei, Verfassungsschutz, Bundesgrenzschutz; neue Gesetze, befestigte Gerichtssäle, Hochsicherheitstrakte …

Am Ende hatten sie die totale »Allgegenwart des Systems« am eigenen Leib zu spüren bekommen – während der Kontaktsperre. Da hatten sie nur noch »System« um sich herum, in Form von Wärtern, Gittern, Beton. Im Gefängnis erlebten sie das »Schweine-System« so, wie es vorher in Freiheit nur in ihren Köpfen existierte.

Sie hatten sich und ihre Lage mit der Situation von Häftlingen in Konzentrationslagern verglichen.

»Unterschied toter Trakt und Isolation: Auschwitz zu Buchenwald«, schrieb Gudrun Ensslin.

Sie hatten die Welt eingeteilt:

> »Entweder Schwein oder Mensch
> Entweder überleben um jeden Preis
> oder Kampf bis zum Tod
> Entweder Problem oder Lösung
> Dazwischen gibt es nichts.«

In diesem Weltbild wurden neue Gleichungen aufgemacht. »Mord gleich Selbstmord gleich Mord« hatten 1971 Mitglieder des »Sozialistischen Patientenkollektivs« an Häuserwände gesprüht. Die gleiche Losung riefen Sympathisanten 1976 nach dem Tod von Ulrike Meinhof. In ihrer Vernehmung vor dem Untersuchungsausschuß, der die Todesumstände in Stammheim aufklären sollte, hatte ein Abgeordneter die einzige Überlebende, Irmgard Möller, gefragt: »Unterstellt man, daß Sie so lange hungern, bis Sie zu Tode kommen, nennen Sie so etwas Selbstmord?«

Zeugin Möller: »Niemals.«

Abgeordneter: »Und warum nicht? Wie nennen Sie das dann?«

Zeugin Möller: »Das ist Mord, eindeutig.«

Abgeordneter: »Ja, Frau Möller, unterstellen wir einmal, bei einem Hungerstreik, den Sie durchführen, würde eine Zwangsernährung nicht durchgeführt, und Sie würden zu Tode kommen. Würden Sie das als Selbstmord bezeichnen, oder wäre das nach Ihrem Vokabular auch Mord?«

Zeugin Möller: »Was heißt ›nach meinem Vokabular‹, nach den Tatsachen.«

Abgeordneter: »Nach den Tatsachen wäre das auch Mord.«

Zeugin Möller: »Das ist die Verantwortung.«

Abgeordneter: »Wie wäre denn das, Frau Möller, wenn ich weiter fragen darf, wenn ein Gefangener, der vielleicht jahrelang in einer Einzelzelle ist, wenn der mit einer Pistole sich selbst erschießen würde? Würden Sie das Selbstmord oder Mord nennen?«

Zeugin Möller: »Das ist eine sehr provokatorische, hypothetische Frage.«

Die Alternative »Mord oder Selbstmord« wurde zur Glaubensfrage. Wer den Selbstmord der Stammheimer Gefangenen für denkbar oder wahrscheinlich hielt, galt im Umfeld der RAF als »Counter-Schwein«, bestenfalls als unkritischer, ahnungsloser Zeitgenosse.

Umgekehrt war es nicht anders. Wer öffentlich Zweifel an der offiziellen Selbstmordversion anmeldete, war schon als »Sympathisant« der RAF verdächtig.

Schon bevor Kriminalpolizei und Untersuchungsausschuß mit ihren Ermittlungen begonnen hatten, wußten die meisten Politiker: Es war Selbstmord, und die Rechtsanwälte hatten die Waffen in den Hochsicherheitstrakt eingeschmuggelt.

»Man kann die Perfidie auch so weit treiben, daß man seine eigene Tötung zur Hinrichtung macht«, sagte Bundesinnenminister Maihofer schon am Tag nach der Stammheimer Todesnacht.

Damit war klar, daß alle Spuren, die auf »Einwirkung Dritter« hinweisen könnten, in Wahrheit die Selbstmordversion unterstützten.

Umgekehrt wurde alles, was auf Selbstmord hindeutete, aus dem Umfeld der RAF – und nicht nur von dort – als Indiz für eine als Selbstmord getarnte Mordaktion gewertet.

Überlegungen, die man noch um einige Spiralen weiterdrehen kann, bis zu den absurden Schlußfolgerungen, daß etwa Baader, um die Mordversion vorzubereiten, Indizien für Mord schaffte, so daß jeder denken mußte, solche Indizien wären von dem Mordkommando gelegt worden, damit jeder denke, Baader habe sie konstruiert, um den Selbstmord zu kaschieren . .

In jedem komplizierten Ermittlungsverfahren gibt es Vorgänge, die nur begrenzt aufgeklärt werden können. Der Rekonstruktion vergangener Ereignisse sind Grenzen gesetzt. Indizien sprechen nicht immer für sich, unterliegen verschiedenen Deutungsmöglichkeiten.

Jede unverständliche Schlamperei kann, wenn man will, als Teil eines perfiden Plans angesehen werden, jede Dummheit als Strategie, jeder Zufall kann zur Grundlage abenteuerlicher Spekulationen werden.

So wie die RAF schon zu Lebzeiten ihrer Gründer oftmals als Projektionsfläche für Wünsche und Hoffnungen, Ängste und Haßgefühle diente, so kumulierten derartige Übertragungen in der Beurteilung der Todesnacht von Stammheim. Zumal im Ausland traute man den Deutschen alles zu. Wie sorgfältig auch immer die Todesermittlung geführt worden wäre – alle Spekulationen und Verdächtigungen hätte man damit nicht beseitigt. Wer glaubt, was er glauben will, läßt sich auch durch Indizien nicht überzeugen.

Und doch wäre ein Großteil der Spekulationen über die Todesnacht von Stammheim bei gründlicherer Untersuchung, bei weniger Voreingenommenheit der Ermittler möglicherweise gar nicht erst entstanden.

Neunzehnmal tagte der Untersuchungsausschuß des Stuttgarter Landtags, um Licht in das Dunkel der Nacht von Stammheim zu bringen. Einige der Sitzungen waren geheim – Futter für Mutmaßungen. 79 Zeugen und Sachverständige wurden vernommen. »Aus Geheimhaltungsgründen wurde bei der Vernehmung eines Zeugen teilweise die Öffentlichkeit ausgeschlossen«, heißt es im Bericht des Ausschusses. Über Einzelheiten aus den Sitzungen des Krisenstabes in Bonn durften Zeugen überhaupt nicht befragt werden. Die Protokolle des Krisenstabes sind geheim und werden es auch bleiben.

Von der – zur Durchsetzung einer »Nachrichtensperre« während der Schleyer-Entführung – für später angekündigten umfassenden Unterrichtung der Öffentlichkeit über die 44 Tage im Herbst 1977 blieb eine dürftige »Dokumentation« des Bundespresseamtes zu den »Ereignissen und Entscheidungen im Zusammenhang mit der Entführung von Hanns Martin Schleyer und der Lufthansa-Maschine ›Landshut‹« übrig, keine hundert Seiten stark.

Der Bericht des Untersuchungsausschusses wurde fertiggestellt, bevor überhaupt die letzten kriminaltechnischen Untersuchungen abgeschlossen waren. Er widerspricht sich in aufeinanderfolgenden Seiten. So ist zum Beispiel auf Seite 88 von einer »Pistole Smith & Wesson, vernikkelt« die Rede, gefunden in einem Wandversteck in Zelle 723. Auf Seite 90 ist daraus ein »verchromter Revolver Marke Colt Detective Special« geworden.

Über die naheliegende Frage, ob die Abhörmaßnahmen in Stammheim über das Frühjahr 1977 hinaus durchgeführt wurden, ob während der Schleyer-Entführung in den Zellen der Gefangenen gelauscht wurde, ob es möglicherweise ein Tonband mit Gesprächen oder Geräuschen der Todesnacht gibt, wurde kein Zeuge vernommen. Das Thema Abhören war im Untersuchungsausschuß tabu.

Der Schlußbericht des Staatsanwalts, mit dem das »Ermittlungsverfahren wegen des Todes von Baader, Ensslin und Raspe« eingestellt wurde, ist ganze 16 Seiten lang. Auf Widersprüche in den Untersuchungsergebnissen wird mit keinem Wort eingegangen.

Im Einstellungsbeschluß heißt es zum Beispiel: »Die Beschaffenheit der Mündung der Pistole, die links neben dem Kopf Baaders in seiner Zelle gefunden wurde, stimmte mit dem Erscheinungsbild der Eintrittsöffnung des Projektils im Nacken Baaders vollständig überein. Kriminaltechnische Untersuchungen ergaben außerdem, daß das tödliche Geschoß – wie auch die übrigen in Baaders Zelle vorgefundenen verschossenen Projektile – aus dieser Pistole abgefeuert worden war.«

Aber es gab auch noch andere kriminaltechnische Untersuchungen in diesem Zusammenhang, die der Staatsanwalt nicht für erwähnenswert hielt.

In seiner »Schußentfernungsbestimmung« stellte der Wissenschaftliche Rat im Bundeskriminalamt Dr. Roland Hoffmann Spuren fest, die mit einer »Selbstbeibringung« des tödlichen Schusses nur schwer in Einklang zu bringen sind.

Dem BKA-Spezialisten war ein Hautteil aus Baaders Nacken zur Untersuchung zugeschickt worden. Er schrieb in seinem Gutachten: »In dem Hautteil befindet sich eine kanalförmige Verletzung, die … durch ein Projektil des Kalibers 7.65 entstanden sein kann. Auf der Hautoberseite ist die Verletzung von einer Prägemarke umgeben, deren Konturen dem Mündungsprofil der vorbezeichneten Pistole entsprechen.« In der Schmauchhöhle seien Spuren von Pulverschmauch gefunden worden. Der BKA-Gutachter kam zu dem Ergebnis: »Erfahrungsgemäß entstehen Prägemarke und Schmauchhöhle nur dann bei einem Schuß, wenn dieser mit aufgesetzter oder aufgepreßter Waffe abgefeuert wurde.«

Ein aufgesetzter Schuß also.

Zusätzlich untersuchte Dr. Hoffmann das Hautteil mit Hilfe der sogenannten »Röntgenfluoreszenzanalyse«, um die Höhe der auf der Haut
abgelagerten Bleimenge festzustellen. Aus der »Impulsrate« kann die
Schußentfernung abgeleitet werden.

Auf der Oberseite der Haut stellte der Wissenschaftler eine »Impulsrate« von 14.300 Impulsen pro Sekunde fest.

Zum Vergleich gab er aus der Tatwaffe Schüsse auf Schweinehaut ab,
die ähnliche Eigenschaften aufweist wie menschliche Haut.

Bei einem aufgesetzten Schuß kam er auf 74.000 Impulse pro Sekunde.
Um die auf Baaders Nackenhaut festgestellte Impulszahl von 14.300 zu
erreichen, mußte er mit der Pistole ein ganzes Stück zurückgehen. Er
kam zu dem Ergebnis: »Vergleichsweise müßte der Tatschuß aus einer
Entfernung zwischen 30 und 40 Zentimetern abgefeuert worden sein.«

Ein aufgesetzter Schuß aus 30 bis 40 Zentimetern Entfernung also?

Diesen offenkundigen Widerspruch erklärte der Wissenschaftler des
Bundeskriminalamts so: »Da dies jedoch aufgrund der übrigen Befunde
mit Sicherheit ausgeschlossen werden kann, muß eine Verschleppung
von Pulverschmauchspuren stattgefunden haben.«

Da hatte also jemand auf Baaders Schußwunde herumgefingert? Oder
wie sonst soll eine »Verschleppung von Pulverspuren« zustande ge-
kommen sein? Oder sind die Schüsse auf Schweinehaut doch nicht mit
Schüssen auf menschliche Haut zu vergleichen? Oder hat der BKA-
Gutachter vielleicht Baaders Pistole genommen, aber andere, stärkere
Munition?

Plausibel erklärt wird der offenkundige Widerspruch nicht, wie sich
jemand mit aufgesetzter Pistolenmündung und gleichzeitig aus 30 Zentimeter Entfernung erschossen haben soll.

Einladung zur Spekulation: Bei einer Pistole mit Schalldämpfer hätte
man einen aufgesetzten Schuß und eine reduzierte Pulverschmauchab-
lagerung zugleich. Da aber bei Baader eine Pistole ohne Schalldämpfer
gefunden worden war, müßte es sich dann um Mord gehandelt haben.

Und daran kann sich sofort die nächste Mutmaßung anschließen: Wenn
keiner der Gefangenen in den Zellen unter Baader in jener Nacht einen
Schuß gehört hat, könnte die Erklärung eben jener Schalldämpfer sein.
Derartigen Erwägungen vorbehaltlos nachzugehen wäre die Aufgabe
eines Staatsanwaltes gewesen; zumal in einem solchen Fall.

Der ermittelnde Staatsanwalt hatte das Gutachten über die Schußentfernung bei Baader fast zwei Monate vor Abschluß seiner Untersuchungen vorliegen – erwähnt hat er es mit keinem Satz. Der Stuttgarter Untersuchungsausschuß hatte es leichter: Er schloß seinen Bericht ab, bevor das BKA-Gutachten überhaupt fertig war.

In der Todesermittlungsakte – an die zehn Ordner – stehen noch mehr Widersprüche. So etwa zu der Frage, wie Baader die Pistole gehalten haben muß, um sich den tödlichen Schuß beizubringen. Die medizinischen Gutachter kommen aufgrund der Blut- und Pulverschmauchspuren an Baaders Händen zu dem Ergebnis: Baader hat seine Pistole mit dem Griff nach *oben* mit der rechten Hand an den Nacken gehalten und mit dem linken Daumen abgedrückt.

Dieser Auffassung schloß sich der Staatsanwalt in seiner Einstellungsverfügung an.

Die Kriminalpolizei war am Tatort zu einem ganz anderen Ergebnis gekommen:

»Waffe, Verletzung und Schmauchspur zusammen ergeben, daß die Pistole mit dem Griffstück nach *unten* an den Hinterkopf gesetzt wurde.«

Diese konträre Auffassung der Kripo wurde in der staatsanwaltschaftlichen Einstellungsverfügung nicht berücksichtigt, nicht einmal erwähnt.

Der Spurenauswertungsbericht der Kriminalpolizei kommt weiter zu dem Ergebnis: »Das abgefeuerte Geschoß drang nur noch mit schwacher Restenergie aus dem Schädel und blieb im unmittelbaren Bereich der Leiche liegen.«

Bei der ersten Zellenbesichtigung waren die Mediziner zu einem ganz anderen Ergebnis gekommen. Danach war es das tödliche Geschoß, »das durch den Kopf bis vor die Wand gegangen ist, von dort reflektiert wurde und auf den Boden zu liegen kam«.

Die Abprallspur an der Wand wurde in den Spurensicherungsbericht aufgenommen: »Spur Nr. 6 – Gewebeteile oder Blut von der Wand.« Zusätzlicher Vermerk: »Befindet sich zur Untersuchung beim Gerichtsmedizinischen Institut der Stadt Stuttgart.«

Von da an verliert sich die Spur der »Spur 6«. Im Spurenauswertungsbericht der Kripo wurden zwar die Spuren 1, 2, 3, 4, 5, und 7 analysiert, nicht aber die »Spur 6«. Von ihr war keine Rede mehr.

Auch nachdem das geheimnisvolle Verschwinden der »Spur 6« bekannt wurde, blieben die »Gewebeteile oder Blut von der Wand« unauffindbar. Sie waren in irgendeinem gerichtsmedizinischen Institut verschlampt worden.

Einladung zur Spekulation.

Im Falle Irmgard Möller gibt es ähnliche Widersprüchlichkeiten. Mediziner, Untersuchungsausschuß und Staatsanwaltschaft führten als Beleg für den Versuch der Selbsttötung übereinstimmend an: »Der von Irmgard Möller als einzige Bekleidung ihres Oberkörpers getragene Pullover war zwar auf der Vorderseite von Blut durchtränkt, jedoch nicht beschädigt; ein mit Tötungsabsicht Angreifender hätte auf die Kleidung seines Opfers erfahrungsgemäß keine Rücksicht genommen.«

Irmgard Möllers Bekleidungsstücke wurden noch am 18. Oktober von Beamten der Kriminaltechnischen Untersuchungsstelle Stuttgart aus dem Robert-Bosch-Krankenhaus, in dem sie ärztlich versorgt worden war, abgeholt. In dem Kripo-Bericht heißt es: »Der Pulli ist so zerschnitten, daß seine ursprüngliche Form nicht mehr brauchbar rekonstruiert werden kann. An den vorhandenen Resten ist zu erkennen, daß der Pulli großflächig mit Blut durchtränkt ist. Stichbeschädigungen sind wegen des schlechten Zustandes nicht mit der gebotenen Sicherheit auszumachen.«

Selbst wenn man unterstellt, daß der Pullover vor Irmgard Möllers Operation zum Entkleiden aufgetrennt wurde, ist nicht einzusehen, warum er dermaßen kleingeschnitten werden mußte, daß »Stichbeschädigungen« nicht mehr auszumachen waren.

Zumindest hätte man von einem sorgsam ermittelnden Staatsanwalt erwarten können, daß er den Ursachen einer solchen Beweismittelzerstörung auf den Grund geht.

Einladung zur Spekulation.

Widersprüche gibt es zuhauf, kleine und große, gravierende und nebensächliche. Manche, an die phantasievolle Legenden geknüpft wurden, können leicht geklärt werden.

Etwa der berühmte Sand an Baaders Schuhen. Bei der ersten Zellenbesichtigung hatten die medizinischen Sachverständigen helle Sandspuren an Baaders Schuhen entdeckt. Eindeutig belegt werden konnte die Herkunft der Partikel nicht.

Schon machte ein Gerücht die Runde: Baader sei in der Nacht nach Mogadischu ausgeflogen worden, um die »Landshut«-Entführer zu täuschen. Nach Erstürmung der Maschine durch die GSG9 sei er erschossen und nach Stammheim in seine Zelle zurückgebracht worden. Aus der Assoziation »Sand gleich Wüste« wurde eine ganze Theorie. Dabei hätte schon ein Blick auf den Globus gereicht, um festzustellen, daß die Entfernung zwischen Stuttgart und Mogadischu so groß ist, daß es schon eines »Starfighter« bedurft hätte, um die Strecke zwischen 23.00 Uhr abends und 7.00 morgens hin und zurück bewältigen zu können.

Auch Irmgard Möller, einzige Überlebende der Todesnacht von Stammheim, erklärte in einer Broschüre, die im übrigen die Mordtheorie stützen sollte: »Andreas war (in der Nacht zum 18. Oktober) keinen Moment außerhalb des Traktes. Es ist absolut sicher, daß er keinen Schritt ohne uns gemacht hätte, eben weil er wußte und davon ausging, daß sie ihn dann umlegen. Es gab eine feste Vereinbarung: Keiner geht ohne den anderen einen Schritt.«

Über die mögliche Herkunft des Sandes an Baaders Schuhen sagte sie: »Während des Umbaues (Juni 1977 im Hochsicherheitstrakt), bei dem Wände herausgestemmt wurden, befand sich Zement, Sand und anderes Baumaterial auf dem Boden. Andreas ist oft in den Traktbereich, in den wir später verlegt wurden, gelaufen, um dort die Baumaßnahmen zu besichtigen …«

Da die Gefangenen in ihren Zellen zumeist auf Strümpfen oder barfuß gingen, kann der Sand an Baaders Schuhen noch von den Umbaumaßnahmen herrühren.

Doch Legenden sind langlebig. Und kein Staatsanwalt und kein Untersuchungsausschuß hielt es für nötig, den Anspruch einer »über jeden Verdacht erhabenen Untersuchung« wirklich einzulösen.

Nachträgliche Anfragen bei Staatsanwaltschaft oder Landesregierung werden zumeist pauschal mit dem Hinweis auf die abgeschlossenen Ermittlungen und deren eindeutiges Ergebnis beantwortet. Der in der Todesermittlung federführende Staatsanwalt Rainer Christ 1980 zum »Spiegel«: »Wir haben uns entschlossen, über Detailfragen keine Angaben mehr zu machen.« Und zum »Stern«: »Wir lehnen es ab, im Fall Stammheim Fragen zu beantworten und alles noch mal aufzukochen.« Die baden-württembergische Landesregierung im September 1983 in einer Antwort auf eine kleine Anfrage der »Grünen« zum Thema Stammheim: »Nach den bisher gewonnenen Erfahrungen sind Auskünfte zu Einzelheiten des Ermittlungsverfahrens, wie sie Staatsanwaltschaft und Justizministerium mehrfach erteilt haben, von interessierter

Seite immer wieder benutzt worden, um mit neuen Einwänden Mißtrauen gegen das Ermittlungsergebnis zu schüren. Eine ›ausführliche Berichterstattung‹ könnte zur Erfüllung eines sachlich berechtigten Informationsinteresses der Öffentlichkeit nichts weiter beitragen.«

Dabei wäre es vielleicht ganz einfach gewesen, aller Mythenbildung von vornherein entgegenzutreten – allerdings zu einem hohen Preis. Es deutet einiges darauf hin, daß – wie schon bei der Vertuschung der verhängnisvollen Fahndungspanne von Erftstadt-Liblar – ein weiteres Versagen der Sicherheitsorgane bis heute streng geheimgehalten wird.
Es gibt Indizien dafür, daß die Gefangenen in Stammheim abgehört worden sind – und wenn nicht, muß man sich fragen, warum nicht. Rechtsstaatliche Bedenken können es nicht gewesen sein.

Ein Blick zurück: Im Jahre 1974 hatte es – wie bereits oben beschrieben – im Stammheimer Gefängnis ein heimliches Kommunikationssystem der Häftlinge gegeben. Ein Insasse hatte nach Schluß des anstaltseigenen Rundfunkprogrammes die Leitungen angezapft und ein eigenes Programm vom Tonbandgerät gesendet. Dieser Piratensender »Stammheim III« wurde umgehend entdeckt und dadurch lahmgelegt, daß ein Beamter, der Werkmeister Halouska, die Lautsprecherkabel, die von Zelle zu Zelle verliefen, nachts kurzschloß.
Drei Jahre später, im Sommer 1977, trennte derselbe Anstaltselektriker auf Wunsch der Gefangenen im siebten Stock deren Kabelverbindungen, die auch hier von Zelle zu Zelle gingen, vom sonstigen Kabelsystem des Gefängnisses ab. Die RAF-Gefangenen behaupteten nämlich, sie würden über die Lautsprecheranlagen abgehört.
Mit dieser Abtrennung war das System im Hochsicherheitstrakt wieder für heimliche Übertragungen zu nutzen. Kaum vorstellbar, daß der Anstaltselektriker diese Möglichkeit nicht bemerkt haben sollte. Es war unter den Anstaltsbediensteten auch kein Geheimnis, daß vor allem Jan-Carl Raspe ein umfangreiches Arsenal von Elektrobauteilen, Steckern, Kabeln und sogar ein Mikrophon in der Zelle aufbewahrte.
Während zahlreicher Zellendurchsuchungen waren auch die Plattenspieler, Verstärker und Lautsprecher durchsucht worden. Dabei hatten ausgebildete Ingenieure der Polizei angeblich nicht gemerkt, daß diese Anlagen zu Gegensprechanlagen umgebaut worden waren, mit deren

Hilfe sich die Gefangenen von Zelle zu Zelle erstklassig verständigen konnten.

Tatsächlich waren Gespräche zwischen den Gefangenen und ihren Anwälten mehrmals abgehört worden, was juristisch gesehen höchst fragwürdig war und später, als die Lauschaktion aufflog, nur mit dem Hinweis auf den »rechtfertigenden Notstand« begründet wurde.

Damals, im Frühjahr 1975, waren von Technikern des Bundesamtes für Verfassungsschutz fünf Zellen im Hochsicherheitstrakt der Vollzugsanstalt Stammheim mit Abhörmikrophonen bestückt worden. Im Zuge einer zweiten Operation installierten Techniker des Bundesnachrichtendienstes Abhörmikrophone in zwei weiteren Zellen. So waren insgesamt sieben Zellen verwanzt worden.

Als die Affäre bekannt wurde, erklärten die beteiligten Behörden und Politiker, daß »lediglich« Verteidigergespräche über kurze Zeiträume abgehört worden seien. Im Hochsicherheitstrakt gab es allerdings nur vier Besprechungszellen für Verteidigerbesuche. Also mußten – zumindest rechnerisch – drei weitere Zellen mit Abhöranlagen präpariert worden sein. Das konnten also nur Zellen von Gefangenen sein. Die Anzahl der wichtigen Gefangenen, die sich mittels ihrer Kommunikationsanlage nachts nachweislich unterhalten konnten, betrug ebenfalls drei: Baader, Ensslin und Raspe.

Grund für die Installation der Mikrophone, so am 24. März 1977 Baden-Württembergs Innenminister Schiess vor dem Landtag, seien die Lorenz-Entführung und der Anschlag auf die deutsche Botschaft in Stockholm gewesen. Er würde »in vergleichbarer Situation wieder in gleicher Weise handeln müssen«. Die Abhöranlagen seien für einen möglichen Entführungsfall gedacht gewesen, um die Gespräche der Gefangenen untereinander vor einem eventuellen Austausch abzuhören.

Wenn es denn jemals einen Anlaß gegeben hätte, die technischen Möglichkeiten praktisch zu nutzen und die erklärte Absicht in die Tat umzusetzen, dann wäre das die Schleyer-Entführung gewesen – zumal es niemals einen offiziellen Hinweis darauf gegeben hat, daß die Anlagen nach der Aufdeckung des ersten Abhörskandals von Stammheim tatsächlich abmontiert worden waren.

Alle Regeln der Wahrscheinlichkeit sprechen dafür, daß auch während der Schleyer- und der »Landshut«-Entführung die Gespräche der Gefangenen über die Kommunikationsanlage im siebten Stock – die kaum zu übersehen war – mitgeschnitten worden sind. Dann aber müßte es ein Tonband der Todesnacht von Stammheim geben. Das aber wird von in Frage kommenden Stellen und Personen heftig bestritten.

Auf präzise Anfragen antwortete das Innenministerium in Baden-Württemberg 1985 eher vage: »Weder das Landeskriminalamt Baden-Württemberg noch das Innenministerium Baden-Württemberg verfügen noch über Aktenunterlagen, aus denen sich die Einzelheiten der Abhörmaßnahmen in der VZA Stuttgart-Stammheim ergeben.« Der genaue Zeitpunkt des Abbaus der Abhöranlagen ließe sich nicht mehr nachvollziehen. Aus einem Schreiben des Justizministers an das Stammheimer Gericht vom 5. April 1977 werde aber klar, daß die Abhöranlagen zu diesem Zeitpunkt abgebaut gewesen seien. »Daraus«, so das Innenministerium in bestechender Logik, ohne sich in der Sache selbst festzulegen, »ergibt sich auch, daß während der Kontaktsperre im Oktober 1977 keine Abhörmaßnahmen durchgeführt wurden.«

Fragen, Zweifel, Widersprüche bleiben.

Als Kriminalbeamte nach dem Tod der Gefangenen im siebten Stock der Vollzugsanstalt Stuttgart-Stammheim die Zelle Gudrun Ensslins durchsuchten, fanden sie ein Buch mit den »Lehrstücken« Bertolt Brechts. Darin enthalten war »Die Maßnahme«, aus der die Gefangenen in ihren Briefen immer wieder zitiert hatten. In der »Maßnahme« heißt es:
»Furchtbar ist es, zu töten.
Aber nicht andere nur, auch uns töten wir, wenn es nottut
Da doch nur mit Gewalt diese tötende
Welt zu ändern ist, wie
Jeder Lebende weiß.«
Bis zu diesem »deutschen Herbst« des Jahres 1977 waren 28 Menschen bei den Anschlägen oder Schußwechseln ums Leben gekommen. 17 Mitglieder der »Stadtguerilla« fanden den Tod. Zwei gänzlich Unbeteiligte waren bei Fahndungsmaßnahmen versehentlich von der Polizei erschossen worden.
47 Tote. Das ist die Bilanz von sieben Jahren »Untergrundkampf« in der

Bundesrepublik Deutschland. Es waren sieben Jahre, die die Republik veränderten.

Sie hatte aufgerüstet, juristisch und polizeilich und im Bewußtsein der breiten Bevölkerung. Das Land hatte an Liberalität verloren. Doch auch der hochgezüchtete Polizeiapparat hatte den Krieg der nächsten Generation der RAF nicht stoppen können.

Das blutige Ende des »Deutschen Herbstes« war nicht das Ende des Terrorismus in Deutschland. Die neue RAF hatte nur dazugelernt. Sie hinterließ keine Spuren mehr. Sie mordete aus dem Hinterhalt:

25. 6. 1979 Mons/Belgien	Sprengstoffanschlag auf US-General Alexander Haig; zwei Polizeibeamte im Begleitfahrzeug schwer verletzt.
24. 9. 1978 Dortmund	Schußwaffengebrauch gegen Polizeibeamte bei der Festnahme von Angelika Speitel; ein Beamter tödlich, ein weiterer schwer verletzt.
1. 11. 1978 Kerkrade	Schußwaffengebrauch (Heißler) gegen niederländische Zöllner; zwei Beamte tödlich, einer schwer verletzt.
4. 8. 1981 Paris	Inge Viett schießt auf einen Polizeibeamten und verletzt ihn schwer.
31. 8. 1981 Ramstein	Sprengstoffanschlag auf US-Basis; 17 Verletzte.
15. 9. 1981 Heidelberg	Sprengstoffanschlag auf US-General Frederick James Kroesen; Kroesen und Ehefrau leicht verletzt.
1. 2. 1985 Gauting	Sprengstoffanschlag auf MTU-Chef Ernst Zimmermann; Zimmermann tödlich verletzt.
8. 8. 1985 Wiesbaden	Ermordung des US-Soldaten Edward Pimental.
8. 8. 1985 Frankfurt	Sprengstoffanschlag auf US-Basis; zwei Tote.
9. 7. 1986 Straßlach	Sprengstoffanschlag auf Siemens-Manager Karl-Heinz Beckurts; Beckurts und sein Fahrer Groppler tödlich verletzt.
10. 10. 1986 Bonn	Ermordung des AA-Ministerialdirektors Gerold von Braunmühl.

30. 11. 1989	Sprengstoffanschlag auf Deutsche-Bank-Sprecher
Bad Homburg	Alfred Herrhausen; Herrhausen tot, sein Fahrer verletzt.
1. 4. 1991	Ermordung von Treuhand-Chef Detlev Karsten
Düsseldorf	Rohwedder; Ehefrau verletzt.
27. 6. 1993	Zugriff auf Wolfgang Grams und Birgit Hogefeld;
Bad Kleinen	GSG-9-Beamter Michael Newrzella tödlich verletzt.

Doch auch auf der Seite der RAF oder ihres Umfeldes hatte das Sterben kein Ende. Noch im November 1977 beging Ingrid Schubert Selbstmord in ihrer Zelle in München-Stadelheim. Am 1. Januar 1978 kam Christa Braun bei einem Brandanschlag im Hamburger U-Bahnhof Sternschanze ums Leben. Im September wird Willy Peter Stoll, einer der Schleyer-Entführer, bei einem Festnahmeversuch getötet. Im Oktober stirbt Michael Knoll an einer Schußverletzung. Im Mai 1979 wird Elisabeth von Dyck bei einem Festnahmeversuch getötet. Im Juli 1980 kommen Wolfgang Beer und Juliane Plambeck auf der Flucht bei einem Autounfall ums Leben. 1981 stirbt Sigurd Debus an den Folgen seines Hungerstreiks in Hamburg. Im Januar 1985 verliert Johannes Thimme bei einem Bombenanschlag in Stuttgart-Vaihingen, im Juni Jürgen Pemöller bei einem Sprengstoffanschlag in Hannover sein Leben. Im Juni 1993 tötet sich Wolfgang Grams in Bad Kleinen, nachdem er zuvor einen Beamten der Grenzschutzeinheit GSG 9 erschossen hat.

1996/97 endlich scheint es, als habe die RAF ihren sinnlosen tödlichen Kampf aufgegeben. Inhaftierte Gefangene aus der RAF, die mit dem Leben davongekommen waren, sagten sich vom »bewaffneten Kampf« los, jenem Mythos, für den sie gemordet hatten und für den sie am Ende lebendig begraben worden waren. Nicht Reue charakterisierte für viele von ihnen den letzten Schritt, nicht Mitleid mit den Opfern, eher die Einsicht in das Scheitern des Konzeptes Stadtguerilla.
Ein Spuk, der am 14. Mai 1970 mit der Befreiung Andreas Baaders aus der Haft begonnen hatte, ist nach mehr als einem Vierteljahrhundert vorbei.

Namenregister

667

S T E P H E N
H A W K I N G

EIN GENIE ERGRÜNDET
DIE WELT

Der neue Bestseller nach «*Eine kurze Geschichte
der Zeit*». Eine Reise ins Wunderland der
Raumzeitforschung: voller Überraschungen und
Witz, bilderreich und allgemein verständlich.

224 Seiten, gebunden,
durchgehend vierfarbig illustriert

Auch als Hörbuch erhältlich

GOLDMANN

Stefan Aust

Der Pirat   15046

Mauss – Ein deutscher Agent   12957

Der Baader-Meinhof-Komplex 12953

Goldmann • Der Taschenbuch-Verlag

GOLDMANN

SPIEGEL-Bücher bei Goldmann

Rudolf Augstein (Hrsg.),
Ein deutsches Jahrzehnt   12954

Tiziano Terzani,
Fliegen ohne Flügel   12952

Robert S. McNamara/
Brian VanDeMark, Vietnam   12956

John Douglas/Mark Olshaker,
Die Seele des Mörders   12960

Goldmann • Der Taschenbuch-Verlag

GOLDMANN